산업안전
산업기사 필기

Ⅱ권 | 문제

차례

Ⅰ권 이론편

PART 01 산업재해 예방 및 안전보건교육
PART 02 인간공학 및 위험성 평가·관리
PART 03 기계·기구 및 설비 안전 관리
PART 04 전기설비 안전관리
PART 05 화학설비 안전관리
PART 06 건설공사 안전관리

Ⅱ권 문제편

PART 01 산업재해 예방 및 안전보건교육 예상문제
PART 02 인간공학 및 위험성 평가·관리 예상문제
PART 03 기계·기구 및 설비 안전 관리 예상문제
PART 04 전기설비 안전관리 예상문제
PART 05 화학설비 안전관리 예상문제
PART 06 건설공사 안전관리 예상문제
PART 07 과년도 기출복원문제

Contents

PART 01 산업재해 예방 및 안전보건교육 예상문제 ········· 1

PART 02 인간공학 및 위험성 평가·관리 예상문제 ········· 39

PART 03 기계·기구 및 설비 안전 관리 예상문제 ········· 77

PART 04 전기설비 안전관리 예상문제 ········· 115

PART 05 화학설비 안전관리 예상문제 ········· 133

PART 06 건설공사 안전관리 예상문제 ········· 157

PART 07 과년도 기출복원문제 ········· 191

01 2023년 1회 기출복원문제 ········· 192
02 2023년 2회 기출복원문제 ········· 215
03 2023년 3회 기출복원문제 ········· 238
04 2024년 1회 기출복원문제 ········· 262
05 2024년 2회 기출복원문제 ········· 285
06 2024년 3회 기출복원문제 ········· 310
07 2025년 1회 기출복원문제 ········· 336
08 2025년 2회 기출복원문제 ········· 360
09 2025년 3회 기출복원문제 ········· 383

PART 01

산업재해 예방 및 안전보건교육 예상문제

PART 01 산업재해 예방 및 안전보건교육 예상문제

01 안전관리의 중요성과 가장 거리가 먼 것은?
① 인간존중이라는 인도적인 신념의 실현
② 경영 경제상의 제품의 품질 향상과 생산성 향상
③ 재해로부터 인적·물적 손실 예방
④ 작업환경 개선을 통한 투자 비용 증대

해설
안전관리의 목적 및 중요성
1. 인간의 존중 : 인도주의의 실현
2. 사회복지의 증진 : 경제성 향상
3. 생산성의 향상 : 안전태도의 개선 및 안전동기 부여
4. 경제적 손실의 예방 : 재해로 인한 재산 및 인적 손실예방

02 Fail Safe의 정의를 가장 올바르게 나타낸 것은?
① 인적 불안전 행위의 통제방법을 말한다.
② 인력으로 예방할 수 없는 불가항력의 사고이다.
③ 인간-기계 시스템의 최적정 설계방안이다.
④ 인간의 실수 또는 기계·설비의 결함으로 인하여 사고가 발생치 않도록 설계 시부터 안전하게 하는 것이다.

해설
풀 프루프와 페일 세이프

풀 프루프 (Fool Proof)	작업자가 기계를 잘못 취급하여 불안전 행동이나 실수를 하여도 기계설비의 안전 기능이 작용되어 재해를 방지할 수 있는 기능을 가진 구조
페일 세이프 (Fail Safe)	기계나 그 부품에 파손·고장이나 기능불량이 발생하여도 항상 안전하게 작동할 수 있는 기능을 가진 구조

03 다음 중 잠재적인 손실이나 손상을 가져올 수 있는 상태나 조건을 무엇이라 하는가?
① 위험   ② 사고
③ 상해   ④ 재해

해설
위험의 개념 : 직·간접적으로 인적, 물적, 환경적 피해를 입히는 원인이 될 수 있는 실제 또는 잠재된 상태를 말한다.

04 다음 중 하인리히의 사고연쇄반응이론(도미노이론)에서 사고를 가져오기 바로 직전의 단계에 해당하는 것은?
① 유전적 요소
② 개인적 결함
③ 사회적 환경
④ 불안전한 행동 및 상태

해설
하인리히(H. W. Heinrich)의 도미노이론(사고연쇄성)
1. 제1단계 : 사회적 환경 및 유전적 요인
2. 제2단계 : 개인적 결함
3. 제3단계 : 불안전한 행동 및 불안전한 상태
4. 제4단계 : 사고
5. 제5단계 : 재해
불안전한 행동이나 불안전한 상태, 즉 제3단계를 제거하면 사고나 재해를 예방할 수 있다.

TIP 하인리히 도미노이론의 각 단계 순서도 함께 기억하세요.

05 하인리히의 "재해 발생의 연쇄성 이론"과 관련하여 부적절한 조명, 부적당한 환기 등으로 인한 재해 발생은 다음 중 어느 단계에 해당되는가?
① 사고
② 개인적 결함
③ 사회적 환경 및 유전적 요소
④ 불안전한 행동 및 불안전한 상태

해설
부적절한 조명, 부적당한 환기 등은 불안전한 상태에 해당된다.

TIP 불안전한 행동 및 불안전한 상태는 하인리히의 도미노이론에서 사고의 직접원인이 된다.

정답 01 ④ 02 ④ 03 ① 04 ④ 05 ④

06 버드(Bird)는 사고가 5개의 연쇄반응에 의하여 발생되는 것으로 보았다. 다음 중 재해 발생의 첫 단계에 해당하는 것은?

① 개인적 결함
② 사회적 환경
③ 전문적 관리의 부족
④ 불안전한 행동 및 불안전한 상태

해설

버드(Bird)의 최신 도미노이론
1. 제1단계 : 제어의 부족(관리)
2. 제2단계 : 기본원인(기원)
3. 제3단계 : 직접원인(징후)
4. 제4단계 : 사고(접촉)
5. 제5단계 : 상해(손실)

TIP 버드의 최신 도미노이론의 각 단계 순서도 함께 기억하세요.

---

07 다음 중 아담스의 관리구조이론에 대한 사고발생 메커니즘을 가장 올바르게 설명한 것은?

① 사람의 불안전한 행동에서만 발생한다.
② 불안전한 상태에 의해서만 발생한다.
③ 불안전한 행동과 불안전한 상태가 복합되어 발생한다.
④ 불안전한 상태와 불안전한 행동은 상호 독립적으로 작용한다.

해설

아담스(Adams)의 사고연쇄반응이론

제1단계	제2단계	제3단계	제4단계	제5단계
관리 구조	작전적 에러	전술적 에러	사고	상해·손해

재해의 직접원인을 관리시스템 내의 불안전 행동과 불안전 상태에 두고 전술적 에러로 설명하였으며, 관리상의 잘못으로 인한 개념을 강조하고 있다.

TIP 아담스의 사고연쇄반응이론의 각 단계 순서도 함께 기억하세요.

---

08 하인리히의 재해구성비율에 따라 경상사고가 87건 발생하였다면 무상해사고는 몇 건이 발생하였겠는가?

① 300건
② 600건
③ 900건
④ 1200건

해설

하인리히(H. W. Heinrich)의 재해구성비율(1 : 29 : 300)

중상 및 사망	경상해	무상해사고
1	29	300
$1 : 29 = x : 87$	—	$29 : 300 = 87 : x$
$29x = 87$	—	$29x = 300 \times 87$
$x = \dfrac{87}{29} = 3(건)$	$29 \times 3 = 87(건)$	$x = \dfrac{300 \times 87}{29} = 900(건)$

---

09 재해 사고발생비율에 대하여 버드(Frank E. Bird)는 1 : 10 : 30 : 600 비율 이론을 주장하였다. 여기서 "30"에 해당하는 것은 다음 중 어느 것인가?

① 중상
② 경상
③ 무상해, 무사고(위험순간)
④ 무상해 사고(물리적 손실)

해설

버드의 법칙(1 : 10 : 30 : 600)
1. 중상 또는 폐질 1, 경상(물적 또는 인적 상해) 10, 무상해사고(물적 손실) 30, 무상해 무사고 고장(위험순간) 600의 비율로 사고가 발생한다는 이론
2. 재해의 배후에는 인적 손실이 없는 방대한 사고(630건, 98.2%)가 발생한다.
3. 630건의 사고, 즉 아차사고의 원인과 결과가 사업장의 안전대책의 중요한 실마리가 된다.

---

10 버드(Bird)의 재해발생 비율에서 물적 손해만의 사고가 120건 발생하면 상해도 손해도 없는 사고는 몇 건 정도 발생하겠는가?

① 600건
② 1,200건
③ 1,800건
④ 2,400건

정답 06 ③ 07 ③ 08 ③ 09 ④ 10 ④

> 해설

버드(Bird)의 재해구성비율(1 : 10 : 30 : 600)

중상 또는 폐질	경상	무상해사고	무상해, 무사고
1	10	30	600
$1 : 30 = x : 120$	–	–	$30 : 600 = 120 : x$
$30x = 120$	–	–	$30x = 72,000$
$x = \dfrac{120}{30} = 4(건)$	$4 \times 10 = 40$	$4 \times 30 = 120$	$x = \dfrac{72,000}{30} = 2,400(건)$

11 다음 중 재해예방의 4원칙에 해당되지 않는 것은?

① 대책 선정의 원칙 ② 손실 우연의 원칙
③ 통계 방법의 원칙 ④ 예방 가능의 원칙

> 해설

하인리히의 재해예방 4원칙

예방 가능의 원칙	천재지변을 제외한 모든 재해는 원칙적으로 예방이 가능하다.
손실 우연의 원칙	사고에 의해서 생기는 상해의 종류 및 정도는 우연적이다.
원인 계기의 원칙	사고와 손실과의 관계는 우연적이지만 사고와 원인관계는 필연적이다.(사고에는 반드시 원인이 있다.)
대책 선정의 원칙	원인을 정확히 규명해서 대책을 선정하고 실시되어야 한다.(3E, 즉 기술, 교육, 독려를 중심으로)

12 산업재해 예방의 4원칙 중 "재해 발생은 반드시 원인이 있다."라는 원칙은 무엇에 해당하는가?

① 대책 선정의 원칙 ② 원인 연계의 원칙
③ 손실 우연의 원칙 ④ 예방 가능의 원칙

13 다음 중 하인리히의 사고예방의 기본 원리 5단계에 해당하지 않는 것은?

① 안전관리 조직 ② 사실의 발견
③ 시정책의 적용 ④ 시정책의 검토

> 해설

하인리히의 재해예방 5단계(사고예방 대책의 기본원리)
1. 제1단계 : 조직
2. 제2단계 : 사실의 발견
3. 제3단계 : 분석평가
4. 제4단계 : 시정책의 선정
5. 제5단계 : 시정책의 적용

> TIP 사고예방 대책의 기본원리의 단계적으로 나열하는 문제도 출제되고 있습니다. 함께 기억하세요.

14 사고예방대책 기본원칙 5단계 중 2단계인 "사실의 발견"과 관계가 가장 먼 것은?

① 자료수집
② 위험 확인
③ 점검ㆍ검사 및 조사 실시
④ 안전관리규정 제정

> 해설

하인리히의 재해예방 5단계(사고예방 대책의 기본원리)
제1단계 : 조직
1. 경영자의 안전목표 설정
2. 안전관리조직의 편성
3. 안전관리조직과 책임 부여
4. 조직을 통한 안전활동
5. 안전관리 규정의 제정

15 다음 중 사고예방대책 제5단계의 "시정책의 적용"에서 3E와 관계가 없는 것은?

① 교육(Education) ② 재정(Economics)
③ 기술(Engineering) ④ 관리(Enforcement)

> 해설

J. H. Harvey의 3E 이론

기술(Engineering)	기계설비의 결함, 작업환경의 불량 등 불안전한 상태 유발
교육(Education)	지식의 부족, 기능의 결여, 부적절한 태도 등 불안전한 행동 유발
관리(Enforcement)	안전관리조직 체계 미구비, 제반규정과 수칙 미준수 등 관리적 결함

16 재해예방의 4원칙 중 대책선정의 원칙에서 관리적 대책에 해당되지 않는 것은?

① 안전교육 및 훈련
② 동기부여와 사기 향상
③ 각종 규정 및 수칙의 준수
④ 경영자 및 관리자의 솔선수범

정답 11 ③ 12 ② 13 ④ 14 ④ 15 ② 16 ①

> **해설**

대책선정의 원칙(3E의 대책)

기술적 (Engineering) 대책	기계설비의 교체, 작업환경의 개선 1. 설계 최적화 2. 구조재료의 검토 3. 생산공정의 개선 4. 점검 및 보존 철저
교육적 (Education) 대책	지속적이고 충실한 안전교육훈련 실시 1. 안전지식 함양 2. 안전수칙 교육 및 지도 3. 지속적, 체계적 교육실시 4. 작업방법 교육 철저 5. 유해・위험작업 교육실시
관리적 (Enforcement) 대책	안전관리조직 구비, 제반 규정/수칙 준수, 안전감독의 철저 1. 적합한 기준설정 2. 각종 규정 및 수칙의 준수 3. 전 종업원의 기준 이해 4. 경영자 및 관리자의 솔선수범 5. 부단한 동기부여와 사기 향상

17 다음 중 안전관리에 있어 관리사이클(PDCA)에 해당하지 않는 것은?

① 계획(Plan)   ② 실시(Do)
③ 검토(Check) ④ 분석(Analysis)

> **해설**

체계적인 PDCA Cycle

PDCA	PDCA 단계별 추진내용
계획(Plan)	목표달성을 위한 계획 설정
실시(Do)	설정된 계획에 따라 실시
검토(Check)	실시한 결과를 계획과 비교・검토
조치(Action)	계획과 실시된 결과 사이에 적절한 수정 조치

18 다음 중 무재해 운동 추진 3요소가 아닌 것은?

① 최고 경영자의 경영자세
② 재해 상황 분석 및 해결
③ 직장 소집단의 자주활동 활성화
④ 관리감독자에 의한 안전보건의 추진

> **해설**

무재해 운동 추진의 3기둥(요소)
1. 최고경영자의 경영자세 : 사업주
2. 관리감독자의 안전보건의 추진(라인화의 철저) : 관리감독자
3. 직장 소집단의 자율활동의 활성화 : 근로자

19 다음 중 무재해 운동의 이념 3원칙과 거리가 먼 것은?

① 무의 원칙   ② 자주활동의 원칙
③ 참가의 원칙   ④ 선취 해결의 원칙

> **해설**

무재해 운동의 3원칙

무(無)의 원칙	단순히 사망재해나 휴업재해만 없으면 된다는 소극적인 사고가 아닌, 사업장 내의 모든 잠재위험요인을 적극적으로 사전에 발견하고 파악・해결함으로써 산업재해의 근원적인 요소를 없앤다는 것을 의미
참여의 원칙 (전원참가의 원칙)	작업에 따르는 잠재위험요인을 발견하고 파악・해결하기 위해 전원이 일치 협력하여 각자의 위치에서 적극적으로 문제해결을 하겠다는 것을 의미
안전제일의 원칙 (선취의 원칙)	안전한 사업장을 조성하기 위한 궁극의 목표로서 사업장 내에서 행동하기 전에 잠재위험요인을 발견하고 파악・해결하여 재해를 예방하는 것을 의미

20 다음 중 무재해 운동 추진기법에 있어 지적 확인의 특성을 가장 적절하게 설명한 것은?

① 오관의 감각기관을 총동원하여 작업의 정확성과 안전을 확인한다.
② 참여자 전원의 스킨십을 통하여 연대감, 일체감을 조성할 수 있고 느낌을 교류한다.
③ 비평을 금지하고, 자유로운 토론을 통하여 독창적인 아이디어를 끌어낼 수 있다.
④ 작업 전 5분간의 미팅을 통하여 시나리오상의 역할을 연기하여 체험하는 것을 목적으로 한다.

> **해설**

지적 확인
작업공정이나 상황 가운데 위험요인이나 작업의 중요 포인트에 대해 자신의 행동은 "○○ 좋아!"라고 큰 소리로 제창하여 확인하는 것으로 인간의 실수를 없애기 위하여 눈, 손, 입, 그리고 귀를 이용하여 작업시작 전에 뇌를 자극시켜 안전을 확보하기 위한 방법이다.

정답 17 ④ 18 ② 19 ② 20 ①

21 위험예지훈련 중 TBM(Tool Box Meeting)에 관한 설명으로 옳지 않은 것은?

① 작업 장소에서 원형의 형태를 만들어 실시한다.
② 통상 작업시작 전, 후 10분 정도 시간으로 미팅한다.
③ 토의는 10인 이상에서 20인 단위의 중규모가 모여서 한다.
④ 근로자 모두가 말하고 스스로 생각하고 "이렇게 하자"라고 합의한 내용이 되어야 한다.

해설
TBM(Tool Box Meeting)
직장에서 행하는 미팅으로 사고의 직접원인 중에서 주로 불안전한 행동을 근절시키기 위하여 5~7명 정도의 소집단으로 나누어 작업장 내의 적당한 장소에서 실시하는 단시간 미팅으로 현장에서 그때그때 주어진 상황에 적응하여 실시하여 즉시 즉응법이라고도 한다.

22 다음 중 무재해 운동에서 실시하는 위험예지훈련에 관한 설명으로 틀린 것은?

① 근로자 자신이 모르는 작업에 대한 것도 파악하기 위하여 참가집단의 대상범위를 가능한 넓혀 많은 인원이 참가토록 한다.
② 직장의 팀워크로 안전을 전원이 빨리 올바르게 선취하는 훈련이다.
③ 아무리 좋은 기법이라도 시간이 많이 소요되는 것은 현장에서 큰 효과가 없다.
④ 정해진 내용의 교육보다는 전원의 대화방식으로 진행한다.

해설
위험예지훈련
직장이나 작업의 상황 속에서 숨은 위험 요인과 그것이 초래하는 현상을 직장이나 작업의 상황을 묘사한 그림을 사용하여 또는 직장에서 현물로 작업을 시키거나 해보이면서 직장 소집단에서 다 함께 대화하고 생각하며 합의한 뒤 위험의 포인트와 중점실시사항을 직접 확인하여 행동하기 전에 문제해결을 습관화하는 훈련이며, 무재해 운동에서 실시하는 위험예지훈련은 직장의 팀워크로 안전을 전원이 빨리 올바르게 선취하는 훈련이다.

23 다음 중 위험예지훈련 기초 4라운드(4R)에서 라운드별 내용이 옳게 연결된 것은?

① 1라운드 : 현상파악
② 2라운드 : 대책수립
③ 3라운드 : 목표설정
④ 4라운드 : 본질추구

해설
위험예지훈련의 4라운드
1. 1라운드(1R) : 현상파악(사실을 파악한다)
2. 2라운드(2R) : 본질추구(요인을 찾아낸다)
3. 3라운드(3R) : 대책수립(대책을 선정한다)
4. 4라운드(4R) : 목표설정(행동계획을 정한다)

24 위험예지훈련 기초 4라운드법의 진행에서 전원이 토의를 통하여 위험요인을 발견하는 단계로 가장 적절한 것은?

① 제1라운드 : 현상파악
② 제2라운드 : 본질추구
③ 제3라운드 : 대책수립
④ 제4라운드 : 목표설정

해설
현상파악(제1라운드)
1. 잠재위험 요인과 현상을 발견
2. "~때문에 ~된다"라고 5~7가지 항목정리
3. BS 실시

25 다음 중 무재해 운동의 실천 기법에 있어 브레인스토밍(Brainstorming)의 4원칙에 해당하지 않는 것은?

① 수정발언
② 비판금지
③ 본질추구
④ 대량발언

해설
브레인 스토밍(Brainstorming)의 원칙
1. 비판금지 : "좋다", "나쁘다"라고 비판은 하지 않는다.
2. 대량발언 : 내용의 질적수준보다 양적으로 무엇이든 많이 발언한다.
3. 자유분방 : 자유로운 분위기에서 마음대로 편안한 마음으로 발언한다.
4. 수정발언 : 타인의 아이디어를 수정하거나 보충 발언해도 좋다.

정답 21 ③ 22 ① 23 ① 24 ① 25 ③

26 다음 중 일반적으로 사업장에 안전관리조직을 구성할 때 고려할 사항과 가장 거리가 먼 것은?

① 조직 구성원의 책임과 권한을 명확하게 한다.
② 회사의 특성과 규모에 부합되게 조직되어야 한다.
③ 생산조직과는 동떨어진 독특한 조직이 되도록 하여 효율성을 높인다.
④ 조직의 기능이 충분히 발휘될 수 있는 제도적 체계가 갖추어져야 한다.

해설
안전관리조직의 구비조건
1. 회사의 특성과 규모에 부합되게 조직화될 것
2. 조직의 기능이 충분히 발휘될 수 있는 제도적 체계를 갖출 것
3. 조직을 구성하는 관리자의 책임과 권한을 분명히 할 것
4. 생산라인과 밀착된 조직이 될 것

27 다음 중 평균 근로자 수가 1,000명 이상의 대규모 사업장에 가장 적합한 안전조직은?

① 라인(Line)형 안전조직
② 스태프(Staff)형 안전조직
③ 라인 – 스태프(Line – Staff)형 혼합조직
④ 생산부서장의 안전책임자 겸직조직

해설
안전관리조직의 형태

라인형(Line형, 직계형) 조직	100명 미만의 소규모 사업장에 적합한 조직형태
스태프형(Staff형, 참모형) 조직	100명 이상 1,000명 미만의 중규모 사업장에 적합한 조직형태
라인 – 스태프형(Line – Staff형, 직계 참모형) 조직	1,000명 이상의 대규모 사업장에 적합한 조직형태

28 안전관리에 관한 계획에서 실시에 이르기까지 모든 권한이 포괄적이며 하향적으로 행사되며, 전문 안전담당 부서가 없는 안전관리조직은?

① 직계식 조직
② 참모식 조직
③ 직계 – 참모식 조직
④ 안전보건 조직

해설
라인형(Line형) – 직계형 조직
1. 의의
   - 안전을 전문으로 분담하는 조직이 없고, 안전관리에 관한 계획에서부터 실시·평가에 이르기까지 생산라인(생산지시)을 통해서 이루어지는 조직 형태
   - 100명 미만의 소규모 사업장에 적합한 조직형태
2. 장점
   - 명령과 보고가 상하관계뿐이므로 간단명료한 조직
   - 경영자의 명령이나 지휘가 신속정확하게 전달되어 개선조치가 빠르게 진행
3. 단점
   - 안전에 대한 전문지식이나 정보가 불충분
   - 생산라인의 업무에 중점을 두어 안전보건관리가 소홀해질 수 있음

29 안전관리조직의 유형 중 참모식 조직의 특성이 아닌 것은?

① 모든 명령은 생산계통을 따라 이루어진다.
② 100명 이상의 사업장에 적합하다.
③ 안전업무가 전담기능에 의하여 수행되므로 발전적이다.
④ 라인식 조직보다 비경제적인 조직이며 안전기술 축적이 용이하다.

해설
스태프형(Staff형) – 참모형 조직
1. 의의
   - 회사 내에 별도로 안전활동 전담부서를 두는 방식의 조직형태
   - 100명 이상 1,000명 미만의 중규모 사업장에 적합한 조직형태
2. 장점
   - 경영자의 조언과 자문역할을 함
   - 안전에 관한 지식, 기술의 정보 수집이 용이하고 빠름
3. 단점
   - 생산부분은 안전에 대한 책임과 권한이 없음
   - 안전과 생산을 별개로 취급하기 쉬움

정답 26 ③ 27 ③ 28 ① 29 ①

30 다음 중 라인-스탭(Line-Staff) 조직의 단점으로 볼 수 없는 것은?

① 권한의 분쟁이나 조정으로 인해 시간과 노력이 소모될 수 있다.
② 명령계통과 조언·권고적 참여가 혼동되기 쉽다.
③ 스탭의 월권행위가 발생하는 경우가 있다.
④ 라인이 스탭에 의존 또는 활용하지 않는 경우가 있다.

해설
라인-스태프형(Line-Staff형)-직계 참모형 조직
1. 의의
   - 안전보건 업무를 전담하는 스태프를 별도로 두고 또 생산 라인에는 그 부서의 장으로 하여금 계획된 생산 라인의 안전관리조직을 통하여 실시하도록 한 조직 형태
   - 1,000명 이상의 대규모 사업장에 적합한 조직형태
2. 장점
   - 라인에서 안전보건 업무가 수행되어 안전보건에 관한 지시 명령 조치가 신속, 정확하게 이루어진다.
   - 스태프는 안전에 관한 기획, 조사, 검토 및 연구를 수행
3. 단점
   - 명령계통과 조언, 권고적 참여가 혼동되기 쉬움
   - 라인과 스태프 간에 협조가 안 될 경우 업무의 원활한 추진 불가(라인과 스태프 간의 월권 또는 상호 의견충돌이 생길 수 있음)
   - 라인이 스탭에 의존 또는 활용하지 않는 경우가 있음

31 다음 중 산업안전보건위원회의 구성원으로 잘못된 것은?

① 해당 사업의 대표자
② 근로자대표가 지명하는 1인 이상의 명예산업안전감독관
③ 근로자대표가 지명하는 10인 이내의 해당 사업장의 근로자
④ 해당 사업장의 대표자가 지명하는 9인 이내의 해당 사업장 부서의 장

해설
산업안전보건위원회의 구성

구분	산업안전보건위원회 구성위원
근로자 위원	1. 근로자대표 2. 근로자대표가 지명하는 1명 이상의 명예산업안전감독관(위촉되어 있는 사업장의 경우) 3. 근로자대표가 지명하는 9명 이내의 해당 사업장의 근로자(명예산업안전감독관이 근로자위원으로 지명되어 있는 경우에는 그 수를 제외한 수의 근로자를 말한다)
사용자 위원	상시 근로자 50명 이상 100명 미만을 사용하는 사업장에서는 5.에 해당하는 사람을 제외하고 구성할 수 있다. 1. 해당 사업의 대표자 2. 안전관리자 1명 3. 보건관리자 1명 4. 산업보건의(해당 사업장에 선임되어 있는 경우) 5. 해당 사업의 대표자가 지명하는 9명 이내의 해당 사업장 부서의 장

32 산업안전보건법령에 따른 산업안전보건위원회의 회의결과를 주지시키는 방법으로 가장 적절하지 않은 것은?

① 사보에 게재한다.
② 회의에 참석하여 파악토록 한다.
③ 사업장 내의 게시판에 부착한다.
④ 정례 조회 시 집합교육을 통하여 전달한다.

해설
회의 결과 등의 주지
산업안전보건위원회의 위원장은 산업안전보건위원회에서 심의·의결된 내용 등 회의 결과와 중재 결정된 내용 등을 사내방송이나 사내보, 게시 또는 자체 정례조회, 그 밖의 적절한 방법으로 근로자에게 신속히 알려야 한다.

33 다음 중 산업안전보건법령상 안전관리자의 직무에 해당되지 않는 것은?(단, 그 밖에 안전에 관한 사항으로서 고용노동부장관이 정하는 사항은 제외한다.)

① 안전·보건에 관한 노사협의체에서 심의·의결한 직무
② 작업장 내에서 사용되는 전체 환기장치 및 국소 배기장치 등에 관한 설비의 점검
③ 안전인증대상 기계·기구 등과 자율안전확인대상 기계·기구 등의 구입 시 적격품의 선정
④ 해당 사업장의 안전보건관리규정 및 취업규칙에서 정한 직무

해설

안전관리자의 업무
1. 산업안전보건위원회 또는 안전 및 보건에 관한 노사협의체에서 심의·의결한 업무와 해당 사업장의 안전보건관리규정 및 취업규칙에서 정한 업무
2. 위험성평가에 관한 보좌 및 지도·조언
3. 안전인증대상 기계등과 자율안전확인대상 기계 등 구입 시 적격품의 선정에 관한 보좌 및 지도·조언
4. 해당 사업장 안전교육계획의 수립 및 안전교육 실시에 관한 보좌 및 지도·조언
5. 사업장 순회점검, 지도 및 조치 건의
6. 산업재해 발생의 원인 조사·분석 및 재발 방지를 위한 기술적 보좌 및 지도·조언
7. 산업재해에 관한 통계의 유지·관리·분석을 위한 보좌 및 지도·조언
8. 법 또는 법에 따른 명령으로 정한 안전에 관한 사항의 이행에 관한 보좌 및 지도·조언
9. 업무수행 내용의 기록·유지
10. 그 밖에 안전에 관한 사항으로서 고용노동부장관이 정하는 사항

34 산업안전보건법에 따라 안전관리자를 정수 이상으로 증원하거나 교체하여 임명할 것을 명할 수 있는 경우가 아닌 것은?

① 해당 사업장의 연간재해율이 동일업종 평균재해율의 3배인 경우
② 작업환경불량, 화재, 폭발 또는 누출사고 등으로 사회적 물의를 일으킨 경우
③ 중대재해가 연간 3건 발생한 경우
④ 안전관리자가 질병의 이유로 6개월 동안 직무를 수행할 수 없게 된 경우

해설

안전관리자 증원·교체임명
1. 해당 사업장의 연간재해율이 같은 업종의 평균재해율의 2배 이상인 경우
2. 중대재해가 연간 2건 이상 발생한 경우
3. 관리자가 질병이나 그 밖의 사유로 3개월 이상 직무를 수행할 수 없게 된 경우
4. 화학적 인자로 인한 직업성질병자가 연간 3명 이상 발생한 경우. 이 경우 직업성질병자 발생일은 요양급여의 결정일로 한다.(직업성질병자 발생 당시 사업장에서 해당 화학적 인자를 사용하지 아니하는 경우에는 그렇지 않다.)

35 다음 중 산업안전보건법령상 안전보건관리규정에 포함되어 있지 않은 내용은?(단, 그 밖에 안전 및 보건에 관한 사항은 제외한다.)

① 작업자 선발에 관한 사항
② 안전보건교육에 관한 사항
③ 사고 조사 및 대책 수립에 관한 사항
④ 작업장의 안전 및 보건 관리에 관한 사항

해설

안전보건관리규정의 포함사항
1. 안전 및 보건에 관한 관리조직과 그 직무에 관한 사항
2. 안전보건교육에 관한 사항
3. 작업장의 안전 및 보건 관리에 관한 사항
4. 사고 조사 및 대책 수립에 관한 사항
5. 그 밖에 안전 및 보건에 관한 사항

36 다음 ( ) 안에 들어갈 내용으로 알맞은 것은?

> 산업안전보건법상 사업주는 안전보건관리 규정을 작성 또는 변경할 때에는 (㉠)의 심의·의결을 거쳐야 한다. 다만, (㉠)가 설치되어 있지 아니한 사업장에 있어서는 (㉡)의 동의를 받아야 한다.

① ㉠ 안전보건관리규정위원회, ㉡ 노사대표
② ㉠ 안전보건관리규정위원회, ㉡ 근로자대표
③ ㉠ 산업안전보건위원회, ㉡ 노사대표
④ ㉠ 산업안전보건위원회, ㉡ 근로자대표

해설

안전보건관리규정의 작성·변경
사업주는 안전보건관리규정을 작성하거나 변경할 때에는 산업안전보건위원회의 심의·의결을 거쳐야 한다.(다만 산업안전보건위원회가 설치되어 있지 아니한 사업장의 경우에는 근로자대표의 동의를 받아야 한다)

37 산업안전보건법상 안전보건관리규정을 작성하여야 할 사업 중에 정보서비스업의 상시근로자 수는 몇 명 이상인가?

① 50
② 100
③ 300
④ 500

정답 34 ② 35 ① 36 ④ 37 ③

> **해설**

안전보건관리규정을 작성해야 할 사업의 종류 및 상시근로자 수

사업의 종류	상시근로자 수
1. 농업 2. 어업 3. 소프트웨어 개발 및 공급업 4. 컴퓨터 프로그래밍, 시스템 통합 및 관리업 4의2. 영상 · 오디오물 제공 서비스업 5. 정보서비스업 6. 금융 및 보험업 7. 임대업, 부동산 제외 8. 전문, 과학 및 기술 서비스업(연구개발업은 제외한다) 9. 사업지원 서비스업 10. 사회복지 서비스업	300명 이상
11. 제1호부터 제4호까지, 제4호의2 및 제5호부터 제10호까지의 사업을 제외한 사업	100명 이상

38 다음 중 산업안전보건법령상 안전보건개선 계획서에 반드시 포함되어야 할 사항과 가장 거리가 먼 것은?

① 안전 · 보건교육
② 안전 · 보건관리체제
③ 근로자 채용 및 배치에 관한 사항
④ 산업재해예방 및 작업환경의 개선을 위하여 필요한 사항

> **해설**

안전보건개선 계획서에 포함되어야 할 사항
1. 시설
2. 안전보건관리체제
3. 안전보건교육
4. 산업재해예방 및 작업환경의 개선을 위하여 필요한 사항

39 다음 중 산업안전보건법에 따라 안전 · 보건진단을 받아 안전보건개선계획을 수립 · 제출하도록 명할 수 있는 사업장에 해당하지 않는 것은?

① 직업병에 걸린 사람이 연간 1명 발생한 사업장
② 산업재해율이 같은 업종 평균 산업재해율의 3배인 사업장
③ 작업환경 불량, 화재 · 폭발 또는 누출사고 등으로 사회적 물의를 일으킨 사업장
④ 산업재해율이 같은 업종의 규모별 평균 산업재해율보다 높은 사업장 중 사업주가 안전 · 보건조치의무를 이행하지 아니하여 발생한 중대재해 발생 사업장

> **해설**

안전보건진단을 받아 안전보건개선계획을 수립해야 할 사업장
1. 산업재해율이 같은 업종 평균 산업재해율의 2배 이상인 사업장
2. 사업주가 필요한 안전조치 또는 보건조치를 이행하지 아니하여 중대재해가 발생한 사업장
3. 직업성 질병자가 연간 2명 이상(상시근로자 1천 명 이상 사업장의 경우 3명 이상) 발생한 사업장
4. 그 밖에 작업환경 불량, 화재 · 폭발 또는 누출 사고 등으로 사업장 주변까지 피해가 확산된 사업장

40 보호구 관련 규정에 따른 안전모의 착장체 구성 요소에 해당되지 않는 것은?

① 머리턱끈 ② 머리받침끈
③ 머리고정대 ④ 머리받침고리

> **해설**

안전모의 구조

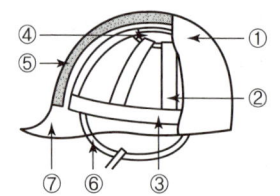

번호		명칭
①		모체
②	착	머리받침끈
③	장	머리고정대
④	체	머리받침고리
⑤		충격흡수재(자율안전확인에서는 제외)
⑥		턱끈
⑦		챙(차양)

41 다음 중 물체의 낙하 및 비래에 의한 위험을 방지 또는 경감하고, 머리부위 감전에 의한 위험을 방지하기 위한 경우 가장 적절한 안전모의 종류는?

① A ② AB
③ AE ④ BE

> **해설**

추락 및 감전 위험방지용 안전모의 종류

종류(기호)	사용 구분	비고
AB	물체의 낙하 또는 비래 및 추락에 의한 위험을 방지 또는 경감시키기 위한 것	
AE	물체의 낙하 또는 비래에 의한 위험을 방지 또는 경감하고, 머리부위 감전에 의한 위험을 방지하기 위한 것	내전압성
ABE	물체의 낙하 또는 비래 및 추락에 의한 위험을 방지 또는 경감하고, 머리부위 감전에 의한 위험을 방지하기 위한 것	내전압성

※ 내전압성이란 7,000V 이하의 전압에 견디는 것을 말한다.

42 내전압용 절연장갑의 성능기준에 있어 최대사용 전압에 따른 등급 구분에서 최소등급인 "00등급"의 색상으로 옳은 것은?

① 갈색　　　　② 흰색
③ 노란색　　　④ 녹색

> **해설**

내전압용 절연장갑의 등급

등급	최대사용전압		등급별 색상
	교류(V, 실효값)	직류(V)	
00	500	750	갈색
0	1,000	1,500	빨강색
1	7,500	11,250	흰색
2	17,000	25,500	노랑색
3	26,500	39,750	녹색
4	36,000	54,000	등색

43 다음 중 방진마스크 선택 시 주의사항으로 틀린 것은?

① 포집율이 좋아야 한다.
② 흡기저항 상승률이 높아야 한다.
③ 시야가 넓을수록 좋다.
④ 안면부에 밀착성이 좋아야 한다.

> **해설**

방진마스크의 구비조건
1. 여과 효율(분집, 포집 효율)이 좋을 것
2. 흡기 및 배기저항이 낮을 것
3. 사용적이 적을 것
4. 중량이 가벼울 것

5. 안면 밀착성이 좋을 것
6. 시야가 넓을 것
7. 피부 접촉부위의 고무질이 좋을 것

44 안전인증 방독마스크에서 할로겐용 정화통 외부 측면의 표시색으로 옳은 것은?

① 갈색　　　　② 회색
③ 녹색　　　　④ 노란색

> **해설**

방독마스크의 종류 및 표시색

종류	시험가스	정화통 외부 측면의 표시 색
유기 화합물용	시클로헥산(C_6H_{12})	갈색
	디메틸에테르(CH_3OCH_3)	
	이소부탄(C_4H_{10})	
할로겐용	염소가스 또는 증기(Cl_2)	회색
황화수소용	황화수소가스(H_2S)	
시안화수소용	시안화수소가스(HCN)	
아황산용	아황산가스(SO_2)	노랑색
암모니아용	암모니아가스(NH_3)	녹색
복합용 및 겸용의 정화통		1. 복합용의 경우 해당 가스 모두 표시(2층 분리) 2. 겸용의 경우 백색과 해당 가스 모두 표시(2층 분리)

45 다음 중 탱크 내부에서의 세정업무 및 도장업무와 같이 산소결핍이 우려되는 장소에서 반드시 사용하여야 하는 보호구로 옳은 것은?

① 위생마스크　　② 송기마스크
③ 방진마스크　　④ 방독마스크

> **해설**

마스크의 사용장소

송기마스크	공기 중 산소농도가 부족하고(산소농도 18% 미만 장소), 공기 중에 미립자상 물질이 부유하는 장소에서 사용하기에 가장 적절한 보호구
방독마스크	방독마스크는 산소농도가 18% 이상인 장소에서 사용하여야 하고, 고농도와 중농도에서 사용하는 방독마스크는 전면형(격리식, 직결식)을 사용해야 한다.
방진마스크	산소농도 18% 이상인 장소에서 사용히여야 한다.

정답　42 ①　43 ②　44 ②　45 ②

46 벨트식, 안전그네식 안전대의 사용 구분에 따른 분류에 해당되지 않는 것은?

① U자 걸이용 ② D링 걸이용
③ 안전블록 ④ 추락방지대

해설
안전대의 종류

종류	사용 구분
벨트식 안전그네식	1개 걸이용
	U자 걸이용
	추락방지대
	안전블록

※ 추락방지대 및 안전블록은 안전그네식에만 적용함

47 산업안전보건법상 자율안전확인 대상 보호구 중 사용 구분에 따른 보안경의 종류에 해당하지 않는 것은?

① 차광보안경 ② 유리보안경
③ 플라스틱보안경 ④ 도수렌즈보안경

해설
보안경(자율안전확인)

종류	사용 구분
유리보안경	비산물로부터 눈을 보호하기 위한 것으로 렌즈의 재질이 유리인 것
프라스틱보안경	비산물로부터 눈을 보호하기 위한 것으로 렌즈의 재질이 프라스틱인 것
도수렌즈보안경	비산물로부터 눈을 보호하기 위한 것으로 도수가 있는 것

TIP 차광보안경(안전인증)
1. 자외선용
2. 적외선용
3. 복합용
4. 용접용

48 안전인증 대상 보호구 중 안전모의 시험성능기준의 항목이 아닌 것은?

① 충격흡수성 ② 발수성
③ 내전압성 ④ 턱끈풀림

해설
안전모의 시험성능 항목

시험성능 항목	1. 내관통성 2. 충격흡수성 3. 내전압성	4. 내수성 5. 난연성 6. 턱끈풀림
부가성능 항목	1. 측면 변형 방호 2. 금속 용융물 분사 방호	

49 AE와 ABE형의 안전모의 내수성 시험은 모체를 20~25℃의 수중에 24시간 담가 놓은 후 대기 중에 꺼내어 수분을 제거한 무게 증가율이 얼마일 때 합격하는가?

① 1% 미만 ② 2% 미만
③ 2.5% 미만 ④ 3% 미만

해설
안전모 내수성 시험
1. AE, ABE종 안전모의 내수성 시험은 시험 안전모의 모체를 (20~25)℃의 수중에 24시간 담가 놓은 후, 대기 중에 꺼내어 마른 천 등으로 표면의 수분을 닦아내고 다음 산식으로 질량증가율(%)을 산출한다.
2. 공식

$$\text{질량증가율}(\%) = \frac{\text{담근 후의 질량} - \text{담그기 전의 질량}}{\text{담그기 전의 질량}} \times 100$$

합격기준: 질량증가율이 1% 미만일 것

50 공장 내에 안전보건표지를 부착하는 주된 이유는?

① 안전의식 고취
② 인간 행동의 변화 통제
③ 공장 내의 환경 정비 목적
④ 능률적인 작업을 유도

해설
안전보건표지
유해하거나 위험한 장소·시설·물질에 대한 경고, 비상시에 대처하기 위한 지시·안내 또는 그 밖에 근로자의 안전 및 보건 의식을 고취하기 위한 사항 등을 그림, 기호 및 글자 등으로 나타낸 안전보건표지를 근로자가 쉽게 알아볼 수 있도록 설치하거나 붙여야 한다.

정답 46 ② 47 ① 48 ② 49 ① 50 ①

51 다음 중 산업안전보건법령상 안전·보건표지의 용도 및 사용 장소에 대한 표지의 분류가 가장 올바른 것은?

① 폭발성 물질이 있는 장소 : 안내표지
② 비상구가 좌측에 있음을 알려야 하는 장소 : 지시표지
③ 보안경을 착용해야만 작업 또는 출입을 할 수 있는 장소 : 안내표지
④ 정리·정돈 상태의 물체나 움직여서는 안 될 물체를 보존하기 위하여 필요한 장소 : 금지표지

해설
안전·보건표지
1. 폭발성 물질이 있는 장소 : 경고표지
2. 비상구가 좌측에 있음을 알려야 하는 장소 : 안내표지
3. 보안경을 착용해야만 작업 또는 출입을 할 수 있는 장소 : 지시표지
4. 정리·정돈 상태의 물체나 움직여서는 안 될 물체를 보존하기 위하여 필요한 장소 : 금지표지(물체이동금지)

52 다음 중 산업안전보건법에서 정하는 산업안전보건표지의 종류에 해당되지 않는 것은?

① 안내표지 ② 경고표지
③ 지시표지 ④ 보호표지

해설
안전·보건표지의 종류
1. 금지표지 3. 지시표지
2. 경고표지 4. 안내표지

53 산업안전보건법령상 안전·보건표지 중 안내표지의 종류에 해당하지 않는 것은?

① 들것 ② 세안장치
③ 비상용 기구 ④ 허가대상물질 작업장

해설
안내표지
1. 녹십자표지 5. 비상용기구
2. 응급구호표지 6. 비상구
3. 들것 7. 좌측비상구
4. 세안장치 8. 우측비상구

54 다음 중 산업안전보건법령상 안전·보건표지에 있어 경고 표지의 종류에 해당하지 않는 것은?

① 방사성물질 경고
② 급성독성물질 경고
③ 차량통행 경고
④ 레이저광선 경고

해설
경고표지
1. 인화성물질 경고   7. 고압전기경고
2. 산화성물질 경고   8. 매달린 물체 경고
3. 폭발성물질 경고   9. 낙하물경고
4. 급성독성물질 경고 10. 고온경고
5. 부식성물질 경고   11. 저온경고
6. 방사성물질 경고   12. 몸균형상실 경고
13. 레이저광선 경고
14. 발암성·변이원성·생식독성·전신독성·호흡기과민성물질경고
15. 위험장소경고

55 산업안전보건법상 안전·보건표지의 종류 중 지시표지에 해당되지 않는 것은?

① 안전모 착용 ② 안전화 착용
③ 방호복 착용 ④ 방독마스크 착용

해설
지시표지
1. 보안경 착용 6. 귀마개 착용
2. 방독마스크 착용 7. 안전화 착용
3. 방진마스크 착용 8. 안전장갑 착용
4. 보안면 착용 9. 안전복 착용
5. 안전모 착용

56 산업안전보건법상 안전·보건표지 중 "인화성물질경고"에 해당하는 것은?

①    ②

③   ④

정답 51 ④ 52 ④ 53 ④ 54 ③ 55 ③ 56 ①

해설

안전·보건표지

201 인화성물질 경고   203 폭발성물질 경고

215 위험장소경고   213 레이저광선 경고

57 산업안전보건법령에 따라 작업장 내에 사용하는 안전·보건표지의 종류에 관한 설명으로 옳은 것은?

① "위험장소"는 경고표지로서 바탕은 노란색, 기본모형은 검은색, 그림은 흰색으로 한다.
② "출입금지"는 금지표지로서 바탕은 흰색, 기본모형은 빨간색, 그림은 검은색으로 한다.
③ "녹십자표지"는 안내표지로서 바탕은 흰색, 기본모형과 관련 부호는 녹색, 그림은 검은색으로 한다.
④ "안전모착용"은 경고표지로서 바탕은 파란색, 관련 그림은 검은색으로 한다.

해설

안전·보건표지의 종류별 색채

분류	색채
금지표지	바탕은 흰색, 기본모형은 빨간색, 관련 부호 및 그림은 검은색
경고표지	바탕은 노란색, 기본모형, 관련 부호 및 그림은 검은색 다만, 인화성물질경고, 산화성물질경고, 폭발성물질경고, 급성독성물질경고, 부식성물질경고 및 발암성·변이원성·생식독성·전신독성·호흡기과민성물질경고의 경우 바탕은 무색, 기본모형은 빨간색(검은색도 가능)
지시표지	바탕은 파란색, 관련 그림은 흰색
안내표지	바탕은 흰색, 기본모형 및 관련 부호는 녹색, 바탕은 녹색, 관련 부호 및 그림은 흰색
출입금지표지	글자는 흰색바탕에 흑색 다음 글자는 적색 – ○○○제조/사용/보관 중 – 석면취급/해체 중 – 발암물질 취급 중

58 산업안전보건법에 따라 안전·보건표지에 사용된 색채의 색도기준이 "7.5R 4/14"일 때 이 색채의 명도 값으로 옳은 것은?

① 7.5
② 4
③ 14
④ 4/14

해설

안전·보건표지의 색채, 색도기준 및 용도
7.5R : 색상, 4 : 명도, 14 : 채도

59 산업안전보건법령상 안전·보건표지의 색채 중 문자 및 빨간색 또는 노란색에 대한 보조색의 용도로 사용되는 색채는?

① 검정색
② 흰색
③ 녹색
④ 파란색

해설

안전·보건표지의 색채, 색도기준 및 용도

색채	색도기준	용도	사용 예
빨간색	7.5R 4/14	금지	정지신호, 소화설비 및 그 장소, 유해행위의 금지
		경고	화학물질 취급장소에서의 유해·위험 경고
노란색	5Y 8.5/12	경고	화학물질 취급장소에서의 유해·위험경고 이외의 위험경고, 주의표지 또는 기계방호물
파란색	2.5PB 4/10	지시	특정 행위의 지시 및 사실의 고지
녹색	2.5G 4/10	안내	비상구 및 피난소, 사람 또는 차량의 통행표지
흰색	N9.5		파란색 또는 녹색에 대한 보조색
검은색	N0.5		문자 및 빨간색 또는 노란색에 대한 보조색

60 산업안전보건법에 규정된 안전·보건표지에 관한 설명으로 옳은 것은?

① 안내표지는 청색의 원형 바탕에 백색으로 표시되어 있으며 9종류가 있다.
② "인화성물질의 경고"표시는 검정색 삼각형 모양의 노랑의 바탕색을 사용한다.
③ 안전·보건표지에 사용되는 흰색은 파란색 또는 녹색에 대한 보조색이다.
④ 안전·보건표지에 사용되는 기본모형의 색채 중 빨강은 경고표지에 사용할 수 없다.

61 다음 중 안전·보건표지의 색채와 사용 사례가 올바르게 연결된 것은?

① 녹색 – 특정행위의 지시 및 사실의 고지
② 빨강 – 화학물질 취급장소에서의 유해·위험경고
③ 노랑 – 소화설비 및 그 장소
④ 파랑 – 사람 또는 차량의 통행표지

62 산업안전보건법령상 안전·보건표지에 사용하는 색채 가운데 비상구 및 피난소, 사람 또는 차량의 통행표지 등에 사용하는 색체는?

① 흰색　　　　　② 녹색
③ 노란색　　　　④ 파란색

63 인간의 특성에 관한 측정검사에 대한 과학적 타당성을 갖기 위하여 반드시 구비해야 할 조건에 해당되지 않는 것은?

① 주관성　　　　② 신뢰도
③ 타당도　　　　④ 표준화

해설
심리검사의 구비조건

표준화	검사의 관리를 위한 조건, 절차의 일관성과 통일성에 대한 심리검사의 표준화가 마련되어야 한다.
객관성	검사결과를 채점하는 과정에서 채점자의 편견이나 주관성이 배제되어야 하며, 공정한 평가가 이루어져야 한다.
규준성	검사결과의 해석에 있어 상대적 위치를 결정하기 위한 참조 또는 비교의 기준이 있어야 한다.
타당성	측정하고자 하는 것을 실제로 측정하고 있는가를 나타내는 것이다.
신뢰성	검사의 일관성을 의미하는 것으로 동일한 문제를 재측정할 경우 오차가 적어야 한다.

64 스트레스(Stress)에 관한 설명으로 가장 옳은 것은?

① 스트레스 상황에 직면하는 기회가 많을수록 스트레스 발생 가능성은 낮아진다.
② 스트레스는 직무 몰입과 생산성 감소의 직접적인 원인이 된다.
③ 스트레스는 부정적인 측면만 가지고 있다.
④ 스트레스는 나쁜 일에서만 발생한다.

해설
스트레스의(stress) 개요
1. 외부로부터의 자극과 마음 속의 갈등이 서로 조화를 이루지 못함으로써 발생되는 심리적 압박감으로 이러한 압박감이나 자극에 의해서 외부로 발견되는 현상을 스트레스에 의한 반응이라고 한다.
2. 조직 스트레스는 직무몰입과 생산성 감소의 직접적인 원인이 된다.

65 스트레스 주요 원인 중 마음속에서 일어나는 내적 자극요인으로 볼 수 없는 것은?

① 자존심의 손상　　② 업무상 죄책감
③ 현실에서의 부적응　④ 대인 관계상의 갈등

해설
스트레스의 영향요소

외부적 자극 요인	내부적 자극 요인
1. 경제적인 어려움 2. 직장에서의 대인 관계상의 갈등과 대립 3. 가정에서의 가족관계의 갈등 4. 가족의 죽음이나 질병 5. 자신의 건강문제	1. 자존심의 손상과 공격 방어 심리 2. 출세욕의 좌절감과 자만심의 상충 3. 지나친 과거에의 집착과 허탈 4. 업무상의 죄책감 5. 지나친 경쟁심과 재물에 대한 욕심 6. 남에게 의지하고자 하는 심리 7. 가족간의 대화 단절, 의견의 불일치 8. 현실에서의 부적응

66 스트레스의 요인 중 직무 특성에 대한 설명으로 가장 옳은 것은?

① 과업의 과소는 스트레스를 경감시킨다.
② 과업의 과중은 스트레스를 경감시킨다.
③ 개인의 성장이나 자아실현의 기회가 주어지기 어렵다.
④ 직무로 인한 스트레스는 동기부여의 저하, 정신적 긴장 그리고 자신감 상실과 같은 부정적 반응을 초래한다.

해설
산업스트레스의 요인
1. 직무 특성의 요인 : 작업속도, 근무시간, 업무의 반복성, 작업교대, 복잡성, 위험성 등
2. 스트레스는 동기부여의 저하, 신체적, 정신적 건강뿐만 아니라 직무몰입과 생산성 감소의 직접적인 원인이 된다.

정답　61 ②　62 ②　63 ①　64 ②　65 ④　66 ④

67 다음 중 적성검사할 때 포함되어야 할 주요 요소로 적절하지 않은 것은?

① IQ검사
② 형태식별 능력
③ 운동속도 및 손작업 능력
④ 플리커(flicker) 검사

해설
적성검사 대상
1. 지능
2. 형태 식별 능력
3. 운동 속도
4. 시각과 수동력의 적응력
5. 손작업 능력

68 근로자의 작업 수행 중 나타나는 불안전한 행동의 종류로 볼 수 없는 것은?

① 인간 과오로 인한 불안전한 행동
② 태도 불량으로 인한 불안전한 행동
③ 시스템 과오로 인한 불안전한 행동
④ 지식 부족으로 인한 불안전한 행동

해설
불안전한 행동의 직접원인
1. 지식의 부족
2. 기능의 미숙
3. 태도의 불량
4. 인간에러

TIP 시스템 과오는 불안전한 상태에 해당된다.

69 다음의 사고 발생 기초원인 중 심리적 요인에 해당하는 것은?

① 작업 중 졸려서 주의력이 떨어졌다.
② 조명이 어두워 정신집중이 안 되었다.
③ 작업 공간이 협소하여 압박감을 느꼈다.
④ 적성에 안 맞는 작업이어서 재미가 없었다.

해설
심리적 요인은 적성, 동기 및 의욕, 불안 등으로 인하여 발생한다.

70 다음 중 재해의 기본원인을 4M으로 분류할 때 작업의 정보, 작업방법, 환경 등의 요인이 속하는 것은?

① Man
② Machine
③ Media
④ Method

해설
재해발생의 기본원인(4M)

외적 (환경적) 요인	인간관계요인 (Man)	동료나 상사, 본인 이외의 사람 등의 인간관계를 의미
	작업적 요인 (Media)	1. 작업의 내용, 작업정보, 작업방법, 작업환경의 요인 2. 인간과 기계를 연결하는 매개체 3. 작업방법의 부적절
	관리적 요인 (Management)	안전법규의 준수, 안전기준, 지휘감독 등의 단속 및 점검 1. 교육훈련 부족 2. 감독지도 불충분 3. 적성배치 불충분
	설비적(물적) 요인(Machine)	1. 기계설비 등의 물적 조건 2. 기계설비의 고장, 결함

TIP 4M의 종류에도 함께 기억하세요.

71 인간의 실수 및 과오의 요인과 직접적인 관계가 가장 먼 것은?

① 관리의 부적당
② 능력의 부족
③ 주의의 부족
④ 환경조건의 부적당

해설
실수 및 과오의 원인

능력 부족	적성, 지식, 기술, 인간관계
주의 부족	개성, 감정의 불안정, 습관성
환경조건 부적당	표준 불량, 규칙 불충분, 작업조건 불량, 연락 및 의사소통 불량

72 다음 중 산업안전심리의 5요소와 가장 거리가 먼 것은?

① 동기
② 기질
③ 감정
④ 기능

해설
산업안전심리의 5대요소

기질	인간의 성격, 능력 등 개인적인 특성(생활환경, 주위 환경에 따라 변화한다.)
동기	능동적인 감각에 의한 자극에서 일어나는 사고의 결과로 마음을 움직이는 원동력
습관	개인의 특성이 자신도 모르게 습관화된 현상으로 습관에 직접 영향을 주는 요인으로는 동기, 기질, 감정, 습성이 있다.

정답 67 ④ 68 ③ 69 ④ 70 ③ 71 ① 72 ④

감정	대상이나 상태에 따라 발생하는 슬픔, 기쁨 등에 해당하는 마음의 현상
습성	오랜 습관으로 인하여 굳어버린 성질로 동기, 기질, 감정 등이 밀접한 연관관계이다.

73 다음 중 인지(認知) 과정에서 생길 수 있는 착오의 원인으로 볼 수 없는 것은?

① 심리적 능력한계
② 감각차단 현상
③ 자기기술 과신
④ 정보량의 저장한계

해설

착오의 요인(3단계)

단계	종류	내용
제1단계	인지과정 착오	1. 심리 또는 생리적 요인 2. 정보량 저장의 한계 : 한계정보량보다 더 많은 정보가 들어오는 경우 정보를 처리하지 못하는 현상 3. 감각차단 현상 : 단조로운 업무가 장시간 지속될 때 작업자의 감각기능 및 판단능력이 둔화 또는 마비되는 현상 (예 : 고도비행, 단독비행, 계기비행, 직선 고속도로 운행 등) 4. 정서적 불안정(불안, 공포) 5. 정보수용 능력의 한계 : 인간의 감지범위 밖의 정보
제2단계	판단과정 착오	1. 정보부족(옹고집, 지나친 자기중심적 인간) 2. 능력부족(지식부족, 경험부족) 3. 자기합리화(자기에게 유리하게 판단) 4. 환경조건불비(작업조건불량)
제3단계	조작과정 착오	1. 기술능력 미숙 2. 경험부족 3. 피로

74 다음 중 감각차단현상이 발생하기 가장 쉬운 경우는?

① 복잡한 업무가 장시간 지속될 때
② 정신적인 업무가 장시간 지속될 때
③ 단조로운 업무가 장시간 지속될 때
④ 주의력의 배분을 요하는 작업을 장시간 지속할 때

해설

감각차단현상
단조로운 업무가 장시간 지속될 때 작업자의 감각기능 및 판단능력이 둔화 또는 마비되는 현상
예 고도비행, 단독비행, 계기비행, 직선 고속도로 운행 등

75 다음의 설명과 그림은 어떤 착시 현상과 관계가 깊은가?

그림에서 선 ab와 선 cd는 그 길이가 동일한 것이지만, 시각적으로는 선 ab가 선 cd보다 길어 보인다.

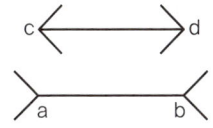

① 헬몰쯔(Helmholz)의 착시
② 쾰러(kohler)의 착시
③ 뮬러 – 라이어(Mullyer – Lyer)의 착시
④ 포겐도르프(Poggendorf)의 착시

해설

착시현상

Müler – Lyer의 착시		실제 a＝b이나 a가 b보다 길게 보인다.(동화착오)
Helmholz의 착시		실제 a＝b이나 a는 가로로 길어보이고 b는 세로로 길어보인다.
Herling의 착시		a는 양단이 벌어져 보이고 b는 중앙이 벌어져 보인다.(분할착오)
Poggendorf의 착시		a와 c가 일직선으로 보인다.(실제 a와 b가 일직선)(위치착오)
Köhler의 착시		우선평행의 호를 보고, 이어 직선을 본 경우에는 직선은 호와의 반대방향으로 휘어져 보인다.(윤곽착오)
Zöller의 착시		세로의 선이 수직선인데 휘어져 보인다.(방향착오)

TIP 착시현상의 그림과 정의는 자주 출제되므로 꼭 기억하세요.

76 인간의 착각현상 중 버스나 전동차의 움직임으로 인하여 자신이 승차하고 있는 정지된 자가용이 움직이는 것 같은 느낌을 받거나 구름 사이의 달 관찰 시 구름이 움직일 때 구름은 정지되어 있고, 달이 움직이는 것처럼 느껴지는 현상을 무엇이라 하는가?

① 자동운동
② 유도운동
③ 가현운동
④ 플리커현상

해설

인간의 착각현상

가현운동	1. 정지하고 있는 대상물을 나타냈다가 지웠다가 자주 반복하면 그 물체가 마치 운동하는 것처럼 인식되는 현상 2. 영화영상기법, β운동
자동운동	1. 암실 내에서 정지된 소광점을 응시하면 그 광점이 움직이는 것처럼 보이는 현상 2. 자동운동이 생기기 쉬운 조건 • 광점이 작을 것 • 시야의 다른 부분이 어두울 것 • 광(光)의 강도가 작을 것 • 대상이 단순할 것
유도운동	1. 실제로는 움직이지 않는 것이 어느 기준의 이동에 유도되어 움직이는 것처럼 느껴지는 현상 2. 하행선 기차역에 정지하고 있는 열차안의 승객이 반대편 상행선 열차의 출발로 인하여 하행선 열차가 움직이는 것처럼 느끼는 경우

77 다음 중 사회행동의 기본 형태를 올바르게 연결한 것은?

① 불안 – 고립, 조력
② 대립 – 공격, 경쟁
③ 도피 – 자살, 타협
④ 협력 – 고립, 모방

해설

사회행동의 기본 형태

사회행동의 기초	1. 욕구　　4. 신념 2. 개성　　5. 태도 3. 인지
사회행동의 기본 형태	1. 협력(조력, 분업) 2. 대립(공격, 경쟁) 3. 도피(고립, 정신병, 자살) 4. 융합(강제, 타협, 통합)

78 인간관계 메커니즘 중에서 다른 사람으로부터의 판단이나 행동을 무비판적으로 논리적, 사실적 근거 없이 받아들이는 것을 무엇이라 하는가?

① 모방(Imitation)
② 암시(Suggestion)
③ 투사(Projection)
④ 동일화(Identification)

해설

인간관계 메커니즘

투사(Projection)	자기 마음속의 억압된 것을 다른 사람의 것으로 생각하는 것
암시(Suggestion)	다른 사람으로부터의 판단이나 행동을 무비판적으로 논리적, 사실적 근거 없이 받아들이는 것
동일화(Identification)	다른 사람의 행동양식이나 태도를 투입하거나 다른 사람 가운데서 자기와 비슷한 것을 발견하게 되는 것
모방(Imitation)	남의 행동이나 판단을 표본으로 하여 그것과 같거나 그것에 가까운 행동 또는 판단을 취하려는 것
커뮤니케이션(Communication)	여러 가지 행동양식이 기로를 매개로 하여 한 사람으로부터 다른 사람에게 전달되는 과정으로 언어, 손짓, 몸짓, 표정 등

79 집단에 있어서의 인간관계를 하나의 단면(斷面)에서 포착하였을 때 이러한 단면적(斷面的)인 인간관계가 생기는 기제(Mechamnism)와 가장 거리가 먼 것은?

① 모방
② 암시
③ 습관
④ 커뮤니케이션

80 비통제의 집단행동 중 폭동과 같은 것을 말하며, 군중(Crowd)보다 합의성이 없고, 감정에 의해서만 행동하는 특성을 무엇이라 하는가?

① 모브(Mob)
② 패닉(Panic)
③ 모방(Imitation)
④ 심리적 전염(Mental Epodemic)

정답　76 ②　77 ②　78 ②　79 ③　80 ①

해설
집단행동
1. 모브(Mob) : 폭동과 같은 것을 말하며, 군중보다 합의성이 없고, 감정에 의해서만 행동하는 특성
2. 패닉(Panic) : 이상적인 상황에서 모브가 공격적인 데 대하여, 패닉은 방어적인 것이 특징
3. 모방(Imitation) : 남의 행동이나 판단을 표본으로 하여 그것과 같거나 그것에 가까운 행동 또는 판단을 취하려는 것
4. 심리적 전염(Mental Epidemic) : 어떤 사상이 상당한 기간을 걸쳐서 광범위하게 논리적, 사고적 근거 없이 무비판적으로 받아들여 지는 것

81 레빈(Lewin)은 인간행동과 인간의 조건 및 환경조건의 관계를 다음과 같이 표시하였다. 이때 "f"를 설명한 것으로 옳은 것은?

① 행동
② 조명
③ 지능
④ 함수

해설
레빈(K. Lewin)의 행동법칙

$$B = f(P \cdot E)$$

여기서, B : Behavior(인간의 행동)
f : Function(함수관계) $P \cdot E$에 영향을 줄 수 있는 조건
P : Person(개체, 개인의 자질, 연령, 경험, 심신상태, 성격, 지능 등)
E : Environment(심리적 환경 – 작업환경, 인간관계, 설비적 결함 등)

82 다음 중 인간의 행동에 대한 레빈(K. Lewin)의 식 "$B = f(P \cdot E)$"에서 인간관계 요인을 나타내는 변수에 해당하는 것은?

① B(Behavior)
② f(Function)
③ P(Person)
④ E(Environment)

83 다음 중 리스크 테이킹(Risk Taking)의 빈도가 가장 높은 사람은?

① 안전지식이 부족한 사람
② 안전기능이 미숙한 사람
③ 안전태도가 불량한 사람
④ 신체적 결함이 있는 사람

해설
리스크 테이킹(Risk Taking)
1. 객관적인 위험을 자기 나름대로 판정해서 의지결정을 하고 행동에 옮기는 인간의 심리특성
2. 안전태도가 양호한 자는 리스크 테이킹의 정도가 적다.
3. 안전태도 수준이 같은 경우 작업의 달성 동기, 성격, 능률 등 각종 요인의 영향에 의해 리스크 테이킹의 정도는 변한다.
4. 리스크 테이킹의 발생 요인은 부적절한 태도이다.

TIP 리스크 테이킹의 정의도 함께 기억하세요.

84 인간의 행동 특성 중 주의(Attention)의 일점집중현상에 대한 대책으로 가장 적절한 것은?

① 적성배치
② 카운슬링
③ 위험예지훈련
④ 작업환경 개선

해설
주의의 일점집중 현상
1. 돌발사태 발생 시 공포를 느끼며 주의가 한곳에 집중하여 멍한 상태에 빠지게 되는 현상
2. 사전에 대안을 강구하여 심리적 훈련이 필요하다.
3. 주의의 일점집중 현상은 의식의 과잉과 가장 관련이 깊다.

85 다음 중 상황성 누발자 재해유발원인과 거리가 먼 것은?

① 작업이 어렵기 때문
② 주의력이 산만하기 때문
③ 기계설비에 결함이 있기 때문
④ 심신에 근심이 있기 때문

해설
재해 누발자의 유형

상황성 누발자	1. 작업이 어렵기 때문에 2. 기계설비에 결함이 있기 때문에 3. 심신에 근심이 있기 때문에 4. 환경상 주의력의 집중이 혼란되기 때문에
습관성 누발자	1. 재해의 경험에 의해 겁을 먹거나 신경과민 2. 일종의 슬럼프 상태
미숙성 누발자	1. 기능이 미숙하기 때문에 2. 환경에 익숙하지 못하기 때문에(환경에 적응 미숙)
소질성 누발자	1. 개인의 소질 가운데 재해원인의 요소를 가진 자 2. 개인의 특수성격 소유자

정답 81 ④ 82 ④ 83 ③ 84 ③ 85 ②

86 동기부여(Motivation)에 있어 동기가 가지는 성질을 설명한 것으로 적절하지 않은 것은?

① 행동을 촉발시키는 개인의 힘을 뜻하는 활성화
② 일정한 강도와 방향을 지닌 행동을 유지시키는 지속성
③ 개인에게 부여된 목표달성의 정도를 평가하는 합리성
④ 노력의 투입을 선택적으로 한 방향으로 지향하도록 하는 통로화

해설
동기부여의 개요
1. 동기 : 행동을 일으키게 하는 요인으로 어떤 조건(외부적 자극)이나 내적 요인을 동기라고 한다.
2. 동기부여(Motivation) : 동기를 유발시키는 일로서 목표 지향적인 행위를 지속적으로 유발, 유지하도록 이끌어 나가는 과정을 말한다.

87 안전동기를 유발시킬 수 있는 방법과 거리가 먼 것은?

① 경쟁과 협동심을 유발시킨다.
② 안전목표를 명확히 설정한다.
③ 포상 조건만을 강조한다.
④ 동기유발의 최적수준을 유지토록 한다.

해설
동기부여의 방법
1. 안전의 근본이념을 인식시킨다.
2. 안전 목표를 명확히 설정하여 주지시킨다.
3. 결과의 가치를 인식하고 알려준다.
4. 상과 벌을 준다.(상벌 제도를 합리적으로 시행한다)
5. 경쟁과 협동을 유도한다.
6. 동기 유발의 최적수준을 유지한다.

88 다음 중 매슬로(Maslow)가 제창한 인간의 욕구 5단계 이론을 올바르게 나열한 것은?

① 생리적 욕구 → 안전욕구 → 사회적 욕구 → 존경의 욕구 → 자아실현의 욕구
② 안전욕구 → 생리적 욕구 → 사회적 욕구 → 존경의 욕구 → 자아실현의 욕구
③ 사회적 욕구 → 생리적 욕구 → 안전욕구 → 존경의 욕구 → 자아실현의 욕구
④ 사회적 욕구 → 안전욕구 → 생리적 욕구 → 존경의 욕구 → 자아실현의 욕구

해설
매슬로(Maslow)의 욕구단계 이론

제1단계	생리적 욕구	기아, 갈증, 호흡, 배설, 성욕 등 생명유지의 기본적 욕구
제2단계	안전의 욕구	1. 자기보존 욕구 – 안전을 구하려는 욕구 2. 전쟁, 재해, 질병의 위험으로부터 자유로워지려는 욕구
제3단계	사회적 욕구	1. 소속감과 애정에 대한 욕구 2. 사회적으로 관계를 향상시키는 욕구
제4단계	인정받으려는 욕구 (자기 존중의 욕구)	자존심, 명예, 성취, 지위 등 인정받으려는 욕구
제5단계	자아실현의 욕구	1. 잠재능력을 실현하고자 하는 성취욕구 2. 특유의 창의력을 발휘

89 매슬로(Maslow)의 욕구 단계 이론 중 인간에게 영향을 줄 수 있는 불안, 공포, 재해 등 각종 위험으로부터 해방되고자 하는 욕구에 해당되는 것은?

① 사회적 욕구
② 존경의 욕구
③ 안전의 욕구
④ 자아실현의 욕구

90 매슬로(Maslow. A. H)의 욕구 5단계 중 자신의 잠재력을 발휘하여 자기가 하고 싶은 일을 실현하는 욕구는 어느 단계인가?

① 생리적 욕구
② 안전의 욕구
③ 존경의 욕구
④ 자아실현의 욕구

91 맥그리거(Mcgregor)의 X이론과 Y이론 중 Y이론에 해당되는 것은?

① 인간은 서로 믿을 수 없다.
② 인간은 태어나서부터 약하다.
③ 인간은 정신적 욕구를 우선시한다.
④ 인간은 통제에 의한 관리를 받고자 한다.

정답 86 ③ 87 ③ 88 ① 89 ③ 90 ④ 91 ③

> **해설**

맥그리거(D. McGregor)의 X, Y이론

X이론	Y이론
인간불신감	상호신뢰감
성악설	성선설
인간은 본래 게으르고 태만, 수동적, 남의 지배받기를 즐긴다.	인간은 본래 부지런하고 근면, 적극적, 스스로 일을 자기책임 하에 자주적으로 행한다.
저차적 욕구(물질적 욕구)	고차적 욕구(정신적 욕구)
명령, 통제에 의한 관리	자기통제와 자율 확보
저개발국형의 관리 형태	선진국형의 관리 형태
권위주의적 리더십	민주적 리더십

92 다음 중 맥그리거(McGregor)의 X·Y이론에서 Y이론의 관리처방에 해당하는 것은?

① 분권화의 권한의 위임
② 경제적 보상체제의 강화
③ 권위주의적 리더십의 확립
④ 면밀한 감독과 엄격한 통제

> **해설**

X, Y이론의 관리처방

X이론의 관리처방	Y이론의 관리처방
1. 권위주의적 리더십의 확립 2. 경제적 보상 체제의 강화 3. 면밀한 감독과 엄격한 통제 4. 상부 책임제도의 강화 5. 설득, 보상, 벌, 통제에 의한 관리 6. 조직구조의 고층성	1. 분권화와 권한의 위임 2. 목표에 의한 관리 3. 비공식적 조직의 활용 4. 민주적 리더십의 확립 5. 직무 확장 6. 자체 평가제도의 활성화 7. 조직 목표 달성을 위한 자율적인 통제 8. 조직구조의 평면화

93 허즈버그(Herzberg)의 동기·위생 이론에 대한 설명으로 옳은 것은?

① 위생요인은 직무내용에 관련된 요인이다.
② 동기요인은 직무에 만족을 느끼는 주요인이다.
③ 위생요인은 매슬로 욕구단계 중 존경, 자아실현의 욕구와 유사하다.
④ 동기요인은 매슬로 욕구단계 중 생리적 욕구와 유사하다.

> **해설**

허즈버그(F. Herzberg)의 2요인(동기-위생)이론

동기요인(직무내용)	위생요인(직무환경)
1. 성취감 2. 책임감 3. 성장과 발전 4. 안정감 5. 도전감 6. 일 그 자체	1. 보수 2. 작업조건 3. 관리감독 4. 임금 5. 지위 6. 회사 정책과 관리

94 허즈버그(Herzberg)의 동기, 위생이론 중에서 위생요인에 해당하지 않는 것은?

① 보수
② 책임감
③ 작업조건
④ 관리감독

95 다음 중 알더퍼(Alderfer)의 ERG 이론에 해당하지 않는 것은?

① 생존욕구
② 관계욕구
③ 안전욕구
④ 성장욕구

> **해설**

알더퍼(Alderfer)의 ERG 이론

생존(Existence) 욕구 (존재욕구)	유기체의 생존과 유지에 관련된 욕구 1. 의식주와 같은 기본적인 욕구 2. 임금, 안전한 작업조건 3. 직무안전
관계(Relatedness) 욕구	다른 사람과의 상호작용을 통하여 만족을 추구하는 대인욕구 1. 의미 있는 타인과의 상호작용 2. 대인 욕구
성장(Growth) 욕구	개인적인 발전과 증진에 관한 욕구(잠재력의 발전으로 충족) 1. 개인의 발전능력 2. 잠재력 충족

96 다음 중 주의(Attention)의 특징이 아닌 것은?

① 선택성
② 양립성
③ 방향성
④ 변동성

정답 92 ① 93 ② 94 ② 95 ③ 96 ②

해설

주의의 특징

선택성	1. 주의는 동시에 두 개의 방향에 집중하지 못한다. 2. 여러 종류의 자극을 지각하거나 수용할 때 특정한 것에 한하여 선택하는 기능
변동성	1. 고도의 주의는 장시간 지속할 수 없다.(주의에는 리듬이 존재) 2. 주의에는 리듬이 있어 언제나 일정수준을 유지할 수 없다.
방향성	1. 한 지점에 주의를 집중하면 다른 곳의 주의는 약해진다. 2. 주시점만 인지하는 기능

TIP 주의의 특징에 관련된 정의 문제도 자주 출제되고 있습니다. 함께 기억하세요.

97 다음 중 주의(Attention)에 관한 설명으로 옳은 것은?

① 주의는 장시간에 걸쳐 집중이 가능하다.
② 주의가 집중이 되면 주의의 영역은 넓어진다.
③ 주의는 동시에 2개 이상의 방향에 집중이 가능하다.
④ 주의의 방향과 시선의 방향이 일치할수록 주의의 정도가 높다.

98 부주의에 대한 설명 중 틀린 것은?

① 부주의는 거의 모든 사고의 직접 원인이 된다.
② 부주의라는 말은 불안전한 행위뿐만 아니라 불안정한 상태에도 통용된다.
③ 부주의라는 말은 결과를 표현한다.
④ 부주의는 무의식적 행위나 의식의 주변에서 행해지는 행위에 나타난다.

해설

부주의의 특성
1. 부주의는 불안전한 행동만이 아니라 불안전한 상태에도 통용된다.
2. 부주의란 말은 결과를 표현한다.
3. 부주의에는 원인이 존재 : 부주의에는 각각의 원인이 있으므로 그 원인이 되는 조건을 제거해야 한다.
4. 부주의에 유사한 현상 : 착각이나 인간능력의 한계를 넘는 범위로 행동한 동작의 실패원인을 부주의라고 할 수는 없다.
5. 부주의는 무의식적 행위나 그것에 가까운 의식의 주변에서 행해지는 행위에 나타난다.

99 다음 중 부주의의 발생원인과 그 대책이 올바르게 연결된 것은?

① 의식의 우회 – 상담
② 소질적 조건 – 교육
③ 작업환경조건 불량 – 작업순서 정비
④ 작업순서의 부적당 – 작업자 재배치

해설

부주의 발생원인과 대책

구분	발생원인	대책
외적 원인	작업 및 환경조건의 불량	환경정비
	작업순서의 부적합	작업순서 정비(인간공학적 접근)
	작업강도	작업량, 작업시간, 속도 등의 조절
	기상조건	온도, 습도 등의 조절
내적 원인	소질적 요인	적성에 따른 배치(적성배치)
	의식의 우회	카운슬링(상담)
	경험부족 및 미숙련	교육 및 훈련
	피로도	충분한 휴식
	정서 불안정	심리적 안정 및 치료

100 작업을 하고 있을 때 걱정거리, 고민거리, 욕구불만 등에 의해 다른 데 정신을 빼앗기는 부주의 현상은?

① 의식의 중단   ② 의식의 우회
③ 의식수준의 저하   ④ 의식의 과잉

해설

부주의 발생현상

의식의 단절(중단)	1. 의식의 흐름에 단절이 생기고 공백상태가 나타나는 경우 2. 의식수준 제0단계의 상태(특수한 질병의 경우)
의식의 우회	1. 의식의 흐름이 옆으로 빗나가 발생한 경우 2. 의식수준 제0단계의 상태(걱정, 고민, 욕구불만 등)
의식수준의 저하	1. 뚜렷하지 않은 의식의 상태로 심신이 피로하거나 단조로운 작업 등의 경우 2. 의식수준 제Ⅰ단계 이하의 상태
의식의 과잉	1. 돌발사태 및 긴급이상사태에 직면하면 순간적으로 긴장되고 의식이 한 방향으로 쏠리는 주의의 일점집중현상의 경우 2. 의식수준 제Ⅳ단계의 상태
의식의 혼란	1. 외적 조건에 문제가 있을 때 의식이 혼란되고 분산되어 작업에 잠재되어 있는 위험요인에 대응할 수 없는 경우 2. 외부의 자극이 애매모호하거나, 너무 강하거나 약할 때

정답 97 ④ 98 ① 99 ① 100 ②

> **TIP** 부주의 발생현상의 종류도 함께 기억하세요.

101 단조로운 업무가 장시간 지속될 때 작업자의 감각기능 및 판단능력이 둔화 또는 마비되는 경우의 의식수준은?

① phase 0
② phase Ⅰ
③ phase Ⅱ
④ phase Ⅲ

해설
의식수준의 단계(phase Ⅰ)

의식의 상태	의식의 작용	행동상태	신뢰성
정상 이하, 의식 흐림(subnormal), 의식 몽롱함	활발치 못함(inactive), 부주의	피로, 단조로움, 졸음, 술 취함	0.9 이하

102 의식수준 5단계 중 의식수준이 가장 적극적인 상태이며 신뢰성이 가장 높은 상태로 주의집중이 가장 활성화되는 단계는?

① Phase 0
② Phase Ⅰ
③ Phase Ⅱ
④ Phase Ⅲ

해설
의식수준의 단계(Phase Ⅲ)

의식의 상태	의식의 작용	행동상태	신뢰성
정상, 상쾌한 상태, 분명한 의식	능동적, 앞으로 향하는 주의, 주의력 범위 넓음	판단을 동반한 행동, 적극 활동 시 가장 좋은 의식수준상태, 긴급이상 사태를 의식할 때	0.999999 이상 (신뢰도가 가장 높은 상태)

> **TIP** 중요하거나 위험한 작업을 안전하게 수행하기 위하여 근로자는 Phase Ⅲ 단계의 수준에서 작업하는 것이 바람직하다.

103 관료주의에 대한 설명으로 틀린 것은?

① 의사결정에는 작업자의 참여가 필수적이다.
② 인간을 조직 내의 한 구성원으로만 취급한다.
③ 개인의 성장이나 자아실현의 기회가 주어지기 어렵다.
④ 사회적 여건이나 기술의 변화에 신속하게 대응하기 어렵다.

해설
조직구조
1. 관료주의 특성
   - 인간의 가치와 욕구를 무시하고 인간을 조직 내의 한 구성요소로만 취급한다.
   - 개인의 성장이나 자아실현의 기회가 주어지지 않는다.
   - 개인은 상실되고 독자성이 없어질 뿐만 아니라 직무 자체나 조직의 구조, 방법 등에 작업자가 아무런 관여도 할 수가 없다.
   - 사회적 여건이나 기술의 변화에 신속히 대응하기가 어렵다.

2. 민주주의의 특성
   - 직무의 충실화 및 확대
   - 모든 수준의 정책결정 시 활동적인 작업자의 참여
   - 개인의 의사표현
   - 창의력 발휘
   - 자아충족의 기회제공 등

104 다음 중 리더십 유형과 의사결정의 관계를 올바르게 연결한 것은?

① 개방적 리더 – 리더 중심
② 개성적 리더 – 종업원 중심
③ 민주적 리더 – 전체집단 중심
④ 독재적 리더 – 전체집단 중심

해설
리더십의 유형(업무추진 방식에 따른 분류)

분류	특징
권위형 (독재적)	1. 리더중심 2. 지도자가 집단의 모든 권한 행사를 단독적으로 처리한다.
민주형 (민주적)	1. 집단중심 2. 집단의 토론, 회의 등에 의해 정책을 결정한다.
자유방임형 (개방적)	1. 종업원중심 2. 집단에 대하여 전혀 리더십을 발휘하지 않고 명목상의 리더 자리만을 지키는 유형으로 지도자가 집단 구성원에게 완전히 자유를 주는 경우이다.

105 의사결정 과정에 따른 리더십의 유형 중에서 민주형에 속하는 것은?

① 집단 구성원에게 자유를 준다.
② 지도자가 모든 정책을 결정한다.
③ 집단토론이나 집단결정을 통해서 정책을 결정한다.
④ 명목적인 리더의 자리를 지키고 부하직원들의 의견에 따른다.

정답 101 ② 102 ④ 103 ① 104 ③ 105 ③

106 다음 중 리더십(Leadership) 과정에 있어 구성요소와의 함수관계를 의미하는 "$L=f(l, f_1, s)$"의 용어를 잘못 나타낸 것은?

① f : 함수(Function)
② l : 청취(Listening)
③ f_1 : 멤버(Follower)
④ s : 상황요인(Situational Variables)

해설

리더십의 결정요인
리더십의 결정요인, 즉 리더십 행동에 영향을 미치는 요소는 리더(지도자), 부하(추종자), 상황이다.

$$L=f(l, f_1, s)$$

여기서, L : Leadership(리더십)
f : Function(함수)
l : Leader(리더)
f_1 : Follower(추종자)
s : Situation(상황)

107 인간의 안전교육 형태에서 행위의 난이도가 점차적으로 높아지는 순서를 올바르게 표현한 것은?

① 지식 → 태도변형 → 개인행위 → 집단행위
② 태도변형 → 지식 → 집단행위 → 개인행위
③ 개인행위 → 태도변형 → 집단행위 → 지식
④ 개인행위 → 집단행위 → 지식 → 태도변형

해설

리더십의 인간행동 변용(변화)

곤란의 정도 →

지식의 변용(지식) → 태도의 변용(태도) → 개인행동의 변용(개인행위) → 집단 또는 조직에 대한 성과의 변용(집단행위)

소요시간 →

108 리더십에 있어서 권한의 역할 중 조직이 지도자에게 부여한 권한이 아닌 것은?

① 보상적 권한
② 강압적 권한
③ 합법적 권한
④ 전문성의 권한

해설

리더십의 권한
1. 조직이 지도자에게 부여한 권한
   • 보상적 권한
   • 강압적 권한
   • 합법적 권한
2. 지도자 자신이 자신에게 부여한 권한
   • 전문성의 권한
   • 위임된 권한

109 다음 중 리더가 가지고 있는 세력의 유형이 아닌 것은?

① 전문세력(Expert Power)
② 보상세력(Reward Power)
③ 위임세력(Entrust Power)
④ 합법세력(Legitimate Power)

해설

리더 세력의 유형
1. 강압세력(Coercive Power) : 인간의 두려움에 기반을 둔 권력으로 부하들이 바람직하지 않은 행동을 했을 때 처벌을 줄 수 있는 권력
2. 보상세력(Reward Power) : 바람직한 행동을 한 사람들에게 보상을 줄 수 있는 능력에 기반을 두는 권력(봉급, 승진, 직위부여 등)
3. 합법세력(Legitimate Power) : 조직 내의 직위 또는 보직에 의해 결정되는 권력
4. 전문세력(Expert Power) : 리더의 전문적인 기술이나 지식에 기반해 발생하는 권력
5. 준거세력(Referent Power) : 부하들이 리더를 좋아해서 그에게 동화되고 그를 본받으려고 하는 데 기초를 둔 권력

110 다음 중 리더십(Leadership)의 특성으로 볼 수 없는 것은?

① 민주주의적 지휘 형태
② 부하와의 넓은 사회적 간격
③ 밑으로부터의 동의에 의한 권한 부여
④ 개인적 영향에 의한 부하와의 관계 유지

해설

헤드십과 리더십의 구분

구분	헤드십	리더십
권한행사 및 부여	위에서 위임하여 임명된 헤드	밑에서부터의 동의에 의해 선출된 리더
권한근거	법적 또는 공식적	개인능력
상관과 부하의 관계	지배적	개인적인 경향
책임귀속	상사	상사와 부하
부하와의 사회적 간격	넓다.	좁다.
지위형태	권위주의적	민주주의적
권한귀속	공식화된 규정에 의함	집단목표에 기여한 공로 인정

111 모랄 서베이(Morale Survey)의 주요 방법 중 태도조사법에 해당하는 것은?

① 사례연구법 ② 관찰법
③ 실험연구법 ④ 문답법

해설

태도조사법
질문지법, 면접법, 집단토의법, 문답법, 투사법 등에 의해 의견을 조사하는 방법(가장 많이 사용하는 방법)

112 다음 중 D. Super의 역할이론에 포함되지 않는 것은?

① 역할 갈등 ② 역할 기대
③ 역할 조성 ④ 역할 유지

해설

슈퍼(D. Super)의 역할이론(집단의 적응과 역할)
1. 역할 연기(Role Playing) : 자아탐색인 동시에 자아실현의 수단
2. 역할 기대(Role Expectation) : 자기의 역할을 기대하고 감수하는 사람은 그 직업에 충실하다고 보는 것
3. 역할 조성(Role Shaping) : 여러 가지 역할 발생 시 그중의 어떤 역할 기대는 불응, 거부할 수 있으며 다른 역할을 해내기 위해 다른 일을 구할 때도 있다.
4. 역할 갈등(Role Conflict) : 작업 중 상반된 역할이 기대되는 경우가 있을 때 발생하는 갈등

113 다음 중 피로(Fatigue)에 관한 설명으로 가장 적절하지 않은 것은?

① 피로는 신체의 변화, 스스로 느끼는 권태감 및 작업능률의 저하 등을 총칭하는 말이다.
② 급성피로란 보통의 휴식으로는 회복이 불가능한 피로를 말한다.
③ 정신피로는 정신적 긴장에 의해 일어나는 중추신경계의 피로로 사고활동, 정서 등의 변화가 나타난다.
④ 만성피로란 오랜 기간에 걸쳐 축적되어 일어나는 피로를 말한다.

해설

급성피로와 만성피로

급성피로	보통의 휴식에 의해 회복되는 것으로 정상피로 또는 건강피로라고도 한다.
만성피로	오랜 기간에 의해 축적되어 일어나는 피로로서 휴식에 의해서 회복되지 않으며, 축적피로라고도 한다.

114 다음 중 피로의 종류에 속하지 않는 것은?

① 주관적 피로
② 객관적 피로
③ 생리적 피로
④ 환경적 피로

해설

피로의 3현상

현상	현상	대책
주관적 피로	1. 피곤하다고 느끼는 자각증상 2. 지루함과 단조로움이 뒤따름	1. 적성에 맞는 인사배치 2. 작업조건의 변화 3. 물리적 작업환경의 변화
객관적 피로	1. 생산의 양과 질의 저하를 지표로 한다. 2. 생산 실적의 저하	충분한 휴식으로 실제적 효율을 높여야 한다.
생리적 (기능적) 피로	1. 작업능력 또는 생리적 기능의 저하 2. 생체의 기능 또는 물질의 변화를 검사결과를 통해 추정한다.	즉시 충분한 휴식을 취하는 것이 좋다.

정답 111 ④ 112 ④ 113 ② 114 ④

115 피로의 예방과 회복대책에 대한 설명이 아닌 것은?

① 작업부하를 크게 할 것
② 정적 동작을 피할 것
③ 작업 속도를 적절하게 할 것
④ 근로시간과 휴식을 적정하게 할 것

해설

작업에 수반되는 피로의 예방과 대책
1. 정적 동작을 피할 것(동적 동작을 한다)
2. 작업정도 및 작업속도를 적절하게 할 것
3. 작업부하를 작게 할 것
4. 운동시간을 적당히 할 것
5. 근로시간과 휴식을 적정하게 할 것
6. 충분한 영양을 섭취할 것
7. 온도·습도 등 작업환경을 개선할 것

116 피로를 측정하는 방법은 크게 3가지로 구분할 수 있는데 동작분석, 연속반응시간 등을 통하여 피로를 측정하는 방법은 다음 중 어느 것에 해당되는가?

① 생리학적 측정
② 생화학적 측정
③ 심리학적 측정
④ 생역학적 측정

해설

피로의 측정방법

생리학적 측정	근전도(EMG), 뇌전도(ENG), 심전도(ECG), 안전도(EOG), 산소소비량, 에너지대사율(RMR), 피부전기반사(GSR), 플리커법(Flicker test)
생화학적 측정	혈액농도 측정, 혈액수분 측정, 요전해질 및 요단백질 측정
심리학적 측정	피부저항, 동작분석, 연속시간반응, 정신작업, 집중유지기능 등

TIP 피로의 측정방법 종류 3가지도 함께 기억하세요.

117 에너지 대사율(RMR)이 높은 작업의 경우 사고예방 대책으로 가장 적당한 것은?

① 작업시간의 연장
② 휴식시간의 증가
③ 임금의 증액
④ 작업강도의 증가

해설

에너지 대사율(RMR ; Relative Metabolic Rate)
1. 작업의 강도는 인체의 에너지 대사율로서 측정될 수 있다.
2. 에너지 대사율은 작업의 강도를 측정하는 방법으로 휴식시간과 밀접한 관련이 있다.
3. 에너지 대사율이 높을수록 힘든 작업이므로 작업강도에 따른 적정한 휴식시간의 증가가 필요하다.
4. 공식

$$RMR = \frac{\text{작업 시 소비에너지} - \text{안정 시 소비에너지}}{\text{기초대사량}}$$
$$= \frac{\text{작업대사량}}{\text{기초대사량}}$$

118 정신·신경기능 중심의 피로도를 측정하는 방법으로 거리가 먼 것은?

① 지각역치
② 반응시간
③ 에너지대사율
④ 안구운동

해설

정신·신경기능 검사의 측정 대상 항목(감각기능검사)
1. 플리커(Flicker)
2. 지각역치
3. 반응시간
4. 안구운동
5. 뇌파
6. 시각
7. 청각
8. 촉각

TIP 에너지 대사율은 작업의 강도를 측정하는 방법으로 휴식시간과 밀접한 관련이 있다.

119 다음과 같은 [조건]의 작업에 있어 1시간의 총 작업시간 내에 포함시켜야 하는 휴식시간은 약 얼마인가?

• 작업할 때의 평균 에너지소비량 : 4.7kcal/min
• 작업에 대한 평균 에너지소비량 : 4kcal/min
• 1시간 휴식시간 중 에너지소비량 : 2kcal/min

① 7.23분
② 10.11분
③ 13.13분
④ 15.56분

> **[해설]**

휴식시간의 산출

$$R = \frac{60(E-4)}{E-1.5}$$

여기서, R : 휴식시간[분]
E : 작업 시 평균 에너지소비량[kcal/분]
60 : 총작업시간[분]
1.5kcal/분 : 휴식시간 중의 에너지소비량

$$R = \frac{60(E-4)}{E-1.5} = \frac{60(4.7-4)}{4.7-2} = 15.555 = 15.56[\text{분}]$$

120 다음 중 생체리듬(Biorhythm)의 종류에 속하지 않는 것은?

① 육체적 리듬 ② 지성적 리듬
③ 감성적 리듬 ④ 정서적 리듬

> **[해설]**

생체리듬(Biorhythm)의 종류 및 특징

종류	특징
육체적 리듬(P) (Physical Cycle)	1. 건전한 활동기(11.5일)와 그렇지 못한 휴식기(11.5일)가 23일을 주기로 반복된다. 2. 활동력, 소화력, 지구력, 식욕 등과 가장 관계가 깊다.
감성적 리듬(S) (Sensitivity Cycle)	1. 예민한 기간(14일)과 그렇지 못한 둔한 기간(14일)이 28일을 주기로 반복된다. 2. 주의력, 창조력, 예감 및 통찰력 등과 가장 관계가 깊다.
지성적 리듬(I) (Intellectual Cycle)	1. 사고능력이 발휘되는 날(16.5일)과 그렇지 못한 날(16.5일)이 33일 주기로 반복된다. 2. 판단력, 추리력, 상상력, 사고력, 기억력 등과 가장 관계가 깊다.

121 다음 중 교육의 3요소에 해당되지 않는 것은?

① 교육의 주체 ② 교육의 객체
③ 교육결과의 평가 ④ 교육의 매개체

> **[해설]**

교육의 3요소
1. 교육의 주체 : 강사
2. 교육의 객체 : 수강자(교육대상)
3. 교육의 매개체 : 교재(교육내용)

122 다음 중 "학습지도의 원리"에서 학습자가 지니고 있는 각자의 요구와 능력 등에 알맞은 학습활동의 기회를 마련해 주어야 한다는 원리는?

① 자기활동의 원리 ② 개별화의 원리
③ 사회화의 원리 ④ 통합의 원리

> **[해설]**

학습지도의 원리

자발성의 원리	학습자의 내적동기가 유발된 학습, 즉 학습자 자신이 자발적으로 학습에 참여하는 데 중점을 둔 원리
개별화의 원리	학습자가 지니고 있는 각자의 요구와 능력 등 개인차에 맞도록 지도해야 한다는 원칙
사회화의 원리	학교에서 경험한 것과 사회에서 경험한 것을 교류시키고 함께하는 학습을 통하여 협력적이고 우호적인 학습을 진행하는 원리
통합의 원리	학습을 통합적인 전체로서 학습자의 모든 능력을 조화적으로 발달시키는 원리
직관의 원리	구체적인 사물을 직접 제시하거나 경험시킴으로서 큰 효과를 볼 수 있다는 원리

> **TIP** 학습지도의 원리 종류도 함께 기억하세요.

123 안전 · 보건교육 강사로서 교육진행의 자세로 가장 적절하지 않은 것은?

① 중요한 것은 반복해서 교육할 것
② 상대방의 입장이 되어서 교육할 것
③ 쉬운 것에서 어려운 것으로 교육할 것
④ 가능한 한 전문용어를 사용하여 교육할 것

> **[해설]**

안전보건교육의 기본적인 지도 원리(8원칙)
1. 피교육자 중심교육(상대방의 입장이 되어 가르칠 것)
2. 동기부여를 중요하게
3. 쉬운 부분에서 어려운 부분으로 진행(쉬운 것에서 어려운 것으로 가르칠 것)
4. 반복에 의한 습관화 진행(중요한 것은 반복해서 가르칠 것)
5. 인상의 강화
6. 5관(감각기관)의 활용
7. 기능적인 이해
8. 한 번에 한 가지씩 교육(피교육자의 흡수능력을 고려)

정답 120 ④ 121 ③ 122 ② 123 ④

124 교육훈련의 효과는 5관을 최대한 활용하여야 하는데 다음 중 효과가 가장 큰 것은?

① 청각 ② 시각
③ 촉각 ④ 후각

해설
5관(감각기관)의 활용

5관의 효과치		이해도	
시각효과	60%	귀	20%
청각효과	20%	눈	40%
촉각효과	15%	귀+눈	60%
미각효과	3%	입	80%
후각효과	2%	머리+손, 발	90%

125 학습의 전개 단계에서 주제를 논리적으로 체계화하는 방법이 아닌 것은?

① 간단한 것에서 복잡한 것으로
② 부분적인 것에서 전체적인 것으로
③ 미리 알려져 있는 것에서 미지의 것으로
④ 많이 사용하는 것에서 적게 사용하는 것으로

해설
학습의 전개 과정
1. 학습의 주제를 간단한 것에서 복잡한 것으로 실시
2. 학습의 주제를 과거에서 현재, 미래의 순으로 실시
3. 학습의 주제를 미리 알려져 있는 것에서 미지의 것으로 배열
4. 학습의 주제를 많이 사용하는 것에서 적게 사용하는 순으로 실시
5. 학습의 주제를 쉬운 것부터 어려운 것으로 실시
6. 학습의 주제를 전체적인 것에서 부분적인 것으로 실시

126 다음 중 학습을 자극(Stimulus)에 의한 반응(Response)으로 보는 이론에 해당하는 것은?

① 손다이크(Thorndike)의 시행착오설
② 쾰러(Kohler)의 통찰설
③ 톨만(Tolman)의 기호형태설
④ 레윈(Lewin)의 장설 이론(Field Theory)

해설
학습이론

S(자극)-R(반응)이론 (행동주의 학습이론)	인지이론(형태이론)
1. 조건반사설(Pavlov) 2. 시행 착오설(Thorndike) 3. 조작적 조건 형성이론(Skinner)	1. 통찰설(Köhler) 2. 장이론(Lewin) 3. 기호형태설(Tolman)

127 조건반사설에 의거한 학습이론의 원리가 아닌 것은?

① 강도의 원리
② 일관성의 원리
③ 계속성의 원리
④ 시행착오의 원리

해설
학습의 원리

조건반사설 (Pavlov)	시행착오설 (Thorndike)	조작적 조건 형성이론 (Skinner)
1. 강도의 원리 2. 일관성의 원리 3. 시간의 원리 4. 계속성의 원리	1. 효과의 법칙 2. 준비성의 법칙 3. 연습의 법칙	1. 강화의 원리 2. 소거의 원리 3. 조형의 원리 4. 자발적 회복의 원리 5. 변별의 원리

TIP
1. 시행 착오설의 학습 원리도 출제되고 있습니다. 함께 기억하세요.
2. 안전교육의 효과를 높이기 위해 안전 퀴즈대회를 열어 우승자에게 상을 주었다면 이는 Skinner의 강화의 원리를 학습자에게 적용한 것이다.

128 다음 중 기억과 망각에 관한 내용으로 틀린 것은?

① 학습된 내용은 학습 직후의 망각률이 가장 낮다.
② 의미 없는 내용은 의미 있는 내용보다 빨리 망각한다.
③ 사고력을 요하는 내용이 단순한 지식보다 기억, 파지의 효과가 높다.
④ 연습은 학습한 직후에 시키는 것이 효과가 있다.

해설
에빙하우스(H. Ebbinghaus)의 망각 곡선 이론
1. 파지와 시간경과에 따른 망각률을 나타내는 결과를 도표로 표시한 것을 망각곡선이라 한다.

정답 124 ② 125 ② 126 ① 127 ④ 128 ①

2. 기억률의 공식

$$기억률 = \frac{최초기억에\ 소요된\ 시간 - 그후에\ 기억에\ 소요된\ 시간}{최초기억에\ 소요된\ 시간} \times 100$$

3. 기억한 내용은 급속하게 잊어버리게 되지만 시간의 경과와 함께 잊어버리는 비율은 완만해진다.(오래되지 않은 기억은 잊어버리기 쉽고 오래된 기억은 잊어버리기 어렵다)
4. 망각을 방지하기 위해서는 반복적인 교육훈련의 실시가 매우 중요하다.
5. 일정한 간격을 두고 복습하면 장기 기억지속에 도움이 된다.

> **TIP** 에빙하우스의 망각곡선 이론에 의하면 학습한 직후의 망각률이 가장 높고 시간의 경과와 함께 잊어버리는 비율은 완만해진다.

129 기억과정에 있어 "파지(Retention)"에 대한 설명으로 가장 적절한 것은?

① 사물의 인상을 마음속에 간직하는 것
② 사물의 보존된 인상을 다시 의식으로 떠오르는 것
③ 과거의 경험이 어떤 형태로 미래의 행동에 영향을 주는 작용
④ 과거의 학습 경험을 통하여 학습된 행동이나 내용이 지속되는 것

해설
파지와 망각

파지	1. 기록이 계속 간직되는 것 2. 과거의 학습경험이 현재와 미래의 행동에 영향을 주는 작용 3. 학습된 내용이 지속되는 현상
망각	경험한 내용이나 학습된 내용을 다시 생각하여 작업에 적용하지 아니하고 방치함으로써 경험의 내용이나 인상이 약해지거나 소멸되는 현상

130 다음 중 학습전이(Transfer)의 조건이 아닌 것은?

① 학습의 정도   ② 시간적 간격
③ 학습의 평가   ④ 학습자와 태도

해설
학습의 전이
1. 전의의 의의 : 어떤 내용의 학습결과 다른 학습이나 반응에 영향을 주는 현상으로 학습효과의 전이라고도 한다. (선행학습이 다른 학습에 도움이 될 수도 있고 방해가 될 수도 있는 현상)

2. 학습전이의 조건(영향요소)
   • 학습의 정도
   • 학습의 방법
   • 학습자의 태도
   • 과거의 경험
   • 학습자료의 유의성
   • 학습자료의 제시방법
   • 학습자의 지능요인
   • 시간적인 간격의 요인 등

> **TIP** 전의의 의의도 함께 기억하세요.

131 다음 중 학습의 연속에 있어 앞(前)의 학습이 뒤(後)의 학습을 방해하는 조건과 가장 관계가 적은 경우는?

① 앞의 학습이 불완전한 경우
② 앞과 뒤의 학습 내용이 다른 경우
③ 앞과 뒤의 학습 내용이 서로 반대인 경우
④ 앞의 학습 내용을 재생하기 직전에 실시하는 경우

해설
먼저 실시한 학습이 뒤의 학습을 방해하는 조건
1. 앞의 학습이 불완전한 경우
2. 뒤의 학습을 앞의 학습 직후에 실시하는 경우
3. 앞의 학습내용을 재생(再生)하기 직전에 실시하는 경우
4. 앞뒤의 학습내용이 비슷한 경우

132 다음 중 적응기제(Adugustment Mechanism)의 유형에서 "동일화(identification)"의 사례에 해당하는 것은?

① 운동시합에 진 선수가 컨디션이 좋지 않았다고 한다.
② 결혼에 실패한 사람이 고아들에게 정열을 쏟고 있다.
③ 아버지의 성공을 자랑하며 자신의 목에 힘이 들어가 있다.
④ 동생이 태어난 후 초등학교에 입학한 큰 아이가 손가락을 빨기 시작한다.

해설
동일화
다른 사람의 행동양식이나 태도를 투입하거나 다른 사람 가운데서 자기와 비슷한 것을 발견하게 되는 것
예 동창생을 자랑하거나 우쭐대는 것

정답 129 ④ 130 ③ 131 ② 132 ③

예 아버지의 성공을 자랑하며 자신의 목에 힘이 들어간다.

TIP
1. 운동시합에 진 선수가 컨디션이 좋지 않았다고 한다. : 합리화
2. 결혼에 실패한 사람이 고아들에게 정열을 쏟고 있다. : 보상
3. 동생이 태어난 후 초등학교에 입학한 큰 아이가 손가락을 빨기 시작한다. : 퇴행

133 다음의 적응기제 중 자기의 난처한 입장이나 실패의 결점을 이유나 변명으로 일관하는 것, 또는 실제의 행위나 상태보다 훌륭하게 평가되기 위하여 구실을 내세우는 행위를 무엇이라 하는가?

① 투사
② 도피
③ 합리화
④ 동일화

해설

적응기제

투사	1. 자기 마음속의 억압된 것을 다른 사람의 것으로 생각하는 것 2. 자신이 미워하는 대상에 대해서, 그 사람이 자신을 미워한다고 생각한다.
도피	1. 도피하려는 심리작용 2. 두통이나 복통 등을 구실 삼아 작업현장에서 도피
합리화	1. 자기의 난처한 입장이나 실패의 결점을 이유나 변명으로 일관하는 것 2. 실제의 행위나 상태보다 훌륭하게 평가되기 위하여 구실을 내세우는 행위 3. 시합에 진 운동선수가 컨디션이 좋지 않았다고 한다.
동일화	1. 다른 사람의 행동양식이나 태도를 투입하거나 다른 사람 가운데서 자기와 비슷한 것을 발견하게 되는 것 2. 동창생을 자랑하거나 우쭐대는 것 3. 아버지의 성공을 자랑하며 자신의 목에 힘이 들어간다.

134 적응기제 중 방어적 기제에 해당하는 것은?

① 고립
② 퇴행
③ 억압
④ 보상

해설

적응기제의 기본 유형

구분	공격적 기제(행동)	도피적 기제(행동)	방어적(절충적) 기제(행동)
유형	1. 직접적 공격 기제 : 폭행, 싸움, 기물파손 등 2. 간접적 공격 기제 : 비난, 폭언, 욕설 등	1. 백일몽 2. 퇴행 3. 억압 4. 반동형성 5. 고립 등	1. 승화 2. 보상 3. 합리화 4. 투사 5. 동일화 등

135 다음 중 인간의 적응기제(適應機劑)에 포함되지 않는 것은?

① 갈등(Conflict)
② 억압(Repression)
③ 공격(Aggressio)
④ 합리화(Rationalization)

해설

대표적인 적응기제(자아방어기제)
1. 억압
2. 공격
3. 반동형성
4. 도피
5. 고립
6. 퇴행
7. 승화
8. 투사
9. 합리화
10. 보상
11. 동일화
12. 백일몽
13. 망상형

136 다음 중 사업장 내 안전·보건교육을 통하여 근로자가 함양 및 체득될 수 있는 사항과 가장 거리가 먼 것은?

① 잠재위험 발견 능력
② 비상사태 대응 능력
③ 재해손실비용분석 능력
④ 직면한 문제의 사고 발생 가능성 예지 능력

해설

안전보건교육의 효과
1. 잠재위험 발견 능력 향상
2. 비상사태 대응 능력 향상
3. 사고발생의 예지 능력 향상
4. 안전태도 및 의식 향상
5. 재해예방 및 경제적 손실 방비 등

137 다음 중 일반적인 근로자의 안전교육 기본 방향과 가장 거리가 먼 것은?

① 안전의식 향상을 위한 교육
② 사고사례 중심의 안전 교육
③ 재해조사 중심의 교육
④ 표준안전 작업을 위한 교육

해설

안전보건교육의 기본방향
1. 사고사례중심의 안전교육
2. 안전표준작업을 위한 안전교육
3. 안전의식 향상을 위한 안전교육

정답 133 ③ 134 ④ 135 ① 136 ③ 137 ③

138 다음 중 안전교육의 목적과 가장 거리가 먼 것은?

① 설비의 안전화 ② 제도의 정착화
③ 환경의 안전화 ④ 행동의 안전화

해설
안전보건교육의 목적
1. 의식의 안전화(정신의 안전화)
2. 행동(동작)의 안전화
3. 환경의 안전화
4. 설비와 물자의 안전화

139 다음 중 안전교육의 종류에 포함되지 않는 것은?

① 태도교육 ② 지식교육
③ 직무교육 ④ 기능교육

해설
안전보건교육의 3단계

제1단계	제2단계	제3단계
지식교육 →	기능교육 →	태도교육

140 안전교육 과정 중 피교육자가 스스로 행함으로서만 얻어지는 교육은?

① 안전지식의 교육 ② 안전기능의 교육
③ 안전태도의 교육 ④ 안전의식의 교육

해설
기능교육(제2단계)
1. 시범, 견학, 실습, 현장실습을 통한 경험체득과 이해
2. 교육 대상자 스스로 행함으로써 습득하는 교육
3. 같은 내용을 반복해서 개인의 시행착오에 의해서만 얻어지는 교육

> **TIP** 지식교육(제1단계)
> 1. 강의, 시청각교육을 통한 지식의 전달과 이해
> 2. 근로자가 지켜야 할 규정의 숙지를 위한 교육

141 안전한 작업방법을 알고는 있으나 시행하지 않는 것에 대한 교육으로 옳은 것은?

① 안전지식 교육 ② 작업환경 교육
③ 안전태도 교육 ④ 안전기능 교육

해설
태도교육(제3단계)
1. 작업동작지도, 생활지도 등을 통한 안전의 습관화 및 일체감
2. 동기를 부여하는 데 가장 적절한 교육
3. 안전한 작업방법을 알고는 있으나 시행하지 않는 것에 대한 교육

142 다음 중 기능교육의 3원칙에 해당하지 않는 것은?

① 준비 ② 안전의식 고취
③ 위험작업의 규제 ④ 안전작업 표준화

해설
기능교육의 3원칙
1. 준비
2. 위험작업의 규제(수칙)
3. 안전작업의 표준화(방법)

143 다음 중 안전 태도 교육의 원칙으로 적절하지 않은 것은?

① 적성 배치를 한다.
② 이해하고 납득한다.
③ 항상 모범을 보인다.
④ 지적과 처벌 위주로 한다.

해설
태도교육의 기본과정(순서)

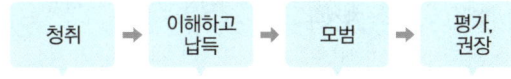

청취 →	이해하고 납득 →	모범 →	평가, 권장
들어본다.	이해시킨다.	시험을 보인다.	평가한다.

> **TIP** 태도교육 시 지적과 처벌 위주의 교육이 되어서는 안 되며 적절한 상과 벌을 통해 학습의욕을 환기시킨다.

144 다음 중 안전·보건교육 계획 수립에 반드시 포함하여야 할 사항이 아닌 것은?

① 교육 지도안 ② 교육의 목표 및 목적
③ 교육장소 및 방법 ④ 교육의 종류 및 대상

정답 138 ② 139 ③ 140 ② 141 ③ 142 ② 143 ④ 144 ①

해설

안전보건교육 계획 수립 시 포함하여야 할 사항(통합계획)
1. 교육목표(교육계획 수립 시 첫째 과제)
2. 교육의 종류 및 교육대상
3. 교육방법
4. 교육의 과목 및 교육내용
5. 교육기간 및 시간
6. 교육장소
7. 교육 담당자 및 강사

※ 교육계획을 수립하는 데 있어 가장 최우선적으로 고려해야 할 사항은 교육대상이 누구인지를 정하는 것이다.

145 강의의 성과는 강의계획의 준비 정도에 따라 일반적으로 결정되는데 다음 중 강의계획의 4단계를 올바르게 나열한 것은?

㉠ 교수방법의 선정
㉡ 학습자료의 수집 및 체계화
㉢ 학습목적과 학습성과의 선정
㉣ 강의안 작성

① ㉢ → ㉡ → ㉠ → ㉣
② ㉡ → ㉢ → ㉠ → ㉣
③ ㉡ → ㉠ → ㉢ → ㉣
④ ㉡ → ㉢ → ㉣ → ㉠

해설

교육계획(강의계획수립의 4단계)

제1단계	제2단계	제3단계	제4단계
학습목적과 학습성과의 설정	학습자료의 수집 및 체계화	교수방법의 선정	강의안 작성

146 다음 중 산업안전보건법상 근로자 안전보건교육에 있어 교육대상과 교육시간이 잘못 연결된 것은?

① 사무직 종사 근로자의 정기교육 : 매반기 6시간 이상
② 일용근로자의 작업내용 변경 시의 교육 : 1시간 이상
③ 건설 일용근로자의 건설업 기초안전보건교육 : 2시간 이상
④ 관리감독자의 정기교육 : 연간 16시간 이상

해설

근로자 안전보건교육
1. 사무직 종사 근로자의 정기교육 : 매반기 6시간 이상
2. 일용근로자 및 근로계약기간이 1주일 이하인 기간제근로자 작업내용 변경 시의 교육 : 1시간 이상
3. 건설 일용근로자의 건설 기초안전보건교육 : 4시간 이상
4. 관리감독자의 정기교육 : 연간 16시간 이상

147 산업안전보건법상 근로자 안전보건교육 중 근로자 정기교육의 교육내용과 거리가 먼 것은?

① 산업안전 및 산업재해 예방에 관한 사항
② 산업보건 및 건강장해 예방에 관한 사항
③ 유해·위험 작업환경 관리에 관한 사항
④ 작업공정의 유해·위험과 재해 예방대책에 관한 사항

해설

근로자 정기교육
1. 산업안전 및 산업재해 예방에 관한 사항(화재·폭발 사고 발생 시 대피에 관한 사항을 포함)
2. 산업보건 및 건강장해 예방에 관한 사항(폭염·한파작업으로 인한 건강장해 발생 시 응급조치에 관한 사항을 포함)
3. 위험성 평가에 관한 사항
4. 건강증진 및 질병 예방에 관한 사항
5. 유해·위험 작업환경 관리에 관한 사항
6. 산업안전보건법령 및 산업재해보상보험 제도에 관한 사항
7. 직무스트레스 예방 및 관리에 관한 사항
8. 직장 내 괴롭힘, 고객의 폭언 등으로 인한 건강장해 예방 및 관리에 관한 사항

148 다음 중 산업안전보건법상 근로자 안전보건 교육에 있어 관리감독자의 정기교육 내용이 아닌 것은?

① 물질안전보건자료에 관한 사항
② 산업보건 및 건강장해 예방에 관한 사항
③ 표준안전 작업방법 결정 및 지도·감독 요령에 관한 사항
④ 작업공정의 유해·위험과 재해 예방대책에 관한 사항

해설

관리감독자 정기교육
1. 산업안전 및 산업재해 예방에 관한 사항(화재·폭발 사고 발생 시 대피에 관한 사항을 포함)
2. 산업보건 및 건강장해 예방에 관한 사항(폭염·한파작업으로 인한 건강장해 발생 시 응급조치에 관한 사항을 포함)
3. 위험성평가에 관한 사항
4. 유해·위험 작업환경 관리에 관한 사항

정답 145 ① 146 ③ 147 ④ 148 ①

5. 산업안전보건법령 및 산업재해보상보험 제도에 관한 사항
6. 직무스트레스 예방 및 관리에 관한 사항
7. 직장 내 괴롭힘, 고객의 폭언 등으로 인한 건강장해 예방 및 관리에 관한 사항
8. 작업공정의 유해·위험과 재해 예방대책에 관한 사항
9. 사업장 내 안전보건관리체제 및 안전·보건조치 현황에 관한 사항
10. 표준안전 작업방법 결정 및 지도·감독 요령에 관한 사항
11. 현장근로자와의 의사소통능력 및 강의능력 등 안전보건 교육 능력 배양에 관한 사항
12. 비상시 또는 재해 발생 시 긴급조치에 관한 사항
13. 그 밖의 관리감독자의 직무에 관한 사항

149 산업안전보건법령상 근로자 안전보건교육에 있어 채용 시의 교육내용에 해당하는 것은?

① 유해·위험 작업환경 관리에 관한 사항
② 표준안전 작업방법 결정 및 지도·감독 요령에 관한 사항
③ 작업공정의 유해·위험과 재해 예방대책에 관한 사항
④ 기계·기구의 위험성과 작업의 순서 및 동선에 관한 사항

해설
근로자 채용 시 교육 및 작업내용 변경 시 교육
1. 산업안전 및 산업재해 예방에 관한 사항(화재·폭발 사고 발생 시 대피에 관한 사항을 포함)
2. 산업보건 및 건강장해 예방에 관한 사항
3. 위험성 평가에 관한 사항
4. 산업안전보건법령 및 산업재해보상보험 제도에 관한 사항
5. 직무스트레스 예방 및 관리에 관한 사항
6. 직장 내 괴롭힘, 고객의 폭언 등으로 인한 건강장해 예방 및 관리에 관한 사항
7. 기계·기구의 위험성과 작업의 순서 및 동선에 관한 사항
8. 작업 개시 전 점검에 관한 사항
9. 정리정돈 및 청소에 관한 사항
10. 사고 발생 시 긴급조치에 관한 사항
11. 물질안전보건자료에 관한 사항

150 산업안전보건법상 아세틸렌 용접장치 또는 가스집합 용접장치를 사용하여 행하는 금속의 용접·용단 또는 가열작업자에게 특별안전·보건교육을 시키고자 할 때의 교육내용이 아닌 것은?

① 용접 흄·분진 및 유해광선 등의 유해성에 관한 사항
② 작업방법·작업순서 및 응급처치에 관한 사항
③ 안전밸브의 취급 및 주의에 관한 사항
④ 안전기 및 보호구 취급에 관한 사항

해설
특별안전·보건교육내용(아세틸렌 용접장치 또는 가스집합 용접장치를 사용하는 금속의 용접·용단 또는 가열작업)
1. 용접 흄, 분진 및 유해광선 등의 유해성에 관한 사항
2. 가스용접기, 압력조정기, 호스 및 취관두 등의 기기점검에 관한 사항
3. 작업방법·순서 및 응급처치에 관한 사항
4. 안전기 및 보호구 취급에 관한 사항
5. 화재예방 및 초기대응에 관한 사항
6. 그 밖에 안전·보건관리에 필요한 사항

151 다음 중 산업안전보건법상 특별안전·보건교육 대상 작업이 아닌 것은?

① 건설용 리프트·곤돌라를 이용한 작업
② 전압이 50볼트인 정전 및 활선작업
③ 화학설비 중 반응기, 교반기·추출기의 사용 및 세척작업
④ 액화석유가스·수소가스 등 인화성 가스 또는 폭발성 물질 중 가스의 발생장치 취급 작업

해설
특별안전·보건교육 대상 작업명(제1호부터 제38호까지의 작업 중 일부)
1. 밀폐된 장소(탱크 내 또는 환기가 극히 불량한 좁은 장소)에서 하는 용접작업 또는 습한 장소에서 하는 전기용접 작업
2. 액화석유가스·수소가스 등 인화성 가스 또는 폭발성 물질 중 가스의 발생장치 취급 작업
3. 화학설비 중 반응기, 교반기·추출기의 사용 및 세척작업
4. 화학설비의 탱크 내 작업
5. 건설용 리프트·곤돌라를 이용한 작업
6. 주물 및 단조작업
7. 전압이 75볼트 이상인 정전 및 활선작업
8. 콘크리트 인공구조물(그 높이가 2m 이상인 것만 해당)의 해체 또는 파괴작업
9. 게이지 압력을 제곱센티미터당 1킬로그램 이상으로 사용하는 압력용기의 설치 및 취급 작업
10. 방사선 업무에 관계되는 작업(의료 및 실험용은 제외)
11. 석면해체·제거작업

정답 149 ④ 150 ③ 151 ②

152 다음 중 하버드 학파의 5단계 교수법에 해당되지 않는 것은?

① 교시(Presentation)　② 연합(Association)
③ 추론(Reasoning)　④ 총괄(Generalization)

해설
하버드 학파의 5단계 교수법

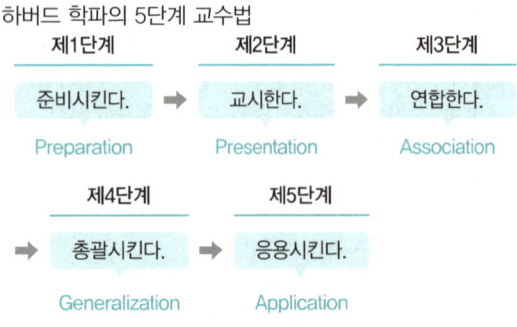

TIP 하버드 학파의 단계별 순서도 함께 기억하세요.

153 일선 관리감독자를 대상으로 작업지도기법, 작업개선기법, 인간관계 관리기법 등을 교육하는 방법은?

① ATT(American Telephone & Telegram Co.)
② MTP(Management Training Program)
③ CCS(Civil Communication Section)
④ TWI(Training Within Industry)

해설
TWI(Training Within Industry)
1. 교육대상자 : 제 일선 관리감독자
2. 교육과정
   - Job Method Training(JMT) : 작업방법훈련, 작업개선훈련
   - Job Instruction Training(JIT) : 작업지도훈련
   - Job Relations Training(JRT) : 인간관계훈련, 부하통솔법
   - Job Safety Training(JST) : 작업안전훈련

154 안전교육 중 ATP(Administration Training Program)라고도 하며, 당초에는 일부 회사의 최고 관리자에 대해서만 행하여졌던 것이 널리 보급된 것은?

① TWI(Training Within Industry)
② MTP(Management Training Program)
③ CCS(Civil Communication Section)
④ ATT(America Telephone & Telegram Co.)

해설
교육대상자

TWI (Training Within Industry)	제 일선 관리감독자
MTP (Mangement Training Program)	TWI보다 약간 높은 관리자(관리문제에 치중하는 관리자)
ATT (American Telephone & Telegram Co.)	교육대상이 한정되어 있지 않고, 한 번 훈련을 받은 관리자는 그 부하인 감독자에 대해 지도원이 될 수 있다.
CCS (Civil Communication Section)	당초에는 일부 회사의 최고 관리자에 대해서만 행하였던 것이 널리 보급된 것

155 O.J.T(On the Job Training) 교육의 장점과 가장 거리가 먼 것은?

① 훈련에만 전념할 수 있다.
② 개개인의 업무능력에 적합한 자세한 교육이 가능하다.
③ 직장의 실정에 맞게 실제적 훈련이 가능하다.
④ 교육을 통하여 상사와 부하 간의 의사소통과 신뢰감이 깊게 된다.

해설
Off J.T(Off the Job Training)
1. 정의 : 공통된 교육목적을 가진 근로자를 현장 외의 장소에 모아 실시하는 집체교육으로 집단교육에 적합한 교육형태
2. 특징
   - 직장의 실정에 맞는 구체적이고 실제적인 지도 교육이 가능하다.
   - 개개인에게 적절한 지도 훈련이 가능하다.(개인의 능력과 적성에 알맞은 맞춤교육이 가능하다)
   - 훈련 효과에 의해 상호 신뢰이해도가 높아진다.(상사와의 의사 소통 및 신뢰도 향상에 도움이 된다)
   - 교육의 효과가 업무에 신속하게 반영된다.
   - 교육의 이해도가 빠르고 동기부여가 쉽다.
   - 교육으로 인해 업무가 중단되는 업무손실이 적다.
   - 교육경비의 절감효과가 있다.

정답 152 ③　153 ④　154 ③　155 ①

156 다음 중 Off J.T(Off the Job Training)의 특징이 아닌 것은?

① 전문가를 초빙하여 강사로 활용이 가능하다.
② 교육생 간에 많은 지식과 경험을 교류할 수 있다.
③ 다수의 교육생에게 조직적 훈련이 가능하다.
④ 직장의 실정에 맞는 실질적 훈련이 가능하다.

해설

Off J.T(Off the Job Training)
1. 정의 : 공통된 교육목적을 가진 근로자를 현장 외의 장소에 모아 실시하는 집체교육으로 집단교육에 적합한 교육형태
2. 특징
   - 외부의 전문가를 활용할 수 있다.(전문가를 초빙하여 강사로 활용이 가능하다)
   - 다수의 대상자에게 조직적 훈련이 가능하다.
   - 특별교재, 교구, 시설을 유효하게 사용할 수 있다.
   - 타 직종 사람과의 많은 지식, 경험을 교류할 수 있다.
   - 업무와 분리되어 교육에 전념하는 것이 가능하다.
   - 교육목표를 위하여 집단적으로 협조와 협력이 가능하다.
   - 법규, 원리, 원칙, 개념, 이론 등의 교육에 적합하다.

157 다음 중 강의계획 수립 시 학습목적 3요소가 아닌 것은?

① 목표　　　② 주제
③ 학습정도　④ 교재내용

해설

학습목적의 3요소

목표(Goal)	학습목적의 핵심, 학습을 통하여 달성하려는 지표
주제(Subject)	목표달성을 위한 테마
학습정도(Level of Learning)	주제를 학습시킬 범위와 내용의 정도

158 다음 중 교육방법의 4단계를 올바르게 나열한 것은?

① 제시 → 도입 → 적용 → 확인
② 확인 → 도입 → 제시 → 적용
③ 도입 → 확인 → 적용 → 제시
④ 도입 → 제시 → 적용 → 확인

해설

교육방법의 4단계
1. 제1단계 : 도입(준비) : 학습할 준비를 시킨다.
2. 제2단계 : 제시(설명) : 작업을 설명한다.
3. 제3단계 : 적용(응용) : 작업을 시켜본다.
4. 제4단계 : 확인(평가) : 가르친 뒤 살펴본다.

159 토의식 교육지도에 있어서 가장 시간이 많이 소요되는 단계는?

① 도입　　② 제시
③ 적용　　④ 확인

해설

단계별 시간 배분(단위시간 1시간일 경우)

구분	도입	제시	적용	확인
강의식	5분	40분	10분	5분
토의식	5분	10분	40분	5분

TIP 강의식 교육지도에서 가장 많이 많이 소요되는 단계는 제시단계이다.

160 교육훈련 평가의 4단계를 올바르게 나열한 것은?

① 학습 → 반응 → 행동 → 결과
② 학습 → 행동 → 반응 → 결과
③ 행동 → 반응 → 학습 → 결과
④ 반응 → 학습 → 행동 → 결과

해설

교육훈련 평가의 4단계

제1단계	제2단계	제3단계	제4단계
반응단계 ➡	학습단계 ➡	행동단계 ➡	결과단계

161 다음 중 교육훈련의 학습을 극대화시키고, 개인의 능력개발을 극대화시켜 주는 평가방법이 아닌 것은?

① 관찰법　　② 배제법
③ 자료분석법　④ 상호평가법

정답　156 ④　157 ④　158 ④　159 ③　160 ④　161 ②

> **해설**
>
> 교육훈련의 평가방법
> 1. 교육훈련의 평가목적 : 교육훈련이나 학습과정에 최대한의 도움을 줌으로써 학습을 극대화시켜 성적에서의 개인차를 줄이고 개인의 능력개발을 극대화시키는 것이다.
> 2. 평가방법의 종류
>   - 관찰법
>   - 면접법
>   - 실험비교법
>   - 상호평가법
>   - 평점법
>   - 자료분석법
>   - 검정시험법

162 다음 교육평가 방법 중 태도교육 평가방법으로 가장 부적당한 것은?

① 관찰
② 면접
③ 질문
④ 테스트

> **해설**
>
> 교육훈련의 평가방법
>
> | 구분 | 관찰법 | | | Test법 | | |
> |---|---|---|---|---|---|---|
> | | 관찰 | 면접 | 노트 | 질문 | 시험 | 테스트 |
> | 지식교육 | 보통 | 보통 | 불량 | 보통 | 우수 | 우수 |
> | 기능교육 | 보통 | 불량 | 우수 | 불량 | 불량 | 우수 |
> | 태도교육 | 우수 | 우수 | 불량 | 보통 | 보통 | 불량 |

163 교육방법 중 강의법(Lecture)의 장점으로 볼 수 없는 것은?

① 강사의 입장에서 시간의 조정이 가능하다.
② 참가자는 긍정적이며, 능동적 입장에 놓인다.
③ 전체적인 교육내용을 제시하는 데 유리하다.
④ 비교적 많은 인원을 대상으로 단시간에 지식을 부여할 수 있다.

> **해설**
>
> 강의식 교육의 장단점
>
> | | |
> |---|---|
> | 장점 | 1. 한 번에 많은 사람이 지식을 부여받는다.(최적인원 40~50명)
2. 시간의 계획과 통제가 용이하다.
3. 체계적으로 교육할 수 있다.
4. 준비가 간단하고 어디에서도 가능하다.
5. 수업의 도입이나 초기단계에 적용하는 것이 효과적이다. |
> | 단점 | 1. 가르치는 방법이 일방적, 기계적, 획일적이다.
2. 참가자는 대개 수동적 입장이며 참여가 제약된다.
3. 암기에 빠지기 쉽고, 현실에서 필요한 개념형성이 되기 어렵다. |

164 다음 중 토의법의 장점으로 볼 수 없는 것은?

① 사고표현력을 길러 준다.
② 결정된 사항에 따르도록 한다.
③ 내용에 대한 사전지식이 필요 없다.
④ 자기 스스로 사고하는 능력을 길러 준다.

> **해설**
>
> 토의법의 장단점
>
> | | |
> |---|---|
> | 장점 | 1. 사고표현력을 길러준다.
2. 결정된 사항에 따르도록 한다.
3. 자기 스스로 사고하는 능력을 길러준다.
4. 민주적 태도의 가치관을 육성할 수 있다.
5. 타인의 의견을 존중하는 태도를 기를 수 있다. |
> | 단점 | 1. 토의 내용에 대한 충분한 사전 준비가 필요하다.
2. 교육에 시간이 너무 많이 소요된다.
3. 예측하지 못한 상황이 발생할 수 있다.
4. 소수에 의해 토론이 주도될 경우 나머지 학습자는 소외되거나 무관심한 상태에 빠지기 쉽다. |

165 토의법 중에서 참가자에게 일정한 역할을 주어서 실제적으로 연기를 시켜봄으로써 자기의 역할을 보다 확실히 인식시키는 방법에 해당하는 것은?

① 포럼(Forum)
② 심포지엄(Symposium)
③ 버즈 세션(Buzz Session)
④ 롤 플레잉(Role Playing)

> **해설**
>
> 롤 플레잉(Role Playing)
> 참석자에게 어떤 역할을 주어서 실제로 직접 연기해 본 후 훈련이나 평가에 사용하는 교육방법(역할연기법)

166 다음 중 교육과제에 정통한 전문가 4~5명이 피교육자 앞에서 자유로이 토의를 실시한 다음에 피교육자 전원이 참가하여 사회자의 사회에 따라 토의하는 방식을 무엇이라 하는가?

① 포럼(Forum)
② 패널 디스커션(Panel Discussion)
③ 심포지엄(Symposium)
④ 버즈 세션(Buzz Session)

정답 162 ④ 163 ② 164 ③ 165 ④ 166 ②

해설

토의법의 종류
1. 자유토의법 : 참가자가 주어진 주제에 대하여 자유로운 발표와 토의를 통하여 서로의 의견을 교환하고 상호이해력을 높이며 의견을 절충해 나가는 방법
2. 패널 디스커션(Panel Discussion) : 전문가 4~5명이 피교육자 앞에서 자유로이 토의를 하고, 그 후에 피교육자 전원이 사회자의 사회에 따라 토의하는 방법
3. 심포지엄(Symposium) : 발제자 없이 몇 사람의 전문가에 의하여 과제에 관한 견해를 발표한 뒤에 참가자로 하여금 의견이나 질문을 하게 하여 토의하는 방법
4. 포럼(Forum)
   - 사회자의 진행으로 몇 사람이 주제에 대하여 발표한 후 피교육자가 질문을 하고 토론해 나가는 방법
   - 새로운 자료나 주제를 내보이거나 발표한 후 피교육자로 하여금 문제나 의견을 제시하게 하고 다시 깊이 있게 토론해 나가는 방법
5. 버즈 세션(Buzz Session) : 6-6 회의라고도 하며, 참가자가 다수인 경우에 전원을 토의에 참가시키기 위한 방법으로 소집단을 구성하여 회의를 진행시키는 방법

TIP 토의법의 5가지 종류 및 정의와 관련된 문제들이 출제되고 있습니다. 함께 기억하세요.

167 어떤 상황의 판단 능력과 사실의 분석 및 문제의 해결 능력을 키우기 위하여 먼저 사례를 조사하고, 문제적 사실들과 그의 상호 관계에 대하여 검토하고, 대책을 토의하도록 하는 교육기법은 무엇인가?

① 심포지엄(Symposium)
② 로울 플레잉(Role Playing)
③ 케이스 메소드(Case Method)
④ 패널 디스커션(Panel Discussion)

해설

사례연구법(Case Method)
먼저 사례를 제시하고 문제가 되는 사실들과 그의 상호관계에 대해서 검토하고 대책을 토의하는 방법

168 안전교육의 방법 중 프로그램 학습법(Programmed Self-instruction)에 관한 설명으로 틀린 것은?

① 개발비가 적게 들어 쉽게 적용할 수 있다.
② 수업의 모든 단계에서 적용이 가능하다.
③ 한 번 개발된 프로그램 자료는 개조하기 어렵다.
④ 수강자들이 학습이 가능한 시간대의 폭이 넓다.

해설

프로그램 학습법
1. 학생이 자기 학습속도에 따른 학습이 허용되어 있는 상태에서 학습자가 프로그램 자료를 가지고 단독으로 학습하도록 하는 교육방법
2. 항상 새로운 프로그램의 개발에 노력해야 하므로 개발비가 높다.

169 교육 대상자수가 많고 교육 대상자의 학습능력의 차이가 큰 경우 집단안전교육방법으로서 가장 효과적인 방법은?

① 문답식 교육
② 토의식 교육
③ 시청각 교육
④ 상담식 교육

해설

시청각 교육의 필요성
1. 교수의 효율성을 높여 줄 수 있다.
2. 대규모 인원에 대한 대량 수업체제가 확립될 수 있다.
3. 교수의 개인차에서 오는 교수의 평준화를 기할 수 있다.
4. 사물에 대한 정확한 이해는 건전한 사고력을 유발하고 바람직한 태도형성에 도움을 준다.
5. 지식 팽창에 따른 교재의 구조화를 기할 수 있다.

170 다음 중 어떤 기능이나 작업과정을 학습시키기 위해 필요로 하는 분명한 동작을 제시하는 교육방법은?

① 시범식 교육
② 토의식 교육
③ 강의식 교육
④ 반복식 교육

해설

시범(Demonstration Method)
1. 기능이나 작업과정을 학습시키기 위해 필요로 하는 분명한 동작을 제시하는 방법이다.
2. 고압가스 취급책임자들에게 이와 관련된 기능이나 작업과정을 학습시키기 위해 필요로 하는 안전교육의 실시 방법 중 가장 적당한 교육방법이다.

정답 167 ③ 168 ① 169 ③ 170 ①

171 다음 중 산업안전보건법상 용어의 정의가 잘못 설명된 것은?

① "사업주"란 근로자를 사용하여 사업을 하는 자를 말한다.
② "근로자대표"란 근로자의 과반수로 조직된 노동조합이 없는 경우에는 사업주가 지정하는 자를 말한다.
③ "산업재해"란 근로자가 업무에 관계되는 건설물·설비·원재료·가스·증기 등에 의하거나 작업 또는 그 밖의 업무로 인하여 사망 또는 부상하거나 질병에 걸리는 것을 말한다.
④ "안전·보건진단"이란 산업재해를 예방하기 위하여 잠재적 위험성을 발견하고 그 개선대책을 수립할 목적으로 고용노동부장관이 지정하는 자가 하는 조사·평가를 말한다.

해설
근로자대표
근로자의 과반수로 조직된 노동조합이 있는 경우에는 그 노동조합을, 근로자의 과반수로 조직된 노동조합이 없는 경우에는 근로자의 과반수를 대표하는 자를 말한다.

172 산업안전보건법상 중대재해에 해당하지 않는 것은?

① 추락으로 인하여 1명이 사망한 재해
② 건물의 붕괴로 인하여 15명의 부상자가 동시에 발생한 재해
③ 화재로 인하여 4개월의 요양이 필요한 부상자가 동시에 3명 발생한 재해
④ 근로환경으로 인하여 작업성 질병자가 동시에 5명 발생한 재해

해설
중대재해
1. 사망자가 1명 이상 발생한 재해
2. 3개월 이상의 요양이 필요한 부상자가 동시에 2명 이상 발생한 재해
3. 부상자 또는 직업성 질병자가 동시에 10명 이상 발생한 재해

173 공정안전보고서의 세부내용 중 안전운전계획에 포함하여야 하는 것이 아닌 것은?

① 안전운전지침서
② 안전작업허가
③ 설비배치도
④ 도급업체 안전관리계획

해설
안전운전계획의 세부내용
1. 안전운전지침서
2. 설비점검·검사 및 보수계획, 유지계획 및 지침서
3. 안전작업허가
4. 도급업체 안전관리계획
5. 근로자 등 교육계획
6. 가동 전 점검지침
7. 변경요소 관리계획
8. 자체감사 및 사고조사계획
9. 그 밖에 안전운전에 필요한 사항

174 산업안전보건법에 따라 고용노동부장관이 산업재해 예방활동에 대한 참여와 지원을 촉진하기 위하여 근로자, 근로자 단체, 사업주단체 및 산업재해 예방 관련 전문단체에 소속된 자 중에서 위촉할 수 있는 사람을 무엇이라 하는가?

① 사업재해조사관
② 관리감독자
③ 명예산업안전감독관
④ 근로감독관

해설
명예산업안전감독관
1. 고용노동부장관은 산업재해 예방활동에 대한 참여와 지원을 촉진하기 위하여 근로자, 근로자단체, 사업주단체 및 산업재해 예방 관련 전문단체에 소속된 자 중에서 명예산업안전감독관을 위촉할 수 있다.
2. 사업주는 명예산업안전감독관으로서 정당한 활동을 한 것을 이유로 그 명예산업안전감독관에 대하여 불리한 처우를 하여서는 아니 된다.
3. 명예산업안전감독관의 위촉 방법, 업무 범위, 그 밖에 필요한 사항은 대통령령으로 정한다.

정답 171 ② 172 ④ 173 ③ 174 ③

PART 02

인간공학 및 위험성 평가·관리 예상문제

PART 02 인간공학 및 위험성 평가 · 관리 예상문제

01 다음 중 인간공학에 관련된 설명으로 옳지 않은 것은?
① 인간의 특성과 한계점을 고려하여 제품을 변경한다.
② 생산성으로 높이기 위해 인간의 특성을 작업에 맞추는 것이다.
③ 사고를 방지하고 안전성과 능률성을 높일 수 있다.
④ 편리성, 쾌적성, 효율성을 높일 수 있다.

해설
인간공학의 정의
인간의 생리적, 심리적 요소를 연구하여 기계나 설비를 인간의 특성에 맞추어 설계하고자 하는 것이다.

02 다음 중 인간공학(Ergonomics)의 기원에 대한 설명으로 가장 적합한 것은?
① 차패니스(Chapanis A.)에 의해서 처음 사용되었다.
② 민간 기업에서 시작하여 군이나 군수회사로 전파되었다.
③ "ergon(작업)+nomos(법칙)+ics(학문)"의 조합된 단어이다.
④ 관련 학회는 미국에서 처음 설립되었다.

해설
인간공학의 용어
1. ergonomics : 유럽을 중심으로 작업자와 생산성에 초점을 맞춘 연구에 주로 사용
   ergon(작업의 의미를 가진 그리스어 : work)+nomos(법칙의 의미 : rules, law)의 두 단어로부터 만들어진 합성어
2. human factors engineering, human factors
   미국에서 실험심리학과 시스템 공학을 배경으로 국방문제에 초점 맞춘 용어
3. human engineering, engineering psychology
   자기들의 연구 분야를 묘사하는 데 일부 사용하는 용어

03 다음 중 인간공학의 직접적인 목적과 가장 거리가 먼 것은?
① 기계조작의 능률성   ② 인간의 능력개발
③ 사고의 미연 및 방지   ④ 작업환경의 쾌적성

해설
인간공학의 목적
1. 안전성 향상 및 사고방지
2. 기계조작의 능률성과 생산성의 향상
3. 작업환경의 쾌적성 향상

04 다음 중 인간공학 연구 목적과 가장 거리가 먼 것은?
① 일과 일상생활에서 사용하는 도구, 기구 등에 설계에 있어서 인간을 우선적으로 고려한다.
② 인간의 능력, 한계 특성 등을 고려하면서 전체 인간-기계 시스템의 효율을 증가시킨다.
③ 시스템의 생산성 극대화를 위하여 인간의 특성을 연구하고, 이를 제한 · 통제한다.
④ 시스템이나 절차를 설계할 때 인간의 특성에 관한 정보를 체계적으로 응용한다.

해설
인간을 제한, 통제하는 것은 인간공학 연구의 목적이 아니다.

05 다음 중 사업장에서 인간공학 적용 분야와 가장 거리가 먼 것은?
① 작업환경 개선   ② 장비 및 공구의 설계
③ 재해 및 질병예방   ④ 신뢰성 설계

해설
사업장에서의 인간공학 적용 분야
1. 작업설계와 조직의 변경
2. 재해 및 질병의 예방
3. 제품의 사용성 평가
4. 작업 환경의 개선
5. 핵발전소 제어실 설계
6. 고기술 제품의 인터페이스 디자인
7. 장비 및 공구의 설계 등

정답 01 ② 02 ③ 03 ② 04 ③ 05 ④

06 다음 중 시스템의 정의와 관련한 설명으로 틀린 것은?

① 구성요소들이 모인 집합체다.
② 구성요소들이 정보를 주고받는다.
③ 구성요소들은 공통의 목적을 갖고 있다.
④ 개회로시스템은 피드백 정보를 필요로 한다.

해설
시스템
시스템이란 구성요소(Component)들이 모여서 정보를 주고받으며, 어떤 과업의 수행이나 목적 달성을 위해 공동 작업하는 조직화된 구성요소의 집합체를 의미한다.

07 다음 중 인간-기계 체계에 의해 수행하는 기본 기능의 유형이 아닌 것은?

① 감지 ② 정보보관
③ 궤환 ④ 행동

해설
체계(System)의 기본 기능 및 업무

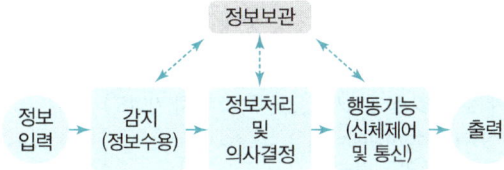

08 인간-기계 시스템 설계 과정의 주요 6단계를 올바른 순서로 나열한 것은?

ⓐ 기본설계
ⓑ 시스템 정의
ⓒ 목표 및 성능 명세 결정
ⓓ 인간-기계 인터페이스(Human-Machine Interface) 설계
ⓔ 매뉴얼 및 성능보조자료 작성
ⓕ 시험 및 평가

① ⓒ → ⓑ → ⓐ → ⓓ → ⓔ → ⓕ
② ⓐ → ⓑ → ⓒ → ⓓ → ⓔ → ⓕ
③ ⓑ → ⓒ → ⓐ → ⓔ → ⓓ → ⓕ
④ ⓒ → ⓐ → ⓑ → ⓔ → ⓓ → ⓕ

해설
인간-기계 체계설계의 기본단계 순서
1. 제1단계 : 목표 및 성능 명세 결정
2. 제2단계 : 시스템(체계)의 정의
3. 제3단계 : 기본설계
4. 제4단계 : 인터페이스(계면) 설계
5. 제5단계 : 촉진물 설계
6. 제6단계 : 시험 및 평가

TIP 매뉴얼 및 성능보조자료 작성은 촉진물 설계에 해당된다.

09 다음 중 인간-기계시스템의 설계 단계를 6단계로 구분할 때 제3단계인 기본설계단계에 속하지 않는 것은?

① 직무분석 ② 기능의 할당
③ 인터페이스 설계 ④ 인간 성능 요건 명세

해설
기본설계(제3단계)
1. 체계개발 단계 중 체계의 형태가 갖추기 시작하는 단계
2. 주요 인간공학 활동
 • 인간, 하드웨어, 소프트웨어에 기능 할당
 • 인간 성능 요건 명세
 • 직무분석
 • 작업설계

10 다음 중 인간-기계시스템의 설계원칙으로 틀린 것은?

① 양립성이 적으면서 적을수록 정보처리에 재코드화 과정은 적어진다.
② 사용빈도, 사용순서, 기능에 따라 배치가 이루어져야 한다.
③ 인간의 기계적 성능에 부합되도록 설계해야 한다.
④ 인체 특성에 적합해야 한다.

해설
인간-기계 체계의 설계 원칙

배열을 고려한 설계	계기판이나 제어기의 중요성, 사용빈도, 사용순서, 기능에 따라 배치하는 것
양립성에 맞게 설계	양립성이란 자극 및 응답과 인간의 예상과의 관계를 말하는 것으로, 인간공학적 설계의 중심적 개념이다. 어떤 설계든지 주 목표는 시스템을 인간의 예상과 양립시키는 것이다.

정답 06 ④ 07 ③ 08 ① 09 ③ 10 ①

인체 특성에 적합한 설계	손목의 휨각, 최적의 눈높이, 물체를 잡는 자세 등을 고려한 설계
인간의 기계적 성능에 맞도록 설계	인간의 한계를 고려한 설계

11 다음 중 인간-기계 시스템은 설계하기 위해 고려해야 할 사항으로 가장 적합하지 않은 것은?

① 동작 경제의 원칙이 만족되도록 고려하여야 한다.
② 대상이 되는 시스템이 위치할 환경 조건이 인간에 대한 한계치를 만족하는가의 여부를 조사한다.
③ 인간과 기계가 모두 복수인 경우, 종합적인 효과보다 기계를 우선적으로 고려한다.
④ 인간이 수행해야 할 조작이 연속적인가 불연속적인가를 알아보기 위해 특성조사를 실시한다.

해설
인간-기계 체계의 설계 시 고려사항
인간과 기계가 모두 복수인 경우, 전체에 대한 배치로부터 발생하는 종합적인 효과가 가장 중요하며 우선적으로 고려되어야 한다.

12 인간공학의 연구방법에서 인간-기계 시스템을 평가하는 척도로서 인간기준이 아닌 것은?

① 사고빈도　　　② 인간성능 척도
③ 객관적 반응　　④ 생리학적 지표

해설
기준의 유형

체계기준 (System Criteria)	1. 체계의 예상수명 2. 운용이나 사용상의 용이성 3. 정비도 4. 신뢰도 5. 운용비 6. 소요 인력
인간기준 (Human Criteria)	1. 인간성능 척도(Human Performance) 2. 생리학적(Physiological) 지표 3. 주관적 반응(Subjective Response) 4. 사고빈도(Accident Frequency)

13 시스템의 평가척도 중 시스템의 목표를 잘 반영하는가를 나타내는 척도를 무엇이라 하는가?

① 신뢰성　　　② 타당성
③ 측정의 민감도　④ 무오염성

해설
연구 기준의 요건
1. 적절성(타당성) : 기준이 의도된 목적에 적당하다고 판단되는 정도
2. 무오염성 : 측정하고자 하는 변수 이외의 다른 변수들의 영향을 받아서는 안 된다.
3. 기준척도의 신뢰성(Reliability of Criterion Measure) : 사용되는 척도의 신뢰성, 즉 반복성을 말한다.
4. 민감도 : 기대되는 차이에 적합한 정도의 단위로 측정이 가능해야 한다. 즉, 피실험자 사이에서 볼 수 있는 예상 차이점에 비례하는 단위로 측정해야 함을 의미한다.

TIP 연구 기준 요건의 종류도 출제되고 있습니다. 함께 기억하세요.

14 다음 중 체계분석 및 설계에 있어서의 인간공학의 가치와 가장 거리가 먼 것은?

① 성능의 향상
② 훈련 비용의 증가
③ 사용자의 수용도 향상
④ 생산 및 보전의 경제성 증대

해설
체계 분석 및 설계에서 인간공학의 가치(기여도)
1. 성능(Performance)의 향상
2. 훈련비용의 절감
3. 인력 이용률(Utilization)의 향상
4. 사고 및 오용으로부터의 손실 감소
5. 생산 및 보전의 경제성 증대
6. 사용자의 수용도 향상

15 인간이 현존하는 기계를 능가하는 기능으로 거리가 먼 것은?

① 완전히 새로운 해결책을 도출할 수 있다.
② 원칙을 적용하여 다양한 문제를 해결할 수 있다.
③ 여러 개의 프로그램된 활동을 동시에 수행할 수 있다.
④ 상황에 따라 변하는 복잡한 자극 형태를 식별할 수 있다.

정답 11 ③　12 ③　13 ②　14 ②　15 ③

> **해설**

인간이 기계보다 우수한 기능
1. 매우 낮은 수준의 자극(시각, 청각, 촉각, 후각, 미각적인)을 감지한다.
2. 수신 상태가 나쁜 음극선관에 나타나는 영상과 같이 배경 잡음이 심한 경우에도 신호를 인지할 수 있다.
3. 항공 사진의 피사체나 말소리처럼 상황에 따라 변화하는 복잡한 자극의 형태를 식별할 수 있다.
4. 주의의 예기치 못한 상황을 감지할 수 있다.
5. 많은 양의 정보를 오랜 기간 동안 보관하였다가 적절한 정보를 상기한다.
6. 다양한 경험을 토대로 의사결정을 한다.
7. 어떤 운용 방법이 실패할 경우, 다른 방법을 선택한다.
8. 관찰을 통해서 일반화하여 귀납적으로 추리한다.
9. 원칙을 적용하여 다양한 문제를 해결한다.
10. 완전히 새로운 해결책을 찾을 수 있다.
11. 다양한 운용상의 요건에 맞추어서 신체적인 반응을 적응시킨다.
12. 과부하 상황에서 불가피한 경우에는 중요한 일에만 전념한다.
13. 주관적으로 추산하고 평가한다.

> **TIP** 여러 개의 프로그램된 활동을 동시에 수행한다. : 기계가 인간보다 우수한 기능

16 다음 중 기계가 인간을 능가하는 경우가 아닌 경우는?

① 물리적인 양을 신속하게 계수하거나 측정한다.
② 완전히 새로운 해결책을 찾아낸다.
③ 암호화된 정보를 신속하게 대량으로 보관한다.
④ 반복적인 작업을 신뢰성 있게 수행한다.

> **해설**

기계가 인간보다 우수한 기능
1. 인간의 정상적인 감지 범위 밖에 있는 자극(X선, 레이더파, 초음파 등)을 감지한다.
2. 사전에 명시된 사상(Event), 특히 드물게 발생하는 사상을 감지한다.
3. 입력신호에 대해 신속하게 일관성 있는 반응을 한다.
4. 암호화된 정보를 신속하게 대량으로 보관할 수 있다.
5. 정해진 프로그램에 따라 정량적인 정보처리를 한다.
6. 반복적인 작업을 신뢰성 있게 수행할 수 있다.
7. 연역적으로 추리한다.
8. 상당히 큰 물리적인 힘을 규율 있게 발휘한다.
9. 여러 개의 프로그램된 행동을 동시에 수행한다.
10. 물리적인 양을 계수하거나 측정한다.
11. 주의가 소란하여도 효율적으로 작동한다.
12. 과부하에서도 효율적으로 작동한다.
13. 구체적인 지시에 의해 암호화된 정보를 신속하고 정확하게 회수한다.

> **TIP** 완전히 새로운 해결책을 찾아낸다. : 인간이 기계보다 우수한 기능

17 다음 중 인간과 기계의 능력에 대한 실용성 한계에 관한 설명과 가장 거리가 먼 것은?

① 일반적인 인간과 기계의 비교가 항상 적용된다.
② 상대적인 비교는 항상 변하기 마련이다.
③ 기능의 수행이 유일한 기준은 아니다.
④ 최선의 성능을 마련하는 것이 항상 중요한 것은 아니다.

> **해설**

인간 – 기계 비교의 한계점
1. 일반적인 인간과 기계의 비교가 항상 적용되지 않는다.
2. 상대적인 비교는 항상 변하기 마련이다.
3. 최선의 성능을 마련하는 것이 항상 중요한 것은 아니다.
4. 기능의 수행이 유일한 기준은 아니다.
5. 기능의 할당에서 사회적인 또 이에 관련된 가치들을 고려해 넣어야 한다.

18 다음 중 작업설계를 함에 있어서 작업만족도를 얻기 위한 수단으로 볼 수 없는 것은?

① 작업 순환　　② 작업 분석
③ 작업 윤택화　④ 작업 확대

> **해설**

작업설계 시 철학적으로 고려해야 할 점
1. 작업 확대(Job Enlargement)
2. 작업 윤택화(Job Enrichment)
3. 작업 만족도(Job Satisfaction)
4. 작업 순환(Job Rotation)

19 다음 중 인간 – 기계 인터페이스(Human – Machine Interface)의 조화성과 가장 거리가 먼 것은?

① 인지적 조화성　② 신체적 조화성
③ 통계적 조화성　④ 감성적 조화성

정답 16 ② 17 ① 18 ② 19 ③

> **해설**

계면 조화성의 3가지 차원
인간과 기계(환경)계면에서의 인간과 기계의 조화성은 다음의 3가지 차원에서 고려된다.

신체적 조화성	인간의 신체적 또는 형태적 특성의 적합성 여부 (필요조건)
지적 조화성	인간의 인지능력, 정신적 부담의 정도(편리수준)
감성적 조화성	인간의 감정 및 정서의 적합성 여부(쾌적수준)

> **TIP** 인터페이스(계면)를 설계할 때 감성적인 부문을 고려하지 않으면 진부감(새롭지 못함)을 느끼게 된다.

20 다음 중 카메라의 필름에 해당하는 우리 눈의 부위는?

① 망막
② 수정체
③ 동공
④ 각막

> **해설**

망막
1. 눈으로 들어온 빛이 최종적으로 도달하는 곳이다.
2. 카메라의 필름에 해당된다.

21 다음 중 시력 및 조명에 관한 설명으로 옳은 것은?

① 표적 물체가 움직이거나 관측자가 움직이면 시력의 역치는 증가한다.
② 필터를 부착한 VDT화면에 표시된 글자의 밝기는 줄어들지만 대비는 증가한다.
③ 대비는 표적 물체 표면에 도달하는 조도와 결과하는 광도와의 차이를 나타낸다.
④ 관측자의 시야 내에 있는 주시영역과 그 주변 영역의 조도의 비를 조도비라고 한다.

> **해설**

시식별에 영향을 주는 조건
1. 과녁의 이동 : 표적물체나 관측자가 움직일 경우에는 시력이 감소한다.
2. 대비(Contrast) : 표적의 광도와 배경 광도의 차를 나타내는 척도이다.
3. 조도(Illuminance) : 어떤 물체나 표면에 도달하는 빛의 단위 면적당 밀도를 말한다.

22 다음 중 아날로그(Analogue) 표시장치의 선택 시 고려해야 할 사항으로 가장 적절한 것은?

① 일반적으로 고정눈금에서 지침이 움직이는 것이 좋다.
② 온도계나 고도계에 사용되는 눈금이나 지침은 수평 표시가 바람직하다.
③ 눈금의 증가는 시계반대 방향이 적합하다.
④ 이동요소의 수동조절이 필요할 때에는 지침보다 눈금을 조절할 수 있어야 한다.

> **해설**

1. 온도계나 고도계는 수직표시가 바람직하다.
2. 눈금의 증가는 시계방향이 적합하다.
3. 수동조절 시 지침을 조절할 수 있어야 한다.

23 측정값의 변화방향이나 변화속도를 나타내는데 가장 유리한 표시장치는?

① 동침형
② 동목형
③ 계수형
④ 묘사형

> **해설**

정목동침형(지침이동형)
1. 눈금이 고정되고 지침이 움직이는 형(고정눈금 이동지침 표시장치)
2. 일정한 범위에서 수치가 자주 또는 계속 변하는 경우 가장 유용한 표시장치
3. 지침의 위치는 인식적인 암시 신호를 얻을 수 있다.

24 관측하고자 하는 측정값을 가장 정확하게 읽을 수 있는 표시장치는?

① 계수형
② 동침형
③ 동목형
④ 묘사형

> **해설**

계수형(Digital)
1. 전력계나 택시 요금 계기와 같이 기계, 전자적으로 숫자가 표시되는 형
2. 출력되는 값을 정확하게 읽어야 하는 경우에 가장 적합하다.(수치를 정확하게 읽어야 할 경우)

25 다음 중 정량적 표시장치의 눈금 수열로 가장 인식하기 쉬운 것은?

① 1, 2, 3 …
② 2, 4, 5 …
③ 3, 6, 9 …
④ 4, 8, 12 …

해설

눈금의 수열
일반적으로 0, 1, 2, 3 …처럼 1씩 증가하는 수열이 가장 사용하기 쉽다.

26 다음 중 일반적인 지침의 설계 요령과 가장 거리가 먼 것은?

① 뾰족한 지침의 선각은 약 30° 정도를 사용한다.
② 지침의 끝은 눈금과 맞닿되 겹치지 않게 한다.
③ 원형눈금의 경우 지침의 색은 선단에서 눈금의 중심까지 칠한다.
④ 시차를 없애기 위해 지침을 눈금 면에 밀착시킨다.

해설

지침의 설계
1. 뾰족한 지침을 사용한다.(선각이 약 20° 정도)
2. 지침의 끝은 작은 눈금과 맞닿게 하되 겹치지는 않도록 한다.
3. 시차(時差)를 없애기 위해 지침을 눈금면에 밀착시킨다.
4. 원형 눈금의 경우 지침의 색은 선단에서 눈금이 중심까지 칠한다.

27 다음 중 시각적 표시장치에 있어 성격이 다른 것은?

① 디지털 온도계
② 자동차 속도계기판
③ 교통신호등의 좌회전 신호
④ 은행의 대기인원 표시등

해설

디지털 온도계(계수형), 자동차 속도계기판(정목동침형), 은행의 대기인원 표시등(계수형)은 정량적 표시장치에 해당되며, 교통신호등은 상태표시기에 해당된다.

28 다음 중 글자와 설계 요소에 있어 검은 바탕에 쓰여진 흰 글자가 번지어 보이는 현상과 가장 관련성이 높은 것은?

① 글자체   ② 획폭비
③ 종이 크기   ④ 글자 두께

해설

획폭
1. 문자나 숫자의 높이에 대한 획굵기의 비
2. 광삼현상 : 흰 모양이 주위의 검은 배경으로 번져보이는 현상

| 가 나 다 라 | 검은색 바탕의 흰색 글씨(음각) |
| 가 나 다 라 | 흰색 바탕의 검은색 글씨(양각) |

29 다음 중 음(音)의 크기를 나타내는 단위로만 나열된 것은?

① dB, nit   ② phon, lb
③ dB, psi   ④ phon, dB

해설

음의 크기 단위
1. dB : 음의 전파방향에 수직한 단위면적을 단위시간에 통과하는 음의 세기량 또는 음의 압력량이며 소리(소음)의 크기를 나타내는 단위이다.
2. phon : 정량적 평가를 하기 위한 음량 수준 척도

TIP
1. nit : 휘도의 단위(1nit = cd/m²)
2. lb(파운드) : 무게의 단위
3. psi : 압력의 단위

30 음의 세기인 데시벨(dB)을 측정할 때 기준 음압의 주파수는?

① 10Hz   ② 100Hz
③ 1,000Hz   ④ 10,000Hz

해설

음의 강도(intensity) : 진폭
음의 강도 척도 : bel의 1/10인 decibel(dB) : 1dB = 0.1b

$$dB \text{ 수준} = 20\log_{10}\left(\frac{P_1}{P_0}\right)$$

여기서, P_1 : 음압으로 표시된 주어진 음의 강도
P_0 : 표준치(1,000Hz 순음의 가청 최소음압)

정답 25 ① 26 ① 27 ③ 28 ② 29 ④ 30 ③

31 40phon이 1sone일 때 60phon은 몇 sone인가?

① 2sone
② 4sone
③ 6sone
④ 100sone

해설

phon(음량 수준)과 sone(음량)의 관계

$$\text{sone 치} = 2^{(\text{phon 치} - 40)/10}$$

※ 음량 수준이 10phon 증가하면 음량(sone)은 2배로 증가된다.

$\text{sone 치} = 2^{(\text{phon 치} - 40)/10} = 2^{(60-40)/10} = 4[\text{sone}]$

32 음압수준이 120dB인 경우 1,000Hz에서의 phon 값과 sone 값으로 옳은 것은?

① 100phon, 64sone
② 100phon, 128sone
③ 120phon, 128sone
④ 120phon, 256sone

해설

phon(음량 수준)과 sone(음량)의 관계

$$\text{sone 치} = 2^{(\text{phon 치} - 40)/10}$$

※ 음량 수준이 10phon 증가하면 음량(sone)은 2배로 증가된다.

1. 1,000Hz, 120dB은 120phon이다.
2. $\text{sone 치} = 2^{(\text{phon 치} - 40)/10} = 2^{(120-40)/10} = 256$

33 자동생산라인의 오류 경보음을 3단계로 설계하였다. 1단계 경보음이 1,000Hz, 60dB라 할 때 3단계 오류 경보음이 1단계 경보음보다 4배 더 크게 들리도록 하려면, 다음 중 경보음이 주파수와 음압수준으로 가장 적절한 것은?

① 1,000Hz, 80dB
② 1,000Hz, 120dB
③ 2,000Hz, 60dB
④ 2,000Hz, 80dB

해설

phon(음량 수준)과 sone(음량)의 관계

$$\text{sone 치} = 2^{(\text{phon 치} - 40)/10}$$

※ 음량 수준이 10phon 증가하면 음량(sone)은 2배로 증가된다.

1. 1,000Hz, 60dB은 60phon이다.
2. 60phon
   $\text{sone 치} = 2^{(\text{phon 치} - 40)/10} = 2^{(60-40)/10} = 4$
3. 70phon
   $\text{sone 치} = 2^{(\text{phon 치} - 40)/10} = 2^{(70-40)/10} = 8$
4. 80phon
   $\text{sone 치} = 2^{(\text{phon 치} - 40)/10} = 2^{(80-40)/10} = 16$
5. ∴ phon 치는 80dB(1,000Hz 기준)

34 정보를 전송하기 위한 표시장치 중 시각장치보다 청각장치를 사용해야 더 좋은 경우는?

① 메시지가 나중에 재참조되는 경우
② 직무상 수신자가 자주 움직이는 경우
③ 메시지가 공간적인 위치를 다루는 경우
④ 수신자의 청각계통이 과부하상태인 경우

해설

청각장치와 시각장치의 비교

청각적 표시장치	시각적 표시장치
1. 전언이 간단하다.	1. 전언이 복잡하다.
2. 전언이 짧다.	2. 전언이 길다.
3. 전언이 후에 재참조되지 않는다.	3. 전언이 후에 재참조된다.
4. 전언이 시간적 사상을 다룬다.	4. 전언이 공간적인 위치를 다룬다.
5. 전언이 즉각적인 행동을 요구한다.(긴급할 때)	5. 전언이 즉각적인 행동을 요구하지 않는다.
6. 수신장소가 너무 밝거나 암조응 유지가 필요시	6. 수신장소가 너무 시끄러울 때
7. 직무상 수신자가 자주 움직일 때	7. 직무상 수신자가 한곳에 머물 때
8. 수신자가 시각 계통이 과부하상태일 때	8. 수신자의 청각 계통이 과부하상태일 때

35 다음 중 한 자극 차원에서의 절대 식별 수에 있어 순음의 경우 평균 식별 수는 어느 정도 되는가?

① 1
② 5
③ 9
④ 13

해설

청각 차원들에 대한 절대 식별 수준 수

차원	수준 수	비고
강도(순음)	4~5	순음의 경우 1,000~4,000Hz로 한정할 필요가 있으나, 광대역 소음이 보다 바람직하다.
진동수	4~7	적을수록 좋으며 충분한 간격을 두어야 한다. 강도는 최소한 30dB
지속시간	2~3	확실한 차이를 두어야 한다.
음의 방향	좌우	두 귀간의 강도차는 확실해야 한다.
강도 및 진동수	9	

36 다음 중 청각적 표시에 대한 설명으로 틀린 것은?

① JND는 인간이 신호의 50%를 검출할 수 있는 자극 차원(강도 또는 진동수)의 최소 차이다.
② 장애물이나 칸막이를 넘어가야 하는 신호는 1,000Hz 이상의 진동수를 갖는 신호를 사용한다.
③ 다차원 코드 시스템을 사용할 경우, 일반적으로 차원의 수가 많고 수준의 수가 적은 것이 차원의 수가 적고 수준의 수가 많은 것보다 좋다.
④ 배경 소음과 다른 진동수를 갖는 신호를 사용하는 것이 바람직하다.

해설

경계 및 경보 신호를 선택, 설계할 때의 지침
1. 귀는 중음역에 가장 민감하므로 500~3,000Hz의 진동수를 사용
2. 고음은 멀리 가지 못하므로 300m 이상의 장거리용으로는 1,000Hz 이하의 진동수를 사용
3. 신호가 장애물을 돌아가거나 칸막이를 통과해야 할 경우에는 500Hz 이하의 진동수를 사용
4. 주의를 끌기 위해서 변조된 신호를 사용(초당 1~8번 나는 소리나 초당 1~3번 오르내리는 변조된 신호)
5. 배경소음의 진동수와 다른 신호를 사용(신호는 최소 0.5~1초 지속)
6. 경보효과를 높이기 위해서 개시시간이 짧은 고강도 신호 사용
7. 주변 소음에 대한 은폐효과를 막기 위해 500~1,000Hz 신호를 사용하여, 적어도 30dB 이상 차이가 나야 함
8. 가능하다면 다른 용도에 쓰이지 않는 확성기, 경적 등과 같은 별도의 통신계통을 사용

37 "음의 높이, 무게 등 물리적 자극을 상대적으로 판단하는 데 있어 특정 감각기관의 변화감지역은 표준자극에 비례한다"라는 법칙을 발견한 사람은?

① 핏츠(Fitts)   ② 드루리(Drury)
③ 웨버(Weber)   ④ 호프만

해설

웨버(Weber)의 법칙
1. 음의 높이, 무게, 빛의 밝기 등 물리적 자극을 상대적으로 판단하는 데 있어 특정감각기관의 변화감지역은 표준자극에 비례한다는 법칙
2. 감각기관의 표준자극과 변화감지역의 연관관계
3. 변화감지역은 사용되는 표준자극의 크기에 비례

4. 원래 자극의 강도가 클수록 변화 감지를 위한 자극의 변화량은 커지게 된다.

$$\text{Weber 비} = \frac{\Delta I}{I} = \frac{\text{변화감지역}}{\text{표준자극}}$$

여기서, ΔI : 변화감지역, I : 표준자극

38 다음 중 신호의 강도, 진동수에 의한 신호의 상대 식별 등 물리적 자극의 변화 여부를 감지할 수 있는 최소의 자극 범위를 의미하는 것은?

① Chunking
② Stimulus Range
③ SDT(Signal Detection Theory)
④ JND(Just Noticeable Difference)

해설

변화감지역
1. 신호의 강도, 진동수에 의한 신호의 상대 식별 등 물리적 자극의 변화 여부를 감지할 수 있는 최소의 자극 범위를 말한다.
2. 특정 감각의 감지능력은 두 자극 사이의 차이를 알아낼 수 있는 변화감지역(JND ; Just Noticeable Difference)으로 표현
3. 변화감지역이 작을수록 변화를 검출하기 쉽다.

39 다음의 감각기관 중 반응속도가 가장 빠른 것은?

① 시각   ② 촉각
③ 후각   ④ 미각

해설

감각 기관별 자극반응시간

청각	촉각	시각	미각	통각
0.17초	0.18초	0.20초	0.29초	0.70초

40 크기가 다른 복수의 조종장치를 촉감으로 구별할 수 있도록 설계할 때 구별이 가능한 최소의 직경 차이와 최소의 두께 차이로 가장 적합한 것은?

① 직경 차이 : 0.95cm, 두께 차이 : 0.95cm
② 직경 차이 : 1.3cm, 두께 차이 : 0.95cm
③ 직경 차이 : 0.95cm, 두께 차이 : 1.3cm
④ 직경 차이 : 1.3cm, 두께 차이 : 1.3cm

정답 36 ② 37 ③ 38 ④ 39 ② 40 ②

해설

크기를 이용한 조종장치의 암호화

크기의 차이를 쉽게 구별할 수 있도록 설계	1. 직경 : 1.3cm ($\frac{1}{2}''$) 차이 2. 두께 : 0.95cm ($\frac{3}{8}''$) 차이
촉감으로 식별 가능한 18개의 손잡이 구성요소	1. 세 가지 표면가공 2. 세 가지 직경(1.9, 3.2, 4.5cm) 3. 두 가지 두께(0.95, 1.9cm)

41 후각적 표시장치에 대한 설명으로 틀린 것은?

① 냄새의 확산을 통제하기 힘들다.
② 코가 막히면 민감도가 떨어진다.
③ 복잡한 정보를 전달하는 데 유용하다.
④ 냄새에 대한 민감도의 개인차가 있다.

해설

후각적 표시장치를 많이 쓰지 않는 이유
1. 사람마다 여러 냄새에 대한 민감도의 개인차가 심하고, 코가 막히면 민감도가 떨어진다.
2. 사람은 냄새에 빨리 익숙해져서 노출 후 얼마 이상이 지나면 냄새의 존재를 느끼지 못한다.
3. 냄새의 확산을 통제하기가 힘들다.
4. 어떤 냄새는 메스껍게 하고 사람이 싫어할 수도 있다.

TIP 반복적 노출에 따라 민감성이 가장 쉽게 떨어지는 표시장치는 후각 표시장치이다.

42 다음 설명에서 ( ) 안에 들어갈 단어를 순서적으로 올바르게 나타낸 것은?

(㉠) 필요한 직무 또는 절차를 수행하지 않는 데 기인한 과오
(㉡) 필요한 직무 또는 절차를 수행하였으나 잘못 수행한 과오

① ㉠ Sequential Error ㉡ Extraneous Error
② ㉠ Extraneous Error ㉡ Omission Error
③ ㉠ Omission Error ㉡ Commission Error
④ ㉠ Commission Error ㉡ Omission Error

해설

인간실수의 분류(심리적인 분류)

생략에러 (omission error) 부작위 실수	필요한 직무 및 절차를 수행하지 않아(생략) 발생하는 에러 예 가스밸브를 잠그는 것을 잊어 사고가 났다.
작위에러 (commission error)	필요한 작업 또는 절차의 불확실한 수행(잘못 수행)으로 인한 에러 예 전선이 바뀌었다, 틀린 부품을 사용하였다, 부품이 거꾸로 조립되었다 등
순서에러 (sequential error)	필요한 작업 또는 절차의 순서 착오로 인한 에러 예 자동차 출발 시 핸드브레이크를 해제하지 않고 출발하여 발생한 에러
시간에러 (time error)	필요한 직무 또는 절차의 수행지연으로 인한 에러 예 프레스 작업 중에 금형 내에 손이 오랫동안 남아 있어 발생한 재해
과잉행동에러 (extraneous error)	불필요한 작업 또는 절차를 수행함으로써 기인한 에러 예 자동차 운전 중 습관적으로 손을 창문으로 내밀어 발생한 재해

TIP 각 에러의 정의 및 예시에 관련된 문제도 출제되고 있습니다. 함께 기억하세요.

43 인간 오류의 분류에 있어 원인에 의한 분류 중 작업의 조건이나 작업의 형태 중에서 다른 문제가 생겨 그 때문에 필요한 사항을 실행할 수 없는 오류(Error)를 무엇이라고 하는가?

① Secondary Error ② Primary Error
③ Command Error ④ Commission Error

해설

원인의 레벨(Level)적 분류

Primary Error (1차 에러)	작업자 자신으로부터 발생한 에러
Secondary Error (2차 에러)	작업형태나 작업조건 중에서 다른 문제가 발생하여 필요한 직무나 절차를 수행할 수 없는 에러
Command Error (지시 에러)	작업자가 움직이려 해도 필요한 물건, 정보, 에너지 등이 공급되지 않아서 작업자가 움직일 수 없는 상황에서 발생한 에러

TIP 위의 문제와 같이 각 에러의 정의에 관련된 문제가 출제되고 있습니다. 함께 기억하세요.

정답 41 ③ 42 ③ 43 ①

44 5,000개의 베어링을 품질 검사하여 400개의 불량품을 처리하였으나 실제로는 1,000개의 불량 베어링이 있었다면 이러한 상황의 HEP는 얼마인가?

① 0.04　　② 0.08
③ 0.12　　④ 0.16

해설

인간 실수 확률(HEP ; Human Error Probability)
특정한 직무에서 하나의 착오가 발생할 확률(할당된 시간은 내재적이거나 명시되지 않는다.)

$$HEP = \frac{인간의\ 실수수}{전체실수발생기회의\ 수}$$

$$HEP = \frac{인간의\ 실수수}{전체실수발생기회의\ 수} = \frac{1,000 - 400}{5,000} = 0.12$$

45 다음 중 사고나 위험, 오류 등의 정보를 근로자의 직접면접, 조사 등을 사용하여, 인간-기계 시스템 요소들의 관계 규명 및 중대 작업 필요조건 확인을 통한 시스템 개선을 수행하는 기법은?

① 직무 위급도 분석
② 인간 실수율 예측기법
③ 위급사건기법
④ 인간 실수 자료 은행

해설

위급사건기법(CIT ; Critical Incident Technique)
1. 위급사건에 대한 정보와 자료는 예방 수단을 개발하는 데 귀중한 실제 결함이나 행태적 특이성을 반영하는 단서를 제공
2. 정보수집을 위한 면접 : 위험했던 경험들을 확인
   • 사고나 위기일발
   • 조작 실수
   • 불안전한 조건과 관행 등

46 다음 중 반복되는 사건이 많이 있는 경우에 FTA의 최소 컷셋을 구하는 알고리즘이 아닌 것은?

① Boolean Algorithm
② Monte Carlo Algorithm
③ MOCUS Algorithm
④ Limnios & Algorithm

해설

Monte Carlo 모의 실험
1. 구하고자 하는 수치의 확률적 분포를 반복 가능한 실험의 통계로부터 구하는 방법을 말하며, 시뮬레이션 테크닉의 일종이다.
2. 이 기법의 목적은 체계가 어디에서 요원에게 과도 혹은 과소한 부하를 주는가를 나타내고 보통의 조작자가 요구되는 모든 직무를 시간 내에 완수할 수 있는가를 결정하기 위한 것

47 다음 중 인간의 실수(Human Errors)를 감소시킬 수 있는 방법으로 가장 적절하지 않은 것은?

① 직무수행에 필요한 능력과 기량을 가진 사람을 선정함으로써 인간의 실수를 감소시킨다.
② 적절한 교육과 훈련을 통하여 인간의 실수를 감소시킨다.
③ 인간의 과오를 감소시킬 수 있도록 제품이나 시스템을 설계한다.
④ 실수를 발생한 사람에게 주의나 경고를 주어 재발생하지 않도록 한다.

해설

실수가 발생했을 때는 원인을 조사해서 문제점을 제거하고 안전에 대한 엄격함과 중요성을 인식시킨다.

48 다음 중 인체계측에 관한 설명으로 틀린 것은?

① 의자, 피복과 같이 신체모양과 치수와 관련성이 높은 설비의 설계에 중요하게 반영된다.
② 일반적으로 몸의 측정 치수는 구조적 치수(Structural Dimension)와 기능적 치수(Functional Dimension)로 나눌 수 있다.
③ 인체계측치의 활용 시에는 문화적 차이를 고려하여야 한다.
④ 인체계측치를 활용한 설계는 인간의 신체적 안락에는 영향을 미치지만 성능수행과는 관련이 없다.

해설

인체측정학의 개요
1. 일상생활에서 사용하는 도구나 설비를 설계할 때 인체 측정치를 이용하여 신체의 다양한 치수를 비롯하여 신체 부위의 부피, 질량, 무게 중심 등의 물리적 특성을 다루는 학

문을 인체측정학이라 한다.
2. 의자, 책상, 작업공간, 피복 등과 같이 신체모양이나 치수에 관계있는 설비의 설계에 반영된다.
3. 인체측정치를 활용한 설계는 신체적인 안락뿐만 아니라 인간의 성능에까지도 영향을 미친다.

49 공간이나 제품의 설계 시 움직이는 몸의 자세를 고려하기 위해 사용되는 인체치수는?

① 비례적 인체치수
② 구조적 인체치수
③ 기능적 인체치수
④ 해부적 인체치수

해설

인체계측의 방법

구조적 인체치수 (정적 측정)	표준 자세에서 움직이지 않는 피측정자를 인체계측기 등으로 측정하는 것
기능적 인체치수 (동적 측정)	인체 계측 중 운전 또는 워드 작업과 같이 인체의 각 부분이 서로 조화를 이루어 움직이는 자세에서의 인체치수를 측정하는 것

50 인간계측자료를 응용하여 제품을 설계하고자 할 때 다음 중 제품과 적용기준으로 가장 적절하지 않은 것은?

① 출입문 – 최대 집단치 설계기준
② 안내데스크 – 평균치 설계기준
③ 선반 높이 – 최대 집단치 설계기준
④ 공구 – 평균치 설계기준

해설

인체계측자료의 응용원칙 사례
1. 극단치를 이용한 설계
   - 최대 집단치 설계 : 출입문, 탈출구의 크기, 통로, 그네, 줄사다리, 버스 내 승객용 좌석 간 거리, 위험구역 울타리 등
   - 최소 집단치 설계 : 선반의 높이, 조종 장치까지의 거리(조작자와 제어버튼 사이의 거리), 비상벨의 위치 설계 등
2. 조절 가능한 설계 : 자동차 좌석의 전후 조절, 사무실 의자의 상하 조절, 책상높이 등
3. 평균치를 이용한 설계 : 가게나 은행의 계산대, 식당 테이블, 출근버스 손잡이 높이, 안내 데스크 등

> **TIP** 인체계측 자료의 응용원칙의 사례는 자주 출제되고 있습니다. 꼭 기억하세요.

51 인체측정치를 이용한 설계에 관한 설명으로 옳은 것은?

① 평균치를 기준으로 한 설계를 제일 먼저 고려한다.
② 자세와 동작에 따라 고려해야 할 인체측정치수가 달라진다.
③ 의자의 깊이와 너비는 작은 사람을 기준으로 설계한다.
④ 큰 사람을 기준으로 한 설계는 인체측정치의 5%tile을 사용한다.

해설

인체계측자료의 응용원칙
1. 인체측정치를 이용한 설계 흐름도는 조절 가능한 설계 → 극단치를 이용한 설계 → 평균치를 이용한 설계 순서로 설계에 적용한다.
2. 의자의 깊이는 최소 집단치 설계, 의자의 너비는 최대 집단치를 기준으로 설계한다.
3. 최대 집단치를 기준으로 한 설계의 대표치는 남성의 95백분위수를 사용한다.

52 다음 중 연속조절 조종장치가 아닌 것은?

① 토글(Toggle) 스위치
② 노브(Knob)
③ 페달(Pedal)
④ 핸들(Handle)

해설

통제기의 특성

연속적인 조절이 필요한 형태	1. 노브(Knob) 2. 크랭크(Crank) 3. 핸들(Handle) 4. 레버(Lever) 5. 페달(Pedal)
불연속적인 조절이 필요한 형태	1. 푸시버튼(Push Button) : 손, 발 2. 토글(똑딱)스위치(Toggle Switch) 3. 로터리 선택 스위치(Rotary Selector Switch)
안전장치와 통제장치	1. 푸시버튼(Push Button)의 오목면 이용 2. 토글(똑딱)스위치(Toggle Switch)의 커버설치 3. 안전장치와 통제장치는 겸하여 설치하는 것이 효율적

> **TIP** 불연속적인 조절이 필요한 형태의 종류도 출제되고 있습니다. 연속적인 조절이 필요한 형태와 비교해서 기억하세요.

정답 49 ③ 50 ③ 51 ② 52 ①

53 다음 중 암호체계 사용상의 일반적인 지침에서 "암호의 변별성"을 의미하는 것으로 가장 적절한 것은?

① 암호화한 자극은 감지장치나 사람이 감지할 수 있어야 한다.
② 모든 암호의 표시는 다른 암호 표시와 구분될 수 있어야 한다.
③ 암호를 사용할 때에는 사용자가 그 뜻을 분명히 알 수 있어야 한다.
④ 두 가지 이상의 암호 차원을 조합해서 사용하면 정보 전달이 촉진된다.

해설
암호 체계 사용상의 일반적 지침

암호의 검출성	검출이 가능하여야 한다.
암호의 변별성	다른 암호 표시와 구별될 수 있어야 한다.
부호의 양립성	자극들 간의, 반응들 간의, 자극-반응 조합의 관계가 인간의 기대와 모순되지 않는 것이다.
부호의 의미	사용자가 그 뜻을 분명히 알 수 있어야 한다.
암호의 표준화	암호를 표준화하여야 한다.
다차원 암호의 사용	2가지 이상의 암호 차원을 조합해서 사용하면 정보전달이 촉진된다.

54 조종반응비율(C/R비)에 관한 설명으로 틀린 것은?

① 조종장치와 표시장치의 물리적 크기와 성질에 따라 달라진다.
② 표시장치와 이동거리를 조종장치의 이동거리로 나눈 값이다.
③ 조종반응비율이 낮다는 것은 민감도가 높다는 의미이다.
④ 최적의 조종반응비율은 조종장치의 조종시간과 표시장치의 이동시간이 교차하는 값이다.

해설
통제 표시비의 개념
1. 조종반응비율(C/R비 : Control-Response Ratio)은 조종-표시장치 이동비율(C/D비 : Control-Display Ratio)을 확장한 개념이다.
2. 통제 표시비(통제비)를 C/D비라고도 한다.
3. 조종장치의 움직인 거리(회전수)와 표시 장치상의 지침이 움직인 거리의 비이다.
4. 최적통제비는 이동시간과 조정시간의 교차점이다.

55 다음 중 통제기기의 변위를 20mm 움직였을 때 표시기기의 지침이 25mm 움직였다면 이 기기의 C/R비는 얼마인가?

① 0.3
② 0.4
③ 0.8
④ 0.9

해설
선형 조종장치가 선형 표시장치를 움직일 때 각각 직선변위의 비(제어표시비)

$$C/D비(C/R비) = \frac{조종장치(제어기기)의\ 이동거리}{표시장치(표시기기)의\ 반응거리}$$

$$C/D비 = \frac{조종장치의\ 이동거리}{표시장치의\ 반응거리} = \frac{20}{25} = 0.8$$

56 반경 7cm의 조종구를 30° 움직일 때 계기판의 표시가 3cm 이동하였다면 이 조종장치의 C/R비는 약 얼마인가?

① 0.22
② 0.38
③ 1.22
④ 1.83

해설
조종-표시장치 이동비율(C/D비 : Control-Display Ratio)
회전운동을 하는 조종장치가 선형 표시장치를 움직일 경우

$$C/D비(C/R비) = \frac{(a/360) \times 2\pi L}{표시장치의\ 이동거리}$$

여기서, L : 반경(지레의 길이)
a : 조종장치가 움직인 각도

$$C/D비 = \frac{(a/360) \times 2\pi L}{표시장치의\ 이동거리} = \frac{(30/360) \times 2 \times \pi \times 7}{3} = 1.22$$

TIP 회전운동을 하는 조종장치가 선형 표시장치를 움직일 경우의 공식을 묻는 문제도 출제되고 있습니다.

57 연속제어 조종장치에서 정확도보다 속도가 중요하다면 조종반응(C/R)의 비율은 어떻게 하여야 하는가?

① C/R 비율을 1로 조절하여야 한다.
② C/R 비율을 1보다 낮게 조절하여야 한다.
③ C/R 비율을 1보다 높게 조절하여야 한다.
④ C/R 비율을 조절할 필요가 없다.

정답 53 ② 54 ② 55 ③ 56 ③ 57 ②

해설
최적 C/D비(C/R비)
1. 최적통제비는 이동시간과 조정시간의 교차점이다.
2. C/D비가 작을수록 이동시간은 짧고, 조종은 어려워서 민감한 조정장치이다.
3. C/D비가 클수록 미세한 조종은 쉽지만 수행시간은 상대적으로 길다.

58 다음 중 통제표시비(Control/Display Ratio)를 설계할 때 고려하는 요소에 관한 설명으로 틀린 것은?

① 계기의 조절시간이 짧게 소요되도록 계기의 크기(size)는 항상 작게 설계한다.
② 짧은 주행 시간 내에 공차의 인정범위를 초과하지 않는 계기를 마련한다.
③ 목시거리(目示距離)가 길면 길수록 조절의 정확도는 떨어진다.
④ 통제표시비가 낮다는 것은 민감한 장치라는 것을 의미한다.

해설
통제표시비(C/D비)를 설계할 때 고려사항

계측의 크기	계기의 조절시간이 가장 짧게 소요되는 크기를 선택해야 하며 크기가 너무 작으면 오차가 커지므로 상대적으로 고려해야 한다.
공차	짧은 주행시간 내에서 공차의 인정 범위를 초과하지 않는 계기를 마련해야 한다.
목측거리	목측거리가 길면 길수록 조절의 정확도는 낮고 시간이 증가하게 된다.
조작시간	조작시간의 지연은 직업적으로 조종반응비(C/R비)가 가장 크게 작용하고 있다.
방향성	조종장치의 조작방향과 표시장치의 운동방향이 일치하지 않으면 작업자의 동작에 혼란을 초래하고, 조작시간이 오래 걸리며 오차가 커진다.

TIP 통제표시비를 설계할 때의 고려사항의 종류에 대해서도 출제되고 있습니다. 함께 기억하세요.

59 자극-반응 조합의 공간, 운동 혹은 개념적 관계가 인간의 기대와 모순되지 않는 것을 무엇이라 하는가?

① 일치성 ② 통일성
③ 대칭성 ④ 양립성

해설
양립성(Compatibility)
자극들 간의, 반응들 간의, 자극-반응 조합의 관계가 인간의 기대와 모순되지 않는 것이다.(인간이 기대하는 바와 자극 또는 반응들이 일치하는 관계)

60 6개의 표시장치를 수평으로 배열할 경우 해당 제어장치를 각각의 그 아래에 배치하면 좋아지는 양립성의 종류는?

① 공간 양립성 ② 운동 양립성
③ 개념 양립성 ④ 양식 양립성

해설
양립성의 종류

공간 양립성	1. 물리적 형태나 공간적인 배치가 사용자의 기대와 일치하는 것 2. 표시장치와 이에 대응하는 조종장치 간의 위치 또는 배열이 인간의 기대와 모순되지 않아야 한다. 3. 가스버너에서 오른쪽 조리대는 오른쪽 조절장치로, 왼쪽 조리대는 왼쪽 조절장치로 조정하도록 배치한다.
운동 양립성	1. 조작장치의 방향과 표시장치의 움직이는 방향이 사용자의 기대와 일치하는 것 2. 자동차를 운전하는 과정에서 우측으로 회전하기 위하여 핸들을 우측으로 돌린다.
개념 양립성	1. 사람들이 가지고 있는(이미 사람들이 학습을 통해 알고 있는) 개념적 연상에 관한 기대와 일치하는 것 2. 냉온수기에서 빨간색은 온수, 파란색은 냉수를 뜻함
양식 양립성	1. 직무에 알맞은 자극과 응답의 양식의 존재에 대한 양립성 2. 음성과업에 대해서는 청각적 자극 제시와 이에 대한 음성 응답 등에 해당 3. 기계가 특정 음성에 대해 정해진 반응을 하는 경우에 해당 4. 소리로 제시된 정보는 말로 반응케 하는 것이, 시각적으로 제시된 정보는 손으로 반응하는 것이 양립성이 높다.

TIP 각 양립성의 정의 및 예시도 출제되고 있습니다. 함께 기억하세요.

61 다음 중 일반적인 수공구의 설계원칙으로 볼 수 없는 것은?

① 손목을 곧게 유지한다.
② 반복적인 손가락 동작을 피한다.
③ 사용이 용이한 검지만을 주로 사용한다.
④ 손잡이는 접촉면적을 가능하면 크게 한다.

해설

수공구(手工具) 설계원칙
1. 손잡이의 길이는 95%tile(백분위수)의 남성의 손 폭을 기준으로 한다. 최소 11cm가 되어야 하며, 장갑 사용 시 최소 12.5cm이 되어야 한다.
2. 손바닥 부위에 압박을 주는 손잡이의 형태는 피할 것(손잡이의 단면이 원형을 이루어야 한다.)
3. 손잡이의 직경은 사용 용도에 따라
   - 힘을 요하는 작업도구일 경우 : 2.5~4cm
   - 정밀을 요하는 작업의 경우 : 0.75~1.5cm
4. 손목을 꺾지 말고 손잡이를 꺾어라(손목은 곧게 유지되도록 설계한다.)
5. 동력공구의 손잡이는 최소 두 손가락 이상으로 작동하도록 설계할 것
6. 최대한 공구의 무게를 줄이고 사용 시 무게의 균형이 유지되도록 설계할 것
7. 반복적인 손가락 동작을 피한다.
8. 가능한 손잡이의 접촉면을 넓게 한다.

62 러닝벨트(Treadmill) 위를 일정한 속도로 걷는 사람의 배기가스를 5분간 수집한 표본을 가스성분 분석기로 조사한 결과 산소 16%, 이산화탄소 4%로 나타났다. 배기가스 전부를 가스미터에 통과시킨 결과 배기량이 약 90L이었다면 분당 산소소비량과 에너지가(價)는 약 얼마인가?

① 산소소비량 : 0.95L/분, 에너지가(價) : 4.75kcal/분
② 산소소비량 : 0.97L/분, 에너지가(價) : 4.80kcal/분
③ 산소소비량 : 0.95L/분, 에너지가(價) : 4.85kcal/분
④ 산소소비량 : 0.97L/분, 에너지가(價) : 4.90kcal/분

해설

산소소비량의 측정

흡기부피를 V_1, 배기부피(분당배기량)를 V_2라 하면
$79\% \times V_1 = N_2\% \times V_2$
$V_1 = \dfrac{(100 - O_2\% - CO_2\%)}{79} \times V_2$

산소소비량 $= (21\% \times V_1) - (O_2\% \times V_2)$
에너지가(價)(kcal/min) = 분당 산소소비량$(l) \times 5$kcal
※ 1 liter의 산소소비 = 5kcal

1. 분당배기량(V_2) $= \dfrac{90}{5} = 18[l/분]$
2. 흡기부피(V_1) $= \dfrac{(100-16-4)}{79} \times 18 = 18.23[l/분]$
3. 산소소비량 $= (21\% \times V_1) - (O_2\% \times V_2)$
   $= (0.21 \times 18.23) - (0.16 \times 18)$
   $= 0.948 ≒ 0.95[l/분]$
4. 에너지가 = 분당 산소소비량 $\times$ 5kcal $= 0.95 \times 5$
   $= 4.75[kcal/분]$

63 일반적으로 스트레스로 인한 신체반응의 척도 가운데 정신적 작업의 스트레인 척도와 가장 거리가 먼 것은?

① 뇌전도   ② 부정맥지수
③ 근전도   ④ 심박수의 변화

해설

근전도(EMG ; Electromyogram)
1. 국소적인 근육 활동의 척도에 근전도(EMG ; Electro-myogram)가 있으며, 이는 근육 활동 전위차를 기록한 것을 말한다.
2. 근전도 응용의 예로는 국소 근육 피로 예측과 골프 선수의 여러 근육 작동 개시 시간차 분석 등을 들 수 있다.

64 다음 중 인체에서 뼈의 기능에 해당하지 않는 것은?

① 대사기능   ② 장기 보호
③ 조혈기능   ④ 인체의 지주

해설

골격의 주요 기능
1. 지지(Support) : 신체를 지지하고 형상을 유지하는 역할
2. 보호(Protection) : 주요한 부분(생명기관)을 보호하는 역할
3. 근부착(Muscle Attachment) : 골격근이 수축할 때 지렛대 역할을 하여 신체활동(인체운동)을 수행하는 역할
4. 조혈(Blood Cell Production) : 골수에서 혈구를 생산하는 조혈작용
5. 무기질 저장(Mineral Storage) : 칼슘, 인산의 중요한 저장고가 되며 나트륨과 마그네슘 이온의 작은 저장고 역할

정답 61 ③ 62 ① 63 ③ 64 ①

65 신체 동작의 유형 중 팔을 수평으로 편 위치에서 수직으로 몸을 붙이는 동작과 같이 사지를 체간으로 가깝게 하는 동작을 무엇이라 하는가?

① 외전(Abduction)
② 내전(Adduction)
③ 신전(Extension)
④ 회전(Rotation)

해설

신체부위의 운동(기본적인 동작)
1. 내전(Adduction) : 몸(신체)의 중심선으로 향하는 이동 동작
2. 외전(Abduction) : 몸(신체)의 중심선으로부터 멀어지는 이동 동작

66 작업 종료 후에도 체내에 쌓인 젖산을 제거하기 위하여 추가로 요구되는 산소량을 무엇이라 하는가?

① ATP
② 에너지대사율
③ 산소 빚
④ 산소최대섭취능

해설

산소 빚(Oxygen Debt)
1. 신체 활동 수준이 너무 높아, 근육에 공급되는 산소량이 부족한 경우에는 혈액 중에 젖산이 축적된다. 만일 젖산의 제거 속도가 생성 속도에 못 미치면, 활동이 끝난 후에도 남아 있는 젖산을 제거하기 위해서 산소가 더 필요하며, 이를 산소 빚이라 한다.
2. 그 결과 산소 빚을 갚기 위해 맥박과 호흡수도 작업개시 이전 수준(휴식 상태의 수준)으로 즉시 돌아오지 않고 서서히 감소한다.

67 건강한 남성이 8시간 동안 특정 작업을 실시하고, 분당 산소 공급량이 1.3L/분으로 나타났다면 8시간 후 총작업시간에 포함될 휴식시간은 약 몇 분인가?(단, Murrell의 방법을 적용하여, 휴식 중 에너지 소비율은 1.5kcal/min이다.)

① 144분
② 154분
③ 164분
④ 174분

해설

휴식시간

$$R = \frac{60(E-5)}{E-1.5}$$

여기서, R : 휴식시간[분]
E : 작업 시 평균 에너지소비량[kcal/분]
60 : 총작업시간[분]
1.5kcal/분 : 휴식시간 중의 에너지소비량

1. 1(L/분)당 평균 에너지소비량은 5kcal이다.
2. 작업 시 평균 에너지소비량 : 1.3L/분 × 5kcal = 6.5[kcal/분]이 된다.
3. 총작업시간 = 8시간 × 60분 = 480[분]
4. $R = \frac{60(E-5)}{E-1.5} = \frac{480(6.5-5)}{6.5-1.5} = 144[\text{분}]$

68 성인이 하루에 섭취하는 음식물의 열량 중 일부는 생명을 유지하기 위한 신체기능에 소비되고, 나머지는 일을 한다거나 여가를 즐기는 데 사용될 수 있다. 이 중 생명을 유지하기 위한 최소한의 대사량을 무엇이라 하는가?

① BMR
② RMR
③ GSR
④ EMG

해설

기초 대사량(BMR ; Basal Metabolic Rate)
1. 생명을 유지하기 위한 최소한의 에너지 대사량(에너지 소비량)을 의미한다.
2. 성, 연령, 체중은 개인의 기초 대사량에 영향을 주는 중요한 요인이며, 일반적으로 신체가 크고 젊은 남성의 기초 대사량이 크다.
3. 성인의 경우 보통 1,500~1,800kcal/일, 기초대사와 여가에 필요한 대사량은 2,300kcal/일, 작업 시 정상적인 에너지 소비량은 2,300kcal/일이다.

69 에너지 대사율(Relative Metabolic Rate)에 관한 설명으로 틀린 것은?

① 작업대사량은 작업 시 소비에너지와 안정 시 소비에너지의 차로 나타낸다.
② RMR은 작업대사량을 기초대사량으로 나눈 값이다.
③ 산소소비량을 측정할 때 더글라스백(Douglas Bag)을 이용한다.
④ 기초대사량은 의자에 앉아서 호흡하는 동안에 측정한 산소소비량으로 구한다.

> **해설**

에너지 대사율(RMR ; Relative Metabolic Rate)
1. 공식

$$RMR = \frac{\text{작업 시 소비에너지} - \text{안정 시 소비에너지}}{\text{기초대사량}} = \frac{\text{작업대사량}}{\text{기초대사량}}$$

2. 산출방법
   - 작업 시 소비에너지 = 작업 중에 소비한 산소의 소비량으로 측정
   - 안정 시 소비에너지 = 의자에 앉아서 호흡하는 동안 소비한 산소의 소모량
   - 기초대사량 = 체표면적 산출식과 기초대사량 표에 의해 산출

70 하나의 특정한 자극만이 발생할 수 있을 때 반응에 걸리는 시간을 단순반응시간이라 하는데 흔히 실험에서와 같이 자극을 예상하고 있을 때 전형적으로 반응시간은 약 어느 정도인가?

① 0.15~0.2초 ② 0.5~1초
③ 1.5~2초   ④ 2.5~3초

> **해설**

단순반응시간(Simple Reaction Time)
1. 하나의 특정한 자극만이 발생할 수 있을 때 반응에 걸리는 시간(0.15~0.2초)
2. 단순반응시간에 영향을 미치는 변수 : 강도, 지속시간, 크기, 공간주파수, 신호의 대비 또는 예상, 자극의 특성, 연령, 개인차 등에 따라서 약간의 차이가 발생

71 다음 중 정적인 자세를 유지할 때 손의 진전(Tremor)이 가장 적게 일어난 위치는?

① 머리 위   ② 어깨 높이
③ 심장 높이   ④ 배꼽 높이

> **해설**

진전을 감소시킬 수 있는 방법
1. 시각적 참조(Reference)
2. 몸과 작업에 관계되는 부위를 잘 받친다.
3. 손이 심장 높이에 있을 때 손떨림 현상이 적다.
4. 작업 대상물에 기계적인 마찰(Friction)이 있을 경우

72 다음 중 자동차 가속 페달과 브레이크 페달 간의 간격, 브레이크 폭 등을 결정하는 데 사용할 수 있는 가장 적합한 인간공학 이론은?

① Miller의 법칙
② Fitts의 법칙
③ Weber의 법칙
④ Wickens의 법칙

> **해설**

피츠(Fitts)의 법칙
1. 인간의 손이나 발을 이동시켜 조작장치를 조작하는 데 걸리는 시간을 표적까지의 거리와 표적 크기의 함수로 나타내는 모형
2. 인간의 행동에 대해 속도와 정확성 간의 관계를 설명하는 기본적인 법칙을 나타낸다.
3. 목표물의 크기가 작아질수록 속도와 정확도가 나빠지고 목표물과의 거리가 멀어질수록 필요한 시간이 더 길어진다.

73 부품 배치의 원칙 중 부품의 일반적인 위치를 결정하기 위한 기준으로 가장 적합한 것은?

① 중요성의 원칙, 사용 빈도의 원칙
② 기능별 배치의 원칙, 사용 순서의 원칙
③ 중요성의 원칙, 사용 순서의 원칙
④ 사용 빈도의 원칙, 사용 순서의 원칙

> **해설**

부품 배치의 원칙

부품의 위치 결정	중요성의 원칙	체계의 목표달성에 긴요한 정도에 따른 우선순위를 설정
	사용 빈도의 원칙	부품이 사용되는 빈도에 따른 우선순위 설정
부품의 배치 결정	기능별 배치의 원칙	기능적으로 관련된 부품들을 모아서 배치
	사용 순서의 원칙	순서적으로 사용되는 장치들을 가까이에 순서적으로 배치

> **TIP** 부품배치의 원칙 4가지 종류에 대해서도 자주 출제되고 있습니다. 함께 기억하세요.

정답 70 ① 71 ③ 72 ② 73 ①

74 작업자가 앉아서 수작업을 하는 경우 기능을 편히 할 수 있는 공간의 외곽 한계를 무엇이라 하는가?

① 파악한계
② 최대작업역
③ 정상작업역
④ 접촉한계

해설

앉은 사람의 작업 공간
1. 작업 공간 포락면(Work-space Envelope) : 한 장소에 앉아서 수행하는 작업 활동에서, 사람이 작업하는 데 사용하는 공간
2. 파악한계(Grasping Reach) : 앉은 작업자가 특정한 수작업 기능을 편히 수행할 수 있는 공간의 외곽 한계

TIP 작업 공간 포락면의 정의에 대해서도 출제되고 있습니다. 함께 기억하세요.

75 다음 중 좌식 평면 작업대에서의 최대작업영역에 관한 설명으로 가장 적절한 것은?

① 위팔과 손목을 중립자세로 유지한 채 손으로 원을 그릴 때 부채꼴 원호의 내부 영역
② 어깨로부터 팔을 펴서 어깨를 축으로 하여 수평면 상에 원을 그릴 때 부채꼴 원호의 내부 지역
③ 자연스러운 자세로 위팔을 몸통에 붙인 채 손으로 수평면 상에 원을 그릴 때 부채꼴 원호의 내부지역
④ 각 손의 정상작업영역 경계선이 작업자의 정면에서 교차되는 공통영역

해설

수평 작업대

정상 작업역 (표준영역)	위팔(상완)을 자연스럽게 수직으로 늘어뜨린 채, 아래팔(전완)만으로 편하게 뻗어 파악할 수 있는 구역
최대 작업역 (최대영역)	아래팔(전완)과 위팔(상완)을 곧게 펴서 파악할 수 있는 구역

76 서서하는 작업의 작업대 높이에 대한 설명으로 틀린 것은?

① 경작업의 경우 팔꿈치 높이보다 5~10cm 낮게 한다.
② 중작업의 경우 팔꿈치 높이보다 10~20cm 낮게 한다.
③ 정밀작업의 경우 팔꿈치 높이보다 약간 높게 한다.
④ 부피가 큰 작업물을 취급하는 경우 최대치 설계를 기본으로 한다.

해설

입식 작업대 높이
1. 경작업 : 팔꿈치 높이보다 5~10cm 정도 낮게
2. 중작업 : 팔꿈치 높이보다 10~30cm 정도 낮게
3. 정밀작업 : 팔꿈치 높이보다 10~20cm 정도 높게
4. 섬세한 작업일수록 높아야 하며, 거친 작업은 약간 낮은 편이 유리

77 일반적으로 의자설계의 원칙에서 고려해야 할 사항과 거리가 먼 것은?

① 체중분포에 관한 사항
② 상반신의 안정에 관한 사항
③ 개인차의 반영에 관한 사항
④ 의자 좌판의 높이에 관한 사항

해설

의자설계의 일반적인 원칙

체중분포	1. 사람이 의자에 앉을 때 체중이 주로 좌골결절에 실려야 편안하다. 2. 바람직한 체중 분포를 위해 적당한 두께의 탄력성 완충재나 방석을 깐다.
의자 좌판의 높이	1. 대퇴를 압박하지 않도록 좌판은 오금의 높이보다 높지 않아야 하고 앞 모서리는 5cm 정도 낮게 설계(치수는 5%치 사용) 2. 좌판의 높이는 조절할 수 있도록 하는 것이 바람직하다.
의자 좌판의 깊이와 폭	1. 폭은 큰 사람에게 맞도록 하고 깊이는 장딴지 여유를 주고 대퇴를 압박하지 않도록 작은 사람에게 맞도록 설계 2. 긴 의자에 일렬로 앉든가 의자들이 옆으로 붙어 있는 경우 팔꿈치 간의 폭을 고려(95%치 사용)
몸통의 안정	1. 체중이 좌골결절에 실려야 몸통의 안정이 유리 2. 사무용 의자 　㉠ 좌판 각도 : 3° ㉡ 등판 각도 : 100° 3. 좌판은 (뒤가 낮게) 약간 경사져야 하고, 등판은 뒤로 기댈 수 있도록 뒤로 기울어야 한다.

정답 74 ① 75 ② 76 ② 77 ③

78 신뢰도가 동일한 부품 4개로 구성된 시스템 전체의 신뢰도가 가장 높은 것은?

①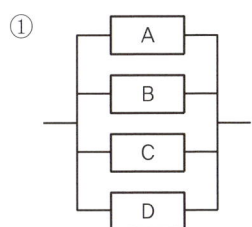

②

③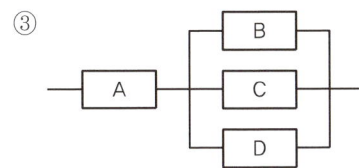

④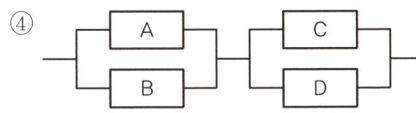

해설
각 부품의 신뢰도가 동일할 경우 병렬시스템의 신뢰도가 가장 높게 나타난다.

79 다음과 같은 시스템의 신뢰도는 약 얼마인가?

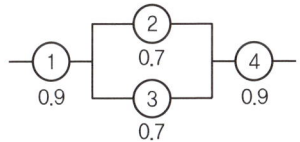

① 0.5152　　② 0.6267
③ 0.7371　　④ 0.8483

해설
시스템의 신뢰도
$R = 0.9 \times [1-(1-0.7)(1-0.7)] \times 0.9 = 0.7371$

80 세발자전거에서 각 바퀴의 신뢰도가 0.9일 때 이 자전거의 신뢰도는 얼마인가?

① 0.729　　② 0.810
③ 0.891　　④ 0.999

해설
신뢰도
1. 세발자전거는 바퀴가 한 개라도 고장 나면 운행할 수 없으므로 직렬연결이다.
2. 자전거의 신뢰도 $= 0.9 \times 0.9 \times 0.9 = 0.729$

81 설비에 부착된 안전장치를 제거하면 설비가 작동되지 않도록 하는 안전설계는?

① Fail Safe　　② Fool Proof
③ Lock Out　　④ Temper Proof

해설
템퍼 프루프(Temper Proof)
생산성과 작업의 용이성을 위해 작업자들은 종종 안전장치를 제거하고 사용하는 경우가 있다. 따라서 고의로 안전장치를 제거하는 것을 대비하는 예방설계를 템퍼 프루프라 한다. 예를 들어 화학설비의 안전장치를 제거하는 경우 설비가 작동되지 않도록 설계하는 것이다.

82 동전 던지기에서 앞면이 나올 확률이 0.7이고, 뒷면이 나올 확률이 0.3일 때 앞면이 나올 사건의 정보량(A)과 뒷면이 나올 사건의 정보량(B)은 각각 얼마인가?

① A : 0.88bit　　B : 1.74bit
② A : 0.51bit　　B : 1.74bit
③ A : 0.88bit　　B : 2.25bit
④ A : 0.51bit　　B : 2.25bit

해설
정보의 측정 단위
각 대안의 실현 확률(즉, n의 역수)로 표현할 수도 있다.(즉, P를 각 대안의 실현 확률이라 하면)

$$H = \log_2 \frac{1}{P} \quad P = \frac{1}{n}$$

1. 앞면 : $H = \log_2 \frac{1}{P} = \log_2 \frac{1}{0.7} = 0.51 [\text{bit}]$
2. 뒷면 : $H = \log_2 \frac{1}{P} = \log_2 \frac{1}{0.3} = 1.74 [\text{bit}]$

TIP bit : 실현 가능성이 같은 2개의 대안 중 하나가 명시되었을 때 우리가 얻는 정보량

정답　78 ①　79 ③　80 ①　81 ④　82 ②

83 녹색과 적색의 두 신호가 있는 신호등에서 1시간 동안 적색과 녹색이 각각 30분씩 켜진다면 이 신호등의 정보량은?

① 0.5bit
② 1bit
③ 2bit
④ 4bit

해설
정보의 측정 단위
여러 개의 실현 가능한 대안이 있을 경우 평균 정보량은 각 대안의 정보량에 실현 확률을 곱한 것을 모두 합하면 된다.

$$H = \sum_{i=1}^{n} P_i \log_2 \left(\frac{1}{P_i}\right)$$

여기서, P_i: 각 대안의 실현확률

1. 확률 계산
   - 적색등 확률 = $\frac{30}{60}$ = 0.5
   - 녹색등 확률 = $\frac{30}{60}$ = 0.5
2. 총 정보량
   $H = 0.5 \times \log_2\left(\frac{1}{0.5}\right) + 0.5 \times \log_2\left(\frac{1}{0.5}\right) = 1(\text{bit})$

84 통신에서 잡음 중의 일부를 제거하기 위해 필터(Filter)를 사용하였다면 이는 다음 중 어느 것의 성능을 향상 시키는 것인가?

① 신호의 검출성
② 신호의 양립성
③ 신호의 산란성
④ 신호의 표준성

해설
신호 검출 이론
주로 통신에서 잡음 중의 일부를 제거하기 위해 여파기(filter)를 사용하여 신호의 검출성을 향상시킬 수 있다.

85 다음 중 누적손상장애(CTDs)의 원인으로 거리가 먼 것은?

① 장시간 진동공구의 사용
② 과도한 힘의 사용
③ 높은 장소에서의 작업
④ 부적절한 자세에서의 작업

해설
근골격계 질환
1. 반복적인 동작, 부적절한 작업자세, 무리한 힘의 사용, 날카로운 면과의 신체접촉, 진동 및 온도 등의 요인에 의하여 발생하는 건강장해로서 목, 어깨, 허리, 팔·다리의 신경·근육 및 그 주변 신체조직 등에 나타나는 질환을 말한다.
2. 유사용어로는 누적 외상성 질환(CTDs), 반복성 긴장 상해 등이 있다.

86 다음 중 주어진 작업에 대하여 필요한 소요조명(fc)을 구하는 식으로 옳은 것은?

① 소요조명(fc) = $\dfrac{\text{소요휘도(fL)}}{\text{반사율(\%)}}$

② 소요조명(fc) = $\dfrac{\text{반사율(\%)}}{\text{소요휘도(fL)}}$

③ 소요조명(fc) = $\dfrac{\text{소요휘도(fL)}}{(\text{거리})^2}$

④ 소요조명(fc) = $\dfrac{(\text{거리})^2}{\text{소요휘도(fL)}}$

해설
소요조명
1. 소요조명: 소요조명은 반사율에 직접적인 영향을 받는다.
2. 광속발산도(Luminance): 단위 면적당 표면에서 반사 또는 방출되는 빛의 양을 의미하며, 이때 밝음의 정도를 주관적으로 나타낼 때의 척도를 휘도(Brightness)라고도 한다.

$$\text{소요조명(fc)} = \frac{\text{광속발산도(fL)}}{\text{반사율(\%)}} \times 100$$

87 옥내 조명에서 최적 반사율의 크기가 작은 것부터 큰 순서대로 나열된 것은?

① 벽 < 천장 < 가구 < 바닥
② 바닥 < 가구 < 천장 < 벽
③ 가구 < 바닥 < 천장 < 벽
④ 바닥 < 가구 < 벽 < 천장

해설
실내 면(面)의 추천 반사율
1. 최대 반사율: 약 95%
2. 천장의 반사율은 80~90%가 좋으나 최소한 75% 이상은 되어야 한다.

바닥	가구, 사무용 기기, 책상	창문 발(blind), 벽	천장
20~40%	25~45%	40~60%	80~90%

> **TIP** 실내 면의 추천 반사율 수치도 출제되고 있습니다. 함께 기억하세요.

88 광원으로부터 직사휘광을 처리하기 위한 방법으로 틀린 것은?

① 광원의 휘도를 줄인다.
② 가리개나 차양을 사용한다.
③ 광원을 시선에서 멀리 한다.
④ 광원의 주위를 어둡게 한다.

해설
광원으로부터의 직사휘광처리
1. 광원의 휘도를 줄이고 수를 늘림
2. 광원을 시선에서 멀리 위치시킴
3. 휘광원 주위를 밝게 하여 광도비를 줄임
4. 가리개(Shield), 갓(Hood) 혹은 차양(Visor)을 사용

89 1cd의 점광원에서 1m 떨어진 곳에서의 조도가 3lux이었다. 동일한 조건에서 5m 떨어진 곳에서의 조도는 약 몇 lux인가?

① 0.12
② 0.22
③ 0.36
④ 0.56

해설
조도

$$조도 = \frac{광도}{(거리)^2}$$

1. 광도 = 조도 × (거리)^2
2. 1m 거리의 광도 = 3 × 1^2 = 3[cd]이므로
3. 5m 거리의 조도 = $\frac{3}{5^2}$ = 0.12[lux]

> **TIP** 조도는 광도에 비례하고 거리의 제곱에 반비례한다.

90 광원으로부터 2m 떨어진 곳에서 측정한 조도가 400럭스이고, 다른 곳에서 동일한 광원에 의한 밝기를 측정하였더니 100럭스이었다면, 두 번째로 측정한 지점은 광원으로부터 몇 m 떨어진 곳인가?

① 4
② 6
③ 8
④ 10

해설
조도

$$조도 = \frac{광도}{(거리)^2}$$

1. 광도 = 조도 × (거리)^2
2. 2m 거리의 광도 = 400 × 2^2 = 1600[cd]
3. 100 = $\frac{1,600}{(거리)^2}$ → (거리)^2 = $\frac{1,600}{100}$
4. (거리)^2 = 16
5. 거리 = $\sqrt{16}$ = 4[m]

91 다음 중 조도의 단위에 해당하는 것은?

① fL
② diopter
③ lumen/m^2
④ lumen

해설
조도의 척도
1. lux : 1촉광의 점광원으로부터 1m 떨어진 곡면에 비추는 광의 밀도[1럭스=1루멘(lumen/m^2)]
2. foot-candle(fc) : 1촉광의 점광원으로부터 1 foot 떨어진 곡면에 비추는 광의 밀도[1fc=1루멘(lumen)/ft^2= 10.764럭스]

> **TIP** fL : 광속발산도의 단위
> diopter : 렌즈의 굴절률 단위
> lumen : 광속의 단위

정답 88 ④ 89 ① 90 ① 91 ③

92 조도가 250럭스인 책상 위에 짙은색 종이 A와 B가 있다. 종이 A의 반사율은 20%이고, 종이 B의 반사율은 15%이다. 종이 A에는 반사율 80%의 색으로, 종이 B에는 반사율 60%의 색으로 같은 글자를 각각 썼을 때 다음 설명 중 옳은 것은?(단, 두 글자의 크기, 색, 재질 등은 동일하다.)

① A종이에 쓰인 글자가 B종이에 쓰인 글자보다 눈에 더 잘 보인다.
② B종이에 쓰인 글자가 A종이에 쓰인 글자보다 눈에 더 잘 보인다.
③ 두 종이에 쓴 글자는 동일한 수준으로 보인다.
④ 어느 종이에 쓰인 글자가 더 잘 보이는지 알 수 없다.

해설
대비
표적의 광도와 배경 광도의 차를 나타내는 척도이며, 광도대비 또는 휘도대비란 표면의 광도와 배경의 광도의 차를 나타내는 척도이다.

$$대비(\%) = \frac{배경의\ 광도(L_b) - 표적의\ 광도(L_t)}{배경의\ 광도(L_b)} \times 100$$

1. A의 대비
$$대비(\%) = \frac{배경의\ 광도(L_b) - 표적의\ 광도(L_t)}{배경의\ 광도(L_b)} \times 100$$
$$= \frac{20-80}{20} \times 100 = -300(\%)$$

2. B의 대비
$$대비(\%) = \frac{배경의\ 광도(L_b) - 표적의\ 광도(L_t)}{배경의\ 광도(L_b)} \times 100$$
$$= \frac{15-60}{15} \times 100 = -300(\%)$$

3. ∴ 대비가 같으므로 두 종이에 쓴 글자는 동일한 수준으로 보인다.

93 다음 중 소음(Noise)에 대한 정의로 가장 적절한 것은?

① 큰 소리(Loud Sound)
② 원치 않은 소리(Unwanted Sound)
③ 정신이나 신경을 자극하는 소리(Mental and Nervous Sound)
④ 청각을 자극하는 소리(Auditory Sense Annoyiong Sound)

해설
소음의 정의
1. 공기의 진동에 의한 음파 중 지나치게 강렬하여 불쾌감을 주고 작업능률을 저하시키는 소리이다.
2. 인간이 감각적으로 원하지 않는 소리(Unwanted Sound)의 총칭이다.

94 작업자가 소음 작업환경에 장기간 노출되어 소음성 난청이 발병하였다면 일반적으로 청력손실이 가장 크게 나타나는 주파수는?

① 1,000Hz
② 2,000Hz
③ 4,000Hz
④ 6,000Hz

해설
청력손실의 성격
1. 청력손실의 정도는 노출되는 소음 수준에 따라 증가한다.(비례관계)
2. 강한 소음에 대해서는 노출기간에 따라 청력 손실도 증가한다.
3. 약한 소음에 대해서는 노출기간과 청력손실 간에 관계가 없다.
4. 청력 손실은 4,000Hz에서 크게 나타난다.

95 2개 공정의 소음수준 측정 결과 1공정은 100dB에서 2시간, 2공정은 90dB에서 1시간 소요될 때 총 소음량(TND)과 소음설계의 적합성을 올바르게 나타낸 것은?(단, 우리나라는 90dB에 8시간 노출될 때를 허용기준으로 하며, 5dB 증가할 때 허용시간은 1/2로 감소되는 법칙을 적용한다.)

① TND = 약 0.83, 적합
② TND = 약 0.93, 적합
③ TND = 약 1.03, 부적합
④ TND = 약 1.13, 부적합

해설
소음 노출분량과 소음 노출 허용수준
1. 소음 노출분량(Noise Dose)

$$부분\ 노출분량 = \frac{실제\ 노출시간}{최대\ 허용시간}$$

※ 허용 노출 수준 : 1의 소음 투여량(총 소음 투여량은 부분 노출분량의 합과 같다.)

정답 92 ③ 93 ② 94 ③ 95 ④

2. 소음 노출 허용수준

음압 수준	90dB	95dB	100dB	105dB	110dB
허용 시간	8	4	2	1	0.5

3. 계산
   - 소음 노출 수준 $= \left(\dfrac{2}{2} + \dfrac{1}{8}\right) = 1.125 ≒ 1.13$
   - 소음 노출 기준 초과 여부 : 1을 초과했으므로 소음 노출 기준의 초과로 부적합

96 다음 중 초음파의 기준이 되는 주파수로 옳은 것은?

① 4,000Hz 이상
② 6,000Hz 이상
③ 10,000Hz 이상
④ 20,000Hz 이상

해설

초음파 소음(Ultrasonic Noise)
1. 가청영역 위의 주파수를 갖는 소음으로 전형적으로 20,000Hz 이상이다.
2. 노출한계 : 20,000Hz 이상에서 110dB로 노출을 한정

> **TIP** 인간의 가청 주파수 : 20~20,000Hz

97 다음 중 신체와 환경 간의 열교환 과정을 가장 올바르게 나타낸 식은?(단, W는 일, M은 대사, S는 열 축적, R은 복사, C는 대류, E는 증발, Clo는 의복의 단열률이다.)

① $W = (M+S) \pm R \pm C - E$
② $S = (M-W) \pm R \pm C - E$
③ $W = Clo \times (M-S) \pm R \pm C - E$
④ $S = Clo \times (M-W) \pm R \pm C - E$

해설

열균형 방정식
1. 인간과 주위와의 열교환 과정은 다음과 같은 열균형 방정식으로 나타낼 수 있다.

   S(열축적) $=$
   M(대사) $- E$(증발) $\pm R$(복사) $\pm C$(대류) $- W$(한 일)

2. 여기서, S는 열이득 및 열손실량이며 열평형 상태에서는 0이 된다.

98 한 겨울에 햇볕을 쬐면 기온은 차지만 따스함을 느끼는 것은 다음 중 어떤 열교환 방법에 의한 것인가?

① 대류
② 복사
③ 전도
④ 증발

해설

복사(Radiation)
1. 광속으로 공간을 퍼져나가는 전기 에너지를 말한다.
2. 전자파의 복사에 의해 열이 전달되는 것으로 태양의 복사열로 지면과 신체를 가열시킨다.

99 다음 중 고온 작업자의 고온 스트레스로 인해 발생하는 생리적 영향이 아닌 것은?

① 피부와 직장온도의 상승
② 발한(Sweating)의 증가
③ 심박출량(Cardiac Output)의 증가
④ 근육의 젖산 감소로 인한 근육통과 근육피로 증가

해설

고온 스트레스로 인해 발생하는 생리적 영향
1. 피부와 직장온도의 상승
2. 발한(Sweating)의 증가
3. 심박출량(Cardiac Output)의 증가

100 다음 중 얼음과 드라이아이스 등을 취급하는 작업에 대한 대책으로 적절하지 않은 것은?

① 더운 물과 더운 음식을 섭취한다.
② 가능한 한 식염을 많이 섭취한다.
③ 혈액순환을 위해 틈틈이 운동을 한다.
④ 오랫동안 한 장소에 고정하여 작업하지 않는다.

해설

저온 작업에서는 식염(소금)을 섭취하지 않으며, 식염은 고열작업장에서 탈수 및 염분손실을 방지하기 위해 섭취한다.

정답 96 ④ 97 ② 98 ② 99 ④ 100 ②

101 다음 중 진동이 인간 성능에 미치는 일반적인 영향과 거리가 먼 것은?

① 진동은 진폭에 비례하여 시력을 손상하며 10~25Hz의 경우에 가장 심하다.
② 진동은 진폭에 비례하여 추적능력을 손상하며 5Hz 이하의 낮은 진동수에서 가장 심하다.
③ 안정되고 정확한 근육 조절을 요하는 작업은 진동에 의해서 저하된다.
④ 반응시간, 감시, 형태 식별 등 주로 중앙 신경처리에 달린 임무는 진동의 영향에 민감하다.

해설
진동이 인간 성능에 끼치는 일반적인 영향
1. 진동은 진폭에 비례하여 시력을 손상하며 10~25Hz의 경우 가장 심하다.
2. 진동은 진폭에 비례하여 추적능력을 손상하며 5Hz 이하의 낮은 진동수에서 가장 심하다.
3. 안정되고 정확한 근육 조절을 요하는 작업은 진동에 의해서 저하된다.
4. 반응시간, 감시, 형태식별 등 주로 중앙 신경 처리에 달린 임무는 진동의 영향을 덜 받는다.

102 산업안전보건법에서 정한 물리적 인자의 분류 기준에 있어서 소음성 난청을 유발할 수 있는 몇 dB(A) 이상의 시끄러운 소리를 소음으로 규정하고 있는가?

① 80　　② 85
③ 90　　④ 100

해설
소음작업(물리적 인자의 분류기준)
소음성 난청을 유발할 수 있는 85데시벨(A) 이상의 시끄러운 소리

103 다음 중 작업장에서 발생하는 소음에 대한 대책으로 가장 적극적인 방법은?

① 소음원의 격리
② 소음원의 제거
③ 귀마개 등 보호구의 착용
④ 덮개 등 방호장치의 설치

해설
소음방지 대책
1. 소음원의 제거 : 가장 적극적인 대책
2. 소음원의 통제 : 기계의 적절한 설계, 정비 및 주유, 고무 받침대 부착, 소음기 사용(차량) 등
3. 소음의 격리 : 씌우개(Enclosure), 장벽을 사용(창문을 닫으면 약 10dB이 감음됨)
4. 적절한 배치(Layout)
5. 음향 처리제 사용
6. 차폐장치(Baffle) 및 흡음재 사용

104 S 에어컨 제조회사는 올해 경영슬로건으로 "소비자가 가장 선호하는 바람을 제공할 때까지"를 선정하였다. 목표 달성을 위하여 에어컨 가동 상태를 테스트하는 실험실을 설계하고자 한다. 다음 중 실험실의 실효온도에 영향을 주는 인자와 가장 관계가 먼 것은?

① 온도　　② 습도
③ 체온　　④ 공기유동

해설
실효온도(Effective Temperature, 체감온도, 감각온도)
1. 개요
   - 온도, 습도 및 공기의 유동이 인체에 미치는 열효과를 하나의 수치로 통합한 경험적 감각지수
   - 상대습도 100%일 때의 건구온도에서 느끼는 것과 동일한 온감이다.
   - 실제로 감각되는 온도로서 실감온도라고 한다.
2. 실효온도의 결정요소(실효온도에 영향을 주는 요인)
   - 온도
   - 습도
   - 공기의 유동(대류)

105 상대습도가 100%, 온도 21℃일 때 실효온도(Effective Temperature)는 얼마인가?

① 10.5℃　　② 19℃
③ 21℃　　④ 31.5℃

해설
실효온도(Effective Temperature, 체감온도, 감각온도)
1. 개요
   - 온도, 습도 및 공기의 유동이 인체에 미치는 열효과를 하나의 수치로 통합한 경험적 감각지수
   - 상대습도 100%일 때의 건구온도에서 느끼는 것과 동일한 온감이다.

정답 101 ④　102 ②　103 ②　104 ③　105 ③

- 실제로 감각되는 온도로서 실감온도라고 한다.
2. 실효온도의 결정요소(실효온도에 영향을 주는 요인)
    - 온도
    - 습도
    - 공기의 유동(대류)

106 건구온도 38℃, 습구온도 32℃일 때의 Oxford 지수는 몇 ℃인가?

① 30.2℃ ② 32.9℃
③ 35.0℃ ④ 37.1℃

해설

Oxford 지수
습건(WD) 지수라고도 부르며, 습구 온도(W)와 건구 온도(D)의 가중 평균치로서 정의된다.

$$WD = 0.85W + 0.15D$$

$WD = 0.85W + 0.15D = 0.85 \times 32 + 0.15 \times 38 = 32.9[℃]$

107 눈의 피로를 줄이기 위해 VDT 화면과 종이문서 간의 밝기의 비는 최대 얼마를 넘지 않도록 하는가?

① 1 : 20 ② 1 : 5
③ 1 : 10 ④ 1 : 30

해설

어두운 VDT의 화면과 밝은 종이문서 자료를 교대로 보면서 작업을 행하기 때문에 그 밝기의 차는 1 : 10을 넘지 않도록 추천되고 있다.

108 다음 중 영상표시단말기(VDT)를 취급하는 작업장에서 화면의 바탕 색상이 검정색 계통일 경우 추천되는 조명수준으로 가장 적절한 것은?

① 100~200럭스(lux) ② 300~500럭스(lux)
③ 750~800럭스(lux) ④ 850~950럭스(lux)

해설

영상표시 단말기(VDT) 취급 근로자를 위한 조명과 채광

화면의 바탕 색상이 검정색 계통일 때	300럭스(lux) 이상 ~ 500럭스(lux) 이하
화면의 바탕 색상이 흰색 계통일 때	500럭스(lux) 이상 ~ 700럭스(lux) 이하

109 VDT(Visual Display Terminal) 작업을 위한 조명의 일반원칙으로 적절하지 않은 것은?

① 화면반사를 줄이기 위해 산란식 간접조명을 사용한다.
② 화면과 화면에서 먼 주위의 휘도비는 1 : 10으로 한다.
③ 작업영역을 조명기구들 사이보다는 조명기구 바로 아래에 둔다.
④ 조명의 수준이 높으면 자주 주위를 둘러봄으로써 수정체의 근육을 이완시키는 것이 좋다.

해설

VDT 작업을 위한 일반적인 조명의 원칙
작업영역을 머리 위의 조명기구 바로 밑보다는 조명기구들 사이에 둔다.

110 시스템의 성능 저하가 인원의 부상이나 시스템 전체에 중대한 손해를 입히지 않고 제어가 가능한 상태의 위험 강도는?

① 범주 1 : 파국적 ② 범주 2 : 위기적
③ 범주 3 : 한계적 ④ 범주 4 : 무시

해설

위험성의 분류

범주	분류	해당 재난
범주 I	파국적 (Catastrophic)	사망 및 중상 또는 시스템의 완전한 손실
범주 II	위기적 (Critical)	상해 또는 주요 시스템의 손상을 일으키고, 인원 및 시스템의 생존을 위해 즉시 시정조치 필요
범주 III	한계적 (Marginal)	상해 또는 주요 시스템의 손상 없이 배제나 억제 가능
범주 IV	무시 (Negligible)	상해 또는 시스템의 손상에는 이르지 않음

111 시스템의 수명주기를 구상, 정의, 개발, 생산, 생산, 운전의 5단계로 구분할 때 다음 중 시스템 안전성 위험분석(SSHA)은 어느 단계에서 수행되는 것이 가장 적합한가?

① 구상(Concept) 단계
② 운전(Deployment) 단계
③ 생산(Production) 단계
④ 정의(Definition) 단계

정답 106 ② 107 ③ 108 ② 109 ③ 110 ③ 111 ④

해설

정의단계
1. 시스템개발의 가능성과 타당성의 확인
2. 시스템의 안전 요구사양 결정
3. 위험성 분석의 종류 결정 및 분석
4. 시스템 안전성 위험분석(SSHA) 수행
5. 생산물의 적합성 검토

112 다음 중 위험 및 운전성 분석(HAZOP) 수행에 가장 좋은 시점은 어느 단계인가?

① 구상단계 ② 생산단계
③ 설치단계 ④ 개발단계

해설

위험 및 운전성 검토(HAZOP ; Hazard & Operability Review)
1. 화학공장에서 가동문제를 파악하는 데 널리 사용된다. 즉, 위험요소를 예측하고 새로운 공정에 대한(지식부족으로 인한) 가동문제를 예측하는 데 사용된다.
2. 5~7명의 각 분야별 전문가와 안전기사로 구성된 팀원들이 상상력을 동원하여 가이드단어로서 위험요소를 점검한다.
3. HAZOP의 적용은 대부분 상세설계 기간이나 설계가 완료된 단계, 즉 개발단계에서 수행되는 것이 보통이다.

113 [보기]와 같은 위험관리의 단계를 순서대로 올바르게 나열한 것은?

| ㉠ 위험의 분석 | ㉡ 위험의 파악 |
| ㉢ 위험의 처리 | ㉣ 위험의 평가 |

① ㉠ → ㉡ → ㉣ → ㉢
② ㉡ → ㉢ → ㉠ → ㉣
③ ㉠ → ㉢ → ㉡ → ㉣
④ ㉡ → ㉠ → ㉣ → ㉢

해설

위험관리의 순서
1. 위험의 파악
2. 위험의 분석
3. 위험의 평가
4. 위험의 처리

114 다음 중 작업방법의 개선원칙(ECRS)에 해당되지 않는 것은?

① 교육(Education) ② 결합(Combine)
③ 재배치(Rearrange) ④ 단순화(Simplify)

해설

작업방법의 개선원칙(새로운 작업 방법의 개선원칙, ECRS)
1. 제거(Eliminate)
2. 결합(Combine)
3. 재배치(Rearrange)
4. 단순화(Simplify)

115 위험조정을 위한 필요한 기술은 조직형태에 따라 다양하며 4가지로 분류하였을 때 이에 속하지 않는 것은?

① 보류 ② 계속
③ 전가 ④ 감축

해설

위험처리기술(위험관리기법)

위험의 회피 (Avoidance)	1. 위험 자체를 피하는 행위 2. 잠재적 이익도 포기하는 극히 소극적인 수단
위험의 감소 (Reduction)	1. 위험을 적극적으로 예방하고 경감하는 행위 2. 잠재적 위험의 노출을 최대한 감소하는 방법
위험의 전가 (Transfer)	1. 위험을 제3자에게 전가하거나 공유하는 행위 2. 보험, 공제조합, 기금 등
위험의 보유 (보류) (Retention)	1. 무계획적 보유 : 가장 위험한 행위 2. 계획적 보유 : 회피, 감소, 전가될 수 없는 위험에 적극적으로 대응

TIP 각 분류의 종류 및 개념에 대해서도 출제되고 있습니다. 함께 기억하세요.

116 다음 중 시스템 안전분석방법에 대한 설명으로 틀린 것은?

① 해석의 수리적 방법에 따라 정성적, 정량적 방법이 있다.
② 해석의 논리적 방법에 따라 귀납적, 연역적 방법이 있다.
③ FTA는 연역적, 정량적 분석이 가능한 방법이다.
④ PHA는 운용사고해석이라고 말할 수 있다.

정답 112 ④ 113 ④ 114 ① 115 ② 116 ④

해설
1. PHA(예비 위험 분석)은 구상단계나 설계 및 발주의 극히 초기에 실시하며, 정성적 해석방법이다.
2. OSHA(운용 및 지원 위험분석)은 운용사고 해석이라 할 수 있다.

> **TIP** 대표적인 귀납적 방법의 안전성 평가 기법에는 FMEA, ETA 등이 있으며, 연역적 방법에는 FTA가 있다.

117 다음 중 시스템 내의 위험요소가 어떤 상태에 있는가를 정성적으로 분석·평가하는 가장 첫 번째 단계에 실시하는 위험분석기법은?

① 결함수분석
② 예비위험분석
③ 결합위험분석
④ 운용위험분석

해설
예비위험분석(PHA ; Preliminary Hazards Analysis)
1. 공정 또는 설비 등에 관한 상세한 정보를 얻을 수 없는 상황에서 위험물질과 공정 요소에 초점을 맞추어 초기위험을 확인하는 방법을 말한다.
2. 시스템안전 위험분석(SSHA)을 수행하기 위한 예비적인 최초의 작업으로 위험요소가 얼마나 위험한지를 정성적으로 평가하는 것이다.
3. PHA는 구상단계나 설계 및 발주의 극히 초기에 실시된다.

118 다음 중 높은 고장 등급을 갖고 고장모드가 기기 전체의 고장에 어느 정도 영향을 주는가를 정성적으로 평가하는 해석방법은?

① FTA
② FMEA
③ HAZOP
④ FHA

해설
고장형태와 영향분석(FMEA ; Failure Mode and Effects Analysis)
1. 시스템이나 서브시스템 위험분석을 위하여 일반적으로 사용되는 전형적인 정성적, 귀납적 분석기법으로 시스템에 영향을 미치는 모든 요소의 고장을 형태별로 분석하여 그 영향을 검토하는 분석기법
2. 시스템 내의 위험요소가 얼마나 위험한 상태에 있는가를 정성적으로 평가하는 기법
3. 고장 발생을 최소로 하고자 하는 경우에 유효하다.

119 다음 중 고장형태 및 영향분석의 표준적인 실시 절차에 해당되지 않는 것은?

① 대상시스템의 분석
② 고장형태와 영향의 해석
③ 톱사상과 기본사상의 결정
④ 치명도 분석과 개선책 검토

해설
FMEA의 표준적 실시절차
1. 1단계 : 대상 시스템의 분석
2. 2단계 : 고장의 유형과 그 영향의 해석
3. 3단계 : 치명도 해석과 개선책의 검토

120 FMEA의 위험성 분류 중 '카테고리 2'에 해당되는 것은?

① 영향 없음
② 활동의 지연
③ 사명 수행의 실패
④ 생명 또는 가옥의 상실

해설
FMEA 위험성의 분류 표시

카테고리(category) – 1	생명 또는 가옥의 상실
카테고리(category) – 2	사명(작업)수행의 실패
카테고리(category) – 3	활동의 지연
카테고리(category) – 4	영향 없음

121 사고의 발단이 되는 초기 사상이 발생할 경우 그 영향이 시스템에서 어떤 결과(정상 또는 고장)로 진전해 가는지를 나뭇가지가 갈라지는 형태로 분석하는 방법은?

① FTA
② PHA
③ FHA
④ ETA

해설
사건수 분석(ETA ; Event Tree Analysis)
초기사건으로 알려진 특정한 장치의 이상 또는 운전자의 실수에 의해 발생되는 잠재적인 사고결과를 정량적으로 평가·분석하는 방법을 말한다.

정답 117 ② 118 ② 119 ③ 120 ③ 121 ④

122 인간오류의 확률을 이용하여 시스템의 위험성을 평가하는 기법은?

① PHA
② THERP
③ OHA
④ HAZOP

> **해설**

인간과오율 예측기법(THERP ; Technique for Human Error Rate Prediction)
1. 사고원인 가운데 인간의 과오나 기인된 원인분석, 확률을 계산함으로써 제품의 결함을 감소시키고, 인간공학적 대책을 수립하는 데 사용되는 분석기법
2. 인간의 과오(Human Error)를 정량적으로 평가하기 위해 개발된 기법(Swain 등에 의해 개발된 인간과오율 예측기법)

123 다음 설명에 해당하는 시스템 위험분석방법은?

- 시스템의 정의 및 개발 단계에서 실행한다.
- 시스템의 기능, 과업, 활동으로부터 발생되는 위험에 초점을 둔다.

① 모트(MORT)
② 결함수분석(FTA)
③ 예비위험분석(PHA)
④ 운용위험분석(OHA)

> **해설**

운용위험분석(OHA ; Operating Hazard Analysis)
1. 시스템이 저장, 이동, 실행됨에 따라 발생하는 작동시스템의 기능이나, 과업, 활동으로부터 발생되는 위험에 초점을 두고 진행하는 위험분석방법이다.
2. 시스템의 정의 및 개발 단계에서 실행한다.

124 결함수 분석(FTA)에서 지면부족 등으로 인하여 다른 페이지 또는 부분에 연결시키기 위해 사용되는 기호는?

① ○
② ⬠
③ ◇
④ △

> **해설**

FTA 분석 기호

번호	기호	명칭	내용
1	□	결함사상	사고가 일어난 사상(사건)
2	○	기본사상	더 이상 전개가 되지 않는 기본적인 사상 또는 발생확률이 단독으로 얻어지는 낮은 레벨의 기본적인 사상
3	⬠	통상사상(가형사상)	통상발생이 예상되는 사상(예상되는 원인)
4	◇	생략사상(최후사상)	정보부족 또는 분석기술 불충분으로 더 이상 전개할 수 없는 사상(작업진행에 따라 해석이 가능할 때는 다시 속행한다.)
5	△	전이기호(이행기호)	FT도상에서 다른 부분에 관한 이행 또는 연결을 나타낸다. 상부에 선이 있는 경우는 다른 부분으로 전입(IN)
6	△	전이기호(이행기호)	FT도상에서 다른 부분에 관한 이행 또는 연결을 나타낸다. 측면에 선이 있는 경우는 다른 부분으로 전출(OUT)

> **TIP** 각 기호의 그림 및 명칭과 내용에 관하여 자주 출제되고 있습니다. 함께 기억하세요.

125 FT도에 사용되는 기호 중 다음 그림에 해당하는 것은?

① 생략사상
② 부정사상
③ 결함사상
④ 기본사상

126 FT도에 사용되는 논리기호 중 AND 게이트에 해당하는 것은?

①
②
③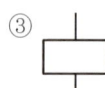
④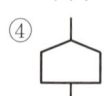

정답 122 ② 123 ④ 124 ④ 125 ④ 126 ①

해설

FTA 분석 기호 및 게이트 기호

AND 게이트	OR 게이트	결함사상	통상사상
		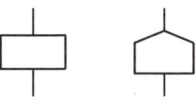	

127 FT도에서 사용되는 기호 중 입력현상의 반대 현상이 출력되는 게이트는?

① AND 게이트　　② 부정 게이트
③ OR 게이트　　　④ 억제 게이트

해설

부정 게이트

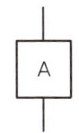

1. 입력현상의 반대현상이 출력된다.
2. 부정 모디파이어(Not Modifier)라고도 불린다.

128 다음 중 FT도에서 그림과 같은 기호의 명칭에 해당하는 것은?

① OR 게이트
② 배타적 OR 게이트
③ 조합 OR 게이트
④ 우선적 OR 게이트

해설

배타적 OR 게이트

배타적 OR 게이트	OR 게이트이지만 2개 또는 그 이상의 입력이 동시에 존재하는 경우에는 출력이 생기지 않는다.

129 FT에서 사용되는 사상기호에 대한 설명으로 맞는 것은?

① 위험지속기호 : 정해진 횟수 이상 입력이 될 때 출력이 발생한다.
② 억제게이트 : 조건부 사건이 일어났다는 조건하에 출력이 발생한다.
③ 우선적 AND 게이트 : 입력이 될 때 정해진 순서대로 복수의 출력이 발생한다.
④ 배타적 OR 게이트 : 2개 이상 입력이 동시에 존재하는 경우에 출력이 발생한다.

해설

사상기호

1. 위험지속기호 : 입력사상이 생겨 어떤 일정한 시간이 지속했을 때 출력이 생긴다. 만약 지속되지 않으면 출력은 생기지 않는다.
2. 억제게이트 : 입력사상 중 어느 것이나 이 게이트로 나타내는 조건이 만족하는 경우에만 출력사상이 발생한다.(조건부확률)
3. 우선적 AND 게이트 : 입력사상 중 어떤 사상이 다른 사상보다 먼저 일어난 때에 출력사상이 생긴다. 즉, 출력이 발생하기 위해서는 입력들이 정해진 순서로 발생해야 한다.
4. 배타적 OR 게이트 : OR 게이트이지만 2개 또는 그 이상의 입력이 동시에 존재하는 경우에는 출력이 생기지 않는다.

130 FTA의 논리게이트 중에서 3개 이상의 입력사상 중 2개가 일어나면 출력이 나오는 것은?

① 억제 게이트　　　② 조합 AND 게이트
③ 배타적 OR 게이트　④ 우선적 AND 게이트

해설

게이트
조합 AND 게이트 : 3개 이상의 입력사상 중 어느 것이나 2개가 일어나면 출력이 생긴다.

131 FTA(Fault Tree Analysis)에 사용되는 논리 중에서 입력 사상 중 어느 하나만이라도 발생하게 되면 출력사상이 발생하는 것은?

① AND Gate　　② OR Gate
③ 기본사상　　　④ 통상사상

정답 127 ②　128 ②　129 ②　130 ②　131 ②

해설
게이트

AND 게이트	모든 입력사상이 공존할 때만이 출력사상이 발생한다.
OR 게이트	입력사상 중 어느 하나만이라도 발생하게 되면 출력사상이 발생한다.
억제게이트 (제어게이트)	입력사상 중 어느 것이나 이 게이트로 나타내는 조건이 만족하는 경우에만 출력사상이 발생한다.(조건부확률)
부정게이트	입력현상의 반대현상이 출력된다.

132 다음 중 결함수분석법(FTA)에 관한 설명으로 틀린 것은?

① 최초 Watson이 군용으로 고안하였다.
② 미니멀 패스(Minimal Path Sets)를 구하기 위해서는 미니멀 컷(Minimal Cut Sets)의 상대성을 이용한다.
③ 정상사상의 발생확률을 구한 다음 FT를 작성한다.
④ AND 게이트의 확률 계산은 각 입력사상의 곱으로 한다.

해설
FTA의 절차 : FT(결함나무)도를 작성하고 FT도를 수식화하여 재해의 발생확률을 계산한다.

133 다음 중 결함수분석법에 관한 설명으로 틀린 것은?

① 잠재위험을 효율적으로 분석한다.
② 연역적 방법으로 원인을 규명한다.
③ 복잡하고 대형화된 시스템의 분석에 사용한다.
④ 정성적 평가보다 정량적 평가를 먼저 실시한다.

해설
FTA(결함수분석법)의 절차

정성적 FT의 작성 → FT의 정량화 → 재해방지 대책의 수립

해석하려고 하는 재해 사상을 결정하여 FT도를 작성하기까지의 단계	FT도를 수식화하여 재해의 발생확률을 계산하는 단계	비용이나 기술 등의 조건을 고려하여 가장 적절한 재해방지 대책을 세워 그 효과를 FT로 확인한다

134 다음 중 FTA에 의한 재해사례연구의 순서를 올바르게 나열한 것은?

A. 목표사상 선정
B. FT도 작성
C. 사상마다 재해원인 규명
D. 개선계획 작성

① A → B → C → D
② A → C → B → D
③ B → C → A → D
④ B → A → C → D

해설
FTA에 의한 재해사례의 연구 순서
1. 제1단계 : 톱사상(정상사상)의 선정
2. 제2단계 : 각 사상의 재해원인 규명
3. 제3단계 : FT도의 작성
4. 제4단계 : 개선 계획의 작성

135 다음 중 FTA를 이용하여 사고원인의 분석 등 시스템의 위험을 분석할 경우 기대 효과와 관계없는 것은?

① 사고원인 분석의 정량화 가능
② 사고원인 규명의 귀납적 해석 가능
③ 안전점검을 위한 체크리스트 작성 가능
④ 복잡하고 대형화된 시스템의 신뢰성 분석 및 안전성 분석 가능

해설
FTA의 활용 및 기대효과
1. 사고원인 규명의 간편화
2. 사고원인 분석의 일반화
3. 사고원인 분석의 정량화
4. 노력과 시간의 절감
5. 시스템 결함 진단
6. 안전점검 체크리스트 작성

TIP FTA : 정량적, 연역적 해석방법

정답 132 ③ 133 ④ 134 ② 135 ②

136 다음 [보기]의 ㉠과 ㉡에 해당하는 내용은?

> ㉠ 그 속에 포함되어 있는 모든 기본사상이 일어났을 때에 정상사상을 일으키는 기본사상의 집합
> ㉡ 그 속에 포함되는 기본사상이 일어나지 않았을 때에 처음으로 정상사상이 일어나지 않는 기본 사상의 집합

① ㉠ Path Set　㉡ Cut Set
② ㉠ Cut Set　㉡ Path Set
③ ㉠ AND　㉡ OR
④ ㉠ OR　㉡ AND

해설
컷셋과 패스셋
1. 컷셋(Cut Set) : 정상사상을 발생시키는 기본사상의 집합으로 그 안에 포함되는 모든 기본사상(여기서는 통상사상, 생략결함사상 등을 포함한 기본사상)이 발생할 때 정상사상을 발생시킬 수 있는 기본사상의 집합
2. 패스셋(Path Set) : 그 안에 포함되는 모든 기본사상이 일어나지 않을 때 처음으로 정상사상이 일어나지 않는 기본사상의 집합, 즉 시스템이 고장 나지 않도록 하는 사상의 조합이다.

137 다음 중 FTA 분석을 위한 기본적인 가정에 해당하지 않는 것은?

① 중복사상은 없어야 한다.
② 기본사상들의 발생은 독립적이다.
③ 모든 기본사상은 정상사상과 관련되어 있다.
④ 기본사상의 조건부 발생확률은 이미 알고 있다.

해설
중복사상은 발생할 수 있으며, 미니멀 컷셋을 구하는 과정에서 중복사상을 제거한다.

138 다음 FT도에서 정상사상 A의 발생확률은 얼마인가?(단, 사상 B_1의 발생확률은 0.3이고, B_2의 발생확률은 0.2이다.)

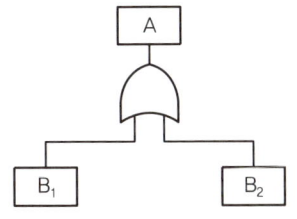

① 0.06　② 0.44
③ 0.56　④ 0.94

해설
발생확률의 계산
$A = 1-(1-B_1)(1-B_2) = 1-(1-0.3)(1-0.02) = 0.44$

139 다음 FT도에서 정상사상의 발생확률은 얼마인가?(단, X_1은 0.1, X_2는 0.2, X_3은 0.1, X_4는 0.2이다.)

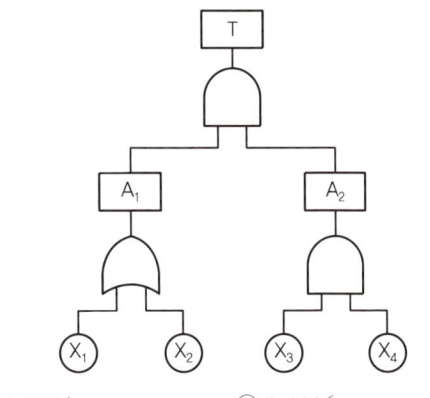

① 0.0004　② 0.0026
③ 0.0056　④ 0.0784

해설
발생확률의 계산
1. $T = A_1 \times A_2$
2. $A_1 = 1-(1-X_1)(1-X_2) = 1-(1-0.1)(1-0.2) = 0.28$
3. $B_2 = X_3 \times X_4 = 0.1 \times 0.2 = 0.02$
4. $T = A_1 \times A_2 = 0.28 \times 0.02 = 0.0056$

140 3개의 서로 다른 부품이 OR Gate에 연결된 FTA 모델이 있다. 각 부품의 고장확률은 0.3이고, "시스템이 작동 안 됨"을 정상사상(Top Event)으로 했을 때 정상사상이 발생할 확률은 얼마인가?

① 0.008　② 0.488
③ 0.512　④ 0.992

해설
발생확률의 계산
발생확률 $= 1-(1-0.2)(1-0.2)(1-0.2) = 0.488$

정답　136 ②　137 ①　138 ②　139 ③　140 ②

141 다음 중 불대수(Boolean Algebra)의 관계식으로 옳은 것은?

① A(A · B) = B
② A + B = A · B
③ A + A · B = A · B
④ (A+B)(A+C) = A+B · C

해설

불(Boolean Algebra)의 식
1. A · (A · B) = A · B
2. A + B = B + A
3. A + (A · B) = A
4. A + (B · C) = (A+B) · (A+C)

142 그림과 같은 FT도의 컷셋(Cut Set)으로 옳은 것은?

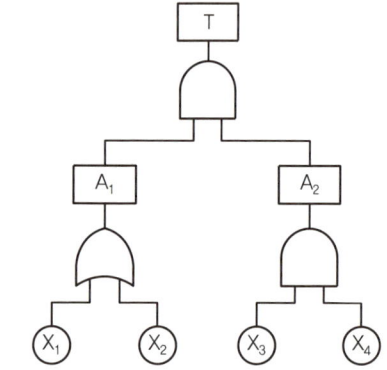

① {X₁, X₂, X₃} {X₂, X₃, X₄}
② {X₁, X₃, X₄} {X₂, X₃, X₄}
③ {X₁, X₂, X₃} {X₁, X₃, X₄}
④ {X₂, X₃, X₄} {X₁, X₂}

해설

컷셋(Cut Set)

T → A₁, A₂ → X₁, A₂ → X₁, X₃, X₄
            X₂, A₂   X₂, X₃, X₄

143 다음과 같은 FT도에서 Minimal Cut Set으로 옳은 것은?

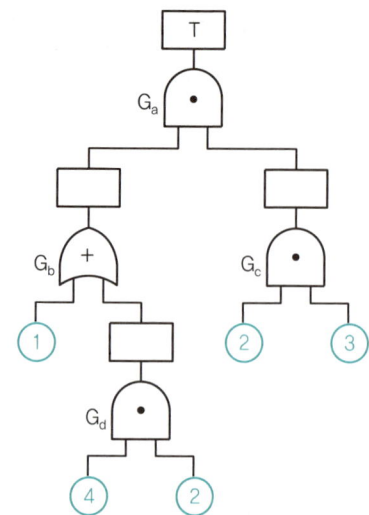

① (2, 3)
② (1, 2, 3)
③ (1, 2, 3) (2, 3, 4)
④ (1, 2, 3) (1, 3, 4)

해설

미니멀 컷셋(Minimal Cut Set)

```
        ⓐ         ⓑ         ⓒ         ⓓ         ⓔ
T→ G_b, G_c →  ①, G_c  →  ①, G_c  →  ①, ②, ③  →  ①, ②, ③
               G_d, G_c    ④, ②, G_c   ④, ②, ③    ②, ③, ④
```

TIP ⓓ에서 2행의 컷셋은 (②)가 중복되어 있으므로 (②, ③, ④)가 되어 최소 컷셋은 ⓔ와 같다.

144 FT도에 의한 컷셋(Cut Sets)이 다음과 같이 구해졌을 때 최소 컷셋(Minimal Cut Set)으로 옳은 것은?

$(X_1, X_3), (X_1, X_2, X_3), (X_1, X_3, X_4)$

① (X_1, X_3)
② (X_1, X_2, X_3)
③ (X_1, X_3, X_4)
④ (X_1, X_2, X_3, X_4)

해설

미니멀 컷셋(Minimal Cut Set)
1. 컷셋 속의 중복사상이나 컷셋을 제거해야 진정한 미니멀 컷셋이 된다.
2. (X_1, X_3)의 컷셋이 $(X_1, X_2, X_3), (X_1, X_3, X_4)$에 중복되어 있기 때문에 제거를 하면 최소 컷셋은 (X_1, X_3)이 된다.

정답 141 ④ 142 ② 143 ③ 144 ①

145 그림의 결함수에서 최소 컷셋(Minimal Cut Sets)과 신뢰도를 올바르게 나타낸 것은?(단, 각각의 부품 고장률은 0.01이다.)

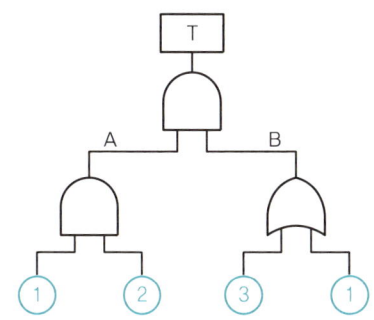

① (1, 3)
　(1, 2), 　　　　$R(t)=96.99\%$
② (1, 3)
　(1, 2, 3), 　　$R(t)=97.99\%$
③ (1, 2, 3), 　　$R(t)=98.99\%$
④ (1, 2), 　　　$R(t)=99.99\%$

해설

미니멀 컷셋(Minimal Cut Set)
1. 미니멀 컷셋 구하기

　　　ⓐ　　　ⓑ　　　ⓒ　　　　ⓓ　　　ⓔ
T→ A, B → ①, ②, B → ①, ②, ③ → ①, ②, ③ → ①, ②
　　　　　　　　　　　①, ②, ①　　①, ②

2. 신뢰도 계산
　신뢰도 = 1 − 발생확률 = 1 − (① × ②)
　　　　= 1 − (0.01 × 0.01) = 0.9999 = 99.99[%]

> **TIP** 1. ⓒ에서 2행의 컷셋은 (①)이 중복되어 있으므로 ⓓ에서 2행처럼 (①, ②)가 되고 ⓓ의 1행에서는 (①, ②)이 포함되어 있기 때문에 최소 컷셋은 ⓔ와 같다.
> 2. 본 문제는 고장확률을 구하는 문제가 아니라 신뢰도를 구하는 문제이다. FTA는 사고의 원인이 되는 장치의 이상이나 고장의 다양한 조합 및 작업자 실수 원인을 연역적으로 분석하는 방법이라는 개념을 알고 있어야 한다.

146 다음 중 Fussell의 알고리즘을 이용하여 최소 컷셋을 구하는 방법에 대한 설명으로 적절하지 않은 것은?

① OR 게이트 항상 컷셋의 수를 증가시킨다.
② AND 게이트는 항상 컷셋의 크기를 증가시킨다.
③ 중복되는 사건이 많은 경우 매우 간편하고 적용하기 적합하다.
④ 불대수(Boolean Algebra)이론을 적용하여 시스템 고장을 유발시키는 모든 기본사상들의 조합을 구한다.

해설

미니멀 컷을 구하는 법
1. AND 게이트 : 항상 컷셋의 크기를 증가
2. OR 게이트 : 항상 컷셋의 수를 증가
3. 정상사상에서 차례로 상단의 사상을 하단의 사상으로 치환하면서 AND 게이트는 가로로 나열하고, OR 게이트는 세로로 나열시킨다.(모든 기본사상에 도달했을 때 그들 각 행이 미니멀 컷셋이 된다.)
4. Fussell의 알고리즘에 의해서 구한 컷셋 BICS(Boolean Indicated Cut Sets)는 진정한 미니멀 컷셋이라 할 수 없으며 이들 컷셋 속의 중복사상이나 컷셋을 제거해야 진정한 미니멀 컷셋이 된다.

> **TIP** 중복사상이 없어야 FTA 계산을 간략화할 수 있다.

147 다음 중 FTA에서 어떤 고장이나 실수를 일으키지 않으면 정상사상(Top Event)은 일어나지 않는다고 하는 것으로 시스템의 신뢰성을 표시하는 것은?

① Cut Set　　　　② Minimal Cut Set
③ Free Event　　④ Minimal Path Set

해설

미니멀 컷셋과 미니멀 패스셋

미니멀 컷셋 (Minimal Cut Set)	1. 컷셋의 집합 중에서 정상사상을 일으키기 위하여 필요한 최소한의 컷셋을 미니멀 컷셋이라 한다. 즉 컷셋 중에서 타 컷셋을 포함 하고 있는 것을 배제하고 남은 컷셋들을 의미한다. 2. 어느 고장이나 실수를 발생시키면 재해가 일어나는가 하는 것, 즉 시스템의 위험성(반대로 말하면 안전성)을 타나내는 것이다.
미니멀 패스셋 (Minimal Path Set)	정상사상이 일어나지 않기 위한 필요한 최소한의 것을 말하며, 시스템의 신뢰성을 나타낸다. 즉, 시스템의 기능을 살리는 최소요인의 집합이다.

정답　145 ④　146 ③　147 ④

148 그림의 FT도에서 최소 패스셋(Minimal Path Set)은?

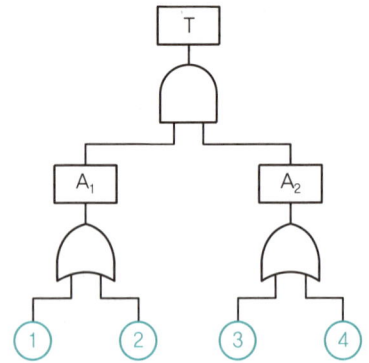

① {1, 3}, {1, 4}　　② {1, 2}, {3, 4}
③ {1, 2, 3}, {1, 2, 4}　④ {1, 3, 4}, {2, 3, 4}

해설
미니멀 패스셋(Minimal Path Set)
1. 미니멀 패스셋을 구하기 위해서는 미니멀 컷셋과 미니멀 패스셋의 쌍대성을 이용하여 구하는 것이 좋다.
2. 쌍대 FT란 원래 FT의 논리곱을 논리합으로 논리합을 논리곱으로 치환해서 모든 사상이 일어나지 않는 경우로 생각한 FT이다.

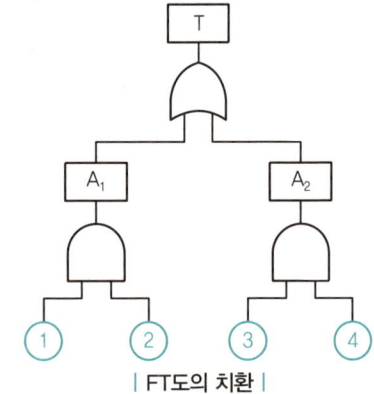

| FT도의 치환 |

미니멀 패스셋 구하기

T → A₁ → 1, 2
　　　A₂ → 3, 4

149 신기술, 신공법을 도입함에 있어서 설계, 제조, 사용의 전 과정에 걸쳐서 위험성의 여부를 사전에 검토하는 관리기술은?

① 예비위험분석　② 위험성 평가
③ 안전분석　　　④ 안전성 평가

해설
안전성 평가(Safety Assessment)의 정의
설비나 공법 등에 대해서 이동 중 또는 시공 중에 나타날 위험에 대해 설계 또는 계획단계에서 정성적 또는 정량적인 평가를 하고 그 평가에 따른 대책을 강구하는 것이다.

150 다음 중 시스템 안전성 평가의 순서를 가장 올바르게 나열한 것은?

① 자료의 정리 → 정량적 평가 → 정성적 평가 → 대책 수립 → 재평가
② 자료의 정리 → 정성적 평가 → 정량적 평가 → 재평가 → 대책 수립
③ 자료의 정리 → 정량적 평가 → 정성적 평가 → 재평가 → 대책 수립
④ 자료의 정리 → 정성적 평가 → 정량적 평가 → 대책 수립 → 재평가

해설
안전성 평가의 단계
안전성 평가는 6단계에 의해 실시되며, 경우에 따라 5단계와 6단계가 동시에 이루어지는 경우도 있다.
1. 제1단계 : 관계자료의 정비검토
2. 제2단계 : 정성적 평가
3. 제3단계 : 정량적 평가
4. 제4단계 : 안전대책
5. 제5단계 : 재해정보에 의한 재평가
6. 제6단계 : FTA에 의한 재평가

151 화학설비에 대한 안전성 평가 시 "정량적 평가"의 5가지 항목에 해당하지 않는 것은?

① 전원　　　　　② 취급물질
③ 온도　　　　　④ 화학설비용량

해설
안전성 평가(제3단계 : 정량적 평가)
평가 항목
1. 취급물질
2. 화학설비의 용량
3. 온도
4. 압력
5. 조작

152 고장률이 0.0001이고, 4개의 저항은 독립적이며, 병렬구조로 연결되어 있을 때 1000시간이 지난 후의 신뢰도는 약 얼마인가?

① 86.59%   ② 89.99%
③ 96.59%   ④ 99.99%

해설

신뢰도 계산
1. 여기서 $\lambda = 0.0001$, $t = 1,000$
2. $R(t) = e^{-\lambda t} = e^{-(0.0001 \times 1000)} = 0.905$
3. 4개의 저항이 병렬구조이므로
   신뢰도 $= 1 - (1-0.905)(1-0.905)(1-0.905)(1-0.905)$
   $= 0.9999 = 99.99[\%]$

153 다음 중 제조나 생산과정에서의 품질관리 미비로 생기는 고장으로, 점검작업이나 시운전으로 예방할 수 있는 고장은?

① 초기고장   ② 마모고장
③ 우발고장   ④ 평상고장

해설

초기고장
1. 감소형 – DFR(Decreasing Failure Rate) : 고장률이 시간에 따라 감소
2. 불량제조, 생산과정에서 품질관리 미비, 설계미숙 등으로 일어나는 고장
3. 점검작업이나 시운전 등으로 감소시킬 수 있다.
4. 보전예방(MP) 실시

154 다음 중 시스템의 수명곡선(욕조곡선)에서 우발고장 기간에 발생하는 고장의 원인으로 볼 수 없는 것은?

① 사용자의 과오 때문에
② 안전계수가 낮기 때문에
③ 부적절한 설치나 시동 때문에
④ 최선의 검사방법으로도 탐지되지 않는 결함 때문에

해설

우발고장
1. 일정형 – CFR(Constant Failure Rate) : 고장률이 시간에 관계없이 거의 일정

2. 예측할 수 없을 때 발생하는 고장으로 시운전이나 점검작업으로는 방지할 수 없다.
3. 낮은 안전계수, 사용자의 과오, 설계 강도 이상의 급격한 스트레스 축적, 최선의 검사방법으로도 탐지되지 않는 결함 때문에 발생하는 고장
4. 사후보전(BM) 실시

155 다음 중 시스템의 수명곡선(욕조곡선)에서 안전진단 및 적당한 보수에 의해 방지할 수 있는 고장의 형태는?

① 초기고장   ② 우발고장
③ 마모고장   ④ 설계고장

해설

마모고장
1. 증가형 – IFR(Increasing Failure Rate) : 고장률이 시간에 따라 증가
2. 장치의 일부가 수명을 다하여 생기는 고장
3. 부식 또는 산화, 마모 또는 피로, 불충한 정비 등으로 발생하는 고장
4. 안전진단 및 적당한 보수에 의해 감소시킬 수 있다.
5. 예방보전(PM) 실시

156 인간 – 기계 시스템의 신뢰도를 향상시킬 수 있는 방법으로 가장 적절하지 않은 것은?

① 중복설계
② 고가재료 사용
③ 부품개선
④ 충분한 여유용량

해설

신뢰성 설계기술(시스템의 신뢰도를 증가시키는 방법)
1. 리던던시 설계(중복설계)
2. 부품의 단순화와 표준화
3. 최적재료의 선정
4. 디레이팅 설계(구성부품에 걸리는 부하의 정격값에 여유를 두고 설계하는 방법)
5. 내환경성 설계
6. 인간공학적 설계와 보전성 설계(Fail Safe와 Fool Proof)

정답 152 ④   153 ①   154 ③   155 ③   156 ②

157 과전압이 걸리면 전기를 차단하는 차단기, 퓨즈 등을 설치하여 오류가 재해로 이어지지 않도록 사고를 예방하는 설계원칙은?

① 에러복구 설계
② 풀 프루프(Fool Proof) 설계
③ 페일 세이프(Fail Safe) 설계
④ 템퍼 프루프(Tamper Proof) 설계

해설

페일 세이프(Fail Safe)
1. 기계나 그 부품에 파손·고장이나 기능불량이 발생하여도 항상 안전하게 작동할 수 있는 기능을 가진 구조
2. 적용 예 : 퓨즈(Fuse), 엘리베이터의 정전 시 제동장치 등

158 다음 중 신뢰성과 보전성 개선을 목적으로 한 일반적이고 효과적인 보전기록 자료에 해당하지 않는 것은?

① 설비이력카드
② 일정계획표
③ MTBF 분석표
④ 고장원인대책표

해설

보전기록자료
1. 설비이력카드
2. MTBF 분석표
3. 고장원인대책표

159 설비의 보전과 가동에 있어 시스템의 고장과 고장 사이의 시간 간격을 의미하는 용어는?

① MTTR
② MDT
③ MTBF
④ MTBR

해설

용어의 정의

MTTR (평균수리시간)	고장 난 후 시스템이나 제품이 제 기능을 발휘하지 않은 시간부터 회복할 때까지의 소요시간에 대한 평균의 척도이며 사후보전에 필요한 수리시간의 평균치를 나타낸다.
MTTF (평균고장수명)	고장이 발생되면 그것으로 수명이 없어지는 제품의 평균수명이며, 이는 수리하지 않는 시스템, 제품, 기기, 부품 등이 고장 날 때까지 동작시간의 평균치
MTBF (평균고장간격)	수리하여 사용이 가능한 시스템에서 고장과 고장 사이의 정상적인 상태로 동작하는 평균시간(고장과 고장 사이 시간의 평균치)
MDT (평균정지시간)	설비의 보전(예방보전과 사후보전)을 위해 장치가 정지된 시간의 평균

160 시스템을 가동시키기 시작하면서부터 최초의 고장까지를 평균고장시간이라 하는데 다음 중 평균고장시간을 나타내는 용어는?

① MTTF
② MTBF
③ MTTR
④ MTBR

161 어떤 공장에서 10,000시간 동안 15,000개의 부품을 생산하였을 때 설비고장으로 인하여 15개의 불량품이 발생하였다면 평균고장간격(MTBF)은 얼마인가?

① 1×10^6 시간
② 2×10^6 시간
③ 1×10^7 시간
④ 2×10^7 시간

해설

평균고장간격(MTBF ; Mean Time Between Failure)
수리하여 사용이 가능한 시스템에서 고장과 고장 사이의 정상적인 상태로 동작하는 평균시간(고장과 고장 사이 시간의 평균치)

$$MTBF = \frac{1}{\lambda} = \frac{T(\text{총 동작시간})}{r(\text{그 기간 중의 총 고장수})}$$

$$MTBF = \frac{T}{r} = \frac{15,000 \times 10,000}{15} = 1 \times 10^7 [\text{시간}]$$

162 각각 10,000시간의 수명을 가진 A, B 두 요소가 병렬로 이루고 있을 때 이 시스템의 수명은 얼마인가?(단, 요소 A, B의 수명은 지수분포를 따른다.)

① 5,000시간
② 1,000시간
③ 15,000시간
④ 20,000시간

해설

계(system)의 수명(병렬계)

$$MTTF_s = MTTF\left(1 + \frac{1}{2} + \frac{1}{3} + \cdots + \frac{1}{n}\right)$$

정답 157 ③ 158 ② 159 ③ 160 ① 161 ③ 162 ③

$$MTTF_s = MTTF\left(1 + \frac{1}{2} + \frac{1}{3} + \cdots + \frac{1}{n}\right)$$
$$= 10,000 \times \left(1 + \frac{1}{2}\right) = 15,000 [\text{시간}]$$

163 다음 [보기]가 설명하는 것은?

미국의 GE사가 처음으로 사용한 보전으로, 설계에서 폐기에 이르기까지 기계설비의 전 과정에서 소요되는 설비의 열화손실과 보전비용을 최소화하여 생산성을 향상시키는 보전방법

① 생산보전 ② 계량보전
③ 사후보전 ④ 예방보전

해설

생산보전
1. 설비의 설계, 제작으로부터 운전, 보전에 이르기까지 설비의 일생에 걸쳐서 발생되는 제반 비용, 즉 설비의 도입, 운전, 보전 비용 및 설비열화 손실의 비용의 합을 최소화시킴으로써 기업의 생산성을 향상시키고자 하는 보전방법으로 미국의 GE(General Electric)사에서 최초로 제창(1954년)하였다.
2. 생산보전의 수단으로는 사후보전, 예방보전, 개량보전, 보전예방 등의 방법들이 있다.

164 다음 중 교체 주기와 가장 밀접한 관련성이 있는 보전방식은?

① 보전예방 ② 생산보전
③ 품질보전 ④ 예방보전

해설

예방보전(PM ; Preventive Maintenance)
설비를 항상 정상, 양호한 상태로 유지하기 위한 정기적인 검사와 초기의 단계에서 성능의 저하나 고장을 제거하든가 조정 또는 수복하기 위한 설비의 보수활동을 말한다.

165 설비의 이상상태 여부를 감시하여 열화의 정도가 사용한도에 이른 시점에서 부품교환 및 수리하는 설비보전 방법은?

① 예지보전 ② 계량보전
③ 사후보전 ④ 일상보전

해설

예지보전 : 설비의 열화상태를 진동, 온도, 전류 등의 간이 진단에 의한 경향관리와 그 정보에 기초한 정밀진단에 의해 정량 파악을 하여 데이터에 기초로 보전의 타이밍 및 방법을 결정하는 방법을 말하며, 상태기준보전(CMB)이라고도 한다.

166 설비보전 방식의 유형 중 궁극적으로는 설비의 설계, 제작 단계에서 보전 활동이 불필요한 체계를 목표로 하는 것은?

① 개량보전(Corrective Maintenance)
② 예방보전(Preventive Maintenance)
③ 사후보전(Break-down Maintenance)
④ 보전예방(Maintenance Prevention)

해설

보전예방(MP ; Maintenance Prevention)
새로운 설비를 계획·설계하는 단계에서 설비보전 정보나 새로운 기술을 기초로 신뢰성, 보전성, 경제성, 조작성, 안전성 등을 고려하여 보전비나 열화 손실을 적게 하는 활동을 말하며, 궁극적으로는 보전활동이 가급적 필요하지 않도록 하는 것을 목표로 하는 설비보전 방법이다.

167 다음 중 설비의 가용도를 나타내는 공식으로 옳은 것은?

① 가용도 = $\dfrac{\text{작동가능시간}}{\text{작동가능시간} + \text{작동불능시간}}$

② 가용도 = $\dfrac{\text{작동불능시간}}{\text{작동불능시간} + \text{작동가능시간}}$

③ 가용도 = $\dfrac{\text{작동가능시간}}{\text{작동불능시간}}$

④ 가용도 = $\dfrac{\text{작동불능시간}}{\text{작동가능시간}}$

해설

가동성(가용도, Availability)
시스템이 어떤 기간 중에 기능을 발휘하고 있을 시간의 비율

$$\text{가용성}(A) = \dfrac{\text{작동시간}}{\text{작동시간} + \text{고장시간}}$$
$$= \dfrac{\text{작동가능시간}}{\text{작동가능시간} + \text{작동불능시간}}$$

정답 163 ① 164 ④ 165 ① 166 ④ 167 ①

168 다음 중 기능식 생산에서 유연생산 시스템 설비의 가장 적합한 배치는?

① 유자(U)형 배치
② 일자(一)형 배치
③ 합류(Y)형 배치
④ 복수라인(=)형 배치

해설

유연생산 시스템(FMS ; Flexible Manufacturing System)
1. 다품종 소량생산에서 비교적 높은 생산성을 유지하면서 다양한 제품을 생산할 수 있는 유연성을 가진 자동화된 생산시스템을 말한다.
2. U자형 배치 시 장점
   - U자형 라인은 작업장이 밀집되어 있어 공간이 적게 소요
   - 작업자의 이동이나 운반거리가 짧아 운반을 최소화
   - 모여서 작업하므로 작업자들의 의사소통을 증가
   - 작업자는 이웃부서뿐만 아니라 반대 라인에 있는 부서와도 연관을 가지므로 작업의 유연성을 증가

PART 03

기계·기구 및 설비 안전 관리 예상문제

PART 03 기계 · 기구 및 설비 안전 관리 예상문제

01 기계운동 형태에 따른 위험점 분류 중 다음에서 설명하는 것은?

> 고정부분과 회전하는 동작부분이 함께 만드는 위험점으로 연삭숫돌과 작업받침대, 교반기의 날개와 하우스, 반복왕복운동을 하는 기계부분 등이다.

① 끼임점 ② 접선물림점
③ 협착점 ④ 절단점

해설

끼임점(Shear Point)
1. 회전운동하는 부분과 고정부 사이에 위험이 형성되는 위험점(고정점 + 회전운동)
2. 위험점의 예 : 연삭숫돌과 작업대, 반복동작되는 링크기구, 교반기의 날개와 몸체 사이, 회전풀리와 벨트

> **TIP**
> 1. 위험점의 분류 : 협착점, 끼임점, 절단점, 물림점, 접선물림점, 회전 말림점
> 2. 위험점 분류의 종류 및 정의, 위험점의 예시에 대해서는 시험에 자주 출제되고 있습니다. 함께 기억하세요.

02 기계의 왕복운동을 하는 동작 부분과 움직임이 없고 고정 부분 사이에 형성되는 위험점으로 프레스 등에서 주로 나타나는 것은?

① 끼임점(Shear Point)
② 물림점(Nip Point)
③ 절단점(Cutting Point)
④ 협착점(Squeeze Point)

해설

협착점(Squeeze Point)
1. 왕복운동을 하는 운동부와 움직임이 없는 고정부 사이에서 형성되는 위험점(고정점 + 운동점)
2. 위험점의 예 : 프레스, 전단기, 성형기, 조형기, 밴딩기, 인쇄기

03 한계하중 이하의 하중이라도 고온조건에서 일정 하중을 지속적으로 가하며 시간의 경과에 따라 변형이 증가하고 결국은 파괴에 이르게 되는 현상을 무엇이라 하는가?

① 크리프(Creep)
② 피로현상(Fatigue Limit)
③ 가공 경화(Stess Hardening)
④ 응력 집중(Stress Concentration)

해설

크리프(Creep)
한계하중 이하의 하중이라도 고온조건에서 일정 하중을 지속적으로 가하면 시간의 경과에 따라 변형이 증가하고 결국은 파괴에 이르게 되는 현상

04 기계를 구성하는 요소에서 피로현상은 안전과 일정한 관련이 있다. 피로현상과 가장 관련이 적은 것은?

① 소음(Noise)
② 노치(Notch)
③ 치수 효과(Size Effect)
④ 부식(Corrosion)

해설

피로파괴
1. 재료에 변동하는 외력이 반복적으로 가해지면 어떤 시간이 경과된 후 재료가 파괴되는 현상
2. 피로 파괴현상의 영향요인
   - 자국(Notch)
   - 부식(Corrosion)
   - 치수 효과(Size Effect)
   - 온도
   - 표면상태 등

05 다음 중 기계를 정지 상태에서 점검하여야 할 사항으로 틀린 것은?

① 급유 상태
② 이상음과 진동상태
③ 볼트 · 너트의 풀림 상태
④ 전동기 개폐기의 이상 유무

정답 01 ① 02 ④ 03 ① 04 ① 05 ②

해설
기계설비의 점검

운전 상태에서 점검할 사항	1. 클러치 상태 2. 기어의 교합 상태 3. 접동부 상태 4. 이상음, 진동 상태 5. 베어링의 온도상승 여부
정지 상태에서 점검할 사항	1. 나사, 볼트, 너트 등의 풀림 상태 2. 전동기 개폐기의 이상 유무 상태 3. 방호장치 및 동력전달 장치 부분 상태 4. 급유 상태

06 기계의 원동기, 회전축 및 체인 등 근로자에게 위험을 미칠 우려가 있는 부위에 설치해야 하는 위험방지 장치가 아닌 것은?

① 덮개 ② 건널다리
③ 클러치 ④ 슬리브

해설
원동기·회전축 등의 위험방지

원동기·회전축·기어·풀리·플라이휠·벨트 및 체인 등 근로자가 위험에 처할 우려가 있는 부위	1. 덮개 2. 울 3. 슬리브 4. 건널다리 등
회전축·기어·풀리 및 플라이휠 등에 부속되는 키·핀 등의 기계요소	1. 묻힘형 2. 덮개
벨트의 이음 부분	돌출된 고정구를 사용금지
건널다리	1. 안전난간 2. 미끄러지지 아니하는 구조의 발판
선반 등으로부터 돌출하여 회전하고 있는 가공물	덮개 또는 울 등을 설치

TIP 원동기·회전축 등의 위험방지는 자주출제 되고 있습니다. 꼭 함께 기억하세요.

07 다음 중 기계설비 사용 시 일반적인 안전수칙으로 잘못된 것은?

① 기계·기구 또는 설비에 설치한 방호장치는 해체하거나 사용을 정지해서는 안 된다.
② 절삭편이 날아오는 작업에서는 보호구보다 덮개 설치가 우선적으로 이루어져야 한다.
③ 기계의 운전을 정지한 후 정비할 때에는 해당 기계의 기동장치에 잠금장치를 하고 그 열쇠는 공개된 장소에 보관하여야 한다.
④ 기계 또는 방호장치의 결함이 발견된 경우 반드시 정비한 후에 근로자가 사용하도록 하여야 한다.

해설
정비 등의 작업 시의 운전정지 등
기계의 운전을 정지한 경우에 다른 사람이 그 기계를 운전하는 것을 방지하기 위하여 기계의 기동장치에 잠금장치를 하고 그 열쇠를 별도 관리하거나 표지판을 설치하는 등 필요한 방호 조치를 하여야 한다.

08 기계의 위험예방을 위한 설명으로 틀린 것은?

① 동력 차단장치는 진동에 의해 갑자기 움직일 우려가 없을 것
② 작업도구는 제조 당시의 목적 외로 사용하지 말 것
③ 축이 회전하는 기계를 취급 시에는 안전을 위해 면장갑을 착용할 것
④ 방호장치 결함을 발견 시에는 정비 후 사용할 것

해설
장갑의 사용 금지
1. 회전체에는 말려들어 가는 위험을 방지하기 위해 장갑을 착용 금지
2. 날·공작물 또는 축이 회전하는 기계를 취급하는 경우 : 근로자의 손에 밀착이 잘되는 가죽 장갑 등과 같이 손이 말려들어 갈 위험이 없는 장갑을 사용

09 다음 중 근로자에게 위험을 미칠 우려가 있는 공장기계에 덮개, 울 등을 설치해야 하는 경우와 가장 거리가 먼 것은?

① 연삭기 또는 평삭기의 테이블, 형삭기 램 등의 행정 끝
② 선반으로부터 돌출하여 회전하고 있는 가공물 부근
③ 톱날 접촉예방장치가 설치된 원형톱(목재가공용 둥근 톱 기계 제외) 기계의 위험부위
④ 띠톱기계의 위험한 톱날(절단부위 제외)부위

해설
원형톱기계의 안전기준
원형톱기계(목재가공용 둥근톱기계는 제외)에는 톱날접촉예방장치를 설치하여야 한다.

정답 06 ③ 07 ③ 08 ③ 09 ③

10 다음 중 작업장 내의 안전을 확보하기 위한 행위로 볼 수 없는 것은?

① 통로의 주요 부분에는 통로표시를 하였다.
② 통로에는 50럭스 정도의 조명시설을 하였다.
③ 비상구의 너비는 1.0m로 하고, 높이는 2.0m로 하였다.
④ 통로면으로부터 높이 2m 이내에는 장애물이 없도록 하였다.

해설
통로의 조명
근로자가 안전하게 통행할 수 있도록 통로에 75럭스 이상의 채광 또는 조명시설을 하여야 한다.(다만, 갱도 또는 상시 통행을 하지 아니하는 지하실 등을 통행하는 근로자에게 휴대용 조명기구를 사용하도록 한 경우에는 제외)

11 기계설비의 일반적인 안전조건에 해당되지 않는 것은?

① 설비의 안전화 ② 기능의 안전화
③ 구조의 안전화 ④ 작업의 안전화

해설
기계의 안전조건
1. 외관상의 안전화
2. 기능적 안전화
3. 작업점의 안전화
4. 작업의 안전화
5. 구조상의 안전화
6. 보전작업의 안전화

12 기계설비의 안전조건 중 외관의 안전화에 해당되는 조치는?

① 고장 발생을 최소화하기 위해 정기점검을 실시하였다.
② 강도의 열화를 생각하여 안전율을 최대로 고려하여 설계하였다.
③ 전압강하, 정전 시의 오작동을 방지하기 위하여 자동제어 장치를 설치하였다.
④ 작업자가 접촉할 우려가 있는 기계의 회전부를 덮개로 씌우고 안전색채를 사용하였다.

해설
외관상의 안전화 : 기계를 설계할 때 기계 외부에 나타나는 위험부분을 제거하거나 기계 내부에 내장시키는 것
1. 가드 설치 : 기계 외형 부분 및 회전체 돌출 부분(묻힘형이나 덮개의 설치)
2. 구획된 장소에 격리 : 원동기 및 동력전도장치(벨트, 기어, 샤프트, 체인 등)
3. 안전 색채 조절(기계 장비 및 부수되는 배관)

시동 스위치	녹색	고열을 내는 기계	청녹색, 회청색	기름배관	암황 적색
급정지 스위치	적색	증기배관	암적색	물배관	청색
대형기계	밝은 연녹색	가스배관	황색	공기배관	백색

TIP 기계장비 및 배관의 안전색채에 대해서도 시험에 출제되고 있습니다. 고열을 내는 기계의 색채는 꼭 기억하세요.

13 기계설비의 이상 시에 기계를 급정지시키거나 안전장치가 작동되도록 하는 소극적인 대책과 전기회로를 개선하여 오동작을 방지하거나 별도의 완전한 회로에 의해 정상 기능을 찾을수 있도록 하는 안전화를 무엇이라 하는가?

① 구조적 안전화 ② 보전의 안전화
③ 외관적 안전화 ④ 기능적 안전화

해설
기능적 안전화
1. 기계나 기구를 사용할 때 기계의 기능이 저하하지 않고 안전하게 작업하는 것으로 능률적이고 재해방지를 위한 설계를 한다.
2. 안전화 대책

소극적 대책	1. 이상 시 기계를 급정지 2. 방호장치 작동
적극적 대책	1. 회로를 개선하여 오동작 방지 2. 별도의 완전한 회로에 의해 정상기능을 찾을 수 있도록 한다. 3. Fail Safe화

14 다음 중 기계의 구조부분의 안전화에 대한 결함에 해당되지 않는 것은?

① 재료의 결함 ② 기계설계의 결함
③ 가공상의 결함 ④ 작업환경상의 결함

정답 10 ② 11 ① 12 ④ 13 ④ 14 ④

해설
구조상의 안전화

설계상의 결함	1. 가장 큰 원인은 강도산정(부하예측, 강도계산)상의 오류 2. 사용상 강도의 열화를 고려하여 안전율을 산정
재료의 결함	기계 재료 자체에 균열, 부식, 강도 저하 등 결함이 있으므로 설계 시 재료의 선택에 유의하여야 한다.
가공의 결함	재료 가공 도중 결함이 생길 수 있으므로 기계적 특성을 갖는 적절한 열처리 등이 필요하다.

15 기계의 안전조건 중 구조의 안전화가 아닌 것은?

① 기계재료의 선정 시 재료 자체에 결함이 없는지 철저히 확인한다.
② 사용 중 재료의 강도가 열화될 것을 감안하여 설계 시 안전율을 고려한다.
③ 기계작동 시 기계의 오동작을 방지하기 위하여 오동작 방지 회로를 적용한다.
④ 가공경화와 같은 가공결함이 생길 우려가 있는 경우는 열처리 등으로 결함을 방지한다.

해설
오동작을 방지하기 위하여 오동작 방지 회로를 적용하는 것은 기능적 안전화에 해당된다.

16 기계고장률의 기본 모형 중 우발고장에 관한 사항으로 옳은 것은?

① 고장률이 시간에 따라 일정한 형태를 이룬다.
② 고장률이 시간이 갈수록 감소하는 형태이다.
③ 시스템의 일부가 수명을 다하여 발생하는 고장이다.
④ 마모나 노화에 의하여 어느 시점에 집중적으로 고장이 발생한다.

해설
기계 고장률의 기본모형
1. 초기고장 : 감소형 – DFR(Decreasing Failure Rate) : 고장률이 시간에 따라 감소
2. 우발고장 : 일정형 – CFR(Constant Failure Rate) : 고장률이 시간에 관계없이 거의 일정
3. 마모고장 : 증가형 – IFR(Increasing Failure Rate) : 고장률이 시간에 따라 증가

TIP 기계 고장률의 3가지 유형의 종류도 함께 기억하세요.

17 기계설비의 본질안전화에 대한 설명 중 맞는 것은?

① 근로자가 동작상 과오나 실수 또는 기계설비에 이상이 생겨도 안전성이 확보되는 것
② 점검과 주유방법이 용이한 것
③ 보전용 작업장이 확보된 것
④ 인간공학적 안전장치가 있는 것

해설
기계설비의 본질적 안전화의 개요
1. 작업자가 동작상 과오나 실수를 하여도 사고나 재해가 일어나지 않도록 하는 것
2. 기계설비에 이상이 생겨도 안전성이 확보되어 사고나 재해가 발생하지 않도록 설계되는 것

18 기계나 그 부품에 고장이나 기능 불량이 생겨도 항상 안전하게 작동하는 안전화 대책은?

① 진단
② 예방정비
③ 페일 세이프(Fail Safe)
④ 풀 프루프(Fool Proof)

해설
풀 프루프와 페일 세이프

풀 프루프 (Fool Proof)	작업자가 기계를 잘못 취급하여 불안전 행동이나 실수를 하여도 기계설비의 안전 기능이 작용되어 재해를 방지할 수 있는 기능을 가진 구조
페일 세이프 (Fail Safe)	기계나 그 부품에 파손·고장이나 기능불량이 발생하여도 항상 안전하게 작동할 수 있는 기능을 가진 구조

19 풀 프루프(Fool Proof)에 해당되지 않는 것은?

① 각종 기구의 인터록 기구
② 크레인의 권과방지장치
③ 카메라의 이중 촬영 방지기구
④ 항공기의 엔진

해설
항공기의 엔진은 페일 세이프(Fail Safe)의 구조에 해당된다.

정답 15 ③ 16 ① 17 ① 18 ③ 19 ④

20 기계설비에 있어서 방호의 기본 원리가 아닌 것은?

① 위험제거 ② 덮어씌움
③ 위험도 분석 ④ 위험에 적응

해설
기계 방호의 원리
1. 위험제거
2. 차단(위험상태의 제거)
3. 덮개(위험상태의 삭감)
4. 위험에 적응

21 기계설비의 방호장치 분류 중 위험원에 대한 방호장치는?

① 감지형 방호장치 ② 접근반응형 방호장치
③ 위치제한형 방호장치 ④ 접근거부형 방호장치

해설
방호장치의 분류
1. 위험장소 : 격리형 방호장치, 위치제한형 방호장치, 접근반응형 방호장치, 접근 거부형 방호장치
2. 위험원 : 포집형 방호장치, 감지형 방호장치

22 위험한 작업점과 작업자 사이에 위험을 차단시키는 격리형 방호장치가 아닌 것은?

① 덮개형 방호장치 ② 완전차단형 방호장치
③ 안전방책 ④ 접촉반응형 방호장치

해설
격리형 방호장치
1. 작업점과 작업자 사이에 접촉되어 일어날 수 있는 재해를 방지하기 위해 차단벽이나 망을 설치하는 방호장치
2. 종류 : 완전차단형, 덮개형, 안전방책

23 다음 중 접근반응형 방호장치에 해당되는 것은?

① 손쳐내기식 방호장치 ② 광전자식 방호장치
③ 가드식 방호장치 ④ 양수조작식 방호장치

해설
접근반응형 방호장치
1. 작업자의 신체부위가 위험한계 또는 그 인접한 거리 내로 들어오면 이를 감지하여 그 즉시 기계의 동작을 정지시키고 경보등을 발하는 방호장치
2. 프레스 및 전단기의 광전자식 방호장치

24 프레스에 적용되는 방호장치의 유형이 아닌 것은?

① 접근거부형
② 접근반응형
③ 위치제한형
④ 포집형

해설
방호장치
1. 접근거부형 방호장치 : 프레스의 수인식, 손쳐내기식 방호장치
2. 접근반응형 방호장치 : 프레스 및 전단기의 광전자식 방호장치
3. 위치제한형 방호장치 : 프레스의 양수 조작식 방호장치

TIP 포집형 방호장치 : 연삭기 덮개나 반발예방방치 등과 같이 위험장소에 설치하여 위험원이 비산하거나 튀는 것을 포집하여 작업자로부터 위험원을 차단하는 방호장치

25 기계설비 방호 가드의 설치조건으로 틀린 것은?

① 충분한 강도를 유지할 것
② 구조가 단순하고 위험점 방호가 확실할 것
③ 개구부(틈새)의 간격은 임의로 조정이 가능할 것
④ 작업, 점검, 주유 시 장애가 없을 것

해설
가드의 설치기준
1. 충분한 강도를 유지할 것
2. 구조가 단순하고 조정이 용이할 것
3. 작업, 점검, 주유 시 등 장애가 없을 것
4. 위험점 방호가 확실할 것
5. 개구부등 간격(틈새)이 적정할 것

TIP 가드의 종류
1. 고정형 가드
2. 자동형 가드
3. 조절형 가드

26 작업장에서 사용하는 로프의 최대사용하중이 200kgf이고, 절단하중이 600kgf일 때 이 로프의 안전율은?

① 0.33 ② 3
③ 200 ④ 300

해설

안전율(안전계수)

$$\text{안전율(안전계수)} = \frac{\text{기초강도}}{\text{허용응력}} = \frac{\text{극한강도}}{\text{허용응력}} = \frac{\text{최대응력}}{\text{허용응력}}$$
$$= \frac{\text{절단하중(파괴하중)}}{\text{최대사용하중}}$$
$$= \frac{\text{극한강도}}{\text{최대설계응력}} = \frac{\text{파단하중}}{\text{안전하중}} = \frac{\text{인장강도}}{\text{허용응력}}$$

안전율 = $\frac{\text{절단하중}}{\text{최대사용하중}} = \frac{600}{200} = 3$

TIP 안전율의 공식도 함께 기억하세요.

27 와이어로프의 절단하중이 1,116kgf이고, 한 줄로 물건을 매달고자 할 때 안전계수를 6으로 하면 몇 kgf 이하의 물건을 매달 수 있는가?

① 186
② 372
③ 588
④ 6,696

해설

안전율(안전계수)

$$\text{안전율(안전계수)} = \frac{\text{기초강도}}{\text{허용응력}} = \frac{\text{극한강도}}{\text{허용응력}} = \frac{\text{최대응력}}{\text{허용응력}}$$
$$= \frac{\text{절단하중(파괴하중)}}{\text{최대사용하중}}$$
$$= \frac{\text{극한강도}}{\text{최대설계응력}} = \frac{\text{파단하중}}{\text{안전하중}} = \frac{\text{인장강도}}{\text{허용응력}}$$

1. 안전율(안전계수) = $\frac{\text{절단하중}}{\text{최대사용하중}}$
   → 최대사용하중 = $\frac{\text{절단하중}}{\text{안전율(안전계수)}}$
2. 최대사용하중 = $\frac{1,116}{6} = 186 [\text{kgf}]$

28 기계의 안전을 확보하기 위해서는 안전율을 고려하여야 하는데 다음 중 이에 관한 설명으로 틀린 것은?

① 기초강도와 허용응력과의 비를 안전율이라 한다.
② 안전율 계산에 사용되는 여유율은 연성재료에 비하여 취성재료를 크게 잡는다.
③ 안전율은 크면 클수록 안전하므로 안전율이 높은 기계는 우수한 기계라 할 수 있다.
④ 재료의 균질성, 응력계산의 정확성, 응력의 분포 등 각종 인자를 고려한 경험적 안전율도 사용된다.

해설

안전율
안전율은 클수록 안전하나 안전율을 높이기 위해 설비투자에 더 많은 비용이 들어가므로 기계설비 및 작업상황에 맞는 적정 안전율을 설계하는 것이 필요하다.

29 페일 세이프(Fail Safe) 구조의 기능 면에서 설비 및 기계 장치의 일부가 고장이 난 경우 기능의 저하를 가져 오더라도 전체 기능은 정지하지 않고 다음 정기점검 시까지 운전이 가능한 방법은?

① Fail – passive
② Fail – soft
③ Fail – active
④ Fail – operational

해설

페일 세이프의 기능 면에서의 분류

Fail – passive	부품이 고장 나면 기계가 정지하는 방향으로 이동하는 것(일반적인 산업기계)
Fail – active	부품이 고장 나면 경보를 울리며 잠시 동안 계속 운전이 가능한 것
Fail – operational	부품이 고장 나도 추후에 보수가 될 때까지 안전한 기능을 유지하는 것

30 다음 중 재해의 뜻으로 가장 옳은 것은?

① 생명과 재산을 보호하기 위한 제반활동을 말한다.
② 안전사고의 결과로 일어난 인명과 재산의 손실을 말한다.
③ 안전사고의 사건 그 자체를 말한다.
④ 사고로 입은 인명의 상해만을 말한다.

해설

재해
안전사고의 결과로 일어난 인명과 재산의 손실을 가져올 수 있는 계획되지 않거나 예상하지 못한 사건을 말한다.

정답 27 ① 28 ③ 29 ④ 30 ②

31 산업재해에 있어 인명이나 물적 등 일체의 피해가 없는 사고를 무엇이라 하는가?

① Near Accident ② Good Accident
③ True Accident ④ Original Accident

해설
아차사고(Near Accident)
재해 또는 사고가 발생하여도 인명 상해나 물적 손실 등 일체의 피해가 없는 사고를 말한다.

32 다음 중 재해조사 시의 유의사항으로 가장 적절하지 않은 것은?

① 사실을 수집한다.
② 사람, 기계설비, 양면의 재해요인을 모두 도출한다.
③ 객관적인 입장에서 공정하게 조사하며, 조사는 2인 이상이 한다.
④ 목격자의 증언과 추측의 말은 모두 반영하여 분석하고, 결과를 도출한다.

해설
조사상의 유의사항
1. 사실을 수집하고 재해 이유는 뒤로 미룬다.
2. 목격자 등이 발언하는 사실 이외의 추측의 말은 참고로 한다.
3. 조사는 신속하게 행하고 2차 재해의 방지를 도모한다.
4. 사람, 설비, 환경의 측면에서 재해요인을 도출한다.
5. 객관성을 가지고 제3자의 입장에서 공정하게 조사하며, 조사는 2인 이상으로 한다.
6. 책임추궁보다 재발방지를 우선하는 기본태도를 갖는다.
7. 피해자에 대한 구급조치를 우선으로 한다.
8. 2차 재해의 예방과 위험성에 대응하여 보호구를 착용한다.
9. 발생 후 가급적 빨리 재해현장이 변형되지 않은 상태에서 실시한다.

33 다음 중 재해 발생 시 가장 먼저 해야 할 일은?

① 현장 보존
② 상급 부서의 보고
③ 재해자의 구조 및 응급조치
④ 2차 재해의 방지

해설
긴급처리 순서
1. 피재기계의 정지
2. 피재자의 응급조치
3. 관계자에게 통보
4. 2차 재해 방지
5. 현장보존

34 재해의 원인분석법 중 사고의 유형, 기인물 등 분류항목을 큰 순서대로 도표화하여 문제나 목표의 이해가 편리한 것은?

① 파레토도(Pareto Diagram)
② 특성요인도(Cause-Reason Diagram)
③ 클로즈 분석(Close Analysis)
④ 관리도(Control Chart)

해설
파레토도
사고의 유형, 기인물 등 분류항목을 큰 값에서 작은 값의 순서로 도표화하며, 문제나 목표의 이해에 편리하다.

35 다음 중 재해의 원인과 결과를 연계하여 상호 관계를 파악하기 위하여 도표화하는 분석방법은?

① 파레토도 ② 특성요인도
③ 크로스분류도 ④ 관리도

해설
특성요인도
특성과 요인관계를 어골상으로 도표화하여 분석하는 기법(원인과 결과를 연계하여 상호 관계를 파악하기 위한 분석방법)

36 다음 중 재해 발생의 원인에 있어 불안전한 상태에 해당하지 않는 것은?

① 설비 및 장비의 결함
② 부적절한 조명 및 환기
③ 작업장소의 정리·정돈 불량
④ 보호구 착용 불량

해설
불안전한 행동과 상태의 분류

불안전한 행동 (인적 요인)	설비·기계 및 물질의 부적절한 사용·관리, 구조물 등 그 밖의 위험방치 및 미확인, 작업수행 소홀 및 절차 미준수, 불안전한 작업자세, 작업수행 중 과실, 무모 또는 불필요한 행위 및 동작, 복장, 보호구의 부적절한 사용, 불안전한 속도 조작, 안전장치의 기능 제거, 불안전한 인양 및 운반
불안전한 상태 (물적 요인)	물체 및 설비 자체의 결함, 방호조치의 부적절, 작업통로 등 장소불량 및 위험, 물체, 기계기구 등의 취급상 위험, 작업공정·절차의 부적절, 작업환경 등의 부적절, 보호구의 성능불량, 불안전한 설계로 인한 결함 발생

정답 31 ① 32 ④ 33 ③ 34 ① 35 ② 36 ④

37 하인리히(Heinrich)의 이론에 의한 재해 발생의 주요 원인에 있어 다음 중 불안전한 행동에 의한 요인이 아닌 것은?

① 권한 없이 행한 조작
② 전문지식의 결여 및 기술, 숙련도 부족
③ 보호구 미착용 및 위험한 장비에서 작업
④ 결함 있는 장비 및 공구의 사용

해설
전문지식의 결여 및 기술, 숙련도 부족은 교육적 원인으로 간접원인에 해당된다.

38 다음 중 불안전한 행동과 가장 관계가 작은 것은?

① 물건을 급히 운반하려다 부딪쳤다.
② 뛰어가다 넘어져 골절상을 입었다.
③ 높은 장소에서 작업 중 부주위로 떨어졌다.
④ 정지해 있는 호이스트의 고리에 머리를 다쳤다.

해설
정지해 있는 호이스트의 고리에 머리를 다쳤다 → 불안전한 상태로 물의 배치 및 작업장소 불량에 해당된다.

39 재해원인을 직접원인과 간접원인으로 나눌 때, 직접원인에 해당하는 것은?

① 기술적 원인
② 관리적 원인
③ 교육적 원인
④ 물적 원인

해설
산업재해의 원인

직접 원인	1. 인적 요인(불안전한 행동) 2. 물적 요인(불안전한 상태)
간접 원인 (관리적 원인)	1. 기술적 원인 2. 교육적 원인 3. 신체적 원인 4. 정신적 원인 5. 작업관리상의 원인

40 안전한 방법에 대한 지식을 가지고 있으며 또 그것을 해낼 수 있는 능력을 가지고 있는 사람이 불안전 행위를 범해서 재해를 일으키는 경우가 있는데 다음 중 이에 해당되지 않는 경우는?

① 무의식으로 하는 경우
② 사태의 파악에 잘못이 있을 때
③ 좋지 않다는 것을 의식하면서 행위를 할 경우
④ 작업량이 능력에 비하여 과다한 경우

해설
작업량이 능력에 비하여 과다한 경우는 산업재해의 원인 중 간접원인으로 작업관리상의 원인에 해당된다.

41 다음의 재해 원인 중 간접원인으로 볼 수 없는 것은?

① 안전교육 미시행
② 생산방법의 부적당
③ 구조 재료의 부적합
④ 보호구의 미사용

해설
간접원인(관리적 원인)

기술적 원인	1. 건물, 기계장치의 설계불량 2. 구조, 재료의 부적합 3. 생산방법의 부적당 4. 점검, 정비보존의 불량
교육적 원인	1. 안전의식의 부족 2. 안전수칙의 오해 3. 경험훈련의 미숙 4. 작업방법의 교육 불충분 5. 유해위험 작업의 교육 불충분
신체적 원인	1. 신체적 결함(두통, 현기증, 간질병, 난청) 2. 피로(수면부족)
정신적 원인	1. 태도불량(태만, 불만, 반항) 2. 정신적 동요(공포, 긴장, 초조, 불화)
작업관리상의 원인	1. 안전관리조직의 결함 2. 안전수칙의 미제정 3. 작업준비 불충분 4. 인원배치 부적당 5. 작업지시 부적당

TIP 보호구의 미사용 – 직접원인(불안전한 행동)

42 다음 중 상해 종류에 대한 설명으로 옳은 것은?

① 찰과상 : 창, 칼 등에 베인 상해
② 창상 : 스치거나 문질러서 피부가 벗겨진 상해
③ 자상 : 칼날 등 날카로운 물건에 찔린 상해
④ 좌상 : 국부의 혈액순환의 이상으로 몸이 퉁퉁 부어오르는 상해

정답 37 ② 38 ④ 39 ④ 40 ④ 41 ④ 42 ③

해설

상해 종류에 의한 분류

분류항목	세부항목
찔림(자상)	칼날 등 날카로운 물건에 찔린 상해
타박상(좌상)	타박, 충돌, 추락 등으로 피부표면보다는 피하조직 또는 근육부를 다친 상해(뼈 것 포함)
찰과상	스치거나 문질러서 벗겨진 상해
베임(창상)	창, 칼 등에 베인 상해

43 국제노동기구(ILO)의 분류에 부상결과 신체장해 등급 제4급~제14급에 해당한 상해로 옳은 것은?

① 영구 전노동 불능 상해
② 일시 전노동 불능 상해
③ 영구 일부노동 불능 상해
④ 일시 일부노동 불능 상해

해설

상해 정도별 분류(국제노동기구(ILO)에 따른 분류)

사망	안전사고 혹은 부상의 결과로 사망한 경우 : 노동손실일수 7,500일
영구 전노동 불능 상해	부상결과 근로기능을 완전히 잃은 경우(신체장해등급 제1급~제3급) : 노동손실일수 7,500일
영구 일부노동 불능 상해	부상결과 신체의 일부가 근로기능을 상실한 경우(신체장해등급 제4급~제14급)
일시 전노동 불능 상해	의사의 진단에 따라 일정기간 근로를 할 수 없는 경우(신체장해가 남지 않는 일반적인 휴업재해)
일시 일부노동 불능 상해	의사의 진단에 따라 부상 다음날 혹은 그 이후에 정규근로에 종사할 수 없는 휴업재해 이외의 경우(일시적으로 작업시간 중에 업무를 떠나 치료를 받는 것 또는 가벼운 작업에 종사하는 정도의 휴업재해)
응급(구급) 조치 상해	응급처치 혹은 의료조치를 받아 부상당한 다음 날 정규근로에 종사할 수 있는 경우

44 다음 중 산업재해 통계에 관한 설명으로 적절하지 않은 것은?

① 산업재해 통계는 구체적으로 표시되어야 한다.
② 산업재해 통계의 목적은 기업에서 발생한 산업재해에 대하여 효과적인 대책을 강구하기 위함이다.
③ 산업재해 통계는 안전 활동을 추진하기 위한 기초 자료이다.
④ 산업재해 통계를 기반으로 안전 조건이나 상태를 추측할 수 있다.

해설

재해통계 작성 시 유의사항
산업재해 통계를 기반으로 안전조건이나 상태를 추측해서는 안 되며, 이 통계 사실을 정직하게 보고 판단한다.

45 어느 공장의 연평균 근로자가 180명이고, 1년간 발생한 사상자의 수가 6명이 발생했다면 연천인율은 약 얼마인가?(단, 근로자는 하루 8시간씩 연간 300일을 근무한다.)

① 13.89　　② 33.33
③ 43.69　　④ 12.79

해설

연천인율

$$연천인율 = \frac{연간\ 재해자수}{연평균\ 근로자수} \times 1,000$$

$$연천인율 = \frac{연간\ 재해자수}{연평균\ 근로자수} \times 1,000 = \frac{6}{180} \times 1,000 = 33.33$$

46 500명의 근로자가 근무하는 사업장에서 연간 30건이 재해가 발생하여 35명의 재해자로 인해 250일의 근로손실이 발생한 경우 이 사업장의 재해 통계에 관한 설명으로 틀린 것은?

① 이 사업장의 도수율은 약 25이다.
② 이 사업장의 강도율은 약 0.21이다.
③ 이 사업장의 연천인율은 7이다.
④ 근로시간이 명시되지 않을 경우에는 연간 1인당 2,400시간을 적용한다.

해설

재해 관련 통계

1. 도수율 $= \frac{재해발생건수}{연간\ 총근로시간수} \times 1,000,000$
$= \frac{30}{500 \times 8 \times 300} \times 1,000,000 = 25$

2. 강도율 $= \frac{근로손실일수}{연간\ 총근로시간수} \times 1,000$
$= \frac{250}{500 \times 8 \times 300} \times 1,000 = 0.21$

3. 연천인율 $= \frac{연간\ 재해자수}{연평균\ 근로자수} \times 1,000$
$= \frac{35}{500} \times 1,000 = 70$

정답　43 ③　44 ④　45 ②　46 ③

4. 연간 총근로시간의 산출이 곤란할 때는 1일 8시간, 1개월 25일, 1년 300일을 기준으로 2,400시간을 적용한다.

47 다음 중 연간 총근로시간 합계 100만 시간당 재해발생건수를 나타내는 재해율은?

① 연천인율 ② 도수율
③ 강도율 ④ 종합재해지수

해설

도수율(빈도율)
1. 산업재해의 발생 빈도를 나타내는 단위
2. 연간 근로시간 합계 100만 시간당 재해발생건수
3. 공식

$$도수율 = \frac{재해발생건수}{연간\ 총근로시간수} \times 1,000,000$$

48 어떤 화학공장에서 450명의 근로자가 1년 동안 작업하는 가운데 21건의 재해가 발생하여 250일의 근로손실이 발생하였다. 이 공장의 도수율은 약 얼마인가?(단, 근로자는 1일 9시간 연간 280일을 근무하였다.)

① 0.22 ② 18.52
③ 22.05 ④ 46.67

해설

도수율

$$도수율 = \frac{재해발생건수}{연간\ 총근로시간수} \times 1,000,000$$

$$도수율 = \frac{재해발생건수}{연간\ 총근로시간수} \times 1,000,000 = \frac{21}{450 \times 9 \times 280} \times 1,000,000 = 18.52$$

49 어떤 사업장에서 510명 근로자가 1주일에 40시간, 연간 50주를 작업하는 중에 21건의 재해가 발생하였다. 이 근로기간 중에 근로자의 4%가 결근하였다면 도수율은 약 얼마인가?

① 0.15 ② 21.45
③ 22.80 ④ 41.18

해설

도수율

$$도수율 = \frac{재해발생건수}{연간\ 총근로시간수} \times 1,000,000$$

1. 출근율 $= 1 - \frac{4}{100} = 0.96$

2. 도수율 $= \frac{재해발생건수}{연간\ 총근로시간수} \times 1,000,000$

$$= \frac{21}{(510 \times 40 \times 50) \times 0.96} \times 1,000,000 = 21.45$$

50 연간 상시근로자가 100명인 화학공장에서 1년 동안 8명이 부상당하는데 재해가 발생하여 휴업일수 219일의 손실이 발생하였다면 총근로손실일수와 강도율은 얼마인가?(단, 근로자는 1일 8시간씩 연간 300일을 근무하였다.)

① 총근로손실일수 : 160일, 강도율 : 0.91
② 총근로손실일수 : 170일, 강도율 : 0.81
③ 총근로손실일수 : 180일, 강도율 : 0.75
④ 총근로손실일수 : 219일, 강도율 : 0.91

해설

1. 일시 전노동불능 : 근로손실일수
$$= 휴업일수 \times \frac{300}{365} = 219 \times \frac{300}{365} = 180일$$

2. 계산
$$강도율 = \frac{근로손실일수}{연간\ 총근로시간수} \times 1,000$$
$$= \frac{180}{100 \times 8 \times 300} \times 1,000 = 0.75$$

51 상시 50인이 근로하는 공장에서 1일 8시간, 연 근로 일수 300일에 1년간 3건의 부상자를 낸 공장의 강도율이 1.5였다면 총 휴업일수는 얼마인가?

① 180일 ② 190일
③ 208일 ④ 219일

해설

1. 강도율 $= \frac{근로손실일수}{연간\ 총근로시간수} \times 1,000$

2. 근로손실일수 $= \frac{강도율 \times 연간\ 총근로시간수}{1,000}$
$$= \frac{1.5 \times (50 \times 8 \times 300)}{1,000} = 180(일)$$

정답 47 ② 48 ② 49 ② 50 ③ 51 ④

3. 일시 전노동불능 : 근로손실일수 = 휴업일수 × $\frac{300}{365}$

4. 휴업일수 = $\frac{근로손실일수 \times 365}{300}$ = $\frac{180 \times 365}{300}$ = 219(일)

52 강도율이 5.5라 함은 연근로시간 몇 시간 중 재해로 인한 근로손실이 110일 발생하였음을 의미하는가?

① 10,000 ② 20,000
③ 50,000 ④ 100,000

해설

1. 강도율 = $\frac{근로손실일수}{연간 총근로시간수} \times 1,000$

2. 연간 총근로시간수 = $\frac{근로손실일수}{강도율} \times 1,000$
   = $\frac{110}{5.5} \times 1,000$ = 20,000(시간)

53 근로자 400명이 1일 9시간식 연간 300일을 작업하는데 1명의 사망자와 휴업일수 200일의 손실을 가져왔다. 이 작업의 강도율은 약 얼마인가?

① 6.67 ② 7.10
③ 7.98 ④ 8.52

해설

강도율 = $\frac{근로손실일수}{연간 총근로시간수} \times 1,000$

= $\frac{(7,500 \times 1) + (200 \times \frac{300}{365})}{400 \times 9 \times 300} \times 1,000$ = 7.10

TIP 근로손실일수의 산정 기준

1. 사망 및 영구 전노동불능(신체장해등급 1~3급) : 7,500일
2. 영구 일부노동불능(근로손실일수)

신체장해등급	근로손실일수	신체장해등급	근로손실일수
4	5500	10	600
5	4000	11	400
6	3000	12	200
7	2200	13	100
8	1500	14	50
9	1000		

3. 일시 전노동불능 : 근로손실일수 = 휴업일수 × $\frac{300}{365}$

54 도수율이 12.57, 강도율이 17.45인 사업장에서 1명의 근로자가 평생 근무한다면 며칠의 근로 손실이 발생하겠는가?(단, 1인 근로자의 평생근로시간은 10^5 시간이다.)

① 1,257일 ② 126일
③ 1,745일 ④ 175일

해설

환산강도율
10만 시간(평생근로)당의 근로손실일 수

$$환산강도율(S) = 강도율 \times \frac{100,000}{1,000} = 강도율 \times 100$$

환산강도율 = 강도율 × 100 = 17.45 × 100 = 1,745(일)

55 어느 공장의 연간 재해율을 조사한 결과 도수율이 120이고, 강도율이 1.2일 때 이 공장의 재해 1건당 근로손실일수는 얼마인가?

① 0.01 ② 1
③ 10 ④ 100

해설

환산재해율

1. 환산강도율(S) = 강도율 × 100(일) = 1.2 × 100 = 120(일)
2. 환산도수율(F) = 도수율 × $\frac{1}{10}$(건) = 12 × $\frac{1}{10}$ = 1.2(건)
3. 재해 1건당 근로손실일수 = $\frac{S}{F}$ = $\frac{120}{1.2}$ = 100(일)

56 연평균 1,000명의 근로자가 작업하는 사업장에서 1일 8시간 동안 연간 300일을 근무하는 동안 24건의 재해가 발생하였다. 만약, 이 사업장에서 한 작업자가 평생 동안 근무한다면 약 몇 건의 재해를 당하겠는가?(단, 1인당 평생근로시간은 100,000시간으로 한다.)

① 1건 ② 3건
③ 7건 ④ 10건

해설

환산도수율

1. 도수율 = $\frac{재해발생건수}{연간 총근로시간수} \times 1,000,000$
   = $\frac{24}{1,000 \times 8 \times 300} \times 1,000,000$ = 10

정답 52 ② 53 ② 54 ③ 55 ④ 56 ①

2. 환산도수율 = 도수율 × 0.1 = 10 × 0.1 = 1(건)

> **TIP** 환산재해율
> 1. 환산강도율(S) : 10만 시간(평생근로)당의 근로손실일 수
> 2. 환산도수율(F) : 10만 시간(평생근로)당의 재해건수

57 도수율(Frequency Rate of Injury)이 10.0인 사업장에서 작업자가 평생 동안 작업할 수 있는 재해의 건수는?(단, 평생의 총근로시간수는 120,000시간으로 한다.)

① 1.0건 ② 1.2건
③ 2.4건 ④ 12.0건

해설
환산도수율
환산도수율 = 도수율 × 0.12 = 10 × 0.12 = 1(건)

> **TIP** 총근로시간수(평생근로시간)가 다를 경우
>
> | 평생근로시간이 100,000시간 | 평생근로시간이 120,000시간 |
> |---|---|
> | 1. 환산도수율 = 도수율 × 0.1 2. 환산강도율 = 강도율 × 100 | 1. 환산도수율 = 도수율 × 0.12 2. 환산강도율 = 강도율 × 120 |

58 한 사람의 평생 근로년수를 40년으로 하고, 1일 8시간씩 1개월에 25일의 정상근로와 연간 100시간의 시간외 근무를 하였다고 가정한다면, 이 근로자가 도수율이 15.13인 사업장에서 근무하는 경우에 평생 근로기간 중 약 몇 건의 재해를 당할 수 있겠는가?

① 1.51 ② 2.51
③ 5.02 ④ 15.13

해설
환산도수율
1. 평생근로시간
  = (25일 × 12개월 × 8시간 × 40년) + (100시간 × 40년)
  = 100,000시간
2. 환산도수율 = 도수율 × $\dfrac{1}{10}$ = 1.51(건)

59 A사업장의 도수율이 10이고 강도율이 1.7이라고 하면 이 사업장의 종합재해지수(FSI)는 약 얼마인가?

① 2.74 ② 3.74
③ 3.87 ④ 4.12

해설
종합재해지수(FSI ; Frequency Severity Indicator)

$$종합재해지수(FSI) = \sqrt{도수율(FR) \times 강도율(SR)}$$
$$\left(단, 미국의 경우 FSI = \sqrt{\dfrac{FR \times SR}{1000}}\right)$$

종합재해지수(FSI) = $\sqrt{도수율(FR) \times 강도율(SR)}$
= $\sqrt{10 \times 1.7}$ = 4.123

60 어떤 사업장의 종합재해지수가 16.95이고, 도수율이 20.83이라면 강도율은 약 얼마인가?

① 20.45 ② 15.92
③ 13.79 ④ 10.54

해설
종합재해지수

$$종합재해지수(FSI) = \sqrt{도수율(FR) \times 강도율(SR)}$$
$$\left(단, 미국의 경우 FSI = \sqrt{\dfrac{FR \times SR}{1,000}}\right)$$

강도율 = $\dfrac{(종합재해지수)^2}{도수율}$ = $\dfrac{(16.95)^2}{20.83}$ = 13.79

61 산업재해에 의한 직접손실이 연간 5천만 원이었다면 산업재해에 의한 총 손실비용은 얼마로 추정되겠는가?(단, 하인리히의 재해손실비 산정방법을 적용한다.)

① 1억 원 ② 2억 원
③ 2억5천만 원 ④ 5억 원

해설
- 총재해 코스트(재해손실비용)
  = 직접비 + 간접비 = 직접비 × 5
  = 5천만 원 × 5 = 2억5천만 원
- 하인리히(H.W. Heinrich) 방식
  1 : 4 원칙

> 총재해 코스트(재해손실비용) = 직접비 + 간접비
>   = 직접비 × 5
> 직접손실비 : 간접손실비 = 1 : 4

정답 57 ② 58 ① 59 ④ 60 ③ 61 ③

62 재해손실비 중 직접 손실비에 해당하지 않는 것은?

① 요양급여
② 휴업급여
③ 간병급여
④ 생산손실급여

해설

직접비와 간접비

직접비	법적으로 정한 산재보상비(산재자에게 지급되는 보상비 일체) 1. 요양급여(진찰비, 간호비용 등) 2. 휴업급여 3. 장해급여 4. 간병급여 5. 유족급여 6. 장의비 7. 상병보상 연금 8. 기타(장해특별급여, 유족특별급여, 직업재활급여)
간접비	직접비를 제외한 모든 비용(산재로 인해 기업이 입은 재산상의 손실) 1. 인적 손실 4. 특수 손실 2. 물적 손실 5. 기타 손실 3. 생산 손실

63 다음 중 안전점검의 목적에 관한 설명으로 적절하지 않은 것은?

① 기기 및 설비의 결함이나 불안전한 상태의 제거로 사전에 안전성을 확보하기 위함이다.
② 기기 및 설비의 안전상태 유지 및 본래의 성능을 유지하기 위함이다.
③ 재해 방지를 위하여 그 재해 요인의 대책과 실시를 계획적으로 하기 위함이다.
④ 현장에서 불필요한 시설을 중단시켜 전체의 가동률을 높이기 위함이다.

해설

안전점검의 목적
1. 기기 및 설비의 결함이나 불안전한 상태의 제거로 사전에 안전성을 확보하기 위함
2. 기기 및 설비의 안전상태 유지 및 본래의 성능을 유지하기 위함
3. 재해 방지를 위하여 그 재해 요인의 대책과 실시를 계획적으로 하기 위함
4. 합리적인 생산관리를 하기 위함

64 기계 · 기구 또는 설비의 신설, 변경 또는 고장 수리 등 부정기적인 점검을 말하며 기술적 책임자가 시행하는 점검을 무슨 점검이라 하는가?

① 정기점검
② 수시점검
③ 특별점검
④ 임시점검

해설

특별점검
1. 기계, 기구 또는 설비를 신설하거나 변경 내지는 고장 수리 등을 할 경우
2. 강풍 또는 지진 등의 천재지변 발생 후의 점검
3. 산업안전 보건 강조기간에도 실시

65 작업장에서 매일 작업자가 작업 전, 중, 후에 시설과 작업동작 등에 대하여 실시하는 안전점검의 종류를 무엇이라 하는가?

① 정기점검
② 일상점검
③ 암시점검
④ 특별점검

해설

수시점검(일상점검, 일일점검)
1. 매일 현장에서 작업 시작 전, 작업 중, 작업 후에 일상적으로 실시하는 점검(작업자, 작업담당자가 실시한다.)
2. 작업 시작 전 점검사항 : 주변의 정리정돈, 주변의 청소 상태, 설비의 방호장치 점검, 설비의 주유상태, 구동부분 등
3. 작업 중 점검사항 : 이상소음, 진동, 냄새, 가스 및 기름 누출, 생산품질의 이상 여부 등
4. 작업 종료 시 점검사항 : 기계의 청소와 정비, 안전장치의 작동여부, 스위치 조작, 환기, 통로정리 등

66 다음 중 안전점검 체크리스트 작성 시 유의해야 할 사항과 관계가 가장 적은 것은?

① 사업장에 적합한 독자적인 내용으로 작성한다.
② 점검 항목은 전문적이면서 간략하게 작성한다.
③ 관계의 의견을 통하여 정기적으로 검토 · 보안 작성한다.
④ 위험성이 높고, 긴급을 요하는 순으로 작성한다.

해설

안전점검표(체크리스트) 작성 시 유의사항
1. 사업장에 적합한 독자적인 내용일 것
2. 위험성이 높고 긴급을 요하는 순으로 작성할 것

3. 정기적으로 검토하여 재해방지에 실효성 있게 개조된 내용일 것(관계자 의견청취)
4. 점검표는 되도록 일정한 양식으로 할 것
5. 점검표의 내용은 이해하기 쉽도록 표현하고 구체적일 것

67 다음 중 산업안전보건법령상 안전검사 대상유해·위험기계가 아닌 것은?

① 선반　　　　② 리프트
③ 압력용기　　④ 곤돌라

해설
안전검사 대상 기계 등
1. 프레스
2. 전단기
3. 크레인(정격 하중이 2톤 미만인 것은 제외)
4. 리프트
5. 압력용기
6. 곤돌라
7. 국소 배기장치(이동식은 제외)
8. 원심기(산업용만 해당)
9. 롤러기(밀폐형 구조는 제외)
10. 사출성형기(형 체결력 294킬로뉴턴(kN) 미만은 제외)
11. 고소작업대(화물자동차 또는 특수자동차에 탑재한 고소작업대로 한정)
12. 컨베이어
13. 산업용 로봇
14. 혼합기
15. 파쇄기 또는 분쇄기

68 산업안전보건법령에 따라 건설현장에서 사용하는 크레인, 리프트 및 곤돌라는 최초로 설치한 날부터 얼마마다 안전검사를 실시하여야 하는가?

① 6개월　　　② 1년
③ 2년　　　　④ 3년

해설
안전검사의 주기

크레인(이동식 크레인은 제외), 리프트(이삿짐운반용 리프트는 제외) 및 곤돌라	사업장에 설치가 끝난 날부터 3년 이내에 최초 안전검사를 실시하되, 그 이후부터 2년마다(건설현장에서 사용하는 것은 최초로 설치한 날부터 6개월마다)
이동식 크레인, 이삿짐운반용 리프트 및 고소작업대	「자동차관리법」에 따른 신규등록 이후 3년 이내에 최초 안전검사를 실시하되, 그 이후부터 2년마다
프레스, 전단기, 압력용기, 국소 배기장치, 원심기, 롤러기, 사출성형기, 컨베이어, 산업용 로봇, 혼합기, 파쇄기 또는 분쇄기	사업장에 설치가 끝난 날부터 3년 이내에 최초 안전검사를 실시하되, 그 이후부터 2년마다(공정안전보고서를 제출하여 확인을 받은 압력용기는 4년마다)

69 주요 구조 부분을 변경하는 경우 안전인증을 받아야 하는 기계·기구가 아닌 것은?

① 원심기　　　② 사출성형기
③ 압력용기　　④ 고소작업대

해설
안전인증대상 기계 또는 설비
1. 프레스
2. 전단기 및 절곡기
3. 크레인
4. 리프트
5. 압력용기
6. 롤러기
7. 사출성형기
8. 고소작업대
9. 곤돌라

70 다음 중 산업안전보건법상 자율안전확인대상 기계·기구 및 설비에 해당하지 않는 것은?

① 산업용 로봇　② 인쇄기
③ 롤러기　　　　④ 혼합기

해설
자율안전확인대상 기계 또는 설비
1. 연삭기 또는 연마기(휴대형은 제외)
2. 산업용 로봇
3. 혼합기
4. 파쇄기 또는 분쇄기
5. 식품가공용기계(파쇄·절단·혼합·제면기만 해당)
6. 컨베이어
7. 자동차정비용 리프트
8. 공작기계(선반, 드릴기, 평삭·형삭기, 밀링만 해당)
9. 고정형 목재가공용기계(둥근톱, 대패, 루타기, 띠톱, 모떼기 기계만 해당)
10. 인쇄기

> **TIP** 안전인증대상 기계 또는 설비, 방호장치, 보호구의 방호장치도 함께 기억하세요.

정답 67 ① 68 ① 69 ① 70 ③

71 다음 중 산업안전보건법령상 자율안전확인 대상에 해당하는 방호장치는?

① 압력용기 압력방출용 파열판
② 보일러 압력방출용 안전밸브
③ 교류 아크용접기용 자동전격방지기
④ 방폭구조(防爆構造) 전기기계·기구 및 부품

해설
자율안전확인대상 방호장치
1. 아세틸렌 용접장치용 또는 가스집합 용접장치용 안전기
2. 교류 아크용접기용 자동전격방지기
3. 롤러기 급정지장치
4. 연삭기 덮개
5. 목재 가공용 둥근톱 반발 예방장치와 날 접촉 예방장치
6. 동력식 수동대패용 칼날 접촉 방지장치
7. 추락·낙하 및 붕괴 등의 위험 방지 및 보호에 필요한 가설기자재(안전인증대상 가설기자재는 제외)로서 고용노동부장관이 정하여 고시하는 것

TIP 자율안전확인대상 기계 또는 설비, 방호장치, 보호구의 방호장치도 함께 기억하세요.

72 다음 중 산업안전보건법령상 안전인증대상 보호구의 안전인증제품에 안전인증 표시 외에 표시하여야 할 사항과 가장 거리가 먼 것은?

① 안전인증 번호
② 형식 또는 모델명
③ 제조번호 및 제조연월
④ 물리적, 화학적 성능기준

해설
안전인증 및 자율안전 확인 제품의 표시

안전인증 제품	1. 형식 또는 모델명 2. 규격 또는 등급 등 3. 제조자명	4. 제조번호 및 제조연월 5. 안전인증 번호
자율안전 확인 제품	1. 형식 또는 모델명 2. 규격 또는 등급 등 3. 제조자명	4. 제조번호 및 제조연월 5. 자율안전확인 번호

73 다음 중 선반작업에서 가늘고 긴 공작물의 처짐이나 휨을 방지하는 부속장치는?

① 방진구   ② 심봉
③ 돌리개   ④ 면판

해설
방진구
1. 가공물의 길이가 외경에 비해 가늘고 긴 공작물을 가공할 경우 자중 및 절삭력으로 인하여 휘거나 처짐, 진동을 방지하기 위하여 사용하는 기구로 고정식과 이동식 방진구가 있다.
2. 가공물의 길이가 직경의 12배 이상일 때는 반드시 방진구를 사용하여야 한다.

74 선반작업 시 사용되는 방호장치는?

① 풀아웃(Fullout)
② 게이트 가드(Gate Guard)
③ 스위프 가드(Sweep Guard)
④ 실드(Shield)

해설
선반의 방호장치(안전장치)

칩 브레이커 (Chip Breaker)	절삭 중 칩을 자동적으로 끊어 주는 바이트에 설치된 안전장치
급정지 브레이크	가공작업 중 선반을 급정지시킬 수 있는 방호장치
실드 (Shield)	가공물의 칩이 비산되어 발생하는 위험을 방지하기 위해 사용하는 덮개(칩비산방지 투명판)
척 커버 (Chuck Cover)	척과 척으로 잡은 가공물의 돌출부에 작업자가 접촉하지 않도록 설치하는 덮개

75 선반에서 절삭가공 중 발생하는 연속적인 칩을 자동적으로 끊어 주는 역할을 하는 것은?

① 커버   ② 방진구
③ 보안경   ④ 칩 브레이커

해설
칩 브레이커(Chip Breaker)
절삭 중 칩을 자동적으로 끊어 주는 바이트에 설치된 안전장치

76 선반작업 중 안전사항과 거리가 먼 것은?

① 선반작업 시 바이트는 되도록 길게 설치한다.
② 칩을 짧게 끊어지도록 칩 브레이커를 설치한다.
③ 기계 운전 중에는 백기어(Back Gear)의 사용을 금한다.
④ 일감의 길이가 긴 공작물은 방진구를 설치하여야 진동을 방지한다.

정답 71 ③ 72 ④ 73 ① 74 ④ 75 ④ 76 ①

해설

선반작업 시 주의사항
1. 칩(Chip)이 비산할 때는 보안경을 쓰고 방호판을 설치 사용한다.
2. 베드 위에 공구를 올려 놓지 않아야 한다.
3. 작업 중에 가공품을 만지지 않는다.
4. 장갑 착용을 금한다.
5. 작업 시 공구는 항상 정리해 둔다.
6. 가능한 한 절삭 방향은 주축대 쪽으로 한다.
7. 기계 점검을 한 후 작업을 시작한다.
8. 칩(Chip)이나 부스러기를 제거할 때는 기계를 정지시키고 압축공기를 사용하지 말고 반드시 브러시(솔)를 사용한다.
9. 치수 측정, 주유 및 청소를 할 때는 반드시 기계를 정지시키고 한다.
10. 기계를 운전 중에 백 기어(Back Gear)를 사용하지 말고 시동 전에 심압대가 잘 죄어 있는가를 확인한다.
11. 바이트는 가급적 짧게 장치하며 가공물의 길이가 직경의 12배 이상일 때는 반드시 방진구를 사용하여 진동을 막는다.
12. 리드 스크루에는 작업자의 하부가 걸리기 쉬우므로 조심해야 한다.

77 다음 중 선반작업 시 주의사항으로 틀린 것은?

① 회전 중에 가공품을 직접 만지지 않는다.
② 공작물의 설치가 끝나면, 척에서 렌치류는 곧바로 제거한다.
③ 칩(Chip)이 비산할 때는 보안경을 쓰고 방호판을 설치하여 사용한다.
④ 돌리개는 적정 크기의 것을 선택하고, 심압대 스핀들은 가능하면 길게 나오도록 한다.

해설

선반작업에 대한 안전수칙
1. 공작물 조립 시에는 반드시 스위치를 차단하고 바이트를 충분히 연 다음 실시한다.
2. 돌리개는 적당한 크기의 것을 선택하고, 심압대 스핀들은 지나치게 길게 내놓지 않는다.
3. 공작물의 설치가 끝나면 척에서 렌치류는 곧 제거한다.
4. 무게가 편중된 공작물은 균형추를 부착한다.
5. 바이트를 교환할 때는 기계를 정지시키고 한다.

78 다음 중 밀링작업의 안전사항으로 적절하지 않은 것은?

① 측정 시에는 반드시 기계를 정지시킨다.
② 절삭 중의 칩 제거는 칩브레이커로 한다.
③ 일감을 풀어내거나 고정할 때에는 기계를 정지시킨다.
④ 상하 이송장치의 핸들은 사용 후 반드시 빼 두어야 한다.

해설

밀링작업에 대한 안전수칙
1. 제품을 따 내는 데에는 손끝을 대지 말아야 한다.
2. 운전 중 가공면에 손을 대지 말아야 하며 장갑 착용을 금지한다.
3. 칩을 제거할 때에는 커터의 운전을 중지하고 브러시(솔)를 사용하며 걸레를 사용하지 않는다.
4. 칩의 비산이 많으므로 보안경을 착용한다.
5. 커터 설치 시 및 측정은 반드시 기계를 정지시킨 후에 한다.
6. 일감(공작물)은 테이블 또는 바이스에 안전하게 고정한다.
7. 상하 이송장치의 핸들은 사용 후 반드시 빼 두어야 한다.
8. 가공 중 밀링머신에 얼굴을 대지 않는다.
9. 절삭 속도는 재료에 따라 정한다.
10. 커터를 끼울 때는 아버를 깨끗이 닦는다.
11. 일감(공작물)을 고정하거나 풀어낼 때는 기계를 정지시킨다.
12. 테이블 위에 공구 등을 올려놓지 않는다.
13. 강력 절삭을 할 때는 일감을 바이스에 깊이 물린다.
14. 급속이송은 백래시 제거장치가 동작하지 않고 있음을 확인한 후 실시하고, 급속이송은 한 방향으로만 한다.

TIP 칩 브레이커(Chip Breaker)는 선반의 방호장치에 해당 된다.

79 공작기계 중 플레이너 작업 시 안전대책이 아닌 것은?

① 베드 위에는 다른 물건을 올려 놓지 않는다.
② 절삭행정 중 일감에 손을 대지 말아야 한다.
③ 프레임 내의 피트(Pit)에는 뚜껑을 설치하여야 한다.
④ 바이트는 되도록 길게 나오도록 설치한다.

해설

플레이너 작업에 대한 안전수칙
1. 프레임 내의 피트(Pit)에는 뚜껑을 설치한다.
2. 바이트는 되도록 짧게 나오도록 설치한다.
3. 베드 위에 다른 물건을 올려놓지 않는다.
4. 비산하는 공구 파편으로부터 작업자를 지키기 위해 가드를 마련한다.

정답 77 ④ 78 ② 79 ④

5. 테이블과 고정벽이나 다른 기계와의 최소 거리가 40cm 이하가 될 때는 기계의 양쪽 끝부분에 방책을 설치하여 작업자의 통행을 차단하여야 한다.
6. 일감(공작물)은 견고하게 장치한다.
7. 일감(공작물) 고정 작업 중에는 반드시 동력 스위치를 꺼 놓는다.
8. 절삭 행정 중 일감(공작물)에 손을 대지 말아야 한다.
9. 기계작동 중 테이블 위에는 절대로 올라가지 않아야 한다.
10. 플레이너의 안전작업을 위한 절삭행정속도는 30m/min 정도이다.

80 플레이너와 세이퍼의 방호장치가 아닌 것은?

① 칩 브레이커 ② 칩받이
③ 칸막이 ④ 방책

해설

세이퍼와 플레이너의 방호장치

세이퍼	1. 칩받이 2. 칸막이	3. 방책(방호울) 4. 가드
플레이너	1. 칸막이 2. 방책(방호울) 3. 칩받이	4. 가드 5. 급속 귀환 장치

TIP 칩 브레이커는 선반의 방호장치에 해당된다.

81 세이퍼 작업 시의 안전대책으로 틀린 것은?

① 바이트는 가급적 짧게 물리도록 한다.
② 가공 중 다듬질 면을 손으로 만지지 않는다.
③ 시공하기 전에 행정 조정용 핸들을 끼워둔다.
④ 가공 중에는 바이트의 운동방향에 서지 않도록 한다.

해설

세이퍼 작업에 대한 안전수칙
1. 운전 중에는 절대 급유를 하지 말아야 한다.
2. 램(Ram) 조정 핸들은 조정 후 빼 놓도록 해야 한다.
3. 절삭 중에 바이트 홀더에 손을 대지 말아야 한다.
4. 바이트는 잘 갈아서 사용하며 가능한 한 짧게 물린다.
5. 시동 전에 행정 조정 손잡이(핸들)는 빼둔다.
6. 가공물을 측정하고자 할 때는 기계를 정지시킨 후에 실시한다.
7. 보안경을 착용한다.
8. 반드시 재질에 따라 절삭속도를 결정한다.
9. 램은 필요 이상 긴 행정으로 하지 말고, 일감에 알맞은 행정으로 조정하도록 한다.(램 행정을 공작물의 길이보다 20~30mm 정도 길게)

10. 반드시 재질에 따라 절삭속도를 정한다.
11. 공작물을 견고하게 고정한다.
12. 작업 중에는 바이트의 운동 방향에 서지 않도록 한다.

82 드릴링 머신은 드릴지름이 10mm이고, 드릴 회전수가 1,000rpm일 때 원주속도는 약 몇 m/min인가?

① 3.14m/min ② 6.28m/min
③ 31.4m/min ④ 62.8m/min

해설

드릴링 머신의 원주속도

$$V = \frac{\pi DN}{1,000}$$

여기서, V : 드릴의 원주속도[m/min]
D : 드릴의 직경[mm]
N : 드릴의 회전수[rpm]

$$V = \frac{\pi DN}{1,000} = \frac{\pi \times 10 \times 1,000}{1,000} = 31.4[m/min]$$

83 다음 중 드릴링 작업에 있어서 공작물을 고정하는 방법으로 가장 적절하지 않은 것은?

① 작은 공작물은 바이스로 고정한다.
② 작고 길쭉한 공작물은 플라이어로 고정한다.
③ 대량 생산과 정밀도를 요구할 때는 지그로 고정한다.
④ 공작물이 크고 복잡할 때는 볼트와 고정구로 고정한다.

해설

드릴링 작업에서 일감(공작물)의 고정방법
1. 일감이 작을 때 : 바이스로 고정
2. 일감이 크고 복잡할 때 : 볼트와 고정구(클램프)로 고정
3. 대량 생산과 정밀도를 요할 때 : 지그(jig)로 고정
4. 얇은 판의 재료일 때 : 나무판을 받치고 기구로 고정

84 드릴 작업의 안전 대책과 거리가 먼 것은?

① 칩은 와이어 브러시로 제거한다.
② 구멍 끝 작업에서는 절삭압력을 주어서는 안 된다.
③ 칩에 의한 자상을 방지하기 위해 면장갑을 착용한다.
④ 바이스 등을 사용하여 작업 중 공작물의 유동을 방지한다.

> **해설**

드릴링 작업에 대한 안전수칙
1. 일감은 견고하게 고정시키며 관통된 것을 확인하기 위해 손으로 만져 서는 안 된다.
2. 드릴을 끼운 후 척 렌치(Chuck Wrench)는 반드시 뺀다.
3. 작업모를 착용하고 옷소매가 긴 작업복은 입지 않는다.
4. 드릴작업에서는 보안경 및 안전덮개(Shield)를 설치한다.
5. 칩은 브러시(와이어 브러시)로 제거하고 장갑 착용은 금지한다.
6. 구멍 끝 작업에서는 절삭압력을 주어서는 안 된다.
7. 고정구를 사용하여 작업 중 공작물의 유동을 방지한다.
8. 가공 중에 구멍이 관통되면 기계를 멈추고 손으로 돌려서 드릴을 뺀다.
9. 일감의 설치, 테이블의 고정이나 조정은 기계를 정지시킨 후에 실시한다.
10. 큰 구멍을 뚫을 때는 반드시 작은 구멍을 먼저 뚫은 후 큰 구멍을 뚫는다.
11. 얇은 판에 구멍을 뚫을 때에는 나무판을 밑에 받치고 뚫는다.
12. 구멍이 거의 다 뚫리는 끝부분에서 일감이 드릴과 함께 맞물려 회전하기 쉬우므로 주의하여야 한다.

85 드릴로 구멍을 뚫는 작업 중 공작물이 드릴과 함께 회전할 우려가 가장 큰 경우는?

① 처음 구멍을 뚫을 때
② 중간쯤 뚫렸을 때
③ 거의 구멍이 뚫렸을 때
④ 구멍이 완전히 뚫렸을 때

> **해설**

구멍이 거의 다 뚫리는 끝부분에서 일감이 드릴과 함께 맞물려 회전하기 쉬우므로 주의하여야 한다.

86 다음 중 탁상용 연삭기에 사용하는 것으로서 공작물을 연삭할 때 가공물 지지점이 되도록 받쳐주는 것을 무엇이라 하는가?

① 주판
② 측판
③ 심압대
④ 워크레스트

> **해설**

워크레스트(Workrest)
탁상용 연삭기에 사용하는 것으로 공작물을 연삭할 때 가공물 지지점이 되도록 받쳐주는 것을 워크레스트라 한다.

87 일반적인 연삭기로 작업 중 발생할 수 있는 재해가 아닌 것은?

① 연삭 분진이 눈에 튀어 들어가는 것
② 숫돌 파괴로 인한 파편의 비례
③ 가공 중 공작물의 반발
④ 글레이징 현상에 의한 입자의 탈락

> **해설**

연삭기의 재해유형
1. 숫돌에 접촉되어 일어나는 것
2. 연삭 분진이 눈에 튀어 들어가는 것
3. 연삭기가 파괴되어 파편이 작업자에 맞아서 일어나는 것 (숫돌 파괴로 인한 파편의 비례)
4. 일감을 떨어뜨리거나 연삭 중에 물품이 튀어 작업자의 발에 부딪치는 것(가공 중 공작물의 반발)

> **TIP** 글레이징(Glazing) 현상
> 연삭숫돌에 결합도가 높아 무뎌진 입자가 탈락하지 않으므로 숫돌표면이 매끈해져서 연삭능력이 떨어지며 절삭이 어렵게 되는 현상(무딤)

88 다음 중 연삭작업 중 숫돌의 파괴원인과 가장 거리가 먼 것은?

① 숫돌의 회전속도가 너무 느릴 때
② 숫돌의 회전 중심이 잡히지 않았을 때
③ 숫돌에 과대한 충격을 가할 때
④ 플랜지의 직경이 현저히 작을 때

> **해설**

연삭숫돌의 파괴 원인
1. 숫돌의 회전속도가 너무 빠를 때
2. 숫돌 자체에 균열이 있을 때
3. 숫돌에 과대한 충격을 가할 때
4. 숫돌의 측면을 사용하여 작업할 때
5. 숫돌의 불균형이나 베어링 마모에 의한 진동이 있을 때 (숫돌이 경우에 따라 파손될 수 있다.)
6. 숫돌 반경방향의 온도 변화가 심할 때
7. 작업에 부적당한 숫돌을 사용할 때
8. 숫돌의 치수가 부적당할 때
9. 플랜지가 현저히 작을 때

정답 85 ③ 86 ④ 87 ④ 88 ①

89 위험기계·기구와 이에 해당하는 방호장치의 연결이 틀린 것은?

① 연삭기 – 급정지장치
② 프레스 – 광전자식 방호장치
③ 아세틸렌 용접장치 – 안전기
④ 압력용기 – 압력방출용 안전밸브

해설
연삭기의 방호장치는 덮개이다.

> **TIP** 연삭기 또는 평삭기의 테이블, 형삭기 램 등의 행정끝 : 덮개 또는 울 등을 설치

90 다음 중 연삭기 및 덮개에 관한 설명으로 틀린 것은?

① "탁상용 연삭기"란 일가공물을 손에 들고 연삭숫돌에 접촉시켜 가공하는 연삭기를 말한다.
② "워크레스트(Workrest)"란 탁상용 연삭기에 사용하는 것으로서 공작물을 연삭할 때 가공물의 지지점이 되도록 받쳐주는 것을 말한다.
③ 워크레스트는 연삭숫돌과의 간격을 5mm 이상 조정할 수 있는 구조이어야 한다.
④ 자율안전확인 연삭기 덮개에는 자율안전확인의 표시 외에 숫돌사용 주속도와 숫돌회전방향을 추가로 표시하여야 한다.

해설
덮개의 구조
탁상용 연삭기의 덮개에는 워크레스트 및 조정편을 구비하여야 하며, 워크레스트는 연삭숫돌과의 간격을 3밀리미터 이하로 조정할 수 있는 구조이어야 한다.

91 다음 중 연삭기 덮개의 각도에 관한 설명으로 틀린 것은?

① 평면연삭기, 절단연삭기 덮개의 최대노출 각도는 150도 이내이다.
② 스윙연삭기, 스라브연삭기 덮개의 최대노출 각도는 180도 이내이다.
③ 연삭숫돌의 상부를 사용하는 것을 목적으로 하는 탁상용 연삭기 덮개의 최대노출각도는 60도 이내이다.
④ 일반연삭작업 등에 사용하는 것을 목적으로 하는 탁상용 연삭기 덮개의 최대노출각도는 180도 이내이다.

해설
연삭기 덮개의 각도
1. 일반연삭작업 등에 사용하는 것을 목적으로 하는 탁상용 연삭기 덮개의 노출각도는 125° 이내로 한다.
2. 연삭숫돌의 상부를 사용하는 것을 목적으로 하는 탁상용 연삭기 덮개의 노출각도는 60° 이내로 한다.
3. 1. 및 2. 이외의 탁상용 연삭기, 그 밖에 이와 유사한 연삭기 덮개의 노출각도는 80° 이내로 하되, 숫돌의 주축에서 수평면 위로 이루는 원주 각도는 65° 이상이 되지 않도록 한다.
4. 원통연삭기, 센터리스연삭기, 공구연삭기, 만능연삭기, 그 밖에 이와 비슷한 연삭기 덮개의 노출각도는 180° 이내로 한다.
5. 휴대용 연삭기, 스윙연삭기, 스라브연삭기, 그 밖에 이와 비슷한 연삭기 덮개의 노출각도는 180° 이내로 한다.
6. 평면연삭기, 절단연삭기, 그 밖에 이와 비슷한 연삭기 덮개의 노출각도는 150° 이내로 하되, 숫돌의 주축에서 수평면 밑으로 이루는 덮개의 각도는 15° 이상이 되도록 한다.

92 연삭기에서 연삭숫돌차의 바깥지름의 250mm 일 경우 평형플랜지의 바깥지름은 약 몇 mm 이상이어야 하는가?

① 62   ② 84
③ 93   ④ 114

해설
플랜지의 지름

$$\text{플랜지의 지름} = \text{숫돌지름} \times \frac{1}{3}$$

플랜지의 지름 $= \text{숫돌지름} \times \frac{1}{3} = 250 \times \frac{1}{3} = 83.33\text{mm}$

93 다음 중 연삭숫돌의 지름이 100mm이고, 회전수가 1,000rpm이면 숫돌의 원주속도(mm/min)는 약 얼마인가?

① 314
② 628
③ 314,000
④ 628,000

> **해설**

원주속도(회전속도)

$$V = \pi DN [\text{mm/min}] = \frac{\pi DN}{1,000} [\text{m/min}]$$

여기서, V : 원주속도(회전속도)[m/min]
D : 숫돌의 지름[mm]
N : 숫돌의 매분 회전수[rpm]

1. $V = \frac{\pi DN}{1,000} [\text{m/min}] = \frac{\pi \times 100 \times 1,000}{1,000}$
   $= 314 [\text{m/min}] = 314,000 [\text{mm/min}]$
2. $V = \pi DN = \pi \times 100 \times 1,000 = 314,000 [\text{mm/min}]$

94 원통형 연삭기의 방호장치를 그림과 같이 설치할 때 각도 a와 간격 b로 가장 옳은 것은?

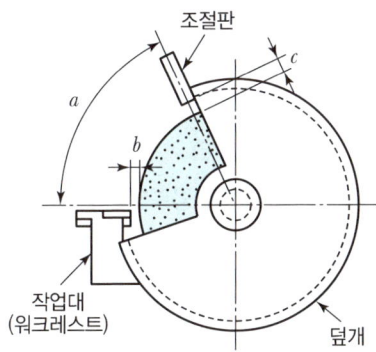

① a : 65° 이내, b : 3mm 이내
② a : 60° 이내, b : 3mm 이내
③ a : 90° 이내, b : 5mm 이내
④ a : 65° 이내, b : 5mm 이내

> **해설**

연삭기의 덮개
a : 65° 이내, b : 3mm 이내

95 산업안전보건법상 회전 중인 연삭숫돌 직경이 최소 얼마 이상인 경우로서 근로자에게 위험을 미칠 우려가 있는 경우 해당 부위에 덮개를 설치하여야 하는가?

① 3cm 이상 ② 5cm 이상
③ 10cm 이상 ④ 20cm 이상

> **해설**

연삭기 작업면에 있어서의 안전기준
1. 회전 중인 연삭숫돌(지름이 5센티미터 이상인 것으로 한정)이 근로자에게 위험을 미칠 우려가 있는 경우에 그 부위에 덮개를 설치하여야 한다.
2. 연삭숫돌을 사용하는 작업의 경우 작업을 시작하기 전에는 1분 이상, 연삭숫돌을 교체한 후에는 3분 이상 시험운전을 하고 해당 기계에 이상이 있는지를 확인하여야 한다.
3. 시험운전에 사용하는 연삭숫돌은 작업시작 전에 결함이 있는지를 확인한 후 사용하여야 한다.
4. 연삭숫돌의 최고 사용회전속도를 초과하여 사용하도록 해서는 아니 된다.
5. 측면을 사용하는 것을 목적으로 하지 않는 연삭숫돌을 사용하는 경우 측면을 사용하도록 해서는 아니 된다.

96 연삭기의 사용 시 안전조치로 거리가 먼 것은?

① 연삭기작업 시작 전 1분 이상, 연삭숫돌을 교체한 후 3분 이상 시운전한다.
② 작업시작 전에 연삭숫돌의 결함 유무 확인한다.
③ 연삭숫돌의 최고사용속도를 초과하지 않는 범위에서 사용한다.
④ 작업의 능률을 위해서는 연삭기의 정면과 측면을 교대로 사용한다.

> **해설**

연삭기 작업면에 있어서의 안전기준
1. 회전 중인 연삭숫돌(지름이 5센티미터 이상인 것으로 한정)이 근로자에게 위험을 미칠 우려가 있는 경우에 그 부위에 덮개를 설치하여야 한다.
2. 연삭숫돌을 사용하는 작업의 경우 작업을 시작하기 전에는 1분 이상, 연삭숫돌을 교체한 후에는 3분 이상 시험운전을 하고 해당 기계에 이상이 있는지를 확인하여야 한다.
3. 시험운전에 사용하는 연삭숫돌은 작업시작 전에 결함이 있는지를 확인한 후 사용하여야 한다.
4. 연삭숫돌의 최고 사용회전속도를 초과하여 사용하도록 해서는 아니 된다.
5. 측면을 사용하는 것을 목적으로 하지 않는 연삭숫돌을 사용하는 경우 측면을 사용하도록 해서는 아니 된다.

정답 94 ① 95 ② 96 ④

97 정(Chisel) 작업의 일반적인 안전수칙에서 틀린 것은?

① 따내기 및 칩이 튀는 가공에서는 보안경을 착용하여야 한다.
② 절단작업 시 절단된 끝이 튀는 것을 조심하여야 한다.
③ 작업을 시작할 때는 가급적 정을 세게 타격하고 점차 힘을 줄여간다.
④ 절단이 끝날 무렵에는 정을 세게 타격해서는 안 된다.

해설
정(Chisel) 작업의 안전수칙
1. 칩이 튀는 작업에는 반드시 보호안경을 착용하여야 한다.
2. 처음에는 가볍게 때리고, 점차 힘을 가한다.
3. 절단된 가공물의 끝이 튕길 수 있는 위험의 발생을 방지하여야 한다.
4. 절단이 끝날 무렵에는 정을 세게 타격 해서는 안 된다.
5. 정으로 담금질된 재료를 절대로 가공할 수 없다.

98 수공구 작업 시 재해방지를 위한 일반적인 유의사항이 아닌 것은?

① 사용 전 이상 유무를 점검한다.
② 작업자에게 필요한 보호구를 착용시킨다.
③ 적합한 수동구가 없을 경우 유사한 것을 선택하여 사용한다.
④ 사용 전 충분한 사용법을 숙지한다.

해설
수공구의 재해방지를 위한 일반적인 유의사항
1. 사용 전 이상 유무를 점검한다.
2. 작업자에게 필요한 보호구를 착용시킨다.
3. 사용 전 충분한 사용법을 숙지하고 익힌다.
4. 작업에 맞는 공구를 선택한다.
5. 공구는 안전한 장소에 보관한다.

99 프레스의 일반적인 방호장치가 아닌 것은?

① 광전자식 방호장치
② 포집형 방호장치
③ 게이트 가드식 방호장치
④ 양수 조작식 방호장치

해설
프레스의 방호장치
1. 게이트 가드식
2. 손쳐내기식
3. 수인식
4. 양수 조작식
5. 광전자식

100 프레스작업의 안전을 위한 방호장치 중 투광부와 수광부를 구비하는 방호장치는?

① 양수조작식
② 가드식
③ 광전자식
④ 수인식

해설
광전자식
프레스 또는 전단기에서 일반적으로 많이 활용하고 있는 형태로서 투광부, 수광부, 컨트롤 부분으로 구성된 것으로서 신체의 일부가 광선을 차단하면 기계를 급정지시키는 방호장치

101 프레스 방호장치의 공통일반구조에 대한 설명으로 틀린 것은?

① 방호장치의 표면은 벗겨짐 현상이 없어야 하며, 날카로운 모서리 등이 없어야 한다.
② 위험기계·기구 등에 장착이 용이하고 견고하게 고정될 수 있어야 한다.
③ 외부충격으로부터 방호장치의 성능이 유지될 수 있도록 보호덮개가 설치되어야 한다.
④ 각종 스위치, 표시램프는 돌출형으로 쉽게 근로자가 볼 수 있는 곳에 설치해야 한다.

해설
프레스 및 전단기 방호장치의 일반적인 구조
1. 방호장치의 표면은 벗겨짐 현상이 없어야 하며, 날카로운 모서리 등이 없어야 한다.
2. 위험기계·기구 등에 장착이 용이하고 견고하게 고정될 수 있어야 한다.
3. 외부충격으로부터 방호장치의 성능이 유지될 수 있도록 보호덮개가 설치되어야 한다.
4. 각종 스위치, 표시램프는 매립형으로 쉽게 근로자가 볼 수 있는 곳에 설치해야 한다.

정답 97 ③ 98 ③ 99 ② 100 ③ 101 ④

102 산업안전보건법령상 프레스를 사용하여 작업을 할 때 작업시작 전 점검항목에 해당하지 않는 것은?

① 전선 및 접속부 상태
② 클러치 및 브레이크의 기능
③ 프레스의 금형 및 고정볼트 상태
④ 1행정 1정지기구 · 급정지장치 및 비상정지장치의 기능

해설

프레스 등의 작업시작 전 점검사항
1. 클러치 및 브레이크의 기능
2. 크랭크축 · 플라이휠 · 슬라이드 · 연결봉 및 연결나사의 풀림 여부
3. 1행정 1정지기구 · 급정지장치 및 비상정지장치의 기능
4. 슬라이드 또는 칼날에 의한 위험방지 기구의 기능
5. 프레스의 금형 및 고정볼트 상태
6. 방호장치의 기능
7. 전단기의 칼날 및 테이블의 상태

TIP 프레스의 클러치는 동력을 연결 또는 단락시키는 것으로 중요한 점검부분이며, 재해방지를 위해 가장 중요한 역할을 한다.

103 동력 프레스기의 no-hand in die 방식의 방호대책이 아닌 것은?

① 방호울이 부착된 프레스
② 가드식 방호장치 도입
③ 전용 프레스의 도입
④ 안전금형을 부착한 프레스

해설

프레스의 안전대책

구분	종류
no-hand in die 방식	1. 안전울을 부착한 프레스 2. 안전금형을 부착한 프레스 3. 전용프레스 4. 자동프레스
hand in die 방식	1. 가드식 방호장치 2. 수인식 방호장치 3. 손쳐내기식 방호장치 4. 양수조작식 5. 광전자식(감응식)

104 다음 중 프레스기에 사용하는 광전자식 방호장치의 단점으로 틀린 것은?

① 연속 운전작업에는 사용할 수 없다.
② 확동클러치 방식에는 사용할 수 없다.
③ 설치가 어렵고, 기계적 고장에 의한 2차 낙하에는 효과가 없다.
④ 작업 중 진동에 의해 투 · 수광기가 어긋나 작동이 되지 않을 수 있다.

해설

광전자식 방호장치
1. 광선 검출트립기구를 이용한 방호장치로서 신체의 일부가 광선을 차단하면 기계를 급정지 또는 급상승시켜 안전을 확보하는 장치
2. 방식에 따라 초음파식, 용량식, 광석식 등이 있다.
3. 슬라이드 작동 중 정지 가능한 마찰클러치의 구조에만 적용 가능하고 확동식 클러치(핀 클러치)를 갖는 크랭크 프레스에는 사용 불가
4. 방호장치가 작동하여 정지 후 바로 연속 가공이 가능하다.

105 프레스 방호장치에 대한 설명으로 틀린 것은?

① 게이트식 방호장치는 가드를 닫지 않으면, 슬라이드가 작동되지 않아야 한다.
② 손쳐내기식 방호장치는 행정길이가 40mm 이상, 행정수가 100spm 이하의 프레스에 사용한다.
③ 수인식 방호장치는 행정길이가 50mm 이상, 행정수가 100spm 이하의 프레스에 사용한다.
④ 감응식 방호장치는 슬라이드 작동 중 정지가능하고, 슬라이드 작동 중에는 가드를 열 수 없는 구조이어야 한다.

해설

가드식
게이트 가드 방호장치는 가드가 열린 상태에서 슬라이드를 동작시킬 수 없고 또한 슬라이드 작동 중에는 게이트 가드를 열 수 없어야 한다.

정답 102 ① 103 ② 104 ① 105 ④

106 다음 중 프레스의 방호장치 기준에 관한 설명으로 틀린 것은?

① 손쳐내기식 방호장치에서 방호판의 폭은 금형폭의 1/2 이내로 하여야 한다.
② 양수조작식 방호장치에서 누름버튼의 상호 간 내측 거리는 300mm 이상이어야 한다.
③ 수인식 방호장치에서 수인끈의 재료는 합성섬유로 직경이 4mm 이상이어야 한다.
④ 손쳐내기식 방호장치에서 손쳐내기봉의 행정(Stroke) 길이를 금형의 높이에 따라 조정할 수 있고 진동폭은 금형폭 이상이어야 한다.

해설
손쳐내기식 방호장치 설치방법
1. 슬라이드 하행정거리의 3/4 위치에서 손을 완전히 밀어내야 한다.
2. 손쳐내기봉의 행정(Stroke) 길이를 금형의 높이에 따라 조정할 수 있고 진동폭은 금형폭 이상이어야 한다.
3. 방호판과 손쳐내기봉은 경량이면서 충분한 강도를 가져야 한다.
4. 방호판의 폭은 금형폭의 1/2 이상이어야 하고, 행정길이가 300mm 이상의 프레스기계에는 방호판 폭을 300mm로 해야 한다.
5. 손쳐내기봉은 손 접촉 시 충격을 완화할 수 있는 완충재를 부착해야 한다.
6. 부착볼트 등의 고정금속부분은 예리하게 돌출되지 않아야 한다.

107 프레스의 양수조작식 방호장치에서 양쪽 버튼의 작동시간 차이는 최대 몇 초 이내일 때 프레스가 동작되도록 해야 하는가?

① 0.1　　② 0.5
③ 1.0　　④ 1.5

해설
양수조작식 방호장치
누름버튼을 양손으로 동시에 조작하지 않으면 작동시킬 수 없는 구조이어야 하며, 양쪽 버튼의 작동시간 차이는 최대 0.5초 이내일 때 프레스가 동작되도록 해야 한다.

108 프레스기에 사용하는 양수조작식 방호장치의 일반구조에 관한 설명 중 틀린 것은?

① 1행정 1정지 기구에 사용할 수 있어야 한다.
② 누름버튼을 양손으로 동시에 조작하지 않으면 작동시킬 수 없는 구조이어야 한다.
③ 양쪽 버튼의 작동시간 차이는 최대 0.5초 이내일 때 프레스가 동작되도록 해야 한다.
④ 방호장치는 사용전원전압의 ±50%의 변동에 대하여 정상적으로 작동되어야 한다.

해설
양수조작식 방호장치
방호장치는 릴레이, 리미트스위치 등의 전기부품의 고장, 전원전압의 변동 및 정전에 의해 슬라이드가 불시에 동작하지 않아야 하며, 사용전원전압의 ±(100분의 20)의 변동에 대하여 정상으로 작동되어야 한다.

109 프레스에 사용하는 양수조작식 방호장치의 누름버튼 상호 간 최소 내측 거리는 얼마인가?

① 300mm 이상　　② 350mm 이상
③ 400mm 이상　　④ 500mm 이상

해설
양수조작식
누름버튼의 상호 간 내측거리는 300mm 이상이어야 한다.

110 양수조작식 방호장치의 누름버튼에서 손을 떼는 순간부터 급정지기구가 작동하여 슬라이드가 정지할 때까지의 시간이 0.2초 걸린다면, 양수조작식 방호장치의 안전거리는 최소한 몇 [mm] 이상이어야 하는가?

① 160　　② 320
③ 480　　④ 560

해설
방호장치 설치 안전거리(양수조작식)

$$D = 1,600 \times (T_c + T_s)$$

여기서, D : 안전거리[mm]
　　　　T_c : 방호장치의 작동시간[즉, 누름버튼으로부터 한 손이 떨어졌을 때부터 급정지기구가 작동을 개시할 때까지의 시간(초)]
　　　　T_s : 프레스 등의 급정지시간[즉, 급정지기구가 작동을 개시했을 때부터 슬라이드 등이 정지할 때까지의 시간(초)]

111 다음 중 프레스기가 작동 후 작업점까지의 도달시간이 0.2초 걸렸다면, 양수기동식 방호장치의 설치거리는 최소한 얼마나 되어야 하는가?

① 3.2cm ② 32cm
③ 6.4cm ④ 64cm

해설

방호장치 설치 안전거리(양수기동식)

$$D_m = 1.6 T_m$$

여기서, D_m : 안전거리[mm]
T_m : 양손으로 누름단추를 누르기 시작할 때부터 슬라이드가 하사점에 도달하기까지 소요시간[ms]

$$T_m = \left(\frac{1}{\text{클러치 맞물림 개소수}} + \frac{1}{2}\right) \times \frac{60,000}{\text{매분 행정수}} [ms]$$

$D_m = 1.6 \times (0.2 \times 1000) = 320[mm] = 32[cm]$

TIP
1. $ms = \frac{1}{1,000}$초 → 1,000ms = 1초
2. 0.2초 = 0.2 × 1,000ms

112 클러치 프레스에 부착된 양수조작식 방호장치에 있어서 클러치 맞물림 개소수가 4군데, 매분 행정수가 300SPM일 때 양수조작식 조작부의 최소 안전거리는?(단, 인간의 손의 기준 속도는 1.6m/s로 한다.)

① 240mm ② 260mm
③ 340mm ④ 360mm

해설

방호장치 설치 안전거리(양수기동식)

$$D_m = 1.6 T_m$$

여기서, D_m : 안전거리[mm]
T_m : 양손으로 누름단추를 누르기 시작할 때부터 슬라이드가 하사점에 도달하기까지 소요시간[ms]

$$T_m = \left(\frac{1}{\text{클러치 맞물림 개소수}} + \frac{1}{2}\right) \times \frac{60,000}{\text{매분 행정수}} [ms]$$

1. $T_m = \left(\frac{1}{4} + \frac{1}{2}\right) \times \frac{60,000}{300} = 150[ms]$
2. $D_m = 1.6 T_m = 1.6 \times 150 = 240[mm]$

113 다음 중 프레스에 사용되는 광전자식 방호장치의 일반구조에 관한 설명으로 틀린 것은?

① 방호장치의 감지기능은 규정한 검출영역 전체에 걸쳐 유효하여야 한다.
② 슬라이드 하강 중 정전 또는 방호장치의 이상 시에는 1회 동작 후 정지할 수 있는 구조이어야 한다.
③ 정상동장표시램프는 녹색, 위험표시램프는 붉은색으로 하며, 쉽게 근로자가 볼 수 있는 곳에 설치해야 한다.
④ 방호장치의 정상작동 중에 감지가 이루어지거나 공급전원이 중단되는 경우 적어도 두 개 이상의 출력신호 개폐장치가 꺼진 상태로 돼야 한다.

해설

광전자식 방호장치 설치방법
슬라이드 하강 중 정전 또는 방호장치의 이상 시에 정지할 수 있는 구조이어야 한다.

114 작업자의 신체움직임을 감지하여 프레스의 작동을 급정지시키는 광전자식 안전장치를 부착한 프레스가 있다. 안전 거리가 32cm라면 급정지에 소요되는 시간은 최대 몇 초 이내일 때 안전한가?(단, 급정지에 소요되는 시간은 손이 광선을 차단한 순간부터 급정지기구가 작동하여 슬라이드가 정지할 때까지의 시간을 의미한다.)

① 0.1초 ② 0.2초
③ 0.5초 ④ 1초

해설

광전자식 방호장치 설치 안전거리

$$D = 1,600 \times (T_c + T_s)$$

여기서, D : 안전거리[mm]
T_c : 방호장치의 작동시간[즉, 누름버튼으로부터 한 손이 떨어졌을 때부터 급정지기구가 작동을 개시할 때까지의 시간(초)]
T_s : 프레스 등의 급정지시간[즉, 급정지기구가 작동을 개시했을 때부터 슬라이드 등이 정지할 때까지의 시간(초)]

1. $(T_c + T_s)$ = 급정지 시간
2. 320mm = 1,600 × 급정지 시간[초]
3. 급정지 시간 = $\frac{320}{1,600} = 0.2$[초]

TIP 단위에 주의할 것

정답 111 ② 112 ① 113 ② 114 ②

115 프레스 광전자식 방호장치의 광선에 신체의 일부가 감지된 후로부터 급정지기구 작동 시까지의 시간이 30ms이고, 급정지기구의 작동 직후로부터 프레스기가 정지될 때까지의 시간이 20ms라면 광축의 최소 설치거리는?

① 75mm
② 80mm
③ 100mm
④ 150mm

해설
광전자식 방호장치 설치 안전거리
$D = 1,600 \times (T_c + T_s)$
$= 1,600 \times (0.03 + 0.02) = 80[mm]$

TIP
1. $ms = \dfrac{1}{1,000}$초
2. $30ms = \dfrac{30}{1,000}$초 $= 0.03$초

TIP 단위에 주의할 것

116 프레스 등의 금형을 부착·해체 또는 조정 작업 중 슬라이드가 갑자기 작동하여 발생할 수 있는 위험을 방지하기 위하여 설치하는 것은?

① 방호 울
② 안전블록
③ 시건장치
④ 게이트 가드

해설
금형조정작업의 위험 방지
프레스 등의 금형을 부착·해체 또는 조정하는 작업을 할 때에 해당 작업에 종사하는 근로자의 신체가 위험한계 내에 있는 경우 슬라이드가 갑자기 작동함으로써 근로자에게 발생할 우려가 있는 위험을 방지하기 위하여 안전블록을 사용하는 등 필요한 조치를 하여야 한다.

117 롤러의 맞물림점 전방 60mm의 거리에 가드를 설치하고자 할 때 가드 개구부의 간격은?(단, 위험점이 전동체가 아닌 경우이다.)

① 12mm
② 15mm
③ 18mm
④ 20mm

해설
롤러기 가드의 개구부 간격(ILO 기준, 위험점이 전동체가 아닌 경우)

$$Y = 6 + 0.15X \,(X < 160mm)$$
(단, $X \geq 160mm$일 때, $Y = 30mm$)

여기서, X : 가드와 위험점 간의 거리(안전거리)[mm]
Y : 가드 개구부 간격(안전간극)[mm]

$Y = 6 + 0.15X = 6 + 0.15 \times 60 = 15[mm]$

118 롤러의 위험점 앞에 개구간격 18mm의 가드를 설치하는 경우 위험점에서 가드까지의 최단 거리는?(단, 위험점이 전동체는 아니다.)

① 20mm
② 60mm
③ 80mm
④ 160mm

해설
롤러기 가드의 개구부 간격(ILO 기준, 위험점이 전동체가 아닌 경우)
1. $Y = 6 + 0.15X \rightarrow 18 = 6 + 0.15X$
2. $X = \dfrac{18 - 6}{0.15} = 80[mm]$

119 롤러기에서 가드의 개구부와 위험점 간의 거리가 200mm이면 개구부 간격은 얼마이어야 하는가?(단, 위험점이 전동체이다.)

① 30mm
② 26mm
③ 36mm
④ 20mm

해설
가드의 개구부 간격
위험점이 대형기계의 전동체(회전체)인 경우

$$Y = \dfrac{X}{10} + 6mm$$
(단, $X < 760mm$에서 유효)

여기서, X : 가드와 위험점 간의 거리(안전거리)[mm]
Y : 가드 개구부 간격(안전간극)[mm]

$Y = \dfrac{X}{10} + 6mm = \dfrac{200}{10} + 6 = 26[mm]$

120 롤러기의 급정지 장치 중 복부 조작식과 무릎 조작식의 급정지장치 조작부 위치는?(단, 밑면과의 상대거리를 나타낸다.)

	복부 조작식	무릎 조작식
①	0.5~0.7m	0.2~0.4m
②	0.8~1.1m	0.4~0.6m
③	0.8~1.1m	0.6~0.8m
④	1.1~1.4m	0.8~1.0m

해설

급정지장치의 설치방법

급정지장치 조작부의 종류	위치	비고
손으로 조작하는 것	밑면으로부터 1.8m 이내	위치는 급정지장치 조작부의 중심점을 기준으로 함
복부로 조작하는 것	밑면으로부터 0.8m 이상 1.1m 이내	
무릎으로 조작하는 것	밑면으로부터 0.4m 이상 0.6m 이내	

TIP 조작부의 설치 위치에 따른 급정지장치의 종류도 자주 출제되고 있습니다. 함께 기억하세요.

121 롤러기 방호장치의 무부하 동작시험 시 앞면 롤러의 지름이 150mm이고, 회전수가 30rpm인 롤러기의 급정지 거리는 몇 mm 이내이어야 하는가?

① 157 ② 188
③ 207 ④ 237

해설

롤러기의 급정지 거리

$$V = \frac{\pi DN}{1,000} (\text{m/min})$$

여기서, V : 표면속도, D : 롤러 원통의 직경(mm)
N : 1분간에 롤러기가 회전되는 수(rpm)

1. $V = \frac{\pi DN}{1,000}(\text{m/min}) = \frac{\pi \times 150 \times 30}{1000} = 14.13(\text{m/min})$
2. 무부하 동작에서 급정지 거리

앞면 롤러의 표면속도(m/min)	급정지 거리
30 미만	앞면 롤러 원주의 1/3
30 이상	앞면 롤러 원주의 1/2.5

3. 표면속도(V)가 14.13(m/mm)로 30(m/min) 미만이므로 앞면 롤러 원주의 1/3이다.
4. 급정지 거리 $= \pi \times D \times \frac{1}{3} = \pi \times 150 \times \frac{1}{3} = 157[\text{mm}]$

TIP 원둘레 길이(원주길이) $= \pi D = 2\pi r$
여기서, D : 지름, r : 반지름

122 원심기의 안전대책에 관한 사항에 해당되지 않는 것은?

① 내용물이 튀어나오는 것을 방지하도록 덮개를 설치하여야 한다.
② 최고사용회전수를 초과하여 사용해서는 아니 된다.
③ 청소, 검사, 수리 등의 작업 시에는 그 기계의 운전을 정지하여야 한다.
④ 폭발을 방지하도록 압력방출장치를 2개 이상 설치하여야 한다.

해설

원심기의 안전기준
1. 원심기에는 덮개를 설치하여야 한다.
2. 원심기 또는 분쇄기 등으로부터 내용물을 꺼내거나 정비, 청소, 검사, 수리 또는 그 밖에 이와 유사한 작업을 하는 때에는 운전을 정지하여야 한다.
3. 원심기의 최고사용회전수를 초과하여 사용해서는 아니 된다.

123 아세틸렌은 특정 물질과 결합 시 폭발을 쉽게 일으킬 수 있는데 다음 중 이에 해당하지 않는 물질은?

① 은   ② 철
③ 수은 ④ 구리

해설

아세틸렌가스의 위험성(화합물의 영향)
아세틸렌가스는 구리 또는 구리 합금, 은, 수은 등을 접촉 시 이들과 화합하여 120℃ 부근에서 폭발성 화합물을 생성하므로 가스연결구나 배관에 사용을 금지한다.

124 아세틸렌 용접 시 역화를 방지하기 위하여 설치하는 것은?

① 압력기 ② 청정기
③ 안전기 ④ 발생기

해설

안전기
용접 시 발생하는 역화 및 역류에 의해 폭발되는 것을 방지하기 위한 장치

정답 120 ② 121 ① 122 ④ 123 ② 124 ③

125 가스용접 작업의 안전수칙에 대한 설명 중 잘못된 것은?

① 용접하기 전에 소화기, 소화수의 위치를 확인할 것
② 작업 시에는 보호안경을 착용할 것
③ 산소용기와 화기와의 이격거리는 5m 이상으로 할 것
④ 작업 후에는 아세틸렌 밸브를 먼저 닫고 산소 밸브를 닫을 것

해설
작업 종료 후 또는 고무호스에 역화·역류 발생 시에는 산소 밸브를 가장 먼저 잠근다.

126 아세틸렌 용접장치에서 사용되는 수식봉 혹은 건식 안전기를 취급할 때의 주의 사항으로 틀린 것은?

① 건식 안전기는 아무 분해 또는 수리하지 않는다.
② 수봉식 안전기는 지면에 평행하게 설치하여 사용한다.
③ 수봉식 안전기는 항상 지정된 수위를 유지하도록 주의한다.
④ 수봉식 안전기의 수봉부의 물이 얼었을 때는 더운 물로 녹인다.

해설
안전기 사용시 준수사항
1. 수봉식 안전기는 1일 1회 이상 점검하고 항상 지정된 수위를 유지할 것
2. 수봉식의 물이 얼었을 때는 더운물로 용해하고 자주 얼 경우에는 에틸렌글리콜이나 글리세린 등과 같은 부동액을 첨가할 것
3. 수봉식 안전기는 지면에 대해 수직으로 설치할 것
4. 건식 안전기는 아무나 함부로 분해하거나 수리하지 않도록 할 것

127 아세틸렌 용접장치의 발생기실을 옥외에 설치한 경우에는 그 개구부는 다른 건축물로부터 몇 m 이상 떨어져야 하는가?

① 1   ② 1.5
③ 2.5   ④ 3

해설
발생기실의 설치 장소
1. 아세틸렌 용접장치의 아세틸렌 발생기를 설치하는 경우에는 전용의 발생기실에 설치하여야 한다.
2. 건물의 최상층에 위치하여야 하며, 화기를 사용하는 설비로부터 3미터를 초과하는 장소에 설치하여야 한다.
3. 옥외에 설치한 경우에는 그 개구부를 다른 건축물로부터 1.5미터 이상 떨어지도록 하여야 한다.

128 아세틸렌 용접장치를 사용하여 금속의 용접·용단 또는 가열작업을 하는 경우 게이지 압력으로 얼마를 초과하는 압력의 아세틸렌을 발생시켜 사용해서는 아니 되는가?

① 85[kPa]   ② 107[kPa]
③ 127[kPa]   ④ 150[kPa]

해설
압력의 제한
아세틸렌 용접장치를 사용하여 금속의 용접·용단 또는 가열작업을 하는 경우에는 게이지 압력이 127킬로파스칼을 초과하는 압력의 아세틸렌을 발생시켜 사용해서는 아니 된다.

129 산업안전보건법령에 따라 아세틸렌-산소 용접기의 아세틸렌 발생기실에 설치해야 할 배기통은 얼마 이상의 단면적을 가져야 하는가?

① 바닥면적의 $\frac{1}{16}$

② 바닥면적의 $\frac{1}{20}$

③ 바닥면적의 $\frac{1}{24}$

④ 바닥면적의 $\frac{1}{30}$

해설
발생기실의 구조
1. 벽은 불연성 재료로 하고 철근 콘크리트 또는 그 밖에 이와 같은 수준이거나 그 이상의 강도를 가진 구조로 할 것
2. 지붕과 천장에는 얇은 철판이나 가벼운 불연성 재료를 사용할 것
3. 바닥면적의 16분의 1 이상의 단면적을 가진 배기통을 옥상으로 돌출시키고 그 개구부를 창이나 출입구로부터 1.5미터 이상 떨어지도록 할 것
4. 출입구의 문은 불연성 재료로 하고 두께 1.5밀리미터 이상의 철판이나 그 밖에 그 이상의 강도를 가진 구조로 할 것
5. 벽과 발생기 사이에는 발생기의 조정 또는 카바이드 공급 등의 작업을 방해하지 않도록 간격을 확보할 것

정답 125 ④ 126 ② 127 ② 128 ③ 129 ①

130 아세틸렌 용접장치에 대하여 취관마다 설치하여야 하는 것은?(단, 주관 및 취관에 근접한 분기관마다 이것을 부착한 때는 부착하지 않아도 된다.)

① 압력조정기 ② 안전기
③ 토치크리너 ④ 자동전격 방지기

해설
안전기의 설치기준(아세틸렌 용접장치)
1. 아세틸렌 용접장치의 취관마다 안전기를 설치하여야 한다.(다만, 주관 및 취관에 가장 가까운 분기관마다 안전기를 부착한 경우에는 그러하지 아니하다)
2. 가스용기가 발생기와 분리되어 있는 아세틸렌 용접장치에 대하여 발생기와 가스용기 사이에 안전기를 설치하여야 한다.

131 가스집합 용접장치에서 가스장치실에 대한 안전조치로 틀린 것은?

① 가스가 누출될 때에는 해당 가스가 정체되지 않도록 한다.
② 지붕 및 천장은 콘크리트 등의 재료로 폭발을 대비하여 견고히 한다.
③ 벽에는 불연성 재료를 사용한다.
④ 가스장치실에는 관계근로자가 아닌 사람의 출입을 금지시킨다.

해설
가스장치실의 구조
1. 가스가 누출된 경우에는 그 가스가 정체되지 않도록 할 것
2. 지붕과 천장에는 가벼운 불연성 재료를 사용할 것
3. 벽에는 불연성 재료를 사용할 것

132 산업안전보건법령상 가스집합장치로부터 얼마 이내의 장소에서는 흡연, 화기의 사용 또는 불꽃을 발생할 우려가 있는 행위를 금지하여야 하는가?

① 5m ② 7m
③ 10m ④ 25m

해설
가스집합 용접장치의 관리
가스집합장치로부터 5미터 이내의 장소에서는 흡연, 화기의 사용 또는 불꽃을 발생할 우려가 있는 행위를 금지할 것

133 다음 중 산소-아세틸렌 가스용접 시 역화의 원인과 가장 거리가 먼 것은?

① 토치의 과열
② 팁의 이물질 부착
③ 산소 공급의 부족
④ 압력조정기의 고장

해설
역화(Back Fire)

정의	용접 도중 모재에 팁 끝이 닿아 순간적으로 폭음을 내며 불꽃이 들어갔다가 꺼지는 현상
원인	1. 압력 조정기의 고장 2. 과열되었을 때 3. 산소 공급이 과다할 때 4. 토치의 성능이 좋지 않을 때 5. 토치 팁에 이물질이 묻었을 때
방지법	1. 용접 팁을 물에 담가 식힘 2. 아세틸렌을 차단 3. 토치의 기능을 점검

134 다음 중 보일러의 부식원인과 가장 거리가 먼 것은?

① 증기발생이 과다할 때
② 급수처리를 하지 않은 물을 사용할 때
③ 급수에 해로운 불순물이 혼입되었을 때
④ 불순물을 사용하여 수관이 부식되었을 때

해설
보일러의 부식 원인
1. 불순물을 사용하여 수관이 부식되었을 때
2. 급수에 불순물이 혼입되었을 때
3. 급수처리를 하지 않은 물을 사용할 때

135 보일러수 속에 유지(油脂)류, 용해 고형물, 부유물 등의 농도가 높아지면 드럼 수면에 안정한 거품이 발생하고, 또한 거품이 증가하여 드럼의 기실(氣室)에 전체로 확대되는 현상을 무엇이라 하는가?

① 포밍(Foaming)
② 프라이밍(Priming)
③ 수격 현상(Water Hammer)
④ 공동화 현상(Cavitation)

정답 130 ② 131 ② 132 ① 133 ③ 134 ① 135 ①

해설
이상현상의 종류

프라이밍 (Priming)	보일러수가 극심하게 끓어서 수면에서 계속하여 물방울이 비산하고 증기부가 물방울로 충만하여 수위가 불안정하게 되는 현상
포밍 (Foaming)	보일러수에 유지류, 고형물 등의 부유물로 인해 거품이 발생하여 수위를 판단하지 못하는 현상
캐리오버 (Carry Over)	• 보일러에서 증기관 쪽에 보내는 증기에 대량의 물방울이 포함되는 경우로 프라이밍이나 포밍이 생기면 필연적으로 발생 • 보일러에서 증기의 순도를 저하시킴으로써 관내 응축수가 생겨 워터해머의 원인이 되는 것
워터해머 (Water Hammer, 수격작용)	• 증기관 내에서 증기를 보내기 시작할 때 해머로 치는 듯한 소리를 내며 관이 진동하는 현상 • 워터해머는 캐리오버에 기인한다.

136 다음 중 보일러의 폭발사고 예방을 위한 장치에 해당하지 않는 것은?

① 압력발생기
② 압력제한스위치
③ 압력방출장치
④ 고저수위 조절장치

해설
보일러 안전장치의 종류
1. 압력방출장치
2. 압력제한스위치
3. 고저수위 조절장치
4. 화염검출기

137 보일러의 안전한 가동을 위해 압력방출장치가 2개 이상 설치된 경우 최고사용압력 이하에서 1개가 작동되었다면, 다른 압력방출장치의 작동압력의 범위는?

① 최고사용압력 1.05배 이하
② 최고사용압력 1.1배 이하
③ 최고사용압력 1.15배 이하
④ 최고사용압력 1.2배 이하

해설
보일러의 압력방출장치
압력방출장치가 2개 이상 설치된 경우에는 최고사용압력 이하에서 1개가 작동되고, 다른 압력방출장치는 최고사용압력 1.05배 이하에서 작동되도록 부착하여야 한다.

138 산업안전보건법령에 따라 보일러의 과열을 방지하기 위하여 최고사용압력과 상용압력 사이에서 보일러의 버너 연소를 차단할 수 있도록 부착하여 사용하여야 하는 장치는?

① 경보음장치
② 압력제한스위치
③ 압력방출장치
④ 고저수위 조절장치

해설
압력제한스위치
보일러의 과열을 방지하기 위하여 최고사용압력과 상용압력 사이에서 보일러의 버너 연소를 차단할 수 있도록 압력제한스위치를 부착하여 사용하여야 한다.

139 압력용기에서 과압으로 인한 폭발을 방지하기 위해 설치하는 압력방출장치는?

① 체크밸브
② 스톱밸브
③ 안전밸브
④ 비상밸브

해설
압력용기의 방호장치
1. 덮개 또는 울 등 설치(원동기, 축이음, 벨트, 풀리의 회전부위 등)
2. 안전밸브 등의 설치(과압에 따른 폭발을 방지하기 위하여 안전밸브 또는 파열판을 설치)
3. 최고사용압력의 표시

140 다음 중 산업용 로봇의 재해 발생에 대한 주된 원인이며, 본체의 외부에 조립되어 인간의 팔에 해당되는 기능을 하는 것은?

① 배관
② 외부전선
③ 제동장치
④ 매니퓰레이터

해설
매니퓰레이터
인간의 팔과 유사한 기능을 하며 작업 대상물을 이동시키는 것으로, 각종 로봇에 공통되는 기본 개념이다.

정답 136 ① 137 ① 138 ② 139 ③ 140 ④

141 기계의 동작 상태가 설정한 순서, 조건에 따라 진행되어, 한 가지 상태의 종료가 다음 상태를 생성하는 제어 시스템을 가진 로봇은?

① 플레이백 로봇   ② 학습 제어 로봇
③ 시퀀스 로봇   ④ 수치 제어 로봇

해설
시퀀스 로봇
미리 설정된 순서와 조건 및 위치에 따라 동작의 각 단계를 진행해 가는 로봇

142 산업용 로봇의 동작 형태별 분류에 속하지 않는 것은?

① 원통좌표 로봇   ② 수평좌표 로봇
③ 극좌표 로봇   ④ 관절 로봇

해설
산업용 로봇의 종류

입력 정보 교시에 의한 분류	1. 시퀀스 로봇 2. 플레이백 로봇 3. 수치제어 로봇 4. 지능 로봇
동작 형태에 의한 분류	1. 원통좌표 로봇 2. 극좌표 로봇 3. 직각좌표 로봇 4. 다관절 로봇

143 다음 중 산업용 로봇을 운전하는 경우 산업안전보건법에 따라 설치하여야 하는 방호장치에 해당되는 것은?

① 출입문 도어록   ② 안전매트 및 방책
③ 광전자식 방호장치 ④ 과부하방지장치

해설
운전 중 위험방지(로봇에 부딪힐 위험이 있을 경우)
1. 높이 1.8미터 이상의 울타리
2. 컨베이어 시스템의 설치 등으로 울타리를 설치할 수 없는 일부 구간 : 안전매트 또는 광전자식 방호장치 등 감응형 방호장치 설치

TIP 본 문제는 법 개정으로 일부 내용이 수정되었습니다. 해설은 법 개정으로 수정된 내용이니 해설을 학습하세요.

144 산업안전보건법령상 로봇의 작동 범위에서 그 로봇에 관하여 교시 등의 작업을 할 때 작업 시작 전 점검사항에 해당하지 않는 것은?

① 제동장치 및 비상정지장치의 기능
② 외부 전선의 피복 또는 외장 손상 유무
③ 매니퓰레이터(Manipulator) 작동의 이상 유무
④ 주행로의 상측 및 트롤리(Trolley)가 횡행하는 레일의 상태

해설
교시 등의 작업을 할 때 작업 시작 전 점검사항
1. 외부 전선의 피복 또는 외장의 손상 유무
2. 매니퓰레이터(Manipulator) 작동의 이상 유무
3. 제동장치 및 비상정지장치의 기능

145 산업용 로봇의 방호장치로 옳은 것은?

① 압력방출 장치   ② 안전매트
③ 과부하 방지장치 ④ 자동전격 방지장치

해설
산업용 로봇의 방호장치
1. 동력차단장치   3. 방호울타리(방책)
2. 비상정지기능   4. 안전매트

146 산업안전보건법령에 따라 목재가공용 기계에 설치하여야 하는 방호장치의 내용으로 틀린 것은?

① 목재가공용 둥근톱기계에는 분할날 등 반발예방장치를 설치하여야 한다.
② 목재가공용 둥근톱기계에는 톱날접촉예방장치를 설치하여야 한다.
③ 모떼기기계에는 가공 중 목재의 회전을 방지하는 회전방지장치를 설치하여야 한다.
④ 작업대상물이 수동으로 공급되는 동력식 수동대패기계에 날접촉예방장치를 설치하여야 한다.

해설
모떼기기계의 방호장치
모떼기기계(자동이송장치를 부착한 것은 제외)에 날접촉예방장치를 설치하여야 한다. 다만, 작업의 성질상 날접촉예방장치를 설치하는 것이 곤란하여 해당 근로자에게 적절한 작업공구 등을 사용하도록 한 경우에는 그러하지 아니하다.

정답 141 ③ 142 ② 143 ② 144 ④ 145 ② 146 ③

147 목재 가공용 둥근톱의 목재반발 예방장치가 아닌 것은?

① 반발방지 발톱(Finger)
② 분할날(Spreader)
③ 덮개(Cover)
④ 반발방지 롤(Roll)

해설

반발예방장치
1. 분할날(Spreader)
2. 반발방지 기구(Finger)[반발방지 발톱]
3. 반발방지 롤(Roll)
4. 보조안내판

148 다음 중 톱의 후면날 가까이에 설치되어 목재의 켜진 틈 사이에 끼어서 쐐기작용을 하여 목재가 압박을 가하지 않도록 하는 장치를 무엇이라 하는가?

① 분할날
② 반발방지장치
③ 날접촉예방장치
④ 가동식 접촉예방장치

해설

분할날(Spreader)
톱 뒷날(후면톱날) 가까이에 설치되고 절삭된 가공재의 홈 사이로 들어가면서 가공재의 모든 두께에 걸쳐서 쐐기작용을 하여 가공재가 톱날에 밀착되는 것을 방지함

149 목재 가공용 둥근톱 두께가 3mm일 때, 분할날의 두께는?

① 3.3mm 이상
② 3.6mm 이상
③ 4.5mm 이상
④ 4.8mm 이상

해설

분할날
분할날의 두께는 둥근톱 두께의 1.1배 이상일 것

$$1.1t_1 \leq t_2 < b$$
(t_1 : 톱두께, t_2 : 분할날 두께, b : 치진폭)

분할날의 두께 = 1.1 × 톱두께 = 1.1 × 3 = 3.3[mm]

150 다음 중 목재 가공용 둥근톱 기계에서 분할날의 설치에 관한 사항으로 옳지 않은 것은?

① 분할날 조임볼트는 이완방지조치가 되어 있어야 한다.
② 분할날과 톱날 원주면과 거리는 12mm 이내로 조정, 유지할 수 있어야 한다.
③ 둥근톱의 두께가 1.20mm라면 분할날의 두께는 1.32mm 이상이어야 한다.
④ 분할날은 표준 테이블면(승강반에 있어서도 테이블을 최하로 내릴 때의 면)상의 톱 뒷날의 1/3 이상을 덮도록 하여야 한다.

해설

분할날의 설치구조
1. 분할날의 두께는 둥근톱 두께의 1.1배 이상일 것

$$1.1t_1 \leq t_2 < b$$
(t_1 : 톱두께, t_2 : 분할날 두께, b : 치진폭)

2. 견고히 고정할 수 있으며 분할날과 톱날 원주면과의 거리는 12mm 이내로 조정, 유지할 수 있어야 하고 표준 테이블면(승강반에 있어서도 테이블을 최하로 내린 때의 면)상의 톱 뒷날의 2/3 이상을 덮도록 할 것
3. 재료는 KS D 3751(탄소공구강재)에서 정한 STC 5(탄소공구강) 또는 이와 동등 이상의 재료를 사용할 것
4. 분할날 조임볼트는 2개 이상이어야 하며 볼트는 이완 방지조치가 되어 있어야 한다.

151 산업안전보건법령상 고속회전체의 회전시험을 하는 경우 미리 회전축의 재질 및 형상 등에 상응하는 종류의 비파괴검사를 해서 결함 유무(有無)를 확인하여야 하는 고속회전체 대상은?

① 회전축의 중량이 500kg을 초과하고, 원주속도가 15m/s 이상인 것
② 회전축의 중량이 1톤을 초과하고, 원주속도가 30m/s 이상인 것
③ 회전축의 중량이 500kg을 초과하고, 원주속도가 60m/s 이상인 것
④ 회전축의 중량이 1톤을 초과하고, 원주속도가 120m/s 이상인 것

> **해설**

고속 회전체의 위험방지
- 고속회전체(원주속도가 초당 25미터를 초과하는 것)의 회전시험을 하는 경우 전용의 견고한 시설물의 내부 또는 견고한 장벽 등으로 격리된 장소에서 하여야 한다.
- 회전축의 중량이 1톤을 초과하고, 원주속도가 초당 120미터 이상인 것의 회전시험을 하는 경우 미리 회전축의 재질 및 형상 등에 상응하는 종류의 비파괴검사를 해서 결함 유무를 확인하여야 한다.

152 지게차의 안전장치에 해당하지 않는 것은?

① 백미러 ② 후방접근 경보장치
③ 백 레스트 ④ 권과방지장치

> **해설**

권과방지장치는 크레인 등 양중기에 해당하는 방호장치이다.

153 그림과 같은 지게차에서 W를 화물 중량, G를 지게차 자체 중량, a를 앞바퀴 중심부터 화물의 중심까지의 최단거리, b를 앞바퀴 중심에서 지게차의 중심까지의 최단거리라고 할 때 지게차의 안정조건은?

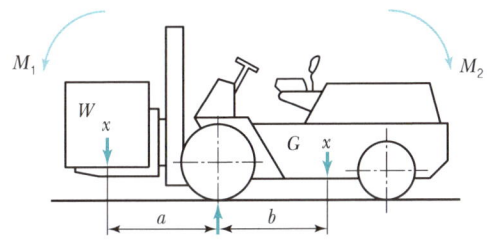

M_1 : 화물의 모멘트 M_2 : 차의 모멘트

① $W \cdot a < G \cdot b$ ② $W - 1 < G \cdot \dfrac{b}{a}$
③ $W \cdot a > G \cdot (b-1)$ ④ $W > G \cdot \dfrac{b}{a}$

> **해설**

지게차의 안정조건

$$Wa < Gb$$

여기서, W : 화물중심에서의 화물의 중량[kgf]
G : 지게차 중심에서의 지게차의 중량[kgf]
a : 앞바퀴에서 화물 중심까지의 최단거리[cm]
b : 앞바퀴에서 지게차 중심까지의 최단거리[cm]
$M_1 = Wa$ (화물의 모멘트)
$M_2 = Gb$ (지게차의 모멘트)

154 기준 무부하상태에서 구내최고속도가 20km/h인 지게차의 주행 시 좌우안정도 기준은 몇 % 이내인가?

① 4% ② 20%
③ 37% ④ 40%

> **해설**

지게차의 안정도 기준
주행 시의 좌우 안정도
$= (15 + 1.1\,V)\%$ 이내
$= (15 + 1.1 \times 20) = 37[\%]$

여기서, V : 최고속도[km/hr]

155 다음은 지게차의 헤드가드에 관한 기준이다. ( ) 안에 들어갈 내용으로 옳은 것은?

> 지게차 사용 시 화물 낙하 위험의 방호조치 사항으로 헤드가드를 낮추어야 한다. 그 강도는 지게차 최대하중의 ( ) 값의 등분포정하중(等分布靜荷重)에 견딜 수 있어야 한다. 단, 그 값이 4톤을 넘는 것에 대하여서는 4톤으로 한다.

① 2배 ② 3배
③ 4배 ④ 5배

> **해설**

지게차의 헤드가드
1. 강도는 지게차의 최대하중의 2배 값(4톤을 넘는 값에 대해서는 4톤으로 한다)의 등분포정하중에 견딜 수 있을 것
2. 상부틀의 각 개구의 폭 또는 길이가 16센티미터 미만일 것
3. 운전자가 앉아서 조작하거나 서서 조작하는 지게차의 헤드가드는 한국산업표준에서 정하는 높이 기준 이상일 것
   ㉠ 좌승식 : 좌석기준점으로부터 903mm 이상
   ㉡ 입승식 : 조종사가 서 있는 플랫폼으로부터 1,880mm 이상

156 다음 중 벨트 컨베이어의 특징에 해당되지 않는 것은?

① 무인화 작업이 가능하다.
② 연속적으로 물건을 운반할 수 있다.
③ 운반과 동시에 하역작업이 가능하다.
④ 경사각이 클수록 물건을 쉽게 운반할 수 있다.

정답 152 ④ 153 ① 154 ③ 155 ① 156 ④

해설

벨트 컨베이어의 특징
컨베이어는 경사각이 작을수록 쉽게 운반할 수 있고 경사각이 클수록 운반하기 어렵다.

157 컨베이어 작업 시 준수해야 할 사항이 아닌 것은?

① 운전 중인 컨베이어 등의 위로 근로자를 넘어가도록 하는 경우에는 위험을 방지하기 위하여 건널다리를 설치하는 등 필요한 조치를 하여야 한다.
② 근로자를 운반할 수 있는 구조가 아닌 운전 중인 컨베이어에 근로자를 탑승시켜서는 안 된다.
③ 작업 중 급정지를 방지하기 위하여 비상정지장치는 해체해야 한다.
④ 트롤리 컨베이어에 트롤리와 체인·행거가 쉽게 벗겨지지 않도록 확실하게 연결시켜야 한다.

해설

컨베이어의 안전조치사항
1. 컨베이어, 이송용 롤러 등을 사용하는 경우에는 정전·전압강하 등에 따른 화물 또는 운반구의 이탈 및 역주행을 방지하는 장치를 갖추어야 한다.
2. 컨베이어 등에 해당 근로자의 신체의 일부가 말려드는 등 근로자가 위험해질 우려가 있는 경우 및 비상시에는 즉시 컨베이어 등의 운전을 정지시킬 수 있는 장치를 설치하여야 한다.
3. 컨베이어 등으로부터 화물이 떨어져 근로자가 위험해질 우려가 있는 경우에는 해당 컨베이어 등에 덮개 또는 울을 설치하는 등 낙하 방지를 위한 조치를 하여야 한다.
4. 트롤리 컨베이어(Trolley Conveyor)를 사용하는 경우에는 트롤리와 체인·행거(Hanger)가 쉽게 벗겨지지 않도록 서로 확실하게 연결하여 사용하도록 하여야 한다.
5. 운전 중인 컨베이어 등의 위로 근로자를 넘어가도록 하는 경우에는 위험을 방지하기 위하여 건널다리를 설치하는 등 필요한 조치를 하여야 한다.
6. 동일선 상에 구간별 설치된 컨베이어에 중량물을 운반하는 경우에는 중량물 충돌에 대비한 스토퍼를 설치하거나 작업자 출입을 금지하여야 한다.

158 다음 중 컨베이어의 안전장치가 아닌 것은?
① 이탈 및 역주행방지장치
② 비상정지장치
③ 덮개 또는 울
④ 비상난간

해설

컨베이어의 방호장치
1. 비상정지장치   4. 이탈방지장치
2. 역전방지장치   5. 덮개 또는 울
3. 브레이크   6. 건널다리

159 산업안전보건법상 양중기가 아닌 것은?
① 곤돌라
② 이동식 크레인
③ 최대하중이 0.2톤인 승강기
④ 적재하중이 0.1톤인 이삿짐 운반용 리프트

해설

양중기의 종류
1. 크레인(호이스트 포함)
2. 이동식 크레인
3. 리프트(이삿짐 운반용 리프트의 경우에는 적재하중이 0.1톤 이상인 것)
4. 곤돌라
5. 승강기

 본 문제는 법 개정으로 일부 내용이 수정되었습니다. 해설은 법 개정으로 수정된 내용이니 해설을 학습하세요.

160 동력을 사용하여 중량물을 매달아 상하 및 좌우(수평 또는 선회를 말한다.)로 운반하는 것을 목적으로 하는 기계는?
① 크레인   ② 리프트
③ 곤돌라   ④ 승강기

해설

크레인
동력을 사용하여 중량물을 매달아 상하 및 좌우(수평 또는 선회)로 운반하는 것을 목적으로 하는 기계 또는 기계장치를 말하며, "호이스트"란 훅이나 그 밖의 달기구 등을 사용하여 화물을 권상 및 횡행 또는 권상동작만을 하여 양중하는 것을 말한다.

정답 157 ③ 158 ④ 159 ③ 160 ①

161 다음 중 산업안전보건법령상 크레인의 방호장치에 해당하지 않는 것은?

① 권과방지장치 ② 주위감시장치
③ 비상정지장치 ④ 과부하방지장치

해설
양중기 방호장치의 종류

방호장치의 조정 대상	1. 크레인 2. 이동식 크레인 3. 리프트 4. 곤돌라 5. 승강기
방호장치의 종류	1. 과부하방지장치 2. 권과방지장치 3. 비상정지장치 및 제동장치 4. 그 밖의 방호장치(승강기의 파이널 리미트 스위치, 속도조절기, 출입문 인터록 등)

TIP 방호장치의 조정 대상에 따른 방호장치의 종류는 자주 출제되므로 꼭 함께 기억하세요.

162 크레인의 훅, 버킷 등 달기구 윗면이 드럼 상부 도르래 등 권상장치의 아랫면과 접촉할 우려가 있을 때 직동식 권과방지장치의 조정 간격은?

① 0.01m 이상 ② 0.02m 이상
③ 0.03m 이상 ④ 0.05m 이상

해설
방호장치의 조정
크레인 및 이동식 크레인의 양중기에 대한 권과방지장치는 훅·버킷 등 달기구의 윗면(그 달기구에 권상용 도르래가 설치된 경우에는 권상용 도르래의 윗면)이 드럼, 상부 도르래, 트롤리프레임 등 권상장치의 아랫면과 접촉할 우려가 있는 경우에 그 간격이 0.25미터 이상(직동식 권과방지장치는 0.05미터 이상으로 한다)이 되도록 조정하여야 한다.

163 크레인 작업 시 와이어로프 등이 훅으로부터 벗겨지는 것을 방지하기 위한 장치를 무엇이라 하는가?

① 권과방지장치 ② 과부하방지장치
③ 해지장치 ④ 브레이크 장치

해설
훅 해지장치
줄걸이 용구인 와이어로프 슬링 또는 체인, 섬유벨트 등을 훅에 걸고 작업 시 이탈을 방지하기 위한 안전장치

164 다음 중 산업안전보건법령상 이동식 크레인을 사용하여 작업할 때의 작업 시작 전 점검사항으로 틀린 것은?

① 브레이크·클러치 및 조정장치의 기능
② 권과방지방지나 그 밖의 경보장치의 기능
③ 와이어로프가 통하고 있는 곳 및 작업장소의 지반 상태
④ 원동기·회전축·기어 및 풀리 등의 덮개 또는 울 등의 이상 유무

해설
이동식 크레인을 사용하여 작업을 할 때 작업 시작 전 점검사항
1. 권과방지장치나 그 밖의 경보장치의 기능
2. 브레이크·클러치 및 조정장치의 기능
3. 와이어로프가 통하고 있는 곳 및 작업장소의 지반상태

165 산업안전보건법에 따라 순간풍속이 몇 m/s를 초과하는 바람이 불거나 중진(中震) 이상 진도의 지진이 있은 후에 옥외에 설치되어 있는 양중기를 사용하여 작업을 하는 경우에는 미리 기계 각 부위에 이상이 있는지를 점검하여야 하는가?

① 25 ② 30
③ 35 ④ 40

해설
폭풍 등에 의한 안전조치사항

풍속의 기준	내용	안전조치사항
순간풍속이 초당 30미터[m/s]를 초과	폭풍에 의한 이탈방지	옥외에 설치되어 있는 주행 크레인에 대하여 이탈방지장치를 작동시키는 등 이탈 방지를 위한 조치를 하여야 한다.
	폭풍 등으로 인한 이상 유무 점검	옥외에 설치되어 있는 양중기를 사용하여 작업을 하는 경우에는 미리 기계 각 부위에 이상이 있는지를 점검하여야 한다.
순간풍속이 초당 35미터[m/s]를 초과	붕괴 등의 방지	건설작업용 리프트(지하에 설치되어 있는 것은 제외한다)에 대하여 받침의 수를 증가시키는 등 그 붕괴 등을 방지하기 위한 조치를 하여야 한다.
	폭풍에 의한 무너짐 방지	옥외에 설치되어 있는 승강기에 대하여 받침의 수를 증가시키는 등 승강기가 무너지는 것을 방지하기 위한 조치를 하여야 한다.

정답 161 ② 162 ④ 163 ③ 164 ④ 165 ②

166 화물의 하중을 직접 지지하는 달기 와이어로프의 안전계수 기준은?

① 3 이상
② 4 이상
③ 5 이상
④ 10 이상

해설

와이어로프 등 달기구의 안전계수

구분	안전계수
근로자가 탑승하는 운반구를 지지하는 달기와이어로프 또는 달기체인의 경우	10 이상
화물의 하중을 직접 지지하는 달기와이어로프 또는 달기체인의 경우	5 이상
훅, 샤클, 클램프, 리프팅 빔의 경우	3 이상
그 밖의 경우	4 이상

167 산업안전보건법령에 따라 양중기용 와이어로프의 사용금지 기준으로 옳은 것은?

① 지름의 감소가 공칭지름의 3%를 초과하는 것
② 지름의 감소가 공칭지름의 5%를 초과하는 것
③ 와이어로프의 한 꼬임에서 끊어진 소선(素線)의 수가 7% 이상인 것
④ 와이어로프의 한 꼬임에서 끊어진 소선(素線)의 수가 10% 이상인 것

해설

양중기 와이어로프 사용금지 조건
1. 이음매가 있는 것
2. 와이어로프의 한 꼬임에서 끊어진 소선의 수가 10% 이상인 것
3. 지름의 감소가 공칭지름의 7%를 초과하는 것
4. 꼬인 것
5. 심하게 변형되거나 부식된 것
6. 열과 전기충격에 의해 손상된 것

168 양중기에 사용하지 않아야 하는 달기체인의 기준으로 틀린 것은?

① 변형이 심한 것
② 균열이 있는 것
③ 길이의 증가가 제조 시보다 3%를 초과한 것
④ 링의 단면지름의 감소가 제조 시 링 지름의 10%를 초과한 것

해설

양중기 달기체인의 사용금지 조건
1. 달기체인의 길이가 달기체인이 제조된 때의 길이의 5%를 초과한 것
2. 링의 단면지름이 달기체인이 제조된 때의 해당 링의 지름의 10%를 초과하여 감소한 것
3. 균열이 있거나 심하게 변형된 것

169 원래 길이가 150mm인 슬링체인을 점검한 결과 길이에 변형이 발생하였다. 다음 중 폐기 대상에 해당되는 측정값(길이)으로 옳은 것은?

① 151.5mm초과
② 153.5mm 초과
③ 155.5mm 초과
④ 157.5mm 초과

해설

달기체인의 측정값(길이)
1. 측정값(길이) = 150mm + (150 × 0.05) = 157.5mm
2. 사용가능 범위 : 150~157.5mm
3. 157.5mm 초과는 사용금지(폐기 대상)

170 다음 중 와이어로프 구성기호 "6×19"의 표기에서 "6"의 의미에 해당하는 것은?

① 소선 수
② 소선의 직경(mm)
③ 스트랜드 수
④ 로프의 인장강도

해설

로프의 구성
1. 로프의 구성은 "스트랜드 수 × 소선의 개수"로 표시한다.
2. 6 : 스트랜드 수, 19 : 소선의 개수

171 다음과 같은 작업 조건일 경우 와이어로프의 안전율은?

> 작업조건 : 작업대에서 사용된 와이어로프 1줄의 파단하중이 10톤, 인양하중이 4톤, 로프의 줄 수가 2줄

① 2
② 3
③ 4
④ 5

해설

와이어로프의 안전율

$$안전율(S) = \frac{로프의\ 가닥수(N) \times 로프의\ 파단하중(P) \times 단말고정이음효율(nR)}{안전하중(최대사용하중,\ Q) \times 하중계수(C)}$$

$$\text{안전율}(S) = \frac{\text{로프의 가닥수}(N) \times \text{로프의 파단하중}(P)}{\text{안전하중}(Q)}$$
$$= \frac{2 \times 10}{4} = 5$$

172 크레인 작업 시 2t 크기의 화물을 걸어 25m/s² 가속도로 감아올릴 때 로프에 걸리는 총 하중은 몇 약 kN인가?

① 16.9 ② 50.0
③ 69.6 ④ 94.8

해설

와이어로프에 걸리는 하중 계산

와이어로프에 걸리는 총 하중	총하중(W) = 정하중(W_1) + 동하중(W_2) 동하중(W_2) = $\dfrac{W_1}{g} \times a$ g: 중력가속도(9.8m/s²), a: 가속도(m/s²)
와이어로프에 작용하는 장력	장력[N] = 총하중[kg] × 중력가속도[m/s²]

1. 동하중(W_2) = $\dfrac{W_1}{g} \times a = \dfrac{2,000}{9.8} \times 25 = 5,102$[kgf]
2. 총하중(W) = 정하중(W_1) + 동하중(W_2)
   = 2,000 + 5,102 = 7,102[kgf]
3. 장력[N] = 총하중[kgf] × 중력가속도[m/s²]
   = 7,102[kgf] × 9.8 = 69,599[N] ≒ 69.6[kN]

TIP 1ton = 1,000kgf, 1kN = 1,000N

173 4.2ton의 화물을 그림과 같이 60°의 각을 갖는 와이어로프로 매달아 올릴 때 와이어로프 A에 걸리는 장력 W_1은 약 얼마인가?

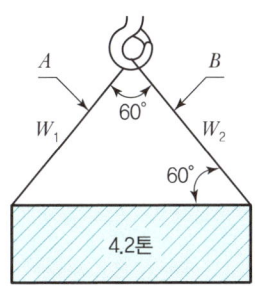

① 2.10ton ② 2.42ton
③ 4.20ton ④ 4.82ton

해설

슬링와이어로프의 한 가닥에 걸리는 하중

$$\text{하중} = \frac{\text{화물의 무게}(W_1)}{2} \div \cos\frac{\theta}{2}$$

여기서, 각도 θ가 작을수록 힘이 적게 걸린다.

$$\text{하중} = \frac{\text{화물의 무게}(W_1)}{2} \div \cos\frac{\theta}{2} = \frac{4.2}{2} \div \cos\frac{60}{2}$$
$$= 2.4248[\text{ton}]$$

정답 172 ③ 173 ②

PART 04

전기설비 안전관리 예상문제

PART 04 전기설비 안전관리 예상문제

01 감전사고의 사망경로에 해당되지 않는 것은?
① 전류가 뇌의 호흡중추부로 흘러 발생한 호흡기능 마비
② 전류가 흉부에 흘러 발생한 흉부근육수축으로 인한 질식
③ 전류가 심장부로 흘러 심실세동에 의한 혈액순환기능 장애
④ 전류가 인체에 흐를 때 인체에 저항으로 발생한 줄 열에 의한 화상

해설
전격(감전)현상의 메커니즘
1. 심장부에 전류가 흘러 심실세동이 발생하여 혈액순환기능이 상실되어 일어난 것
2. 뇌의 호흡중추신경에 전류가 흘러 호흡기능이 정지되어 일어난 것
3. 흉부에 전류가 흘러 흉부근육수축에 의한 질식으로 일어난 것

02 감전에 영향을 미치는 요인으로 통전경로별 위험도가 가장 높은 것은?
① 왼손 - 등
② 오른손 - 등
③ 오른손 - 왼발
④ 왼손 - 가슴

해설
통전경로별 위험도

통전경로	심장전류계수	통전경로	심장전류계수
왼손 - 가슴	1.5	왼손 - 등	0.7
오른손 - 가슴	1.3	한손 또는 양손 - 앉아 있는 자리	0.7
왼손 - 한발 또는 양발	1.0	왼손 - 오른손	0.4
양손 - 양발	1.0	오른손 - 등	0.3
오른손 - 한발 또는 양발	0.8		

※ 숫자가 클수록 위험도가 높다.

03 모터에 걸리는 대지전압이 50V이고 인체저항이 5,000Ω일 경우 인체에 흐르는 전류는 몇 mA인가?
① 10mA
② 20mA
③ 30mA
④ 40mA

해설
옴의 법칙

$$V = IR[\text{V}], \quad I = \frac{V}{R}[\text{A}], \quad R = \frac{V}{I}[\Omega]$$

여기서, V : 전압[V], I : 전류[A], R : 저항[Ω]

$I = \dfrac{V}{R} = \dfrac{50}{5,000} = 0.01[\text{A}] = 10[\text{mA}]$

04 저항이 0.2Ω인 도체에 10A의 전류가 1분간 흘렀을 경우 발생하는 열량은 몇 cal인가?
① 64
② 144
③ 288
④ 386

해설
열량

$$Q = 0.24 I^2 RT \times 10^{-3}[\text{kcal}] = 0.24 I^2 RT [\text{cal}]$$

여기서, Q : 열량[J], I : 전류[A], R : 저항[Ω]
T : 전류가 흐른 시간[sec]

$Q = 0.24 I^2 RT = 0.24 \times 10^2 \times 0.2 \times 60 = 288[\text{cal}]$

05 다음 중 인체에 흐르는 전류가 50mA일 때 일반적으로 인체에 미치는 영향을 가장 적절하게 설명한 것은?
① 거의 느끼지 못한다.
② 가벼운 경직 현상이 일어난다.
③ 혈압상승, 심장박동이 불규칙하여 실신하기도 한다.
④ 심한 근육 수축으로 현장에서 사망한다.

해설
일반적으로 30~50mA일 때 실신이나 혈압상승을 초래한다.

정답 01 ④ 02 ④ 03 ① 04 ③ 05 ③

06 인체가 전격(감전)으로 인한 사고 시 통전전류에 의한 인체반응으로 틀린 것은?

① 교류가 직류보다 일반적으로 더 위험하다.
② 주파수가 높아지면 감지전류는 작아진다.
③ 심장을 관통하는 경로가 가장 사망률이 높다.
④ 가수전류는 불수전류보다 값이 대체적으로 작다.

해설

최소감지전류
1. 인체에 전압을 인가하여 통전전류의 값을 서서히 증가시켜서, 어느 일정한 값에 도달하게 되면 고통을 느끼지 않으면서 전기가 흐르는 것을 감지하게 되는데 이때의 전류 값을 최소감지전류라고 한다.
2. 교류보다는 직류의 경우 감지전류가 더 크게 나타난다.
3. 직류일 때 평균 최소감지전류는 5.2mA이고 교류에 비해 약 5배의 수치가 된다.
4. 주파수를 증가시키면 감지전류는 증가됨, 즉 주파수가 높을수록 전격의 영향은 감소한다.

07 다음 중 일반적으로 인체에 1초 동안 전류가 흘렀을 때 정상적인 심장의 기능을 상실할 수 있는 전류의 크기가 어느 정도인가?

① 50mA
② 75mA
③ 125mA
④ 165mA

해설

심실세동전류(치사전류)

$$I = \frac{165}{\sqrt{T}} [\text{mA}]$$

여기서, I : 심실세동전류[mA], T : 통전시간[sec]
전류 I는 1,000명 중 5명 정도가 심실세동을 일으키는 값

$$I = \frac{165}{\sqrt{T}} = \frac{165}{\sqrt{1}} = 165[\text{mA}]$$

08 인체가 전격을 받았을 때 가장 위험한 경우는 심실세동이 발생하는 경우이다. 정현파 교류에 있어 인체의 전기저항이 500Ω일 경우 다음 중 심실세동을 일으키는 전기에너지의 한계로 가장 적합한 것은?

① 2.5~8.0J
② 6.5~17.0J
③ 15.0~27.0J
④ 25.0~35.5J

해설

위험한계에너지

$$W = I^2 RT[\text{J/s}] = \left(\frac{165}{\sqrt{T}} \times 10^{-3}\right)^2 \times R \times T$$

1. $W = \left(\frac{165}{\sqrt{1}} \times 10^{-3}\right)^2 \times 500 \times 1 = 13.61[\text{J}]$
2. 6.5~17.0[J] 사이의 범위에 존재

09 사용전압이 154kV인 변압기 설비를 지상에 설치할 때 감전사고 방지대책으로 울타리의 높이와 울타리로부터 충전부분까지의 거리의 합계의 최솟값은?

① 3m
② 5m
③ 6m
④ 8m

해설

발전소 등의 울타리·담 등의 시설 시 이격거리

사용전압의 구분	울타리·담 등의 높이와 울타리·담 등으로부터 충전부분까지의 거리의 합계
35kV 이하	5m
35kV 초과 160kV 이하	6m
160kV 초과	6m에 160kV를 초과하는 10kV 또는 그 단수마다 0.12m를 더한 값

10 고압 또는 특(별)고압 전로 중 기계·기구 및 전선을 보호하기 위하여 필요한 곳에 과전류 차단기를 설치해야 하는데 이와 관련하여 올바르게 설명한 것은?

① 전로의 일부에 접지공사를 한 저압 가공전선로의 접지 측 전선로에 설치한다.
② 다선식 전로의 중심선에 시설한 과전류차단기가 동작한 경우에 각 극이 동시에 차단될 때 설치한다.
③ 고압 또는 특(별)고압의 전로에 단락이 생기는 경우 설치한다.
④ 전로의 중심점의 접지 규정에 의한 저항기를 사용하여 접지공사를 한 때에 과전류 차단기의 동작에 의하여 그 접지선이 비접지 상태로 되지 아니할 때 설치한다.

해설

과전류 차단기 정의
배선용 차단기, 퓨즈 등이 있으며 전로에 과전류 및 단락전류가 흘렀을 경우 자동으로 전로를 차단하는 장치를 말한다.

정답 06 ② 07 ④ 08 ② 09 ③ 10 ③

11 감전사고의 요인과 관계가 없는 것은?

① 전기기기의 절연파괴
② 콘덴서의 방전 미실시
③ 전기기기의 24시간 계속 운전
④ 정전 작업 시 단락접지를 하지 않아 유도전압 발생

해설
전기기기를 24시간 계속 운전하는 것이 감전사고의 요인이 될 수 없다.

12 이동전선에 접속하여 임시로 사용하는 전등이나 가설의 배선 또는 이동전선에 접속하는 가공 매달기식 전등 등을 접촉함으로 인한 감전 및 전구의 파손에 의한 위험을 방지하기 위하여 보호망을 부착하도록 하고 있다. 이들을 설치 시 준수하여야 할 사항이 아닌 것은?

① 보호망은 쉽게 파손되지 않을 것
② 재료는 용이하게 변형되지 아니하는 것으로 할 것
③ 전구의 밝기를 고려하여 유리로 된 것을 사용할 것
④ 전구의 노출된 금속부분에 쉽게 접촉되지 아니하는 구조로 할 것

해설
임시로 사용하는 전등 등의 위험방지
1. 이동전선에 접속하여 임시로 사용하는 전등이나 가설의 배선 또는 이동전선에 접속하는 가공매달기식 전등 등을 접촉함으로 인한 감전 및 전구의 파손에 의한 위험방지 : 보호망 부착
2. 보호망 설치 시 준수사항
   - 전구의 노출된 금속 부분에 근로자가 쉽게 접촉되지 아니하는 구조로 할 것
   - 재료는 쉽게 파손되거나 변형되지 아니하는 것으로 할 것

13 전기기계·기구의 조작부분을 점검하거나 보수하는 경우에는 근로자가 안전하게 작업할 수 있도록 전기기계·기구로부터 몇 m 이상의 작업 공간을 확보하여야 하는지 그 기준으로 옳은 것은?

① 0.5
② 0.7
③ 0.9
④ 1.2

해설
전기기계·기구의 조작 시 등의 안전조치
전기기계·기구의 조작부분을 점검하거나 보수하는 경우에는 근로자가 안전하게 작업할 수 있도록 전기 기계·기구로부터 폭 70센티미터 이상의 작업공간을 확보하여야 한다. 다만, 작업공간을 확보하는 것이 곤란하여 근로자에게 절연용 보호구를 착용하도록 한 경우에는 그러하지 아니하다.

14 작업장에서 근로자의 감전 위험을 방지하기 위하여 필요한 조치를 하여야 한다. 맞지 않는 것은?

① 작업장 통행 등으로 인하여 접촉하거나 접촉할 우려가 있는 배선 또는 이동전선에 대하여는 절연피복이 손상되거나 노화된 경우에는 교체하여 사용하는 것이 바람직하다.
② 전선을 서로 접속하는 때에는 해당 전선의 절연성능 이상으로 절연될 수 있는 것으로 충분히 피복하거나 적합한 접속기구를 사용하여야 한다.
③ 물 등의 도전성이 높은 액체가 있는 습윤한 장소에서 근로자의 통행 등으로 인하여 접촉할 우려가 있는 이동전선 및 이에 부속하는 접속기구는 그 도전성이 높은 액체에 대하여 충분한 절연효과가 있는 것을 사용하여야 한다.
④ 차량 기타 물체의 통과 등으로 인하여 전선의 절연피복이 손상을 우려가 없더라도 통로바닥에 전선 또는 이동전선을 설치하여 사용하여서는 아니 된다.

해설
통로바닥에서의 전선 등 사용금지
통로바닥에 전선 또는 이동전선 등을 설치하여 사용해서는 아니 된다.(다만, 차량이나 그 밖의 물체의 통과 등으로 인하여 해당 전선의 절연피복이 손상될 우려가 없거나 손상되지 않도록 적절한 조치를 하여 사용하는 경우에는 그러하지 아니하다.)

15 산업안전보건법령에 따라 꽂음접속기를 설치 또는 사용하는 경우 준수하여야 할 사항으로 틀린 것은?

① 서로 다른 전압의 꽂음접속기는 서로 접속되지 아니한 구조의 것을 사용할 것
② 습윤한 장소에 사용되는 꽂음접속기는 방수형 등 그 장소에 적합한 것을 사용할 것
③ 근로자가 해당 꽂음접속기를 접속시킬 경우에는 땀 등으로 젖은 손으로 취급하지 않도록 할 것
④ 꽂음접속기에 잠금장치가 있는 때에는 접속 후 개방하여 사용할 것

> 해설
> 꽂음접속기의 설치·사용 시 준수사항
> 1. 서로 다른 전압의 꽂음접속기는 서로 접속되지 아니한 구조의 것을 사용할 것
> 2. 습윤한 장소에 사용되는 꽂음접속기는 방수형 등 그 장소에 적합한 것을 사용할 것
> 3. 근로자가 해당 꽂음접속기를 접속시킬 경우에는 땀 등으로 젖은 손으로 취급하지 않도록 할 것
> 4. 해당 꽂음접속기에 잠금장치가 있는 경우에는 접속 후 잠그고 사용할 것

16 근로자가 충전전로에 취급하거나 그 인근에서 작업하는 경우 조치하여야 하는 사항으로 틀린 것은?

① 충전전로를 취급하는 근로자에게 그 작업에 적합한 절연용 보호구를 착용시킬 것
② 충전전로를 정전시키는 경우 차단장치나 단로기 등의 잠금장치 확인 없이 빠른 시간 내에 작업을 완료할 것
③ 충전전로에 근접한 장소에서 전기작업을 하는 경우에는 해당 전압에 적합한 절연용 방호구를 설치할 것
④ 고압 및 특별고압의 전로에서 전기작업을 하는 근로자에게 활선작업용 기구 및 장치를 사용하도록 할 것

> 해설
> 정전전로에서의 전로차단 절차
> 1. 전기기기 등에 공급되는 모든 전원을 관련 도면, 배선도 등으로 확인할 것
> 2. 전원을 차단한 후 각 단로기 등을 개방하고 확인할 것
> 3. 차단장치나 단로기 등에 잠금장치 및 꼬리표를 부착할 것
> 4. 개로된 전로에서 유도전압 또는 전기에너지가 축적되어 근로자에게 전기위험을 끼칠 수 있는 전기기기 등은 접촉하기 전에 잔류전하를 완전히 방전시킬 것
> 5. 검전기를 이용하여 작업 대상 기기가 충전되었는지를 확인할 것
> 6. 전기기기 등이 다른 노출 충전부와의 접촉, 유도 또는 예비동력원의 역송전 등으로 전압이 발생할 우려가 있는 경우에는 충분한 용량을 가진 단락 접지기구를 이용하여 접지할 것

17 콘덴서 및 전력 케이블 등을 고압 또는 특별고압 전기회로에 접촉하여 사용할 때 전원을 끊은 뒤에도 감전될 위험성이 있는 주된 이유로 볼수 있는 것은? (단, 통전 시간은 1초이다)

① 잔류전하 ② 접지선 불량
③ 접속기구 손상 ④ 절연 보호구 미사용

> 해설
> 개로된 전로에서 유도전압 또는 전기에너지가 축적되어 근로자에게 전기위험을 끼칠 수 있는 전기기기 등은 접촉하기 전에 잔류전하를 완전히 방전시킬 것

18 산업안전보건법상 충전선로의 선간전압과 접근 한계거리가 틀린 것은?

① 2kV 초과 15kV 이하 → 60cm
② 15kV 초과 37kV 이하 → 80cm
③ 37kV 초과 88kV 이하 → 110cm
④ 88kV 초과 121kV 이하 → 130cm

> 해설
> 충전전로에서의 전기작업
>
> | 충전전로의 선간전압
(단위 : 킬로볼트) | 충전전로에 대한 접근한계거리
(단위 : 센티미터) |
> |---|---|
> | 0.3 이하 | 접촉금지 |
> | 0.3 초과 0.75 이하 | 30 |
> | 0.75 초과 2 이하 | 45 |
> | 2 초과 15 이하 | 60 |
> | 15 초과 37 이하 | 90 |
> | 37 초과 88 이하 | 110 |
> | 88 초과 121 이하 | 130 |
> | 121 초과 145 이하 | 150 |
> | 145 초과 169 이하 | 170 |

정답 15 ④ 16 ② 17 ① 18 ②

충전전로의 선간전압 (단위 : 킬로볼트)	충전전로에 대한 접근한계거리 (단위 : 센티미터)
169 초과 242 이하	230
242 초과 362 이하	380
362 초과 550 이하	550
550 초과 800 이하	790

19 산업안전보건법령에 따라 충전전로 인근에서 차량, 기계 장치 등의 작업이 있는 경우에는 차량 등을 충전전로의 충전부로부터 얼마 이상 이격시켜 유지하여야 하는가?

① 1m
② 2m
③ 3m
④ 5m

해설
충전전로 인근에서 차량, 기계장치 등의 작업이 있는 경우 차량 등을 충전전로의 충전부로부터 300센티미터 이상 이격시켜 유지시키되, 대지전압이 50킬로볼트를 넘는 경우 이격시켜 유지하여야 하는 거리(이격거리)는 10킬로볼트 증가할 때마다 10센티미터씩 증가시켜야 한다. 다만, 차량 등의 높이를 낮춘 상태에서 이동하는 경우에는 이격거리를 120센티미터 이상(대지전압이 50킬로볼트를 넘는 경우에는 10킬로볼트 증가할 때마다 이격거리를 10센티미터씩 증가)으로 할 수 있다.

20 정전작업 시 주의할 사항으로 틀린 것은?

① 감독자를 배치시켜 스위치의 조작을 통제한다.
② 퓨즈가 있는 개폐기의 경우는 퓨즈를 제거한다.
③ 정전 작업 전에 작업내용을 충분히 작업원에게 주지시킨다.
④ 단시간에 끝나는 작업일 경우 작업원의 판단에 의해 작업한다.

해설
작업자가 전기위험이 있는 전기기기 등의 노출 충전부 또는 그 인근에서 작업을 하는 경우에는 유자격자만이 할 수 있도록 하여야 하며, 작업지휘자의 지시를 받아 작업하여야 한다.

21 전기기기의 절연의 종류와 최고허용온도가 바르게 연결된 것은?

① A − 90℃
② E − 105℃
③ F − 140℃
④ H − 180℃

해설
절연방식에 따른 분류

절연종별	허용최고온도[℃]	용도
Y종	90	저전압의 기기
A종	105	보통의 회전기, 변압기
E종	120	대용량 및 보통의 기기
B종	130	고전압의 기기
F종	155	고전압의 기기
H종	180	건식 변압기
C종	180 초과	특수한 기기

22 다음 중 인체의 접촉상태에 따른 최대 허용접촉전압의 연결이 올바르게 연결된 것은?

① 인체의 대부분이 수중에 있는 상태 : 10V 이하
② 인체가 현저하게 젖어 있는 상태 : 25V 이하
③ 통상의 인체상태에 있어서 접촉전압이 가해지더라도 위험성이 낮은 상태 : 30V 이하
④ 금속성의 전기기계장치나 구조물에 인체의 일부가 상시 접촉되어 있는 상태 : 50V 이하

해설
허용접촉전압

종별	접촉상태	허용접촉전압
제1종	인체의 대부분이 수중에 있는 상태	2.5V 이하
제2종	• 인체가 현저하게 젖어 있는 상태 • 금속성의 전기기계장치나 구조물에 인체의 일부가 상시 접촉되어 있는 상태	25V 이하
제3종	제1종, 제2종 이외의 경우로 통상의 인체상태에 있어서 접촉전압이 가해지면 위험성이 높은 상태	50V 이하
제4종	• 제1종, 제2종 이외의 경우로 통상의 인체상태에 있어서 접촉전압이 가해지더라도 위험성이 낮은 상태 • 접촉전압이 가해질 우려가 없는 상태	제한없음

TIP 종별 및 접촉상태에 따른 허용접촉전압은 자주 출제되고 있습니다. 함께 기억하세요.

23 전류밀도, 통전전류, 접촉면적과 피부저항과의 관계를 올바르게 표현한 것은?

① 전류밀도와 통전전류는 반비례 관계이다.
② 통전전류와 접촉면적에 관계없이 피부저항은 항상 일정하다.
③ 같은 크기의 통전전류가 흘러도 접촉면적이 커지면 전류밀도는 커진다.
④ 같은 크기의 통전전류가 흘러도 접촉면적이 커지면 피부저항은 작게 된다.

해설
피부와 전극 접촉면적에 의한 변화
같은 크기의 전류가 흘러도 접촉면적이 커지면 피부저항은 그만큼 적게 되며, 전류밀도 또한 줄어든다.

24 다음 중 전압의 분류가 잘못된 것은?

① 저압 – 1,000볼트 이하의 교류전압
② 저압 – 1,500볼트 이하의 직류전압
③ 고압 – 1,000볼트 초과 7,000볼트 이하의 교류작업
④ 초고압 – 1만 볼트를 초과하는 직류전압

해설
전압의 구분

전원의 종류	저압	고압	특고압
직류(DC)	1,500V 이하	1,500V 초과 7,000V 이하	7,000V 초과
교류(AC)	1,000V 이하	1,000V 초과 7,000V 이하	7,000V 초과

25 전기기계·기구의 누전에 의한 감전위험을 방지하기 위하여 해당 전로에는 정격에 적합하고 감도가 양호한 감전방지용 누전차단기를 설치하여야 한다. 이 누전차단기의 기준은 정격감도전류가 30mA 이하이고 작동시간은 몇 초 이내이어야 하는가?(단, 정격부하전류가 50A 미만의 전기기계·기구에 접속되는 누전차단기이다.)

① 0.03초　　　② 0.1초
③ 0.3초　　　④ 0.5초

해설
누전차단기 접속 시 준수사항
전기기계·기구에 설치되어 있는 누전차단기는 정격감도전류가 30밀리암페어 이하이고 작동시간은 0.03초 이내일 것(다만, 정격전부하전류가 50암페어 이상인 전기기계·기구에 접속되는 누전차단기는 오작동을 방지하기 위하여 정격감도전류는 200밀리암페어 이하로, 작동시간은 0.1초 이내로 할 수 있다.)

26 누전차단기의 선정 및 설치에 관한 설명으로 틀린 것은?

① 차단기를 설치한 전로에 과부하 보호장치를 설치하는 경우는 서로 협조가 잘 이루어지도록 한다.
② 정격부동작전류와 정격감도전류와의 차는 가능한 큰 차단기로 선정한다.
③ 휴대용, 이동용 전기기기에 설치하는 차단기는 정격감도전류가 낮고, 동작시간이 짧은 것을 선정한다.
④ 전로의 대지정전용량이 크면 차단기가 오동작하는 경우가 있으므로 각 분기회로마다 차단기를 설치한다.

해설
누전차단기의 성능
1. 설치되는 장소 및 부하의 종류에 따라 정격전류를 흘릴 수 있어야 한다.
2. 설치된 해당 전로의 최대단락전류를 차단할 수 있어야 한다.
3. 당해 누전차단기와 접속되어 있는 각각의 전기기기에 대하여 정격 감도전류는 30mA 이하, 동작시간은 0.03초 이내로 한다. 다만, 정격 전부하 전류가 50A 이상인 전기기기에 설치되는 누전차단기에는 오작동을 방지하기 위하여 정격 감도전류가 20mA 이하, 동작시간은 0.1초 이내로 할 수 있다.
4. 정격 부동작전류는 정격 감도전류의 50% 이상으로 하고, 이들의 전류값은 가능한 한 작게 한다.
5. 절연저항은 500V 절연저항계로 5MΩ 이상으로 한다.

27 산업안전보건법에 따라 누전에 의한 감전위험을 방지하기 위하여 대지전압이 몇 V를 초과하는 이동형 또는 휴대형 전기기계·기구에는 감전방지용 누전차단기를 설치하여야 하는가?

① 50V　　　② 75V
③ 110V　　　④ 150V

정답　23 ④　24 ④　25 ①　26 ②　27 ④

해설

감전방지용 누전차단기의 적용대상
1. 대지전압이 150볼트를 초과하는 이동형 또는 휴대형 전기기계·기구
2. 물 등 도전성이 높은 액체가 있는 습윤장소에서 사용하는 저압(1.5천볼트 이하 직류전압이나 1천볼트 이하의 교류전압)용 전기기계·기구
3. 철판·철골 위 등 도전성이 높은 장소에서 사용하는 이동형 또는 휴대형 전기기계·기구
4. 임시배선의 전로가 설치되는 장소에서 사용하는 이동형 또는 휴대형 전기기계·기구

28 누전차단기의 설치에 관한 설명으로 적절하지 않은 것은?

① 진동 또는 충격을 받지 않도록 한다.
② 전원전압의 변동에 유의하여야 한다.
③ 비나 이슬에 젖지 않은 장소에 설치한다.
④ 누전차단기의 설치는 고도와 관계가 없다.

해설

누전차단기의 설치 환경조건
1. 주위온도에 유의할 것 : 누전차단기는 −10 ~ +40℃ 범위 내에 설치
   - 옥외 : 직사광선 주의
   - 저온 습도가 있을 경우 : 결빙 주의
2. 표고 2,000m 이하의 장소에 설치 : 표고가 높아지면 기압이 낮아져 차단능력이 저하됨
3. 비나 이슬에 젖지 않는 장소로 할 것
4. 먼지가 적은 장소로 할 것
5. 이상한 진동 또는 충격을 받지 않는 장소로 할 것
6. 습도가 적은 장소로 할 것 : 상대습도 45~80% 사이의 장소에 설치할 것(지하실, 터널 등에서 주의)
7. 전원전압의 변동에 유의할 것 : 누전차단기는 전원전압이 정격전압의 85~110% 사이에서 사용할 것
8. 배선상태를 건조하게 유지할 것
9. 불꽃 또는 아크에 의한 폭발의 위험이 없는 장소에 설치할 것

29 다음 중 교류 아크 용접작업 시 작업자에게 발생할 수 있는 재해의 종류와 가장 거리가 먼 것은?

① 낙하·충돌 재해
② 피부 노출 시 화상 재해
③ 폭발, 화재에 의한 재해
④ 안구(눈)의 조작손상 재해

해설

교류 아크 용접 시 재해유형
1. 감전재해
2. 눈의 조직손상
3. 피부의 화상
4. 흄, 가스에 의한 재해
5. 화재, 폭발

30 교류아크용접기의 자동전격방지기는 대상으로 하는 용접기의 주회로를 제어하는 장치를 가지고 있어, 용접봉의 조작에 따라 용접할 때에만 용접기의 주회로를 형성하고, 그 외에는 용접기의 출력측의 무부하전압을 얼마 이하로 저하시키도록 동작하는 장치를 말하는가?

① 15V ② 25V
③ 30V ④ 50V

해설

자동전격방지기
용접기의 주 회로(변압기의 경우는 1차 회로 또는 2차 회로)를 제어하는 장치를 가지고 있어, 용접봉의 조작에 따라 용접할 때에만 용접기의 주 회로를 형성하고, 그 외에는 용접기의 출력 측의 무부하전압을 25볼트 이하로 저하시켜 감전의 위험 및 전력손실을 방지하는 장치를 말한다.

31 다음 중 교류 아크 용접에서 자동전격방지장치의 기능으로 틀린 것은?

① 감전위험방지
② 전력손실 감소
③ 정전기 위험방지
④ 무부하 시 안전전압 이하로 저하

해설

자동전격방지기
용접기의 주 회로(변압기의 경우는 1차 회로 또는 2차 회로)를 제어하는 장치를 가지고 있어, 용접봉의 조작에 따라 용접할 때에만 용접기의 주 회로를 형성하고, 그 외에는 용접기의 출력 측의 무부하전압을 25볼트 이하로 저하시켜 감전의 위험 및 전력손실을 방지하는 장치를 말한다.

32 다음 중 고압활선작업에 필요한 보호구에 해당하지 않는 것은?

① 절연대 ② 절연장갑
③ 절연장화 ④ AE형 안전모

정답 28 ④ 29 ① 30 ② 31 ③ 32 ①

해설

절연보호구

활선작업 또는 활선근접작업에서 감전을 방지하기 위하여 작업자가 신체에 착용하는 절연 안전모, 절연장갑, 절연화, 절연장화, 절연복 등을 말한다.

> **TIP** 절연대는 절연용 보호구가 아니라 활선작업용 장치에 해당된다.

33 다음 중 절연용 고무장갑과 가죽장갑의 안전한 사용방법으로 가장 적합한 것은?

① 활선작업에서는 가죽장갑만 사용한다.
② 활선작업에서는 고무장갑만 사용한다.
③ 먼저 가죽장갑을 끼고 그 위에 고무장갑을 낀다.
④ 먼저 고무장갑을 끼고 그 위에 가죽장갑을 낀다.

해설

절연 고무장갑의 사용 시 주의사항
1. B종 및 C종의 절연 고무장갑을 사용할 때는 고무장갑을 보호하기 위한 가죽장갑을 바깥쪽에 착용하여야 한다.
2. 절연 고무장갑은 절대로 안팎을 뒤집은 채 사용하면 안 된다.
3. 더운 날씨나 추운 날씨에는 절연 고무장갑 안에 면 장갑을 착용한다.
4. 열, 햇빛, 기름, 변형 등은 고무재질에는 치명적이므로 이러한 요인이 영향을 주지 않도록 최대한 보호해야 한다.

34 다음 중 내전압용 절연장갑의 등급에 따른 최대 사용전압이 올바르게 연결된 것은?

① 00등급 : 직류 750V
② 0등급 : 직류 1,000V
③ 00등급 : 교류 650V
④ 0등급 : 교류 1,500V

해설

내전압용 절연장갑의 등급

등급	최대사용전압		등급별 색상
	교류(V, 실효값)	직류(V)	
00	500	750	갈색
0	1,000	1,500	빨강색
1	7,500	11,250	흰색
2	17,000	25,500	노랑색
3	26,500	39,750	녹색
4	36,000	54,000	등색

35 절연용 기구의 작업 시작 전 점검사항으로 옳지 않은 것은?

① 고무소매의 육안점검
② 활선접근 경보기의 동작시험
③ 고무장화에 대한 절연내력시험
④ 고무장갑에 대한 공기점검 실시

해설

절연용 보호구의 작업 시작 전 점검사항
1. 고무장갑이나 고무장화에 대해서는 공기점검을 실시할 것
2. 고무소매 또는 절연의 등은 육안으로 점검할 것
3. 활선접근 경보기는 시험단추를 눌러 소리가 나는지 점검할 것

36 다음 중 전기화재의 직접적인 원인이 아닌 것은?

① 절연 열화
② 애자의 기계적 강도 저하
③ 과전류에 의한 단락
④ 접촉 불량에 의한 과열

해설

전기화재의 원인
1. 단락
2. 누전
3. 과전류
4. 스파크
5. 접촉부과열
6. 절연열화에 의한 발열
7. 지락
8. 낙뢰
9. 정전기 스파크

37 다음 중 최대공급전류가 200[A]인 단상전로의 한 선에서 누전되는 최소전류는 몇 [A]인가?

① 0.1 ② 0.2
③ 0.5 ④ 1.0

해설

허용누설전류

$$누설전류 = 최대공급전류 \times \frac{1}{2,000}$$

$누설전류 = 최대공급전류 \times \frac{1}{2,000}$
$= 200 \times \frac{1}{2,000} = 0.1[A]$

정답 33 ④ 34 ① 35 ③ 36 ② 37 ①

38 다음 중 누전화재라는 것을 입증하기 위한 요건이 아닌 것은?

① 누전점 ② 발화점
③ 접지점 ④ 접속점

해설
전기누전으로 인한 화재조사 시에 착안해야 할 입증 흔적
1. 누전점 : 전류의 유입점
2. 발화점 : 발화된 장소
3. 접지점 : 전류의 유출점

39 다음 중 전기화재의 주요 원인이 되는 전기의 발열현상에서 가장 큰 열원에 해당하는 것은?

① 줄(Joule)열 ② 고주파 가열
③ 자기유도에 의한 열 ④ 전기화학 반응열

해설
줄(Joule)의 법칙
1. 전선에 전류가 흐르면서 줄(Joule)의 법칙에 의해 발생한 열이 전선에서의 방열보다 커져 발화의 원인이 된다.
2. 저항체에 흐르는 전류의 크기와 이 저항체에서 단위시간당 발생하는 열량과의 관계를 나타내는 법칙

$$Q = I^2RT$$

여기서, Q : 열량[J], I : 전류[A], R : 저항[Ω]
T : 전류가 흐른 시간[sec]

40 다음 중 전선이 연소될 때의 단계별 순서로 가장 적절한 것은?

① 착화단계 → 순시용단 단계 → 발화단계 → 인화단계
② 인화단계 → 착화단계 → 발화단계 → 순시용단 단계
③ 순시용단 단계 → 착화단계 → 인화단계 → 발화단계
④ 발화단계 → 순시용단 단계 → 착화단계 → 인화단계

해설
배선의 용단단계에 따른 전선 전류밀도(전선의 연소 과정)

단계	인화단계	착화단계	발화단계		순시용단 단계
			심선이 용단		심선용단 및 도선폭발
	허용 전류의 3배 정도	큰 전류, 점화원 없이 착화연소	발화 후 용단	용단과 동시발화	
전류밀도 (A/mm²)	40~43	43~60	60~70	75~120	120 이상

41 다음 중 전기화재의 원인에 관한 설명으로 가장 거리가 먼 것은?

① 단락된 순간의 전류는 정격전류보다 크다.
② 전류에 의해 발생되는 열은 전류의 제곱에 비례하고, 저항에 비례한다.
③ 누전, 접촉불량 등에 의한 전기화재는 배선용 차단기나 누전차단기로 예방이 가능하다.
④ 전기화재의 발화형태별 원인 중 가장 큰 비율을 차지하는 것은 전기배선의 단락이다.

해설
누전으로 인한 전기화재는 누전차단기의 설치로 예방이 가능하나 접촉 불량으로 인한 화재예방은 누전차단기 등의 설치로는 근본적으로 불가능하며 공사 시 시공을 철저히 하고 전기설비의 점검을 철저히 하여 화재를 예방하여야 한다.

42 다음 중 의료용 전자기기(Medical Electronic Instrument)에서 인체의 마이크로 쇼크(Micro Shock) 방지를 목적으로 시설하는 접지로 가장 적절한 것은?

① 기기접지 ② 계통접지
③ 등전위접지 ④ 정전접지

해설
등전위접지
1. 병원에 있어서의 의료 기기 사용 시의 안전
2. 0.1Ω 이하 접지공사

43 산업안전보건법상 누전에 의한 감전의 위험을 방지하기 위하여 접지를 하여야 하는 부분으로 고정 설치되거나 고정배선에 접속된 전기기계·기구의 노출된 비충전 금속체 중 충전될 우려가 있는 접지 대상에 해당하지 않는 것은?

① 사용전압이 대지전압 75볼트를 넘는 것
② 물기 또는 습기가 있는 장소에 설치되어 있는 것
③ 금속으로 되어 있는 기기접지용 전선의 피복·외장 또는 배선관
④ 지면이나 접지된 금속체로부터 수직거리 2.4m, 수평거리 1.5m 이내인 것

해설

전기 기계 · 기구의 접지(접지 대상)
1. 전기 기계 · 기구의 금속제 외함, 금속제 외피 및 철대
2. 고정 설치되거나 고정배선에 접속된 전기기계 · 기구의 노출된 비충전 금속체 중 충전될 우려가 있는 다음 각 목의 어느 하나에 해당하는 비충전 금속체
   - 지면이나 접지된 금속체로부터 수직거리 2.4미터, 수평거리 1.5미터 이내인 것
   - 물기 또는 습기가 있는 장소에 설치되어 있는 것
   - 금속으로 되어 있는 기기접지용 전선의 피복 · 외장 또는 배선관 등
   - 사용전압이 대지전압 150볼트를 넘는 것

44 다음 중 산업안전보건법에 따라 누전에 의한 감전의 위험을 방지하기 위하여 확실한 접지를 하여야 하는 부분에 해당하지 않는 것은?

① 전기기계 · 기구의 금속제 외함 · 금속제 외피 및 철대
② 전기를 사용하지 아니하는 설비 중 전동식 양중기의 프레임에 해당하는 금속제
③ 사용전압이 대지전압이 150V를 넘는 코드 및 플러그를 접속하여 사용하는 전기기계 · 기구의 노출된 비충전 금속체
④ 전기용품안전 관리법에 의한 이중절연구조 또는 이와 동등 이상으로 보호되는 전기기계 · 기구

해설

접지를 하지 않아도 되는 대상
1. 이중절연구조 또는 이와 같은 수준 이상으로 보호되는 구조로 된 전기기계 · 기구
2. 절연대 위 등과 같이 감전 위험이 없는 장소에서 사용하는 전기기계 · 기구
3. 비접지방식의 전로(그 전기기계 · 기구의 전원 측의 전로에 설치한 절연변압기의 2차 전압이 300볼트 이하, 정격용량이 3킬로볼트암페어 이하이고 그 절연전압기의 부하 측의 전로가 접지되어 있지 아니한 것으로 한정)에 접속하여 사용되는 전기기계 · 기구

45 전기설비의 접지저항을 감소시킬 수 있는 방법으로 가장 거리가 먼 것은?

① 접지극을 깊이 묻는다.
② 접지극을 병렬로 접속한다.
③ 접지극의 길이를 길게 한다.
④ 접지극과 대지 간의 접촉을 좋게 하기 위해서 모래를 사용한다.

해설

접지저항 저감방법

물리적 저감법	수평 공법	1. 접지극 병렬접속(병렬법) : 접지봉 등을 병렬접속하고 접지 전극의 면적을 크게 한다. 2. 접지극의 치수 확대 : 접지봉의 지름을 2배 정도 증대 시 접지저항의 10% 정도 감소 3. 메시(Mesh) 공법 : 공용접지 시 안정성 및 효과가 뛰어남
	수직 공법	1. 보링 공법 : 보링기로 지하를 뚫어 접지 저감제를 채운 후 접지극을 매설하는 방식 2. 접지봉 심타법 : 접지극 매설깊이를 깊게 한다.(지표면 아래 75cm 이하에 시설)
화학적 저감법 (약품법)		1. 접지극 주변 토양 개량 2. 접지저항 저감제를 사용하여 접지극에 주입 3. 접지극 주위에 전해질계 또는 화학적 약제를 뿌려 대지 저항률을 낮추는 방법

46 다음 중 이상적인 피뢰기가 가져야 할 성능이 아닌 것은?

① 제한전압이 높을 것
② 방전개시전압이 낮을 것
③ 뇌전류 방전능력이 높을 것
④ 속류차단을 빠르게 할 것

해설

피뢰기의 구비성능
1. 충격 방전 개시 전압과 제한 전압이 낮을 것
2. 반복 동작이 가능할 것
3. 구조가 견고하며 특성이 변화하지 않을 것
4. 점검, 보수가 간단할 것
5. 뇌전류의 방전능력이 클 것
6. 속류의 차단이 확실하게 될 것

47 전기화재에서 출화의 경과에 대한 화재예방대책에 해당하지 않는 것은?

① 단락 및 혼촉을 방지한다.
② 누전사고의 요인을 제거한다.
③ 접촉불량방지와 안전점검을 철저히 한다.
④ 단일 인입구에 여러 개의 전기코드를 연결한다.

정답 44 ④ 45 ④ 46 ① 47 ④

해설

출화의 경과에 대한 화재예방 대책
1. 단락 및 혼촉 방지
2. 과전류방지
3. 지락 및 누전방지
4. 접촉 불량 방지와 안전점검 철저

48 정전기의 대전현상이 아닌 것은?

① 교반대전   ② 충돌대전
③ 박리대전   ④ 망상대전

해설

정전기 발생현상
1. 마찰대전   6. 유도대전
2. 박리대전   7. 비말대전
3. 유동대전   8. 파괴대전
4. 분출대전   9. 교반대전(진동대전)
5. 충돌대전

49 파이프 등에 유체가 흐를 때 발생하는 유동대전에 가장 큰 영향을 미치는 요인은?

① 유체의 이동거리   ② 유체의 정도
③ 유체의 속도   ④ 유체의 양

해설

유동대전
1. 액체류를 파이프 등으로 수송할 때 액체류가 파이프 등과 접촉하여 두 물질의 경계에 전기 2중층이 형성되어 정전기 발생
2. 액체류의 유동속도가 정전기 발생에 큰 영향을 준다.
3. 파이프 속에 저항이 높은 액체가 흐를 때 발생

50 페인트를 스프레이로 뿌려 도장작업을 하는 작업 중 발생할 수 있는 정전기 대전으로만 이루어진 것은?

① 분출대전, 충돌대전   ② 충돌대전, 마찰대전
③ 유동대전, 충돌대전   ④ 분출대전, 유동대전

해설

정전기의 발생현상

분출대전	분체류, 액체류, 기체류가 단면적이 작은 개구부를 통해 분출할 때 분출물과 개구부의 마찰로 인하여 정전기가 발생
충돌대전	분체류에 의한 입자끼리 또는 입자와 고정된 고체의 충돌, 접촉, 분리 등에 의해 정전기 발생

51 일반적인 방전형태의 종류가 아닌 것은?

① 스트리머(Streamer) 방전
② 적외선(Infrared Ray) 방전
③ 코로나(Corona) 방전
④ 연면(Surface)

해설

정전기 방전의 형태
1. 코로나(Corona) 방전
2. 스트리머(Streamer) 방전
3. 불꽃(Spark) 방전
4. 연면(Surface) 방전
5. 브러시(Brush) 방전
6. 뇌상방전

52 방전에너지가 크지 않은 코로나 방전이 발생할 경우 공기 중에 발생할 수 있는 것은?

① O_2 ② O_3
③ N_2 ④ N_3

해설

코로나(Corona) 방전
1. 고체에 정전기가 축적되면 전위가 높아지게 되고 고체표면의 전위경도가 어느 일정치를 넘어서면 낮은 소리와 연한 빛을 수반하는 방전
2. 방전현상으로 공기 중에서 오존(O_3)이 발생

53 정전기 방전의 종류 중 부도체의 표면을 따라서 Star-check 마크를 가지는 나뭇가지 형태의 발광을 수반하는 것은?

① 기중방전   ② 불꽃방전
③ 연면방전   ④ 고압방전

해설

연면(Surface) 방전
1. 공기 중에 놓여진 절연체 표면의 전계강도가 큰 경우 고체 표면을 따라 진행하는 방전
2. 부도체의 표면을 따라서 Star-check 마크를 가지는 나뭇가지 형태의 발광을 수반한다.
3. 대전이 큰 엷은 층상의 부도체를 박리할 때 또는 엷은 층상의 대전된 부도체의 뒷면에 밀접한 접지체가 있을 때 표면에 연한 복수의 수지상 발광을 수반하여 발생하는 방전

정답 48 ④ 49 ③ 50 ① 51 ② 52 ② 53 ③

54 다음 중 정전기의 발생에 영향을 주는 요인과 가장 관계가 먼 것은?

① 물질의 표면상태 ② 물질의 분리속도
③ 물질의 표면온도 ④ 물질의 접촉면적

해설
정전기 발생의 영향 요인(정전기 발생요인)
1. 물체의 특성   4. 접촉면적 및 압력
2. 물체의 표면상태 5. 분리속도
3. 물체의 이력   6. 완화시간

55 정전기 발생량과 관련된 내용으로 옳지 않은 것은?

① 분리속도가 빠를수록 정전기량이 많아진다.
② 두 물질 간의 대전서열이 가까울수록 정전기의 발생량이 많다.
③ 접촉면적이 넓을수록, 접촉압력이 증가할수록 정전기 발생량이 많아진다.
④ 물질의 표면이 수분이나 기름 등에 오염되어 있으면 정전기 발생량이 많아진다.

해설
물체의 특성
1. 접촉 분리하는 두 가지 물체의 상호 특성에 의해 결정되며 한 가지 물체만의 특성에는 전혀 영향을 받지 않는다.
2. 일반적으로 대전량은 접촉이나 분리하는 두 가지 물체가 대전서열 내에서 가까운 곳에 있으면 적고 먼 위치에 있을 수록 대전량이 큰 경향이 있다.
3. 즉 대전서열의 차이가 클수록 정전기 발생량이 크다.
4. 물체가 불순물을 포함하고 있으면 이 불순물로 정전기 발생량은 커지게 된다.

56 다음 중 스파크 방전으로 인한 가연성 가스, 증기 등에 폭발을 일으킬 수 있는 조건이 아닌 것은?

① 가연성 물질이 공기와 혼합비를 형성, 가연범위 내에 있다.
② 방전 에너지가 가연 물질의 최소착화에너지 이상이다.
③ 방전에 충분한 전위치가 있다.
④ 대전 물체는 신뢰성과 안전성이 있다.

해설
정전기 방전에 의한 폭발·화재가 일어나기 위한 조건
1. 가연성 물질이 폭발한계에 있을 것
2. 정전기 방전에너지가 가연성 물질의 최소 착화에너지 이상일 것
3. 방전하기에 충분한 전위차가 있을 것

TIP 대전물체가 신뢰성과 안전성이 높으면 폭발이 발생하지 않는다.

57 착화에너지가 0.1mJ이고 가스를 사용하는 사업장 전기설비의 정전용량이 0.6nF일 때 방전 시 착화 가능한 최소 대전 전위는 약 얼마인가?

① 289V ② 385V
③ 577V ④ 1154V

해설
정전 에너지

$$W = \frac{1}{2}CV^2 = \frac{1}{2}QV = \frac{1}{2}\frac{Q^2}{C}$$

대전 전하량$(Q) = C \cdot V$, 대전 전위$(V) = \frac{Q}{C}$

여기서, W : 정전기 에너지[J], C : 도체의 정전용량[F]
V : 대전 전위[V], Q : 대전 전하량[C]

1. $W = \frac{1}{2}CV^2 \rightarrow 2W = CV^2 \rightarrow V^2 = \frac{2W}{C} \rightarrow V = \sqrt{\frac{2W}{C}}$

2. $V = \sqrt{\frac{2W}{C}} = \sqrt{\frac{2 \times 0.1 \times 10^{-3}}{0.6 \times 10^{-9}}} = 577[V]$

TIP
1. $1nF = 10^{-9}F$, $1mJ = 10^{-3}J$
2. 공식을 묻는 문제도 출제되고 있습니다. 함께 기억하세요.

58 절연된 컨베이어 벨트 시스템에서 발생하는 정전기의 전압이 10kV이고 이때 정전용량이 5pF일 때 이 시스템에서 1회의 정전기 방전으로 생성될 수 있는 에너지는 얼마인가?

① 0.2mJ ② 0.25mJ
③ 0.5mJ ④ 0.25J

정답 54 ③ 55 ② 56 ④ 57 ③ 58 ②

해설

정전 에너지

$$W = \frac{1}{2}CV^2 = \frac{1}{2}QV = \frac{1}{2}\frac{Q^2}{C}$$

대전 전하량 $(Q) = C \cdot V$, 대전 전위 $(V) = \frac{Q}{C}$

여기서, W : 정전기 에너지[J], C : 도체의 정전용량[F]
V : 대전 전위[V], Q : 대전 전하량[C]

$$W = \frac{1}{2}CV^2 = \frac{1}{2} \times (5 \times 10^{-12}) \times (10,000)^2$$
$$= 0.00025[J] = 0.25[mJ]$$

TIP $1pF = 10^{-12}F$, $1mJ = 10^{-3}J$, $1V = 10^{-3}kV$

---

59 다음 중 정전기의 제거 방법으로 적절하지 않은 것은?

① 가습
② 자외선 조사
③ 금속부분의 접지
④ 제전기 활용

해설

정전기 재해의 방지대책
1. 접지(도체의 대전방지)
2. 유속의 제한
3. 보호구의 착용
4. 대전방지제 사용
5. 가습(상대습도를 60~70% 정도 유지)
6. 제전기 사용
7. 대전물체의 차폐
8. 정치시간의 확보
9. 도전성 재료 사용

---

60 유류저장 탱크에서 배관을 통해 드럼으로 기름을 이송하고 있다. 이때 유동전류에 의한 정전대전 및 정전기 방전에 의한 피해를 방지하기 위한 조치와 관련이 먼 것은?

① 유체가 흘러가는 배관을 접지시킨다.
② 배관 내 유류의 유속은 가능한 느리게 한다.
③ 유류저장 탱크와 배관, 드럼 간에 본딩(Bonding)을 시킨다.
④ 유류를 취급하고 있으므로 화기 등을 가까이 하지 않도록 점화원 관리를 한다.

해설

정전기 재해의 방지대책
1. 접지(도체의 대전방지)
2. 유속의 제한
3. 보호구의 착용
4. 대전방지제 사용
5. 가습(상대습도를 60~70% 정도 유지)
6. 제전기 사용
7. 대전물체의 차폐
8. 정치시간의 확보
9. 도전성 재료 사용

TIP 점화원관리는 화재예방관리에 해당된다.

---

61 금속도체 상호 간 혹은 대지에 대하여 전기적으로 절연되어 있는 2개 이상의 금속도체를 전기적으로 접속하여 서로 같은 전위를 형성하여 정전기 사고를 예방하는 기법을 무엇이라 하는가?

① 본딩
② 1종 접지
③ 대전 분리
④ 특별 접지

해설

본딩 및 접지

본딩	1. 둘 또는 그 이상의 도전성 물질이 같은 전위를 갖도록 도체로 접속하는 것을 말한다. 2. 도전성 물체 사이의 전위차를 줄이기 위해 사용된다.
접지	1. 도체를 대지와 접속함으로써 그 전위를 '0'으로 만드는 것을 말한다. 2. 물체와 대지 사이의 전위차를 같게 하는 것이다.

---

62 다음은 정전기로 인한 재해를 방지하기 위한 조치 중 전기를 통하지 않는 부도체 물질에 적합하지 않는 조치는?

① 가습을 시킨다.
② 접지를 실시한다.
③ 도전성을 부여한다.
④ 자기방전식 제전기를 설치한다.

해설

부도체의 대전방지
부도체는 전하의 이동이 쉽게 일어나지 않기 때문에 접지로는 대전방지의 효과를 기대하기 어려워 정전기 발생 억제가 기본이며 가능하면 부도체를 사용하지 말고 금속도전성 재료를 사용하는 것이 바람직하다.

정답 59 ② 60 ④ 61 ① 62 ②

> **TIP** 도체의 대전방지를 위해서는 도체와 대지 사이를 접지하여 정전기 축적을 방지

63 인화성 액체에 의한 정전기 재해를 방지하기 위해서는 관 내의 유속을 몇 m/s 이하로 유지하여야 하는가?

① 1 ② 2
③ 3 ④ 4

해설

유속의 제한
1. 저항률이 $10^{10}\Omega \cdot cm$ 미만의 도전성 위험물의 배관유속은 7m/s 이하로 할 것
2. 에텔, 이황화탄소 등과 같이 유동대전이 심하고 폭발 위험성이 높은 것은 배관 내 유속을 1m/s 이하로 할 것
3. 물기가 기체를 혼합한 비수용성 위험물은 배관 내 유속을 1m/s 이하로 할 것

64 다음 중 제전기의 종류에 해당하지 않는 것은?

① 전류제어식 ② 전압인가식
③ 자기방전식 ④ 방사선식

해설

제전기의 종류
1. 전압인가식 제전기
2. 자기방전식 제전기
3. 방사선식 제전기(이온식 제전기)

65 다음 중 방폭구조의 종류와 기호가 잘못 연결된 것은?

① 유입방폭구조 − o ② 압력방폭구조 − p
③ 내압방폭구조 − d ④ 본질안전방폭구조 − e

해설

방폭구조의 종류 및 기호

종류	기호	종류	기호	종류	기호
내압 방폭구조	d	안전증 방폭구조	e	비점화 방폭구조	n
압력 방폭구조	p	특수 방폭구조	s	몰드방폭구조	m
유입 방폭구조	o	본질안전 방폭구조	i(ia, ib)	충전방폭구조	q

66 점화원이 될 우려가 있는 부분을 용기 내에 넣고 신선한 공기 또는 불연성 가스 등의 보호기체를 용기의 내부에 압입함으로써 내부의 압력을 유지하여 폭발성 가스가 침입하지 못하도록 한 구조의 방폭구조는 무엇인가?

① 압력 방폭구조(p) ② 내압 방폭구조(d)
③ 유입 방폭구조(O) ④ 안전증 방폭구조(e)

해설

압력 방폭구조(Pressurized Type, p)의 개요
점화원이 될 우려가 있는 부분을 용기 안에 넣고 보호 기체(신선한 공기 또는 불활성 기체)를 용기 안에 압입함으로써 폭발성 가스가 침입하는 것을 방지하도록 되어 있는 방폭 구조(전폐형 구조)

67 다음 중 전폐형 구조의 방폭구조가 아닌 것은?

① 내압 방폭구조 ② 유입 방폭구조
③ 압력 방폭구조 ④ 안전증 방폭구조

해설

전폐형 구조의 방폭구조
1. 내압 방폭구조
2. 압력 방폭구조
3. 유입 방폭구조

68 방폭구조의 종류 중 전기기기의 과도한 온도 상승, 아크 또는 불꽃 발생의 위험을 방지하기 위하여 추가적인 안전 조치를 통한 안전도를 증가시킨 방폭구조를 무엇이라 하는가?

① 안전증 방폭구조 ② 본질안전 방폭구조
③ 충전 방폭구조 ④ 비점화 방폭구조

해설

안전증 방폭구조(Increased Safety Type, e)
1. 전기기기의 정상 사용조건 및 특정 비정상 상태에서 과한 온도 상승, 아크 또는 스파크의 발생 위험을 방지하기 위해 추가적인 안전조치를 통한 안전도를 증가시킨 방폭구조
2. 전기기구의 권선, 접점부, 단자부 등과 같은 부분이 정상적인 운전 중에는 불꽃, 아크 또는 과열이 발생되지 않는 부분에 대하여 방지하기 위한 구조와 온도 상승에 대해 특히 안전도를 증가시킨 구조

정답 63 ① 64 ① 65 ④ 66 ① 67 ④ 68 ①

69 전기기기의 불꽃 또는 열로 인해 폭발성 위험분위기에 점화되지 않도록 컴파운드를 충전해서 보호한 방폭구조는?

① 몰드 방폭구조 ② 비점화 방폭구조
③ 안전증 방폭구조 ④ 본질안전 방폭구조

해설

몰드 방폭구조(Encapsulation, m)
전기기기의 불꽃 또는 열로 인해 폭발성 위험분위기에 점화되지 않도록 컴파운드를 충전해서 보호한 방폭구조를 말한다.

70 내압(耐壓)방폭 구조에서 방폭전기기기의 폭발등급에 따른 최대안전틈새의 범위(mm) 기준으로 옳은 것은?

① ⅡA－0.65 이상
② ⅡA－0.5 초과 0.9 미만
③ ⅡC－0.25 미만
④ ⅡC－0.5 이하

해설

내압 방폭구조 전기기기를 대상으로 하는 가스 또는 증기의 분류

최대안전틈새	가스 또는 증기의 분류	내압 방폭구조 전기기기의 분류
0.9mm 이상	A	ⅡA
0.5mm 초과 0.9mm 미만	B	ⅡB
0.5mm 이하	C	ⅡC

71 다음 중 발화도 G₁의 발화점의 범위로 옳은 것은?

① 450℃ 초과
② 300℃ 초과 450℃ 이하
③ 2,000℃초과 300℃ 이하
④ 135℃ 초과 200℃ 이하

해설

가연성 가스의 발화온도

발화도	G_1	G_2	G_3	G_4	G_5	G_6
발화점의 범위(℃)	450 초과	300 초과 450 이하	200 초과 300 이하	135 초과 200 이하	100 초과 135 이하	85 초과 100 이하

72 산업안전보건법령상 방폭전기설비의 위험장소 분류에 있어 보통 상태에서 위험분위기를 발생할 염려가 있는 장소로서 폭발성 가스가 보통상태에서 집적되어 위험농도로 될 염려가 있는 장소를 몇 종 장소라 하는가?

① 0종 장소 ② 1종 장소
③ 2종 장소 ④ 3종 장소

해설

가스폭발 위험장소

분류	적요	예
0종 장소	인화성 액체의 증기 또는 가연성 가스에 의한 폭발위험이 지속적으로 또는 장기간 존재하는 장소	용기·장치·배관 등의 내부 등
1종 장소	정상작동상태에서 폭발위험분위기가 존재하기 쉬운 장소	맨홀·벤트·피트 등의 주위
2종 장소	정상작동상태에서 폭발위험분위기가 존재할 우려가 없으나, 존재할 경우 그 빈도가 아주 적고 단기간만 존재할 수 있는 장소	개스킷·패킹 등의 주위

TIP 가스폭발 위험장소의 종류 3가지도 함께 기억하세요.

73 위험장소의 분류에 있어 다음 설명에 해당하는 것은?

분진운 형태의 가연성 분진이 폭발농도를 형성할 정도로 충분한 양이 정상작동 중에 연속적으로 또는 자주 존재하거나 제어할 수 없을 정도의 양 및 두께의 분진층이 형성될 수 있는 장소

① 0종 장소 ② 20종 장소
③ 1종 장소 ④ 21종 장소

해설

분진폭발 위험장소

분류	적요	예
20종 장소	분진운 형태의 가연성 분진이 폭발농도를 형성할 정도로 충분한 양이 정상 작동 중에 연속적으로 또는 자주 존재하거나, 제어할 수 없을 정도의 양 및 두께의 분진층이 형성될 수 있는 장소를 말한다.	호퍼·분진저장소·집진장치·필터 등의 내부

정답 69 ① 70 ④ 71 ① 72 ② 73 ②

분류	적요	예
21종 장소	20종 장소 밖으로서(장소 외의 장소로서) 분진운 형태의 가연성 분진이 폭발농도를 형성할 정도의 충분한 양이 정상 작동 중에 존재할 수 있는 장소를 말한다.	집진장치 · 백필터 · 배기구 등의 주위, 이송벨트 샘플링 지역 등
22종 장소	21종 장소 밖으로서(장소 외의 장소로서) 가연성 분진운 형태가 드물게 발생 또는 단기간 존재할 우려가 있거나, 이상 작동 상태하에서 가연성 분진운이 형성될 수 있는 장소를 말한다.	21종 장소에서 예방조치가 취하여진 지역, 환기설비 등과 같은 안전장치 배출구 주위 등

TIP 분진폭발 위험장소의 종류 3가지와 21종 장소의 내용에 관해서도 출제되고 있습니다. 함께 기억하세요.

74 전기설비로 인한 화재폭발의 위험분위기를 생성하지 않도록 하기 위해 필요한 대책으로 가장 거리가 먼 것은?

① 폭발성 가스의 사용 방지
② 폭발성 분진의 생성 방지
③ 폭발성 가스의 체류 방지
④ 폭발성 가스 누설 및 방출 방지

해설
위험분위기 생성방지

가연성 물질 누설 및 방출방지	1. 위험물질의 사용을 억제하고 개방상태에서의 사용금지 2. 배관의 이음부분, 펌프의 회전축 틈새 등에서 누설을 방지
가연성 물질의 체류방지	1. 공기 중에 누설 또는 방출되기 쉬운 가연성 물질을 취급하는 장소는 옥외 또는 외벽에 개방된 건물에 설치 2. 환기가 불충분한 장소는 강제 환기를 시켜 체류방지
폭발성 분진의 생성방지	1. 분진의 퇴적 및 분진운의 생성을 방지 2. 분진의 제거 및 정전기의 발생을 방지

75 전기설비의 점화원 중 잠재적 점화원에 속하지 않는 것은?

① 전동기 권선 ② 마그네트 코일
③ 케이블   ④ 릴레이 전기접점

해설
전기설비의 점화원

구분	현재적 점화원	잠재적 점화원
개념	정상운전 중 전기불꽃, 고온이 되는 점화원	이상상태에서 전기불꽃, 고온부분이 되는 점화원
종류	1. 직류전동기의 정류자 2. 권선형 유도전동기의 슬립링 3. 고온부로서 전열기, 저항기, 전동기의 고온부 4. 개폐기 및 차단기류의 접점 5. 제어기기 및 보호계전기의 전기접점 등	1. 전동기의 권선 2. 변압기의 권선 3. 마그네트 코일 4. 전기적 광원 5. 케이블 기타 배선

76 위험분위기가 존재하는 장소의 전기기기에 방폭성을 갖추기 위한 일반적 방법으로 적절하지 않은 것은?

① 점화원의 격리
② 전기기기 안전도 증강
③ 점화능력의 본질적 억제
④ 점화원으로 되는 확률을 0으로 낮춤

해설
전기설비의 방폭화

점화원의 실질적 (방폭적) 격리	내압 방폭구조	내부 폭발이 주위에 파급되지 않게 함
	압력 방폭구조	점화원을 주위 폭발성 가스로부터 격리
	유입 방폭구조	점화원을 油 등에 넣어 격리
전기설비의 안전도 증가	안전증 방폭구조	정상상태에서 불꽃이나 고온부가 존재하는 전기기기의 안전도를 증대시킴
점화능력의 본질적 억제	본질안전 방폭구조	본질적으로 폭발성 물질이 점화되지 않는다는 것이 시험 등에 의해 확인된 구조를 사용

TIP 전기설비로 인한 화재, 폭발방지를 위해서는 위험분위기 생성확률과 전기설비가 점화원으로 되는 확률과의 곱이 0이 되도록 하여야 한다.

정답 74 ① 75 ④ 76 ④

77 방폭전기기기를 선정할 경우 고려할 사항으로 가장 거리가 먼 것은?

① 접지공사의 종류
② 가스 등의 발화온도
③ 설치될 지역의 방폭지역 등급
④ 내압 방폭구조의 경우 최대 안전틈새

해설

방폭전기설비의 선정 시 고려사항
1. 방폭전기기기가 설치될 지역의 방폭지역 등급 구분
2. 가스 등의 발화온도
3. 내압 방폭구조의 경우 최대 안전틈새
4. 본질안전 방폭구조의 경우 최소점화 전류
5. 압력 방폭구조, 유입 방폭구조, 안전증 방폭구조의 경우 최고표면온도
6. 방폭전기기기가 설치될 장소의 주변온도, 표고 또는 상대 습도, 먼지, 부식성 가스 또는 습기 등의 환경조건
7. 모든 방폭 전기설비는 가스 등의 발화온도의 분류와 적절히 대응하는 온도등급의 것을 선정하여야 함

78 다음 중 방폭전기설비가 설치되는 표준환경조건에 해당되지 않는 것은?

① 표고는 1,000m 이하
② 상대습도는 30~95% 범위
③ 주변온도는 −20℃ ~ +40℃ 범위
④ 전기설비에 특별한 고려를 필요로 하는 정도의 공해, 부식성 가스, 진동 등이 존재하지 않는 장소

해설

방폭구조 전기설비 설치 시 표준환경조건

주변온도	−20~40℃
표고	1,000m 이하
상대습도	45~85%
공해, 부식성 가스 등	전기설비에 특별한 고려를 필요로 하는 정도의 공해, 부식성 가스, 진동 등이 존재하지 않는 환경

PART 05

화학설비 안전관리 예상문제

PART 05 화학설비 안전관리 예상문제

01 다음 중 연소의 3요소에 해당되지 않는 것은?
① 가연물 ② 점화원
③ 연쇄반응 ④ 산소공급원

해설
연소의 3요소
1. 가연성 물질(가연물) 2. 산소공급원 3. 점화원

02 다음 중 점화원에 해당하지 않는 것은?
① 기화열 ② 충격·마찰
③ 복사열 ④ 고온물질표면

해설
점화원
1. 연소반응을 일으킬 수 있는 최소의 에너지(활성화 에너지)
2. 전기불꽃, 정전기 불꽃, 충격에 의한 불꽃, 마찰에 의한 불꽃, 단열 압축열, 고온 표면, 나화, 복사열 등
3. 점화원의 구분

기계적 점화원	충격, 마찰, 단열압축 등
전기적 점화원	전기적 스파크, 정전기 등
열적 점화원	불꽃, 고열표면, 용융물 등
자연발화	자연발화물질의 자연발화에 의한 발화에너지는 점화원이 된다.

TIP 기화열
액체가 기체로 바뀔 때 외부에서 흡수하는 열량을 말하며, 흡수된 열이 온도 상승을 위해 사용하지 않고, 기화를 위한 에너지로 사용되므로 기화잠열이라고도 한다.

03 다음 중 충분히 높은 온도에서 혼합물(연료와 공기)이 점화원 없이 발화 또는 폭발을 일으키는 최저온도를 무엇이라 하는가?
① 착화점 ② 연소점
③ 유용점 ④ 인화점

해설
발화점(ignition point, 발화온도, 착화점, 착화온도)
착화원(점화원)이 없는 상태에서 가연성 물질을 공기 또는 산소 중에서 가열하였을 때 발화되는 최저온도

04 다음 중 자연발화에 대한 설명으로 가장 적절한 것은?
① 습도를 높게 하면 자연발화를 방지할 수 있다.
② 점화원을 잘 관리하면 자연발화를 방지할 수 있다.
③ 윤활유를 닦은 걸레의 보관 용기로는 금속재보다는 플라스틱 제품이 더 좋다.
④ 자연발화는 외부로 방출하는 열보다 내부에서 발생하는 열의 양이 많은 경우에 발생한다.

해설
자연발화
외부로 방열하는 열보다 내부에서 발생하는 열의 양이 많은 경우에 발생

TIP
1. 자연발화의 방지를 위해서 습도가 높지 않도록 할 것 (습도가 높은 것을 피할 것)
2. 자연발화는 점화원 없이 스스로 발열하여 발화·연소 되는 현상이다.
3. 기름걸레는 자연발화하므로 안전하게 금속재에 보관한다.(플라스틱은 열전도율이 낮아 열의 축적에 의해 위험성이 더 크다.)

05 윤활유를 닦은 기름걸레를 햇빛이 잘 드는 작업장의 구석에 모아 두었을 때 가장 발생 가능성이 높은 재해는?
① 분진폭발
② 자연발화에 의한 화재
③ 정전기 불꽃에 의한 화재
④ 기계의 마찰열에 의한 화재

해설
자연발화

개념	외부로 방열하는 열보다 내부에서 발생하는 열의 양이 많은 경우에 발생
자연발화의 형태	1. 산화열에 의한 발열(석탄, 건성유, 기름걸레 등) 2. 분해열에 의한 발열(셀룰로이드, 니트로셀룰로오스 등) 3. 흡착열에 의한 발열(활성탄, 목탄분말, 석탄분 등) 4. 미생물에 의한 발열(퇴비, 먼지, 볏짚 등) 5. 중합에 의한 발열(아크릴로니트릴 등)

정답 01 ③ 02 ① 03 ① 04 ④ 05 ②

> **TIP** 기름걸레는 자연발화하므로 안전하게 금속재에 보관한다.(플라스틱은 열전도율이 낮아 열의 축적에 의해 위험성이 더 크다.)

06 가정에서 요리를 할 때 사용하는 가스렌지에서 일어나는 가스의 연소형태에 해당하는 것은?

① 증발연소
② 분해연소
③ 표면연소
④ 확산연소

해설
확산연소
1. 가연성 가스가 공기 중의 지연성 가스(산소)와 접촉하여 접촉면에서 연소가 일어나는 현상(수소, 메탄, 프로판, 부탄 등)
2. 기체의 일반적인 연소형태이다.

07 다음 중 "공기 중의 발화온도"가 가장 높은 물질은?

① CH_4
② C_2H_2
③ C_2H_6
④ H_2S

해설
발화온도

메탄(CH_4)	아세틸렌(C_2H_2)	황화수소(H_2S)	에탄(C_2H_6)
537℃	305℃	260℃	472℃

08 폭발범위에 관한 설명으로 옳은 것은?

① 공기밀도에 대한 폭발성 가스 및 증기의 폭발 가능 밀도 범위
② 가연성 액체의 액면 근방에 생기는 증기가 착화할 수 있는 온도 범위
③ 폭발화염이 내부에서 외부로 전파될 수 있는 용기의 틈새 간격 범위
④ 가연성 가스와 공기와의 혼합가스에 점화원을 주었을 때 폭발이 일어나는 혼합가스의 농도 범위

해설
연소범위(연소한계, 폭발범위, 폭발한계)
1. 가연성의 기체 또는 액체의 증기와 공기와의 혼합물에 점화를 했을 때 화염이 전파하여 폭발로 이어지는 가스의 농도한계를 말한다.
2. 가연성 가스의 농도가 너무 높거나 낮을 경우 화염의 전파가 일어나지 않는 농도한계가 존재하게 되며 이때 농도의 낮은 쪽을 폭발하한계, 높은 쪽을 폭발상한계 그리고 그 사이를 폭발범위라 한다.

09 다음 중 폭발하한농도(vol%)가 가장 높은 것은?

① 일산화탄소
② 아세틸렌
③ 메탄
④ 프로판

해설
주요 가연성 가스의 폭발범위

가연성 가스	폭발하한값(%)	폭발상한값(%)
아세틸렌(C_2H_2)	2.5	81.0
일산화탄소(CO)	12.5	74.0
프로판(C_3H_8)	2.1	9.5
메탄(CH_4)	5.0	15.0

10 어떤 혼합가스의 성분가스용량이 메탄은 75%, 에탄은 13%, 프로판은 8%, 부탄은 4%인 경우 이 혼합가스의 공기 중 폭발하한계(vol%)는 얼마인가?(단, 폭발하한값이 메탄은 5.0%, 에탄은 3.0%, 프로판은 2.1%, 부탄은 1.8%이다.)

① 3.94
② 4.28
③ 6.63
④ 12.24

해설
르 샤틀리에의 법칙(순수한 혼합가스일 경우)

$$\frac{100}{L} = \frac{V_1}{L_1} + \frac{V_2}{L_2} + \frac{V_2}{L_3} \cdots$$

$$L = \frac{100}{\frac{V_1}{L_1} + \frac{V_2}{L_2} + \cdots + \frac{V_n}{L_n}}$$

여기서, V_n : 전체 혼합가스 중 각 성분 가스의 체적(비율)[%]
L_n : 각 성분 단독의 폭발한계(상한 또는 하한)
L : 혼합가스의 폭발한계(상한 또는 하한)[vol%]

$$L = \frac{100}{\frac{75}{5.0} + \frac{13}{3.0} + \frac{8}{2.1} + \frac{4}{1.8}} = 3.94[vol\%]$$

정답 06 ④ 07 ① 08 ④ 09 ① 10 ①

11 가연성 가스의 조성과 연소하한값이 표와 같을 때 혼합가스의 연소하한값은 약 몇 vol%인가?

구분	조성(vol%)	연소하한값(vol%)
C_1 가스	2.0	1.1
C_2 가스	3.0	5.0
C_3 가스	2.0	15.0
공기	93.0	—

① 1.74 ② 2.16
③ 2.74 ④ 3.16

해설

르 샤틀리에(le Chatelier)의 법칙(혼합가스가 공기와 섞여 있을 경우)

$$L = \frac{V_1 + V_2 + \cdots + V_n}{\frac{V_1}{L_1} + \frac{V_2}{L_2} + \cdots + \frac{V_n}{L_n}}$$

여기서, V_n : 전체 혼합가스 중 각 성분 가스의 체적(비율)[%]
L_n : 각 성분 단독의 폭발한계(상한 또는 하한)
L : 혼합가스의 폭발한계(상한 또는 하한)[vol%]

$$L = \frac{2 + 3 + 2}{\frac{2}{1.1} + \frac{3}{5.0} + \frac{2}{15.0}} = 2.74 [vol\%]$$

12 프로판(C_3H_8) 1몰이 완전연소하기 위한 산소의 화학양론계수는 얼마인가?

① 2 ② 3
③ 4 ④ 5

해설

프로판(C_3H_8)의 산소의 화학양론적 계수
$C_3H_8 + 5O_2 \rightarrow 3CO_2 + 4H_2O$
그러므로 산소의 화학양론계수는 5이다.

TIP 산소의 화학양론적 계수
1. 부탄(C_4H_{10}) : 6.5
2. 메탄올(CH_3OH) : 1.5

13 다음 중 최소발화에너지에 관한 설명으로 틀린 것은?

① 압력이 증가할수록 낮아진다.
② 온도가 높아질수록 낮아진다.
③ 공기보다 산소 중에서 더 낮아진다.
④ 혼합기체의 흐름이 있으면 유속의 증가에 따라 낮아진다.

해설

최소발화에너지의 영향요소
1. 특정화합물이나 혼합물의 조성
2. 농도(높아지면 MIE는 작아진다.)
3. 압력(상승하면 MIE는 작아진다.)
4. 온도(상승하면 MIE는 작아진다.)
5. 유속(상승하면 MIE는 커진다.)
6. 연소속도(상승하면 MIE는 작아진다.)

14 폭발범위에 있는 가연성 가스 혼합물에 전압을 변화시키며 전기 불꽃을 주었더니 1,000V가 되는 순간 폭발이 일어났다. 이때 사용한 전기 불꽃의 콘덴서 용량은 $0.1\mu F$을 사용하였다면 이 가스에 대한 최소발화에너지는 몇 mJ인가?

① 5 ② 10
③ 50 ④ 100

해설

최소발화에너지

$$E = \frac{1}{2}CV^2$$

여기서, E : 발화에너지[J], C : 전기용량[F], V : 방전전압[V]

$E = \frac{1}{2}CV^2 = \frac{1}{2} \times (0.1 \times 10^{-6}) \times 1,000^2 = 0.05[J] = 5[mJ]$

TIP $\mu F = 10^{-6} F$, $1J = 1,000 mJ$

15 어떤 인화성 액체가 점화원의 존재하에 지속적인 연소를 일으키는 최저 온도를 무엇이라고 하는가?

① 인화점 ② 발화점
③ 연소점 ④ 산화점

해설

연소점(Fire Point)
인화성 액체가 공기 중에서 열을 받아 점화원의 존재하에 지속적인 연소를 일으킬 수 있는 최저온도를 말하며 동일한 물질일 경우 연소점은 인화점보다 약 3~10℃ 정도 높으며 연소를 5초 이상 지속할 수 있는 온도이다

16 다음 가스 중 위험도가 가장 큰 것은?

① 수소　　　　　② 아세틸렌
③ 프로판　　　　④ 암모니아

해설

위험도
위험도 값이 클수록 위험성이 높은 물질이다.

$$H = \frac{UFL - LFL}{LFL}$$

여기서, UFL : 연소상한값
　　　　LFL : 연소하한값
　　　　H : 위험도

폭발범위

가연성 가스	폭발하한값(%)	폭발상한값(%)
수소	4.0	75.0
아세틸렌	2.5	81.0
프로판	2.1	9.5
암모니아	15	28

1. 수소 위험도
$$H = \frac{UFL - LFL}{LFL} = \frac{75 - 4.0}{4.0} = 17.75$$

2. 아세틸렌 위험도
$$H = \frac{UFL - LFL}{LFL} = \frac{81 - 2.5}{2.5} = 31.4$$

3. 프로판 위험도
$$H = \frac{UFL - LFL}{LFL} = \frac{9.5 - 2.1}{2.1} = 3.524$$

4. 암모니아 위험도
$$H = \frac{UFL - LFL}{LFL} = \frac{28 - 15}{15} = 0.87$$

17 다음 중 폭발의 위험성이 가장 높은 것은?

① 폭발상한농도
② 완전연소 조성농도
③ 폭발상한선과 하한선의 중간점 농도
④ 폭굉상한선과 하한선의 중간점 농도

해설

완전연소 조성농도
1. 가연성 물질 1몰이 완전연소할 수 있는 공기와의 혼합기체 중 가연성 물질의 부피(vol%)를 말하며, 화학양론농도라고도 한다.
2. 발열량이 최대이고 폭발 파괴력이 가장 강한 농도를 말한다.

18 다음 반응식에서 프로판가스의 화학양론 농도는 약 얼마인가?

$$C_3H_8 + 5O_2 + 18.8N_2 \rightarrow 3CO_2 + 4H_2O + 18.8N_2$$
(공기)

① 8.04vol%　　　② 4.02vol%
③ 20.4vol%　　　④ 40.8vol%

해설

완전연소 조성농도(화학양론농도)

$$C_{st} = \frac{100}{1 + 4.773\left(n + \frac{m - f - 2\lambda}{4}\right)}$$

여기서, n : 탄소의 원자수, m : 수소의 원자수
　　　　f : 할로겐 원소의 원자수, λ : 산소의 원자수

$$C_{st} = \frac{100}{1 + 4.773\left(n + \frac{m - f - 2\lambda}{4}\right)}$$

$$= \frac{100}{1 + 4.773\left(3 + \frac{8}{4}\right)} = 4.02[\%]$$

(단, $C_3H_8 \rightarrow n = 3, m = 8, f = 0, \lambda = 0$)

19 전기설비의 화재에 사용되는 소화기의 소화제로 가장 적절한 것은?

① 물거품　　　　② 탄산가스
③ 염화칼슘　　　④ 산 및 알칼리

해설

전기화재(C급 화재)
1. 전기기구·기계 등에서 발생되는 화재
2. 질식, 냉각소화에 의한 소화가 유효하며, 이산화탄소 소화기, 할로겐화합물 소화기, 분말 소화기, 무상강화액 소화기 등이 유효하다.

20 다음 중 B급 화재에 해당되는 것은?

① 유류에 의한 화재
② 전기장치에 의한 화재
③ 일반 가연물에 의한 화재
④ 마그네슘 등에 의한 금속화재

정답 16 ②　17 ②　18 ②　19 ②　20 ①

> **해설**

화재의 종류
1. A급 화재 : 일반화재
2. B급 화재 : 유류화재
3. C급 화재 : 전기화재
4. D급 화재 : 금속화재

> **TIP** 화재의 종류 분류와 명칭도 함께 기억하세요.

21 다음 중 소화방법의 분류에 해당하지 않는 것은?

① 포소화
② 질식소화
③ 희석소화
④ 냉각소화

> **해설**

소화의 종류
1. 제거소화   5. 피복소화
2. 질식소화   6. 희석소화
3. 냉각소화   7. 유화소화
4. 억제소화

22 다음 설명에 해당하는 소화의 종류는?

> 가연성 가스와 지연성 가스가 섞여 있는 혼합 기체의 농도를 조절하여 혼합기체의 농도를 연소범위 밖으로 벗어나게 하여 연소를 중지시키는 방법

① 냉각소화
② 질식소화
③ 제거소화
④ 억제소화

> **해설**

질식소화

소화원리	공기 중에 존재하고 있는 산소의 농도 21%를 15% 이하로 낮추어 소화하는 방법
소화의 예	연소하고 있는 가연물이 들어 있는 용기를 기계적으로 밀폐하여 산소의 공급을 차단
소화방법	1. 불연성 포말로 연소물을 덮는 방법 : 공기 또는 이산화탄소를 포함한 포말로 산소공급을 차단 2. 불연성 기체로 연소물을 덮는 방법 : 이산화탄소와 같은 불연성 가스나 할로겐 화합물과 같은 무거운 증기로 산소의 공급을 차단 3. 고체로 연소물을 덮는 방법 : 토사, 거적, 모포 등으로 산소의 공급을 차단

23 다음 중 소화(消火)방법에 있어 제거소화에 해당되지 않는 것은?

① 연료 탱크를 냉각하여 가연성 기체의 발생 속도를 작게 한다.
② 금속화재의 경우 불활성 물질로 가연물을 덮어 미연소부분과 분리한다.
③ 가연성 기체의 분출 화재 시 주 밸브를 잠그고 연료 공급을 중단시킨다.
④ 가연성 가스나 산소의 농도를 조절하여 혼합 기체의 농도를 연소 범위 밖으로 벗어나게 한다.

> **해설**

제거소화

소화원리	가연성 물질을 연소구역에서 제거하여 줌으로써 소화하는 방법
소화의 예	1. 가스의 화재 : 공급밸브를 차단하여 가스의 공급을 중단 2. 산림화재 : 연소방면의 수목을 제거 3. 촛불 : 입김으로 불어 가연성 증기를 제거

> **TIP** 질식소화
> 가연성 가스나 산소의 농도를 조절하여 혼합 기체의 농도를 연소 범위 밖으로 벗어나게 한다.

24 소화방법에 대한 주된 소화원리로 틀린 것은?

① 물을 살포한다 : 냉각소화
② 모래를 뿌린다 : 질식소화
③ 초를 불어서 끈다. : 억제소화
④ 담요로 덮는다. : 질식소화

> **해설**

초를 불어서 끈다. : 제거소화

> **TIP** 촛불이나 성냥이 타고 있을 때 입김을 불면 꺼지는 이유는 공기를 공급하는 기능보다는 탈 물질이 제거되는 효과가 더 크기 때문이다.

25 다음 중 액체의 증발잠열을 이용하여 소화시키는 것으로 물을 이용하는 방법은 주로 어떤 소화방법에 해당되는가?

① 냉각소화법
② 연소억제법
③ 제거소화법
④ 질식소화법

정답 21 ① 22 ② 23 ④ 24 ③ 25 ①

해설
냉각소화

소화원리	연소물로부터 열을 빼앗아 발화점 이하의 온도로 낮추는 방법
소화의 예	1. 물이나 그 밖의 액체로 증발잠열을 이용하여 냉각시키는 방법으로 물을 분사하면 더욱 효과를 볼 수 있다. 2. 물을 소화제로 사용하는 이유 • 구입이 용이하다. • 가격이 저렴하다. • 증발 잠열이 크다
소화방법	1. 액체 사용법 : 물이나 그 밖의 액체를 사용하여 증발잠열을 이용하여 냉각시키는 방법으로 물을 분사하면 더욱 효과적이다. 2. 고체 사용법 : 기름 그릇에 인화되었을 때 싱싱한 야채를 넣어 기름의 온도를 내림으로써 불을 끄는 방법

26 할로겐화합물 소화약제의 소화작용과 같이 연소의 연속적인 연쇄 반응을 차단, 억제 또는 방해하여 연소현상이 일어나지 않도록 하는 소화 작용은?

① 부촉매 소화작용   ② 냉각 소화작용
③ 질식 소화작용   ④ 제거 소화작용

해설
억제소화(부촉매소화)

소화원리	가연성 물질과 산소와의 화학반응을 느리게 함으로써 소화하는 방법
소화의 예	수소원자는 공기 중의 산소분자와 결합하여 연쇄반응을 일으키는데, 이와 같이 되풀이되는 화학반응을 차단하여 소화

27 다음 중 소화의 원리에 해당되지 않는 것은?

① 연소의 연쇄반응을 차단시킨다.
② 한계산소지수를 높이도록 한다.
③ 가연성 물질을 인화점 또는 발화점 이하로 낮춘다.
④ 혼합 기체의 농도를 연소 범위 밖으로 벗어나게 한다.

해설
1. 연소의 연쇄반응을 차단시킨다 : 억제소화(부촉매소화)
2. 가연성 물질을 인화점 또는 발화점 이하로 낮춘다 : 냉각소화
3. 혼합 기체의 농도를 연소 범위 밖으로 벗어나게 한다 : 질식소화

> **TIP** 한계산소지수
> 산소와 질소를 혼합한 기류 중에서 점화된 시료가 계속 연소하는 데 필요한 산소의 최저농도를 말한다.

28 다음 중 분말소화약제에 대한 설명으로 틀린 것은?

① 소화약제의 종별로는 제1종~제4종까지 있다.
② 적응 화재에 따라 크게 BC 분말과 ABC 분말로 나누어진다.
③ 제3종 분말의 주성분은 제1인산암모늄으로 B급과 C급 화재에만 사용이 가능하다.
④ 제4종 분말소화약제는 제2종 분말을 개량한 것으로 분말소화약제 중 소화력이 가장 우수하다.

해설
분말 소화약제
제1·2·4종 분말소화기는 B, C급 화재에만 적용되는 데 비해 제3종 분말은 열분해해서 부착성이 좋은 메타인산(HPO_3)을 생성시키므로 A, B, C급 화재에 적용된다.

29 다음 중 제5류 위험물에 적응성이 있는 소화기는?

① 포소화기   ② 분말소화기
③ 이산화탄소소화기   ④ 할로겐화합물소화기

해설
소화설비의 적응성(제5류 위험물 : 자기반응성 물질)
1. 봉상수소화기
2. 무상수소화기
3. 봉상강화액소화기
4. 무상강화액소화기
5. 포소화기
6. 물통 또는 수조
7. 건조사
8. 팽창질석 또는 팽창진주암

30 다음 중 F, Cl, Br 등 산화력이 큰 할로겐 원소의 반응을 이용하여 소화(消火)시키는 방식을 무엇이라 하는가?

① 희석식 소화
② 냉각에 의한 소화
③ 연료 제거에 의한 소화
④ 연소 억제에 의한 소화

정답 26 ① 27 ② 28 ③ 29 ① 30 ④

해설

소화설비의 종류별 적응화재

소화기명	소화효과
포소화설비	질식소화
스프링클러설비	냉각소화
이산화탄소소화설비	질식소화
할로겐화합물소화설비	연소억제소화
강화액소화설비	냉각소화

31 다음 중 물분무소화설비의 주된 소화효과에 해당하는 것으로만 나열하는 것은?

① 냉각효과, 질식효과
② 희석효과, 제거효과
③ 제거효과, 억제효과
④ 억제효과, 희석효과

해설

물분무소화설비
화재 시 분무노즐에서 물을 미립자로 방사하여 소화하는 설비로서, 미세한 물의 냉각효과, 질식효과, 유화효과, 희석효과를 이용하여 화재의 억제 및 연소를 방지하는 소화설비를 말한다.

32 다음 중 주요 소화작용이 다른 소화약제는?

① 사염화탄소
② 할론
③ 이산화탄소
④ 중탄산나트륨

해설

소화효과
1. 사염화탄소 : 억제소화
2. 할론 : 억제소화
3. 이산화탄소 : 질식소화
4. 중탄산나트륨 : 제1종 분말은 억제소화, 냉각소화, 질식소화

33 다음 중 물을 소화제로 사용하는 주된 이유로 가장 적합한 것은?

① 기화되기 쉬우므로
② 증발잠열이 크므로
③ 환원성이므로
④ 부촉매 효과가 있으므로

해설

물 소화약제의 장점
1. 쉽게 구할 수 있고 인체에 무해하다.
2. 비열과 증발잠열이 커서 냉각 효과가 우수하다.
3. 쉽게 운반할 수 있다.

34 다음 중 할로겐화합물 소화약제에 관한 설명으로 틀린 것은?

① 주된 소화효소는 억제소화이다.
② 유류나 전기 화재에 적합하다.
③ 변질 우려가 있어 장기간 저장이 어렵다.
④ 구성원소로는 C, F, Cl, Br_2 등이 있다.

해설

할로겐화합물 소화약제
1. 할로겐화합물이란 불소, 염소, 브롬 및 요오드 등 할로겐족 원소를 하나 이상 함유한 화학물질을 말한다.
2. 변질, 분해가 없고, 전기의 불량도체이므로 유류화재, 전기화재에 많이 사용된다.
3. 상온에서 압축하면 쉽게 액체 상태로 변하기 때문에 용기에 쉽게 저장할 수 있다.
4. 수명이 반영구적이다.

35 다음 중 이산화탄소 소화기의 사용이 가능한 것은?

① 전기설비가 존재하는 한랭한 지역에서의 화재
② 사람이 존재하는 밀폐된 지역에서의 화재
③ LiH, NaH와 같은 금속수소화합물에 의한 화재
④ 제5류 위험물(자기 반응성 물질)에 의한 화재

해설

이산화탄소 소화기 사용의 제한
1. 방출 시 인명 피해가 우려되는 밀폐된 지역
2. 이산화탄소를 분해시키는 반응성이 큰 금속(Na, Mg, Ti, Zr)과 금속수소화물(LiH, NaH)
3. 제5류 위험물(자기반응성 물질)과 같이 자체적으로 산소를 가지고 있는 물질

36 다음 중 폭굉(Detonation) 현상에 있어서 폭굉파의 진행전면에 형성되는 것은?

① 증발열
② 충격파
③ 역화
④ 화염의 대류

정답 31 ① 32 ③ 33 ② 34 ④ 35 ① 36 ②

해설

폭굉파
1. 폭발 범위 내의 특정 농도 범위에서 연소속도가 폭발에 비해 수백 내지 수천 배에 달하는 현상
2. 음속보다 화염 전파속도가 큰 경우로 파면선단(진행전면)에 충격파라고 하는 압력파가 생겨 격렬한 파괴작용을 일으키는 현상
3. 폭발한계는 폭굉한계보다 농도범위가 넓다.
4. 진행속도가 1,000~3,500m/s에 이른다.
5. 화염의 전파속도가 음속보다 빠르다.

---

37 다음 중 폭굉유도거리에 대한 설명으로 틀린 것은?

① 압력이 높을수록 짧다.
② 점화원의 에너지가 강할수록 짧다.
③ 정상연소속도가 큰 혼합가스일수록 짧다.
④ 관 속에 방해물이 없거나 관의 지름이 클수록 짧다.

해설

폭굉 유도거리(DID ; Detonation Inducement Distance)
1. 최초의 완만한 연소가 격렬한 폭굉으로 발전할 때의 거리를 말한다.
2. DID가 짧아지는 요건
   - 정상연소속도가 큰 혼합가스일수록 짧아진다.
   - 관 속에 방해물이 있거나 관경이 가늘수록 짧다.
   - 압력이 높을수록 짧다.
   - 점화원의 에너지가 강할수록 짧다.

---

38 공정별로 폭발물을 분류할 때 물리적 폭발이 아닌 것은?

① 분해폭발
② 탱크의 감압폭발
③ 수증기 폭발
④ 고압용기의 폭발

해설

물리적 폭발
화학적 변화 없이 물리 변화를 주체로 한 폭발의 형태(탱크의 감압폭발, 수증기 폭발, 고압용기의 폭발, 전선폭발, 보일러 폭발 등)

---

39 폭발을 원인물질의 물리적 상태에 따라 기상폭발과 응상폭발로 분류할 때 다음 중 응상폭발에 해당되는 것은?

① 분무폭발
② 가스폭발
③ 분진폭발
④ 수증기폭발

해설

원인물질의 상태에 따른 분류

기상폭발	가스폭발, 분무폭발, 분진폭발, 가스분해폭발, 증기운폭발
응상폭발	수증기폭발(액체일 때), 증기폭발(액화가스일 때), 전선폭발

---

40 다음 중 분진폭발의 발생 위험성을 낮추는 방법으로 적절하지 않은 것은?

① 주변의 점화원을 제거한다.
② 분진이 날리지 않도록 한다.
③ 분진과 그 주변의 온도를 낮춘다.
④ 분진 입자의 표면적을 크게 한다.

해설

입도와 입도분포
1. 분진의 표면적이 입자체적에 비하여 커지면 열의 발생속도가 방열속도보다 커져서 폭발이 용이해진다.
2. 평균 입자의 직경이 작고 밀도가 작을수록 비표면적은 크게 되고 표면에너지도 크게 되어 폭발이 용이해진다.

---

41 다음 중 분진폭발의 영향인자에 대한 설명으로 틀린 것은?

① 분진의 입경이 작을수록 폭발하기 쉽다.
② 일반적으로 부유분진이 퇴적분진에 비해 발화 온도가 낮다.
③ 연소열이 큰 분진일수록 저농도에서 폭발하고 폭발 위력도 크다.
④ 분진의 비표면적이 클수록 폭발성이 높아진다.

해설

분진의 부유성
1. 입자가 작고 가벼운 것은 공기 중에서 부유하기 쉽다.
2. 부유성이 큰 것일수록 공기 중에 체류시간도 길고 위험성도 증가한다.

정답 37 ④ 38 ① 39 ④ 40 ④ 41 ②

42 다음 중 분진폭발의 가능성이 가장 낮은 물질은?

① 소맥분
② 마그네슘
③ 질석가루
④ 스텔라이트

해설
질석가루는 불연성 물질로 팽창질석은 금속화재의 소화에 사용된다.

43 다음 중 분해폭발을 일으키기 가장 어려운 물질은?

① 아세틸렌
② 에틸렌
③ 이산화질소
④ 암모니아

해설
분해폭발 가스의 종류
아세틸렌, 산화에틸렌, 에틸렌, 히드라진, 이산화질소, 산화질소, 오존 등

44 다음 중 산화에틸렌의 분해 폭발 반응에서 생성되는 가스가 아닌 것은?(단, 연소는 일어나지 않는다.)

① 메탄
② 일산화탄소
③ 에틸렌
④ 이산화탄소

해설
산화에틸렌(C_2H_4O)

$$C_2H_4O \rightarrow CH_4 + CO$$
$$2C_2H_4O \rightarrow C_2H_4 + 2CO + 2H_2$$

1. 충분한 에너지일 경우 공기 중에서도 화염전파가 확인되었으므로 폭발한계는 3.0~100vol%로 보는 것이 타당하다.
2. 분해 폭발로 생성되는 가스
   • 메탄(CH_4), 일산화탄소(CO), 에틸렌(C_2H_4), 수소(H_2)

45 다음 중 아세틸렌의 취급·관리 시 주의사항으로 옳지 않은 것은?

① 용기는 폭발할 수 있으므로 전도·낙하되지 않도록 한다.
② 폭발할 수 있으므로 필요 이상 고압으로 충전하지 않는다.
③ 용기는 밀폐된 장소에 보관하고, 누출 시에는 누출원에 직접 주수하도록 한다.
④ 폭발성 물질을 생성할 수 있으므로 구리나 일정 함량 이상의 구리합금과 접촉하지 않도록 한다.

해설
아세틸렌
통풍이나 환기가 양호한 장소에 보관한다.

46 다음 중 폭발한계에 영향을 주는 요소에 관한 설명으로 틀린 것은?

① 일반적으로 폭발범위는 온도상승에 의해서 넓게 된다.
② 폭발하한값은 일반적으로 압력상승에 따라 증가한다.
③ 폭발상한값은 산소농도가 증가하면 현저히 증가한다.
④ 폭발범위는 위쪽으로 전파하는 화염에서 측정할 경우 가장 넓은 값이 나온다.

해설
가연성 가스의 폭발범위 영향 요소
1. 가스의 온도가 높을수록 폭발범위도 일반적으로 넓어진다.(폭발하한계는 감소, 폭발상한계는 증가)
2. 가스의 압력이 높아지면 폭발하한계는 영향이 없으나 폭발상한계는 증가한다.
3. 산소 중에서의 폭발범위는 공기 중에서보다 넓어진다.
4. 압력이 상압인 1atm보다 낮아질 때 폭발범위는 큰 변화가 없다.
5. 일산화탄소는 압력이 높을수록 폭발범위가 좁아지고, 수소는 10atm까지는 좁아지지만 그 이상의 압력에서는 넓어진다.
6. 불활성 기체가 첨가될 경우 혼합가스의 농도가 희석되어 폭발범위가 좁아진다.
7. 화학양론농도 부근에서는 연소나 폭발이 가장 일어나기 쉽고 또한 격렬한 정도도 크다.

정답 42 ③ 43 ④ 44 ④ 45 ③ 46 ②

47 다음 중 화염일주한계와 폭발등급에 대한 설명으로 틀린 것은?

① 수소와 메탄은 상호 다른 등급에 해당한다.
② 폭발등급은 화염일주한계에 따라 등급을 구분한다.
③ 폭발등급 1등급 가스는 폭발등급 3등급 가스보다 폭발점화 파급위험이 크다.
④ 폭발성 혼합가스에서 화염일주한계값이 작은 가스일수록 외부로 폭발점화 파급위험이 커진다.

해설

폭발등급
안전간격이 작은 가스일수록 화염전파력이 강하여 위험하다.(폭발등급 3등급이 가장 위험)

폭발등급	안전간격	대상가스의 종류
1등급	0.6mm 이상	일산화탄소, 에탄, 프로판, 암모니아, 아세톤, 에틸에테르, 가솔린, 벤젠, 메탄 등
2등급	0.4mm 이상~0.6mm 미만	석탄가스, 에틸렌, 이소프렌, 산화에틸렌 등
3등급	0.4mm 미만	아세틸렌, 이황화탄소, 수소, 수성가스 등

48 다음 중 분해 폭발하는 가스의 폭발방지를 위하여 첨가하는 불활성 가스로 가장 적합한 것은?

① 산소　　　　② 질소
③ 수소　　　　④ 프로판

해설

불활성화
1. 가연성 혼합가스나 혼합분진에 불활성 가스를 주입하여 산소의 농도를 최소산소농도 이하로 낮게 유지하는 것
2. 불활성 가스
   • 질소
   • 이산화탄소
   • 수증기 또는 연소배기 가스 등이 있으며 통상적으로 불활성 가스로 질소가 사용된다.
3. 최소산소농도(MOC)
   • 일반적으로 대부분의 가스인 경우 : 10% 정도
   • 분진인 경우 : 8% 정도

49 다음 중 위험물에 대한 일반적 개념으로 옳지 않은 것은?

① 반응속도가 급격히 진행된다.
② 화학적 구조 및 결합력이 불안정하다.
③ 대부분 화학적 구조가 복잡한 고분자 물질이다.
④ 그 자체가 위험하다든가 또는 환경 조건에 따라 쉽게 위험성을 나타내는 물질을 말한다.

해설

위험물의 정의
1. 위험물질이란 그 자체가 위험하든가 또는 환경조건에 따라 쉽게 위험성을 나타내는 물질로서 보통 위험성 물질이라 부른다.
2. 위험물의 일반적인 특징
   • 자연계에 흔히 존재하는 물 또는 산소와의 반응이 용이하다.
   • 반응속도가 급격히 진행한다.
   • 반응 시 발생되는 발열량이 크다.
   • 수소와 같은 가연성 가스를 발생한다.
   • 화학적 구조 및 결합력이 대단히 불안정하다.

50 다음 중 산업안전보건법령상의 위험물질의 종류에 있어 산화성 액체 및 산화성 고체에 해당하지 않는 것은?

① 요오드산　　　② 브롬산 및 그 염류
③ 유기과산화물　④ 염소산 및 그 염류

해설

산화성 액체 및 산화성 고체
1. 차아염소산 및 그 염류
2. 아염소산 및 그 염류
3. 염소산 및 그 염류
4. 과염소산 및 그 염류
5. 브롬산 및 그 염류
6. 요오드산 및 그 염류
7. 과산화수소 및 무기 과산화물
8. 질산 및 그 염류
9. 과망간산 및 그 염류
10. 중크롬산 및 그 염류
11. 그 밖에 1부터 10까지의 물질과 같은 정도의 산화성이 있는 물질
12. 1부터 11까지의 물질을 함유한 물질

정답　47 ③　48 ②　49 ③　50 ③

51 다음 중 산업안전보건법상 위험물의 인화성 가스에 해당하지 않는 것은?

① 수소 ② 질산에스테르
③ 아세틸렌 ④ 메탄

해설

인화성 가스
1. 수소
2. 아세틸렌
3. 에틸렌
4. 메탄
5. 에탄
6. 프로판
7. 부탄
8. 유해 · 위험물질 규정량에 따른 가스

52 산업안전보건기준에 관한 규칙에서 정한 위험물질 종류 중 부식성 물질에서 부식성 염기류에 해당하는 것은?

① 농도 40% 이상인 염산
② 농도 40% 이상인 불산
③ 농도 40% 이상인 아세트산
④ 농도 40% 이상인 수산화칼륨

해설

부식성 물질

부식성 산류	1. 농도가 20퍼센트 이상인 염산, 황산, 질산, 그 밖에 이와 같은 정도 이상의 부식성을 가지는 물질 2. 농도가 60퍼센트 이상인 인산, 아세트산, 불산, 그 밖에 이와 같은 정도 이상의 부식성을 가지는 물질
부식성 염기류	농도가 40퍼센트 이상인 수산화나트륨, 수산화칼륨, 그 밖에 이와 같은 정도 이상의 부식성을 가지는 염기류

53 다음 중 산업안전보건기준에 관한 규칙에서 규정하는 급성 독성물질에 해당되지 않는 것은?

① 쥐에 대한 경구투입실험에 의하여 실험동물의 50%를 사망시킬 수 있는 물질의 양이 kg당 300mg-(체중) 이하인 화학물질
② 쥐에 대한 경구흡수실험에 의하여 실험동물의 50%를 사망시킬 수 있는 물질의 양이 kg당 1,000mg-(체중) 이하인 화학물질
③ 토끼에 대한 경피흡수실험 의하여 실험동물의 50%를 사망시킬 수 있는 물질의 양이 kg당 1,000mg(체중) 이하인 화학물질
④ 쥐에 대한 4시간 동안의 흡입실험에 의하여 실험동물의 50%를 사망시킬 수 있는 가스의 농도가 3,000ppm 이상인 화학물질

해설

급성 독성물질
1. 쥐에 대한 경구투입실험에 의하여 실험동물의 50퍼센트를 사망시킬 수 있는 물질의 양, 즉 LD_{50}(경구, 쥐)이 킬로그램당 300밀리그램-(체중) 이하인 화학물질
2. 쥐 또는 토끼에 대한 경피흡수실험에 의하여 실험동물의 50퍼센트를 사망시킬 수 있는 물질의 양, 즉 LD_{50}(경피, 토끼 또는 쥐)이 킬로그램당 1,000밀리그램-(체중) 이하인 화학물질
3. 쥐에 대한 4시간 동안의 흡입실험에 의하여 실험동물의 50퍼센트를 사망시킬 수 있는 물질의 농도, 즉 가스 LC_{50}(쥐, 4시간 흡입)이 2,500ppm 이하인 화학물질, 증기 LC_{50}(쥐, 4시간 흡입)이 10mg/l 이하인 화학물질, 분진 또는 미스트 1mg/l 이하인 화학물질

54 SO_2 20ppm은 약 몇 g/m³인가?(단, SO_2의 분자량은 64이고, 온도는 21℃, 압력은 1기압으로 한다.)

① 0.571 ② 0.531
③ 0.0571 ④ 0.0531

해설

용량농도(ppm)를 질량농도(mg/m³)로 환산

$$mg/m^3 = ppm \times \frac{분자량(g)}{24.1} (21℃, 1기압)$$

여기서, 24.1 : 21℃, 1기압에서 물질 1mol의 부피

1. SO_2의 분자량 : 64
2. $mg/m^3 = ppm \times \frac{분자량(g)}{24.1}$
   $= 20 \times \frac{64}{24.1} = 53.11 [mg/m^3]$
   $= 0.05311 [g/m^3]$

TIP 1,000mg = 1g, 즉 1mg = 0.001g

55 다음 중 가장 짧은 기간에도 노출되어서는 안 되는 노출 기준은?

① TLV−S
② TLV−C
③ TLV−TWA
④ TVL−STEL

해설

유해물질의 노출기준
1. 시간가중 평균 노출기준(TWA) : 1일 8시간, 주 40시간 동안의 평균농도로서 거의 모든 근로자가 평상작업에서 반복하여 노출되더라도 건강장해를 일으키지 않는 공기 중 유해물질의 농도를 말한다.
2. 단시간 노출기준(STEL ; Short Term Exposure Limit) : 근로자가 1회 15분간 유해인자에 노출되는 경우의 기준 (허용농도)
3. 최고노출기준(Ceiling, C) : 근로자가 1일 작업시간 동안 잠시라도 노출되어서는 아니 되는 기준

56 공기 중에 3ppm의 디메틸아민(demethylamine, TLV−TWA : 10ppm)과 20ppm의 시클로헥산올(cyclohexanol, TLV−TWA : 50ppm)이 있고, 10ppm의 산화프로필렌(propyleneoxide, TLV−TWA : 20ppm)이 존재한다면 혼합 TLV−TWA는 몇 ppm인가?

① 12.5
② 22.5
③ 27.5
④ 32.5

해설

노출지수(EI ; Exposure Index) : 공기 중 혼합물질

$$노출지수(EI) = \frac{C_1}{TLV_1} + \frac{C_2}{TLV_2} + \cdots + \frac{C_n}{TLV_n}$$

여기서, C_n : 각 혼합물질의 공기 중 농도
TLV_n : 각 혼합물질의 노출기준

$$보정된 허용농도(기준) = \frac{혼합물의 공기 중 농도(C_1 + C_2 + \cdots + C_n)}{노출지수(EI)}$$

1. 노출지수$(EI) = \frac{C_1}{TLV_1} + \frac{C_2}{TLV_2} + \frac{C_3}{TLV_3}$
   $= \frac{3}{10} + \frac{20}{50} + \frac{10}{20} = 1.2$

2. 보정된 허용농도(기준)
   $= \frac{혼합물의 공기 중 농도(C_1 + C_2 + \cdots + C_n)}{노출지수(EI)}$
   $= \frac{3 + 20 + 10}{1.2} = 27.5[ppm]$

57 화재 발생 시 발생되는 연소 생성물 중 독성이 높은 것부터 낮은 순으로 올바르게 나열한 것은?

① 염화수소 > 포스겐 > CO > CO_2
② CO > 포스겐 > 염화수소 > CO_2
③ CO_2 > CO > 포스겐 > 염화수소
④ 포스겐 > 염화수소 > CO > CO_2

해설

화학물질의 노출기준
1. 포스겐 : 0.1ppm
2. 염화수소 : 1ppm
3. 일산화탄소(CO) : 30ppm
4. 이산화탄소(CO_2) : 5,000ppm

58 산화성 물질을 가연물과 혼합할 경우 혼합위험성 물질이 되는데 다음 중 그 이유로 가장 적당한 것은?

① 산화성 물질에 조해성이 생기기 때문이다.
② 산화성 물질이 가연성 물질과 혼합되어 있으면 주수소화가 어렵기 때문이다.
③ 산화성 물질이 가연성 물질과 혼합되어 있으면 산화·환원반응이 더욱 잘 일어나기 때문이다.
④ 산화성 물질과 가연물이 혼합되어 있으면 가열·마찰·충격 등의 점화에너지원에 의해 더욱 쉽게 분해하기 때문이다.

해설

산화성 물질
1. 산화성 물질은 불연성으로 다량의 산소를 함유하고 있고 가연성 물질은 산소가 없다.
2. 그러므로 가연성 물질과 혼합 시 산소 공급원이 되어 최소 점화에너지가 감소하며, 폭발의 위험성이 증가한다.

59 다음의 주의사항에 해당하는 물질은?

> 특히 산화제와 접촉 및 혼합을 엄금하며, 화재 시 주수소화를 피하고 건조한 모래 등으로 질식소화를 한다.

① 마그네슘
② 과염소산나트륨
③ 황인
④ 과산화수소

해설

마그네슘(제2류 위험물)
1. 고온에서 유황 및 할로겐, 산화제와 접촉하면 매우 격렬하게 발열한다.

정답 55 ② 56 ③ 57 ④ 58 ③ 59 ①

2. 일단 연소하면 소화가 곤란하나 초기 소화 또는 대규모 화재 시에는 석회분, 마른 모래 등으로 소화한다.
3. 물, CO_2, N_2, 포, 할로겐 화합물 소화약제는 소화 적응성이 없으므로 절대 사용을 엄금한다.

60 다음 각 물질의 저장방법에 관한 설명으로 옳은 것은?

① 황린은 저장용기 중에 물을 넣어 보관한다.
② 과산화수소는 장기 보존 시 유리용기에 저장한다.
③ 피크린산은 철 또는 구리로 된 용기에 저장한다.
④ 마그네슘은 다습하고, 통풍이 잘 되는 장소에 보관한다.

해설

황린(백린, P_4)
pH 9(약알칼리성) 정도의 물속에 저장하며 보호액이 증발되지 않도록 한다.

61 다음 중 물과 반응하여 발생시키는 가스 중에서 위험도가 가장 큰 가스를 발생시키는 물질은?

① 칼슘
② 트리에틸알루미늄
③ 수소화나트륨
④ 탄화칼슘

해설

탄화칼슘(CaC_2, 카바이드)
백색 결정체로 자신은 불연성이나 물과 반응하여 아세틸렌을 발생시킨다.

$$CaC_2 + 2H_2O \rightarrow Ca(OH)_2 + C_2H_2$$
(탄화칼슘) (물) (수산화칼슘) (아세틸렌)

62 물과의 접촉을 금지하여야 하는 물질은?

① 적린
② 칼슘
③ 히드라진
④ 니트로셀룰로오스

해설

금수성 물질(물과 접촉을 금지해야 하는 물질)
1. 정의 : 물과 접촉하면 격렬한 발열반응하는 것으로 물질이 공기 중의 습기를 흡수해서 화학반응을 일으켜 발열하거나, 수분과 접촉해서 발열하여 그 온도가 가속도적으로 높아져 발화되는 물질

2. 종류
   ㉠ 칼륨   ㉥ 나트륨
   ㉡ 리튬   ㉦ 철분
   ㉢ 칼슘   ㉧ 알킬리튬
   ㉣ 마그네슘   ㉨ 금속분
   ㉤ 알킬알루미늄 ㉩ 탄화칼슘 등

63 공기 중 산화성이 높아 반드시 석유, 경유 등의 보호액에 저장해야 하는 것은?

① Ca
② P_4
③ K
④ S

해설

위험물의 저장 및 취급방법
1. 칼륨(K), 나트륨(Na) : 석유(등유, 경유), 유동파라핀 등의 보호액을 넣어 밀봉 저장한다.
2. 황린(백린, P_4) : pH 9(약알칼리성) 정도의 물속에 저장하며 보호액이 증발되지 않도록 한다.

64 다음 중 칼륨에 의한 화재 발생 시 소화를 위해 가장 효과적인 것은?

① 건조사 사용
② 포화기 사용
③ 이산화탄소 사용
④ 할로겐화합물 소화기 사용

해설

칼륨의 소화방법
건조사, 팽창질석, 팽창진주암 등을 사용한 질식소화가 효과적이다.

65 리튬(Li)에 관한 설명으로 틀린 것은?

① 연소 시 산소와는 반응하지 않는 특성이 있다.
② 염산과 반응하여 수소를 발생한다.
③ 물과 반응하여 수소를 발생한다.
④ 화재 발생 시 소화방법으로는 건조된 마른 모래 등을 이용한다.

해설

리튬(Li, 제3류 위험물)
1. 공기 중에서 서서히 가열해도 발화하여 연소하며, 연소 시 탄산가스(CO_2) 속에서도 꺼지지 않고 연소한다.

2. 산, 알코올류와는 격렬히 반응하여 수소를 발생한다.
3. 물과는 격렬하게 반응하여 수소를 발생한다.
4. 주수를 엄금하고 잘 건조된 소금분말, 마른 모래, 건조 분말 소화약제에 의해 질식소화를 한다.

66 아세톤에 관한 설명으로 옳은 것은?

① 인화점은 557.8℃이다.
② 무색의 휘발성 액체이며 유독하지 않다.
③ 20% 이하의 수용액에서는 인화 위험이 없다.
④ 일광이나 공기에 노출되면 과산화물을 생성하여 폭발성으로 된다.

해설

아세톤(CH_3COCH_3)
1. 인화점 : -18℃, 발화점 : 538℃, 비중 : 0.8
2. 무색의 휘발성 액체로 독특한 냄새가 난다.
3. 아세틸렌을 저장할 때 용제로 사용된다.
4. 10%의 수용액 상태에서도 인화의 위험이 있다.
5. 일광(햇빛) 또는 공기와 접촉하면 폭발성의 과산화물을 생성시킨다.

67 다음 중 인화성 액체를 소화할 때 내알콜포를 사용해야 하는 물질은?

① 특수인화물
② 소포성의 수용성 액체
③ 인화점이 영하 이하의 인화성 물질
④ 발생하는 증기가 공기보다 무거운 인화성 액체

해설

제4류 위험물(인화성 액체) 소화방법
1. 이산화탄소, 할로겐화물, 분말, 포에 의한 질식소화가 효과적이다.
2. 수용성 위험물에는 알코올포를 사용하거나 다량의 물로 희석시켜 가연성 증기의 발생을 억제하여 소화한다.
3. 비중이 물보다 작기 때문에 주수소화를 하면 화재 면을 확대시킬 수 있으므로 절대금지이다.

68 다음 중 인화성 액체의 취급 시 주의사항으로 가장 적절하지 않은 것은?

① 소포성의 인화성 액체의 화재 시에는 내알콜포를 사용한다.
② 소화작업 시에는 공기호흡기 등 적합한 보호구를 착용하여야 한다.
③ 일반적으로 비중이 물보다 무거워서 물 아래로 가라앉으므로, 주수소화를 이용하면 효과적이다.
④ 화기, 충격, 마찰 등의 열원을 피하고, 밀폐용기를 사용하며, 사용상 불가능한 경우 환기장치를 이용한다.

해설

제4류 위험물(인화성 액체) 소화방법
1. 이산화탄소, 할로겐화물, 분말, 포에 의한 질식소화가 효과적이다.
2. 수용성 위험물에는 알코올포를 사용하거나 다량의 물로 희석시켜 가연성 증기의 발생을 억제하여 소화한다.
3. 비중이 물보다 작기 때문에 주수소화를 하면 화재 면을 확대시킬 수 있으므로 절대금지이다.

69 가열·마찰·충격 또는 다른 화학물질과의 접촉 등으로 인하여 산소나 산화제의 공급이 없더라도 폭발 등 격렬한 반응을 일으킬 수 있는 물질은?

① 알코올류
② 무기과산화물
③ 니트로화합물
④ 과망간산칼륨

해설

제5류 위험물(자기반응성 물질)
1. 열적으로 불안정하여 외부로부터 산소의 공급 없이도 가열, 충격 등에 의해 강렬하게 발열·분해하기 쉬운 액체·고체 또는 혼합물을 말한다.
2. 종류 : 유기과산화물, 질산에스테르류, 니트로화합물, 아조화합물, 디아조화합물, 히드라진 유도체, 히드록실아민, 히드록실아민염류 등

70 다음 중 자기반응성 물질에 관한 설명으로 틀린 것은?

① 가열·마찰·충격에 의해 폭발하기 쉽다.
② 연소속도가 대단히 빨라서 폭발적으로 반응한다.
③ 소화에는 이산화탄소, 할로겐화합물 소화약제를 사용한다.
④ 가연성 물질이면서 그 자체 산소를 함유하므로 자기연소를 일으킨다.

정답 66 ④ 67 ② 68 ③ 69 ③ 70 ③

해설
자기반응성 물질(제5류 위험물)의 소화방법
1. 자기반응성 물질이기 때문에 CO_2, 분말, 할론, 포 등에 의한 질식소화는 적당하지 않다.
2. 다량의 물로 냉각소화를 하는 것이 효과적이다.

71 다음 중 니트로글리세린에 관한 설명으로 틀린 것은?

① 물에 잘 녹으며, 액체 상태로 운반한다.
② 점화하면 즉시 연소하고, 다량이면 폭발력이 강하다.
③ 상온에서 액체이지만 겨울철에는 동결한다.
④ 질산과 황산의 혼산 중에 글리세린을 반응시켜 만든다.

해설
니트로글리세린
1. 강산화제, 나트륨(Na), 수산화나트륨(NaOH) 등과 혼촉 시 발화 폭발하며, 환기가 잘 되는 냉암소에 보관한다.
2. 물에는 거의 녹지 않으나 메탄올, 벤젠, 아세톤 등에는 녹으며, 겨울철에는 동결할 우려가 있다.

72 산화성 액체의 성질에 관한 설명으로 옳지 않은 것은?

① 피부 및 의복을 부식하는 성질이 있다.
② 가연성 물질이 많으므로 화기에 극도로 주의한다.
③ 위험물 유출 시 건조사를 뿌리거나 중화제로 중화한다.
④ 물과 반응하면 발열반응을 일으키므로 물과의 접촉을 피한다.

해설
제6류 위험물(산화성 액체)
1. 액체로서 산화력의 잠재적인 위험성이 있는 것을 말한다.
2. 그 자체로는 연소하지 않더라도(가연성을 가지지 않더라도), 일반적으로 산소를 발생시켜 다른 물질을 연소시키거나 연소를 촉진하는 액체를 말한다.

73 다음 중 화재 발생 시 주수소화 방법을 적용할 수 있는 물질은?

① 과산화칼륨   ② 황산
③ 질산   ④ 과산화수소

해설
과산화수소(산화성 액체)
다량의 물로 주수소화한다.

74 유해·위험물질 취급에 대한 작업별 안전한 작업이 아닌 것은?

① 자연발화의 방지 조치
② 인화성 물질의 주입 시 호스를 사용
③ 가솔린이 남아 있는 설비에 중유의 주입
④ 서로 다른 물질의 접촉에 의한 발화의 방지

해설
가솔린이 남아 있는 설비에 등유 등의 주입
화학설비로서 가솔린이 남아 있는 화학설비, 탱크로리, 드럼 등에 등유나 경유를 주입하는 작업을 하는 경우에는 미리 그 내부를 깨끗하게 씻어내고 가솔린의 증기를 불활성 가스로 바꾸는 등 안전한 상태로 되어 있는지를 확인한 후에 그 작업을 하여야 한다.
다만, 다음 각 호의 조치를 하는 경우에는 그러하지 아니하다.
1. 등유나 경유를 주입하기 전에 탱크·드럼 등과 주입설비 사이에 접속선이나 접지선을 연결하여 전위차를 줄이도록 할 것
2. 등유나 경유를 주입하는 경우에는 그 액표면의 높이가 주입관의 선단의 높이를 넘을 때까지 주입속도를 초당 1미터 이하로 할 것

75 산업안전보건법상 인화성 액체를 수시로 사용하는 밀폐된 공간에서 해당 가스 등으로 폭발위험 분위기가 조성되지 않도록 하기 위해서는 해당 물질의 공기 중 농도는 인화하한계값의 얼마를 넘지 않도록 하여야 하는가?

① 10%   ② 15%
③ 20%   ④ 25%

해설
인화성 액체 등을 수시로 취급하는 장소
인화성 액체, 인화성 가스 등으로 폭발위험 분위기가 조성되지 않도록 해당 물질의 공기 중 농도가 인화하한계값의 25퍼센트를 넘지 않도록 충분한 환기를 유지할 것

정답 71 ① 72 ② 73 ④ 74 ③ 75 ④

76 산업안전보건법상의 위험물을 저장·취급하는 화학설비 및 그 부속설비를 설치하는 경우 폭발이나 화재에 따른 피해를 줄이기 위하여 단위공정시설 및 설비로부터 다른 단위공정시설 및 설비의 사이의 안전거리는 얼마로 하여야 하는가?

① 설비의 안쪽 면으로부터 10미터 이상
② 설비의 바깥 면으로부터 10미터 이상
③ 설비의 안쪽 면으로부터 5미터 이상
④ 설비의 바깥 면으로부터 5미터 이상

해설

위험물을 저장·취급하는 화학설비 및 그 부속설비를 설치하는 경우의 안전거리

구분	안전거리
1. 단위공정시설 및 설비로부터 다른 단위공정시설 및 설비의 사이	설비의 바깥 면으로부터 10미터 이상
2. 플레어스택으로부터 단위공정시설 및 설비, 위험물질 저장탱크 또는 위험물질 하역설비의 사이	플레어스택으로부터 반경 20미터 이상(다만, 단위공정시설 등이 불연재로 시공된 지붕 아래에 설치된 경우에는 제외)
3. 위험물질 저장탱크로부터 단위공정시설 및 설비, 보일러 또는 가열로의 사이	저장탱크의 바깥 면으로부터 20미터 이상(다만, 저장탱크의 방호벽, 원격조종화설비 또는 살수설비를 설치한 경우에는 제외)
4. 사무실·연구실·실험실·정비실 또는 식당으로부터 단위공정시설 및 설비, 위험물질 저장탱크, 위험물질 하역설비, 보일러 또는 가열로의 사이	사무실 등의 바깥 면으로부터 20미터 이상(다만, 난방용 보일러인 경우 또는 사무실 등의 벽을 방호구조로 설치한 경우에는 제외)

77 다음 물질 중 가연성 가스가 아닌 것은?

① 수소 ② 메탄
③ 프로판 ④ 염소

해설

고압가스(가연성에 의한 분류)

가연성 가스	공기 중에서 연소하면 폭발하는 가스(아세틸렌, 암모니아, 수소, 일산화탄소, 메탄, 프로판, 부탄, 에틸렌 등)
지연성 가스	산소, 공기 등 다른 가연성 가스의 연소를 돕는 가스, 즉 연소하거나 폭발되지 않지만 연소를 지지하는 가스(산소, 공기, 염소, 산화질소, 오존, 불소 등)
불연성 가스	자신이 연소하지도 않고 다른 물질을 연소시키지도 않는 가스로 연소하고 있는 화염을 꺼지게 하는 가스(헬륨, 네온, 질소, 아르곤, 이산화탄소 등)

78 고압가스 용기에 사용되며 화재 등으로 용기의 온도가 상승하였을 때 금속의 일부분을 녹여 가스의 배출구를 만들어 압력을 분출시켜 용기의 폭발을 방지하는 안전장치는?

① 가용합금 안전밸브
② 파열판
③ 폭압방산공
④ 폭발억제장치

해설

안전밸브의 종류

스프링식	일반적으로 가장 널리 사용하며, 압력이 설정된 값을 초과하면 스프링을 밀어내어 가스를 분출시켜 폭발을 방지
중추식	밸브 장치에 무게가 있는 추를 달아서 설정 압력이 되면 추를 밀어 올려 가스를 분출
파열판식	압력이 급격히 상승할 경우 용기 내의 가스를 배출(한 번 작동 후 교체)
가용전식 (가용합금식)	설정온도에서 온도가 규정온도 이상이면 녹아서 전체가스를 배출

79 가스용기 파열사고의 주요 원인으로 가장 거리가 먼 것은?

① 용기 밸브의 이탈
② 용기의 내압력 부족
③ 용기 내압의 이상 상승
④ 용기 내 폭발성 혼합가스 발화

해설

고압가스 용기 파열사고의 주요 원인
1. 용기의 내압력 부족 : 강재의 피로, 용기내벽의 부식, 용접불량, 용기 자체에 결함이 있는 경우 등
2. 용기 내압의 이상 상승 : 과잉충전의 경우, 가열, 내용물의 중합반응 또는 분해반응 등
3. 용기 내에서의 폭발성 혼합가스의 발화 : 가스의 혼합충전 등

정답 76 ② 77 ④ 78 ① 79 ①

80 다음 중 산업안전보건법에 따른 관리대상 유해물질의 운반 및 저장 방법으로 적절하지 않은 것은?

① 물질이 새거나 발산될 우려가 없는 뚜껑 또는 마개가 있는 튼튼한 용기를 사용한다.
② 저장장소에는 관계 근로자가 아닌 사람의 출입을 금지하는 표시를 한다.
③ 관리대상 유해물질의 증기는 실외로 배출되지 않도록 적절한 조치를 한다.
④ 관리대상 유해물질을 저장할 때 일정한 장소를 지정하여 저장하여야 한다.

해설
관리대상 유해물질의 저장
1. 관리대상 유해물질을 운반하거나 저장하는 경우에 그 물질이 새거나 발산될 우려가 없는 뚜껑 또는 마개가 있는 튼튼한 용기를 사용하거나 단단하게 포장을 하여야 하며, 그 저장장소에는 다음 각 호의 조치를 하여야 한다.
   • 관계 근로자가 아닌 사람의 출입을 금지하는 표시를 할 것
   • 관리대상 유해물질의 증기를 실외로 배출시키는 설비를 설치할 것
2. 사업주는 관리대상 유해물질을 저장할 경우에 일정한 장소를 지정하여 저장하여야 한다.

81 물질안전보건자료(MSDS)의 작성항목이 아닌 것은?

① 물리화학적 특성
② 유해물질의 제조법
③ 환경에 미치는 영향
④ 누출사고 시 대처방법

해설
물질안전보건자료 작성 시 포함되어야 할 항목 및 그 순서
1. 화학제품과 회사에 관한 정보
2. 유해성 · 위험성
3. 구성성분의 명칭 및 함유량
4. 응급조치요령
5. 폭발 · 화재 시 대처방법
6. 누출사고 시 대처방법
7. 취급 및 저장방법
8. 노출방지 및 개인보호구
9. 물리화학적 특성
10. 안정성 및 반응성
11. 독성에 관한 정보
12. 환경에 미치는 영향
13. 폐기 시 주의사항
14. 운송에 필요한 정보
15. 법적 규제 현황
16. 그 밖의 참고사항

82 다음 중 유해 · 위험물질이 유출되는 사고가 발생했을 때의 대처요령으로 적절하지 않은 것은?

① 중화 또는 희석을 시킨다.
② 안전한 장소일 경우 소각시킨다.
③ 유출부분을 억제 또는 폐쇄시킨다.
④ 유출된 지역의 인원을 대피시킨다.

해설
유해 · 위험물질의 유출 사고 시 조치사항
유출된 지역의 인원을 대피시키고, 위험물질의 농도를 희석하여 안전하게 하거나 유출된 부분은 폐쇄하여 완전히 격리하도록 한다.

83 다음 중 반응기를 구조형식에 의하여 분류할 때 이에 해당하지 않는 것은?

① 탑형   ② 회분식
③ 교반조형 ④ 유동층형

해설
반응기의 분류

반응 조작방식에 의한 분류	1. 회분식 반응기(회분식 균일상 반응기) 2. 반회분식 반응기 3. 연속식 반응기
반응기 구조방식에 의한 분류	1. 관형 반응기 2. 탑형 반응기 3. 교반조형 반응기 4. 유동층형 반응기

84 반응기를 조작방법에 따라 분류할 때 반응기의 한쪽에서는 원료를 계속적으로 유입하는 동시에 다른 쪽에서는 반응생성 물질을 유출시키는 형식의 반응기를 무엇이라 하는가?

① 관형 반응기   ② 연속식 반응기
③ 회분식 반응기 ④ 교반조형 반응기

해설
연속식 반응기
한쪽에서는 원료를 계속적으로 유입하는 동시에 다른 쪽에서는 반응생성 물질을 유출시키는 형식의 반응기

정답 80 ③ 81 ② 82 ② 83 ② 84 ②

85 다음 중 화학장치에서 반응기의 유해·위험요인(hazard)으로 화학반응이 있을 때 특히 유의해야 할 사항은?

① 낙하, 절단
② 감전, 협착
③ 비래, 붕괴
④ 반응폭주, 과압

해설
반응폭주
1. 반응속도가 지수 함수적으로 증가하고 반응용기 내부의 온도 및 압력이 비정상적으로 급격히 상승되어 규정 조건을 벗어나고 반응이 과격하게 진행되는 현상을 말한다.
2. 반응폭주는 서로 다른 물질이 폭발적으로 반응하는 현상으로 화학공장의 반응기에서 일어날 수 있는 현상이다.

86 다음 중 화학공정에서 반응을 시키기 위한 조작 조건에 해당되지 않는 것은?

① 반응 높이
② 반응 농도
③ 반응 온도
④ 반응 압력

해설
반응을 위한 조작조건
1. 온도
2. 농도
3. 압력
4. 촉매
5. 표면적

87 다음 중 열교환기의 가열 열원으로 사용되는 것은?

① 다우섬
② 염화칼슘
③ 프레온
④ 암모니아

해설
다우섬(Dowtherm)
고온으로 열을 운반할 수 있는 액상의 매체(열매체)로서 고온에서도 압력이 낮은 것이 특징이며, 특수 열매체 보일러의 열매체로서 널리 사용되고 있다.

88 다음 중 증류탑의 일상 점검항목으로 볼 수 없는 것은?

① 도장의 상태
② 트레이(Tray)의 부식 상태
③ 보온재, 보냉재의 파손 여부
④ 접속부, 맨홀부 및 용접부에서의 외부 누출 유무

해설
증류탑의 일상점검항목(운전 중에도 점검 가능한 항목)
1. 보온재 및 보냉재의 파손 상황
2. 도장의 열화상황
3. 플랜지(Flange)부, 맨홀(Manhole)부, 용접부에서 외부 누출 여부
4. 기초 볼트의 헐거움 여부
5. 증기배관에 열팽창에 의한 무리한 힘이 가해지고 있는지의 여부와 부식 등

TIP 트레이(Tray)의 부식 상태는 증류탑의 개방 시 점검해야 할 항목이다.

89 산업안전보건법상 위험물질을 기준량 이상으로 제조 또는 취급하는 특수화학설비에 설치하여야 할 계측장치가 아닌 것은?

① 온도계
② 유량계
③ 압력계
④ 경보계

해설
계측장치의 설치
특수화학설비를 설치하는 경우에는 내부의 이상 상태를 조기에 파악하기 위하여 필요한 온도계·유량계·압력계 등의 계측장치를 설치하여야 한다.

90 다음 중 건조설비의 사용상 주의사항으로 적절하지 않은 것은?

① 건조설비 가까이 가연성 물질을 두지 말 것
② 고온으로 가열 건조한 물질은 즉시 격리 저장할 것
③ 위험물 건조설비를 사용할 때는 미리 내부를 청소하거나 환기시킨 후 사용할 것
④ 건조 시 발생하는 가스·증기 또는 분진에 의한 화재·폭발의 위험이 있는 물질은 안전한 장소로 배출할 것

해설
건조설비의 사용 시 준수사항
1. 위험물 건조설비를 사용하는 경우에는 미리 내부를 청소하거나 환기할 것
2. 위험물 건조설비를 사용하는 경우에는 건조로 인하여 발생하는 가스·증기 또는 분진에 의하여 폭발·화재의 위험이 있는 물질을 안전한 장소로 배출시킬 것

정답 85 ④ 86 ① 87 ① 88 ② 89 ④ 90 ②

3. 위험물 건조설비를 사용하여 가열건조하는 건조물은 쉽게 이탈되지 않도록 할 것
4. 고온으로 가열건조한 인화성 액체는 발화의 위험이 없는 온도로 냉각한 후에 격납시킬 것
5. 건조설비(바깥 면이 현저히 고온이 되는 설비만 해당)에 가까운 장소에는 인화성 액체를 두지 않도록 할 것

91 최대운전압력이 게이지 압력으로 200kgf/cm² 인 열교환기의 안전밸브 작동압력(kgf/cm²)으로 가장 적절한 것은?

① 210
② 220
③ 230
④ 240

해설
안전밸브의 작동요건 등
1. 안전밸브 등을 통하여 보호하려는 설비의 최고사용압력 이하에서 작동되도록 하여야 한다.
2. 안전밸브 등이 2개 이상 설치된 경우에 1개는 최고사용압력의 1.05배(외부화재를 대비한 경우에는 1.1배) 이하에서 작동되도록 설치할 수 있다.
3. 2개 이상 설치된 경우에는 최고사용압력 이하에서 1개가 작동되고, 다른 압력방출장치는 최고사용압력 1.05배, 즉 200kgf/cm² × 1.05 = 210kgf/cm² 이하에서 작동되도록 부착하여야 한다.

92 화학설비의 안전장치로서 파열판을 설치해야 하는 경우와 가장 거리가 먼 것은?

① 급격한 압력 상승의 우려가 있는 경우
② 진공에 의해 파손될 우려가 있는 경우
③ 방출량이 많고 순간적으로 많은 방출이 필요한 경우
④ 물질의 물리적 상태 변화에 대응하기 위한 경우

해설
파열판의 설치조건
1. 반응폭주 등 급격한 압력 상승 우려가 있는 경우
2. 급성 독성물질의 누출로 인하여 주위의 작업환경을 오염시킬 우려가 있는 경우
3. 운전 중 안전밸브에 이상 물질이 누적되어 안전밸브가 작동되지 아니할 우려가 있는 경우

TIP 물리적 상태 변화 : 물질의 성질은 변하지 않으면서 물질의 형태만 바꾸는 변화를 말한다.

93 다음 중 산업안전보건법상 급성 독성물질이 지속적으로 외부에 유출될 수 있는 화학설비에 파열판과 안전밸브를 직렬로 설치하고 그 사이에 설치하여야 하는 것은?

① 자동경보장치
② 차단장치
③ 플레어 헤드
④ 콕

해설
파열판 및 안전밸브의 직결설치
급성 독성물질이 지속적으로 외부에 유출될 수 있는 화학설비 및 그 부속설비에 파열판과 안전밸브를 직렬로 설치하고 그 사이에는 압력지시계 또는 자동경보장치를 설치하여야 한다.

94 반응기의 이상압력 상승으로부터 반응기를 보호하기 위해 동일한 용량의 파열판과 안전밸브를 설치하고자 한다. 다음 중 반응폭주현상이 일어났을 때 반응기 내부의 과압을 가장 잘 분출할 수 있는 방법은?

① 파열판과 안전밸브를 병렬로 반응기 상부에 설치한다.
② 안전밸브, 파열판의 순서로 반응기 상부에 직렬로 설치한다.
③ 파열판, 안전밸브의 순서로 반응기 상부에 직렬로 설치한다.
④ 반응기 내부의 압력이 낮을 때는 직렬연결이 좋고, 압력이 높을 때는 병렬연결이 좋다.

해설
파열판과 안전밸브를 병렬로 반응기 상부에 설치
반응폭주 현상이 발생했을 때 반응기 내부 과압을 분출하고자 할 경우

95 공정 중에서 발생하는 미연소 가스를 연소하여 안전하게 밖으로 배출시키기 위하여 사용하는 설비는 무엇인가?

① 증류탑
② 플레어 스택
③ 흡수탑
④ 인화방지망

해설
플레어 스택(Flare Stack)
1. 가스나 고휘발성 액체의 증기를 연소해서 대기 중으로 방출하는 방식
2. 가연성, 독성 및 냄새를 없앤 후 대기 중에 방산

정답 91 ① 92 ④ 93 ① 94 ① 95 ②

96 반응기가 이상과열인 경우 반응폭주를 방지하기 위하여 작동하는 장치로 가장 거리가 먼 것은?

① 고온경보장치 ② 블로우다운 시스템
③ 긴급차단장치 ④ 자동 Shut Down장치

해설
블로 다운(Blow Down)
응축성 증기, 열유, 열액 등 공정 액체를 빼내고 이것을 안전하게 유지 또는 처리하기 위한 장치

97 다음 중 화염의 역화를 방지하기 위한 안전장치는?

① Flame Arrester ② Flame Stack
③ Molecular Seal ④ Water Seal

해설
화염방지기(인화방지망, Flame Arrester)
1. 유류저장탱크에서 화염의 차단을 목적으로 외부에 증기를 방출하기도 하고 탱크 내 외기를 흡입하기도 하는 부분에 설치하는 안전장치
2. 40메시(mesh) 이상의 가는 눈의 철망을 여러 겹으로 해서 화염이 통과할 때 화염을 차단할 목적으로 한다.

98 액체계의 과도한 상승 압력의 방출에 이용되고 설정압력이 되었을 때 압력상승에 비례하여 서서히 개방되는 밸브는?

① 릴리프밸브 ② 체크밸브
③ 안전밸브 ④ 통기밸브

해설
릴리프밸브(Relief Valve)
액체의 취급 시 사용하는 안전밸브로 밸브개방은 압력증가에 비례하여 서서히 개방한다.

99 산업안전보건법령상 안전밸브 전단, 후단에 자물쇠형 차단밸브를 설치할 수 없는 경우는?

① 화학설비 및 그 부속설비에 안전밸브 등이 복수방식으로 설치되어 있는 경우
② 예비용 설비를 설치하고 각각의 설비에 안전 밸브 등이 설치되어 있는 경우
③ 열팽창에 의하여 상승된 압력을 낮추기 위한 목적으로 안전밸브가 설치된 경우
④ 안전밸브 등의 배출용량의 2분의 1 이상에 해당하는 용량의 자동압력 조절 밸브와 안전밸브가 직렬로 연결된 경우

해설
차단밸브 설치금지
1. 안전밸브 등의 전단·후단에 차단밸브를 설치해서는 아니 된다.
2. 다만, 다음 각 호의 어느 하나에 해당하는 경우에는 자물쇠형 또는 이에 준하는 형식의 차단밸브를 설치할 수 있다.
   - 인접한 화학설비 및 그 부속설비에 안전밸브 등이 각각 설치되어 있고, 해당 화학설비 및 그 부속설비의 연결배관에 차단밸브가 없는 경우
   - 안전밸브 등의 배출용량의 2분의 1 이상에 해당하는 용량의 자동압력조절밸브(구동용 동력원의 공급을 차단하는 경우 열리는 구조인 것으로 한정한다)와 안전밸브 등이 병렬로 연결된 경우
   - 화학설비 및 그 부속설비에 안전밸브 등이 복수방식으로 설치되어 있는 경우
   - 예비용 설비를 설치하고 각각의 설비에 안전밸브 등이 설치되어 있는 경우
   - 열팽창에 의하여 상승된 압력을 낮추기 위한 목적으로 안전밸브가 설치된 경우
   - 하나의 플레어 스택(Flare Stack)에 둘 이상의 단위공정의 플레어 헤더(Flare Header)를 연결하여 사용하는 경우로서 각각의 단위공정의 플레어헤더에 설치된 차단밸브의 열림·닫힘 상태를 중앙제어실에서 알 수 있도록 조치한 경우

100 산업안전보건법령에 따라 인화성 액체를 저장·취급하는 대기압 탱크에 가압이나 진공 발생 시 압력을 일정하게 유지하기 위하여 설치하여야 하는 장치는?

① 통기밸브 ② 체크밸브
③ 스팀트랩 ④ 프레임어레스트

해설
통기설비 및 화염방지기 설치
1. 인화성 액체를 저장·취급하는 대기압탱크에는 통기관 또는 통기밸브(Breather Valve) 등을 설치하여야 한다.
2. 인화성 액체 및 인화성 가스를 저장 취급하는 화학설비에서 증기나 가스를 대기로 방출하는 경우에는 외부로부터의 화염을 방지하기 위하여 화염방지기를 그 설비 상단에 설치하여야 한다.(다만, 대기로 연결된 통기관에 통기밸브가 설치되어 있거나, 인화점이 섭씨 38도 이상 60도 이

정답 96 ② 97 ① 98 ① 99 ④ 100 ①

하인 인화성 액체를 저장·취급할 때에 화염방지 기능을 가지는 인화방지망을 설치한 경우에는 제외)

> **TIP** 통기밸브 : 항상 탱크 내의 압력을 대기압과 평형한 압력으로 유지하는 밸브

101 다음 중 배관용 부품에 있어 사용되는 성격이 다른 것은?

① 엘보우(Elbow)   ② 티(T)
③ 크로스(Cross)   ④ 밸브(Valve)

해설
피팅류(Fittings)

두 개의 관을 연결할 때	플랜지(Flange), 유니온(Union), 커플링(Coupling), 니플(Nipple), 소켓(Socket)
관로의 방향을 바꿀 때	엘보우(Elbow), Y자관(Y-branch), 티(Tee), 십자(Cross)
관로의 크기를 바꿀 때 (관의 지름을 변경할 때)	리듀서(Reducer), 부싱(Bushing)
가지관을 설치할 때	Y자관(Y-branch), 티(Tee), 십자(Cross)
유로를 차단할 때	플러그(Plug), 캡(Cap), 밸브(Valve)
유량조절	밸브(Valve)

102 다음 중 산업안전보건법상 화학설비 또는 그 배관의 덮개·플랜지·밸브 및 콕의 접합부에 대하여 당해 접합부에서의 위험물질 등의 누출로 인한 폭발·화재 또는 위험물의 누출을 방지하기 위한 가장 적절한 조치는?

① 개스킷의 사용
② 코르크의 사용
③ 호스 밴드의 사용
④ 호스 스크립의 사용

해설
덮개 등 접합부의 조치사항
화학설비 또는 그 배관의 덮개·플랜지·밸브 및 콕의 접합부에 대해서는 접합부에서 위험물질 등이 누출되어 폭발·화재 또는 위험물이 누출되는 것을 방지하기 위하여 적절한 개스킷(Gasket)을 사용하고 접합면을 서로 밀착시키는 등 적절한 조치를 하여야 한다.

103 다음 중 개방형 스프링식 안전밸브의 장점이 아닌 것은?

① 구조가 비교적 간단하다.
② 증기용에 어큐뮬레이션을 3% 이내로 할 수 있다.
③ 스프링, 밸브봉 등이 외기의 영향을 받지 않는다.
④ 밸브시트와 밸브스템 사이에서 누설을 확인하기 쉽다.

해설
개방형 스프링식 안전밸브는 분출구가 외기를 향해 있기 때문에 외기의 영향을 받기 쉽다.

104 다음 중 산업안전보건법령상 공정안전보고서에 포함되어야 하는 주요 4가지 사항에 해당하지 않는 것은?(단, 고용노동부장관이 필요하다고 인정하여 고시하는 사항은 제외한다.)

① 공정안전자료   ② 안전운전비용
③ 비상조치계획   ④ 공정위험성 평가서

해설
공정안전보고서의 내용
1. 공정안전자료
2. 공정위험성 평가서
3. 안전운전계획
4. 비상조치계획
5. 그 밖에 공정상의 안전과 관련하여 고용노동부장관이 필요하다고 인정하여 고시하는 사항

105 유해·위험설비의 설치·이전 시 공정안전보고서의 제출시기로 옳은 것은?

① 공사 완료 전까지
② 공사 후 시운전 익일까지
③ 설비 가동 후 30일 이내에
④ 공사의 착공일 30일 전까지

해설
공정안전보고서의 제출시기 및 절차
유해·위험설비의 설치·이전 또는 주요 구조부분의 변경공사의 착공일 30일 전까지 공정안전보고서를 2부 작성하여 공단에 제출하여야 한다.

정답 101 ④ 102 ① 103 ③ 104 ② 105 ④

106 다음 중 공정안전보고서에 관한 설명으로 틀린 것은?

① 사업주가 공정안전보고서를 작성한 후에는 별도의 심의 과정이 없다.
② 공정안전보고서를 제출한 사업주는 정하는 바에 따라 고용노동부장관의 확인을 받아야 한다.
③ 고용노동부장관은 공정안전보고서의 이행 상태를 평가하고 그 결과에 따라 공정안전보고서를 다시 제출하도록 명할 수 있다.
④ 고용노동부장관은 공정안전보고서를 심사한 후 필요하다고 인정하는 경우에는 그 공정안전보고서의 변경을 명할 수 있다.

해설
공정안전보고서의 심사
1. 공단은 공정안전보고서를 제출받은 경우에는 제출받은 날부터 30일 이내에 심사하여 1부를 사업주에게 송부하고, 그 내용을 지방고용노동관서의 장에게 보고해야 한다.
2. 공단은 공정안전보고서를 심사한 결과 화재의 예방·소방 등과 관련된 부분이 있다고 인정되는 경우에는 그 관련 내용을 관할 소방관서의 장에게 통보해야 한다.

107 다음 중 공정안전보고서의 심사결과 구분에 해당하지 않는 것은?

① 적정
② 부적정
③ 보류
④ 조건부 적정

해설
심사결과 구분 : 적정, 조건부 적정, 부적정

108 산업안전보건법령상 공정안전보고서에 포함되어야 하는 사항 중 공정안전자료의 세부내용에 해당하는 것은?

① 주민홍보계획
② 안전운전지침서
③ 각종 건물·설비의 배치도
④ 위험과 운전 분석(HAZOP)

해설
공정안전자료
1. 취급·저장하고 있거나 취급·저장하려는 유해·위험물질의 종류 및 수량
2. 유해·위험물질에 대한 물질안전보건자료
3. 유해하거나 위험한 설비의 목록 및 사양
4. 유해하거나 위험한 설비의 운전방법을 알 수 있는 공정도면
5. 각종 건물·설비의 배치도
6. 폭발위험장소 구분도 및 전기단선도
7. 위험설비의 안전설계·제작 및 설치 관련 지침서

PART 06

건설공사 안전관리 예상문제

PART 06 건설공사 안전관리 예상문제

01 굴착작업 시 굴착시기와 작업장소를 정할 때 사전조사 사항이 아닌 것은?

① 지반의 지하수위 상태
② 지질 및 지층의 상태
③ 굴착기의 이상 유무
④ 매설물 등의 유무 또는 상태

해설
굴착작업 시 사전조사 내용
1. 형상·지질 및 지층의 상태
2. 균열·함수·용수 및 동결의 유무 또는 상태
3. 매설물 등의 유무 또는 상태
4. 지반의 지하수위 상태

02 굴착작업을 실시하기 전에 조사하여야 할 사항 중 지하매설물에 해당하지 않는 것은?

① 가스관
② 상하수도관
③ 암반
④ 건축물의 기초

해설
지하매설물
굴착작업 전 가스관, 상하수도관, 지하케이블, 건축물의 기초 등 지하매설물에 대하여 조사하고 굴착 시 이에 대한 안전조치를 하여야 한다.

03 산업안전보건기준에 관한 규칙에 따른 굴착면의 기울기 기준으로 틀린 것은?

① 모래 −1 : 1.8
② 연암 및 풍화암 −1 : 0.8
③ 경암 −1 : 0.5
④ 그 밖의 흙 −1 : 1.2

해설
굴착면의 기울기

지반의 종류	굴착면의 기울기
모래	1 : 1.8
연암 및 풍화암	1 : 1.0
경암	1 : 0.5
그 밖의 흙	1 : 1.2

04 굴착작업 시 토사 등의 붕괴 또는 낙하에 의하여 근로자에게 위험을 미칠 우려가 있는 경우에 사전에 필요한 조치로 거리가 먼 것은?

① 인화성 가스의 농도 측정
② 방호망의 설치
③ 흙막이 지보공의 설치
④ 근로자의 출입 금지

해설
굴착작업 시 위험방지
굴착작업 시 토사 등의 붕괴 또는 낙하에 의하여 근로자에게 위험을 미칠 우려가 있는 경우에는 미리 흙막이 지보공의 설치, 방호망의 설치 및 근로자의 출입 금지 등 그 위험을 방지하기 위하여 필요한 조치를 해야 한다.

05 트렌치 굴착 시 흙막이 지보공을 설치하지 않은 경우 굴착 깊이는 몇 m 이하로 해야 하는가?

① 1.5m
② 2m
③ 3.5m
④ 4m

해설
트렌치 굴착 시 준수사항
흙막이 지보공을 설치하지 않는 경우 굴착 깊이는 1.5미터 이하로 하여야 한다.

정답 01 ③ 02 ③ 03 ② 04 ① 05 ①

06 잠함, 우물통, 수직갱 그 밖에 이와 유사한 건설물 또는 설비의 내부에서 굴착작업을 하는 경우에 준수해야 할 기준으로 옳지 않은 것은?

① 산소결핍 우려가 있는 경우에는 산소의 농도를 측정하는 사람을 지명하여 측정하도록 할 것
② 근로자가 안전하게 오르내리기 위한 설비를 설치할 것
③ 굴착 깊이가 10m를 초과하는 경우에는 해당 작업장소와 외부와의 연락을 위한 통신설비 등을 설치할 것
④ 굴착깊이가 20m를 초과하는 경우에는 송기를 위한 설비를 설치하여 필요한 양의 공기를 공급할 것

해설
잠함 등 내부에서의 작업(잠함, 우물통, 수직갱 등 이와 유사한 건설물 또는 설비)
1. 산소 결핍 우려가 있는 경우에는 산소의 농도를 측정하는 사람을 지명하여 측정하도록 할 것
2. 근로자가 안전하게 오르내리기 위한 설비를 설치할 것
3. 굴착 깊이가 20미터를 초과하는 경우에는 해당 작업장소와 외부와의 연락을 위한 통신설비 등을 설치할 것
4. 산소 결핍이 인정되거나 굴착 깊이가 20미터를 초과하는 경우에는 송기를 위한 설비를 설치하여 필요한 양의 공기를 공급해야 한다.

07 채석작업을 하는 경우 지반의 붕괴 또는 토석의 낙하로 인하여 근로자에게 발생할 우려가 있는 위험을 방지하기 위하여 취하여야 할 조치와 가장 거리가 먼 것은?

① 작업 시작 전 작업장소 및 그 주변 지반의 부석과 균열의 유무와 상태 점검
② 함수·용수 및 동결상태의 변화 점검
③ 진동치 속도 점검
④ 발파 후 발파장소 점검

해설
채석작업 지반붕괴 위험방지
1. 점검자를 지명하고 당일 작업 시작 전에 작업장소 및 그 주변 지반의 부석과 균열의 유무와 상태, 함수·용수 및 동결상태의 변화를 점검할 것
2. 점검자는 발파 후 그 발파 장소와 그 주변의 부석 및 균열의 유무와 상태를 점검할 것

08 채석작업을 하는 때 채석작업계획에 포함되어야 하는 사항에 해당되지 않는 것은?

① 굴착면의 높이와 기울기
② 기둥침하의 유무 및 상태 확인
③ 암석의 분할방법
④ 표토 또는 용수의 처리방법

해설
채석작업의 작업계획서 내용
1. 노천굴착과 갱내굴착의 구별 및 채석방법
2. 굴착면의 높이와 기울기
3. 굴착면 소단의 위치와 넓이
4. 갱내에서의 낙반 및 붕괴방지 방법
5. 발파방법
6. 암석의 분할방법
7. 암석의 가공장소
8. 사용하는 굴착기계·분할기계·적재기계 또는 운반기계의 종류 및 성능
9. 토석 또는 암석의 적재 및 운반방법과 운반경로
10. 표토 또는 용수의 처리방법

09 지반의 침하에 따른 구조물의 안전성에 중대한 영향을 미치는 흙의 간극비의 정의로 옳은 것은?

① $\dfrac{공기의\ 부피}{흙입자의\ 부피}$

② $\dfrac{공기와\ 물의\ 부피}{흙입자의\ 부피}$

③ $\dfrac{공기와\ 물의\ 부피}{흙입자에\ 포함된\ 물의\ 부피}$

④ $\dfrac{공기의\ 부피}{흙입자에\ 포함된\ 물의\ 부피}$

해설
간극비(공극비, Void Ratio : e)
1. 흙입자를 제외한 물과 공기가 차지하는 부피를 간극이라 한다.
2. 흙입자의 부피에 대한 간극의 부피의 비

$$e = \dfrac{V_V}{V_S}$$

여기서, V_V : 간극(공극)의 부피
V_S : 흙입자의 부피

정답 06 ③ 07 ③ 08 ② 09 ②

10 흙의 함수비 측정시험을 하였다. 먼저 용기의 무게를 잰 결과 10g이었다. 시료를 용기에 넣은 후에 총 무게는 40g, 그대로 건조시킨 후 무게는 30g이었다. 이 흙의 함수비는?

① 25% ② 30%
③ 50% ④ 75%

해설

함수비(Water Content, w)
흙입자의 무게에 대한 물의 무게의 비이며, 백분율로 표시한다.

$$w = \frac{W_W}{W_S} \times 100(\%)$$

여기서, W_W : 물의 무게, W_S : 흙입자의 무게

1. 흙입자와 물의 중량 $= 40 - 10 = 30g$
2. 물의 중량 $= 40 - 30 = 10g$
3. 흙입자의 중량 $= 30 - 10 = 20g$
4. $w = \frac{W_W}{W_S} \times 100(\%) = \frac{10}{20} \times 100 = 50[\%]$

11 흙의 상태는 함수량에 따라 액체, 소성, 반고체, 고체 등으로 변화하는데 이러한 흙의 성질을 무엇이라 하는가?

① 흙의 팽창 ② 흙의 연경도
③ 흙의 다짐 ④ 흙의 밀도

해설

흙의 연경도(Consistency)
1. 흙은 함수량의 변화에 따라 그 성질이 변화하는데, 함수량이 많아지면서 고체상태, 반고체상태, 소성상태 및 액체상태로 변화한다.
2. 흙의 함수비 변화에 따른 상태 변화를 나타내는 성질을 흙의 연경도라 한다.

12 흙의 액성한계 $W_L = 48\%$, 소성한계 $W_P = 26\%$일 때 소성지수(I_P)는 얼마인가?

① 18% ② 22%
③ 26% ④ 32%

해설

소성지수(I_P)
흙이 소성상태로 존재할 수 있는 함수비의 범위를 말한다.

$$I_P = W_L - W_P$$

여기서, W_L : 액성한계, W_P : 소성한계

$I_P = W_L - W_P = 48 - 26 = 22[\%]$

13 흙을 크게 분류하면 사질토와 점성토로 나눌 수 있는데 그 차이점으로 옳지 않은 것은?

① 흙의 내부 마찰각은 사질토가 점성토보다 크다.
② 지지력은 사질토가 점성토보다 크다.
③ 점착력은 사질토가 점성토보다 크다.
④ 장기침하량은 사질토가 점성토보다 크다.

해설

장기침하량은 점성토가 사질토보다 크다.

항목	사질토	점성토
투수계수	크다.	작다.
불교란시료	채취가 어렵다.	채취가 쉽다.
전단강도	크다.	작다.
동결피해	작다.	크다.
압밀성	작다.	크다.
압밀속도	빠르다.	느리다.
내부 마찰각	크다.	작다.
장기침하량	작다.	크다.
점착력	작다.	크다.
지지력	크다.	작다.

14 다음 중 흙의 다짐에 대한 목적 및 효과로 옳지 않은 것은?

① 흙의 밀도가 높아진다.
② 흙의 투수성이 증가한다.
③ 지반의 지지력이 증가한다.
④ 동상현상이나 팽창적용 등이 감소한다.

해설

다짐(Compaction)
1. 사질지반에서 재하에 의해 공기가 제거되면서 밀도를 증가시켜 전단강도를 증가시키는 현상
2. 다짐의 목적
   ㉠ 전단 강도 증대   ㉣ 투수성 감소
   ㉡ 지지력 증대   ㉤ 동상방지
   ㉢ 압축성 감소   ㉥ 팽창, 수축감소

정답 10 ③ 11 ② 12 ② 13 ④ 14 ②

15 지반의 투수계수에 영향을 주는 인자에 해당하지 않는 것은?

① 토립자의 단위중량 ② 유체의 점성계수
③ 토립자의 공극비 ④ 유체의 밀도

해설
지반의 투수계수에 영향을 미치는 요소
1. 흙입자의 크기가 클수록 투수계수가 증가한다.
2. 물의 밀도와 농도가 클수록 투수계수가 증가한다.
3. 물의 점성계수가 클수록 투수계수가 감소한다.
4. 간극비(공극비)가 클수록 투수계수가 증가한다.
5. 포화도가 클수록 투수계수가 증가한다.
6. 점토의 면모구조는 이산구조보다 투수계수가 크다.
7. 흙의 비중은 투수계수와 관계가 없다.

16 토사붕괴 재해의 발생 원인으로 보기 어려운 것은?

① 부석의 점검을 소홀히 했다.
② 지질조사를 충분히 하지 않았다.
③ 굴착면 상하에서 동시작업을 했다.
④ 안식각으로 굴착했다.

해설
토사의 안식각(휴식각, Angle of Repose)
1. 안정된 비탈면과 원지면이 이루는 흙의 사면 각도로 자연경사각이라고 한다.
2. 기초파기의 구배는 토사의 안식각에서 결정되므로 토질에 따라 다르다.
3. 토사의 안식각은 토사의 종류, 함수량에 따라 변화한다.
4. 충분한 안식각의 확보는 토사붕괴 재해를 예방할 수 있다.

17 모래질 지반에서 포화된 가는 모래에 충격을 가하면 모래가 약간 수축하여 정(+)의 공극수압이 발생하며, 이로 인하여 유효응력이 감소하여 전단강도가 떨어져 순간침하가 발생하는 현상은?

① 동상현상 ② 연화현상
③ 리칭현상 ④ 액상화현상

해설
액상화(Liquefaction) 현상
1. 액상화란 모래지반에서 순간충격 등에 의해 간극수압의 상승으로 유효응력이 감소되어 전단저항을 상실하고 지반이 액체와 같이 되는 현상
2. 액상화 발생시 건물의 부상 및 부동침하가 발생

18 흙의 동상을 방지하기 위한 대책으로 옳지 않은 것은?

① 물의 유통을 원활하게 하여 지하수위를 상승시킨다.
② 모관수의 상승을 차단하기 위하여 지하수위 상층에 조립토층을 설치한다.
③ 지표의 흙을 화학약품으로 처리한다.
④ 흙속에 단열재료를 매입한다.

해설
동상방지 대책
1. 배수구 설치 등으로 지하수위를 저하시킨다.
2. 지하수위 상부에 조립토층을 설치하여 모관상승을 차단한다.
3. 지표면 부근에 단열재료(석탄재, 코르크, 스티로폼, 부직포 등)를 매입한다.
4. 약액 및 약품처리로 흙의 동결온도를 낮춘다.
5. 치환공법으로 실트질 흙을 조립토로 바꾼다.(비동결성 흙 치환)

19 다음 중 낙하추나 화약의 폭발 등으로 인공진동을 일으켜 지반의 종류, 지층 및 강성도 등을 알아내는 데 활용되는 지반조사 방법은?

① 탄성파 탐사 ② 전기저항 탐사
③ 방사능 탐사 ④ 유량검층 탐사

해설
탄성파 탐사(지진파 탐사)
인공적으로 지표 부근에 지진파를 발생시켜서 지반의 종류, 지층 및 강성도를 알아내는 방법

20 지반조사 방법 중 충격날(bit)을 회전시켜 천공하므로 토층이 흐트러질 우려가 적어 불교란시료 채취, 암석채취 등에 많이 사용되는 것은?

① 워시 보링 ② 로터리 보링
③ 퍼쿠션 보링 ④ 탄성파 탐사

해설
회전식 보링(Rotary Boring)
날을 회전시켜 천공하는 방법, 비교적 자연상태 그대로 채취 가능(연속적으로 시료를 채취할 수 있어 지층의 변화를 비교적 정확히 알 수 있다)

정답 15 ① 16 ④ 17 ④ 18 ① 19 ① 20 ②

21 표준관입시험(SPT)에서의 N값은 샘플러를 63.5kg 해머로 흐트러지지 않을 지반에 몇 cm 관입하는 데 필요한 타격 횟수인가?

① 15cm ② 30cm
③ 60cm ④ 75cm

해설

표준관입시험(Standard Penetration Test)
1. 무게 63.5kg의 해머로 76cm 높이에서 자유낙하시켜 샘플러를 30cm 관입시키는 데 소요되는 타격횟수 N치를 측정하는 시험
2. 흙의 지내력 판단, 사질토 지반에 적용
3. N값이 클수록 밀실한 토질이다.

22 연질의 점토지반 굴착 시 흙막이 바깥에 있는 흙의 중량과 지표 위에 적재하중 등에 의해 저면 흙이 붕괴되고 흙막이 바깥에 있는 흙이 안으로 밀려 불룩하게 되는 현상은?

① 히빙 ② 보일링
③ 파이핑 ④ 베인

해설

지반의 이상현상

히빙(Heaving) 현상	연질점토 지반에서 굴착에 의한 흙막이 내·외면의 흙의 중량 차이로 인해 굴착 저면이 부풀어 올라오는 현상
보일링(Boiling) 현상	사질토 지반에서 굴착저면과 흙막이 배면과의 수위 차이로 인해 굴착저면의 흙과 물이 함께 위로 솟구쳐 오르는 현상
파이핑(Piping) 현상	보일링 현상으로 인하여 지반 내에서 물의 통로가 생기면서 흙이 세굴되는 현상

TIP 지반의 이상현상 중 히빙 현상뿐만 아니라 보일링, 파이핑 현상에 대해서도 출제되고 있습니다. 함께 기억하세요.

23 히빙 현상에 대한 안전대책과 가장 거리가 먼 것은?

① 어스앵커 설치
② 흙막이벽의 근입심도 확보
③ 양질의 재료로 지반개량 실시
④ 굴착 주변에 상재하중을 증대

해설

히빙(Heaving) 현상
1. 정의 : 연질점토 지반에서 굴착에 의한 흙막이 내·외면의 흙의 중량 차이로 인해 굴착 저면이 부풀어 올라오는 현상
2. 안전대책
 • 흙막이 근입깊이를 깊게
 • 표토 제거 하중 감소
 • 굴착 저면 지반개량(흙의 전단강도를 높임)
 • 굴착면 하중 증가
 • 어스앵커 설치
 • 주변 지하수위 저하
 • 소단굴착을 하여 소단부 흙의 중량이 바닥을 누르게 함
 • 토류벽의 배면토압을 경감

24 점성토의 지반의 개량공법으로 적합하지 않은 것은?

① 바이브로 플로테이션 공법
② 프리로딩 공법
③ 치환공법
④ 페이퍼 드레인공법

해설

지반개량공법

사질토	1. 동다짐 공법 2. 전기 충격 공법 3. 다짐 모래 말뚝 공법 4. 진동 다짐 공법(바이브로 플로테이션 공법) 5. 폭파다짐 공법 6. 약액 주입 공법
점성토	1. 치환공법(굴착치환, 미끄럼치환, 폭파치환) 2. 압밀(재하)공법(여성토 공법[프리로딩 공법], 사면선단 재하공법, 압성토공법) 3. 탈수공법(샌드드레인 공법, 페이퍼드레인 공법, 팩 드레인 공법) 4. 배수공법(디프 웰 공법, 웰 포인트 공법) 5. 고결공법(생석회 말뚝 공법, 동결공법, 소결공법)

25 유해·위험방지계획서 제출 대상 공사에 해당하는 것은?

① 지상 높이가 21m인 건축물 해체공사
② 최대지간 거리가 50m인 교량의 건설공사
③ 연면적 5,000m²인 동물원 건설공사
④ 깊이가 9m인 굴착 공사

> **해설**

유해위험방지계획서를 제출해야 될 건설공사
1. 다음 각 목의 어느 하나에 해당하는 건축물 또는 시설 등의 건설·개조 또는 해체공사
    ㉠ 지상높이가 31미터 이상인 건축물 또는 인공구조물
    ㉡ 연면적 3만 제곱미터 이상인 건축물
    ㉢ 연면적 5천 제곱미터 이상인 시설로서 다음의 어느 하나에 해당하는 시설
        · 문화 및 집회시설(전시장 및 동물원·식물원은 제외)
        · 판매시설, 운수시설(고속철도의 역사 및 집배송시설은 제외)
        · 종교시설
        · 의료시설 중 종합병원
        · 숙박시설 중 관광숙박시설
        · 지하도상가
        · 냉동·냉장 창고시설
2. 연면적 5천 제곱미터 이상인 냉동·냉장 창고시설의 설비공사 및 단열공사
3. 최대 지간길이(다리의 기둥과 기둥의 중심 사이의 거리)가 50미터 이상인 다리의 건설 등 공사
4. 터널의 건설 등 공사
5. 다목적댐, 발전용댐, 저수용량 2천만 톤 이상의 용수 전용 댐 및 지방상수도 전용 댐의 건설 등 공사
6. 깊이 10미터 이상인 굴착공사

26 건설공사 유해·위험방지계획서를 제출하는 경우 자격을 갖춘 자의 의견을 들은 후 제출하여야 하는데 이 자격에 해당하지 않는 자는?

① 건설안전기사로서 건설안전 관련 실무경력이 4년인 자
② 건설안전기술사
③ 토목시공기술사
④ 건설안전분야 산업안전지도사

> **해설**

계획서 작성 시 의견을 청취해야 할 대상의 자격요건(검토자의 자격 요건)
건설공사를 착공하려는 사업주는 유해위험방지계획서를 작성할 때 건설안전분야의 자격 등 고용노동부령으로 정하는 자격을 갖춘 자의 의견을 들어야 한다.
1. 건설안전 분야 산업안전지도사
2. 건설안전기술사 또는 토목·건축 분야 기술사
3. 건설안전산업기사 이상의 자격을 취득한 후 건설안전 관련 실무경력이 건설안전기사 이상의 자격은 5년, 건설안전산업기사 자격은 7년 이상인 사람

27 유해·위험방지계획서의 첨부서류에서 공사 개요 및 안전보건관리계획에 해당되지 않는 항목은?

① 산업안전보건관리비 사용계획
② 안전관리 조직표
③ 재해 발생 위험 시 연락 및 대피방법
④ 근로자 건강진단 실시계획

> **해설**

공사 개요 및 안전보건관리계획
1. 공사 개요서
2. 공사현장의 주변 현황 및 주변과의 관계를 나타내는 도면(매설물 현황을 포함)
3. 전체 공정표
4. 산업안전보건관리비 사용계획서
5. 안전관리 조직표
6. 재해 발생 위험 시 연락 및 대피방법

28 추락의 정의로 옳은 것은?

① 고소에 위치한 자재, 도구, 공구 등이 하부로 떨어지는 것
② 계단 경사로 등에서 굴러 떨어지는 것
③ 고소 근로자가 위치에너지의 상실로 인해 하부로 떨어지는 것
④ 고소에 위치한 가설물의 일부가 붕괴하는 것

> **해설**

추락의 정의
사람이 건축물, 비계, 기계, 사다리, 계단, 경사면, 나무 등에서 떨어지는 것을 말한다.

29 추락재해 방지용 방망의 신품에 대한 인장강도는 얼마인가?(단, 그물코의 크기가 10cm이며, 매듭 없는 방망)

① 220kg
② 240kg
③ 260kg
④ 280kg

> **해설**

방망사의 신품에 대한 인장강도

그물코의 크기 (단위 : 센티미터)	방망의 종류(단위 : 킬로그램)	
	매듭 없는 방망	매듭방망
10	240	200
5		110

정답 26 ① 27 ④ 28 ③ 29 ②

30 추락재해를 방지하기 위하여 10cm 그물코인 방망을 설치할 때 방망과 바닥면 사이의 최소 높이로 옳은 것은?(단, 설치된 방망의 단변 방향 길이 $L=2m$, 장변 방향 방망의 지지간격 $A=3m$이다.)

① 2.0m ② 2.4m
③ 3.0m ④ 3.4m

해설

방망과 바닥면 높이(H_2)

높이/종류/조건	방망과 바닥면 높이(H_2)	
	10센티미터 그물코	5센티미터 그물코
$L<A$	$\frac{0.85}{4}(L+3A)$	$\frac{0.95}{4}(L+3A)$
$L \geq A$	$0.85L$	$0.95L$

L : 단변방향길이(단위 : m)
A : 장변방향 방망의 지지간격(단위 : m)

1. 10cm 그물코이며, $L(2m) < A(3m)$이므로
2. $H_2 = \frac{0.85}{4}(L+3A) = \frac{0.85}{4} \times (2+3\times3) = 2.34[m]$

---

31 추락방지망의 달기로프를 지지점에 부착할 때 지지점의 간격이 1.5m인 경우 지지점의 강도는 최소 얼마 이상이어야 하는가?

① 200kg ② 300kg
③ 400kg ④ 500kg

해설

지지점의 강도

$$F = 200B$$

여기서, F : 외력(kg), B : 지지점 간격(m)

$F = 200B = 200 \times 1.5 = 300[kg]$

---

32 안전난간 설치 시 발끝막이판은 바닥면으로부터 최소 얼마 이상의 높이를 유지해야 하는가?

① 5cm 이상 ② 10cm 이상
③ 15cm 이상 ④ 20cm 이상

해설

발끝막이판(폭목)
바닥면 등으로부터 10센티미터 이상의 높이를 유지할 것(다만, 물체가 떨어지거나 날아올 위험이 없거나 그 위험을 방지할 수 있는 망을 설치하는 등 필요한 예방 조치를 한 장소는 제외)

TIP 공구 등 물체가 작업발판에서 지상으로 낙하되지 않도록 하기 위하여 바닥면 등으로부터 10cm 이상의 높이로 설치한다.

---

33 근로자의 추락 등의 위험을 방지하기 위하여 설치하는 안전난간의 구조 및 설치기준으로 옳지 않은 것은?

① 상부난간대는 바닥면·발판 또는 경사로의 표면으로부터 90cm 이상 지점에 설치할 것
② 발끝막이판은 바닥면 등으로부터 10cm 이상의 높이를 유지할 것
③ 안전난간은 구조적으로 가장 취약한 지점에서 가장 취약한 방향으로 작용하는 80kg 이상의 하중에 견딜 수 있는 튼튼한 구조일 것
④ 난간대는 지름 2.7cm 이상의 금속제 파이프나 그 이상의 강도가 있는 재료일 것

해설

안전난간의 구조 및 설치요건(하중)
안전난간은 구조적으로 가장 취약한 지점에서 가장 취약한 방향으로 작용하는 100킬로그램 이상의 하중에 견딜 수 있는 튼튼한 구조일 것

---

34 다음 중 추락재해의 발생을 막기 위한 대책이라고 볼 수 없는 것은?

① 추락방지망의 설치 ② 안전대의 착용
③ 투하설비의 설치 ④ 안전난간의 설치

해설

높이가 3m 이상인 장소에서 물체를 투하하는 경우 조치사항
1. 투하설비 설치
2. 감시인 배치

TIP 투하설비는 낙하·비래의 위험방지 조치이다.

35 건설공사에서 발코니 단부, 엘리베이터 입구, 재료 반입구 등과 같이 벽면 혹은 바닥에 추락의 위험이 우려되는 장소를 가리키는 용어는?

① 비계
② 개구부
③ 가설구조물
④ 연결통로

해설
개구부
개구부는 벽이나 바닥에 뚫린 구멍을 총칭하며, 특히 수평 개구부는 추락·낙하 등의 위험이 있어 관리해야 한다.

36 다음 ( ) 안에 적합한 것은?

> 근로자가 (㉠)하거나 넘어질 위험이 있는 장소 또는 기계·설비·선박블록 등에서 작업을 할 때에 근로자가 위험해질 우려가 있는 경우 비계를 조립하는 등의 방법으로 작업발판을 설치하여야 한다.
> 작업발판을 설치하기 곤란한 때에는 (㉡)을 치거나 근로자에게 안전대를 착용하도록 하는 등 추락에 의한 근로자의 위험을 방지하기 위하여 필요한 조치를 하여야 한다.

① ㉠ : 추락   ㉡ : 낙하물방지망
② ㉠ : 추락   ㉡ : 안전방망
③ ㉠ : 충돌   ㉡ : 추락방지망
④ ㉠ : 충돌   ㉡ : 방호선반

해설
추락의 방지
1. 근로자가 추락하거나 넘어질 위험이 있는 장소(작업발판의 끝·개구부 등을 제외) 또는 기계·설비·선박블록 등에서 작업을 할 때에 근로자가 위험해질 우려가 있는 경우 비계를 조립하는 등의 방법으로 작업발판을 설치하여야 한다.
2. 작업발판을 설치하기 곤란한 경우에는 안전방망을 설치하여야 한다. 다만, 안전방망을 설치하기 곤란한 경우에는 근로자에게 안전대를 착용하도록 하는 등 추락위험을 방지하기 위하여 필요한 조치를 하여야 한다.

37 추락방지를 위한 안전방망 설치기준으로 옳지 않은 것은?

① 작업면으로부터 망의 설치지점까지의 수직거리는 10m를 초과하지 않도록 한다.
② 안전방망은 수평으로 설치한다.
③ 망의 처짐은 짧은 변 길이의 10% 이하가 되도록 한다.
④ 건축물 등의 바깥쪽으로 설치하는 경우 망의 내민 길이는 벽면으로부터 3m 이상이 되도록 한다.

해설
안전방망의 설치기준
1. 안전방망의 설치위치는 가능하면 작업면으로부터 가까운 지점에 설치하여야 하며, 작업면으로부터 망의 설치지점까지의 수직거리는 10미터를 초과하지 아니할 것
2. 안전방망은 수평으로 설치하고, 망의 처짐은 짧은 변 길이의 12퍼센트 이상이 되도록 할 것
3. 건축물 등의 바깥쪽으로 설치하는 경우 망의 내민 길이는 벽면으로부터 3미터 이상 되도록 할 것. 다만, 그물코가 20밀리미터 이하인 망을 사용한 경우에는 낙하물에 의한 위험 방지에 따른 낙하물방지망을 설치한 것으로 본다.

38 높이 2m 이상의 작업발판의 끝이나 개구부 등에서 추락을 방지하기 위한 설비로 가장 거리가 먼 것은?

① 안전난간
② 덮개
③ 방호선반
④ 울타리

해설
개구부 등의 방호조치
1. 작업발판 및 통로의 끝이나 개구부로서 근로자가 추락할 위험이 있는 장소에는 안전난간, 울타리, 수직형 추락방망 또는 덮개 등의 방호 조치를 충분한 강도를 가진 구조로 튼튼하게 설치하여야 하며, 덮개를 설치하는 경우에는 뒤집히거나 떨어지지 않도록 설치하여야 한다. 이 경우 어두운 장소에서도 알아볼 수 있도록 개구부임을 표시하여야 한다.
2. 난간 등을 설치하는 것이 매우 곤란하거나 작업의 필요상 임시로 난간 등을 해체하여야 하는 경우 안전방망을 설치하여야 한다. 다만, 안전방망을 설치하기 곤란한 경우에는 근로자에게 안전대를 착용하도록 하는 등 추락할 위험을 방지하기 위하여 필요한 조치를 하여야 한다.

39 슬레이트, 선라이트 등 강도가 약한 재료로 덮은 지붕 위에서의 작업 중 위험방지를 위하여 필요한 발판의 폭 기준은?

① 10cm 이상
② 20cm 이상
③ 25cm 이상
④ 30cm 이상

해설
지붕 위에서의 위험 방지
1. 지붕의 가장자리에 안전난간을 설치할 것
2. 채광창(Skylight)에는 견고한 구조의 덮개를 설치할 것

정답 35 ② 36 ② 37 ③ 38 ③ 39 ④

3. 슬레이트 등 강도가 약한 재료로 덮은 지붕에는 폭 30센티미터 이상의 발판을 설치할 것
4. 작업환경 등을 고려할 때 안전난간을 설치하기 곤란한 경우에는 추락방호망을 설치해야 한다. 다만, 사업주는 작업환경 등을 고려할 때 추락방호망을 설치하기 곤란한 경우에는 근로자에게 안전대를 착용하도록 하는 등 추락 위험을 방지하기 위하여 필요한 조치를 해야 한다.

40 근로자가 안전하게 승강하기 위한 건설용 리프트 등의 설비를 설치하여야 하는 장소에 대한 높이 또는 깊이의 최소기준은?

① 2m 초과
② 3m 초과
③ 4m 초과
④ 5m 초과

해설
승강설비의 설치
높이 또는 깊이가 2미터를 초과하는 장소에서 작업하는 경우 해당 작업에 종사하는 근로자가 안전하게 승강하기 위한 건설용 리프트 등의 설비를 설치해야 한다. 다만, 승강설비를 설치하는 것이 작업의 성질상 곤란한 경우에는 그렇지 않다.

41 추락 시 로프의 지지점에서 최하단까지의 거리(h)를 구하는 식으로 옳은 것은?

① h = 로프의 길이 + 신장
② h = 로프의 길이 + 신장/2
③ h = 로프의 길이 + 로프의 늘어난 길이 + 신장
④ h = 로프의 길이 + 로프의 늘어난 길이 + 신장/2

해설
최하사점
1. 최하사점 : 추락방지용 보호구인 안전대 사용 시 적정길이의 로프를 사용하여야 추락 시 근로자의 안전을 확보할 수 있다는 이론
2. 공식

$$H > h = \text{로프의 길이}(l) + \text{로프의 신장(율)길이}(l \times a) + \text{작업자의 키} \times \frac{1}{2}$$

여기서, h : 추락 시 로프지지 위치에서 신체의 최하사점까지의 거리(최하사점)
H : 로프를지지 위치에서 바닥면까지의 거리

42 작업조건에 알맞은 보호구의 연결이 옳지 않은 것은?

① 안전대 : 높이 또는 깊이 2m 이상의 추락할 위험이 있는 장소에서의 작업
② 방독마스크 : 분진이 심하게 발생하는 하역작업
③ 안전화 : 물체의 낙하·충격, 물체의 끼임, 감전 또는 정전기의 대전(帶電)에 의한 위험이 있는 작업
④ 방열복 : 고열에 의한 화상 등의 위험이 있는 작업

해설
보호구의 지급

안전대	높이 또는 깊이 2미터 이상의 추락할 위험이 있는 장소에서 하는 작업
안전화	물체의 낙하·충격, 물체에의 끼임, 감전 또는 정전기의 대전에 의한 위험이 있는 작업
방열복	고열에 의한 화상 등의 위험이 있는 작업
방진마스크	선창 등에서 분진이 심하게 발생하는 하역작업

43 토석붕괴의 요인 중 외적 요인이 아닌 것은?

① 토석의 강도 저하
② 사면, 법면의 경사 및 기울기의 증가
③ 절토 및 성토 높이의 증가
④ 공사에 의한 진동 및 반복하중의 증가

해설
토석붕괴의 원인

외적 원인	1. 사면, 법면의 경사 및 기울기의 증가 2. 절토 및 성토 높이의 증가 3. 공사에 의한 진동 및 반복 하중의 증가 4. 지표수 및 지하수의 침투에 의한 토사 중량의 증가 5. 지진, 차량, 구조물의 하중작용 6. 토사 및 암석의 혼합층 두께
내적 원인	1. 절토 사면의 토질·암질 2. 성토 사면의 토질구성 및 분포 3. 토석의 강도 저하

44 일반적으로 사면이 가장 위험한 경우는 어느 때인가?

① 사면이 완전 건조 상태일 때
② 사면의 수위가 서서히 상승할 때
③ 사면이 완전 포화 상태일 때
④ 사면의 수위가 급격히 하강할 때

해설
사면의 붕괴위험이 가장 클 때는 수위가 급격히 하강할 때이다.

정답 40 ① 41 ④ 42 ② 43 ① 44 ④

45 토사붕괴 시의 조치사항으로 거리가 먼 것은?

① 대피통로 및 공간의 확보
② 동시작업의 금지
③ 2차 재해의 방지
④ 굴착공법의 선정

해설
붕괴 조치사항

동시작업의 금지	붕괴토석의 최대 도달거리 범위 내에서 굴착공사, 배수관의 매설, 콘크리트 타설작업 등을 할 경우에는 적절한 보강대책을 강구하여야 함
대피공간의 확보	붕괴의 속도는 높이에 비례하므로 수평방향의 활동에 대비하여 작업장 좌우에 피난통로 등을 확보하여야 함
2차 재해의 방지	작은 규모의 붕괴가 발생되어 인명구출 등 구조작업 도중에 대형붕괴의 재차 발생을 방지하기 위하여 붕괴면의 주변 상황을 충분히 확인하고 2중 안전조치를 강구한 후 복구작업에 임하여야 함

46 토사붕괴를 방지하기 위한 대책으로 붕괴방지공법에 해당되지 않는 것은?

① 배토공법
② 압성토공법
③ 집수정공법
④ 공작물의 설치

해설
붕괴예방대책
1. 적절한 경사면의 기울기를 계획하여야 한다.
2. 경사면의 기울기가 당초 계획과 차이가 발생되면 즉시 재검토하여 계획을 변경시켜야 한다.
3. 활동할 가능성이 있는 토석은 제거하여야 한다.
4. 경사면의 하단부에 압성토 등 보강공법으로 활동에 대한 저항대책을 강구하여야 한다.
5. 말뚝(강관, H형강, 철근 콘크리트)을 타입하여 지반을 강화시킨다.
6. 빗물, 지표수, 지하수의 사전 제거 및 침투를 방지하여야 한다.

47 건설공사에서 굴착경사면을 점검하던 중 발생한 토사붕괴의 원인으로 가장 거리가 먼 것은?

① 보통 흙 습지의 굴착면 기울기를 1 : 0.8로 하였다.
② 굴착부 상단부에 철근을 일부 적재하였다.
③ 굴착면에 유입수가 발생하였다.
④ 동절기의 흙이 결빙되어 있었다.

해설
1. 보통 흙 습지의 굴착면 기울기는 1 : 1~1 : 1.5로 하여야 한다.
2. 굴착부 상단부에 철근의 적재로 하중이 증가하여 붕괴가 발생할 수 있다.
3. 유입수로 인해 토사의 결속력이 파괴되어 붕괴가 발생할 수 있다.

48 유한사면에서 사면기울기가 비교적 완만한 점성토에서 주로 발생되는 사면파괴의 형태는?

① 저부파괴
② 사면선단파괴
③ 사면내파괴
④ 국부전단파괴

해설
단순사면(유한사면)의 붕괴 형태
1. 사면 내 파괴(Slope Failure) : 성토층이 여러 층이고 기반이 얕은 경우
2. 사면 선(선단) 파괴(Toe Failure) : 사면이 비교적 급하고 점착력이 작은 경우
3. 사면 저부(바닥면) 파괴(Base Failure) : 사면이 비교적 완만하고 점착력이 큰 경우

TIP 단순사면의 종류 3가지도 함께 기억하세요.

49 비탈면 붕괴 방지를 위한 붕괴방지공법과 가장 거리가 먼 것은?

① 배토공법
② 압성토공법
③ 공작물의 설치
④ 웰 포인트 공법

해설
웰 포인트(Well Point) 공법
지하수위를 저하시키는 것으로 투수성이 좋은 사질지반에 웰 포인트를 설치하여 배수하는 공법을 말한다.

50 현장 안전점검 시 흙막이 지보공의 정기점검 사항과 가장 거리가 먼 것은?

① 부재의 손상·변형·부식·변위 및 탈락의 유무와 상태
② 부재의 설치방법과 순서
③ 버팀대의 긴압의 정도
④ 부재의 접속부·부착부 및 교차부의 상태

정답 45 ④ 46 ③ 47 ④ 48 ① 49 ④ 50 ②

> **해설**

흙막이 지보공의 붕괴 등의 방지를 위한 점검사항
1. 부재의 손상·변형·부식·변위 및 탈락의 유무와 상태
2. 버팀대의 긴압의 정도
3. 부재의 접속부·부착부 및 교차부의 상태
4. 침하의 정도

51 흙막이벽 개굴착(Open Cut) 공법에 해당하지 않는 것은?

① 자립흙막이벽 공법 ② 수평버팀 공법
③ 어스앵커 공법 ④ 비탈면 개굴착 공법

> **해설**

흙막이 Open Cut 공법
흙막이벽과 널말뚝에 의해 지지하면서 터파기를 하는 공법

자립식 공법	1. 버팀대, 띠장 등의 지보공을 가설하지 않고 토압을 흙막이 벽의 휨저항으로 지지하는 공법 2. 근입 깊이가 충분해야 하며 얕은 굴착에 가능
버팀대 공법	1. 띠장, 버팀태, 지지말뚝을 설치하여 토압을 지지하는 공법 2. 지반 종류에 무관하나 지보공에 의한 작업에 제약
어스앵커 공법	수평버팀대 대신 어스앵커로 흙막이벽을 지지하는 공법
타이로드 앵커 공법	1. 어스앵커를 설치하여 일반저항에 의해 지지 2. 굴착 면적이 넓고 굴착깊이를 깊게 해야 할 경우

52 옹벽 안정조건의 검토사항이 아닌 것은?

① 활동(Sliding)에 대한 안전검토
② 전도(Overturing)에 대한 안전검토
③ 보일링(Boiling)에 대한 안전검토
④ 지반지지력(Settlement)에 대한 안전검토

> **해설**

옹벽의 안정조건

전도(Over Turning)에 대한 안정	• 안전율(F_s) = $\dfrac{\text{전도에 저항하는 모멘트}}{\text{전도모멘트}} \geq 2.0$ • 대책 : 옹벽의 높이를 낮추거나 기초 후면의 길이를 길게 함
활동(Sliding)에 대한 안정	• 안전율(F_s) = $\dfrac{\text{활동에 저항하려는 힘}}{\text{활동하려는 힘}} \geq 1.5$ • 대책 : 기초 저반의 폭 증가, 기초 하부에 말뚝보강, 기초 하부에 활동방지벽(Shear Key) 설치
지반지지력(침하, Settlement)에 대한 안정	• 안전율(F_s) = $\dfrac{\text{지반의 극한지지력도}}{\text{지반의 최대반력}} \geq 3.0$ • 대책 : 기초 저반의 폭 증가, 기초 하부의 지반 개량 및 강화

53 옹벽의 안정조건에서 활동에 대한 저항력은 옹벽에 작용하는 수평력보다 최소 몇 배 이상 되어야 하는가?

① 1.0배 ② 1.5배
③ 2.0배 ④ 3.0배

54 콘크리트의 비파괴 검사방법이 아닌 것은?

① 반발경도법 ② 자기법
③ 음파법 ④ 침지법

> **해설**

콘크리트 비파괴 검사
1. 콘크리트 강도추정을 위한 진단방법 : 반발경도법(강도법), 초음파법(음속법), 복합법, 인발법, 공진법(음파법) 등
2. 철근 콘크리트 구조물의 철근 진단방법 : 자기법, 방사선법, 레이더법 등

55 터널작업 중 낙반 등에 의한 위험방지를 위해 취할 수 있는 조치사항이 아닌 것은?

① 터널 지보공 설치 ② 록볼트 설치
③ 부석의 제거 ④ 산소의 측정

> **해설**

낙반 등에 의한 위험방지 조치
1. 터널 지보공 및 록볼트의 설치
2. 부석의 제거

56 터널 건설작업 시 터널 내부에서 화기나 아크를 사용하는 장소에 필히 설치하도록 법으로 규정하고 있는 설비는?

① 소화설비 ② 대피설비
③ 충전설비 ④ 차단설비

> **해설**

소화설비 등
터널건설작업을 하는 경우에는 해당 터널 내부의 화기나 아

정답 51 ④ 52 ③ 53 ② 54 ④ 55 ④ 56 ①

크를 사용하는 장소 또는 배전반, 변압기, 차단기 등을 설치하는 장소에 소화설비를 설치하여야 한다.

57 터널 지보공을 조립하는 경우에는 미리 그 구조를 검토한 후 조립도를 작성하고, 그 조립도에 따라 조립하도록 하여야 하는데 조립도에 명시해야 할 사항과 가장 거리가 먼 것은?

① 재료의 강도　　② 단면규격
③ 이음방법　　　④ 설치간격

해설
조립도

흙막이 지보공	흙막이판·말뚝·버팀대 및 띠장 등 부재의 배치·치수·재질 및 설치방법과 순서가 명시되어야 한다.
터널 지보공	재료의 재질, 단면규격, 설치간격 및 이음방법 등을 명시하여야 한다.
거푸집 동바리	동바리·멍에 등 부재의 재질·단면규격·설치간격 및 이음방법 등을 명시하여야 한다.

58 붕괴 등의 방지를 위하여 터널지보공을 설치한 후에 수시로 점검하여야 할 사항으로 가장 거리가 먼 것은?

① 부재의 손상, 변형, 부식, 변위, 탈락의 유무
② 통신설비의 상태
③ 부재의 접속부 및 교차부의 상태
④ 기둥의 침하 유무 및 상태

해설
터널지보공의 붕괴 등의 방지를 위한 점검사항
1. 부재의 손상·변형·부식·변위 탈락의 유무 및 상태
2. 부재의 긴압 정도
3. 부재의 접속부 및 교차부의 상태
4. 기둥침하의 유무 및 상태

59 다음 터널 공법 중 전단면 기계 굴착에 의한 공법에 속하는 것은?

① ASSM(American Steel Supported Method)
② NATM(New Austrian Tunneling Method)
③ TBM(Tunnel Boring Machine)
④ 개착식 공법

해설
TBM(Tunnel Boring Machine) 공법
원통형 터널굴착기로 전단면을 파쇄하는 굴착공법이다.

60 건설공사 중 작업으로 인하여 물체가 떨어지거나 날아올 위험이 있을 때 조치할 사항으로 옳지 않은 것은?

① 안전난간 설치　　② 보호구의 착용
③ 출입금지구역의 설정　④ 낙하물방지망의 설치

해설
물체가 떨어지거나 날아올 위험이 있는 경우의 위험방지
1. 낙하물 방지망 설치
2. 수직보호망 설치
3. 방호선반 설치
4. 출입금지구역 설정
5. 보호구 착용

TIP 안전난간 : 추락의 위험이 있는 장소에 설치한다.

61 공사현장에서 낙하물방지망 또는 방호선반을 설치할 때 설치높이 및 벽면으로부터 내민 길이 기준으로 옳은 것은?

① 설치높이 : 10m 이내마다, 내민 길이 2m 이상
② 설치높이 : 15m 이내마다, 내민 길이 2m 이상
③ 설치높이 : 10m 이내마다, 내민 길이 3m 이상
④ 설치높이 : 15m 이내마다, 내민 길이 3m 이상

해설
낙하물방지망 또는 방호선반 설치 시 준수사항
1. 높이 10미터 이내마다 설치하고, 내민 길이는 벽면으로부터 2미터 이상으로 할 것
2. 수평면과의 각도는 20도 이상 30도 이하를 유지할 것

62 다음 ( ) 안에 알맞은 숫자는?

사업주는 높이가 ( )미터 이상인 장소로부터 물체를 투하하는 경우 적당한 투하설비를 설치하거나 감시인을 배치하는 등 위험을 방지하기 위하여 필요한 조치를 하여야 한다.

① 2　　② 3
③ 5　　④ 10

정답 57 ①　58 ②　59 ③　60 ①　61 ①　62 ②

해설
높이 3m 이상인 장소에서 물체를 투하하는 경우 조치사항
1. 투하설비 설치
2. 감시인 배치

63 일반적인 안전수칙에 따른 수공구와 관련된 행동으로 옳지 않은 것은?

① 작업에 맞는 공구의 선택과 올바른 취급을 하여야 한다.
② 결함이 없는 완전한 공구를 사용하여야 한다.
③ 작업 중인 공구는 작업이 편리한 반경 내의 작업대나 기계 위에 올려놓고 사용하여야 한다.
④ 공구는 사용 후 안전한 장소에 보관하여야 한다.

해설
작업 중인 공구를 작업대나 기계 위에 올려놓을 경우 떨어져 재해의 원인이 될 수 있으므로 공구는 안전한 장소에 보관하여야 한다.

64 다음 중 굴착기의 전부장치와 거리가 먼 것은?

① 붐(Boom)
② 암(Arm)
③ 버킷(Bucket)
④ 블레이드(Blade)

해설
굴착기의 전부장치(작업장치)
1. 붐(Boom) : 상부 회전체 전체 프레임에 1개 또는 2개의 유압 실린더와 함께 설치
2. 암(Arm) : 붐과 버킷 사이에 설치된 부분
3. 버킷(Bucket) : 직접 작업을 하는 부분

> **TIP** 전부장치 : 상부 회전체의 앞부분에 위치하고 작업을 직접 수행하는 부분

65 흙파기 공사용 기계에 관한 설명 중 틀린 것은?

① 불도저는 일반적으로 거리 60m 이하의 배토작업에 사용된다.
② 클램셸은 좁은 곳의 수직파기를 할 때 사용한다.
③ 파워 셔블은 기계가 위치한 면보다 낮은 곳을 파낼 때 유용하다.
④ 백호는 토질의 구멍 파기나 도랑 파기에 이용된다.

해설
파워 셔블(Power Shovel)
1. 굴삭기가 위치한 지면보다 높은 곳의 굴착에 적당
2. 작업대가 견고하여 단단한 토질의 굴착에도 용이

66 지반보다 6m 정도 깊은 경질 지반의 기초파괴에 적합한 굴착 기계는?

① Drag Line
② Tractor Shovel
③ Back Hoe
④ Power Shovel

해설
백호(Back Hoe, 드래그 셔블)
1. 굴삭기가 위치한 지면보다 낮은 곳을 굴착하는 데 적당
2. 도랑 파기에 적당하며 굴삭력이 우수
3. 비교적 굳은 지반의 토질에서도 사용 가능
4. 경사로나 연약지반에서는 무한궤도식이 타이어식보다 안전

67 굴착용 기계의 용도에 관한 기술 중 옳지 않은 것은?

① 파워 셔블은 지반면보다 높은 곳의 흙파기에 적합하다.
② 드래그 셔블은 깊은 지하굴착공사에 많이 이용된다.
③ 클램셸은 좁은 곳의 수직 파기에 적합하다.
④ 드래그 라인은 지반면보다 낮은 경질의 흙파기에 적합하다.

해설
드래그 라인(Drag Line)
1. 굴삭기가 위치한 지면보다 낮은 곳의 굴착에 적합
2. 연질지반의 굴착에 적당하고 단단하게 다져진 토질에는 적합하지 않음
3. 굴삭범위가 크지만 굴삭력이 약함
4. 수중굴착 및 모래채취 등에 많이 이용

68 수중굴착 및 구조물의 기초바닥 등과 같은 협소하고 상당히 깊은 범위의 굴착과 호퍼작업에 가장 적당한 굴착기계는?

① 파워 셔블
② 항타기
③ 클램셸
④ 리버스 서큘레이션 드릴

정답 63 ③ 64 ④ 65 ③ 66 ③ 67 ④ 68 ③

> **해설**

클램셸(Clam Shell)
1. 좁고 깊은 곳의 수직굴착, 수중굴착에 적당
2. 지하연속벽 공사, 깊은 우물통 파기에 사용
3. 구조물의 기초바닥, 잠함 등과 같은 협소하고 깊은 범위의 굴착에 적합

69 다음 중 셔블계 굴착기계에 속하지 않는 것은?

① 파워 셔블(Power Shovel)
② 클램셸(Clam Shell)
③ 스크레이퍼(Scraper)
④ 드래그라인(Dragline)

> **해설**

셔블계 굴삭기
1. 파워 셔블   3. 드래그라인
2. 드래그 셔블   4. 클램셸

TIP 스크레이퍼는(Scraper)는 도저계 굴착기계에 해당된다.

70 블레이드를 레버로 조정할 수 있으며, 좌우를 상하 25~30°까지 기울일 수 있는 불도저는?

① 틸트 도저   ② 스트레이트 도저
③ 앵글 도저   ④ 터나 도저

> **해설**

틸트 도저(Tilt Dozer)
배토판을 좌우로 상하 25~30°까지 아래로 기울어지게 하여 도랑 파기, 경사면 굴착에 유리

71 아래에서 설명하는 불도저의 명칭은?

블레이드의 길이가 길고 낮으며 블레이드의 좌우를 전후의 25~30° 각도로 회전시킬 수 있어 흙을 측면으로 보낼 수 있는 불도저

① 틸트 도저   ② 스트레이트 도저
③ 앵글 도저   ④ 터나 도저

> **해설**

앵글 도저(Angle Dozer)
배토판을 진행방향에 따라 20~30°의 좌우로 돌릴 수 있도록 만든 장치로, 측면굴착에 유리

72 아스팔트 포장도로의 노반의 파쇄 또는 토사 중에 있는 암석 제거에 가장 적당한 장비는?

① 스크레이퍼(Scraper)   ② 롤러(Roller)
③ 리퍼(Ripper)   ④ 드래그 라인(Drag Line)

> **해설**

리퍼 도저(Ripper Dozer)
아스팔트 포장도로 등 단단한 땅이나 연약한 암석을 파내는 갈고리 모양의 도저

73 토공사용 건설장비 중 굴착기계가 아닌 것은?

① 파워 셔블   ② 드래그 셔블
③ 로더   ④ 드래그 라인

> **해설**

로더(Loader)
굴삭된 토사·골재·암반 등을 운반기계에 싣는 데 사용하는 기계이다.

74 말뚝박기 해머(Hammer) 중 연약지반에 적합하고 상대적으로 소음이 적은 것은?

① 드롭 해머(Drop Hammer)
② 디젤 해머(Diesel Hammer)
③ 스팀 해머(Steam Hammer)
④ 바이브로 해머(Vibro Hammer)

> **해설**

바이브로 해머(Vibro Hammer)
1. 상하진동으로 말뚝을 타입하는 방법이며, 말뚝(강관, 시트파일 등)의 두부 손상이 적다.
2. 연약지반에 적합하고 점토 지반에서는 다소 지지력이 저하될 우려가 발생한다.
3. 구조가 간단하고 상대적으로 소음이 적다.

75 다음에서 설명하고 있는 롤러의 종류는?

앞뒤 두 개의 차륜이 있으며(2축, 2륜), 각각의 차축이 평행으로 배치된 것으로 찰흙, 점성토 등의 두꺼운 흙을 다지는 데 적당하나 단단한 각재를 다지는 데는 부적당하며 머케덤 롤러 다짐 후의 아스팔트 포장에 사용된다.

① 탬핑 롤러   ② 탠덤 롤러
③ 타이머 롤러   ④ 진동 롤러

정답 69 ③ 70 ① 71 ③ 72 ③ 73 ③ 74 ④ 75 ②

해설

다짐기계(전압식)

로드 롤러 (Road Roller)	머캐덤 롤러 (Macadam Roller)	3륜 형식으로 쇄석, 자갈 등의 다짐에 사용
	탠덤 롤러 (Tandem Roller)	2륜 형식으로 아스팔트 포장의 끝마무리에 사용
탬핑 롤러 (Tamping Roller)		1. 깊은 다짐이나 고함수비 지반의 다짐에 많이 이용 2. 롤러의 표면에 돌기를 만들어 부착한 것 3. 풍화함을 파쇄하고 흙 속의 간극수압을 제거 4. 점성토 지반에 효과적
타이어 롤러 (Tire Roller)		사질토나 사질 점성토에 적합하며 주행속도 개선

76 차량계 건설기계를 사용하여 작업하고자 할 때 작업계획서에 포함되어야 할 사항으로 틀린 것은?

① 차량계 건설기계의 제동장치 이상 유무
② 차량계 건설기계의 운행경로
③ 차량계 건설기계의 종류 및 성능
④ 차량계 건설기계에 의한 작업방법

해설

차량계 건설기계의 작업계획서 내용
1. 사용하는 차량계 건설기계의 종류 및 성능
2. 차량계 건설기계의 운행경로
3. 차량계 건설기계에 의한 작업방법

77 항타기·항발기의 권상용 와이어로프로 사용 가능한 것은?

① 이음매가 있는 것
② 와이어로프의 한 꼬임에서 끊어진 소선의 수가 5[%]인 것
③ 지름의 감소가 호칭지름의 8[%]인 것
④ 심하게 변형된 것

해설

와이어로프의 사용금지 기준
1. 이음매가 있는 것
2. 와이어로프의 한 꼬임에서 끊어진 소선의 수가 10퍼센트 이상인 것
3. 지름의 감소가 공칭지름의 7퍼센트를 초과하는 것
4. 꼬인 것
5. 심하게 변형되거나 부식된 것
6. 열과 전기충격에 의해 손상된 것

78 항타기 및 항발기에서 사용하는 권상용 와이어로프의 안전계수는 최소 얼마 이상이어야 하는가?

① 2
② 5
③ 8
④ 10

해설

권상용 와이어로프의 안전계수
항타기 또는 항발기의 권상용 와이어로프의 안전계수가 5 이상이 아니면 이를 사용해서는 아니 된다.

79 가설구조물의 특징으로 옳지 않은 것은?

① 연결재가 적은 구조로 되기 쉽다.
② 부재의 결합이 매우 복잡하다.
③ 구조상의 결함이 있는 경우 중대재해로 이어질 수 있다.
④ 사용부재가 과소단면이거나 결함재료를 사용하기 쉽다.

해설

가설구조물의 특징
1. 연결재가 적은 구조가 되기 쉽다.
2. 부재결합이 간략하여 불안전 결합이 되기 쉽다.
3. 구조물이라는 개념이 확고하지 않아 조립 정밀도가 낮다.
4. 사용부재는 과소 단면이거나 결함재가 되기 쉽다.

80 양끝이 힌지(Hinge)인 기둥에 수직하중을 가하면 기둥이 수평방향으로 휘게 되는 현상은?

① 피로한계
② 파괴한계
③ 좌굴
④ 부재의 안전도

해설

가설구조물의 좌굴현상
1. 부재의 강성이 부족하여 가늘고 긴 부재가 압축력에 의하여 파괴되는 현상
2. 좌굴방지를 위해 비계에서 벽고정을 하고 기둥과 기둥을 수평재나 가새로 연결한다.

정답 76 ① 77 ② 78 ② 79 ② 80 ③

81 강관비계 중 단관비계의 조립 간격(벽체와의 연결간격)으로 옳은 것은?

① 수직방향 : 6m, 수평방향 : 8m
② 수직방향 : 5m, 수평방향 : 5m
③ 수직방향 : 4m, 수평방향 : 6m
④ 수직방향 : 8m, 수평방향 : 6m

해설

강관비계의 조립 간격

강관비계의 종류	조립 간격(단위 : m)	
	수직방향	수평방향
단관비계	5	5
틀비계(높이가 5m 미만인 것은 제외한다)	6	8

82 다음 빈칸에 알맞은 숫자를 순서대로 옳게 나타낸 것은?

> 비계기둥의 간격은 띠장 방향에서는 (　　)미터 이하, 장선 방향에서는 (　　)미터 이하로 할 것

① 1.95, 1.5
② 2, 3
③ 1.85, 1.5
④ 1.85, 2

해설

강관비계의 구조
1. 비계기둥의 간격은 띠장 방향에서는 1.85미터 이하, 장선 방향에서는 1.5미터 이하로 할 것. 다만, 다음 각 목의 어느 하나에 해당하는 작업의 경우에는 안전성에 대한 구조 검토를 실시하고 조립도를 작성하면 띠장 방향 및 장선 방향으로 각각 2.7미터 이하로 할 수 있다.
   가. 선박 및 보트 건조작업
   나. 그 밖에 장비 반입·반출을 위하여 공간 등을 확보할 필요가 있는 등 작업의 성질상 비계기둥 간격에 관한 기준을 준수하기 곤란한 작업
2. 띠장 간격은 2.0미터 이하로 할 것. 다만, 작업의 성질상 이를 준수하기가 곤란하여 쌍기둥틀 등에 의하여 해당 부분을 보강한 경우에는 그러하지 아니하다.
3. 비계기둥의 제일 윗부분으로부터 31미터 되는 지점 밑부분의 비계기둥은 2개의 강관으로 묶어 세울 것. 다만, 브래킷(Bracket, 까치발) 등으로 보강하여 2개의 강관으로 묶을 경우 이상의 강도가 유지되는 경우에는 그러하지 아니하다.
4. 비계기둥 간의 적재하중은 400킬로그램을 초과하지 않도록 할 것

83 강관비계의 구조에서 비계기둥 간의 적재하중 기준으로 옳은 것은?

① 200kg 이하
② 300kg 이하
③ 400kg 이하
④ 500kg 이하

84 강관비계의 최고부 높이가 50m인 경우 기둥하부로부터 몇 m 높이까지 비계기둥 좌굴 등의 방지를 위하여 강관을 2본으로 묶어 세워야 하는가?

① 8m
② 15m
③ 19m
④ 31m

해설

강관비계의 구조
1. 비계기둥의 제일 윗부분으로부터 31미터 되는 지점 밑부분의 비계기둥은 2개의 강관으로 묶어 세울 것
2. 50m − 31m = 19[m]

85 강관틀 비계를 조립하여 사용하는 경우 벽이음의 수직방향 조립간격은?

① 2m 이내마다
② 3m 이내마다
③ 6m 이내마다
④ 8m 이내마다

해설

강관틀 비계 조립 시의 준수사항
수직방향으로 6미터, 수평방향으로 8미터 이내마다 벽이음을 할 것

86 건물 외벽의 도장작업을 위하여 섬유로프 등의 재료로 상부지점에서 작업용 발판을 매다는 형식의 비계는?

① 달비계
② 단관비계
③ 브래킷비계
④ 이동식 비계

해설

달비계 및 달대비계

달비계	매달린 외줄 달기 섬유로프에 부착되어 지지되는 작업대를 이용하여 작업할 수 있도록 제작된 것을 말한다.
달대비계	철골 조립공사 중에 리벳이나 볼트 작업을 하기 위해 주체인 철골에 매달아서 작업하는 작업발판

정답 81 ② 82 ③ 83 ③ 84 ③ 85 ③ 86 ①

87 달비계 설치 시 달기체인의 사용금지 기준과 거리가 먼 것은?

① 달기체인의 길이가 달기체인이 제조된 때의 길이의 5%를 초과한 것
② 균열이 있거나 심하게 변형된 것
③ 이음매가 있는 것
④ 링의 단면지름이 달기체인이 제조된 때의 해당 링의 지름의 10%를 초과하여 감소한 것

해설
달기체인의 사용금지 조건
1. 달기체인의 길이가 달기체인이 제조된 때의 길이의 5%를 초과한 것
2. 링의 단면지름이 달기체인이 제조된 때의 해당 링의 지름의 10%를 초과하여 감소한 것
3. 균열이 있거나 심하게 변형된 것

88 달비계에 설치되는 작업발판의 폭에 대한 기준으로 옳은 것은?

① 20cm 이상
② 40cm 이상
③ 60cm 이상
④ 80cm 이상

해설
달비계의 구조 : 작업발판은 폭을 40센티미터 이상으로 하고 틈새가 없도록 할 것

89 현장에서 말비계를 조립하여 사용할 때에는 다음 보기의 사항을 준수하여야 한다. ( ) 안에 적합한 것은?

| 말비계의 높이가 2m를 초과할 경우에는 작업발판의 폭을 ( )cm 이상으로 할 것 |

① 10
② 20
③ 30
④ 40

해설
말비계 조립 시의 준수사항
1. 지주부재의 하단에는 미끄럼 방지장치를 하고, 근로자가 양측 끝부분에 올라서서 작업하지 않도록 할 것
2. 지주부재와 수평면의 기울기를 75도 이하로 하고, 지주부재와 지주부재 사이를 고정시키는 보조부재를 설치할 것
3. 말비계의 높이가 2미터를 초과하는 경우에는 작업발판의 폭을 40센티미터 이상으로 할 것

90 이동식 비계를 조립하여 작업을 하는 경우에 준수해야 할 사항과 거리가 먼 것은?

① 비계의 최상부에서 작업을 할 때에는 안전난간을 설치할 것
② 작업발판의 최대적재하중은 250kg을 초과하지 않도록 할 것
③ 승강용 사다리는 견고하게 설치 할 것
④ 지주부재와 수평면과의 기울기를 75° 이하로 하고, 지주부재와 지주부재 사이를 고정시키는 보조부재를 설치할 것

해설
이동식 비계 조립 시의 준수사항
1. 이동식 비계의 바퀴에는 뜻밖의 갑작스러운 이동 또는 전도를 방지하기 위하여 브레이크·쐐기 등으로 바퀴를 고정시킨 다음 비계의 일부를 견고한 시설물에 고정하거나 아웃 트리거를 설치하는 등 필요한 조치를 할 것
2. 비계의 최상부에서 작업을 하는 경우에는 안전난간을 설치할 것
3. 작업발판은 항상 수평을 유지하고 작업발판 위에서 안전난간을 딛고 작업을 하거나 받침대 또는 사다리를 사용하여 작업하지 않도록 할 것
4. 작업발판의 최대적재하중은 250킬로그램을 초과하지 않도록 할 것

91 이동식 비계의 조립에 대한 유의사항으로 옳지 않은 것은?

① 제동장치를 설치
② 승강용 사다리를 견고하게 부착
③ 비계의 최대높이는 밑변 최대 폭의 4배 이하
④ 최상층 및 5층 이내마다 수평재를 설치

해설
이동식 비계를 조립하여 사용 시 준수사항
비계의 최대높이는 밑변 최소폭의 4배 이하이어야 한다.

92 이동식 비계 작업 시 주의사항으로 옳지 않은 것은?

① 작업감독자의 지휘하에 작업을 행해야 한다.
② 근로자가 탑승하여 이동하여야 한다.
③ 비계를 이동시키고자 할 때는 바닥의 구멍이나 머리 위의 장애물을 사전에 점검한다.
④ 비계를 이동할 때에는 충분한 인원을 배치하여야 한다.

해설
근로자가 탑승하여 이동하는 것을 금지하여야 한다.

93 시스템 비계를 사용하여 비계를 구성하는 경우에 준수하여야 할 기준으로 틀린 것은?

① 수직재 · 수평재 · 가새재를 견고하게 연결하는 구조가 되도록 할 것
② 비계 밑단의 수직재와 받침철물은 밀착되도록 설치하고, 수직재와 받침철물의 연결부의 겹침길이는 받침철물 전체길이의 4분의 1 이상이 되도록 할 것
③ 수평재는 수직재와 직각으로 설치하여야 하며, 체결 후 흔들림이 없도록 견고하게 설치할 것
④ 수직재와 수직재의 연결철물은 이탈되지 않도록 견고한 구조로 할 것

해설
시스템 비계의 구조
비계 밑단의 수직재와 받침철물은 밀착되도록 설치하고, 수직재와 받침철물의 연결부의 겹침길이는 받침철물 전체길이의 3분의 1 이상이 되도록 할 것

94 달비계 또는 높이 5m 이상의 비계를 조립 · 해체하거나 변경하는 작업 시 준수사항으로 틀린 것은?

① 근로자가 관리감독자의 지휘에 따라 작업하도록 할 것
② 비, 눈, 그 밖의 기상상태의 불안정으로 날씨가 몹시 나쁜 경우에는 그 작업을 중지시킬 것
③ 비계재료의 연결 · 해체작업을 하는 경우에는 폭 20cm 이상의 발판을 설치할 것
④ 강관비계 또는 통나무비계를 조립하는 경우 외줄로 구성하는 것을 원칙으로 할 것

해설
비계의 조립 · 해체 및 변경 시(달비계 또는 높이 5미터 이상의 비계)
강관비계 또는 통나무비계를 조립하는 경우 쌍줄로 하여야 한다.(다만, 별도의 작업발판을 설치할 수 있는 시설을 갖춘 경우에는 외줄로 할 수 있다.)

95 비계를 조립, 해체하거나 또는 변경한 후 그 비계에서 작업을 할 때 해당 작업 시작 전에 점검하여야 하는 사항으로 옳지 않은 것은?

① 최대 적재하중으로 재하시험을 한다.
② 발판 재료의 손상 여부 및 부착 또는 걸림 상태를 점검한다.
③ 연결재료 및 연결철물의 손상 또는 부식 상태를 점검한다.
④ 해당 비계의 연결부 또는 접속부의 풀림 상태를 확인한다.

해설
비계의 점검 및 보수

점검 보수 시기	1. 비, 눈, 그 밖의 기상상태의 악화로 작업을 중지시킨 후 그 비계에서 작업할 경우 2. 비계를 조립 · 해체하거나 변경한 후에 그 비계에서 작업을 하는 경우
작업 시작 전 점검사항	1. 발판 재료의 손상 여부 및 부착 또는 걸림 상태 2. 해당 비계의 연결부 또는 접속부의 풀림 상태 3. 연결 재료 및 연결 철물의 손상 또는 부식 상태 4. 손잡이의 탈락 여부 5. 기둥의 침하, 변형, 변위 또는 흔들림 상태 6. 로프의 부착 상태 및 매단 장치의 흔들림 상태

96 현장에서 근로자가 안전하게 통행할 수 있도록 통로에 설치해야 하는 조명시설은 최소 몇 럭스 이상인가?

① 75Lux 이상　　② 80Lux 이상
③ 85Lux 이상　　④ 90Lux 이상

해설
통로의 조명
근로자가 안전하게 통행할 수 있도록 통로에 75럭스 이상의 채광 또는 조명시설을 하여야 한다.(다만, 갱도 또는 상시 통행을 하지 아니하는 지하실 등을 통행하는 근로자에게 휴대용 조명기구를 사용하도록 한 경우에는 제외)

정답 92 ②　93 ②　94 ④　95 ①　96 ①

97 현장에서 가설통로의 설치 시 준수사항으로 옳지 않은 것은?

① 건설공사에 사용하는 높이 8m 이상인 비계다리에는 10m 이내마다 계단참을 설치할 것
② 수직갱에 가설된 통로의 길이가 15m 이상인 때에는 10m 이내마다 계단참을 설치할 것
③ 경사가 15°를 초과하는 때에는 미끄러지지 아니하는 구조로 할 것
④ 경사는 30° 이하로 할 것

해설

가설통로
1. 견고한 구조로 할 것
2. 경사는 30° 이하로 할 것(다만, 계단을 설치하거나 높이 2미터 미만의 가설통로로서 튼튼한 손잡이를 설치한 경우에는 그러하지 아니하다)
3. 경사가 15°를 초과하는 경우에는 미끄러지지 아니하는 구조로 할 것
4. 추락할 위험이 있는 장소에는 안전난간을 설치할 것(다만, 작업상 부득이한 경우에는 필요한 부분만 임시로 해체할 수 있다)
5. 수직갱에 가설된 통로의 길이가 15미터 이상인 경우에는 10미터 이내마다 계단참을 설치할 것
6. 건설공사에 사용하는 높이 8미터 이상인 비계다리에는 7미터 이내마다 계단참을 설치할 것

98 사다리식 통로 등을 설치하는 경우 준수해야 할 기준으로 옳지 않은 것은?

① 견고한 구조로 할 것
② 폭은 20cm 이상의 간격을 유지할 것
③ 심한 손상·부식 등이 없는 재료를 사용할 것
④ 발판과 벽과 사이는 15cm 이상을 유지할 것

해설

사다리식 통로
1. 견고한 구조로 할 것
2. 심한 손상·부식 등이 없는 재료를 사용할 것
3. 발판의 간격은 일정하게 할 것
4. 발판과 벽과의 사이는 15센티미터 이상의 간격을 유지할 것
5. 폭은 30센티미터 이상으로 할 것
6. 사다리가 넘어지거나 미끄러지는 것을 방지하기 위한 조치를 할 것

7. 사다리의 상단은 걸쳐놓은 지점으로부터 60센티미터 이상 올라가도록 할 것
8. 사다리식 통로의 길이가 10미터 이상인 경우에는 5미터 이내마다 계단참을 설치할 것
9. 사다리식 통로의 기울기는 75도 이하로 할 것. 다만, 고정식 사다리식 통로의 기울기는 90도 이하로 하고, 그 높이가 7미터 이상인 경우에는 다음 각 목의 구분에 따른 조치를 할 것
　㉠ 등받이울이 있어도 근로자 이동에 지장이 없는 경우 : 바닥으로부터 높이가 2.5미터 되는 지점부터 등받이울을 설치할 것
　㉡ 등받이울이 있으면 근로자가 이동이 곤란한 경우 : 개인용 추락 방지 시스템을 설치하고 근로자로 하여금 전신안전대를 사용하도록 할 것
10. 접이식 사다리 기둥은 사용 시 접혀지거나 펼쳐지지 않도록 철물 등을 사용하여 견고하게 조치할 것

99 사다리를 설치하여 사용함에 있어 사다리 지주 끝에 사용하는 미끄럼 방지재료로 적당하지 않은 것은?

① 고무　　　　② 코르크
③ 가죽　　　　④ 비닐

해설

미끄럼방지 장치
사다리 지주의 끝에 고무, 코르크, 가죽, 강스파이크 등을 부착시켜 바닥과의 미끄럼을 방지하는 안전장치가 있어야 한다.

100 작업장 계단 및 계단참의 설치기준으로 옳지 않은 것은?

① 계단 및 계단참을 설치할 때 안전율은 4 이상으로 할 것
② 계단을 설치하는 경우 그 폭을 1m 이상으로 할 것
③ 높이가 3m를 초과하는 계단에 높이 3m 이내마다 너비 1.5m 이상의 계단참을 설치할 것
④ 높이 1m 이상인 계단의 개방된 측면에는 안전난간을 설치할 것

해설

계단참의 설치
높이가 3미터를 초과하는 계단에 높이 3미터 이내마다 진행방향으로 길이 1.2미터 이상의 계단참을 설치해야 한다.

정답 97 ① 98 ② 99 ④ 100 ③

101 산업안전보건기준에 관한 규칙에 따라 계단 및 계단참을 설치하는 경우 매 m²당 최소 얼마 이상의 하중에 견딜 수 있는 강도를 가진 구조로 설치하여야 하는가?

① 500kg
② 600kg
③ 700kg
④ 800kg

해설
가설계단의 설치기준(계단 및 계단참의 강도)
1. 매제곱미터당 500킬로그램 이상의 하중에 견딜 수 있는 강도를 가진 구조로 설치하여야 한다.
2. 안전율(재료의 파괴응력도와 허용응력도의 비율)은 4 이상으로 하여야 한다.
3. 계단 및 승강구 바닥을 구멍이 있는 재료로 만드는 경우 렌치나 그 밖의 공구 등이 낙하할 위험이 없는 구조로 하여야 한다.

102 가설통로 중 경사로를 설치, 사용함에 있어 준수해야 할 사항으로 옳지 않은 것은?

① 경사로의 폭은 최소 90센티미터 이상이어야 한다.
② 비탈면의 경사각을 45도 내외로 한다.
③ 높이 7미터 이내마다 계단참을 설치하여야 한다.
④ 추락방지용 안전난간을 설치하여야 한다.

해설
경사로의 설치기준
비탈면의 경사각은 30도 이내로 한다.

103 공사용 가설도로의 일반적으로 허용되는 최고 경사도는 얼마인가?

① 5%   ② 10%
③ 20%   ④ 30%

해설
공사용 가설도로를 설치하여 사용함에 있어서의 준수사항
최고 허용경사도는 부득이한 경우를 제외하고는 10퍼센트를 넘어서는 안 된다.

104 사업주는 비계의 높이가 2m 이상인 작업장소에는 작업 발판을 설치하여야 하는데 그 설치기준으로 옳지 않은 것은?

① 발판재료는 작업할 때의 하중을 견딜 수 있도록 견고한 것으로 할 것
② 작업발판의 폭은 40cm 이상으로 하고, 발판재료 간의 틈은 3cm 이하로 할 것
③ 작업발판재료는 뒤집히거나 떨어지지 않도록 하나 이상의 지지물에 연결하거나 고정시킬 것
④ 추락의 위험이 있는 장소에는 안전난간을 설치할 것

해설
비계(달비계, 달대비계 및 말비계는 제외)의 높이가 2미터 이상인 작업장소의 작업발판 설치기준
작업발판재료는 뒤집히거나 떨어지지 않도록 둘 이상의 지지물에 연결하거나 고정시킬 것

105 철근콘크리트 공사 시 거푸집의 필요조건이 아닌 것은?

① 콘크리트의 하중에 대해 뒤틀림이 없는 강도를 갖출 것
② 콘크리트 내 수분 등에 대한 물빠짐이 원활한 구조를 갖출 것
③ 최소한의 재료로 여러 번 사용할 수 있는 전용성을 가질 것
④ 거푸집은 조립·해체·운반이 용이하도록 할 것

해설
거푸집의 필요조건
1. 조립·해체·운반이 용이할 것
2. 반복 사용할 수 있는 형상과 크기일 것
3. 수분이나 모르타르의 누출을 방지할 수 있게 수밀성을 확보할 것
4. 시공정확도를 유지하고 변형이 생기지 않는 구조일 것
5. 충격 및 작업하중에 견디고, 변형을 일으키지 않는 강도를 가질 것
6. 청소·보수·뒷정리가 쉬울 것

106 다음은 산업안전보건기준에 관한 규칙 중 조립도에 관한 사항이다. ( ) 안에 알맞은 것은?

> 거푸집 및 동바리를 조립하는 경우에는 그 구조를 검토한 후 조립도를 작성하여야 한다. 조립도에는 거푸집 및 동바리를 구성하는 부재의 재질·단면규격·( ) 및 이음방법 등을 명시해야 한다.

① 부재강도
② 기울기
③ 안전대책
④ 설치간격

해설
거푸집 및 동바리 조립도
1. 거푸집 및 동바리를 조립하는 경우에는 그 구조를 검토한 후 조립도를 작성하고, 그 조립도에 따라 조립하도록 해야 한다.
2. 조립도에는 거푸집 및 동바리를 구성하는 부재의 재질·단면규격·설치간격 및 이음방법 등을 명시해야 한다.

107 비계 등을 조립하는 경우 강재와 강재의 접속부 또는 교차부를 연결시키기 위한 전용철물은?

① 클램프　　② 가새
③ 턴버클　　④ 샤클

해설
동바리 조립 시의 안전조치
강재의 접속부 및 교차부는 볼트·클램프 등 전용철물을 사용하여 단단히 연결할 것

108 동바리로 사용하는 파이프 서포트에 대한 준수사항과 가장 거리가 먼 것은?

① 파이프 서포트를 3개 이상 이어서 사용하지 않도록 할 것
② 파이프 서포트를 이어서 사용하는 경우에는 4개 이상의 볼트 또는 전용철물을 사용하여 이을 것
③ 높이가 3.5m를 초과하는 경우에는 높이 2m 이내마다 수평연결재를 2개 방향으로 만들 것
④ 파이프 서포트 사이에 교차가새를 설치하여 보강조치할 것

해설
동바리로 사용하는 파이프 서포트의 조립 시 안전조치
1. 파이프 서포트를 3개 이상 이어서 사용하지 않도록 할 것
2. 파이프 서포트를 이어서 사용하는 경우에는 4개 이상의 볼트 또는 전용철물을 사용하여 이을 것
3. 높이가 3.5미터를 초과하는 경우에는 높이 2미터 이내마다 수평연결재를 2개 방향으로 만들고 수평연결재의 변위를 방지할 것

TIP 동바리로 사용하는 강관틀에 대해 강관틀과 강관틀 사이에 교차가새를 설치할 것

109 콘크리트 거푸집 해체 작업 시의 안전 유의사항으로 옳지 않은 것은?

① 해당 작업을 하는 구역에는 관계 근로자가 아닌 사람의 출입을 금지해야 한다.
② 비, 눈, 그 밖의 기상상태의 불안정으로 날씨가 몹시 나쁜 경우에는 그 작업을 중지해야 한다.
③ 안전모, 안전대, 산소마스크 등을 착용하여야 한다.
④ 재료, 기구 또는 공구 등을 올리거나 내리는 경우에는 근로자로 하여금 달줄 또는 달포대 등을 사용하도록 할 것

해설
기둥·보·벽체·슬래브 등의 거푸집 및 동바리를 조립하거나 해체하는 작업을 하는 경우 준수사항
1. 해당 작업을 하는 구역에는 관계 근로자가 아닌 사람의 출입을 금지할 것
2. 비, 눈, 그 밖의 기상상태의 불안정으로 날씨가 몹시 나쁜 경우에는 그 작업을 중지할 것
3. 재료, 기구 또는 공구 등을 올리거나 내리는 경우에는 근로자로 하여금 달줄·달포대 등을 사용하도록 할 것
4. 낙하·충격에 의한 돌발적 재해를 방지하기 위하여 버팀목을 설치하고 거푸집 및 동바리를 인양장비에 매단 후에 작업을 하도록 하는 등 필요한 조치를 할 것

정답 106 ④　107 ①　108 ④　109 ③

110 거푸집의 조립순서로 옳은 것은?

① 기둥 → 보받이 내력벽 → 큰보 → 작은보 → 바닥 → 내벽 → 외벽
② 기둥 → 보받이 내력벽 → 큰보 → 작은보 → 바닥 → 외벽 → 내벽
③ 기둥 → 보받이 내력벽 → 작은보 → 큰보 → 바닥 → 내벽 → 외벽
④ 기둥 → 보받이 내력벽 → 내벽 → 외벽 → 큰보 → 작은보 → 바닥

해설
거푸집 조립순서
기둥 → 보받이 내력벽 → 큰보 → 작은보 → 바닥판 → 내벽 → 외벽

111 철근가공작업에서 가스절단을 할 때의 유의사항으로 틀린 것은?

① 가스절단 작업 시 호스는 겹치거나 구부러지거나 밟히지 않도록 한다.
② 호스, 전선 등은 작업효율을 위하여 다른 작업장을 거치는 곡선 상의 배선이어야 한다.
③ 작업장에서 가연성 물질에 인접하여 용접작업할 때에는 소화기를 비치하여야 한다.
④ 가스절단 작업 중에는 보호구를 착용하여야 한다.

해설
가스절단을 할 때 유의사항
호스, 전선 등은 다른 작업장을 거치지 않는 직선 상의 배선이어야 하며, 길이가 짧아야 한다.

112 철근을 인력으로 운반할 때의 주의사항으로 옳지 않은 것은?

① 긴 철근은 2인 1조가 되어 어깨메기로 하여 운반한다.
② 긴 철근을 부득이 1인이 운반할 때는 철근의 한쪽을 어깨에 메고 다른 한쪽 끝을 땅에 끌면서 운반한다.
③ 1인이 1회에 운반할 수 있는 적당한 무게한도는 운반자의 몸무게 정도이다.
④ 운반 시에는 항상 양끝을 묶어 운반한다.

해설
철근의 인력운반
1. 1인당 무게는 25킬로그램 정도가 적절하며, 무리한 운반을 삼가하여야 한다.
2. 2인 이상이 1조가 되어 어깨메기로 하여 운반하는 등 안전을 도모하여야 한다.
3. 긴 철근을 부득이 한 사람이 운반할 때에는 한쪽을 어깨에 메고 한쪽 끝을 끌면서 운반하여야 한다.
4. 운반할 때에는 양끝을 묶어 운반하여야 한다.
5. 내려 놓을 때는 천천히 내려 놓고 던지지 않아야 한다.
6. 공동작업을 할 때에는 신호에 따라 작업을 하여야 한다.

113 강재 거푸집과 비교한 합판 거푸집의 특성이 아닌 것은?

① 외기 온도의 영향이 적다.
② 녹이 슬지 않으므로 보관하기가 쉽다.
③ 중량이 무겁다.
④ 보수가 간단하다.

해설
합판 거푸집이 강재 거푸집보다 중량이 가볍다.

114 조강포틀랜드 시멘트를 사용한 콘크리트의 압축강도를 시험하지 않을 경우 거푸집널의 해체 시기로 옳은 것은?(단, 평균기온이 20℃ 이상이면서 기둥의 경우)

① 1일　　② 2일
③ 3일　　④ 4일

해설
콘크리트 압축강도를 시험하지 않을 경우 거푸집널의 해체 시기(기초, 보, 기둥 및 벽의 측면)

시멘트의 종류 평균기온	조강 포틀랜드 시멘트	보통 포틀랜드 시멘트 · 고로 슬래그 시멘트(특급) · 포틀랜드 포졸란 시멘트(A종) · 플라이 애시 시멘트(A종)	고로 슬래그 시멘트(1급) 포틀랜드 포졸란 시멘트(B종) 플라이 애시 시멘트(B종)
20℃ 이상	2일	4일	5일
20℃ 미만 10℃ 이상	3일	6일	8일

정답 110 ① 111 ② 112 ③ 113 ③ 114 ②

115 거푸집 및 동바리 설계 시 적용하는 연직방향 하중에 해당되지 않는 것은?

① 철근콘크리트의 자중
② 작업하중
③ 충격하중
④ 콘크리트의 측압

해설

연직방향 하중에 대한 거푸집 동바리의 구조 검토

$$W = 고정하중 + 활하중$$
$$= (콘크리트 + 거푸집)중량 + (충격 + 작업)하중$$
$$= (\gamma \cdot t + 0.4 kN/m^2) + 2.5 kN/m^2$$

여기서, γ : 철근콘크리트 단위중량(kN/m^2)
t : 슬래브 두께(m)

1. 고정하중 : 철근콘크리트와 거푸집의 중량을 합한 하중
2. 활하중 : 작업원, 경량의 장비하중, 그 밖의 콘크리트 타설에 필요한 자재 및 공구 등의 시공(작업) 하중 및 충격하중을 포함

116 건설공사 시 계측관리의 목적이 아닌 것은?

① 지역의 특수성보다는 토질의 일반적인 특성 파악을 목적으로 한다.
② 시공 중 위험에 대한 정보제공을 목적으로 한다.
③ 설계 시 예측치와 시공 시 측정치와의 비교를 목적으로 한다.
④ 향후 거동 파악 및 대책 수립을 목적으로 한다.

해설

지역의 특수성과 토질의 일반적인 특성 파악을 목적으로 한다.

117 흙막이 가시설의 버팀대(Strut)의 변형을 측정하는 계측기에 해당하는 것은?

① Water Level Meter
② Strain Gauge
③ Piezometer
④ Load Cell

해설

계측기

장치	용도
변형률계 (Strain Gauge)	흙막이벽 버팀대의 응력 변화 측정
하중계 (Load Cell)	흙막이 버팀대에 작용하는 토압, 어스앵커의 인장력 등 측정
간극 수압계 (Piezo Meter)	굴착으로 인한 지하의 간극수압 측정
지하수위계 (Water Level Meter)	지하수의 수위 변화 측정

118 철근 콘크리트 해체용 장비가 아닌 것은?

① 철 해머
② 압쇄기
③ 램머
④ 핸드브레이커

해설

해체용 기구
1. 압쇄기
2. 대형브레이커
3. 철제해머
4. 핸드브레이커
5. 절단톱
6. 재키
7. 절단줄톱
8. 팽창제 등

119 대형 브레이커에 대한 설명 중 옳지 않은 것은?

① 수직 및 수평의 테두리 끊기 작업에도 사용할 수 있다.
② 공기식보다 유압식이 많이 사용된다.
③ 셔블(Shovel)에 부착하여 사용하며 일반적으로 상향 작업에 적합하다.
④ 고층건물에서는 건물 위에 기계를 놓아서 작업할 수 있다.

해설

대형 브레이커
대형 브레이커는 통상 셔블에 설치하여 사용하며 일반적으로 하향 작업에 적합하다.

120 해체 공사 시 안전사항 준수내용으로 옳지 않은 것은?

① 사용기계기구 등을 인양하거나 내릴 때에는 와이어로프로 묶어서 작업한다.
② 적정한 위치에 대피소를 설치하여야 한다.
③ 전도작업을 수행할 때는 작업자 이외의 다른 작업자를 대피시킨 후 전도시키도록 한다.
④ 강풍, 폭우, 폭설 등 악천후 시에는 작업을 중지한다.

해설

해체공사 작업계획 수립 시 준수사항
사용기계기구 등을 인양하거나 내릴 때에는 그물망이나 그물포대 등을 사용토록 하여야 한다.

121 다음 중 해체작업을 하는 때에 해체계획서 작성 시 포함할 사항으로 옳지 않은 것은?

① 사업장 내 연락방법
② 해체물의 처분계획
③ 해체의 방법 및 해체 순서도면
④ 발파방법

해설

구축물 등의 해체작업의 작업계획서 내용
1. 해체의 방법 및 해체 순서도면
2. 가설설비·방호설비·환기설비 및 살수·방화설비 등의 방법
3. 사업장 내 연락방법
4. 해체물의 처분계획
5. 해체작업용 기계·기구 등의 작업계획서
6. 해체작업용 화약류 등의 사용계획서
7. 그 밖에 안전·보건에 관련된 사항

122 리프트(Lift)의 안전장치에 해당하지 않는 것은?

① 권과방지장치
② 비상정지장치
③ 과부하방지장치
④ 조속기

해설

리프트의 방호장치
리프트(자동차정비용 리프트 제외)의 운반구 이탈 등의 위험을 방지하기 위하여 권과방지장치, 과부하방지장치, 비상정지장치 등을 설치하는 등 필요한 조치를 하여야 한다.

123 크레인의 와이어로프가 일정 한계 이상 감기지 않도록 작동을 자동으로 정지시키는 장치는?

① 훅해지장치
② 권과방지장치
③ 비상정지장치
④ 과부하방지장치

해설

방호장치 용어의 정의

방호장치	정의
과부하방지장치	정격하중 이상의 하중이 부하되었을 때 자동적으로 상승이 정지되면서 경보음을 발생하는 장치
권과방지장치	권과를 방지하기 위하여 인양용 와이어로프가 일정한계 이상 감기게 되면 자동적으로 동력을 차단하고 작동을 정지시키는 장치
비상정지장치	돌발사태 발생 시 안전유지를 위한 전원차단 및 크레인을 급정지시키는 장치
훅해지장치	줄걸이 용구인 와이어로프 슬링 또는 체인, 섬유벨트 등을 훅에 걸고 작업 시 이탈을 방지하기 위한 안전장치

124 다음 중 건설용 양중기에 대한 설명으로 옳은 것은?

① 삼각데릭은 인접시설에 장해가 없는 상태에서 360° 회전이 가능하다
② 이동식 크레인(crane)에는 트럭 크레인, 크롤러 크레인 등이 있다.
③ 휠 크레인에는 무한궤도식과 타이어식이 있으며 장거리 이동에 적당하다.
④ 크롤러 크레인은 휠 크레인보다 기동성이 뛰어나다.

해설

건설용 양중기
1. 삼각데릭의 회전범위는 270°, 작업범위는 180°이다.
2. 휠 크레인은 기계식과 유압식이 있으며, 기계식보다 유압식을 많이 사용한다.
3. 휠 크레인은 크롤러 크레인보다 기동성이 뛰어나다.

> **TIP** 크레인의 종류
>
> | | |
> | --- | --- |
> | 이동식 크레인 | 트럭 크레인, 크롤러 크레인, 유압 크레인, 휠 크레인 |
> | 고정식 크레인 | 타워 크레인, 지브 크레인, 호이스트 크레인 |

정답 121 ④ 122 ④ 123 ② 124 ②

125 타워 크레인을 벽체에 지지하는 경우 서면심사 서류 등이 없거나 명확하지 아니할 때 설치를 위해서는 특정 기술자의 확인을 필요로 하는데, 그 기술자에 해당하지 않는 것은?

① 건설안전기술사
② 기계안전기술사
③ 건축시공기술사
④ 건설안전분야 산업안전지도사

해설
벽체에 지지하는 경우의 준수사항
서면심사 서류 등이 없거나 명확하지 아니한 경우에는 「국가기술자격법」에 따른 건축구조·건설기계·기계안전·건설안전기술사 또는 건설안전분야 산업안전지도사의 확인을 받아 설치하거나 기종별·모델별 공인된 표준방법으로 설치할 것

126 주행크레인 및 선회크레인과 건설물 사이에 통로를 설치하는 경우, 그 폭은 최소 얼마 이상으로 하여야 하는가?(단, 건설물의 기둥에 접촉하지 않는 부분인 경우)

① 0.3m
② 0.4m
③ 0.5m
④ 0.6m

해설
건설물 등과의 사이 통로
주행 크레인 또는 선회 크레인과 건설물 또는 설비와의 사이에 통로를 설치하는 경우 그 폭을 0.6미터 이상으로 하여야 한다. 다만, 그 통로 중 건설물의 기둥에 접촉하는 부분에 대해서는 0.4미터 이상으로 할 수 있다.

127 크레인을 사용하여 양중작업을 하는 때에 안전한 작업을 위해 준수하여야 할 내용으로 틀린 것은?

① 인양할 하물(何物)을 바닥에서 끌어당기거나 밀어 정위치 작업을 할 것
② 가스통 등 운반 도중에 떨어져 폭발 가능성이 있는 위험물용기는 보관함에 담아 매달아 운반할 것
③ 인양 중인 하물이 작업자의 머리 위로 통과하지 않도록 할 것
④ 인양할 하물이 보이지 아니하는 경우에는 어떠한 동작도 하지 아니할 것

해설
크레인 작업 시의 조치 및 준수사항
인양할 하물을 바닥에서 끌어당기거나 밀어내는 작업을 하지 아니할 것

128 옥외에 설치되어 있는 주행크레인에 대하여 이탈방지장치를 작동시키는 등 이탈방지를 위한 조치를 하여야 하는 순간 풍속 기준은?

① 초당 10m 초과
② 초당 20m 초과
③ 초당 30m 초과
④ 초당 40m 초과

해설
폭풍에 의한 이탈방지
순간풍속이 초당 30미터를 초과하는 바람이 불어올 우려가 있는 경우 옥외에 설치되어 있는 주행 크레인에 대하여 이탈방지장치를 작동시키는 등 이탈 방지를 위한 조치를 하여야 한다.

129 양중기의 와이어로프 등 달기구의 안전계수 기준으로 옳지 않은 것은?

① 크레인의 고리걸이 용구인 와이어로프는 5 이상
② 화물의 하중을 직접 지지하는 달기체인은 4 이상
③ 훅, 샤클, 클램프, 리프팅 빔은 3 이상
④ 근로자가 탑승하는 운반구를 지지하는 달기체인은 10 이상

해설
와이어로프 등 달기구의 안전계수

구분	안전계수
근로자가 탑승하는 운반구를 지지하는 달기와이어로프 또는 달기체인의 경우	10 이상
화물의 하중을 직접 지지하는 달기와이어로프 또는 달기체인의 경우	5 이상
훅, 샤클, 클램프, 리프팅 빔의 경우	3 이상
그 밖의 경우	4 이상

정답 125 ③ 126 ④ 127 ① 128 ③ 129 ②

130 현장에서 양중작업 중 와이어로프의 사용금지 기준이 아닌 것은?

① 이음매가 없는 것
② 와이어로프의 한 꼬임에서 끊어진 소선의 수가 10% 이상인 것
③ 지름의 감소가 공칭지름의 7%를 초과하는 것
④ 심하게 변형 또는 부식된 것

해설
와이어로프 사용금지 조건
1. 이음매가 있는 것
2. 와이어로프의 한 꼬임에서 끊어진 소선의 수가 10% 이상인 것
3. 지름의 감소가 공칭지름의 7%를 초과하는 것
4. 꼬인 것
5. 심하게 변형되거나 부식된 것
6. 열과 전기충격에 의해 손상된 것

131 화물용 승강기를 설계하면서 와이어로프의 안전하중은 10ton이라면 로프의 가닥수를 얼마로 하여야 하는가?(단, 와이어로프 한 가닥의 파단강도는 4ton이며, 화물용 승강기 와이어로프의 안전율은 6으로 한다.)

① 10가닥 ② 15가닥
③ 20가닥 ④ 30가닥

해설
와이어로프의 안전율

$$안전율(S) = \frac{로프의\ 가닥수(N) \times 로프의\ 파단하중(P) \times 단말고정이음효율(nR)}{안전하중(최대사용하중,\ Q) \times 하중계수(C)}$$

1. $안전율(S) = \dfrac{로프의\ 가닥수(N) \times 로프의\ 파단하중(P)}{안전하중(Q)}$
2. $로프의\ 가닥수(N) = \dfrac{안전율(S) \times 안전하중(Q)}{로프의\ 파단하중(P)}$
   $= \dfrac{6 \times 10}{4} = 15$

132 콘크리트 타설작업을 하는 경우의 준수사항으로 틀린 것은?

① 콘크리트 타설작업 중 이상이 있으면 작업을 중지하고 근로자를 대피시킬 것
② 콘크리트를 타설하는 경우에는 편심을 유발하여 콘크리트를 거푸집 내에 밀실하게 채울 것
③ 설계도서상의 콘크리트 양생기간을 준수하여 거푸집 동바리 등을 해체할 것
④ 콘크리트 타설작업 시 거푸집 붕괴의 위험이 발생할 우려가 있으면 충분한 보강조치를 할 것

해설
콘크리트 타설 작업 시 준수사항
1. 당일의 작업을 시작하기 전에 해당 작업에 관한 거푸집 동바리 등의 변형·변위 및 지반의 침하 유무 등을 점검하고 이상이 있으면 보수할 것
2. 작업 중에는 거푸집 동바리 등의 변형·변위 및 침하 유무 등을 감시할 수 있는 감시자를 배치하여 이상이 있으면 작업을 중지하고 근로자를 대피시킬 것
3. 콘크리트 타설작업 시 거푸집 붕괴의 위험이 발생할 우려가 있으면 충분한 보강조치를 할 것
4. 설계도서상의 콘크리트 양생기간을 준수하여 거푸집 동바리 등을 해체할 것
5. 콘크리트를 타설하는 경우에는 편심이 발생하지 않도록 골고루 분산하여 타설할 것

133 콘크리트를 타설할 때 안전상 유의하여야 할 사항으로 옳지 않은 것은?

① 콘크리트를 치는 도중에는 거푸집, 지보공 등의 이상 유무를 확인한다.
② 진동기 사용 시 지나친 진동은 거푸집 도괴의 원인이 될 수 있으므로 적절히 사용해야 한다.
③ 최상부의 슬래브는 되도록 이어붓기를 하고 여러 번에 나누어 콘크리트를 타설한다.
④ 타워에 연결되어 있는 슈트의 접속은 확실한지 확인한다.

해설
최상부의 슬래브는 이어붓기를 되도록 피하고 일시에 전체를 타설하도록 한다.

정답 130 ① 131 ② 132 ② 133 ③

134 콘크리트 타설 시 안전에 유의해야 할 사항으로 옳지 않은 것은?

① 타설 순서는 계획에 의하여 실시한다.
② 콘크리트 다짐효과를 위하여 최대한 높은 곳에서 타설한다.
③ 콘크리트를 치는 도중에는 거푸집, 동바리 등의 이상 유무를 확인하여야 한다.
④ 타설 시 공동이 발생되지 않도록 밀실하게 부어 넣는다.

해설
높은 곳에서 타설하면 측압의 증가로 거푸집 변형 및 재료분리의 현상이 발생하므로 가능한 한 타설 높이를 낮게 하여야 한다.

135 콘크리트 타설 시 안전수칙으로 옳지 않은 것은?

① 콘크리트 콜드조인트 발생을 억제하기 위하여 한 곳부터 집중타설 한다.
② 타설 순서 및 타설속도를 준수한다.
③ 콘크리트 타설 도중에는 동바리, 거푸집 등의 이상 유무를 확인하고 감시인을 배치한다.
④ 진동기의 지나친 사용은 재료분리를 일으킬 수 있으므로 적절히 사용하여야 한다.

해설
콘크리트 타설 시 안전수칙
콘크리트를 한곳에만 치우쳐서 타설할 경우 거푸집의 변형 및 탈락에 의한 붕괴사고가 발생되므로 타설순서를 준수하여야 한다.

136 콘크리트의 양생방법이 아닌 것은?

① 습윤양생 ② 건조양생
③ 증기양생 ④ 전기양생

해설
양생의 종류
1. 피막양생   4. 가열 보온양생
2. 습윤양생   5. 단열 보온양생
3. 증기양생   6. 전기양생

137 콘크리트 양생작업에 관한 설명 중 옳지 않은 것은?

① 콘크리트 타설 후 소요기간까지 경화에 필요한 조건을 유지시켜주는 작업이다.
② 양생기간 중에 예상되는 진동, 충격, 하중 등의 유해한 작용으로부터 보호하여야 한다.
③ 습윤양생 시 일광을 최대한 도입하여 수화작용을 촉진하도록 한다.
④ 습윤양생 시 거푸집판이 건조될 우려가 있는 경우에는 살수하여야 한다.

해설
양생방법 및 주의사항
1. 콘크리트 타설 후 경화가 될 때까지 양생기간 동안 직사광선이나 바람에 의해 수분이 증발하지 않도록 보호하여야 한다.
2. 콘크리트 타설 후 습윤 상태로 노출면이 마르지 않도록 하여야 하며, 수분의 증발에 따라 살수를 하여 습윤 상태로 보호하여야 한다.
3. 거푸집이 건조될 우려가 있는 경우에는 살수하여야 한다.
4. 콘크리트는 양생 기간 중에 예상되는 진동, 충격, 하중 등의 유해한 작용으로부터 보호하여야 한다.
5. 재령 5일이 될 때까지는 해수에 씻기지 않도록 보호한다.

138 콘크리트 타설 후 물이나 미세한 불순물이 분리 상승하여 콘크리트 표면에 떠오르는 현상을 가리키는 용어와 이때 표면에 발생하는 미세한 물질을 가리키는 용어로 옳게 나열한 것은?

① 블리딩 – 레이턴스   ② 보링 – 샌드드레인
③ 히빙 – 슬라임   ④ 블로우홀 – 슬래그

해설
콘크리트 타설 후의 재료 분리

블리딩 (Bleeding)	골재, 입자 등이 침하함으로써 물이 분리 상승되어 콘크리트 표면에 떠오르는 현상
레이턴스 (Laitance)	1. 블리딩에 의해 콘크리트 표면에 떠올라와 침전한 미세한 물질 2. 추가 타설 시 반드시 청소를 깨끗이 할 것 3. 부상된 미세물질이 침적하여 건조하면 백색이 된다.

139 콘크리트 측압에 관한 설명 중 옳지 않은 것은?

① 슬럼프가 클수록 측압은 커진다.
② 벽 두께가 두꺼울수록 측압은 커진다.
③ 부어 넣는 속도가 빠를수록 측압은 커진다.
④ 대기 온도가 높을수록 측압은 커진다.

해설
거푸집 측압 증가에 영향을 미치는 인자(측압의 영향요소)
1. 거푸집 수평단면이 클수록 크다.
2. 콘크리트 슬럼프치가 클수록 커진다.
3. 거푸집 표면이 평활할수록(평탄) 커진다.
4. 철골, 철근량이 적을수록 커진다.
5. 콘크리트 시공연도가 좋을수록 커진다.
6. 외기의 온도, 습도가 낮을수록 커진다.
7. 타설 속도가 빠를수록 커진다.
8. 다짐이 충분할수록 커진다.
9. 타설 시 상부에서 직접 낙하할 경우 커진다.
10. 거푸집의 강성이 클수록 크다.
11. 콘크리트의 비중(단위중량)이 클수록 크다.
12. 벽 두께가 두꺼울수록 커진다.

140 다음 ( ) 안에 들어갈 말로 옳은 것은?

> 콘크리트 측압은 콘크리트 타설속도, ( ), 단위용적질량, 온도, 철근배근상태 등에 따라 달라진다.

① 타설높이　　② 골재의 형상
③ 콘크리트 강도　④ 박리제

해설
콘크리트 측압
1. 측압은 콘크리트가 아직 굳지 않는 유동체의 경우 발생하는 압력으로 온도, 타설속도(부어넣기 속도), 타설높이, 단위용적중량, 철근배근상태 등에 관계된다.
2. 콘크리트 높이에 따라 측압은 상승하나 일정높이 이상이 되면 측압은 증가하지 않는다.

141 벽체 콘크리트 타설 시 거푸집이 터져서 콘크리트가 쏟아진 사고가 발생하였다. 다음 중 이 사고의 주요 원인으로 추정할 수 있는 것은?

① 콘크리트를 부어 넣는 속도가 빨랐다.
② 거푸집에 박리제를 다량 도포했다.
③ 대기 온도가 매우 높았다.
④ 시멘트 사용량이 많았다.

해설
거푸집 측압 증가에 영향을 미치는 인자(측압의 영향요소)
타설 속도가 빠를수록 측압이 커지므로 거푸집이 터지는 사고가 발생할 수 있다.

142 콘크리트의 재료분리현상 없이 거푸집 내부에 쉽게 타설할 수 있는 정도를 나타내는 것은?

① Workability　　② Bleeding
③ Consistency　　④ Finishability

해설
시공연도(Workability)
1. 굳지 않은 콘크리트의 성질로 반죽질기 정도에 따른 작업의 난이도 및 재료분리에 저항하는 정도를 나타낸다.
2. 운반에서 타설까지의 작업성에 관련한 성질을 말한다.

143 콘크리트 유동성과 묽기를 시험하는 방법은?

① 다짐시험　　② 슬럼프시험
③ 압축강도시험　④ 평판시험

해설
슬럼프시험(Slump Test)
콘크리트의 반죽질기를 수치적으로 측정하는 시험을 말한다.

144 콘크리트 슬럼프 시험방법에 대한 설명 중 옳지 않은 것은?

① 슬럼프 시험기구는 강제평판, 슬럼프 테스트 콘, 다짐막대, 측정기기로 이루어진다.
② 콘크리트 타설 시 작업의 용이성을 판단하는 방법이다.
③ 슬럼프 콘에 비빈 콘크리트를 같은 양의 3층으로 나누어 25회씩 다지면서 채운다.
④ 슬럼프는 슬럼프 콘을 들어올려 강제평판으로부터 콘크리트가 무너져 내려앉은 높이까지의 거리를 mm로 표시한 것이다.

해설
슬럼프 계산
1. 콘크리트가 내려앉은 길이를 슬럼프값(cm)으로 한다.(콘크리트가 무너진 높이를 측정)
2. 슬럼프시험은 2회 이상 측정하여 그 평균값을 취한다.

정답 139 ④　140 ①　141 ①　142 ①　143 ②　144 ④

145 철골공사 시 도괴의 위험이 있어 강풍에 대한 안전 여부를 확인해야 할 필요성이 가장 높은 경우는?

① 연면적당 철골량이 일반건물보다 많은 경우
② 기둥에 H형강을 사용하는 경우
③ 이음부가 공장용접인 경우
④ 호텔과 같이 단면구조가 현저한 차이가 있으며 높이가 20m 이상인 건물

해설
외압(강풍에 의한 풍압 등)에 대한 내력 설계 확인 구조물
구조안전의 위험이 큰 다음 각 항목의 철골구조물은 건립 중 강풍에 의한 풍압 등 외압에 대한 내력이 설계에 고려되었는지 확인하여야 한다.
1. 높이 20미터 이상의 구조물
2. 구조물의 폭과 높이의 비가 1 : 4 이상인 구조물
3. 단면구조에 현저한 차이가 있는 구조물
4. 연면적당 철골량이 50kg/m² 이하인 구조물
5. 기둥이 타이플레이트(Tie Plate)형인 구조물
6. 이음부가 현장용접인 구조물

146 철골구조물의 건립 순서를 계획할 때 일반적인 주의사항으로 틀린 것은?

① 현장건립 순서와 공장제작 순서를 일치시킨다.
② 건립기계의 작업반경과 진행방향을 고려하여 조립 순서를 결정한다.
③ 건립 중 가볼트 체결 기간을 가급적 길게 하여 안정을 가한다.
④ 연속기둥 설치 시 기둥을 2개 세우면 기둥 사이의 보도 동시에 설치하도록 한다.

해설
건립순서 계획 시 검토사항
건립 중 도괴를 방지하기 위하여 가볼트 체결기간을 단축시킬 수 있도록 후속공사를 계획하여야 한다.

147 철골보 인양작업 시 준수사항으로 옳지 않은 것은?

① 인양용 와이어로프의 체결지점은 수평부재의 1/4 지점을 기준으로 한다.
② 인양용 와이어로프를 매달기 각도는 양변 60°를 기준으로 한다.
③ 흔들리거나 선회하지 않도록 유도 로프로 유도한다.
④ 후크는 용접의 경우 용접규격을 반드시 확인한다.

해설
철골보의 인양 시 준수사항
인양 와이어로프의 매달기 각도는 양변 60°를 기준으로 2열로 매달고 와이어 체결지점은 수평부재의 1/3기점을 기준하여야 한다.

148 철골공사 작업 중 작업을 중지해야 하는 기후조건의 기준으로 옳은 것은?

① 풍속 : 10m/sec 이상, 강우량 : 1mm/h 이상
② 풍속 : 5m/sec 이상, 강우량 : 1mm/h 이상
③ 풍속 : 10m/sec 이상, 강우량 : 2mm/h 이상
④ 풍속 : 5m/sec 이상, 강우량 : 2mm/h 이상

해설
작업의 제한(철골작업 중지)
1. 풍속이 초당 10미터 이상인 경우
2. 강우량이 시간당 1밀리미터 이상인 경우
3. 강설량이 시간당 1센티미터 이상인 경우

149 철골기둥 건립 작업 시 붕괴·도괴 방지를 위하여 베이스 플레이트의 하단은 기준 높이 및 인접기둥의 높이에서 얼마 이상 벗어나지 않아야 하는가?

① 2mm ② 3mm
③ 4mm ④ 5mm

해설
앵커 볼트의 매립 시 준수사항
1. 앵커 볼트는 매립 후에 수정하지 않도록 설치하여야 한다.
2. 앵커 볼트를 매립하는 정밀도 범위
   • 기둥중심은 기준선 및 인접기둥의 중심에서 5밀리미터 이상 벗어나지 않을 것
   • 인접기둥 간 중심거리의 오차는 3밀리터 이하일 것
   • 앵커 볼트는 기둥중심에서 2밀리미터 이상 벗어나지 않을 것
   • 베이스 플레이트의 하단은 기준 높이 및 인접기둥의 높이에서 3밀리미터 이상 벗어나지 않을 것
3. 앵커 볼트는 견고하게 고정시키고 이동, 변형이 발생하지 않도록 주의하면서 콘크리트를 타설해야 한다.

정답 145 ④ 146 ③ 147 ① 148 ① 149 ②

150 철골공사에서 부재의 건립용 기계로 거리가 먼 것은?

① 타워크레인 ② 가이데릭
③ 삼각데릭 ④ 항타기

해설
철골세우기용 기계
1. 타워크레인
2. 트럭크레인
3. 가이데릭
4. 진폴데릭
5. 스티프 레그 데릭(삼각데릭)

151 다음 건설기계 중 360° 회전작업이 불가능한 것은?

① 타워크레인 ② 타이어크레인
③ 가이데릭 ④ 삼각데릭

해설
삼각데릭(Stiff Leg Derick, 스티프 레그 데릭)
1. 주 기둥을 지탱하는 지선 대신에 2본의 다리에 의해 고정된 형태
2. 수평이동 가능 : 층수가 낮은 긴 평면에 유리함
3. 작업회전 반경은 약 270° 정도

152 차량계 하역운반기계에 화물을 적재할 때의 준수사항과 거리가 먼 것은?

① 하중이 한쪽으로 치우치지 않도록 적재할 것
② 구내운반차 또는 화물자동차의 경우 화물의 붕괴 또는 낙하에 의한 위험을 방지하기 위하여 화물에 로프를 거는 등 필요한 조치를 할 것
③ 운전자의 시야를 가리지 않도록 화물을 적재할 것
④ 제동장치 및 조정장치 기능의 이상 유무를 점검할 것

해설
화물적재 시의 조치
1. 하중이 한쪽으로 치우치지 않도록 적재할 것
2. 구내운반차 또는 화물자동차의 경우 화물의 붕괴 또는 낙하에 의한 위험을 방지하기 위하여 화물에 로프를 거는 등 필요한 조치를 할 것
3. 운전자의 시야를 가리지 않도록 화물을 적재할 것
4. 화물을 적재하는 경우에는 최대적재량을 초과하지 않을 것

153 차량계 하역운반기계 등을 이송하기 위하여 지주 또는 견인에 의하여 화물자동차에 싣거나 내리는 작업을 할 때에 준수하여야 할 사항으로 옳지 않은 것은?

① 발판을 사용하는 경우에는 충분한 길이·폭 및 강도를 가진 것을 사용할 것
② 지정운전자의 성명·연락처 등을 보기 쉬운 곳에 표시하고 지정운전자 외에는 운전하지 않도록 할 것
③ 가설대 등을 사용하는 경우에는 충분한 폭 및 강도와 적당한 경사를 확보할 것
④ 싣거나 내리는 작업을 할 때는 편의를 위해 경사지고 견고한 지대에서 할 것

해설
차량계 하역운반기계 등의 이송 시 준수사항
1. 싣거나 내리는 작업은 평탄하고 견고한 장소에서 할 것
2. 발판을 사용하는 경우에는 충분한 길이·폭 및 강도를 가진 것을 사용하고 적당한 경사를 유지하기 위하여 견고하게 설치할 것
3. 가설대 등을 사용하는 경우에는 충분한 폭 및 강도와 적당한 경사를 확보할 것
4. 지정운전자의 성명·연락처 등을 보기 쉬운 곳에 표시하고 지정운전자 외에는 운전하지 않도록 할 것

154 차량계 하역운반기계에서 화물을 싣거나 내리는 작업에서 작업지휘자가 준수해야 할 사항과 가장 거리가 먼 것은?

① 작업순서 및 그 순서마다의 작업방법을 정하고 작업을 지휘하는 일
② 기구 및 공구를 점검하고 불량품을 제거하는 일
③ 당해 작업을 행하는 장소에 관계근로자 외의 자의 출입을 금지하는 일
④ 총 화물량을 산출하는 일

해설
싣거나 내리는 작업
1. 작업순서 및 그 순서마다의 작업방법을 정하고 작업을 지휘할 것
2. 기구와 공구를 점검하고 불량품을 제거할 것
3. 해당 작업을 하는 장소에 관계 근로자가 아닌 사람이 출입하는 것을 금지할 것
4. 로프 풀기 작업 또는 덮개 벗기기 작업은 적재함의 화물이 떨어질 위험이 없음을 확인한 후에 하도록 할 것

정답 150 ④ 151 ④ 152 ④ 153 ④ 154 ④

155 차량계 건설기계의 운전자가 운전위치를 이탈할 때 행하여야 할 조치사항으로 옳지 않은 것은?

① 브레이크를 걸어둔다.
② 버킷은 지상에서 1m 정도의 위치에 둔다.
③ 디퍼는 지면에서 내려둔다.
④ 원동기를 정지시킨다.

해설
운전위치 이탈 시의 조치
차량계 하역운반기계 등, 차량계 건설기계의 운전자가 운전위치를 이탈하는 경우 해당 운전자 준수사항
1. 포크, 버킷, 디퍼 등의 장치를 가장 낮은 위치 또는 지면에 내려 둘 것
2. 원동기를 정지시키고 브레이크를 확실히 거는 등 차량계 하역운반기계 등, 차량계 건설기계의 갑작스러운 이동을 방지하기 위한 조치를 할 것
3. 운전석을 이탈하는 경우에는 시동키를 운전대에서 분리시킬 것. 다만, 운전석에 잠금장치를 하는 등 운전자가 아닌 사람이 운전하지 못하도록 조치한 경우에는 그러하지 아니하다.

156 화물자동차에서 짐을 싣는 작업 또는 내리는 작업을 할 때 바닥과 짐 윗면과의 높이가 최소 얼마 이상이면 승강설비를 설치해야 하는가?

① 1m   ② 1.5m
③ 2m   ④ 3m

해설
승강설비
바닥으로부터 짐 윗면까지의 높이가 2미터 이상인 화물자동차에 짐을 싣는 작업 또는 내리는 작업을 하는 경우에는 근로자의 추가 위험을 방지하기 위하여 해당 작업에 종사하는 근로자가 바닥과 적재함의 짐 윗면 간을 안전하게 오르내리기 위한 설비를 설치하여야 한다.

157 차량계 건설기계의 작업 시 작업 시작 전 점검사항에 해당되는 것은?

① 권과방지장치의 이상 유무
② 브레이크 및 클러치의 기능
③ 슬링·와이어 슬링의 매달린 상태
④ 언로드밸브의 이상 유무

해설
차량계 건설기계를 사용하여 작업을 할 때 작업시작 전 점검사항 : 브레이크 및 클러치 등의 기능

158 중량물을 들어올리는 자세에 대한 설명 중 가장 적절한 것은?

① 다리를 곧게 펴고 허리를 굽혀 들어올린다.
② 되도록 자세를 낮추고 허리를 곧게 편 상태에서 들어올린다.
③ 무릎을 굽힌 자세에서 허리를 뒤로 젖히고 들어올린다.
④ 다리를 벌린 상태에서 허리를 숙여서 서서히 들어올린다.

해설
중량물의 취급
중량물 취급 시 되도록 자세를 낮추고 허리를 곧게 편 상태에서 무릎을 굽힌 다음 가능한 한 물건을 몸체와 가깝게 잡아당겨 들어 올리는 자세를 취하여야 한다.

159 산업안전보건기준에 관한 규칙에 따라 중량물을 취급하는 작업을 하는 경우에 작업계획서 내용에 포함되는 사항은?

① 해체의 방법 및 해체 순서도면
② 낙하위험을 예방할 수 있는 안전대책
③ 사용하는 차량계 건설기계의 종류 및 성능
④ 작업지휘자 배치계획

해설
중량물의 취급작업 작업계획서 내용
1. 추락위험을 예방할 수 있는 안전대책
2. 낙하위험을 예방할 수 있는 안전대책
3. 전도위험을 예방할 수 있는 안전대책
4. 협착위험을 예방할 수 있는 안전대책
5. 붕괴위험을 예방할 수 있는 안전대책

160 부두, 안벽 등 하역작업을 하는 장소에 대하여 부두 또는 안벽의 선을 따라 통로를 설치할 때 통로의 최소 폭은?

① 70cm   ② 80cm
③ 90cm   ④ 100cm

해설
부두, 안벽 등 하역작업장 조치사항
1. 작업장 및 통로의 위험한 부분에는 안전하게 작업할 수 있는 조명을 유지할 것
2. 부두 또는 안벽의 선을 따라 통로를 설치하는 경우에는 폭을 90센티미터 이상으로 할 것
3. 육상에서의 통로 및 작업장소로서 다리 또는 선거 갑문을 넘는 보도 등의 위험한 부분에는 안전난간 또는 울타리 등을 설치할 것

161 화물취급 작업 중 화물 적재 시 준수해야 하는 사항에 속하지 않는 것은?
① 침하의 우려가 없는 튼튼한 기반 위에 적재할 것
② 중량의 화물은 건물의 칸막이나 벽에 기대어 적재할 것
③ 불안정할 정도로 높이 쌓아 올리지 말 것
④ 편하중이 생기지 아니하도록 적재할 것

해설
화물의 적재 시 준수사항
1. 침하 우려가 없는 튼튼한 기반 위에 적재할 것
2. 건물의 칸막이나 벽 등이 화물의 압력에 견딜 만큼의 강도를 지니지 아니한 경우에는 칸막이나 벽에 기대어 적재하지 않도록 할 것
3. 불안정할 정도로 높이 쌓아 올리지 말 것
4. 하중이 한쪽으로 치우치지 않도록 쌓을 것

162 건축물의 층고가 높아지면서 현장에서 고소작업대의 사용이 증가하고 있다. 고소작업대의 사용 및 설치기준에 대한 사항 중 옳은 것은?
① 작업대를 와이어로프 상승 또는 하강시킬 때에는 와이어로프의 안전율은 10 이상일 것
② 작업대를 상승시킨 상태에서 항상 작업자를 태우고 이동할 것
③ 바닥과 고소작업대는 가능한 한 수직을 유지하도록 할 것
④ 갑작스러운 이동을 방지하기 위하여 아웃트리거(Outrigger) 또는 브레이크 등을 확실히 사용할 것

해설
고소작업대 사용 및 설치기준
1. 작업대를 와이어로프 또는 체인으로 올리거나 내릴 경우에는 와이어로프 또는 체인이 끊어져 작업대가 지지 아니하는 구조여야 하며, 와이어로프 또는 체인의 안전율은 5 이상일 것
2. 작업대를 올린 상태에서 작업자를 태우고 이동하지 말 것. 다만, 이동 중 전도 등의 위험예방을 위하여 유도하는 사람을 배치하고 짧은 구간을 이동하는 경우에는 그러하지 아니하다.
3. 바닥과 고소작업대는 가능하면 수평을 유지하도록 할 것
4. 갑작스러운 이동을 방지하기 위하여 아웃트리거 또는 브레이크 등을 확실히 사용할 것

163 산업안전보건기준에 관한 규칙에서 규정하는 현장에서 고소작업대 사용 시 준수사항이 아닌 것은?
① 작업자가 안전모·안전대 등의 보호구를 착용하도록 할 것
② 관계자가 아닌 사람이 작업구역 내에 들어오는 것을 방지하기 위하여 필요한 조치를 할 것
③ 작업을 지휘하는 자를 선임하여 그 자의 지휘하에 작업을 실시할 것
④ 안전한 작업을 위하여 적정 수준의 조도를 유지할 것

해설
고소작업대 사용 시 준수 사항
1. 작업자가 안전모·안전대 등의 보호구를 착용하도록 할 것
2. 관계자가 아닌 사람이 작업구역에 들어오는 것을 방지하기 위하여 필요한 조치를 할 것
3. 안전한 작업을 위하여 적정 수준의 조도를 유지할 것
4. 전로에 근접하여 작업을 하는 경우에는 작업감시자를 배치하는 등 감전사고를 방지하기 위하여 필요한 조치를 할 것
5. 작업대를 정기적으로 점검하고 붐·작업대 등 각 부위의 이상 유무를 확인할 것
6. 전환스위치는 다른 물체를 이용하여 고정하지 말 것
7. 작업대는 정격하중을 초과하여 물건을 싣거나 탑승하지 말 것
8. 작업대의 붐대를 상승시킨 상태에서 탑승자는 작업대를 벗어나지 말 것. 다만, 작업대에 안전대 부착설비를 설치하고 안전대를 연결하였을 때에는 그러하지 아니하다.

PART 07

과년도 기출복원문제

2023년 1회 기출복원문제
2023년 2회 기출복원문제
2023년 3회 기출복원문제
2024년 1회 기출복원문제
2024년 2회 기출복원문제
2024년 3회 기출복원문제
2025년 1회 기출복원문제
2025년 2회 기출복원문제
2025년 3회 기출복원문제

PART 07
01 2023년 1회 기출복원문제

1과목 산업안전관리론

01 다음 중 산업안전보건법령상 안전보건관리규정에 포함되어 있지 않은 내용은?(단, 그 밖에 안전 및 보건에 관한 사항은 제외한다.)

① 작업자 선발에 관한 사항
② 안전보건교육에 관한 사항
③ 사고 조사 및 대책 수립에 관한 사항
④ 작업장의 안전 및 보건 관리에 관한 사항

해설
안전보건관리규정의 포함사항
1. 안전 및 보건에 관한 관리조직과 그 직무에 관한 사항
2. 안전보건교육에 관한 사항
3. 작업장의 안전 및 보건 관리에 관한 사항
4. 사고 조사 및 대책 수립에 관한 사항
5. 그 밖에 안전 및 보건에 관한 사항

02 산업안전보건법령상 안전모의 시험성능기준 항목이 아닌 것은?

① 난연성
② 인장성
③ 내관통성
④ 충격흡수성

해설
안전모의 시험성능 항목 및 기준

항목	시험성능기준
내관통성	• 안전인증 : AE, ABE종 안전모는 관통거리가 9.5mm 이하이고, AB종 안전모는 관통거리가 11.1mm 이하이어야 한다. • 자율안전확인 : 안전모는 관통거리가 11.1mm 이어야 한다.
충격흡수성	최고전달충격력이 4,450N을 초과해서는 안 되며, 모체와 착장체의 기능이 상실되지 않아야 한다.
내전압성	AE, ABE종 안전모는 교류 20kV에서 1분간 절연파괴 없이 견뎌야 하고, 이때 누설되는 충전전류는 10mA 이하이어야 한다. (※ 자율안전확인에서는 제외)
내수성	AE, ABE종 안전모는 질량증가율이 1% 미만이어야 한다. (※ 자율안전확인에서는 제외)
난연성	모체가 불꽃을 내며 5초 이상 연소되지 않아야 한다.
턱끈풀림	150N 이상 250N 이하에서 턱끈이 풀려야 한다.

03 다음 중 위험예지훈련 4라운드의 순서가 올바르게 나열된 것은?

① 현상파악 → 본질추구 → 대책수립 → 목표설정
② 현상파악 → 대책수립 → 본질추구 → 목표설정
③ 현상파악 → 본질추구 → 목표설정 → 대책수립
④ 현상파악 → 목표설정 → 본질추구 → 대책수립

해설
위험예지훈련의 4라운드
1. 1라운드(1R) : 현상파악(사실을 파악한다)
2. 2라운드(2R) : 본질추구(요인을 찾아낸다)
3. 3라운드(3R) : 대책수립(대책을 선정한다)
4. 4라운드(4R) : 목표설정(행동계획을 정한다)

04 다음의 적응기제 중 자기의 난처한 입장이나 실패의 결점을 이유나 변명으로 일관하는 것, 또는 실제의 행위나 상태보다 훌륭하게 평가되기 위하여 구실을 내세우는 행위를 무엇이라 하는가?

① 투사
② 도피
③ 합리화
④ 동일화

해설
적응기제

투사	• 자기 마음속의 억압된 것을 다른 사람의 것으로 생각하는 것 • 자신이 미워하는 대상에 대해서, 그 사람이 자신을 미워한다고 생각한다.
도피	• 도피하려는 심리작용 • 두통이나 복통 등을 구실 삼아 작업현장에서 도피
합리화	• 자기의 난처한 입장이나 실패의 결점을 이유나 변명으로 일관하는 것 • 실제의 행위나 상태보다 훌륭하게 평가되기 위하여 구실을 내세우는 행위 • 시합에 진 운동선수가 컨디션이 좋지 않았다고 한다.
동일화	• 다른 사람의 행동양식이나 태도를 투입하거나 다른 사람 가운데서 자기와 비슷한 것을 발견하게 되는 것 • 동창생을 자랑하거나 우쭐대는 것 • 아버지의 성공을 자랑하며 자신의 목에 힘이 들어간다.

정답 01 ① 02 ② 03 ① 04 ③

05 안전교육의 단계 중 표준작업방법의 습관화를 위한 교육은?

① 태도교육
② 지식교육
③ 기능교육
④ 기술교육

해설

단계별 교육내용
1. 지식교육
   ㉠ 안전의식의 향상
   ㉡ 안전의 책임감을 주입
   ㉢ 기능, 태도, 교육에 필요한 기초지식의 주입
   ㉣ 근로자가 지켜야 할 안전규정의 숙지
   ㉤ 공정 속에 잠재된 위험요소를 이해시킴
2. 기능교육
   ㉠ 전문적 기술기능
   ㉡ 안전기술기능
   ㉢ 방호장치 관리기능
   ㉣ 점검검사 정비기능
3. 태도교육
   ㉠ 표준작업방법의 습관화
   ㉡ 공구, 보호구의 관리 및 취급태도의 확립
   ㉢ 작업 전후의 점검 및 검사 요령의 정확한 습관화
   ㉣ 안전작업의 지시, 전달, 확인 등 언어태도의 습관화 및 정확화

06 조직이 리더에게 부여하는 권한으로 볼 수 없는 것은?

① 보상적 권한
② 강압적 권한
③ 합법적 권한
④ 위임된 권한

해설

리더십의 권한
1. 조직이 지도자에게 부여한 권한
   ㉠ 보상적 권한
   ㉡ 강압적 권한
   ㉢ 합법적 권한
2. 지도자 자신이 자신에게 부여한 권한
   ㉠ 전문성의 권한
   ㉡ 위임된 권한

07 산업안전보건법령상 고용노동부장관이 산업재해 예방을 위하여 종합적인 개선조치를 할 필요가 있다고 인정할 때에 안전보건개선계획의 수립·시행을 명할 수 있는 대상 사업장이 아닌 것은?

① 직업성 질병자가 연간 2명 이상 발생한 사업장
② 작업환경측정 결과 유해인자가 검출된 사업장
③ 사업주가 필요한 안전조치 또는 보건조치를 이행하지 아니하여 중대재해가 발생한 사업장
④ 산업재해율이 같은 업종의 규모별 평균 산업재해율보다 높은 사업장

해설

안전보건개선계획의 수립·시행을 명할 수 있는 사업장
1. 산업재해율이 같은 업종의 규모별 평균 산업재해율보다 높은 사업장
2. 사업주가 필요한 안전조치 또는 보건조치를 이행하지 아니하여 중대재해가 발생한 사업장
3. 직업성 질병자가 연간 2명 이상 발생한 사업장
4. 유해인자의 노출기준을 초과한 사업장

08 객관적인 위험을 자기 나름대로 판정해서 의지결정을 하고 행동을 옮기는 인간의 심리특성을 무엇이라고 하는가?

① 세이프 테이킹(Safe Taking)
② 액션 테이킹(Action Taking)
③ 리스크 테이킹(Risk Taking)
④ 휴먼 테이킹(Human Taking)

해설

리스크 테이킹(Risk Taking)
1. 객관적인 위험을 자기 나름대로 판정해서 의지결정을 하고 행동에 옮기는 인간의 심리특성
2. 안전태도가 양호한 자는 리스크 테이킹의 정도가 적다.
3. 안전태도 수준이 같은 경우 작업의 달성 동기, 성격, 능률 등 각종 요인의 영향에 의해 리스크 테이킹의 정도는 변한다.
4. 리스크 테이킹의 발생 요인은 부적절한 태도이다.

09 토의(회의)방식 중 참가자가 다수인 경우에 전원을 토의에 참가시키기 위하여 소집단으로 구분하고, 각각 자유토의를 행하여 의견을 종합하는 방식은?

① 포럼(Forum)
② 심포지엄(Symposium)
③ 버즈 세션(Buzz Session)
④ 패널 디스커션(Panel Discussion)

정답 05 ① 06 ④ 07 ② 08 ③ 09 ③

> **해설**

토의법의 종류
1. 자유토의법
   참가자가 주어진 주제에 대하여 자유로운 발표와 토의를 통하여 서로의 의견을 교환하고 상호이해력을 높이며 의견을 절충해 나가는 방법
2. 패널 디스커션(Panel Discussion)
   전문가 4~5명이 피교육자 앞에서 자유로이 토의를 하고, 그 후에 피교육자 전원이 사회자의 사회에 따라 토의하는 방법
3. 심포지엄(Symposium)
   발제자 없이 몇 사람의 전문가에 의하여 과제에 관한 견해를 발표한 뒤에 참가자로 하여금 의견이나 질문을 하게 하여 토의하는 방법
4. 포럼(Forum)
   ㉠ 사회자의 진행으로 몇 사람이 주제에 대하여 발표한 후 피교육자가 질문을 하고 토론해 나가는 방법
   ㉡ 새로운 자료나 주제를 내보이거나 발표한 후 피교육자로 하여금 문제나 의견을 제시하게 하고 다시 깊이 있게 토론해 나가는 방법
5. 버즈 세션(Buzz Session)
   6-6 회의라고도 하며, 참가자가 다수인 경우에 전원을 토의에 참가시키기 위한 방법으로 소집단을 구성하여 회의를 진행시키는 방법

10 재해 발생의 주요 원인 중 불안전한 상태에 해당하지 않는 것은?

① 기계설비 및 장비의 결함
② 부적절한 조명 및 환기
③ 작업장소의 정리·정돈 불량
④ 보호구 미착용

> **해설**

불안전한 행동과 상태의 분류

불안전한 행동 (인적 요인)	설비·기계 및 물질의 부적절한 사용·관리, 구조물 등 그 밖의 위험 방치 및 미확인, 작업수행 소홀 및 절차 미준수, 불안전한 작업자세, 작업수행 중 과실, 무모한 또는 불필요한 행위 및 동작, 복장, 보호구의 부적절한 사용, 불안전한 속도 조작, 안전장치의 기능 제거, 불안전한 인양 및 운반
불안전한 상태 (물적 요인)	물체 및 설비 자체의 결함, 방호조치의 부적절, 작업통로 등 장소불량 및 위험, 물체, 기계기구 등의 취급상 위험, 작업공정·절차의 부적절, 작업환경 등의 부적절, 보호구의 성능불량, 불안전한 설계로 인한 결함 발생

11 모랄 서베이(Morale Survey)의 주요 방법 중 태도조사법에 해당하는 것은?

① 사례연구법   ② 관찰법
③ 실험연구법   ④ 문답법

> **해설**

모랄 서베이의 주요방법
1. 통계에 의한 방법 : 사고 상해율, 결근, 지각, 조퇴, 이직 등을 분석하여 파악하는 방법(보조자료로 주로 사용)
2. 사례연구법 : 경영관리상의 여러 가지 제도에 나타나는 사례에 대해 사례연구로서 현상을 파악하는 방법
3. 관찰법 : 근무실태를 계속 관찰하면서 문제점을 찾아내는 방법
4. 실험연구법 : 실험그룹과 통제그룹으로 나누어 정황, 자극을 주어 태도변화 여부를 조사하는 방법
5. 태도조사법 : 질문지법, 면접법, 집단토의법, 문답법, 투사법 등에 의해 의견을 조사하는 방법(가장 많이 사용하는 방법)

12 재해예방의 4원칙에 해당하는 내용이 아닌 것은?

① 예방가능의 원칙   ② 원인계기의 원칙
③ 손실우연의 원칙   ④ 사고조사의 원칙

> **해설**

하인리히의 재해예방 4원칙

예방 가능의 원칙	천재지변을 제외한 모든 재해는 원칙적으로 예방이 가능하다.
손실 우연의 원칙	사고로 생기는 상해의 종류 및 정도는 우연적이다.
원인 계기의 원칙	사고와 손실의 관계는 우연적이지만 사고와 원인 관계는 필연적이다(사고에는 반드시 원인이 있다).
대책 선정의 원칙	원인을 정확히 규명해서 대책을 선정하고 실시되어야 한다(3E, 즉 기술, 교육, 독려를 중심으로).

13 산업안전보건법령상 다음 그림에 해당하는 안전·보건표지의 종류로 옳은 것은?

① 부식성물질경고   ② 산화성물질경고
③ 인화성물질경고   ④ 폭발성물질경고

> **해설**
> 안전 · 보건표지

부식성물질 경고	산화성물질 경고	인화성물질 경고	폭발성물질 경고

14 사업장의 도수율이 10.83이고, 강도율이 7.92일 경우의 종합재해지수(FSI)는?

① 4.63　　　　② 6.42
③ 9.26　　　　④ 12.84

> **해설**
> 종합재해지수(FSI ; Frequency Severity Indicator)
>
> $$종합재해지수(FSI) = \sqrt{도수율(FR) \times 강도율(SR)}$$
>
> $$\left(단, 미국의 경우 FSI = \sqrt{\frac{FR \times SR}{1,000}}\right)$$
>
> $$종합재해지수(FSI) = \sqrt{도수율(FR) \times 강도율(SR)}$$
> $$= \sqrt{10.83 \times 7.92}$$
> $$= 9.261$$

15 다음 중 재해사례연구에 관한 설명으로 틀린 것은?

① 재해사례연구는 주관적이며 정확성이 있어야 한다.
② 문제점과 재해요인의 분석은 과학적이고, 신뢰성이 있어야 한다.
③ 재해사례를 관계로 하여 그 사고와 배경을 체계적으로 파악한다.
④ 재해요인을 규명하여 분석하고 그에 대한 대책을 세운다.

> **해설**
> 재해사례연구는 객관적이며 정확성이 있어야 한다.

16 적응기제(Adjustment Mechanism) 중 방어적 기제(Defence Mechanism)에 해당하는 것은?

① 고립(Isolation)　　② 퇴행(Regression)
③ 억압(Suppression)　　④ 합리화(Rationalization)

> **해설**
> 적응기제의 기본유형
>
> | 구분 | 공격적 기제 (행동) | 도피적 기제 (행동) | 방어적(절충적) 기제(행동) |
> |---|---|---|---|
> | 개념 | 욕구 불만에 대한 반항이나 자기를 괴롭히는 대상에 대하여 적극적이고 능동적으로 적대시하는 감정이나 태도를 취하는 행위 | 욕구 불만에 의한 긴장이나 압박으로부터 벗어나 비합리적인 행동으로 공상에 도피하고 현실세계에서 벗어나 안정을 얻으려는 기제 | 자신의 약점이나 무능력, 열등감을 위장하여 유리하게 보호함으로써 안정감을 찾으려는 기제 |
> | 유형 | • 직접적 공격 기제 : 폭행, 싸움, 기물파손 등
• 간접적 공격 기제 : 비난, 폭언, 욕설 등 | • 백일몽
• 퇴행
• 억압
• 반동형성
• 고립 등 | • 승화
• 보상
• 합리화
• 투사
• 동일화 등 |

17 산업재해에 있어 인명이나 물적 등 일체의 피해가 없는 사고를 무엇이라고 하는가?

① Near Accident　　② Good Accident
③ True Accident　　④ Original Accident

> **해설**
> 아차사고(Near Accident)
> 재해 또는 사고가 발생하여도 인명상해나 물적 손실 등 일체의 피해가 없는 사고를 말한다.

18 산업안전보건법령상 건설현장에서 사용하는 크레인, 리프트 및 곤돌라의 안전검사의 주기로 옳은 것은?(단, 이동식 크레인, 이삿짐운반용 리프트는 제외한다.)

① 최초로 설치한 날부터 6개월마다
② 최초로 설치한 날부터 1년마다
③ 최초로 설치한 날부터 2년마다
④ 최초로 설치한 날부터 3년마다

정답　14 ③　15 ①　16 ④　17 ①　18 ①

> **해설**
> 안전검사의 주기

크레인(이동식 크레인은 제외), 리프트(이삿짐운반용 리프트는 제외) 및 곤돌라	사업장에 설치가 끝난 날부터 3년 이내에 최초 안전검사를 실시하되, 그 이후부터 2년마다(건설현장에서 사용하는 것은 최초로 설치한 날부터 6개월마다)
이동식 크레인, 이삿짐운반용 리프트 및 고소작업대	「자동차관리법」에 따른 신규등록 이후 3년 이내에 최초 안전검사를 실시하되, 그 이후부터 2년마다
프레스, 전단기, 압력용기, 국소 배기장치, 원심기, 롤러기, 사출성형기, 컨베이어, 산업용 로봇, 혼합기, 파쇄기 또는 분쇄기	사업장에 설치가 끝난 날부터 3년 이내에 최초 안전검사를 실시하되, 그 이후부터 2년마다(공정안전보고서를 제출하여 확인을 받은 압력용기는 4년마다)

19 억측판단의 배경이 아닌 것은?
① 생략 행위
② 초조한 심정
③ 희망적 관측
④ 과거의 성공한 경험

> **해설**
> 억측판단
> 1. 자기 멋대로 하는 주관적인 판단
> 2. 억측판단의 발생 배경
>   ㉠ 정보가 불확실할 때
>   ㉡ 희망적인 관측이 있을 때
>   ㉢ 과거의 성공한 경험이 있을 때
>   ㉣ 초조한 심정

20 안전을 위한 동기부여로 틀린 것은?
① 기능을 숙달시킨다.
② 경쟁과 협동을 유도한다.
③ 상벌제도를 합리적으로 시행한다.
④ 안전목표를 명확히 설정하여 주지시킨다.

> **해설**
> 동기부여의 방법
> 1. 안전의 근본이념을 인식시킨다.
> 2. 안전목표를 명확히 설정하여 주지시킨다.
> 3. 결과의 가치를 인식하고 알려준다.
> 4. 상과 벌을 준다(상벌제도를 합리적으로 시행한다).
> 5. 경쟁과 협동을 유도한다.
> 6. 동기 유발의 최적수준을 유지한다.

2과목 인간공학 및 시스템 안전공학

21 위험조정을 위해 필요한 기술에 속하지 않는 것은?
① 위험 지연
② 위험 감축
③ 위험 회피
④ 위험 보류

> **해설**
> 위험처리기술(위험관리기법)
>
> | 위험의 회피 (Avoidance) | • 위험 자체를 피하는 행위
• 잠재적 이익도 포기하는 극히 소극적인 수단 |
> |---|---|
> | 위험의 감소 (Reduction) | • 위험을 적극적으로 예방하고 경감하는 행위
• 잠재적 위험의 노출을 최대한 감소하는 방법 |
> | 위험의 전가 (Transfer) | • 위험을 제3자에게 전가하거나 공유하는 행위
• 보험, 공제조합, 기금 등 |
> | 위험의 보유(보류) (Retention) | • 무계획적 보유 : 가장 위험한 행위
• 계획적 보유 : 회피, 감소, 전가될 수 없는 위험에 적극적으로 대응 |

22 시스템 수명주기 단계 중 이전 단계들에서 발생되었던 사고 또는 사건으로부터 축적된 자료에 대해 실증을 통한 문제를 규명하고 이를 최소화하기 위한 조치를 마련하는 단계는?
① 구상단계
② 정의단계
③ 생산단계
④ 운전단계

> **해설**
> 시스템의 수명주기
> • 1단계(구상단계) : 적용 분석기법 – 예비위험분석(PHA)
> • 2단계(정의단계) : 시스템 개발의 가능성과 타당성의 확인, 생산물의 적합성 검토
> • 3단계(개발단계) : 적용 분석기법 – FMEA(고장형태와 영향분석)
> • 4단계(생산단계) : 설계변경에 따른 수정작업, 안전교육의 실시
> • 5단계(운전단계) : 사고조사 참여, 기술변경의 개발, 고객에 의한 최종 성능검사, 훈련, 산업자료 정보, 시스템의 보수 및 폐기, 시스템 안전 프로그램에 따른 평가
> • 6단계 : 정상적 시스템 수명 후의 폐기절차와 긴급 폐기철차의 검토
>
> **TIP** 운전단계에서는 발생되었던 사고, 사건, 생산고장 등의 자료가 모아진다.

정답 19 ① 20 ① 21 ① 22 ④

23 다음 중 교체 주기와 가장 밀접한 관련성이 있는 보전방식은?

① 보전예방 ② 생산보전
③ 품질보전 ④ 예방보전

해설

예방보전(PM ; Preventive Maintenance)
1. 설비를 항상 정상, 양호한 상태로 유지하기 위한 정기적인 검사와 초기의 단계에서 성능의 저하나 고장을 제거하던가 조정 또는 수복하기 위한 설비의 보수활동을 말한다.
2. 예방보전의 분류

시간기준보전 (TBM ; Time Based Maintenance)	돌발고장, 프로세스 트러블을 예방하기 위하여 정기적으로 설비를 검사·정비·청소하고 부품을 교환하는 보전방식(일정기간마다 보수를 하는 것)
상태기준보전 (CBM ; Condition Based Maintenance)	예측 또는 예지보전이라고도 하며, 고장이 일어나기 쉬운 부분에 진동분석장치·광학측정기·저항측정기 등 감도가 높은 계측장비를 사용하여 기계설비의 문제점을 예측하여 사전에 고장위험을 검출하는 보전활동
IR (Inspection and Repair)	TMB과 CBM의 장점을 적절하게 활용하여 설비를 정기적으로 분해·점검하고 양부를 판단하여 불량한 것은 교체한다.

24 표시값의 변화 방향이나 변화 속도를 나타내어 전반적인 추이의 변화를 관측할 필요가 있는 경우에 가장 적합한 표시장치 유형은?

① 계수형(Digital)
② 묘사형(Descriptive)
③ 동목형(Moving Scale)
④ 동침형(Moving Pointer)

해설

정량적 표시장치의 종류(정량적인 동적 표시장치)

아날로그 (Analog)	정목동침형 (Moving Pointer, 지침이동형)	• 눈금이 고정되고 지침이 움직이는 형(고정눈금 이동지침 표시장치) • 일정한 범위에서 수치가 자주 또는 계속 변하는 경우 가장 유용한 표시장치 • 지침의 위치는 인식적인 암시 신호를 얻을 수 있다.
아날로그 (Analog)	정침동목형 (Moving Scale, 지침고정형)	• 지침이 고정되고 눈금이 움직이는 형(이동눈금 고정지침 표시장치) • 나타내고자 하는 값의 범위가 클 때, 비교적 작은 눈금판에 모두 나타내고자 할 때(공간을 적게 차지하는 이점이 있음)
디지털 (Digital)	계수형 (Digital)	• 전력계나 택시 요금 계기와 같이 기계, 전자적으로 숫자가 표시되는 형 • 출력되는 값을 정확하게 읽어야 하는 경우에 가장 적합하다(수치를 정확하게 읽어야 할 경우). • 판독 오차는 원형 표시장치보다 적을 뿐 아니라 판독(평균반응) 시간도 짧다(계수형 : 0.94초, 원형 : 3.54초).

25 다음 중 육체적 활동에 대한 생리학적 측정방법과 가장 거리가 먼 것은?

① EMG ② EEG
③ 심박수 ④ 에너지소비량

해설

동적 근력작업에 따른 생리학적 측정법
에너지 대사량, 산소 소비량 및 CO_2 배출량 등과 호흡량, 맥박수, 근전도(EMG) 등

TIP 뇌전도(EEG : Electroencephalogram)
뇌의 전기적 활동을 기록한 것

26 다음의 인체측정자료의 응용원리를 설계에 적용하는 순서로 가장 적절한 것은?

㉠ 극단치 설계 ㉡ 평균치 설계 ㉢ 조절식 설계

① ㉠ → ㉡ → ㉢
② ㉢ → ㉡ → ㉠
③ ㉡ → ㉠ → ㉢
④ ㉢ → ㉠ → ㉡

해설

인체측정치를 이용한 설계 흐름도
조절 가능한 설계 → 극단치를 이용한 설계 → 평균치를 이용한 설계

정답 23 ④ 24 ④ 25 ② 26 ④

27 다음 중 체계설계 과정의 주요 단계에서 가장 먼저 실시해야 하는 것은?

① 기본설계
② 체계의 정의
③ 계면설계
④ 목표 및 성능 명세 결정

해설

인간 – 기계 체계설계의 기본단계 순서
1. 제1단계 : 목표 및 성능 명세 결정
2. 제2단계 : 시스템(체계)의 정의
3. 제3단계 : 기본설계
4. 제4단계 : 인터페이스(계면) 설계
5. 제5단계 : 촉진물 설계
6. 제6단계 : 시험 및 평가

28 다음 중 FT도에서 컷셋(Cut Set)에 관한 설명으로 틀린 것은?

① 시스템의 약점을 표현한 것이다.
② 정상사상(Top Event)을 발생시키는 조합이다.
③ 시스템이 고장 나지 않도록 하는 사상의 조합이다.
④ 일반적으로 Fussell Algorithm을 이용한다.

해설

컷셋과 패스셋
1. 컷셋(Cut Set)
   정상사상을 발생시키는 기본사상의 집합으로 그 안에 포함되는 모든 기본사상(여기서는 통상사상, 생략결함사상 등을 포함한 기본사상)이 발생할 때 정상사상을 발생시킬 수 있는 기본사상의 집합
2. 패스셋(Path Set)
   그 안에 포함되는 모든 기본사상이 일어나지 않을 때 처음으로 정상사상이 일어나지 않는 기본사상의 집합, 즉 시스템이 고장 나지 않도록 하는 사상의 조합이다.

29 1cd의 점광원에서 1m 떨어진 곳에서의 조도가 3 lux이었다. 동일한 조건에서 5m 떨어진 곳에서의 조도는 약 몇 lux인가?

① 0.12
② 0.22
③ 0.36
④ 0.56

해설

조도

$$조도 = \frac{광도}{(거리)^2}$$

1. 광도 = 조도 × (거리)^2
2. 1m 거리의 광도 = 3 × 12 = 3[cd] 이므로
3. 5m 거리의 조도 = $\frac{3}{5^2}$ = 0.12[lux]

30 다음 중 제어장치에서 조정장치의 위치를 1cm 움직였을 때, 표시장치의 지침이 4cm 움직였다면 이 기기의 C/R비는 약 얼마인가?

① 0.25
② 0.6
③ 1.5
④ 1.7

해설

선형 조종장치가 선형 표시장치를 움직일 때 각각 직선변위의 비(제어표시비)

$$C/D비(C/R비) = \frac{조종장치(제어기기)의 이동거리}{표시장치(표시기기)의 반응거리}$$

C/D비 = $\frac{조종장치의 이동거리}{표시장치의 반응거리} = \frac{1}{4} = 0.25$

31 음압 수준이 120dB인 경우 1,000Hz에서의 phon 값과 sone 값으로 옳은 것은?

① 100phon, 64sone
② 100phon, 128sone
③ 120phon, 128sone
④ 120phon, 256sone

해설

phon(음량 수준)과 sone(음량)의 관계

$$sone 치 = 2^{(phon 치 - 40)/10}$$

※ 음량 수준이 10phon 증가하면 음량(sone)은 2배로 증가된다.

1. 1,000Hz, 120dB은 120phon이다.
2. sone 치 = $2^{(phon 치 - 40)/10} = 2^{(120-40)/10} = 256$

정답 27 ④ 28 ③ 29 ① 30 ① 31 ④

32 앉은 작업자가 특정한 수작업 기능을 편안히 수행할 수 있는 공간의 외곽 한계를 무엇이라 하는가?

① 작업공간 포락면 ② 파악한계
③ 정상작업역 ④ 최대작업역

해설

앉은 사람의 작업공간
1. 작업공간 포락면(Work-space Envelope) : 한 장소에 앉아서 수행하는 작업 활동에서, 사람이 작업하는 데 사용하는 공간
2. 파악한계(Grasping Reach) : 앉은 작업자가 특정한 수작업 기능을 편히 수행할 수 있는 공간의 외곽 한계

33 3개의 서로 다른 부품이 OR Gate에 연결된 FTA 모델이 있다. 각 부품의 고장확률은 0.2이고, "시스템이 작동 안 됨"을 정상사상(Top Event)으로 했을 때 정상사상이 발생할 확률은 얼마인가?

① 0.008 ② 0.488
③ 0.512 ④ 0.992

해설

발생확률의 계산
발생확률 = 1 − (1−0.2)(1−0.2)(1−0.2) = 0.488

34 다음 중 소음에 의한 청력 손실이 가장 잘 발생하는 진동수는?

① 100Hz ② 1,000Hz
③ 2,000Hz ④ 4,000Hz

해설

청력 손실의 성격
1. 청력 손실의 정도는 노출되는 소음 수준에 따라 증가한다(비례관계).
2. 강한 소음에 대해서는 노출기간에 따라 청력 손실도 증가한다.
3. 약한 소음에 대해서는 노출기간과 청력 손실 간에 관계가 없다.
4. 청력 손실은 4,000Hz에서 크게 나타난다.

35 모든 시스템 안전 프로그램 중 최초 단계의 분석으로 시스템 내의 위험요소가 어떤 상태에 있는지를 정성적으로 평가하는 방법은?

① CA ② FHA
③ PHA ④ FMEA

해설

예비위험분석(PHA ; Preliminary Hazards Analysis)
1. 공정 또는 설비 등에 관한 상세한 정보를 얻을 수 없는 상황에서 위험물질과 공정 요소에 초점을 맞추어 초기위험을 확인하는 방법을 말한다.
2. 시스템안전 위험분석(SSHA)을 수행하기 위한 예비적인 최초의 작업으로 위험요소가 얼마나 위험한지를 정성적으로 평가하는 것이다.
3. PHA는 구상단계나 설계 및 발주의 극히 초기에 실시된다.

36 스웨인(Swain)의 인적 오류(혹은 휴먼에러) 분류 방법에 의할 때, 자동차 운전 중 습관적으로 손을 창문 밖으로 내어 놓았다가 다쳤다면 다음 중 이때 운전자가 행한 에러의 종류로 옳은 것은?

① 실수(Slip)
② 작위 오류(Commission Error)
③ 불필요한 수행 오류(Extraneous Error)
④ 누락 오류(Omission Error)

해설

인간실수의 분류(심리적인 분류)

구분	설명
생략에러 (Omission Error, 부작위 실수)	필요한 직무 및 절차를 수행하지 않아(생략) 발생하는 에러 예 가스밸브를 잠그는 것을 잊어 사고가 났다.
작위에러 (Commission Error)	필요한 작업 또는 절차의 불확실한 수행(잘못 수행)으로 인한 에러 예 전선이 바뀌었다. 틀린 부품을 사용하였다, 부품이 거꾸로 조립되었다 등
순서에러 (Sequential Error)	필요한 작업 또는 절차의 순서 착오로 인한 에러 예 자동차 출발 시 핸드브레이크를 해제하지 않고 출발하여 발생한 경우
시간에러 (Time Error)	필요한 직무 또는 절차의 수행지연으로 인한 에러 예 프레스 작업 중에 금형 내에 손이 오랫동안 남아 있어 발생한 재해
과잉행동에러 (Extraneous Error)	불필요한 작업 또는 절차를 수행함으로써 기인한 에러 예 자동차 운전 중 습관적으로 손을 창문으로 내밀어 발생한 재해

정답 32 ② 33 ② 34 ④ 35 ③ 36 ③

37 작업장의 실효온도에 영향을 주는 인자 중 가장 관계가 먼 것은?

① 온도　　② 체온
③ 습도　　④ 공기유동

해설

실효온도(Effective Temperature, 체감온도, 감각온도)
1. 온도, 습도 및 공기의 유동이 인체에 미치는 열효과를 하나의 수치로 통합한 경험적 감각지수
2. 상대습도 100%일 때의 건구온도에서 느끼는 것과 동일한 온감이다.
3. 실제로 감각되는 온도로서 실감온도라고 한다.
4. 실효온도의 결정요소(실효온도에 영향을 주는 요인)
   ㉠ 온도
   ㉡ 습도
   ㉢ 공기의 유동(대류)

38 다음 중 누적손상장애(CTDs)의 원인으로 거리가 먼 것은?

① 장시간 진동공구의 사용
② 과도한 힘의 사용
③ 높은 장소에서의 작업
④ 부적절한 자세에서의 작업

해설

근골격계 질환
1. 반복적인 동작, 부적절한 작업자세, 무리한 힘의 사용, 날카로운 면과의 신체접촉, 진동 및 온도 등의 요인에 의하여 발생하는 건강장해로서 목, 어깨, 허리, 팔·다리의 신경·근육 및 그 주변 신체조직 등에 나타나는 질환을 말한다.
2. 유사용어로는 누적 외상성 질환(CTDs), 반복성 긴장 상해 등이 있다.

39 다음 중 인간-기계 체계에 의해 수행하는 기본 기능의 유형이 아닌 것은?

① 감지　　② 정보보관
③ 궤환　　④ 행동

해설

체계(System)의 기본기능 및 업무

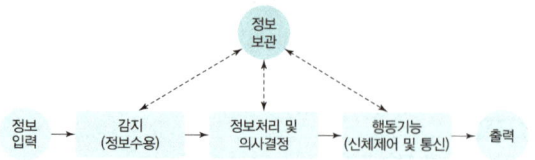

40 다음 중 FT도에서 그림과 같은 기호의 명칭에 해당하는 것은?

① OR 게이트
② 배타적 OR 게이트
③ 조합 OR 게이트
④ 우선적 OR 게이트

해설

배타적 OR 게이트
OR 게이트이지만 2개 또는 그 이상의 입력이 동시에 존재하는 경우에는 출력이 생기지 않는다.

3과목 기계위험 방지기술

41 다음 중 근로자에게 위험을 미칠 우려가 있을 때 덮개 또는 울을 설치해야 하는 위치와 가장 거리가 먼 것은?

① 연삭기 또는 평삭기의 테이블, 형삭기 램 등의 행정 끝
② 선반으로부터 돌출하여 회전화고 있는 가공물 부근
③ 과열에 따른 과열이 예상되는 보일러의 버너 연소실
④ 띠톱기계의 위험한 톱날(절단부분 제외) 부위

해설

덮개 또는 울을 설치해야 하는 경우
1. 목재가공용 띠톱기계의 절단에 필요한 톱날 부위 외의 위험한 톱날 부위
2. 연삭기 또는 평삭기의 테이블, 형삭기 램 등의 행정 끝이 근로자에게 위험을 미칠 우려가 있는 경우
3. 선반 등으로부터 돌출하여 회전하고 있는 가공물이 근로자에게 위험을 미칠 우려가 있는 경우

정답 37 ② 38 ③ 39 ③ 40 ② 41 ③

42 산업안전보건법령에 따른 보일러의 안전한 가동을 위하여 보일러 규격에 맞는 압력방출장치가 2개 이상 설치된 경우 옳은 것은?

① 최고사용압력 이상에서 1개가 작동되고, 다른 압력방출장치는 최고사용압력 2배 이하에서 작동되도록 부착하여야 한다.
② 최고사용압력 이하에서 1개가 작동되고, 다른 압력방출장치는 최고사용압력 1.05배 이하에서 작동되도록 부착하여야 한다.
③ 최고사용압력 이상에서 1개가 작동되고, 다른 압력방출장치는 최고사용압력 2배 이상에서 작동되도록 부착하여야 한다.
④ 최고사용압력 이상에서 1개가 작동되고, 다른 압력방출장치는 최고사용압력 1.05배 이하에서 작동되도록 부착하여야 한다.

해설

보일러의 압력방출장치
1. 보일러의 안전한 가동을 위하여 보일러 규격에 맞는 압력방출장치를 1개 또는 2개 이상 설치하고 최고사용압력(설계압력 또는 최고허용압력) 이하에서 작동되도록 하여야 한다.
2. 압력방출장치가 2개 이상 설치된 경우에는 최고사용압력 이하에서 1개가 작동되고, 다른 압력방출장치는 최고사용압력 1.05배 이하에서 작동되도록 부착하여야 한다.
3. 압력방출장치는 매년 1회 이상 교정을 받은 압력계를 이용하여 설정압력에서 압력방출장치가 적정하게 작동하는지를 검사한 후 납으로 봉인하여 사용하여야 한다(공정안전보고서 이행상태 평가결과가 우수한 사업장은 압력방출장치에 대하여 4년마다 1회 이상 설정압력에서 압력방출장치가 적정하게 작동하는지를 검사할 수 있다).

43 아세틸렌 용접장치를 사용하여 금속의 용접, 용단 또는 가열 작업 시 아세틸렌의 게이지 압력은 얼마를 초과하여 사용해서는 안 되는가?

① 127kPa ② 147kPa
③ 196kPa ④ 206kPa

해설

압력의 제한(산업안전보건기준에 관한 규칙 제285조)
아세틸렌 용접장치를 사용하여 금속의 용접·용단 또는 가열작업을 하는 경우에는 게이지 압력이 127킬로파스칼을 초과하는 압력의 아세틸렌을 발생시켜 사용해서는 아니 된다.

44 밀링 작업 시 안전수칙 중 잘못된 것은?

① 작업 시 보안경을 착용한다.
② 칩의 처리는 칩 브레이커로 한다.
③ 가공물의 치수는 기계 정지 후 확인한다.
④ 절삭 속도는 재료에 따라 달리 적용한다.

해설

밀링 작업에 대한 안전수칙
1. 제품을 따 내는 데에는 손끝을 대지 말아야 한다.
2. 운전 중 가공면에 손을 대지 말아야 하며 장갑 착용을 금지한다.
3. 칩을 제거할 때에는 커터의 운전을 중지하고 브러시(솔)를 사용하며 걸레를 사용하지 않는다.
4. 칩의 비산이 많으므로 보안경을 착용한다.
5. 커터 설치 시 및 측정은 반드시 기계를 정지시킨 후에 한다.
6. 일감(공작물)은 테이블 또는 바이스에 안전하게 고정한다.
7. 상하 이송장치의 핸들은 사용 후 반드시 빼 두어야 한다.
8. 가공 중에 밀링머신에 얼굴을 대지 않는다.
9. 절삭 속도는 재료에 따라 정한다.
10. 커터를 끼울 때는 아버를 깨끗이 닦는다.
11. 일감(공작물)을 고정하거나 풀어낼 때는 기계를 정지시킨다.
12. 테이블 위에 공구 등을 올려놓지 않는다.
13. 강력 절삭을 할 때는 일감을 바이스에 깊이 물린다.
14. 급속이송은 백래시 제거장치가 동작하지 않고 있음을 확인한 후 실시하고, 급속이송은 한 방향으로만 한다.

45 드릴 작업의 안전 대책과 거리가 먼 것은?

① 칩은 와이어 브러시로 제거한다.
② 구멍 끝 작업에서는 절삭압력을 주어서는 안 된다.
③ 칩에 의한 자상을 방지하기 위해 면장갑을 착용한다.
④ 바이스 등을 사용하여 작업 중 공작물의 유동을 방지한다.

해설

드릴링 작업에 대한 안전수칙
1. 일감은 견고하게 고정시키며 관통된 것을 확인하기 위해 손으로 만져서는 안 된다.
2. 드릴을 끼운 후 척 렌치(Chuck Wrench)는 반드시 뺀다.
3. 작업모를 착용하고 옷소매가 긴 작업복은 입지 않는다.
4. 드릴작업에서는 보안경 및 안전덮개(Shield)를 설치한다.
5. 칩은 브러시(와이어 브러시)로 제거하고 장갑 착용은 금지한다.
6. 구멍 끝 작업에서는 절삭압력을 주어서는 안 된다.

정답 42 ② 43 ① 44 ② 45 ③

7. 고정구를 사용하여 작업중 공작물의 유동을 방지한다.
8. 가공 중에 구멍이 관통되면 기계를 멈추고 손으로 돌려서 드릴을 뺀다.
9. 일감의 설치, 테이블의 고정이나 조정은 기계를 정지시킨 후에 실시한다.
10. 큰 구멍을 뚫을 때는 반드시 작은 구멍을 먼저 뚫은 후 큰 구멍을 뚫는다.
11. 얇은 판에 구멍을 뚫을 때에는 나무판을 밑에 받치고 뚫는다.
12. 구멍이 거의 다 뚫리는 끝부분에서 일감이 드릴과 함께 맞물려 회전하기 쉬우므로 주의하여야 한다.

46 완전 회전식 클러치 기구가 있는 양수조작식 방호장치에서 확동클러치의 봉합개소가 4개, 분당 행정수가 200spm일 때, 방호장치의 최소 안전거리는 몇 mm 이상이어야 하는가?

① 80
② 120
③ 240
④ 360

해설

방호장치 설치 안전거리(양수기동식)

$$D_m = 1.6\,T_m$$

여기서, D_m : 안전거리(mm)
T_m : 양손으로 누름단추를 누르기 시작할 때부터 슬라이드가 하사점에 도달하기까지 소요시간(ms)

$$T_m = \left(\frac{1}{\text{클러치 맞물림 개소수}} + \frac{1}{2}\right) \times \frac{60,000}{\text{매 분 행정수}}\,(\text{ms})$$

1. $T_m = \left(\dfrac{1}{\text{클러치 맞물림 개소수}} + \dfrac{1}{2}\right) \times \dfrac{60,000}{\text{매분 행정수}}[\text{ms}]$
   $= \left(\dfrac{1}{4} + \dfrac{1}{2}\right) \times \dfrac{60,000}{200} = 225[\text{ms}]$
2. $D_m = 1.6\,T_m = 1.6 \times 225 = 360[\text{mm}]$

47 기계설비의 본질안전화에 대한 설명 중 맞는 것은?

① 근로자가 동작상 과오나 실수 또는 기계설비에 이상이 생겨도 안전성이 확보되는 것
② 점검과 주유방법이 용이한 것
③ 보전용 작업장이 확보된 것
④ 인간공학적 안전장치가 있는 것

해설

기계설비의 본질적 안전화의 개요
1. 작업자가 동작상 과오나 실수를 하여도 사고나 재해가 일어나지 않도록 하는 것
2. 기계설비에 이상이 생겨도 안전성이 확보되어 사고나 재해가 발생하지 않도록 설계되는 것

48 다음 중 산소-아세틸렌 가스용접 시 역화의 원인과 가장 거리가 먼 것은?

① 토치의 과열
② 토치 팁의 이물질
③ 산소 공급의 부족
④ 압력조정기의 고장

해설

역화(Back Fire)

정의	용접 도중에 모재에 팁 끝이 닿아 불꽃이 순간적으로 팁 끝에서 순간적으로 폭음을 내며 불꽃이 들어갔다가 꺼지는 현상
원인	• 압력 조정기의 고장 • 과열되었을 때 • 산소 공급이 과다할 때 • 토치의 성능이 좋지 않을 때 • 토치 팁에 이물질이 묻었을 때
방지법	• 용접 팁을 물에 담궈서 식힘 • 아세틸렌을 차단 • 토치의 기능을 점검

49 산업안전보건법령에 따른 안전난간의 구조 및 설치요건에 대한 설명으로 옳은 것은?

① 상부 난간대, 중간 난간대, 발끝막이판 및 난간기둥으로 구성하여야 한다.
② 발끝막이판은 바닥면 등으로부터 5cm 이하의 높이를 유지하여야 한다.
③ 난간대는 지름 1.5cm 이상의 금속제 파이프를 사용하여야 한다.
④ 안전난간은 가장 취약한 지점에서 가장 취약한 방향으로 작용하는 70킬로그램 이상의 하중에 견딜 수 있어야 한다.

정답 46 ④ 47 ① 48 ③ 49 ①

> **해설**

안전난간의 구조 및 설치요건
1. 상부 난간대, 중간 난간대, 발끝막이판 및 난간기둥으로 구성할 것(다만, 중간 난간대, 발끝막이판 및 난간기둥은 이와 비슷한 구조와 성능을 가진 것으로 대체할 수 있음).
2. 상부 난간대는 바닥면·발판 또는 경사로의 표면(이하 "바닥면 등"이라 한다)으로부터 90센티미터 이상 지점에 설치하고, 상부 난간대를 120센티미터 이하에 설치하는 경우에는 중간 난간대는 상부 난간대와 바닥면 등의 중간에 설치해야 하며, 120센티미터 이상 지점에 설치하는 경우에는 중간 난간대를 2단 이상으로 균등하게 설치하고 난간의 상하 간격은 60센티미터 이하가 되도록 할 것(다만, 난간기둥 간의 간격이 25센티미터 이하인 경우에는 중간 난간대를 설치하지 않을 수 있음)
3. 발끝막이판은 바닥면 등으로부터 10센티미터 이상의 높이를 유지할 것(다만, 물체가 떨어지거나 날아올 위험이 없거나 그 위험을 방지할 수 있는 망을 설치하는 등 필요한 예방 조치를 한 장소는 제외)
4. 상부 난간대와 중간 난간대를 견고하게 떠받칠 수 있도록 적정한 간격을 유지할 것
5. 상부 난간대와 중간 난간대는 난간 길이 전체에 걸쳐 바닥면 등과 평행을 유지할 것
6. 난간대는 지름 2.7센티미터 이상의 금속제 파이프나 그 이상의 강도가 있는 재료일 것
7. 안전난간은 구조적으로 가장 취약한 지점에서 가장 취약한 방향으로 작용하는 100킬로그램 이상의 하중에 견딜 수 있는 튼튼한 구조일 것

50 연삭숫돌의 바깥지름이 300mm라면, 평형 플랜지의 바깥지름은 몇 mm 이상이어야 하는가?

① 100mm ② 150mm
③ 200mm ④ 250mm

> **해설**

플랜지의 지름

플랜지의 지름 = 숫돌지름 × $\frac{1}{3}$

플랜지의 지름 = 숫돌지름 × $\frac{1}{3}$ = 300 × $\frac{1}{3}$ = 100mm

51 다음 중 선반(Lathe)의 방호장치에 해당하는 것은?

① 슬라이딩(Sliding)
② 심압대(Tail Stock)
③ 주축대(Head Stock)
④ 칩 브레이커(Chip Breaker)

> **해설**

선반의 방호장치(안전장치)

칩 브레이커 (Chip Breaker)	절삭 중 칩을 자동적으로 끊어 주는 바이트에 설치된 안전장치
급정지 브레이크	가공작업 중 선반을 급정지시킬 수 있는 방호장치
실드 (Shield)	가공물의 칩이 비산되어 발생하는 위험을 방지하기 위해 사용하는 덮개(칩비산방지 투명판)
척 커버 (Chuck Cover)	척과 척으로 잡은 가공물의 돌출부에 작업자가 접촉하지 않도록 설치하는 덮개

52 크레인 작업 시 로프에 1톤의 중량을 걸어 20m/s²의 가속도로 감아올릴 때, 로프에 걸리는 총하중(kgf)은 약 얼마인가?(단, 중력가속도는 10m/s² 이다.)

① 1,000 ② 2,000
③ 3,000 ④ 3,500

> **해설**

와이어로프에 걸리는 하중 계산

와이어로프에 걸리는 총하중	총하중(W) = 정하중(W_1) + 동하중(W_2) 동하중(W_2) = $\frac{W_1}{g} \times a$ g : 중력가속도(9.8m/s²), a : 가속도(m/s²)
와이어로프에 작용하는 장력	장력[N] = 총하중[kg] × 중력가속도[m/s²]

1. 동하중
   동하중(W_2) = $\frac{W_1}{g} \times a$ = $\frac{1,000}{10} \times 20$ = 2,000[kgf]
3. 총하중
   총하중(W) = 정하중(W_1) + 동하중(W_2)
   = 1,000 + 2,000 = 3,000[kgf]

> **TIP** 1ton = 1,000kgf

정답 50 ① 51 ④ 52 ③

53 양중기에 사용 가능한 와이어로프에 해당하는 것은?

① 와이어로프의 한 꼬임에서 끊어진 소선의 수가 10% 초과한 것
② 심하게 변형 또는 부식된 것
③ 지름의 감소가 공칭지름의 7% 이내인 것
④ 이음매가 있는 것

해설

양중기 와이어로프 사용금지 조건
1. 이음매가 있는 것
2. 와이어로프의 한 꼬임에서 끊어진 소선의 수가 10% 이상인 것
3. 지름의 감소가 공칭지름의 7%를 초과하는 것
4. 꼬인 것
5. 심하게 변형되거나 부식된 것
6. 열과 전기충격에 의해 손상된 것

54 가스용접 작업의 안전수칙에 대한 설명 중 잘못된 것은?

① 용접하기 전에 소화기, 소화수의 위치를 확인할 것
② 작업 시에는 보호안경을 착용할 것
③ 산소용기와 화기와의 이격거리는 5m 이상으로 할 것
④ 작업 후에는 아세틸렌 밸브를 먼저 닫고 산소 밸브를 닫을 것

해설

작업 종료 후 또는 고무호스에 역화·역류 발생 시에는 산소 밸브를 가장 먼저 잠근다.

55 다음 중 연삭숫돌의 지름이 100mm이고, 회전수가 1,000rpm이면 숫돌의 원주속도(mm/min)는 약 얼마인가?

① 314
② 628
③ 314,000
④ 628,000

해설

원주속도(회전속도)

$$V = \pi DN (\text{mm/min}) = \frac{\pi DN}{1,000} (\text{m/min})$$

여기서, V : 원주속도(회전속도)(m/min)
D : 숫돌의 지름(mm)
N : 숫돌의 매분 회전수(rpm)

1. $V = \frac{\pi DN}{1,000} [\text{m/min}] = \frac{\pi \times 100 \times 1,000}{1,000}$
   $= 314 [\text{m/min}] = 314,000 [\text{mm/min}]$
2. $V = \pi DN = \pi \times 100 \times 1,000 = 314,000 [\text{mm/min}]$

56 반복하중을 받는 기계 구조물 설계 시 우선 고려해야 할 설계 인자는?

① 극한강도
② 크리프 강도
③ 피로한도
④ 항복점

해설

허용응력을 결정하기 위한 기초강도

재료의 조건	기초 강도
상온에서 연성재료가 정하중을 받을 경우	극한강도 또는 항복점
상온에서 취성재료가 정하중을 받을 경우	극한강도
고온에서 정하중을 받을 경우	크리프 강도

57 보일러수 속에 불순물 농도가 높아지면서 수면에 거품이 형성되어 수위가 불안정하게 되는 현상은?

① 포밍
② 서징
③ 수격현상
④ 공동현상

해설

이상현상의 종류

프라이밍 (Priming)	보일러수가 극심하게 끓어서 수면에서 계속하여 물방울이 비산하고 증기부가 물방울로 충만하여 수위가 불안정하게 되는 현상
포밍 (Foaming)	보일러수에 유지류, 고형물 등의 부유물로 인해 거품이 발생하여 수위를 판단하지 못하는 현상
캐리오버 (Carry Over)	• 보일러에서 증기관 쪽에 보내는 증기에 대량의 물방울이 포함되는 경우로 프라이밍이나 포밍이 생기면 필연적으로 발생 • 보일러에서 증기의 순도를 저하시킴으로써 관 내 응축수가 생겨 워터해머의 원인이 되는 것
워터해머 (Water Hammer, 수격작용)	• 증기관 내에서 증기를 보내기 시작할 때 해머로 치는 듯한 소리를 내며 관이 진동하는 현상 • 워터해머는 캐리오버에 기인한다.

정답 53 ③ 54 ④ 55 ③ 56 ③ 57 ①

58 안전계수 5인 로프의 절단하중이 400kg이라면 이 로프는 얼마 이하의 하중을 매달아야 하는가?

① 50kg
② 80kg
③ 100kg
④ 160kg

해설
안전율(안전계수)

$$\text{안전율(안전계수)} = \frac{\text{기초강도}}{\text{허용응력}} = \frac{\text{극한강도}}{\text{허용응력}}$$
$$= \frac{\text{최대응력}}{\text{허용응력}} = \frac{\text{절단하중(파괴하중)}}{\text{최대사용하중}}$$
$$= \frac{\text{극한강도}}{\text{최대설계응력}} = \frac{\text{파단하중}}{\text{안전하중}}$$
$$= \frac{\text{인장강도}}{\text{허용응력}}$$

$$\text{안전율} = \frac{\text{절단하중}}{\text{최대사용하중}}$$

$$\text{최대사용하중} = \frac{\text{절단하중}}{\text{안전율}} = \frac{400}{5} = 80[\text{kg}]$$

59 크레인에 사용하는 방호장치가 아닌 것은?

① 과부하방지장치
② 가스집합장치
③ 권과방지장치
④ 제동장치

해설
양중기 방호장치의 종류

방호장치의 조정 대상	• 크레인 • 이동식 크레인 • 리프트 • 곤돌라 • 승강기
방호장치의 종류	• 과부하방지장치 • 권과방지장치 • 비상정지장치 및 제동장치 • 그 밖의 방호장치(승강기의 파이널 리미트 스위치, 속도조절기, 출입문 인터록 등)

60 프레스의 양수조작식 방호장치에서 누름버튼의 내측거리는 몇 mm 이상이어야 하는가?

① 100mm
② 200mm
③ 300mm
④ 400mm

해설
양수조작식 방호장치
누름버튼의 상호 간 내측거리는 300mm 이상이어야 한다.

4과목 전기 및 화학설비위험방지기술

61 전기기계·기구에 대하여 누전에 의한 감전위험을 방지하기 위하여 누전차단기를 전기기계·기구에 접속할 때 준수하여야 할 사항으로 옳은 것은?

① 누전차단기는 정격감도전류가 60mA 이하이고 작동시간은 0.1초 이내일 것
② 누전차단기는 정격감도전류가 50mA 이하이고 작동시간은 0.08초 이내일 것
③ 누전차단기는 정격감도전류가 40mA 이하이고 작동시간은 0.05초 이내일 것
④ 누전차단기는 정격감도전류가 30mA 이하이고 작동시간은 0.03초 이내일 것

해설
누전차단기 접속 시 준수사항
전기기계·기구에 설치되어 있는 누전차단기는 정격감도전류가 30밀리암페어 이하이고 작동시간은 0.03초 이내일 것(다만, 정격전부하전류가 50암페어 이상인 전기기계·기구에 접속되는 누전차단기는 오작동을 방지하기 위하여 정격감도전류는 200밀리암페어 이하로, 작동시간은 0.1초 이내로 할 수 있다).

62 다음 중 가연성 가스의 폭발범위에 관한 설명으로 틀린 것은?

① 상한과 하한이 있다.
② 압력과 무관하다.
③ 공기와 혼합된 가연성 가스의 체적 농도로 표시된다.
④ 가연성 가스의 종류에 따라 다른 값을 갖는다.

해설
가연성 가스의 폭발범위 영향 요소
1. 가스의 온도가 높을수록 폭발범위도 일반적으로 넓어진다(폭발하한계는 감소, 폭발상한계는 증가).

정답 58 ② 59 ② 60 ③ 61 ④ 62 ②

2. 가스의 압력이 높아지면 폭발하한계는 영향이 없으나 폭발상한계는 증가한다.
3. 산소 중에서의 폭발범위는 공기 중에서 보다 넓어진다.
4. 압력이 상압인 1atm보다 낮아질 때 폭발범위는 큰 변화가 없다.
5. 일산화탄소는 압력이 높을수록 폭발범위가 좁아지고, 수소는 10atm까지는 좁아지지만 그 이상의 압력에서는 넓어진다.
6. 불활성 기체가 첨가될 경우 혼합가스의 농도가 희석되어 폭발범위가 좁아진다.
7. 화학양론농도 부근에서는 연소나 폭발이 가장 일어나기 쉽고 또한 격렬한 정도도 크다.

> **TIP** 압력이 높을수록 폭발상한계가 높아진다(폭발하한계는 영향 없음, 폭발상한계는 증가).

통전경로	심장전류계수	통전경로	심장전류계수
왼손-가슴	1.5	왼손-등	0.7
오른손-가슴	1.3	한손 또는 양손-앉아 있는 자리	0.7
왼손-한발 또는 양발	1.0	왼손-오른손	0.4
양손-양발	1.0	오른손-등	0.3
오른손-한발 또는 양발	0.8		

※ 숫자가 클수록 위험도가 높다.

63 다음의 주의사항에 해당하는 물질은?

> 산화제와 접촉 및 혼합은 위험하고 화재 시 주수소화를 하면 위험성이 더 커지므로 건조한 모래 등으로 질식소화를 한다.

① 마그네슘 ② 과산화수소
③ 과염소산나트륨 ④ 황인

해설
마그네슘(제2류 위험물)
1. 고온에서 유황 및 할로겐, 산화제와 접촉하면 매우 격렬하게 발열한다.
2. 일단 연소하면 소화가 곤란하나 초기 소화 또는 대규모 화재 시는 석회분, 마른 모래 등으로 소화한다.
3. 물, CO_2, N_2, 포, 할로겐 화합물 소화약제는 소화 적응성이 없으므로 절대 사용을 엄금한다.

64 다음 중 통전경로별 위험도가 가장 높은 경로는?

① 왼손-등 ② 오른손-가슴
③ 왼손-가슴 ④ 오른손-양발

해설
통전경로별 위험도
감전 시의 영향은 전류의 경로에 따라 그 위험성이 달라지며, 전류가 심장 또는 그 주위를 통하게 되면 심장에 영향을 주어 가장 위험하다.

65 감전을 방지하기 위해 관계 근로자에게 반드시 주지시켜야 하는 정전작업 사항으로 가장 거리가 먼 것은?

① 전원설비 효율에 관한 사항
② 단락접지 실시에 관한 사항
③ 전원 재투입 순서에 관한 사항
④ 작업 책임자의 임명, 정전범위 및 절연용 보호구 작업 등 필요한 사항

해설
전원설비 효율에 관한 사항은 감전을 방지하기 위해 관계근로자에게 반드시 주지시켜야 하는 사항이 아니다.

66 다음 중 전압의 분류가 잘못된 것은?

① 1,000V 이하의 교류전압 - 저압
② 1,500V 이하의 직류전압 - 저압
③ 1,000V 초과 7,000V 이하의 교류전압 - 고압
④ 10kV를 초과하는 직류전압 - 초고압

해설
전압의 구분

전원의 종류	저압	고압	특고압
직류(DC)	1,500V 이하	1,500V 초과 7,000V 이하	7,000V 초과
교류(AC)	1,000V 이하	1,000V 초과 7,000V 이하	7,000V 초과

정답 63 ① 64 ③ 65 ① 66 ④

67 다음 중 폭발 위험이 가장 높은 물질은?

① 수소
② 벤젠
③ 산화에틸렌
④ 이소프로필렌 알코올

해설
위험도
위험도 값이 클수록 위험성이 높은 물질이다.

$$H = \frac{UFL - LFL}{LFL}$$

여기서, UFL : 연소 상한값
LFL : 연소 하한값
H : 위험도

폭발범위

가연성 가스	폭발하한값(%)	폭발상한값(%)
벤젠	1.4	6.70
산화에틸렌	3.0	80.0
수소	4.0	75.0
이소프로필렌 알코올	2.0	12.0

1. 수소 위험도
$H = \frac{UFL - LFL}{LFL} = \frac{75 - 4.0}{4.0} = 17.75$

2. 산화에틸렌 위험도
$H = \frac{UFL - LFL}{LFL} = \frac{80 - 3.0}{3.0} = 25.67$

3. 벤젠 위험도
$H = \frac{UFL - LFL}{LFL} = \frac{6.7 - 1.4}{1.4} = 3.79$

4. 이소프로필렌 위험도
$H = \frac{UFL - LFL}{LFL} = \frac{12 - 2}{2} = 5$

68 다음 중 방폭기기의 종류와 기호가 올바르게 연결된 것은?

① 비점화 방폭구조 : n
② 압력 방폭구조 : q
③ 유입 방폭구조 : m
④ 본질안전 방폭구조 : e

해설
방폭구조의 종류 및 기호

내압 방폭구조	d	안전증 방폭구조	e	비점화 방폭구조	n
압력 방폭구조	p	특수 방폭구조	s	몰드 방폭구조	m
유입 방폭구조	o	본질안전 방폭구조	i(ia, ib)	충전 방폭구조	q

69 전선 간에 가해지는 전압이 어떤 값 이상으로 되면 전선 주위의 전장이 강하게 되어 전선 표면의 공기가 국부적으로 절연이 파괴가 되어 빛과 소리를 내는데 이와 같은 것을 무엇이라고 하는가?

① 표피 작용
② 페란티 효과
③ 코로나 현상
④ 근접 현상

해설
코로나 현상
1. 전선 간에 가해지는 전압이 어떤 값 이상으로 되면 전선 주위의 전장이 강하게 되어 전선 표면의 공기가 국부적으로 절연이 파괴가 되어 빛과 소리를 내면서 방전되는 현상을 말한다.
2. 코로나의 영향
　㉠ 코로나 손실에 의한 송전효율 저하
　㉡ 전선의 부식을 촉진
　㉢ 코로나 잡음이 발생
　㉣ 통신선로 유도장해 발생 등

70 다음 중 위험물에 대한 일반적 개념으로 옳지 않은 것은?

① 반응속도가 급격히 진행된다.
② 화학적 구조 및 결합력이 불안정하다.
③ 대부분 화학적 구조가 복잡한 고분자 물질이다.
④ 그 자체가 위험하다든가 또는 환경조건에 따라 쉽게 위험성을 나타내는 물질을 말한다.

해설
위험물의 정의
1. 위험물이라 함은 인화성 또는 발화성 등의 성질을 가지는 물품을 말한다.
2. 위험물질이란 그 자체가 위험하든가 또는 환경조건에 따라 쉽게 위험성을 나타내는 물질로서 보통 위험성 물질이라 부른다.

정답   67 ③   68 ①   69 ③   70 ③

3 위험물의 일반적인 특징
  ㉠ 자연계에 흔히 존재하는 물 또는 산소와의 반응이 용이하다.
  ㉡ 반응속도가 급격히 진행한다.
  ㉢ 반응 시 발생되는 발열량이 크다.
  ㉣ 수소와 같은 가연성 가스를 발생한다.
  ㉤ 화학적 구조 및 결합력이 대단히 불안정하다.

71 다음 설명에 해당하는 소화의 종류는?

> 가연성 가스와 지연성 가스가 섞여 있는 혼합기체의 농도를 조절하여 혼합기체의 농도를 연소범위 밖으로 벗어나게 하여 연소를 중지시키는 방법

① 냉각소화 ② 질식소화
③ 제거소화 ④ 억제소화

해설
소화의 종류

제거소화	가연성 물질을 연소구역에서 제거하여 줌으로써 소화하는 방법
질식소화	공기 중에 존재하고 있는 산소의 농도 21%를 15% 이하로 낮추어 소화하는 방법
냉각소화	연소물로부터 열을 빼앗아 발화점 이하의 온도로 낮추는 방법
억제소화 (부촉매소화)	가연성 물질과 산소와의 화학반응을 느리게 함으로써 소화하는 방법(연쇄반응을 억제시켜 소화하는 방법)

72 배관용 부품에 있어 사용되는 용도가 다른 것은?

① 엘보우(Elbow) ② 티(T)
③ 크로스(Cross) ④ 밸브(Valve)

해설
피팅류(Fittings)

두 개의 관을 연결할 때	플랜지(Flange), 유니온(Union), 커플링(Coupling), 니플(Nipple), 소켓(Socket)
관로의 방향을 바꿀 때	엘보우(Elbow), Y자관(Y-branch), 티(Tee), 십자(Cross)
관로의 크기를 바꿀 때 (관의 지름을 변경할 때)	리듀서(Reducer), 부싱(Bushing)
가지관을 설치할 때	Y자관(Y-Branch), 티(Tee), 십자(Cross)
유로를 차단할 때	플러그(Plug), 캡(Cap), 밸브(Valve)
유량조절	밸브(Valve)

73 다음 중 산업안전보건법상 화학설비 또는 그 배관의 덮개·플랜지·밸브 및 콕의 접합부에 대하여 당해 접합부에서의 위험물질 등의 누출로 인한 폭발·화재 또는 위험물의 누출을 방지하기 위한 가장 적절한 조치는?

① 개스킷의 사용 ② 코르크의 사용
③ 호스 밴드의 사용 ④ 호스 스크립의 사용

해설
덮개 등 접합부의 조치사항
화학설비 또는 그 배관의 덮개·플랜지·밸브 및 콕의 접합부에 대해서는 접합부에서 위험물질 등이 누출되어 폭발·화재 또는 위험물이 누출되는 것을 방지하기 위하여 적절한 개스킷(Gasket)을 사용하고 접합면을 서로 밀착시키는 등 적절한 조치를 하여야 한다.

74 인체가 전격을 당했을 경우 통전시간이 1초라면 심실세동을 일으키는 전류값(mA)은?(단, 심실세동 전류값은 Dalziel의 관계식을 이용한다.)

① 100 ② 165
③ 180 ④ 215

해설
심실세동전류(치사전류)

$$I = \frac{165}{\sqrt{T}} \text{(mA)}$$

여기서, I : 심실세동전류(mA)
T : 통전 시간(sec)
전류 I는 1,000명 중 5명 정도가 심실세동을 일으키는 값

$$I = \frac{165}{\sqrt{T}} = \frac{165}{\sqrt{1}} = 165[\text{mA}]$$

75 다음 중 정전기의 제거 방법으로 적절하지 않은 것은?

① 가습 ② 자외선 조사
③ 금속부분의 접지 ④ 제전기 활용

해설
정전기재해의 방지대책
1. 접지(도체의 대전방지)
2. 유속의 제한
3. 보호구의 착용
4. 대전방지제 사용

정답 71 ② 72 ④ 73 ① 74 ② 75 ②

5. 가습(상대습도를 60~70% 정도 유지)
6. 제전기 사용
7. 대전물체의 차폐
8. 정치시간의 확보
9. 도전성 재료 사용

76 다음 중 물에 보관이 가능한 것은?

① K ② P_4
③ NaH ④ Li

해설
위험물의 저장 및 취급방법
1. 칼륨(K), 나트륨(Na) : 석유(등유, 경유), 유동파라핀 등의 보호액을 넣어 밀봉 저장한다.
2. 황린(백린=P_4) : pH 9(약알칼리성) 정도의 물속에 저장하며 보호액이 증발되지 않도록 한다.

77 다음 중 분진 폭발의 발생 위험성을 낮추는 방법으로 적절하지 않은 것은?

① 주변의 점화원을 제거한다.
② 분진이 날리지 않도록 한다.
③ 분진과 그 주변의 온도를 낮춘다.
④ 분진 입자의 표면적을 크게 한다.

해설
입도와 입도분포
1. 분진의 표면적이 입자체적에 비하여 커지면 열의 발생속도가 방열속도보다 커져서 폭발이 용이해진다.
2. 평균 입자의 직경이 작고 밀도가 작을수록 비표면적은 크게 되고 표면에너지도 크게 되어 폭발이 용이해진다.

78 절연물은 여러 가지 원인으로 전기저항이 저하되어 이른바 절연불량을 일으켜 위험한 상태가 되는데 절연불량의 주요 원인이 아닌 것은?

① 정전에 의한 전기적 원인
② 온도상승에 의한 열적 요인
③ 진동, 충격 등에 의한 기계적 요인
④ 높은 이상전압 등에 의한 전기적 요인

해설
전기절연물의 절연파괴(불량) 주요 원인
1. 진동, 충격 등에 의한 기계적 요인
2. 산화 등에 의한 화학적 요인
3. 온도상승에 의한 열적 요인
4. 높은 이상전압 등에 의한 전기적 요인

79 고압가스 용기에 사용되며 화재 등으로 용기의 온도가 상승하였을 때 금속의 일부분을 녹여 가스의 배출구를 만들어 압력을 분출시켜 용기의 폭발을 방지하는 안전장치는?

① 가용합금 안전밸브
② 파열판
③ 폭압방산공
④ 폭발억제장치

해설
안전밸브의 종류

스프링식	일반적으로 가장 널리 사용하며, 압력이 설정된 값을 초과하면 스프링을 밀어내어 가스를 분출시켜 폭발을 방지
중추식	밸브 장치에 무게가 있는 추를 달아서 설정압력이 되면 추를 밀어 올려 가스를 분출
파열판식	압력이 급격히 상승할 경우 용기 내의 가스를 배출(한 번 작동 후 교체)
가용전식 (가용합금식)	설정온도에서 온도가 규정온도 이상이면 녹아서 전체 가스를 배출

80 10Ω의 저항에 10A의 전류를 1분간 흘렸을 때의 발열량은 몇 cal인가?

① 1,800 ② 3,600
③ 7,200 ④ 14,400

해설
열량

$$Q = 0.24 I^2 RT \times 10^{-3} [\text{kcal}] = 0.24 I^2 RT [\text{cal}]$$

여기서, Q : 열량[J]
 I : 전류[A]
 R : 저항[Ω]
 T : 전류가 흐른 시간[sec]

$Q = 0.24 I^2 RT = 0.24 \times 10^2 \times 10 \times 60 = 14,400 [\text{cal}]$

정답 76 ② 77 ④ 78 ① 79 ① 80 ④

5과목 건설안전기술

81 철골공사에서 부재의 건립용 기계로 거리가 먼 것은?

① 타워크레인 ② 가이데릭
③ 삼각데릭 ④ 항타기

해설
철골세우기용 기계
1. 타워크레인
2. 트럭크레인
3. 가이데릭
4. 진폴데릭
5. 스티프 레그 데릭(삼각데릭)

82 블레이드의 길이가 길고 낮으며 블레이드의 좌우를 전후 25~30° 각도로 회전시킬 수 있어 흙을 측면으로 보낼 수 있는 도저는?

① 레이크 도저
② 스트레이트 도저
③ 앵글도저
④ 틸트도저

해설
배토판(Blade)의 형태 및 작동방법에 의한 분류

스트레이트 도저 (Straight Dozer)	트랙터의 종방향 중심축에 배토판을 직각으로 설치하여 직선적인 굴착 및 압토작업에 효율적
앵글 도저 (Angle Dozer)	배토판을 진행방향에 따라 20~30°의 좌우로 돌릴 수 있도록 만든 장치로, 측면굴착에 유리
틸트 도저 (Tilt Dozer)	배토판을 좌우로 상하 25~30°까지 아래로 기울어지게 하여 도랑파기, 경사면 굴착에 유리
힌지 도저 (Hinge Dozer)	배토판 중앙에 힌지를 붙여 안팎으로 V자형으로 꺾을 수 있으며, 흙을 깎아 옆으로 밀어내면서 전진하므로 제설, 제토작업 및 다량의 흙을 전방으로 밀고 가는 데 적합한 도저

83 일반적으로 사면이 가장 위험한 경우는 어느 때인가?

① 사변이 완전 건조 상태일 때
② 사면의 수위가 서서히 상승할 때
③ 사면이 완전 포화 상태일 때
④ 사면의 수위가 급격히 하강할 때

해설
사면의 붕괴위험이 가장 클 때는 수위가 급격히 하강할 때이다.

84 비탈면 붕괴를 방지하기 위한 방법으로 옳지 않은 것은?

① 비탈면 상부의 토사 제거
② 지하 배수공 시공
③ 비탈면 하부의 성토
④ 비탈면 내부 수압의 증가 유도

해설
붕괴예방대책
1. 적절한 경사면의 기울기를 계획하여야 한다.
2. 경사면의 기울기가 당초 계획과 차이가 발생되면 즉시 재검토하여 계획을 변경시켜야 한다.
3. 활동할 가능성이 있는 토석은 제거하여야 한다.
4. 경사면의 하단부에 압성토 등 보강공법으로 활동에 대한 저항대책을 강구하여야 한다.
5. 말뚝(강관, H형강, 철근콘크리트)을 타입하여 지반을 강화시킨다.
6. 빗물, 지표수, 지하수의 사전 제거 및 침투를 방지하여야 한다.

85 근로자가 안전하게 승강하기 위한 건설용 리프트 등의 설비를 설치하여야 하는 장소에 대한 높이 또는 깊이의 최소기준은?

① 2m 초과 ② 3m 초과
③ 4m 초과 ④ 5m 초과

해설
승강설비의 설치
높이 또는 깊이가 2미터를 초과하는 장소에서 작업하는 경우 해당 작업에 종사하는 근로자가 안전하게 승강하기 위한 건설용 리프트 등의 설비를 설치해야 한다. 다만, 승강설비를 설치하는 것이 작업의 성질상 곤란한 경우에는 그렇지 않다.

86 히빙(Heaving) 현상이 가장 쉽게 발생하는 토질 지반은?

① 연약한 점토 지반
② 연약한 사질토 지반
③ 견고한 점토 지반
④ 견고한 사질토 지반

해설

지반의 이상현상

구분	정의
히빙(Heaving) 현상	연질점토 지반에서 굴착에 의한 흙막이 내·외면의 흙의 중량 차이로 인해 굴착저면이 부풀어 올라오는 현상
보일링(Boiling) 현상	사질토 지반에서 굴착저면과 흙막이 배면과의 수위 차이로 인해 굴착저면의 흙과 물이 함께 위로 솟구쳐 오르는 현상
파이핑(Piping) 현상	보일링 현상으로 인하여 지반 내에서 물의 통로가 생기면서 흙이 세굴되는 현상

87 고소작업대를 사용하는 경우 준수해야 할 사항으로 옳지 않은 것은?

① 안전한 작업을 위하여 적정수준의 조도를 유지할 것
② 전로(電路)에 근접하여 작업을 하는 경우에는 작업감시자를 배치하는 등 감전사고를 방지하기 위하여 필요한 조치를 할 것
③ 작업대의 붐대를 상승시킨 상태에서 탑승자는 작업대를 벗어나지 말 것
④ 전환스위치는 다른 물체를 이용하여 고정할 것

해설

고소작업대 사용 시 준수 사항
1. 작업자가 안전모·안전대 등의 보호구를 착용하도록 할 것
2. 관계자가 아닌 사람이 작업구역에 들어오는 것을 방지하기 위하여 필요한 조치를 할 것
3. 안전한 작업을 위하여 적정수준의 조도를 유지할 것
4. 전로에 근접하여 작업을 하는 경우에는 작업감시자를 배치하는 등 감전사고를 방지하기 위하여 필요한 조치를 할 것
5. 작업대를 정기적으로 점검하고 붐·작업대 등 각 부위의 이상 유무를 확인할 것
6. 전환스위치는 다른 물체를 이용하여 고정하지 말 것
7. 작업대는 정격하중을 초과하여 물건을 싣거나 탑승하지 말 것
8. 작업대의 붐대를 상승시킨 상태에서 탑승자는 작업대를 벗어나지 말 것. 다만, 작업대에 안전대 부착설비를 설치하고 안전대를 연결하였을 때에는 그러하지 아니하다.

88 유해·위험방지계획서의 첨부서류에서 공사 개요 및 안전보건관리계획에 해당되지 않는 항목은?

① 산업안전보건관리비 사용계획서
② 공사현장의 주변 현황 및 주변과의 관계를 나타내는 도면
③ 재해 발생 위험 시 연락 및 대피방법
④ 근로자 건강진단 실시계획

해설

공사 개요 및 안전보건관리계획
1. 공사 개요서
2. 공사현장의 주변 현황 및 주변과의 관계를 나타내는 도면(매설물 현황을 포함)
3. 전체 공정표
4. 산업안전보건관리비 사용계획서
5. 안전관리 조직표
6. 재해 발생 위험 시 연락 및 대피방법

89 기계가 서 있는 지면보다 높은 곳을 파는 작업에 가장 적합한 굴착기계는?

① 파워 셔블
② 드래그 라인
③ 백호
④ 클램셸

해설

파워 셔블(Power Shovel)
1. 굴삭기가 위치한 지면보다 높은 곳의 굴착에 적당
2. 작업대가 견고하여 단단한 토질의 굴착에도 용이

90 낙하물방지망 또는 방호선반의 설치 시 요구되는 벽면으로부터 내민 길이의 기준은?

① 1m 이상
② 1.5m 이상
③ 2m 이상
④ 2.5m 이상

해설

낙하물방지망 또는 방호선반 설치 시 준수사항
1. 높이 10미터 이내마다 설치하고, 내민 길이는 벽면으로부터 2미터 이상으로 할 것
2. 수평면과의 각도는 20도 이상 30도 이하를 유지할 것

정답 86 ① 87 ④ 88 ④ 89 ① 90 ③

91 철근콘크리트 공사 시 활용되는 거푸집의 필요 조건이 아닌 것은?

① 콘크리트의 하중에 대해 뒤틀림이 없는 강도를 갖출 것
② 콘크리트 내 수분 등에 대한 물빠짐이 원활한 구조를 갖출 것
③ 최소한의 재료로 여러 번 사용할 수 있는 전용성을 가질 것
④ 거푸집은 조립·해체·운반이 용이하도록 할 것

해설
거푸집의 필요조건
1. 조립·해체·운반이 용이할 것
2. 반복 사용할 수 있는 형상과 크기일 것
3. 수분이나 모르타르의 누출을 방지할 수 있게 수밀성을 확보할 것
4. 시공정확도를 유지하고 변형이 생기지 않는 구조일 것
5. 충격 및 작업하중에 견디고, 변형을 일으키지 않는 강도를 가질 것
6. 청소·보수·뒷정리가 쉬울 것

92 다음 중 철골작업을 중지하여야 하는 풍속 기준은?

① 풍속이 초당 10미터 이상
② 풍속이 분당 10미터 이상
③ 풍속이 초당 1미터 이상
④ 풍속이 분당 1미터 이상

해설
작업의 제한(철골작업 중지)
1. 풍속이 초당 10미터 이상인 경우
2. 강우량이 시간당 1밀리미터 이상인 경우
3. 강설량이 시간당 1센티미터 이상인 경우

93 철근을 인력으로 운반할 때의 주의사항으로 틀린 것은?

① 긴 철근은 2인 1조가 되어 어깨메기로 하여 운반한다.
② 긴 철근을 부득이 1인이 운반할 때는 철근의 한쪽을 어깨에 메고 다른 한쪽 끝을 땅에 끌면서 운반한다.
③ 1인이 1회에 운반할 수 있는 적당한 무게 한도는 운반자의 몸무게 정도이다.
④ 운반 시에는 항상 양끝을 묶어 운반한다.

해설
철근의 인력운반
1. 1인당 무게는 25킬로그램 정도가 적절하며, 무리한 운반을 삼가야 한다.
2. 2인 이상이 1조가 되어 어깨메기로 하여 운반하는 등 안전을 도모하여야 한다.
3. 긴 철근을 부득이 한 사람이 운반할 때에는 한쪽을 어깨에 메고 한쪽 끝을 끌면서 운반하여야 한다.
4. 운반할 때에는 양끝을 묶어 운반하여야 한다.
5. 내려 놓을 때는 천천히 내려놓고 던지지 않아야 한다.
6. 공동 작업을 할 때에는 신호에 따라 작업을 하여야 한다.

94 콘크리트 타설 시 안전에 유의해야 할 사항으로 옳지 않은 것은?

① 타설 순서는 계획에 의하여 실시한다.
② 콘크리트 다짐효과를 위하여 최대한 높은 곳에서 타설한다.
③ 콘크리트를 치는 도중에는 거푸집, 동바리 등의 이상 유무를 확인하여야 한다.
④ 타설 시 공동이 발생되지 않도록 밀실하게 부어 넣는다.

해설
높은 곳에서 타설하면 측압의 증가로 거푸집 변형 및 재료분리의 현상이 발생하므로 가능한 타설 높이를 낮게 하여야 한다.

95 높이 2m 이상의 작업발판의 끝이나 개구부 등에서 추락을 방지하기 위한 설비로 가장 거리가 먼 것은?

① 안전난간   ② 덮개
③ 방호선반   ④ 울타리

해설
개구부 등의 방호조치
1. 작업발판 및 통로의 끝이나 개구부로서 근로자가 추락할 위험이 있는 장소에는 안전난간, 울타리, 수직형 추락방망 또는 덮개 등의 방호 조치를 충분한 강도를 가진 구조로 튼튼하게 설치하여야 하며, 덮개를 설치하는 경우에는 뒤집히거나 떨어지지 않도록 설치하여야 한다. 이 경우 어두운 장소에서도 알아볼 수 있도록 개구부임을 표시하여야 한다.

정답 91 ② 92 ① 93 ③ 94 ② 95 ③

2. 난간 등을 설치하는 것이 매우 곤란하거나 작업의 필요상 임시로 난간 등을 해체하여야 하는 경우 추락방호망을 설치하여야 한다. 다만, 추락방호망을 설치하기 곤란한 경우에는 근로자에게 안전대를 착용하도록 하는 등 추락할 위험을 방지하기 위하여 필요한 조치를 하여야 한다.

96 지반조사의 방법 중 지반을 강관으로 천공하고 토사를 채취 후 여러 가지 시험을 시행하여 지반의 토질 분포, 흙을 층상과 구성 등을 알 수 있는 것은?

① 보링
② 표준관입시험
③ 베인테스트
④ 평판재하시험

해설

보링(Boring)
1. 개요
   굴착 기계 및 기구를 사용하여 지반에 깊은 구멍을 파는 것으로 흙의 성질 및 지층 상태, 지하수의 위치 등을 조사하는 방법
2. 종류

종류	방법
오거 보링 (Augar Boring)	지표면 부근의 시료 채취나 얕은 지반 조사에 사용하는 방법으로 깊이 10m 이내의 토사를 채취한다.
수세식 보링 (Wash Boring)	깊이 30m 내외의 연질층에 사용하는 방법으로 이중관을 충격을 주며 물을 뿜어 파진 흙을 배출하여 침전시켜 토질 판별
회전식 보링 (Rotary Boring)	날을 회전시켜 천공하는 방법, 비교적 자연 상태 그대로 채취 가능(연속적으로 시료를 채취할 수 있어 지층의 변화를 비교적 정확히 알 수 있다)
충격식 보링 (Precussion Boring)	와이어 로프(Wire Rope) 끝에 충격날을 부착하여 상하 충격에 의해 천공, 토사와 암석에도 가능

TIP
- 표준관입시험 : 무게 63.5kg의 해머로 76cm 높이에서 자유낙하시켜 샘플러를 30cm 관입시키는 데 소요되는 타격횟수 N치를 측정하는 시험으로 사질토 지반에 적용
- 베인테스트 : 로드 선단에 +자형 날개(Vane)를 부착하여 지중에 박아 회전시켜 점토의 점착력을 판별하는 시험으로 연약점토 지반에 적용
- 평판재하시험 : 지반에 하중을 가하여 지반의 지지력을 파악하기 위한 시험

97 다음 중 점성토의 성질과 거리가 먼 것은?

① 예민비(Sensitivity Ratio)
② 리칭 현상(Leaching Phenomenon)
③ 틱소트로피 현상(Thixotropy Phenomenon)
④ 액상화(Liquefaction) 현상

해설

액상화(Liquefaction) 현상
1. 모래지반에서 순간충격 등에 의해 간극수압의 상승으로 유효응력이 감소되어 전단저항을 상실하고 지반이 액체와 같이 되는 현상
2. 액상화 발생 시 건물의 부상 및 부동침하가 발생

98 강관틀비계의 높이가 20m를 초과하는 경우 주틀 간의 간격은 최대 얼마 이하로 사용해야 하는가?

① 1.0m
② 1.5m
③ 1.8m
④ 2.0m

해설

강관틀비계 조립 시의 준수사항
1. 비계기둥의 밑둥에는 밑받침 철물을 사용하여야 하며 밑받침에 고저차(高低差)가 있는 경우에는 조절형 밑받침철물을 사용하여 각각의 강관틀비계가 항상 수평 및 수직을 유지하도록 할 것
2. 높이가 20미터를 초과하거나 중량물의 적재를 수반하는 작업을 할 경우에는 주틀 간의 간격을 1.8미터 이하로 할 것
3. 주틀 간에 교차 가새를 설치하고 최상층 및 5층 이내마다 수평재를 설치할 것
4. 수직방향으로 6미터, 수평방향으로 8미터 이내마다 벽이음을 할 것
5. 길이가 띠장 방향으로 4미터 이하이고 높이가 10미터를 초과하는 경우에는 10미터 이내마다 띠장 방향으로 버팀기둥을 설치할 것

99 건설공사에서 발코니 단부, 엘리베이터 입구, 재료 반입구 등과 같이 벽면 혹은 바닥에 추락의 위험이 우려되는 장소를 가리키는 용어는?

① 비계
② 개구부
③ 가설구조물
④ 연결통로

해설

개구부
개구부는 벽이나 바닥에 뚫린 구멍을 총칭하며, 특히 수평 개구부는 추락·낙하 등의 위험이 있어 관리해야 한다.

100 다음 중 흙의 다짐효과에 대한 설명으로 옳은 것은?

① 흙의 투수성이 증가한다.
② 동상 현상이 감소한다.
③ 전단강도가 감소한다.
④ 흙의 밀도가 낮아진다.

> **해설**

다짐(Compaction)
1. 사질지반에서 재하에 의해 공기가 제거되면서 밀도를 증가시켜 전단강도를 증가시키는 현상
2. 다짐의 목적
   ㉠ 전단강도 증대
   ㉡ 지지력 증대
   ㉢ 압축성 감소
   ㉣ 투수성 감소
   ㉤ 동상 방지
   ㉥ 팽창, 수축 감소

정답 100 ②

PART 07

02 2023년 2회 기출복원문제

1과목 산업안전관리론

01 다음 중 강의계획 수립 시 학습목적 3요소가 아닌 것은?

① 목표
② 주제
③ 학습정도
④ 교재내용

해설

학습목적의 3요소

목표 (Goal)	학습목적의 핵심, 학습을 통하여 달성하려는 지표
주제 (Subject)	목표달성을 위한 테마
학습정도 (Level of Learning)	주제를 학습시킬 범위와 내용의 정도

02 다음 중 주로 일선 관리감독자를 대상으로 하며, 작업지도기법, 작업개선기법, 인간관계 관리기법 등을 교육하는 방법은?

① ATT(America Telephone & Telegram Co.)
② MTP(Management Training Program)
③ CCS(Civil Communication Section)
④ TWI(Training Within Industry)

해설

TWI(Training Within Industry)
1. 교육대상자 : 제일선 관리감독자
2. 교육과정
   ㉠ Job Method Training(JMT) : 작업방법훈련, 작업개선훈련
   ㉡ Job Instruction Training(JIT) : 작업지도훈련
   ㉢ Job Relations Training(JRT) : 인간관계훈련, 부하통솔법
   ㉣ Job Safety Training(JST) : 작업안전훈련

03 부주의의 발생원인과 그 대책이 옳게 연결된 것은?

① 의식의 우회 – 상담
② 소질적 조건 – 교육
③ 작업환경조건 불량 – 작업순서 정비
④ 작업순서의 부적당 – 작업자 재배치

해설

부주의 발생원인과 대책

구분	발생원인	대책
외적 원인	작업 및 환경조건의 불량	환경정비
	작업순서의 부적합	작업순서 정비 (인간공학적 접근)
	작업강도	작업량, 작업시간, 속도 등의 조절
	기상조건	온도, 습도 등의 조절
내적 원인	소질적 요인	적성에 따른 배치(적성배치)
	의식의 우회	카운슬링(상담)
	경험부족 및 미숙련	교육 및 훈련
	피로도	충분한 휴식
	정서 불안정	심리적 안정 및 치료

04 하인리히의 재해발생 원인 도미노이론에서 사고의 직접원인으로 옳은 것은?

① 통제의 부족
② 관리 구조의 부적절
③ 불안전한 행동과 상태
④ 유전과 환경적 영향

해설

하인리히(H. W. Heinrich)의 도미노이론(사고연쇄성)
1. 제1단계 : 사회적 환경 및 유전적 요인
2. 제2단계 : 개인적 결함
3. 제3단계 : 불안전한 행동 및 불안전한 상태
4. 제4단계 : 사고
5. 제5단계 : 재해
※ 불안전한 행동이나 불안전한 상태, 즉 제3단계를 제거하면 사고나 재해를 예방할 수 있다.

정답 01 ④ 02 ④ 03 ① 04 ③

05 착시현상 중 그림과 같이 우선 평행의 호를 보고 이어 직선을 본 경우에 직선은 호와의 반대방향에 보이는 현상은?

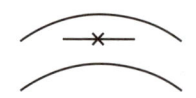

① 동화착오 ② 분할착오
③ 윤곽착오 ④ 방향착오

해설
착시현상

동화착오	분할착오
실제 a=b이나 a가 b보다 길게 보인다.	a는 양단이 벌어져 보이고 b는 중앙이 벌어져 보인다.

윤곽착오	방향착오
우선 평행의 호를 보고, 이어 직선을 본 경우에는 직선은 호와의 반대방향으로 휘어져 보인다.	세로의 선이 수직선인데 휘어져 보인다.

06 위험예지훈련 기초 4라운드법의 진행에서 전원이 토의를 통하여 위험요인을 발견하는 단계로 가장 적절한 것은?

① 제1라운드 : 현상파악
② 제2라운드 : 본질추구
③ 제3라운드 : 대책수립
④ 제4라운드 : 목표설정

해설
위험예지훈련의 4라운드
1. 1라운드(1R) : 현상파악(사실을 파악한다)
2. 2라운드(2R) : 본질추구(요인을 찾아낸다)
3. 3라운드(3R) : 대책수립(대책을 선정한다)
4. 4라운드(4R) : 목표설정(행동계획을 정한다)

07 다음 중 인간의 사회적 행동의 기본 형태가 아닌 것은?

① 대립 ② 모방
③ 도피 ④ 협력

해설
사회행동의 기본형태

사회행동의 기초	• 욕구 • 개성 • 인지 • 신념 • 태도
사회행동의 기본형태	• 협력(조력, 분업) • 대립(공격, 경쟁) • 도피(고립, 정신병, 자살) • 융합(강제, 타협, 통합)

08 의식의 상태에서 작업 중 걱정, 고민, 욕구불만 등에 의하여 정신을 빼앗기는 것을 무엇이라 하는가?

① 의식의 과잉 ② 의식의 파동
③ 의식의 우회 ④ 의식수준의 저하

해설
부주의 발생현상

의식의 단절 (중단)	• 의식의 흐름에 단절이 생기고 공백상태가 나타나는 경우 • 의식수준 제0단계의 상태(특수한 질병의 경우)
의식의 우회	• 의식의 흐름이 옆으로 빗나가 발생한 경우 • 의식수준 제0단계의 상태(걱정, 고민, 욕구불만 등)
의식수준의 저하	• 뚜렷하지 않은 의식의 상태로 심신이 피로하거나 단조로운 작업 등의 경우 • 의식수준 제Ⅰ단계 이하의 상태
의식의 과잉	• 돌발사태 및 긴급이상사태에 직면하면 순간적으로 긴장되고 의식이 한 방향으로 쏠리는 주의의 일점집중현상의 경우 • 의식수준 제Ⅳ단계의 상태
의식의 혼란	• 외적 조건에 문제가 있을 때 의식이 혼란되고 분산되어 작업에 잠재되어 있는 위험요인에 대응할 수 없는 경우 • 외부의 자극이 애매모호하거나, 너무 강하거나 약할 때

정답 05 ③ 06 ① 07 ② 08 ③

09 토의식 교육방법 중 몇 사람의 전문가에 의하여 과제에 관한 견해가 발표된 뒤 참가자로 하여금 의견이나 질문을 하게 하여 토의하는 방식은 다음 중 어느 것인가?

① 패널 디스커션(Panel Discussion)
② 심포지엄(Sympisium)
③ 포럼(Forum)
④ 버즈 세션(Buzz Session)

해설
토의법의 종류
1. 자유토의법
 참가자가 주어진 주제에 대하여 자유로운 발표와 토의를 통하여 서로의 의견을 교환하고 상호이해력을 높이며 의견을 절충해 나가는 방법
2. 패널 디스커션(Panel Discussion)
 전문가 4~5명이 피교육자 앞에서 자유로이 토의를 하고, 그 후에 피교육자 전원이 사회자의 사회에 따라 토의하는 방법
3. 심포지엄(Symposium)
 발제자 없이 몇 사람의 전문가에 의하여 과제에 관한 견해를 발표한 뒤에 참가자로 하여금 의견이나 질문을 하게 하여 토의하는 방법
4. 포럼(Forum)
 ㉠ 사회자의 진행으로 몇 사람이 주제에 대하여 발표한 후 피교육자가 질문을 하고 토론해 나가는 방법
 ㉡ 새로운 자료나 주제를 내보이거나 발표한 후 피교육자로 하여금 문제나 의견을 제시하게 하고 다시 깊이 있게 토론해 나가는 방법
5. 버즈 세션(Buzz Session)
 6-6 회의라고도 하며, 참가자가 다수인 경우에 전원을 토의에 참가시키기 위한 방법으로 소집단을 구성하여 회의를 진행시키는 방법

10 산업재해 예방의 4원칙 중 "재해발생에는 반드시 원인이 있다."라는 원칙은?

① 대책 선정의 원칙
② 원인 계기의 원칙
③ 손실 우연의 원칙
④ 예방 가능의 원칙

해설
하인리히의 재해예방 4원칙

예방 가능의 원칙	천재지변을 제외한 모든 재해는 원칙적으로 예방이 가능하다.
손실 우연의 원칙	사고로 생기는 상해의 종류 및 정도는 우연적이다.
원인 계기의 원칙	사고와 손실의 관계는 우연적이지만 사고와 원인관계는 필연적이다(사고에는 반드시 원인이 있다).
대책 선정의 원칙	원인을 정확히 규명해서 대책을 선정하고 실시되어야 한다(3E, 즉 기술, 교육, 독려를 중심으로).

11 다음 중 사고예방대책의 기본원리 5단계에 있어 3단계에 해당하는 것은?

① 분석
② 안전조직
③ 사실의 발견
④ 시정방법의 선정

해설
하인리히의 재해예방 5단계(사고예방대책의 기본원리)
1. 제1단계 : 조직(안전관리조직)
2. 제2단계 : 사실의 발견(현상파악)
3. 제3단계 : 분석평가
4. 제4단계 : 시정책의 선정(대책의 선정)
5. 제5단계 : 시정책의 적용(목표달성)

12 산업안전보건법령상 안전검사 대상 유해·위험 기계의 종류에 포함되지 않는 것은?

① 전단기
② 리프트
③ 곤돌라
④ 교류아크용접기

해설
안전검사 대상 기계 등
1. 프레스
2. 전단기
3. 크레인(정격하중이 2톤 미만인 것은 제외)
4. 리프트
5. 압력용기
6. 곤돌라
7. 국소배기장치(이동식은 제외)
8. 원심기(산업용만 해당)
9. 롤러기(밀폐형 구조는 제외)
10. 사출성형기[형 체결력 294킬로뉴턴(kN) 미만은 제외]
11. 고소작업대(화물자동차 또는 특수자동차에 탑재한 고소작업대로 한정)

정답 09 ② 10 ② 11 ① 12 ④

12. 컨베이어
13. 산업용 로봇
14. 혼합기
15. 파쇄기 또는 분쇄기

13 산업안전보건법령에 따른 안전·보건표지에 사용하는 색채기준 중 비상구 및 피난소, 사람 또는 차량의 통행표지의 안내용도로 사용하는 색채는?

① 빨간색
② 녹색
③ 노란색
④ 파란색

해설

안전·보건표지의 색채, 색도기준 및 용도

색채	색도기준	용도	사용 예
빨간색	7.5R 4/14	금지	정지신호, 소화설비 및 그 장소, 유해행위의 금지
		경고	화학물질 취급장소에서의 유해·위험 경고
노란색	5Y 8.5/12	경고	화학물질 취급장소에서의 유해·위험경고 이외의 위험경고, 주의표지 또는 기계방호물
파란색	2.5PB 4/10	지시	특정 행위의 지시 및 사실의 고지
녹색	2.5G 4/10	안내	비상구 및 피난소, 사람 또는 차량의 통행표지
흰색	N9.5		파란색 또는 녹색에 대한 보조색
검은색	N0.5		문자 및 빨간색 또는 노란색에 대한 보조색

14 1,000명의 근로자가 주당 45시간씩 연간 50주를 근무하는 A 기업에서 질병 및 기타 사유로 인하여 5%의 결근율을 나타내고 있다. 이 기업에서 연간 60건의 재해가 발생하였다면 이 기업의 도수율은 약 얼마인가?

① 25.12
② 26.67
③ 28.07
④ 51.64

해설

도수율

$$도수율 = \frac{재해발생건수}{연간\ 총근로시간수} \times 1,000,000$$

1. 출근율 $= 1 - \frac{5}{100} = 0.95$

2. 도수율 $= \frac{재해발생건수}{연간\ 총근로시간수} \times 1,000,000$

$= \frac{60}{(1,000 \times 45 \times 50) \times 0.95} \times 1,000,000 = 28.07$

15 재해 원인을 통상적으로 직접원인과 간접원인으로 나눌 때 직접원인에 해당되는 것은?

① 기술적 원인
② 물적 원인
③ 교육적 원인
④ 관리적 원인

해설

산업재해의 원인

직접원인	• 인적 요인(불안전한 행동) • 물적 요인(불안전한 상태)
간접원인 (관리적 원인)	• 기술적 원인 • 교육적 원인 • 신체적 원인 • 정신적 원인 • 작업관리상의 원인

16 리더십(Leadership)의 특성에 대한 설명으로 옳은 것은?

① 지휘형태는 민주적이다.
② 권한부여는 위에서 위임된다.
③ 구성원과의 관계는 지배적 구조이다.
④ 권한근거는 법적 또는 공식적으로 부여된다.

해설

헤드십과 리더십의 구분

구분	헤드십	리더십
권한행사 및 부여	위에서 위임하여 임명된 헤드	밑에서부터의 동의에 의해 선출된 리더
권한근거	법적 또는 공식적	개인능력
상관과 부하와의 관계	지배적	개인적인 경향
책임귀속	상사	상사와 부하
부하와의 사회적 간격	넓다	좁다
지위형태	권위주의적	민주주의적
권한귀속	공식화된 규정에 의함	집단목표에 기여한 공로 인정

정답 13 ② 14 ③ 15 ② 16 ①

17 다음 중 일반적으로 사업장에 안전관리조직을 구성할 때 고려할 사항과 가장 거리가 먼 것은?

① 조직 구성원의 책임과 권한을 명확하게 한다.
② 회사의 특성과 규모에 부합되게 조직되어야 한다.
③ 생산조직과는 동떨어진 독특한 조직이 되도록 하여 효율성을 높인다.
④ 조직의 기능이 충분히 발휘될 수 있는 제도적 체계가 갖추어져야 한다.

해설
안전관리조직의 구비조건
1. 회사의 특성과 규모에 부합되게 조직화될 것
2. 조직의 기능이 충분히 발휘될 수 있는 제도적 체계를 갖출 것
3. 조직을 구성하는 관리자의 책임과 권한을 분명히 할 것
4. 생산라인과 밀착된 조직이 될 것

18 다음 중 매슬로(Maslow)가 제창한 인간의 욕구 5단계 이론을 단계별로 옳게 나열한 것은?

① 생리적 욕구 → 안전 욕구 → 사회적 욕구 → 존경의 욕구 → 자아실현의 욕구
② 안전 욕구 → 생리적 욕구 → 사회적 욕구 → 존경의 욕구 → 자아실현의 욕구
③ 사회적 욕구 → 생리적 욕구 → 안전 욕구 → 존경의 욕구 → 자아실현의 욕구
④ 사회적 욕구 → 안전 욕구 → 생리적 욕구 → 존경의 욕구 → 자아실현의 욕구

해설
매슬로(Maslow)의 욕구단계 이론

제1단계	생리적 욕구	기아, 갈증, 호흡, 배설, 성욕 등 생명유지의 기본적 욕구
제2단계	안전의 욕구	• 자기보존 욕구-안전을 구하려는 욕구 • 전쟁, 재해, 질병의 위험으로부터 자유로워지려는 욕구
제3단계	사회적 욕구	• 소속감과 애정에 대한 욕구 • 사회적으로 관계를 향상시키는 욕구
제4단계	인정받으려는 욕구 (자기 존중의 욕구)	자존심, 명예, 성취, 지위 등 인정받으려는 욕구
제5단계	자아실현의 욕구	잠재능력을 실현하고자 하는 성취욕구

19 재해의 기본원인 4M에 해당하지 않는 것은?

① Man ② Machine
③ Media ④ Measurement

해설
재해발생의 기본원인(4M)

외적 (환경적) 요인	인간관계요인 (Man)	동료나 상사, 본인 이외의 사람 등의 인간관계를 의미
	작업적 요인 (Media)	• 작업의 내용, 작업정보, 작업방법, 작업환경의 요인 • 인간과 기계를 연결하는 매개체 • 작업방법의 부적절
	관리적 요인 (Management)	안전법규의 준수, 안전기준, 지휘감독 등의 단속 및 점검 • 교육훈련 부족 • 감독지도 불충분 • 적성배치 불충분
설비적(물적) 요인 (Machine)		• 기계설비 등의 물적 조건 • 기계설비의 고장, 결함

20 재해의 원인과 결과를 연계하여 상호 관계를 파악하기 위해 도표화하는 분석방법은?

① 관리도 ② 파레토도
③ 특성요인도 ④ 크로스분류도

해설
통계에 의한 원인분석
1. 파레토도 : 사고의 유형, 기인물 등 분류항목을 큰 값에서 작은 값의 순서로 도표화하며, 문제나 목표의 이해에 편리하다.
2. 특성요인도 : 특성과 요인관계를 어골상으로 도표화하여 분석하는 기법(원인과 결과를 연계하여 상호 관계를 파악하기 위한 분석방법)
3. 클로즈(Close) 분석 : 두 개 이상의 문제관계를 분석하는 데 사용하는 것으로, 데이터를 집계하고 표로 표시하여 요인별 결과내역을 교차한 클로즈 그림을 작성하여 분석하는 기법
4. 관리도 : 재해 발생 건수 등의 추이에 대해 한계선을 설정하여 목표 관리를 수행하는 데 사용되는 방법으로 관리선은 관리상한선, 중심선, 관리하한선으로 구성된다.

정답 17 ③ 18 ① 19 ④ 20 ③

2과목 인간공학 및 시스템 안전공학

21 인간오류의 분류 중 원인에 의한 분류의 하나로, 작업자 자신으로부터 발생하는 에러로 옳은 것은?

① Command Error ② Secondary Error
③ Primary Error ④ Third Error

해설
원인의 레벨(Level)적 분류

Primary Error (1차 에러)	작업자 자신으로부터 발생한 에러
Secondary Error (2차 에러)	작업형태나 작업조건 중에서 다른 문제가 발생하여 필요한 직무나 절차를 수행할 수 없는 에러
Command Error (지시 에러)	작업자가 움직이려 해도 필요한 물건, 정보, 에너지 등이 공급되지 않아서 작업자가 움직일 수 없는 상황에서 발생한 에러

22 글자의 설계 요소 중 검은 바탕에 쓰여진 흰 글자가 번져 보이는 현상과 가장 관련 있는 것은?

① 획폭비 ② 글자체
③ 종이 크기 ④ 글자 두께

해설
획폭
1. 문자나 숫자의 높이에 대한 획굵기의 비
2. 흰 바탕에 검은 글씨(양각)는 1 : 6~1 : 8 권장(최대명시거리 1 : 8 정도)
3. 검은 바탕에 흰 글씨(음각)는 1 : 8~1 : 10 권장(최대명시거리 1 : 13.3 정도) – 광삼현상으로 더 가늘어도 된다.
4. 광삼현상 : 흰 모양이 주위의 검은 배경으로 번져 보이는 현상

가 나 다 라	검은색 바탕의 흰색 글씨(음각)
가 나 다 라	흰색 바탕의 검은색 글씨(양각)

23 다음 중 인간공학의 직접적인 목적과 가장 거리가 먼 것은?

① 기계조작의 능률성
② 인간의 능력개발
③ 사고의 미연 및 방지
④ 작업환경의 쾌적성

해설
인간공학의 목적
1. 안전성 향상 및 사고 방지
2. 기계조작의 능률성과 생산성의 향상
3. 작업환경의 쾌적성 향상

24 한 사무실에서 타자기의 소리 때문에 말소리가 묻히는 현상을 무엇이라 하는가?

① dBA ② CAS
③ phone ④ Masking

해설
은폐(Masking) 효과
1. 정의
   크고 작은 두 소리가 동시에 들릴 때 큰 소리만 듣고 작은 소리는 듣지 못하는 현상으로 음파의 간섭에 의해 발생한다.
2. 특징
   ㉠ 음의 한 성분이 다른 성분에 대한 귀의 감수성을 감소시키는 상황을 말한다.
   ㉡ 피 은폐된 한 음의 가청역치가 다른 은폐된 음 때문에 높아지는 현상을 말한다.
   ㉢ 어떤 음의 청취가 다른 음에 의해 방해되는 청각현상을 말한다.
   ㉣ 예를 들어 사무실의 자판 소리 때문에 말소리가 묻히는 경우에 해당한다.

25 건강한 남성이 8시간 동안 특정 작업을 실시하고, 분당 산소 소비량이 1.1L/분으로 나타났다면 8시간 총작업시간에 포함될 휴식시간은 약 몇 분인가? (단, Murrell의 방법을 적용하며, 휴식 중 에너지소비율은 1.5kcal/min이다.)

① 30분 ② 54분
③ 60분 ④ 75분

해설
휴식시간
$$R = \frac{60(E-5)}{E-1.5}$$

여기서, R : 휴식시간(분)
E : 작업 시 평균 에너지소비량(kcal/분)
60 : 총작업시간(분)
1.5kcal/분 : 휴식시간 중의 에너지소비량

정답 21 ③ 22 ① 23 ② 24 ④ 25 ③

1. 1(L/분)당 평균 에너지소비량은 5kcal이다.
2. 작업 시 평균 에너지소비량 : 1.1L/분 × 5kcal = 5.5(kcal/분)이 된다.
3. 총작업시간 = 8시간 × 60분 = 480분
4. $R = \frac{60(E-5)}{E-1.5} = \frac{480(5.5-5)}{5.5-1.5} = 60(분)$

26 다음 중 작업장에서 발생하는 소음에 대한 대책으로 가장 적극적인 방법은?

① 소음원의 격리
② 소음원의 제거
③ 귀마개 등 보호구의 착용
④ 덮개 등 방호장치의 설치

해설
소음방지 대책
1. 소음원의 제거 : 가장 적극적인 대책
2. 소음원을 통제 : 기계의 적절한 설계, 정비 및 주유, 고무 받침대 부착, 소음기 사용(차량) 등
3. 소음의 격리 : 씌우개(Enclosure), 장벽을 사용(창문을 닫으면 약 10dB 감음됨)
4. 적절한 배치(Layout)
5. 음향 처리제 사용
6. 차폐 장치(Baffle) 및 흡음재 사용

27 다음의 설명에서 ( ) 안의 내용을 맞게 나열한 것은?

40phon은 (㉠)sone을 나타내며, 이는 (㉡)dB의 (㉢)Hz 순음의 크기를 나타낸다.

① ㉠ 1, ㉡ 40, ㉢ 1,000
② ㉠ 1, ㉡ 32, ㉢ 1,000
③ ㉠ 2, ㉡ 40, ㉢ 2,000
④ ㉠ 2, ㉡ 32, ㉢ 2,000

해설
sone
1. 감각적인 음의 크기를 나타내는 양으로 음의 대소를 표현하는 단위를 말한다.
2. 1,000Hz 순음의 음의 세기레벨 40dB의 음의 크기를 1sone으로 정의한다.

28 다음 중 인체 측정자료의 응용원칙에서 자동차의 좌석이나 사무실 의자 등의 설계에 가장 적합한 원칙은?

① 조절식 설계원칙
② 평균값을 이용한 설계원칙
③ 최소 집단치를 이용한 설계원칙
④ 최대 집단치를 이용한 설계원칙

해설
조절 가능한 설계
1. 작업에 사용하는 설비, 기구 등은 체격이 다른 여러 근로자들을 위하여 작업 크기를 조절할 수 있도록 조절식으로 설계하는 것이 바람직한 경우도 있다.
2. 조절범위는 통상 여성의 5%치(최소치)에서 남성의 95%치(최대치)로 한다.
3. 자동차 좌석의 전후 조절, 사무실 의자의 상하 조절, 책상 높이 등이 사례이다.

29 다음 중 통제기기의 변위를 20mm 움직였을 때 표시기기의 지침이 25mm 움직였다면 이 기기의 C/R비는 얼마인가?

① 0.3   ② 0.4
③ 0.8   ④ 0.9

해설
선형 조종장치가 선형 표시장치를 움직일 때 각각 직선변위의 비(제어표시비)

$$C/D비(C/R) = \frac{조종장치(제어기기)의 이동거리}{표시장치(표시기기)의 반응거리}$$

$C/D비 = \frac{조종장치의 이동거리}{표시장치의 반응거리} = \frac{20}{25} = 0.8$

30 다음 중 소음에 의한 청력손실이 가장 크게 나타나는 주파수대는?

① 2,000Hz
② 4,000Hz
③ 10,000Hz
④ 20,000Hz

정답 26 ② 27 ① 28 ① 29 ③ 30 ②

해설
청력 손실의 성격
1. 청력 손실의 정도는 노출되는 소음 수준에 따라 증가한다 (비례관계).
2. 강한 소음에 대해서는 노출기간에 따라 청력 손실도 증가한다.
3. 약한 소음에 대해서는 노출기간과 청력 손실 간에 관계가 없다.
4. 청력 손실은 4,000Hz에서 크게 나타난다.

31 다음 중 신뢰성과 보전성 개선을 목적으로 한 일반적이고 효과적인 보전기록 자료에 해당하지 않는 것은?

① 설비이력카드 ② 일정계획표
③ MTBF 분석표 ④ 고장원인대책표

해설
보전기록자료
1. 설비이력카드
2. MTBF 분석표
3. 고장원인대책표

32 그림과 같이 신뢰도 R인 n개의 요소가 병렬로 구성된 시스템의 전체 신뢰도로 옳은 것은?

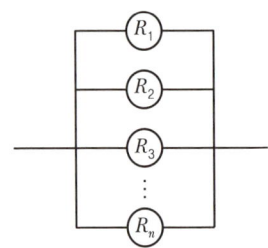

① $\prod_{i=1}^{n} R_i$ ② $1 - \prod_{i=1}^{n}(R_i - 1)$

③ $1 - \prod_{i=1}^{n} R_i$ ④ $1 - \prod_{i=1}^{n}(1 - R_i)$

해설
병렬구조(Fail Safety)
1. 시스템의 모든 요소가 고장 나면 시스템이 고장 나는 구조이다.
2. 즉, 요소의 어느 하나가 정상적이면 계는 정상이다.

$$R = 1 - (1-R_1)(1-R_2)\cdots(1-R_n) = 1 - \prod_{i=1}^{n}(1-R_i)$$

33 다음 중 높은 고장 등급을 갖고 고장모드가 기기 전체의 고장에 어느 정도 영향을 주는가를 정성적으로 평가하는 해석방법은?

① FTA ② FMEA
③ HAZOP ④ FHA

해설
고장형태와 영향분석(FMEA ; Failure Mode and Effects Analysis)
1. 시스템이나 서브시스템 위험분석을 위하여 일반적으로 사용되는 전형적인 정성적, 귀납적 분석기법으로 시스템에 영향을 미치는 모든 요소의 고장을 형태별로 분석하여 그 영향을 검토하는 분석기법
2. 시스템 내의 위험요소가 얼마나 위험한 상태에 있는가를 정성적으로 평가하는 기법
3. 고장 발생을 최소로 하고자 하는 경우에 유효하다.

34 산업안전보건법령상 정밀작업 시 갖추어져야 할 작업면의 조도 기준은?(단, 갱내 작업장과 감광재료를 취급하는 작업장은 제외한다.)

① 75럭스 이상 ② 150럭스 이상
③ 300럭스 이상 ④ 750럭스 이상

해설
적정 조명 수준

작업의 종류	작업면 조도
초정밀작업	750럭스(lux) 이상
정밀작업	300럭스(lux) 이상
보통작업	150럭스(lux) 이상
그 밖의 작업	75럭스(lux) 이상

35 다음 중 자동차 가속 페달과 브레이크 페달 간의 간격, 브레이크 폭 등을 결정하는 데 사용할 수 있는 가장 적합한 인간공학 이론은?

① Miller의 법칙 ② Fitts의 법칙
③ Weber의 법칙 ④ Wickens의 법칙

해설
핏츠(Fitts)의 법칙
1. 인간의 손이나 발을 이동시켜 조작장치를 조작하는 데 걸리는 시간을 표적까지의 거리와 표적 크기의 함수로 나타내는 모형

정답 31 ② 32 ④ 33 ② 34 ③ 35 ②

2. 인간의 행동에 대해 속도와 정확성 간의 관계를 설명하는 기본적인 법칙을 나타낸다.
3. 목표물의 크기가 작아질수록 속도와 정확도가 나빠지고 목표물과의 거리가 멀어질수록 필요한 시간이 더 길어진다.

36 다음 FT도에서 정상사상의 발생확률은 얼마인가?(단, X_1은 0.1, X_2는 0.2, X_3은 0.1, X_4는 0.20이다.)

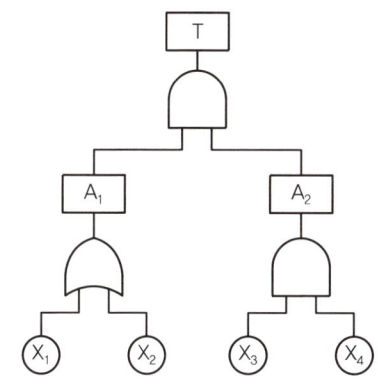

① 0.0004
② 0.0026
③ 0.0056
④ 0.0784

해설

발생확률의 계산
1. $T = A_1 \times A_2$
2. $A_1 = 1 - (1-X_1)(1-X_2) = 1-(1-0.1)(1-0.2) = 0.28$
3. $B_2 = X_3 \times X_4 = 0.1 \times 0.2 = 0.02$
4. $T = A_1 \times A_2 = 0.28 \times 0.02 = 0.0056$

37 건구온도 38℃, 습구온도 32℃일 때의 Oxford 지수는 몇 ℃인가?

① 30.2
② 32.9
③ 35.3
④ 37.1

해설

Oxford 지수
습건(WD) 지수라고도 부르며, 습구 온도(W)와 건구 온도(D)의 가중 평균치로서 정의된다.

$$WD = 0.85W + 0.15D$$

$WD = 0.85W + 0.15D = 0.85 \times 32 + 0.15 \times 38 = 32.9(℃)$

38 다음 중 인간-기계 시스템에서 기본적인 기능으로 볼 수 없는 것은?

① 정보의 수용
② 정보의 저장
③ 행동 기능
④ 정보의 설계

해설

체계(System)의 기본기능 및 업무

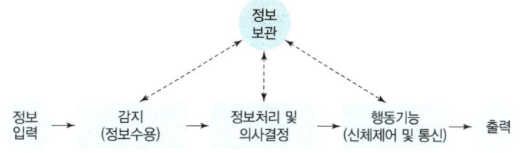

39 FTA(Fault Tree Analysis)에 사용되는 논리 중에서 입력사상 중 어느 하나만이라도 발생하게 되면 출력사상이 발생하는 것은?

① AND Gate
② OR Gate
③ 기본사상
④ 통상사상

해설

게이트

AND 게이트	모든 입력사상이 공존할 때만이 출력사상이 발생한다.
OR 게이트	입력사상 중 어느 하나만이라도 발생하게 되면 출력사상이 발생한다.
억제게이트 (제어게이트)	입력사상 중 어느 것이나 이 게이트로 나타내는 조건이 만족하는 경우에만 출력사상이 발생한다(조건부확률).
부정게이트	입력현상의 반대현상이 출력된다.

40 FTA에 사용되는 기호 중 다음 기호에 해당하는 것은?

① 생략사상
② 부정사상
③ 결함사상
④ 기본사상

해설

FTA 분석 기호

번호	기호	명칭	내용
1	▭	결함사상	사고가 일어난 사상(사건)

정답 36 ③ 37 ② 38 ④ 39 ② 40 ④

번호	기호	명칭	내용
2	○	기본사상	더 이상 전개가 되지 않는 기본적인 사상 또는 발생확률이 단독으로 얻어지는 낮은 레벨의 기본적인 사상
3	⌂	통상사상 (가형사상)	통상발생이 예상되는 사상(예상되는 원인)
4	◇	생략사상 (최후사상)	정보부족 또는 분석기술 불충분으로 더 이상 전개할 수 없는 사상(작업진행에 따라 해석이 가능할 때는 다시 속행한다.)
5	△	전이기호 (이행기호)	• FT도상에서 다른 부분에 관한 이행 또는 연결을 나타낸다. • 상부에 선이 있는 경우는 다른 부분으로 전입(IN)
6	△	전이기호 (이행기호)	• FT도상에서 다른 부분에 관한 이행 또는 연결을 나타낸다. • 측면에 선이 있는 경우는 다른 부분으로 전출(OUT)

3과목 기계위험 방지기술

41 산업안전보건법령에 따라 달기체인을 달비계에 사용해서는 안 되는 경우가 아닌 것은?

① 균열이 있거나 심하게 변형된 것
② 달기체인의 한 꼬임에서 끊어진 소선의 수가 10% 이상인 것
③ 달기체인의 길이가 달기체인이 제조된 때의 길이의 5%를 초과한 것
④ 링의 단면지름이 달기체인이 제조된 때의 해당 링의 지름의 10%를 초과하여 감소한 것

해설
양중기 달기체인의 사용금지 조건
1. 달기체인의 길이가 달기체인이 제조된 때의 길이의 5%를 초과한 것
2. 링의 단면지름이 달기체인이 제조된 때의 해당 링의 지름의 10%를 초과하여 감소한 것
3. 균열이 있거나 심하게 변형된 것

42 극한강도가 100MPa이고, 최대설계응력 10MPa이면 안전율은?

① 1
② 5
③ 10
④ 100

해설
안전율(안전계수)

$$\text{안전율(안전계수)} = \frac{\text{기초강도}}{\text{허용응력}} = \frac{\text{극한강도}}{\text{허용응력}}$$
$$= \frac{\text{최대응력}}{\text{허용응력}} = \frac{\text{절단하중(파괴하중)}}{\text{최대사용하중}}$$
$$= \frac{\text{극한강도}}{\text{최대설계응력}} = \frac{\text{파단하중}}{\text{안전하중}}$$
$$= \frac{\text{인장강도}}{\text{허용응력}}$$

$$\text{안전율} = \frac{\text{극한강도}}{\text{최대설계응력}} = \frac{100}{10} = 10$$

43 숫돌축의 회전수가 3,000rpm인 연삭기에 외측지름 200mm의 연삭숫돌을 장착하여 운전하면 연삭숫돌의 원주속도는 약 얼마인가?

① 188.4m/min
② 1,884m/min
③ 314m/min
④ 3,140m/min

해설
원주속도(회전속도)

$$V = \pi DN (\text{mm/min}) = \frac{\pi DN}{1,000} (\text{m/min})$$

여기서, V : 원주속도(회전속도)(m/min)
D : 숫돌의 지름(mm)
N : 숫돌의 매분 회전수(rpm)

$$V = \frac{\pi DN}{1,000}(\text{m/min}) = \frac{\pi \times 200 \times 3,000}{1,000} = 1,884(\text{m/min})$$

44 선반작업에서 가공물의 길이가 외경에 비하여 과도하게 길 때, 절삭저항에 의한 떨림을 방지하기 위한 장치는?

① 센터
② 심봉
③ 방진구
④ 돌리개

해설
방진구
1. 가공물의 길이가 외경에 비해 가늘고 긴 공작물을 가공할 경우 자중 및 절삭력으로 인하여 휘거나 처짐, 진동을 방지하기 위하여 사용하는 기구로 고정식과 이동식 방진구가 있다.
2. 가공물의 길이가 직경의 12배 이상일 때는 반드시 방진구를 사용하여야 한다.

45 프레스기의 방호장치의 종류가 아닌 것은?
① 가드식
② 초음파식
③ 광전자식
④ 양수조작식

해설
프레스의 방호장치
1. 게이트 가드식
2. 손쳐내기식
3. 수인식
4. 양수조작식
5. 광전자식

46 수공구 작업 시 재해방지를 위한 일반적인 유의사항이 아닌 것은?
① 사용 전 이상 유무를 점검한다.
② 작업자에게 필요한 보호구를 착용시킨다.
③ 적합한 수공구가 없을 경우 유사한 것을 선택하여 사용한다.
④ 사용 전 충분한 사용법을 숙지하고 익힌다.

해설
수공구의 재해방지를 위한 일반적인 유의사항
1. 사용 전 이상 유무를 점검한다.
2. 작업자에게 필요한 보호구를 착용시킨다.
3. 사용 전 충분한 사용법을 숙지하고 익힌다.
4. 작업에 맞는 공구를 선택한다.
5. 공구는 안전한 장소에 보관한다.

47 기계의 기능적인 면에서 안전을 확보하기 위하여 반자동 및 자동제어장치의 경우에는 적극적으로 안전화 대책을 강구하여야 한다. 이때 2차적 적극적 대책에 속하는 것은?
① 울을 설치한다.
② 급정지장치를 누른다.
③ 회로를 개선하여 오동작을 방지한다.
④ 연동 장치된 방호장치가 작동되게 한다.

해설
기능적 안전화

소극적 대책	• 이상 시 기계를 급정지 • 방호장치 작동
적극적 대책	• 회로를 개선하여 오동작 방지 • 별도의 완전한 회로에 의해 정상기능을 찾을 수 있도록 한다. • Fail Safe화

48 산업안전보건법령상 프레스를 사용하여 작업을 할 때 작업시작 전 점검 항목에 해당하지 않는 것은?
① 전선 및 접속부 상태
② 클러치 및 브레이크의 기능
③ 프레스의 금형 및 고정볼트 상태
④ 1행정 1정지기구 · 급정지장치 및 비상정지장치의 기능

해설
프레스 등의 작업시작 전 점검사항
1. 클러치 및 브레이크의 기능
2. 크랭크축 · 플라이휠 · 슬라이드 · 연결봉 및 연결 나사의 풀림 여부
3. 1행정 1정지기구 · 급정지장치 및 비상정지장치의 기능
4. 슬라이드 또는 칼날에 의한 위험방지 기구의 기능
5. 프레스의 금형 및 고정볼트 상태
6. 방호장치의 기능
7. 전단기의 칼날 및 테이블의 상태

49 기계의 왕복운동을 하는 동작 부분과 움직임이 없고 고정 부분 사이에 형성되는 위험점으로 프레스 등에서 주로 나타나는 것은?
① 끼임점(Shear Point)
② 물림점(Nip Point)
③ 절단점(Cutting Point)
④ 협착점(Squeeze Point)

정답 45 ② 46 ③ 47 ③ 48 ① 49 ④

해설
협착점(Squeeze Point)
1. 왕복운동을 하는 운동부와 움직임이 없는 고정부 사이에서 형성되는 위험점(고정점+운동점)
2. 위험점의 예 : 프레스, 전단기, 성형기, 조형기, 밴딩기, 인쇄기

50 롤러의 맞물림점 전방 60mm의 거리에 가드를 설치하고자 할 때 가드 개구부의 간격은 얼마인가? (단, 위험점이 전동체가 아닌 경우임)

① 12mm   ② 15mm
③ 18mm   ④ 20mm

해설
롤러기 가드의 개구부 간격(ILO 기준, 위험점이 전동체가 아닌 경우)

$$Y = 6 + 0.15X \ (X < 160mm)$$
(단, $X \geq 160mm$일 때, $Y = 30mm$)

여기서, X : 가드와 위험점 간의 거리(안전거리)(mm)
Y : 가드 개구부 간격(안전간극)(mm)

$Y = 6 + 0.15X = 6 + 0.15 \times 60 = 15[mm]$

51 산업안전보건법령상 롤러기를 무부하로 회전시킨 상태에서 앞면 롤러의 직경이 30cm, 표면원주속도가 20m/min이라면 급정지거리의 성능은?

① 앞면 롤러 원주의 1/3
② 앞면 롤러 원주의 1/4
③ 앞면 롤러 원주의 1/2.5
④ 앞면 롤러 원주의 1/2

해설
무부하 동작에서 급정지거리

앞면 롤러의 표면속도(m/min)	급정지거리
30 미만	앞면 롤러 원주의 1/3
30 이상	앞면 롤러 원주의 1/2.5

52 프레스에서 슬라이드 행정길이가 몇 mm 이상일 때 손쳐내기식 방호장치를 사용할 수 있는가?

① 10mm   ② 20mm
③ 40mm   ④ 80mm

해설
손쳐내기식 방호장치(Sweep Guard)
1. 슬라이드와 연결된 손쳐내기봉이 위험 구역에 있는 작업자의 손을 쳐내는 방식
2. 소형 프레스기에 적합하다.
3. SPM 120 이하, 슬라이드 행정길이가 약 40mm 이상의 프레스에 적용 가능
4. 양수조작식 병행 적용 가능
5. 금형의 크기에 따라 방호판의 크기 선택

53 아세틸렌 용접장치에 대하여 그 취관마다 부착해야 하는 방호장치는?

① 덮개   ② 시건장치
③ 안전기   ④ 울

해설
안전기의 설치기준(산업안전보건기준에 관한 규칙 제289조)

아세틸렌 용접장치	• 아세틸렌 용접장치의 취관마다 안전기를 설치하여야 한다(다만, 주관 및 취관에 가장 가까운 분기관마다 안전기를 부착한 경우에는 그러하지 아니하다). • 가스용기가 발생기와 분리되어 있는 아세틸렌 용접장치에 대하여 발생기와 가스용기 사이에 안전기를 설치하여야 한다.
가스집합 용접장치의 배관 (이동식을 포함)	• 플랜지 · 밸브 · 콕 등의 접합부에는 개스킷을 사용하고 접합면을 상호 밀착시키는 등의 조치를 할 것 • 주관 및 분기관에는 안전기를 설치할 것. 이 경우 하나의 취관에 2개 이상의 안전기를 설치하여야 한다.

54 25m/s 초과 120m/s 미만의 속도로 회전하는 고속회전체에 적합한 방호 설비는?

① 덮개   ② 분할날
③ 급정지장치   ④ 광전자식 방호장치

해설
회전시험 중의 위험방지(산업안전보건기준에 관한 규칙 제114조)
고속회전체(터빈로터 · 원심분리기의 버킷 등의 회전체로서 원주속도가 초당 25미터를 초과하는 것으로 한정)의 회전시험을 하는 경우 고속회전체의 파괴로 인한 위험을 방지하기 위하여 전용의 견고한 시설물의 내부 또는 견고한 장벽 등으로 격리된 장소에서 하여야 한다(다만, 고속회전체의 회전시험으로서 시험설비에 견고한 덮개를 설치하는 등 그 고속회

정답 50 ② 51 ① 52 ③ 53 ③ 54 ①

전체의 파괴에 의한 위험을 방지하기 위하여 필요한 조치를 한 경우에는 제외).

55 원통형 연삭기의 방호장치를 그림과 같이 설치할 때 각도 a와 간격 b로 가장 옳은 것은?

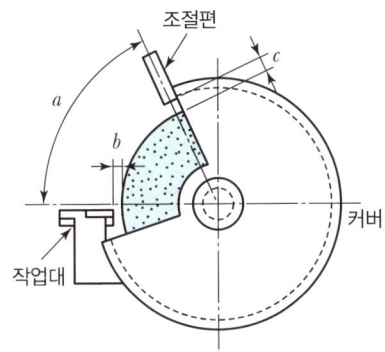

① a : 65° 이내, b : 3mm 이내
② a : 60° 이내, b : 3mm 이내
③ a : 90° 이내, b : 5mm 이내
④ a : 65° 이내, b : 5mm 이내

> 해설

연삭기의 덮개
a : 65° 이내, b : 3mm 이내

56 산업용 로봇의 교시 등의 작업 수행 시 불의의 작업 또는 잘못된 작업에 따른 위험을 방지하기 위한 조치사항으로 거리가 먼 것은?

① 작업 중 로봇의 작동 상태를 수시로 확인하기 위하여 주변에 방책 등을 설치해서는 안 된다.
② 이상을 발견할 때의 조치에 대한 지침을 정하고, 그에 따라 작업을 하도록 한다.
③ 작업 중에는 담당자 이외의 자가 로봇의 가동 스위치를 조작할 수 없도록 필요한 조치를 한다.
④ 로봇의 조작 방법 및 순서에 관한 지침을 정하고, 그에 따라 작업을 하도록 한다.

> 해설

운전 중 위험 방지조치
1. 높이 1.8미터 이상의 울타리
2. 컨베이어 시스템의 설치 등으로 울타리를 설치할 수 없는 일부 구간 : 안전매트 또는 광전자식 방호장치 등 감응형 방호장치 설치

57 보일러에서 과열이 발생하는 직접적인 원인과 가장 거리가 먼 것은?

① 수관의 청소 불량
② 관수 부족 시 보일러의 가동
③ 안전밸브의 기능이 부정확할 때
④ 수면계이 고장으로 드럼 내의 물의 감소

> 해설

보일러의 과열 원인
1. 수관과 본체의 청소 불량
2. 관수 부족 시 보일러의 가동
3. 수면계의 고장으로 드럼 내의 물의 감소

58 공작기계인 밀링작업의 안전사항이 아닌 것은?

① 사용 전에는 기계 기구를 점검하고 시운전을 한다.
② 칩을 제거할 때는 칩 브레이커로 제거한다.
③ 회전하는 커터에 손을 대지 않는다.
④ 커터의 제거 · 설치 시에는 반드시 스위치를 차단하고 한다.

> 해설

밀링 작업에 대한 안전수칙
1. 제품을 따 내는 데에는 손끝을 대지 말아야 한다.
2. 운전 중 가공면에 손을 대지 말아야 하며 장갑 착용을 금지한다.
3. 칩을 제거할 때에는 커터의 운전을 중지하고 브러시(솔)를 사용하며 걸레를 사용하지 않는다.
4. 칩의 비산이 많으므로 보안경을 착용한다.
5. 커터 설치 시 및 측정은 반드시 기계를 정지시킨 후에 한다.
6. 일감(공작물)은 테이블 또는 바이스에 안전하게 고정한다.
7. 상하 이송장치의 핸들은 사용 후 반드시 빼 두어야 한다.
8. 가공 중에 밀링머신에 얼굴을 대지 않는다.
9. 절삭 속도는 재료에 따라 정한다.
10. 커터를 끼울 때는 아버를 깨끗이 닦는다.
11. 일감(공작물)을 고정하거나 풀어낼 때는 기계를 정지시킨다.
12. 테이블 위에 공구 등을 올려놓지 않는다.
13. 강력 절삭을 할 때는 일감을 바이스에 깊이 물린다.
14. 급속이송은 백래시 제거장치가 동작하지 않고 있음을 확인한 후 실시하고, 급속이송은 한 방향으로만 한다.

정답 55 ① 56 ① 57 ③ 58 ②

59 목재 가공용 둥근톱의 목재반발 예방장치가 아닌 것은?

① 반발방지 톱날(Finger)
② 분할날(Spreader)
③ 덮개(Cover)
④ 반발방지 롤(Roll)

해설

반발예방장치

분할날(Spreader)	톱 뒷날(후면톱날) 가까이에 설치되고 절삭된 가공재의 홈 사이로 들어가면서 가공재의 모든 두께에 걸쳐서 쐐기작용을 하여 가공재가 톱날에 밀착되는 것을 방지하는 것
반발방지기구 (Finger, 반발방지 발톱)	목재의 송급 쪽에 설치하는 것으로 가공재가 뒷날 측에 대해서 조금 들뜨고 역행하려고 할 때 기구가 가공재에 파고들어 반발을 방지하는 것
반발방지 롤(Roll)	항상 가공재가 톱 후면에 있어서 들뜨는 것을 누르고 반발을 방지하는 것으로 가공재 윗면을 항상 일정한 힘으로 누르고 있다.
보조안내판	주 안내판과 톱날 사이의 공간에서 나무가 퍼질 수 있게 하여 죄임으로 인한 반발을 방지하는 것이다.

60 탁상용 연삭기의 평형 플랜지 바깥지름이 150mm일 때, 숫돌의 바깥지름은 몇 mm 이내이어야 하는가?

① 300mm
② 450mm
③ 600mm
④ 750mm

해설

플랜지의 지름

$$\text{플랜지의 지름} = \text{숫돌지름} \times \frac{1}{3}$$

숫돌지름 = 플랜지의 지름 × 3 = 150 × 3 = 450[mm]

4과목 전기 및 화학설비위험방지기술

61 정전기 발생량과 관련된 내용으로 옳지 않은 것은?

① 분리속도가 빠를수록 정전기 발생량이 많아진다.
② 두 물질 간의 대전서열이 가까울수록 정전기 발생량이 많아진다.
③ 접촉면적이 넓을수록, 접촉압력이 증가할수록 정전기 발생량이 많아진다.
④ 물질의 표면이 수분이나 기름 등에 오염되어 있으면 정전기 발생량이 많아진다.

해설

정전기 발생의 영향요인(정전기 발생요인)

물체의 특성	일반적으로 대전량은 접촉이나 분리하는 두 가지 물체가 대전서열 내에서 가까운 곳에 있으면 적고 먼 위치에 있을수록 대전량이 큰 경향이 있다.
물체의 표면상태	• 표면이 거칠수록 정전기 발생량이 커진다. • 기름, 수분, 불순물 등 오염이 심할수록, 산화 부식이 심할수록 정전기 발생량이 커진다.
물체의 이력	정전기 발생량은 처음 접촉, 분리가 일어날 때 최대가 되며, 발생횟수가 반복될수록 발생량이 감소한다.
접촉면적 및 압력	접촉면적 및 압력이 클수록 정전기 발생량은 커진다.
분리속도	분리속도가 빠를수록 정전기 발생량이 커진다.
완화시간	완화시간이 길면 전하분리에 주는 에너지도 커져서 정전기 발생량이 커진다.

62 다음 중 물을 소화제로 사용하는 주된 이유로 가장 적합한 것은?

① 기화되기 쉬우므로
② 증발잠열이 크므로
③ 환원성이므로
④ 부촉매 효과가 있으므로

해설

물 소화약제의 장점
1. 쉽게 구할 수 있고 인체에 무해하다.
2. 비열과 증발잠열이 커서 냉각 효과가 우수하다.
3. 쉽게 운반할 수 있다.

정답 59 ③ 60 ② 61 ② 62 ②

63 대지전압이 150V를 초과하는 이동형 전기기계·기구의 전원 측에 인체감전보호형 누전차단기를 설치할 경우 동작시간은?(단, 정격전부하전류는 50A 미만이다.)

① 0.1초 이내 ② 0.05초 이내
③ 0.01초 이내 ④ 0.03초 이내

해설
누전차단기 접속 시 준수사항
전기기계·기구에 설치되어 있는 누전차단기는 정격감도전류가 30밀리암페어 이하이고 작동시간은 0.03초 이내일 것(다만, 정격전부하전류가 50암페어 이상인 전기기계·기구에 접속되는 누전차단기는 오작동을 방지하기 위하여 정격감도전류는 200밀리암페어 이하로, 작동시간은 0.1초 이내로 할 수 있다).

64 감전사고의 사망경로에 해당되지 않는 것은?

① 전류가 뇌의 호흡중추부로 흘러 발생한 호흡기능 마비
② 전류가 흉부에 흘러 발생한 흉부근육수축으로 인한 질식
③ 전류가 심장부로 흘러 심실세동에 의한 혈액순환기능 장애
④ 전류가 인체에 흐를 때 인체에 저항으로 발생한 줄열에 의한 화상

해설
전격(감전)현상의 메커니즘
1. 심장부에 전류가 흘러 심실세동이 발생하여 혈액순환기능이 상실되어 일어난 것
2. 뇌의 호흡중추신경에 전류가 흘러 호흡기능이 정지되어 일어난 것
3. 흉부에 전류가 흘러 흉부근육수축에 의한 질식으로 일어난 것

65 다음 중 가장 짧은 기간에도 노출되어서는 안 되는 노출기준은?

① TLV-S ② TLV-C
③ TLV-TWA ④ TVL-STEL

해설
유해물질의 노출기준(화학물질 및 물리적 인자의 노출기준)
1. 시간가중평균 노출기준(TWA)
   1일 8시간, 주 40시간 동안의 평균농도로서 거의 모든 근로자가 평상작업에서 반복하여 노출되더라도 건강장해를 일으키지 않는 공기 중 유해물질의 농도를 말한다.
2. 단시간 노출기준(STEL ; Short Term Exposure Limit)
   근로자가 1회 15분간 유해인자에 노출되는 경우의 기준(허용농도)
3. 최고노출기준(Ceiling, C)
   근로자가 1일 작업시간 동안 잠시라도 노출되어서는 아니되는 기준

66 낮은 압력에서 물질의 끓는점이 내려가는 현상을 이용하여 시행하는 분리법으로 온도를 높여서 가열할 경우 원료가 분해될 우려가 있는 물질을 증류할 때 사용하는 방법을 무엇이라 하는가?

① 진공증류 ② 추출증류
③ 공비증류 ④ 수증기증류

해설
특수한 증류방법

감압증류 (진공증류)	상압하에서 끓는점까지 가열할 경우 분해할 우려가 있는 물질의 증류를 감압 또는 진공하여 끓는점을 내려서 증류하는 방법
추출증류	분리하여야 하는 물질의 끓는점이 비슷한 경우 증류하는 방법
공비증류	일반적인 증류로 순수한 성분을 분리할 수 없는 혼합물의 경우 증류하는 방법
수증기증류	물에 거의 용해하지 않는 휘발성 액체에 수증기를 불어 넣으면서 가열하면 그 액체는 원래의 끓는점보다 상당히 낮은 온도에서 유출하는 방법

67 감전을 방지하기 위해 관계 근로자에게 반드시 주지시켜야 하는 정전작업 사항으로 가장 거리가 먼 것은?

① 전원설비 효율에 관한 사항
② 단락접지 실시에 관한 사항
③ 전원 재투입 순서에 관한 사항
④ 작업 책임자의 임명, 정전범위 및 절연용 보호구 작업 등 필요한 사항

정답 63 ④ 64 ④ 65 ② 66 ① 67 ①

해설
전원설비 효율에 관한 사항은 감전을 방지하기 위해 관계근로자에게 반드시 주지시켜야 하는 사항이 아니다.

68 다음 중 분해폭발을 일으키기 가장 어려운 물질은?
① 아세틸렌 ② 에틸렌
③ 이산화질소 ④ 암모니아

해설
분해폭발 가스의 종류
아세틸렌, 산화에틸렌, 에틸렌, 히드라진, 이산화질소, 산화질소, 오존 등

69 신선한 공기 또는 불연성 가스 등의 보호 기체를 용기의 내부에 압입함으로써 내부의 압력을 유지하여 폭발성 가스가 침입하지 않도록 하는 방폭구조는?
① 내압 방폭구조
② 압력 방폭구조
③ 안전증 방폭구조
④ 특수 방진 방폭구조

해설
압력 방폭구조(p)
점화원이 될 우려가 있는 부분을 용기 안에 넣고 보호 기체(신선한 공기 또는 불활성 기체)를 용기 안에 압입함으로써 폭발성 가스가 침입하는 것을 방지하도록 되어 있는 방폭구조(전폐형 구조)

> **TIP**
> - 내압 방폭구조(d) : 전폐형 구조로 용기 내에 외부의 폭발성 가스가 침입하여 내부에서 폭발하더라도 용기는 그 압력에 견뎌야 하고 폭발한 고열가스나 화염이 용기의 접합부 틈을 통하여 새어나가는 동안 냉각되어 외부의 폭발성 가스에 화염이 파급될 우려가 없도록 한 방폭구조
> - 안전증 방폭구조(e) : 전기 기기의 정상 사용조건 및 특정 비정상 상태에서 과도한 온도 상승, 아크 또는 스파크의 발생 위험을 방지하기 위해 추가적인 안전조치를 통한 안전도를 증가시킨 방폭구조
> - 특수 방진 방폭구조(SDP) : 전폐구조로서 접합면 깊이를 일정치 이상으로 하거나 또는 접합면에 일정치 이상의 깊이가 있는 패킹을 사용하여 분진이 용기 내부로 침입하지 않도록 한 구조

70 잘 절연된 컨베이어 벨트 시스템에서 발생하는 정전기의 전압이 10kV이고, 이때 정전용량이 5pF일 때 이 시스템에서 1회의 정전기 방전으로 생성될 수 있는 에너지는 얼마인가?
① 0.2mJ ② 0.25mJ
③ 0.5mJ ④ 0.25mJ

해설
정전 에너지

$$W = \frac{1}{2}CV^2 = \frac{1}{2}QV = \frac{1}{2}\frac{Q^2}{C}$$

대전 전하량$(Q) = C \cdot V$, 대전 전위$(V) = \frac{Q}{C}$

여기서, W : 정전기 에너지(J)
C : 도체의 정전용량(F)
V : 대전 전위(V)
Q : 대전 전하량(C)

$W = \frac{1}{2}CV^2 = \frac{1}{2} \times (5 \times 10^{-12}) \times (10{,}000)^2$
$= 0.00025[J] = 0.25[mJ]$

> **TIP** 단위
> $1pF = 10^{-12}F$, $1mJ = 10^{-3}J$, $1V = 10^{-3}kV$

71 산업안전보건법령상 관리대상 유해물질의 운반 및 저장 방법으로 적절하지 않은 것은?
① 저장장소에는 관계 근로자가 아닌 사람의 출입을 금지하는 표시를 한다.
② 저장장소에서 관리대상 유해물질의 증기가 실외로 배출되지 않도록 적절한 조치를 한다.
③ 관리대상 유해물질을 저장할 때 일정한 장소를 지정하여 저장하여야 한다.
④ 물질이 새거나 발산될 우려가 없는 뚜껑 또는 마개가 있는 튼튼한 용기를 사용한다.

해설
관리대상 유해물질의 저장
1. 관리대상 유해물질을 운반하거나 저장하는 경우에 그 물질이 새거나 발산될 우려가 없는 뚜껑 또는 마개가 있는 튼튼한 용기를 사용하거나 단단하게 포장을 하여야 하며, 그 저장장소에는 다음 각 호의 조치를 하여야 한다.
   ㉠ 관계 근로자가 아닌 사람의 출입을 금지하는 표시를 할 것

정답 68 ④ 69 ② 70 ② 71 ②

ⓒ 관리대상 유해물질의 증기를 실외로 배출시키는 설비를 설치할 것
2. 관리대상 유해물질을 저장할 경우에 일정한 장소를 지정하여 저장하여야 한다.

72 다음 중 전폐형 구조의 방폭구조가 아닌 것은?

① 내압 방폭구조
② 유입 방폭구조
③ 압력 방폭구조
④ 안전증 방폭구조

해설
전폐형 구조의 방폭구조
1. 내압 방폭구조
2. 압력 방폭구조
3. 유입 방폭구조

73 산업안전보건법령상 공정안전보고서의 내용 중 공정안전자료에 포함되지 않는 것은?

① 유해하거나 위험한 설비의 목록 및 사양
② 안전운전지침서
③ 폭발위험장소 구분도 및 전기단선도
④ 각종 건물·설비의 배치도

해설
공정안전자료
1. 취급·저장하고 있거나 취급·저장하려는 유해·위험물질의 종류 및 수량
2. 유해·위험물질에 대한 물질안전보건자료
3. 유해하거나 위험한 설비의 목록 및 사양
4. 유해하거나 위험한 설비의 운전방법을 알 수 있는 공정도면
5. 각종 건물·설비의 배치도
6. 폭발위험장소 구분도 및 전기단선도
7. 위험설비의 안전설계·제작 및 설치 관련 지침서

74 60Hz 정현파 교류에 의해 인체가 감전되었을 때 다른 손의 도움 없이 자력으로 감전에서 벗어날 수 있는 최대전류(가수전류 또는 마비한계전류)의 크기로 가장 적절한 것은?

① 10~15mA
② 20~35mA
③ 30~35mA
④ 40~45mA

해설
통전전류에 따른 인체의 영향

분류	인체에 미치는 전류의 영향	통전 전류
최소감지전류	전류의 흐름을 느낄 수 있는 최소전류	상용주파수 60Hz에서 성인남자 1mA
고통한계전류	고통을 참을 수 있는 한계전류	상용주파수 60Hz에서 성인남자 7~8mA
가수전류 (이탈전류, 마비한계전류)	인체가 자력으로 이탈할 수 있는 전류	상용주파수 60Hz에서 성인남자 10~15mA
불수전류	신경이 마비되고 신체를 움직일 수 없으며 말을 할 수 없는 상태 (인체가 충전부에 접촉하여 감전되었을 때 자력으로 이탈할 수 없는 상태의 전류)	상용주파수 60Hz에서 성인남자 15~50mA
심실세동전류 (치사전류)	심장의 맥동에 영향을 주어 심장마비 상태를 유발하여 수분 이내에 사망	$I = \dfrac{165}{\sqrt{T}}$ (mA) 일반적으로 50~100mA

75 다음 중 분진폭발에 대한 안전대책으로 가장 적절하지 않은 것은?

① 분진의 퇴적을 방지한다.
② 수분의 함량을 증가시킨다.
③ 입자의 크기를 최소화한다.
④ 불활성 분위기를 조성한다.

해설
입도와 입도분포
1. 분진의 표면적이 입자체적에 비하여 커지면 열의 발생속도가 방열속도보다 커져서 폭발이 용이해진다.
2. 평균 입자의 직경이 작고 밀도가 작을수록 비표면적은 크게 되고 표면에너지도 크게 되어 폭발이 용이해진다.

76 다음 중 폭발 위험이 가장 높은 물질은?

① 부탄
② 메탄
③ 이황화탄소
④ 벤젠

정답 72 ④ 73 ② 74 ① 75 ③ 76 ③

해설

위험도
위험도 값이 클수록 위험성이 높은 물질이다.

$$H = \frac{UFL - LFL}{LFL}$$

여기서, UFL : 연소 상한값, LFL : 연소 하한값, H : 위험도

폭발범위

가연성 가스	폭발하한값(%)	폭발상한값(%)
부탄	1.8	8.4
메탄	5.0	15.0
이황화탄소	1.25	41.0
벤젠	1.4	6.70

1. 부탄 위험도
$$H = \frac{UFL - LFL}{LFL} = \frac{8.4 - 1.8}{1.8} = 3.67$$

2. 메탄 위험도
$$H = \frac{UFL - LFL}{LFL} = \frac{15.0 - 5.0}{5.0} = 2$$

3. 이황화탄소 위험도
$$H = \frac{UFL - LFL}{LFL} = \frac{41.0 - 1.25}{1.25} = 31.8$$

4. 벤젠 위험도
$$H = \frac{UFL - LFL}{LFL} = \frac{6.70 - 1.4}{1.4} = 3.79$$

---

77 다음 중 피부에 닿았을 때 탈지현상을 일으키는 물질은?

① 등유   ② 아세톤
③ 글리세린   ④ 니트로톨루엔

해설

탈지현상
1. 피부의 유분성분이 제거되면서 하얗게 변화되는 현상을 탈지현상이라 할 수 있다.
2. 아세톤으로 매니큐어를 지울 때 과도하게 사용한 경우 하얗게 변하는 현상은 탈지현상의 일종이다.

---

78 다음 중 프로판(C_3H_8)의 완전연소 조성농도는 약 몇 vol%인가?

① 4.05   ② 4.19
③ 5.05   ④ 5.19

해설

완전연소 조성농도(화학양론농도)

$$C_{st} = \frac{100}{1 + 4.773\left(n + \frac{m - f - 2\lambda}{4}\right)}$$

여기서, n : 탄소의 원자수
 m : 수소의 원자수
 f : 할로겐 원소의 원자수
 λ : 산소의 원자수

$$C_{st} = \frac{100}{1 + 4.773\left(n + \frac{m - f - 2\lambda}{4}\right)}$$

$$= \frac{100}{1 + 4.773\left(3 + \frac{8}{4}\right)} = 4.02[\%]$$

(단, $C_3H_8 \to n = 3, m = 8, f = 0, \lambda = 0$)

---

79 다음 중 소화에 관한 설명으로 옳은 것은?

① 물은 가장 일반적인 소화제로서 모든 형태의 불을 소화하기에 가장 좋은 소화제이다.
② 탄화수소가스 혹은 유류 화재 등 B급 화재는 물에 의한 진화가 용이하다.
③ B급 화재의 소화에 있어 첫 단계는 가능하다면 불을 일으키는 연료의 공급을 차단하는 것이다.
④ 소화제로서의 물은 제5류 위험물에 대한 소화 적응성이 떨어지므로 사용할 수 없다.

해설

소화
1. 물은 전기화재에 폭발의 우려가 있다.
2. B급 화재에는 이산화탄소 소화기는 가능하나 물은 사용을 금한다.
3. 제5류 위험물(자기반응성 물질)의 소화에는 물을 사용할 수 있다.

---

80 작업장에서 꽂음접속기를 설치하거나 사용하는 경우 작업자의 감전 위험을 방지하기 위하여 필요한 준수사항으로 틀린 것은?

① 서로 다른 전압의 꽂음접속기는 상호 접속되는 구조의 것을 사용할 것
② 습윤한 장소에 사용되는 꽂음접속기는 방수형 등 해당 장소에 적합한 것을 사용할 것

정답 77 ② 78 ① 79 ③ 80 ①

③ 꽂음접속기를 접속시킬 경우 땀 등으로 젖은 손으로 취급하지 않도록 할 것
④ 꽂음접속기에 잠금장치가 있는 때에는 접속 후 잠그고 사용할 것

해설

꽂음접속기의 설치 · 사용 시 준수사항
1. 서로 다른 전압의 꽂음접속기는 서로 접속되지 아니한 구조의 것을 사용할 것
2. 습윤한 장소에 사용되는 꽂음접속기는 방수형 등 그 장소에 적합한 것을 사용할 것
3. 근로자가 해당 꽂음접속기를 접속시킬 경우에는 땀 등으로 젖은 손으로 취급하지 않도록 할 것
4. 해당 꽂음접속기에 잠금장치가 있는 경우에는 접속 후 잠그고 사용할 것

5과목 건설안전기술

81 말비계를 조립하여 사용할 때의 준수사항으로 옳지 않은 것은?

① 지주부재의 하단에는 미끄럼 방지장치를 한다.
② 양측 끝부분에 올라서서 작업하여야 한다.
③ 지주부재와 수평면과의 기울기를 75° 이하로 한다.
④ 말비계의 높이가 2m를 초과할 경우에는 작업발판의 폭을 40cm 이상으로 한다.

해설

말비계 조립 시의 준수사항
1. 지주부재의 하단에는 미끄럼 방지장치를 하고, 근로자가 양측 끝부분에 올라서서 작업하지 않도록 할 것
2. 지주부재와 수평면의 기울기를 75도 이하로 하고, 지주부재와 지주부재 사이를 고정시키는 보조부재를 설치할 것
3. 말비계의 높이가 2미터를 초과하는 경우에는 작업발판의 폭을 40센티미터 이상으로 할 것

82 근로자의 추락 등에 의한 위험을 방지하기 위하여 안전난간을 설치할 때 준수하여야 할 기준으로 옳지 않은 것은?

① 안전난간은 임의의 점에서 임의의 방향으로 움직이는 100kg 이상의 하중에 견딜 수 있는 튼튼한 구조일 것
② 난간대는 지름 1.5cm 이상의 금속제 파이프나 그 이상의 강도를 가진 재료일 것
③ 난간기둥은 상부 난간대와 중간 난간대를 견고하게 떠받칠 수 있도록 적정 간격을 유지할 것
④ 상부 난간대는 경사로의 표면으로부터 90cm 이상 120cm 이하에 설치할 것

해설

안전난간의 구조 및 설치요건

구성	상부 난간대, 중간 난간대, 발끝막이판 및 난간기둥으로 구성할 것(다만, 중간 난간대, 발끝막이판 및 난간기둥은 이와 비슷한 구조와 성능을 가진 것으로 대체할 수 있음)
상부 난간대	상부 난간대는 바닥면 · 발판 또는 경사로의 표면(이하 "바닥면 등"이라 한다)으로부터 90센티미터 이상 지점에 설치하고, 상부 난간대를 120센티미터 이하에 설치하는 경우에는 중간 난간대는 상부 난간대와 바닥면 등의 중간에 설치해야 하며, 120센티미터 이상 지점에 설치하는 경우에는 중간 난간대를 2단 이상으로 균등하게 설치하고 난간의 상하 간격은 60센티미터 이하가 되도록 할 것(다만, 난간기둥 간의 간격이 25센티미터 이하인 경우에는 중간 난간대를 설치하지 않을 수 있음)
발끝막이판 (폭목)	발끝막이판은 바닥면 등으로부터 10센티미터 이상의 높이를 유지할 것(다만, 물체가 떨어지거나 날아올 위험이 없거나 그 위험을 방지할 수 있는 망을 설치하는 등 필요한 예방 조치를 한 장소는 제외)
난간기둥	상부 난간대와 중간 난간대를 견고하게 떠받칠 수 있도록 적정한 간격을 유지할 것
상부 난간대와 중간 난간대	상부 난간대와 중간 난간대는 난간 길이 전체에 걸쳐 바닥면 등과 평행을 유지할 것
난간대	난간대는 지름 2.7센티미터 이상의 금속제 파이프나 그 이상의 강도가 있는 재료일 것
하중	안전난간은 구조적으로 가장 취약한 지점에서 가장 취약한 방향으로 작용하는 100킬로그램 이상의 하중에 견딜 수 있는 튼튼한 구조일 것

정답 81 ② 82 ②

83 다음 중 콘크리트 측압에 영향을 미치는 인자로 가장 거리가 먼 것은?

① 슬럼프
② 타설 속도
③ 대기압의 온도 및 습도
④ 거푸집의 종류

해설

거푸집 측압 증가에 영향을 미치는 인자(측압의 영향요소)
1. 거푸집 수평단면이 클수록 크다.
2. 콘크리트 슬럼프치가 클수록 커진다.
3. 거푸집 표면이 평활할수록(평탄) 커진다.
4. 철골, 철근량이 적을수록 커진다.
5. 콘크리트 시공연도가 좋을수록 커진다.
6. 외기의 온도, 습도가 낮을수록 커진다.
7. 타설 속도가 빠를수록 커진다.
8. 다짐이 충분할수록 커진다.
9. 타설 시 상부에서 직접 낙하할 경우 커진다.
10. 거푸집의 강성이 클수록 크다.
11. 콘크리트의 비중(단위중량)이 클수록 크다.
12. 벽 두께가 두꺼울수록 커진다.

84 다음은 산업안전보건법령에 따른 승강설비의 설치에 관한 내용이다. ( ) 안에 들어갈 내용으로 옳은 것은?

> 사업주는 높이 또는 깊이가 ( )를 초과하는 장소에서 작업하는 경우 해당 작업에 종사하는 근로자가 안전하게 승강하기 위한 건설용 리프트 등의 설비를 설치하여야 한다. 다만, 승강설비를 설치하는 것이 작업의 성질상 곤란한 경우에는 그렇지 않다.

① 2m ② 3m
③ 4m ④ 5m

해설

승강설비의 설치
높이 또는 깊이가 2미터를 초과하는 장소에서 작업하는 경우 해당 작업에 종사하는 근로자가 안전하게 승강하기 위한 건설용 리프트 등의 설비를 설치해야 한다. 다만, 승강설비를 설치하는 것이 작업의 성질상 곤란한 경우에는 그렇지 않다.

85 항타기 및 항발기를 조립하는 경우 점검하여야 할 사항이 아닌 것은?

① 과부하장치 및 제동장치의 이상 유무
② 권상장치의 브레이크 및 쐐기장치 기능의 이상 유무
③ 본체 연결부의 풀림 또는 손상의 유무
④ 권상기의 설치상태의 이상 유무

해설

항타기 또는 항발기를 조립하거나 해체하는 경우 점검사항
1. 본체 연결부의 풀림 또는 손상의 유무
2. 권상용 와이어로프·드럼 및 도르래의 부착상태의 이상 유무
3. 권상장치의 브레이크 및 쐐기장치 기능의 이상 유무
4. 권상기의 설치상태의 이상 유무
5. 리더(Leader)의 버팀 방법 및 고정상태의 이상 유무
6. 본체·부속장치 및 부속품의 강도가 적합한지 여부
7. 본체·부속장치 및 부속품에 심한 손상·마모·변형 또는 부식이 있는지 여부

86 굴착작업 시 굴착시기와 작업장소를 정할 때 사전조사 사항이 아닌 것은?

① 지반의 지하수위 상태
② 지질 및 지층의 상태
③ 굴착기의 이상 유무
④ 매설물 등의 유무 또는 상태

해설

굴착작업 시 사전조사 내용
1. 형상·지질 및 지층의 상태
2. 균열·함수·용수 및 동결의 유무 또는 상태
3. 매설물 등의 유무 또는 상태
4. 지반의 지하수위 상태

87 추락에 의한 위험방지를 위해 해당 장소에서 조치해야 할 사항과 거리가 먼 것은?

① 추락방호망 설치   ② 안전난간 설치
③ 덮개 설치   ④ 투하설비 설치

해설

투하설비 등
높이가 3미터 이상인 장소로부터 물체를 투하하는 경우 적당한 투하설비를 설치하거나 감시인을 배치하는 등 위험을 방지하기 위하여 필요한 조치를 하여야 한다.

정답 83 ④ 84 ① 85 ① 86 ③ 87 ④

88 가설통로 설치 시 경사가 몇 도를 초과하면 미끄러지지 않는 구조로 설치하여야 하는가?

① 15° ② 20°
③ 25° ④ 30°

해설
가설통로
1. 견고한 구조로 할 것
2. 경사는 30도 이하로 할 것(다만, 계단을 설치하거나 높이 2미터 미만의 가설통로로서 튼튼한 손잡이를 설치한 경우에는 그러하지 아니하다)
3. 경사가 15도를 초과하는 경우에는 미끄러지지 아니하는 구조로 할 것
4. 추락할 위험이 있는 장소에는 안전난간을 설치할 것(다만, 작업상 부득이한 경우에는 필요한 부분만 임시로 해체할 수 있다)
5. 수직갱에 가설된 통로의 길이가 15미터 이상인 경우에는 10미터 이내마다 계단참을 설치할 것
6. 건설공사에 사용하는 높이 8미터 이상인 비계다리에는 7미터 이내마다 계단참을 설치할 것

89 건설공사 중 작업으로 인하여 물체가 떨어지거나 날아올 위험이 있을 때 조치할 사항으로 거리가 먼 것은?

① 안전난간 설치 ② 보호구의 착용
③ 출입금지구역의 설정 ④ 낙하물 방지망의 설치

해설
물체가 떨어지거나 날아올 위험이 있는 경우의 위험방지
1. 낙하물 방지망 설치
2. 수직보호망 설치
3. 방호선반 설치
4. 출입금지구역 설정
5. 보호구 착용

TIP 안전난간
추락의 위험이 있는 장소에 설치한다.

90 추락방지용 10cm 그물코의 매듭 없는 방망사 신품의 인장강도 기준은 얼마 이상인가?

① 120kg ② 135kg
③ 200kg ④ 240kg

해설
방망사의 신품에 대한 인장강도

그물코의 크기 (단위 : 센티미터)	방망의 종류(단위 : 킬로그램)	
	매듭 없는 방망	매듭방망
10	240	200
5		110

91 옹벽의 안정조건에서 활동에 대한 저항력은 옹벽에 작용하는 수평력보다 최소 몇 배 이상 되어야 하는가?

① 1.0배 ② 1.5배
③ 2.0배 ④ 3.0배

해설
옹벽의 안정조건

전도(Over Turning)에 대한 안정	• 안전율(F_s) $= \dfrac{\text{전도에 저항하는 모멘트}}{\text{전도모멘트}} \geq 2.0$ • 대책 : 옹벽의 높이를 낮추거나 기초 후면의 길이를 길게 함
활동(Sliding)에 대한 안정	• 안전율(F_s) $= \dfrac{\text{활동에 저항하려는 힘}}{\text{활동하려는 힘}} \geq 1.5$ • 대책 : 기초 저반의 폭 증가, 기초 하부에 말뚝보강, 기초 하부에 활동방지벽(Shear Key) 설치
지반지지력 (침하, Settlement)에 대한 안정	• 안전율(F_s) $= \dfrac{\text{지반의 극한지지력도}}{\text{지반의 최대반력}} \geq 3.0$ • 대책 : 기초 저반의 폭 증가, 기초 하부의 지반 개량 및 강화

92 수중굴착 및 구조물의 기초바닥 등과 같은 협소하고 상당히 깊은 범위의 굴착과 호퍼작업에 가장 적당한 굴착기계는?

① 파워 셔블 ② 항타기
③ 클램셸 ④ 리버스 서큘레이션 드릴

해설
클램셸(Clam Shell)
1. 좁고 깊은 곳의 수직굴착, 수중굴착에 적당
2. 지하연속벽 공사, 깊은 우물통 파기에 사용
3. 구조물의 기초바닥, 잠함 등과 같은 협소하고 깊은 범위의 굴착에 적합

정답 88 ① 89 ① 90 ④ 91 ② 92 ③

93 아스팔트 포장도로의 노반의 파쇄 또는 토사 중에 있는 암석 제거에 가장 적당한 장비는?

① 스크레이퍼(Scraper)
② 롤러(Roller)
③ 리퍼(Ripper)
④ 드래그 라인(Drag Line)

해설
리퍼 도저(Ripper Dozer)
아스팔트 포장도로 등 단단한 땅이나 연약한 암석을 파내는 갈고리 모양의 도저

94 항타기 및 항발기에서 사용하는 권상용 와이어로프의 안전계수는 최소 얼마 이상이어야 하는가?

① 2
② 5
③ 8
④ 10

해설
권상용 와이어로프의 안전계수
항타기 또는 항발기의 권상용 와이어로프의 안전계수가 5 이상이 아니면 이를 사용해서는 아니 된다.

95 흙의 동상을 방지하기 위한 대책으로 옳지 않은 것은?

① 물의 유통을 원활하게 하여 지하수위를 상승시킨다.
② 모관수의 상승을 차단하기 위하여 지하수위 상층에 조립토층을 설치한다.
③ 지표의 흙을 화학약품으로 처리한다.
④ 흙속에 단열재료를 매입한다.

해설
동상방지 대책
1. 배수구 설치 등으로 지하수위를 저하시킨다.
2. 지하수위 상부에 조립토층을 설치하여 모관상승을 차단한다.
3. 지표면 부근에 단열재료(석탄재, 코르크, 스티로폼, 부직포 등)를 매입한다.
4. 약액 및 약품처리로 흙의 동결온도를 낮춘다.
5. 치환공법으로 실트질 흙을 조립토로 바꾼다(비동결성 흙 치환).

96 대형 브레이커에 대한 설명 중 옳지 않은 것은?

① 수직 및 수평의 테두리 끊기 작업에도 사용할 수 있다.
② 공기식보다 유압식이 많이 사용된다.
③ 셔블(Shovel)에 부착하여 사용하며 일반적으로 상향 작업에 적합하다.
④ 고층건물에서는 건물 위에 기계를 놓아서 작업할 수 있다.

해설
대형 브레이커
대형 브레이커는 통상 쇼벨에 설치하여 사용하며 일반적으로 하향 작업에 적합하다.

97 차량계 건설기계의 운전자가 운전위치를 이탈할 때 행하여야 할 조치사항으로 옳지 않은 것은?

① 브레이크를 걸어둔다.
② 버킷은 지상에서 1m 정도의 위치에 둔다.
③ 디퍼는 지면에서 내려둔다.
④ 원동기를 정지시킨다.

해설
운전위치 이탈 시의 조치
차량계 하역운반기계 등, 차량계 건설기계의 운전자가 운전위치를 이탈하는 경우 해당 운전자 준수사항은 다음과 같다.
1. 포크, 버킷, 디퍼 등의 장치를 가장 낮은 위치 또는 지면에 내려 둘 것
2. 원동기를 정지시키고 브레이크를 확실히 거는 등 차량계 하역운반기계 등, 차량계 건설기계의 갑작스러운 이동을 방지하기 위한 조치를 할 것
3. 운전석을 이탈하는 경우에는 시동키를 운전대에서 분리시킬 것. 다만, 운전석에 잠금장치를 하는 등 운전자가 아닌 사람이 운전하지 못하도록 조치한 경우에는 그러하지 아니하다.

98 리프트(Lift)의 방호장치에 해당하지 않는 것은?

① 권과방지장치
② 비상정지장치
③ 과부하방지장치
④ 자동경보장치

해설
리프트의 방호장치
리프트(자동차정비용 리프트는 제외)의 운반구 이탈 등의 위험을 방지하기 위하여 권과방지장치, 과부하방지장치, 비상정지장치 등을 설치하는 등 필요한 조치를 하여야 한다.

정답 93 ③ 94 ② 95 ① 96 ③ 97 ② 98 ④

99 타워크레인의 운전작업을 중지하여야 하는 순간풍속기준으로 옳은 것은?

① 초당 10m 초과
② 초당 12m 초과
③ 초당 15m 초과
④ 초당 20m 초과

해설

타워크레인의 작업제한(악천후 및 강풍 시 작업 중지)

순간풍속이 초당 10미터를 초과	타워크레인의 설치·수리·점검 또는 해체작업 중지
순간풍속이 초당 15미터를 초과	타워크레인의 운전작업 중지

100 작업발판 및 통로의 끝이나 개구부로서 근로자가 추락할 위험이 있는 장소에서의 방호조치로 옳지 않은 것은?

① 안전난간 설치
② 와이어로프 설치
③ 울타리 설치
④ 수직형 추락방망 설치

해설

개구부 등의 방호조치

1. 작업발판 및 통로의 끝이나 개구부로서 근로자가 추락할 위험이 있는 장소에는 안전난간, 울타리, 수직형 추락방망 또는 덮개 등의 방호조치를 충분한 강도를 가진 구조로 튼튼하게 설치하여야 하며, 덮개를 설치하는 경우에는 뒤집히거나 떨어지지 않도록 설치하여야 한다. 이 경우 어두운 장소에서도 알아볼 수 있도록 개구부임을 표시하여야 한다.
2. 난간 등을 설치하는 것이 매우 곤란하거나 작업의 필요상 임시로 난간 등을 해체하여야 하는 경우 추락방호망을 설치하여야 한다. 다만, 추락방호망을 설치하기 곤란한 경우에는 근로자에게 안전대를 착용하도록 하는 등 추락할 위험을 방지하기 위하여 필요한 조치를 하여야 한다.

정답 99 ③ 100 ②

PART 07
03 2023년 3회 기출복원문제

1과목 산업안전관리론

01 다음 중 사회행동의 기본 형태를 올바르게 연결한 것은?

① 불안 – 고립, 조력
② 대립 – 공격, 경쟁
③ 도피 – 자살, 타협
④ 협력 – 고립, 모방

해설

사회행동의 기본형태

사회행동의 기초	• 욕구 • 신념 • 개성 • 태도 • 인지
사회행동의 기본형태	• 협력(조력, 분업) • 대립(공격, 경쟁) • 도피(고립, 정신병, 자살) • 융합(강제, 타협, 통합)

02 인간의 주의의 특성에 해당하지 않는 것은?

① 변동성
② 선택성
③ 방향성
④ 가시성

해설

주의의 특징

선택성	• 주의는 동시에 두 개의 방향에 집중하지 못한다. • 여러 종류의 자극을 지각하거나 수용할 때 특정한 것에 한하여 선택하는 기능
변동성	• 고도의 주의는 장시간 지속할 수 없다(주의에는 리듬이 존재). • 주의에는 리듬이 있어 언제나 일정수준을 유지할 수 없다.
방향성	• 한 지점에 주의를 집중하면 다른 곳의 주의는 약해진다. • 주시점만 인지하는 기능

03 안전모에 관한 내용으로 옳은 것은?

① 안전모의 종류는 안전모의 형태로 구분한다.
② 안전모의 종류는 안전모의 색상으로 구분한다.
③ A형 안전모 : 물체의 낙하, 비래에 의한 위험을 방지, 경감시키는 것으로 내전압성이다.
④ AE형 안전모 : 물체의 낙하, 비래에 의한 위험을 방지 또는 경감하고 머리부위의 감전에 의한 위험을 방지하기 위한 것으로 내전압성이다.

해설

추락 및 감전 위험방지용 안전모의 종류

종류(기호)	사용 구분	비고
AB	물체의 낙하 또는 비래 및 추락에 의한 위험을 방지 또는 경감시키기 위한 것	
AE	물체의 낙하 또는 비래에 의한 위험을 방지 또는 경감하고, 머리부위 감전에 의한 위험을 방지하기 위한 것	내전압성
ABE	물체의 낙하 또는 비래 및 추락에 의한 위험을 방지 또는 경감하고, 머리부위 감전에 의한 위험을 방지하기 위한 것	내전압성

내전압성이란 7,000V 이하의 전압에 견디는 것을 말한다.

04 하인리히(Heinrich)가 제시한 사고연쇄반응이론의 각 단계가 다음과 같을 때 올바른 순서대로 나열한 것은?

㉠ 사고
㉡ 사회적 환경 및 유전적 요소
㉢ 재해
㉣ 개인적 결함
㉤ 불안전한 행동 및 상태

① ㉡ → ㉣ → ㉤ → ㉠ → ㉢
② ㉣ → ㉡ → ㉤ → ㉠ → ㉢
③ ㉣ → ㉡ → ㉤ → ㉢ → ㉠
④ ㉡ → ㉤ → ㉣ → ㉢ → ㉠

정답 01 ② 02 ④ 03 ④ 04 ①

> **해설**

하인리히(H. W. Heinrich)의 도미노이론(사고연쇄성)
1. 제1단계 : 사회적 환경 및 유전적 요인
2. 제2단계 : 개인적 결함
3. 제3단계 : 불안전한 행동 및 불안전한 상태
4. 제4단계 : 사고
5. 제5단계 : 재해
※ 불안전한 행동이나 불안전한 상태, 즉 제3단계를 제거하면 사고나 재해를 예방할 수 있다.

05 리더십에 있어서 권한의 역할 중 조직이 지도자에게 부여한 권한으로 볼 수 없는 것은?

① 전문성의 권한 ② 보상적 권한
③ 강압적 권한 ④ 합법적 권한

> **해설**

리더십의 권한
1. 조직이 지도자에게 부여한 권한
   ㉠ 보상적 권한
   ㉡ 강압적 권한
   ㉢ 합법적 권한
2. 지도자 자신이 자신에게 부여한 권한
   ㉠ 전문성의 권한
   ㉡ 위임된 권한

06 다음 중 사고예방대책 제5단계의 "시정책의 적용"에서 3E와 관계가 없는 것은?

① 교육(Education)
② 재정(Economics)
③ 기술(Engineering)
④ 관리(Enforcement)

> **해설**

J. H. Harvey의 3E 이론(안전대책)
1. 사고를 방지하고 안전을 도모하기 위하여 3E를 안전대책으로 재해를 예방 및 최소화할 수 있다는 이론을 제시
2. 3E는 재해발생의 간접원인이 되기도 함
3. 재해발생의 3E의 의미

기술(Engineering)	기계설비의 결함, 작업환경의 불량 등 불안전한 상태 유발
교육(Education)	지식의 부족, 기능의 결여, 부적절한 태도 등 불안전한 행동 유발
관리(Enforcement)	안전관리조직 체계 미구비, 제반규정과 수칙 미준수 등 관리적 결함

07 다음 중 위험예지훈련 기초 4라운드(4R)에 관한 내용으로 옳은 것은?

① 1R : 목표설정 ② 2R : 현상파악
③ 3R : 대책수립 ④ 4R : 본질추구

> **해설**

위험예지훈련의 4라운드
1. 1라운드(1R) : 현상파악(사실을 파악한다)
2. 2라운드(2R) : 본질추구(요인을 찾아낸다)
3. 3라운드(3R) : 대책수립(대책을 선정한다)
4. 4라운드(4R) : 목표설정(행동계획을 정한다)

08 다음 중 데이비스(K. Davis)의 동기부여이론에서 관련 등식으로 옳은 것은?

① 상황 × 태도 = 동기유발
② 지식 × 기능 = 인간의 성과
③ 능력 × 동기유발 = 물질적 성과
④ 지식 × 동기유발 = 경영의 성과

> **해설**

데이비스(K. Davis)의 동기부여이론
1. 인간의 성과 × 물질적 성과 = 경영의 성과
2. 지식(Knowledge) × 기능(Skill) = 능력(Ability)
3. 상황(Situation) × 태도(Attitude) = 동기유발(Motivation)
4. 능력(Ability) × 동기유발(Motivation) = 인간의 성과(Human Performance)

09 인지과정 착오의 요인이 아닌 것은?

① 정서 불안정
② 감각차단 현상
③ 작업자의 기능 미숙
④ 생리·심리적 능력의 한계

> **해설**

착오의 요인

종류	내용
인지과정 착오	• 심리 또는 생리적 요인 • 정보량 저장의 한계 : 한계정보량보다 더 많은 정보가 들어오는 경우 정보를 처리하지 못하는 현상 • 감각차단 현상 : 단조로운 업무가 장시간 지속될 때 작업자의 감각기능 및 판단능력이 둔화 또는 마비되는 현상(예 : 고도비행, 단독비행, 계기비행, 직선 고속도로 운행 등) • 정서적 불안정(불안, 공포) • 정보수용 능력의 한계 : 인간의 감지범위 밖의 정보

정답 05 ① 06 ② 07 ③ 08 ④ 09 ③

종류	내용
판단과정 착오	• 정보부족(옹고집, 지나친 자기중심적 인간) • 능력부족(지식부족, 경험부족) • 자기합리화(자기에게 유리하게 판단) • 환경조건불비(작업조건불량)
조치과정 착오	• 기술능력 미숙 • 경험 부족 • 피로

10 산업안전보건법령상 안전모의 시험성능기준 항목이 아닌 것은?

① 난연성
② 인장성
③ 내관통성
④ 충격흡수성

해설

안전모의 시험성능 항목 및 기준

항목	시험성능기준
내관통성	• 안전인증 : AE, ABE종 안전모는 관통거리가 9.5mm 이하이고, AB종 안전모는 관통거리가 11.1mm 이하이어야 한다. • 자율안전확인 : 안전모는 관통거리가 11.1mm 이어야 한다.
충격흡수성	최고전달충격력이 4,450N을 초과해서는 안 되며, 모체와 착장체의 기능이 상실되지 않아야 한다.
내전압성	AE, ABE종 안전모는 교류 20kV에서 1분간 절연 파괴 없이 견뎌야 하고, 이때 누설되는 충전전류는 10mA 이하이어야 한다. (※ 자율안전확인에서는 제외)
내수성	AE, ABE종 안전모는 질량증가율이 1% 미만이어야 한다. (※ 자율안전확인에서는 제외)
난연성	모체가 불꽃을 내며 5초 이상 연소되지 않아야 한다.
턱끈풀림	150N 이상 250N 이하에서 턱끈이 풀려야 한다.

11 상황성 누발자의 재해유발원인과 거리가 먼 것은?

① 작업의 어려움
② 기계설비의 결함
③ 심신의 근심
④ 주의력의 산만

해설

재해 누발자의 유형

상황성 누발자	• 작업이 어렵기 때문에 • 기계설비에 결함이 있기 때문에 • 심신에 근심이 있기 때문에 • 환경상 주의력의 집중이 혼란되기 때문에
습관성 누발자	• 재해의 경험에 의해 겁을 먹거나 신경과민 • 일종의 슬럼프 상태
미숙성 누발자	• 기능이 미숙하기 때문에 • 환경에 익숙하지 못하기 때문에(환경에 적응 미숙)
소질성 누발자	• 개인의 소질 가운데 재해원인의 요소를 가진 자 (주의력 산만, 저지능, 흥분성, 비협조성, 소심한 성격, 도덕성의 결여, 감각운동 부적합 등) • 개인의 특수성격 소유자

12 다음 중 표준작업방법으로의 작업, 안전수칙 및 규칙의 준수 등 가치관을 형성하는 교육의 종류는?

① 태도교육
② 기능교육
③ 지식교육
④ 훈련교육

해설

단계별 교육내용
1. 지식교육
   ㉠ 안전의식의 향상
   ㉡ 안전의 책임감을 주입
   ㉢ 기능, 태도, 교육에 필요한 기초지식의 주입
   ㉣ 근로자가 지켜야 할 안전규정의 숙지
   ㉤ 공정 속에 잠재된 위험요소를 이해시킴
2. 기능교육
   ㉠ 전문적 기술기능
   ㉡ 안전기술기능
   ㉢ 방호장치 관리기능
   ㉣ 점검검사 정비기능
3. 태도교육
   ㉠ 표준작업방법의 습관화
   ㉡ 공구, 보호구의 관리 및 취급태도의 확립
   ㉢ 작업 전후의 점검 및 검사 요령의 정확한 습관화
   ㉣ 안전작업의 지시, 전달, 확인 등 언어태도의 습관화 및 정확화

13 안전을 위한 동기부여로 틀린 것은?

① 기능을 숙달시킨다.
② 경쟁과 협동을 유도한다.
③ 상벌제도를 합리적으로 시행한다.
④ 안전목표를 명확히 설정하여 주지시킨다.

해설

동기부여의 방법
1. 안전의 근본이념을 인식시킨다.
2. 안전목표를 명확히 설정하여 주지시킨다.
3. 결과의 가치를 인식하고 알려준다.
4. 상과 벌을 준다(상벌제도를 합리적으로 시행한다).
5. 경쟁과 협동을 유도한다.
6. 동기 유발의 최적수준을 유지한다.

14 다음 중 산업재해 통계에 관한 설명으로 적절하지 않은 것은?

① 산업재해 통계는 구체적으로 표시되어야 한다.
② 산업재해 통계의 목적은 기업에서 발생한 산업재해에 대하여 효과적인 대책을 강구하기 위함이다.
③ 산업재해 통계는 안전 활동을 추진하기 위한 기초자료이다.
④ 산업재해 통계를 기반으로 안전 조건이나 상태를 추측할 수 있다.

해설

재해통계 작성 시 유의사항
1. 산업재해 통계는 그 활용 목적을 만족시킬 수 있는 충분한 내용이 담겨 있어야 한다.
2. 산업재해 통계는 구체적으로 표시되어야 하며 그 내용은 쉽게 이해되고 활용될 수 있도록 작성한다.
3. 산업재해 통계는 안전활동을 추진하기 위한 기초자료이며, 안전활동 그 자체가 아님을 인식한다.
4. 산업재해 통계를 기반으로 안전조건이나 상태를 추측해서는 안 되며, 이 통계 사실을 정직하게 보고 판단한다.
5. 산업재해 통계 그 자체보다는 재해통계에 나타난 경향과 성질의 활용을 중요시해야 한다.
6. 이용이나 활용하지 않는 통계는 그 작성에 따른 시간과 예산낭비임을 인식한다.

15 안전교육 방법 중 TWI(Training Within Industry)의 교육과정이 아닌 것은?

① 직업지도 훈련
② 인간관계 훈련
③ 정책수립 훈련
④ 작업방법 훈련

해설

TWI의 교육과정
1. Job Method Training(JMT) : 작업방법훈련, 작업개선훈련
2. Job Instruction Training(JIT) : 작업지도훈련
3. Job Relations Training(JRT) : 인간관계훈련, 부하통솔법
4. Job Safety Training(JST) : 작업안전훈련

16 어떤 화학공장에서 450명의 근로자가 1년 동안 작업하는 가운데 21건의 재해가 발생하였으며 250일의 근로손실이 발생하였다. 이 공장의 도수율은 약 얼마인가?(단, 근로자는 1일 9시간 연간 280일을 근무하였다.)

① 0.22
② 18.52
③ 22.05
④ 46.67

해설

도수율

$$도수율 = \frac{재해발생건수}{연간 총근로시간수} \times 1,000,000$$

$$도수율 = \frac{재해발생건수}{연간 총근로시간수} \times 1,000,000 = \frac{21}{450 \times 9 \times 280} \times 1,000,000 = 18.52$$

17 레빈(Lewin)은 인간행동과 인간의 조건 및 환경조건의 관계를 다음과 같이 표시하였다. 이때 'f'의 의미는?

$$B = f(P \cdot E)$$

① 행동
② 조명
③ 지능
④ 함수

정답 13 ① 14 ④ 15 ③ 16 ② 17 ④

해설
레빈(K. Lewin)의 행동법칙

$$B = f(P \cdot E)$$

여기서, B : Behavior(인간의 행동)
 f : Function(함수관계) $P \cdot E$에 영향을 줄 수 있는 조건
 P : Person(개체, 개인의 자질, 연령, 경험, 심신상태, 성격, 지능 등)
 E : Environment(심리적 환경 – 작업환경, 인간관계, 설비적 결함 등)

레빈의 이론
인간의 행동(B)은 개인의 자질과 심리학적 환경과의 상호 함수관계이다.

18 다음 중 재해예방의 4원칙에 해당되지 않는 것은?

① 예방 가능의 원칙
② 원인 계기(연계)의 원칙
③ 대책 선정의 원칙
④ 현장 보존의 원칙

해설
하인리히의 재해예방 4원칙

예방 가능의 원칙	천재지변을 제외한 모든 재해는 원칙적으로 예방이 가능하다.
손실 우연의 원칙	사고로 생기는 상해의 종류 및 정도는 우연적이다.
원인 계기의 원칙	사고와 손실의 관계는 우연적이지만 사고와 원인관계는 필연적이다(사고에는 반드시 원인이 있다).
대책 선정의 원칙	원인을 정확히 규명해서 대책을 선정하고 실시되어야 한다(3E, 즉 기술, 교육, 독려를 중심으로).

19 다음 중 안전교육방법에 있어 강의법에 관한 설명으로 틀린 것은?

① 시간에 대한 조정이 용이하다.
② 전체적인 교육내용을 제시하는 데 유리하다.
③ 종류에는 포럼, 심포지엄, 버즈 세션 등이 있다.
④ 다수의 원인에게 동시에 많은 지식과 정보의 전달이 가능하다.

해설
포럼, 심포지엄, 버즈 세션 등은 토의법의 유형이다.

강의식 교육의 장단점

장점	· 한번에 많은 사람이 지식을 부여 받는다(최적인원 40~50명). · 시간의 계획과 통제가 용이하다. · 체계적으로 교육할 수 있다. · 준비가 간단하고 어디에서도 가능하다. · 수업의 도입이나 초기단계에 적용하는 것이 효과적이다.
단점	· 가르치는 방법이 일방적, 기계적, 획일적이다. · 참가자는 대개 수동적 입장이며 참여가 제약된다. · 암기에 빠지기 쉽고, 현실에서 필요한 개념형성이 되기 어렵다.

20 산업안전보건법에 따라 고용노동부장관이 산업재해 예방활동에 대한 참여와 지원을 촉진하기 위하여 근로자, 근로자단체, 사업주단체 및 산업재해 예방 관련 전문단체에 소속된 자 중에서 위촉할 수 있는 사람을 무엇이라 하는가?

① 사업재해조사관
② 관리감독자
③ 명예산업안전감독관
④ 근로감독관

해설
명예산업안전감독관
1. 고용노동부장관은 산업재해 예방활동에 대한 참여와 지원을 촉진하기 위하여 근로자, 근로자단체, 사업주단체 및 산업재해 예방 관련 전문단체에 소속된 자 중에서 명예산업안전감독관을 위촉할 수 있다.
2. 사업주는 명예산업안전감독관으로서 정당한 활동을 한 것을 이유로 그 명예산업안전감독관에 대하여 불리한 처우를 하여서는 아니 된다.
3. 명예산업안전감독관의 위촉 방법, 업무 범위, 그 밖에 필요한 사항은 대통령령으로 정한다.

2과목 인간공학 및 시스템 안전공학

21 광원으로부터의 직사휘광을 줄이기 위한 방법으로 적절하지 않은 것은?

① 휘광원 주위를 어둡게 한다.
② 가리개, 갓, 차양 등을 사용한다.
③ 광원을 시선에서 멀리 위치시킨다.
④ 광원의 수는 늘리고 휘도는 줄인다.

해설
광원으로부터의 직사휘광 처리
1. 광원의 휘도를 줄이고 수를 늘림
2. 광원을 시선에서 멀리 위치시킴
3. 휘광원 주위를 밝게 하여 광도비를 줄임
4. 가리개(Shield), 갓(Hood) 혹은 차양(Visor)을 사용

22 FT도에 사용되는 다음 기호의 명칭으로 옳은 것은?

① 통상사상　　② 수정기호
③ 제어게이트　④ 생략사상

해설
FTA 분석 기호

번호	기호	명칭	내용
1	□	결함사상	사고가 일어난 사상(사건)
2	○	기본사상	더 이상 전개가 되지 않는 기본적인 사상 또는 발생확률이 단독으로 얻어지는 낮은 레벨의 기본적인 사상
3	⌂	통상사상 (가형사상)	통상발생이 예상되는 사상(예상되는 원인)
4	◇	생략사상 (최후사상)	정보부족 또는 분석기술 불충분으로 더 이상 전개할 수 없는 사상(작업진행에 따라 해석이 가능할 때는 다시 속행한다.)
5	△	전이기호 (이행기호)	• FT도상에서 다른 부분에 관한 이행 또는 연결을 나타낸다. • 상부에 선이 있는 경우는 다른 부분으로 전입(IN)
6	△	전이기호 (이행기호)	• FT도상에서 다른 부분에 관한 이행 또는 연결을 나타낸다. • 측면에 선이 있는 경우는 다른 부분으로 전출(OUT)

23 고열환경에서 심한 육체노동 후에 탈수와 체내 염분 농도 부족으로 근육의 수축이 격렬하게 일어나는 장해는?

① 열경련(Heat Cramp)
② 열사병(Heat Stroke)
③ 열쇠약(Heat Prostration)
④ 열피로(Heat Exhaustion)

해설
고열장애의 분류
1. 열경련(Heat Cramp)
   고온환경에서 지속적으로 심한 육체적인 노동을 함으로써 과다한 땀의 배출로 전해질이 고갈되어 발생하는 근육의 경련현상을 말한다.
2. 열사병(Heat Stroke)
   고온다습한 환경에 노출될 때 뇌 온도의 상승으로 신체 내부의 체온조절 중추에 기능장애를 일으켜 생기는 위급한 상태를 말한다.
3. 열쇠약(Heat Prostration)
   고열에 의한 만성 체력소모를 의미한다.
4. 열소모(Heat Exhaustion, 열피로)
   고온환경에서 장시간 힘든 노동을 할 때 땀을 많이 흘려 (과다 발한) 수분과 염분 손실이 많을 때 생긴다.

24 시스템 수명주기에서 예비위험분석을 적용하는 단계는?

① 운전단계　　② 생산단계
③ 구상단계　　④ 개발단계

해설
예비위험분석(PHA)
1. 시스템안전 위험분석을 수행하기 위한 예비적인 최초의 작업으로 위험요소가 얼마나 위험한지를 정성적으로 평가하는 것이다.
2. PHA는 구상단계나 설계 및 발주의 극히 초기에 실시된다.

정답　21 ①　22 ④　23 ①　24 ③

25 어떤 기기의 고장률이 시간당 0.002로 일정하다고 한다. 이 기기를 100시간 사용했을 때 고장이 발생할 확률은?

① 0.1813
② 0.2214
③ 0.6253
④ 0.8187

해설

고장률이 사용시간에 관계없이 일정한 경우(시간당 고장률이 일정)

신뢰도 함수 : $R(t) = e^{-\lambda t}$
불신뢰도 함수 : $F(t) = 1 - R(t) = 1 - e^{-\lambda t}$

1. 신뢰도
   $R(t) = e^{-\lambda t} = e^{-0.002 \times 100} = 0.8187$
2. 불신뢰도
   $F(t) = 1 - R(t) = 1 - 0.8187 = 0.1813$

26 다음 중 연속조절 조종장치가 아닌 것은?

① 토글(Toggle) 스위치
② 노브(Knob)
③ 페달(Pedal)
④ 핸들(Handle)

해설

통제기의 특성

연속적인 조절이 필요한 형태	• 노브(Knob) • 크랭크(Crank) • 핸들(Handle) • 레버(Lever) • 페달(Pedal)
불연속적인 조절이 필요한 형태	• 푸시버튼(Push Button) : 손, 발 • 토글(똑딱) 스위치(Toggle Switch) • 로터리 선택 스위치(Rotary Selector Switch)
안전장치와 통제장치	• 푸시버튼(Push Button)의 오목면 이용 • 토글(똑딱) 스위치(Toggle Switch)의 커버 설치 • 안전장치와 통제장치는 겸하여 설치하는 것이 효율적

27 일반적인 FTA 기법의 순서로 맞는 것은?

㉠ FT의 작성
㉡ 시스템의 정의
㉢ 정량적 평가
㉣ 정성적 평가

① ㉠ → ㉡ → ㉢ → ㉣
② ㉠ → ㉡ → ㉣ → ㉢
③ ㉡ → ㉠ → ㉢ → ㉣
④ ㉡ → ㉠ → ㉣ → ㉢

해설

결함수 분석(FTA)
1. 사고의 원인이 되는 장치의 이상이나 고장의 다양한 조합 및 작업자 실수 원인을 연역적으로 분석하는 방법을 말한다.
2. 일반적인 FTA 기법의 순서는 시스템의 정의 → FT의 작성 → 정성적 평가 → 정량적 평가를 순차적으로 분석한다.

28 다음 FT도에서 정상사상 A의 발생확률은 얼마인가?(단, 사상 B_1의 발생확률은 0.30이고, B_2의 발생확률은 0.20이다.)

① 0.06
② 0.44
③ 0.56
④ 0.94

해설

발생확률의 계산
$A = 1 - (1 - B_1)(1 - B_2) = 1 - (1 - 0.3)(1 - 0.02) = 0.44$

29 다음 중 기계가 인간을 능가하는 경우가 아닌 경우는?

① 물리적인 양을 신속하게 계수하거나 측정한다.
② 완전히 새로운 해결책을 찾아낸다.
③ 암호화된 정보를 신속하게 대량으로 보관한다.
④ 반복적인 작업을 신뢰성 있게 수행한다.

해설

기계가 인간보다 우수한 기능
1. 인간의 정상적인 감지 범위 밖에 있는 자극(X선, 레이더파, 초음파 등)을 감지한다.
2. 사전에 명시된 사상(Event), 특히 드물게 발생하는 사상을 감지한다.

3. 입력신호에 대해 신속하게 일관성 있는 반응을 한다.
4. 암호화된 정보를 신속하게 대량으로 보관할 수 있다.
5. 정해진 프로그램에 따라 정량적인 정보 처리를 한다.
6. 반복적인 작업을 신뢰성 있게 수행할 수 있다.
7. 연역적으로 추리한다.
8. 상당히 큰 물리적인 힘을 규율 있게 발휘한다.
9. 여러 개의 프로그램된 행동을 동시에 수행한다.
10. 물리적인 양을 계수하거나 측정한다.
11. 주의가 소란하여도 효율적으로 작동한다.
12. 과부하에서도 효율적으로 작동한다.
13. 구체적인 지시에 의해 암호화된 정보를 신속하고 정확하게 회수한다.

> **TIP** 완전히 새로운 해결책을 찾아낸다. : 인간이 기계보다 우수한 기능

30 강의용 책상과 의자를 설계할 때 고려해야 할 변수와 적용할 인체측정자료 응용원칙이 적절하게 연결된 것은?

① 의자 높이 – 최대 집단치 설계
② 의자 깊이 – 최대 집단치 설계
③ 의자 너비 – 최대 집단치 설계
④ 책상 높이 – 최대 집단치 설계

해설
책상 및 의자의 높이는 조절 가능한 설계, 의자의 깊이는 최소 집단치 설계를 하는 것이 적절하다.

31 인간공학의 연구 방법에서 인간-기계 시스템을 평가하는 척도의 요건으로 적합하지 않은 것은?

① 적절성, 타당성   ② 무오염성
③ 주관성   ④ 신뢰성

해설
연구 기준의 요건
1. 실제적 요건 : 평가 척도는 현실성을 가지고 있어야 하며, 실질적으로 이용하기가 용이해야 한다. 즉, 객관적이고, 정량적이며, 강요적이지 않고, 수집이 쉬우며, 자료수집 기법이나 기기가 특수하지 않고, 돈이나 실험자의 수고가 적게 드는 것이어야 한다.
2. 적절성(타당성) : 기준이 의도된 목적에 적당하다고 판단되는 정도
3. 무오염성 : 측정하고자 하는 변수 이외의 다른 변수들의 영향을 받아서는 안 된다.
4. 기준척도의 신뢰성(Reliability of Criterion Measure) : 사용되는 척도의 신뢰성, 즉 반복성을 말한다.
5. 민감도 : 기대되는 차이에 적합한 정도의 단위로 측정이 가능해야 한다. 즉, 피실험자 사이에서 볼 수 있는 예상 차이점에 비례하는 단위로 측정해야 함을 의미한다.

32 인간의 시각특성을 설명한 것으로 옳은 것은?

① 적응은 수정체의 두께가 얇아져 근거리의 물체를 볼 수 있게 되는 것이다.
② 시야는 수정체의 두께 조절로 이루어진다.
③ 망막은 카메라의 렌즈에 해당된다.
④ 암조응에 걸리는 시간은 명조응보다 길다.

해설
1. 적응은 갑자기 어두운 곳에 들어가면 아무것도 보이지 않게 되며, 밝은 곳에 갑자기 노출되면 눈이 부셔 보기 힘들다. 그러나 시간이 지나면 점차 사물의 현상을 알수 있다. 이러한 새로운 광도 수준에 대한 적응하는 것을 적응(순응)이라 한다.
2. 시야는 눈으로 볼 수 있는 좌우의 범위를 말한다.
3. 망막은 눈으로 들어온 빛이 최종적으로 도달하는 곳으로 카메라의 필름에 해당된다.
4. 완전 암조응은 보통 30~40분이 소요되지만, 명조응은 몇 초밖에 안 걸리며, 넉넉잡아 1~2분이다.

33 반복적 노출에 따라 민감성이 가장 쉽게 떨어지는 표시장치는?

① 시각 표시장치
② 청각 표시장치
③ 촉각 표시장치
④ 후각 표시장치

해설
후각적 표시장치를 많이 쓰지 않는 이유
1. 사람마다 여러 냄새에 대한 민감도의 개인차가 심하고, 코가 막히면 민감도가 떨어진다.
2. 사람은 냄새에 빨리 익숙해져서 노출 후 얼마 이상이 지나면 냄새의 존재를 느끼지 못한다.
3. 냄새의 확산을 통제하기가 힘들다.
4. 어떤 냄새는 메스껍게 하고 사람이 싫어할 수도 있다.

정답 30 ③ 31 ③ 32 ④ 33 ④

34 다음 중 고온 작업자의 고온 스트레스로 인해 발생하는 생리적 영향이 아닌 것은?

① 피부와 직장온도의 상승
② 발한(Sweating)의 증가
③ 심박출량(Cardiac Output)의 증가
④ 근육의 젖산 감소로 인한 근육통과 근육피로 증가

해설
고온 스트레스로 인해 발생하는 생리적 영향
1. 피부와 직장온도의 상승
2. 발한(Sweating)의 증가
3. 심박출량(Cardiac Output)의 증가

35 시각적 부호 중 교통표지판, 안전보건표지 등과 같이 부호가 이미 고안되어 있으므로 이를 배워야 하는 부호를 무엇이라 하는가?

① 추상적 부호
② 묘사적 부호
③ 임의적 부호
④ 상태적 부호

해설
부호의 유형

묘사적 부호	사물이나 행동을 단순하고 정확하게 나타낸 부호 예 위험 표시판의 해골과 뼈, 보도 표지판의 걷는 사람, 소방안전표지판의 소화기 등
추상적 부호	전언의 기본요소를 도식적으로 압축한 부호 (원개념과는 약간의 유사성만 존재)
임의적 부호	부호가 이미 고안되어 이를 사용자가 배워야 하는 부호 예 경고표지는 삼각형, 안내표지는 사각형, 지시표지는 원형 등

36 정적 자세 유지 시, 진전(Tremor)을 감소시킬 수 있는 방법으로 틀린 것은?

① 시각적인 참조가 있도록 한다.
② 손이 심장 높이에 있도록 유지한다.
③ 작업 대상물에 기계적 마찰이 있도록 한다.
④ 손을 떨지 않으려고 힘을 주어 노력한다.

해설
진전을 감소시킬 수 있는 방법
1. 시각적 참조(Reference)
2. 몸과 작업에 관계되는 부위를 잘 받친다.
3. 손이 심장 높이에 있을 때 손떨림 현상이 적다.
4. 작업 대상물에 기계적인 마찰(Friction)이 있을 경우

TIP 사람이 떨지 않으려고 노력하면 할수록 더 심해짐

37 다음 중 시스템의 수명곡선(욕조곡선)에서 안전진단 및 적당한 보수에 의해 방지할 수 있는 고장의 형태는?

① 초기고장
② 우발고장
③ 마모고장
④ 설계고장

해설
시스템 수명곡선(욕조곡선)

초기고장	• 감소형 – DFR(Decreasing Failure Rate) : 고장률이 시간에 따라 감소 • 불량제조, 생산과정에서 품질관리 미비, 설계 미숙 등으로 일어나는 고장 • 점검작업이나 시운전 등으로 감소시킬 수 있다. • 보전예방(MP) 실시
우발고장	• 일정형 – CFR(Constant Failure Rate) : 고장률이 시간에 관계없이 거의 일정 • 예측할 수 없을 때 발생하는 고장으로 시운전이나 점검작업으로는 방지할 수 없다. • 낮은 안전계수, 사용자의 과오, 설계강도 이상의 급격한 스트레스 축적, 최선의 검사방법으로도 탐지되지 않는 결함 때문에 발생하는 고장 • 사후보전(BM) 실시
마모고장	• 증가형 – IFR(Increasing Failure Rate) : 고장률이 시간에 따라 증가 • 장치의 일부가 수명을 다하여 생기는 고장 • 부식 또는 산화, 마모 또는 피로, 불충한 정비 등으로 발생하는 고장 • 안전진단 및 적당한 보수에 의해 감소시킬 수 있다. • 예방보전(PM) 실시

38 다음 중 일반적으로 작업장에서 구성요소를 배치할 때 배치의 원칙과 가장 거리가 먼 것은?

① 공정개선의 원칙
② 사용빈도의 원칙
③ 중요도의 원칙
④ 기능성의 원칙

정답 34 ④ 35 ③ 36 ④ 37 ③ 38 ①

해설
부품배치의 원칙

부품의 위치 결정	중요성의 원칙	체계의 목표달성에 긴요한 정도에 따른 우선순위를 설정
	사용빈도의 원칙	부품이 사용되는 빈도에 따른 우선순위 설정
부품의 배치 결정	기능별 배치의 원칙	기능적으로 관련된 부품들을 모아서 배치
	사용 순서의 원칙	순서적으로 사용되는 장치들을 가까이에 순서적으로 배치

39 청각적 표시장치에서 300m 이상의 장거리용 경보기에 사용하는 진동수로 가장 적절한 것은?

① 800Hz 전후 ② 2,200Hz 전후
③ 3,500Hz 전후 ④ 4,000Hz 전후

해설
경계 및 경보 신호를 선택, 설계할 때의 지침
1. 귀는 중음역에 가장 민감하므로 500~3,000Hz의 진동수를 사용
2. 고음은 멀리 가지 못하므로 300m 이상의 장거리용으로는 1,000Hz 이하의 진동수를 사용
3. 신호가 장애물을 돌아가거나 칸막이를 통과해야 할 경우에는 500Hz 이하의 진동수를 사용
4. 주의를 끌기 위해서 변조된 신호를 사용(초당 1~8번 나는 소리나 초당 1~3번 오르내리는 변조된 신호)
5. 배경소음의 진동수와 다른 신호를 사용(신호는 최소 0.5~1초 지속)
6. 경보효과를 높이기 위해서 개시시간이 짧은 고강도 신호 사용
7. 주변 소음에 대한 은폐효과를 막기 위해 500~1,000Hz 신호를 사용하여, 적어도 30dB 이상 차이가 나야 함
8. 가능하다면 다른 용도에 쓰이지 않는 확성기, 경적 등과 같은 별도의 통신계통을 사용

40 조도의 표준단위에 해당하는 것은?

① lux ② diopter
③ lumen ④ fL

해설
조도
1. 어떤 물체나 표면에 도달하는 빛의 단위 면적당 밀도

$$조도 = \frac{광도}{(거리)^2}$$

2. 단위는 lux를 사용하며, 거리가 증가할 때에 조도는 거리 역자승의 법칙에 따라 감소한다.
3. 조도는 광도에 비례하고 거리의 제곱에 반비례한다.

3과목 기계위험 방지기술

41 개구부에서 회전하는 롤러의 위험점까지 최단거리가 60mm일 때 개구부 간격은?

① 10mm ② 12mm
③ 13mm ④ 15mm

해설
롤러기 가드의 개구부 간격(ILO 기준, 위험점이 전동체가 아닌 경우)

$$Y = 6 + 0.15X \; (X < 160\text{mm})$$
$$(단, X \geq 160\text{mm}일 \; 때, Y = 30\text{mm})$$

여기서, X : 가드와 위험점 간의 거리(안전거리)(mm)
Y : 가드 개구부 간격(안전간극)(mm)

$Y = 6 + 0.15X = 6 + 0.15 \times 60 = 15[\text{mm}]$

42 다음 중 컨베이어의 안전장치가 아닌 것은?

① 이탈 및 역주행방지장치
② 비상정지장치
③ 덮개 또는 울
④ 비상난간

해설
컨베이어의 안전장치
1. 이탈 및 역주행방지장치
2. 비상정지장치
3. 덮개 또는 울
4. 건널다리

43 사고 체인의 5요소에 해당하지 않는 것은?

① 함정(Trap)
② 충격(Impact)
③ 접촉(Contact)
④ 결함(Flaw)

정답 39 ① 40 ① 41 ④ 42 ④ 43 ④

해설
위험의 5요소 (위험분류 체크 요인, 사고 체인의 요소)

1요소 : 함정 (Trap)	기계의 운동에 의해서 트랩점이 발생할 가능성이 있는가?
2요소 : 충격 (Impact)	운동하는 기계요소와 사람이 부딪쳐 사고가 날 가능성이 없는가?
3요소 : 접촉 (Contact)	날카롭거나, 차갑거나, 전류가 흐름으로써 접촉 시 상해가 일어날 요소들이 있는가?
4요소 : 얽힘, 말림 (Entanglement)	머리카락, 옷소매나 바지, 장갑, 넥타이, 작업복 등 기계설비에 말려들 염려는 없는가?
5요소 : 튀어나옴 (Ejection)	기계부품이나 피가공재가 기계로부터 튀어나올 염려가 없는가?

44 연삭기의 방호장치에 해당하는 것은?
① 주수장치 ② 덮개장치
③ 제동장치 ④ 소화장치

해설
연삭기
연삭기 행정 끝이 근로자에게 위험을 미칠 우려가 있는 경우에 해당 부위에 덮개 또는 울 등을 설치하여야 한다.

45 기계설비의 안전조건 중 구조의 안전화에 대한 설명으로 가장 거리가 먼 것은?
① 기계재료의 선정 시 재료 자체에 결함이 없는지 철저히 확인한다.
② 사용 중 재료의 강도가 열화될 것을 감안하여 설계 시 안전율을 고려한다.
③ 기계작동 시 기계의 오동작을 방지하기 위하여 오동작 방지 회로를 적용한다.
④ 가공 경화와 같은 가공결함이 생길 우려가 있는 경우는 열처리 등으로 결함을 방지한다.

해설
구조상의 안전화

설계상의 결함	• 가장 큰 원인은 강도산정(부하예측, 강도계산)상의 오류 • 사용상 강도의 열화를 고려하여 안전율을 산정
재료의 결함	기계 재료 자체에 균열, 부식, 강도 저하 등 결함이 있으므로 설계 시 재료의 선택에 유의하여야 한다.
가공의 결함	재료 가공 도중 결함이 생길 수 있으므로 기계적 특성을 갖는 적절한 열처리 등이 필요하다.

TIP 오동작을 방지하기 위하여 오동작 방지 회로를 적용하는 것은 기능적 안전화에 해당된다.

46 선반작업 중 안전사항과 거리가 먼 것은?
① 선반작업 시 바이트는 되도록 길게 설치한다.
② 칩을 짧게 끊어지도록 칩 브레이커를 설치한다.
③ 기계 운전 중에는 백기어(Back Gear)의 사용을 금한다.
④ 일감의 길이가 긴 공작물은 방진구를 설치하여야 진동을 방지한다.

해설
선반작업 시 주의사항
1. 칩(Chip)이 비산할 때는 보안경을 쓰고 방호판을 설치 사용한다.
2. 베드 위에 공구를 올려 놓지 않아야 한다.
3. 작업 중에 가공품을 만지지 않는다.
4. 장갑 착용을 금한다.
5. 작업 시 공구는 항상 정리해 둔다.
6. 가능한 한 절삭 방향은 주축대 쪽으로 한다.
7. 기계 점검을 한 후 작업을 시작한다.
8. 칩(Chip)이나 부스러기를 제거할 때는 기계를 정지시키고 압축공기를 사용하지 말고 반드시 브러시(솔)를 사용한다.
9. 치수 측정, 주유 및 청소를 할 때는 반드시 기계를 정지시키고 한다.
10. 기계를 운전 중에 백 기어(Back Gear)를 사용하지 말고 시동 전에 심압대가 잘 죄어 있는가를 확인한다.
11. 바이트는 가급적 짧게 장치하며 가공물의 길이가 직경의 12배 이상일 때는 반드시 방진구를 사용하여 진동을 막는다.
12. 리드 스크루에는 작업자의 하부가 걸리기 쉬우므로 조심해야 한다.

47 양수조작식 방호장치에서 양쪽 누름버튼 간의 내측 거리는 몇 mm 이상이어야 하는가?
① 100 ② 200
③ 300 ④ 400

해설
양수조작식 방호장치
누름버튼의 상호 간 내측거리는 300mm 이상이어야 한다.

정답 44 ② 45 ③ 46 ① 47 ③

48 작업자의 신체 움직임을 감지하여 프레스의 작동을 급정지시키는 광전자식 안전장치를 부착한 프레스가 있다. 안전거리가 32cm라면 급정지에 소요되는 시간은 최대 몇 초 이내이어야 하는가?(단, 급정지에 소용되는 시간은 손이 광선을 차단한 순간부터 급정지기구가 작동하여 하강하는 슬라이드가 정지할 때까지의 시간을 의미한다.)

① 0.1초
② 0.2초
③ 0.5초
④ 1초

해설

광전자식 방호장치의 설치 안전거리

$$D = 1,600 \times (T_c + T_s)$$

여기서, D : 안전거리(mm)
T_c : 방호장치의 작동시간(즉, 손이 광선을 차단했을 때부터 급정지기구가 작동을 개시할 때까지의 시간(초)]
T_s : 프레스 등의 최대정지시간(즉, 급정지기구가 작동을 개시했을 때부터 슬라이드 등이 정지할 때까지의 시간(초)]

1. $(T_c + T_s)$ = 급정지시간
2. 320mm = 1,600 × 급정지시간(초)
3. 급정지시간 = $\frac{320}{1,600}$ = 0.2[초]

TIP 단위에 주의할 것

---

49 양중기에 사용하지 않아야 하는 달기체인의 기준으로 틀린 것은?

① 변형이 심한 것
② 균열이 있는 것
③ 길이의 증가가 제조 시보다 3%를 초과한 것
④ 링의 단면지름의 감소가 제조 시 링 지름의 10%를 초과한 것

해설

양중기 달기체인의 사용금지 조건
1. 달기체인의 길이가 달기체인이 제조된 때의 길이의 5%를 초과한 것
2. 링의 단면지름이 달기체인이 제조된 때의 해당 링의 지름의 10%를 초과하여 감소한 것
3. 균열이 있거나 심하게 변형된 것

---

50 보일러에서 증기의 속도를 저하시키므로 응축수가 생겨 워터해머의 원인이 되는 것은?

① 캐리오버
② 포밍
③ 프라이밍
④ 역화

해설

이상현상의 종류

프라이밍 (Priming)	보일러수가 극심하게 끓어서 수면에서 계속하여 물방울이 비산하고 증기부가 물방울로 충만하여 수위가 불안정하게 되는 현상
포밍 (Foaming)	보일러수에 유지류, 고형물 등의 부유물로 인해 거품이 발생하여 수위를 판단하지 못하는 현상
캐리오버 (Carry Over)	• 보일러에서 증기관 쪽에 보내는 증기에 대량의 물방울이 포함되는 경우로 프라이밍이나 포밍이 생기면 필연적으로 발생 • 보일러에서 증기의 순도를 저하시킴으로써 관 내 응축수가 생겨 워터해머의 원인이 되는 것
워터해머 (Water Hammer, 수격작용)	• 증기관 내에서 증기를 보내기 시작할 때 해머로 치는 듯한 소리를 내며 관이 진동하는 현상 • 워터해머는 캐리오버에 기인한다.

---

51 산업용 로봇의 작동범위에서 그 로봇에 관하여 교시 등의 작업을 하는 경우 작업시간 전 점검사항에 해당하지 않는 것은?(단, 로봇의 동력원을 차단하고 행하는 것을 제외한다.)

① 회전부의 덮개 또는 울 부착 여부
② 제동장치 및 비상정지장치의 기능
③ 외부 전선의 피복 또는 외장의 손상 유무
④ 매니퓰레이터(Manipulator) 작동의 이상 유무

해설

교시 등의 작업을 할 때 작업시작 전 점검사항
1. 외부 전선의 피복 또는 외장의 손상 유무
2. 매니퓰레이터(Manipulator) 작동의 이상 유무
3. 제동장치 및 비상정지장치의 기능

---

52 위험한 작업점과 작업자 사이에 위험을 차단시키는 격리형 방호장치가 아닌 것은?

① 덮개형 방호장치
② 완전차단형 방호장치
③ 안전방책
④ 접촉반응형 방호장치

정답 48 ② 49 ③ 50 ① 51 ① 52 ④

> **해설**

격리형 방호장치
1. 작업점과 작업자 사이에 접촉되어 일어날 수 있는 재해를 방지하기 위해 차단벽이나 망을 설치하는 방호장치
2. 종류 : 완전차단형, 덮개형, 안전방책

53 아세틸렌 용접장치에 대하여 취관마다 설치하여야 하는 것은?(단, 주관 및 취관에 근접한 분기관마다 이것을 부착한 때는 부착하지 않아도 된다.)

① 압력 조정기　　② 안전기
③ 토치 크리너　　④ 자동전격 방지기

> **해설**

안전기의 설치기준

아세틸렌 용접장치	• 아세틸렌 용접장치의 취관마다 안전기를 설치하여야 한다(다만, 주관 및 취관에 가장 가까운 분기관마다 안전기를 부착한 경우에는 그러하지 아니하다). • 가스용기가 발생기와 분리되어 있는 아세틸렌 용접장치에 대하여 발생기와 가스용기 사이에 안전기를 설치하여야 한다.
가스집합 용접장치의 배관 (이동식을 포함)	• 플랜지 · 밸브 · 콕 등의 접합부에는 개스킷을 사용하고 접합면을 상호 밀착시키는 등의 조치를 할 것 • 주관 및 분기관에는 안전기를 설치할 것. 이 경우 하나의 취관에 2개 이상의 안전기를 설치하여야 한다.

54 드릴링 머신의 드릴지름이 10mm이고, 드릴 회전수가 1,000rpm일 때 원주속도는 약 몇 m/min인가?

① 3.14m/min　　② 6.28m/min
③ 31.4m/min　　④ 62.8m/min

> **해설**

드릴링 머신의 원주속도

$$V = \frac{\pi DN}{1,000}$$

여기서, V : 드릴의 원주속도(m/min)
　　　　D : 드릴의 직경(mm)
　　　　N : 드릴의 회전수(rpm)

$V = \frac{\pi DN}{1,000} = \frac{\pi \times 10 \times 1,000}{1,000} = 31.4 [\text{m/min}]$

55 크레인에서 훅걸이용 와이어로프 등이 훅으로부터 벗겨지는 것을 방지하기 위해 사용하는 방호장치는?

① 덮개　　　　　② 권과방지장치
③ 비상정지장치　④ 해지장치

> **해설**

훅 해지장치
줄걸이 용구인 와이어로프 슬링 또는 체인, 섬유벨트 등을 훅에 걸고 작업 시 이탈을 방지하기 위한 안전장치

56 다음과 같은 작업조건일 경우 와이어로프의 안전율은?

> 작업대에서 사용된 와이어로프 1줄의 파단하중이 100kN, 인양하중이 40kN, 로프의 줄 수가 2줄

① 2　　　　② 2.5
③ 4　　　　④ 5

> **해설**

와이어로프의 안전율

$$안전율(S) = \frac{로프의\ 가닥수(N) \times 로프의\ 파단하중(P)}{안전하중(Q)}$$

안전율$(S) = \frac{2 \times 100}{40} = 5$

57 체인과 스프로킷, 랙과 피니언, 풀리와 V벨트 등에서 형성되는 위험점은?

① 끼임점　　　② 회전 말림점
③ 접선 물림점　④ 협착점

> **해설**

기계운동 형태에 따른 위험점 분류

협착점 (Squeeze Point)	왕복운동을 하는 운동부와 움직임이 없는 고정부 사이에서 형성되는 위험점 (고정점 + 운동점)	• 프레스 · 전단기 • 성형기 · 조형기 • 밴딩기 · 인쇄기
끼임점 (Shear Point)	회전운동하는 부분과 고정부 사이에 위험이 형성되는 위험점 (고정점 + 회전운동)	• 연삭숫돌과 작업대 • 반복동작되는 링크 기구 • 교반기의 날개와 몸체 사이 • 회전풀리와 벨트

절단점 (Cutting Point)	회전하는 운동부 자체의 위험이나 운동하는 기계 부분 자체의 위험에서 형성되는 위험점 (회전운동 + 기계)	• 밀링커터 • 둥근 톱의 톱날 • 목공용 띠톱 날
물림점 (Nip Point)	회전하는 두 개의 회전체에 형성되는 위험점(서로 반대방향의 회전체) (중심점 + 반대방향의 회전운동)	• 기어와 기어의 물림 • 롤러와 롤러의 물림 • 롤러분쇄기
접선 물림점 (Tangential Nip Point)	회전하는 부분의 접선방향으로 물려들어갈 위험이 있는 위험점	• V벨트와 풀리 • 랙과 피니언 • 체인벨트 • 평벨트
회전 말림점 (Trapping Point)	회전하는 물체의 길이, 굵기, 속도 등의 불규칙 부위와 돌기 회전부위에 의해 장갑 또는 작업복 등이 말려들 위험이 있는 위험점	• 회전하는 축 • 커플링 • 회전하는 드릴

58 드릴 작업 시 올바른 작업안전수칙으로 거리가 먼 것은?

① 구멍을 뚫을 때 관통된 것을 확인하기 위해 손으로 만져서는 안 된다.
② 드릴을 끼운 후에 척 렌치(Chuck Wrench)를 끼우고 작업한다.
③ 작업모를 착용하고 옷소매가 긴 작업복은 입지 않는다.
④ 보호 안경을 쓰거나 안전덮개(Shield)를 설치한다.

해설

드릴링 작업에 대한 안전수칙
1. 일감은 견고하게 고정시키며 관통된 것을 확인하기 위해 손으로 만져서는 안 된다.
2. 드릴을 끼운 후 척 렌치(Chuck Wrench)는 반드시 뺀다.
3. 작업모를 착용하고 옷소매가 긴 작업복은 입지 않는다.
4. 드릴 작업에서는 보안경 및 안전덮개(Shield)를 설치한다.
5. 칩은 브러시(와이어 브러시)로 제거하고 장갑 착용은 금지한다.
6. 구멍 끝 작업에서는 절삭압력을 주어서는 안된다.
7. 고정구를 사용하여 작업 중 공작물의 유동을 방지한다.
8. 가공 중에 구멍이 관통되면 기계를 멈추고 손으로 돌려서 드릴을 뺀다.
9. 일감의 설치, 테이블의 고정이나 조정은 기계를 정지시킨 후에 실시한다.
10. 큰 구멍을 뚫을 때는 반드시 작은 구멍을 먼저 뚫은 후 큰 구멍을 뚫는다.
11. 얇은 판에 구멍을 뚫을 때에는 나무판을 밑에 받치고 뚫는다.
12. 구멍이 거의 다 뚫리는 끝부분에서 일감이 드릴과 함께 맞물려 회전하기 쉬우므로 주의하여야 한다.

59 기계설비 방호에서 가드의 설치조건으로 옳지 않은 것은?

① 충분한 강도를 유지할 것
② 구조가 단순하고 위험점 방호가 확실할 것
③ 개구부(틈새)의 간격은 임의로 조정이 가능할 것
④ 작업, 점검, 주유 시 장애가 없을 것

해설

가드의 설치기준
1. 충분한 강도를 유지할 것
2. 구조가 단순하고 조정이 용이할 것
3. 작업, 점검, 주유 시 등 장애가 없을 것
4. 위험점 방호가 확실할 것
5. 개구부 등 간격(틈새)이 적정할 것

60 롤러기의 급정지장치의 조작부의 방식이 아닌 것은?

① 복부로 조작하는 것
② 발로 조작하는 것
③ 손으로 조작하는 것
④ 무릎으로 조작하는 것

해설

급정지장치의 설치방법

급정지장치 조작부의 종류	위치	비고
손으로 조작하는 것	밑면으로부터 1.8m 이내	위치는 급정지장치 조작부의 중심점을 기준으로 함
복부로 조작하는 것	밑면으로부터 0.8m 이상 1.1m 이내	
무릎으로 조작하는 것	밑면으로부터 0.4m 이상 0.6m 이내	

정답 58 ② 59 ③ 60 ②

4과목 전기 및 화학설비위험방지기술

61 저항이 0.2Ω인 도체에 10A의 전류가 1분간 흘렀을 경우 발생하는 열량은 몇 cal인가?

① 64
② 144
③ 288
④ 386

해설
열량

$$Q = 0.24I^2RT \times 10^{-3} [\text{kcal}] = 0.24I^2RT [\text{cal}]$$

여기서, Q : 열량[J]
I : 전류[A]
R : 저항[Ω]
T : 전류가 흐른 시간[sec]

$Q = 0.24I^2RT = 0.24 \times 10^2 \times 0.2 \times 60 = 288[\text{cal}]$

62 다음 중 위험도가 가장 높은 통전경로는?

① 오른손 – 등
② 왼손 – 오른손
③ 왼손 – 발
④ 오른손 – 가슴

해설
통전경로별 위험도
감전 시의 영향은 전류의 경로에 따라 그 위험성이 달라지며, 전류가 심장 또는 그 주위를 통하게 되면 심장에 영향을 주어 가장 위험하다.

통전경로	심장전류계수	통전경로	심장전류계수
왼손 – 가슴	1.5	왼손 – 등	0.7
오른손 – 가슴	1.3	한 손 또는 양손 – 앉아 있는 자리	0.7
왼손 – 한 발 또는 양발	1.0	왼손 – 오른손	0.4
양손 – 양발	1.0	오른손 – 등	0.3
오른손 – 한 발 또는 양발	0.8		

※ 숫자가 클수록 위험도가 높다.

63 에틸에테르(폭발하한값 1.9vol%)와 에틸알콜(폭발하한값 4.3vol%)이 4:1로 혼합된 증기의 폭발하한계(vol%)는 약 얼마인가?(단, 혼합증기는 에틸에테르가 80%, 에틸알콜이 20%로 구성되고, 르샤틀리에 법칙을 이용한다.)

① 2.14vol%
② 3.14vol%
③ 4.14vol%
④ 5.14vol%

해설
르샤틀리에의 법칙(순수한 혼합가스일 경우)

$$\frac{100}{L} = \frac{V_1}{L_1} + \frac{V_2}{L_2} + \frac{V_2}{L_3} \cdots$$

$$L = \frac{100}{\frac{V_1}{L_1} + \frac{V_2}{L_2} + \cdots + \frac{V_n}{L_n}}$$

여기서, V_n : 전체 혼합가스 중 각 성분 가스의 체적(비율)[%]
L_n : 각 성분 단독의 폭발한계(상한 또는 하한)
L : 혼합가스의 폭발한계(상한 또는 하한)[vol%]

$$L = \frac{100}{\frac{80}{1.9} + \frac{20}{4.3}} = 2.138 = 2.14[\text{vol\%}]$$

64 산업안전보건기준에 관한 규칙에 따라 폭발성 물질을 저장·취급하는 화학설비 밑 그 부속설비를 설치할 때, 단위공정시설 및 설비로부터 다른 단위공정시설 및 설비 사이의 안전거리는 설비 바깥 면으로부터 몇 m 이상 두어야 하는가?(단, 원칙적인 경우에 한한다.)

① 3
② 5
③ 10
④ 20

해설
위험물을 저장·취급하는 화학설비 및 그 부속설비를 설치하는 경우의 안전거리

구분	안전거리
단위공정시설 및 설비로부터 다른 단위공정시설 및 설비의 사이	설비의 바깥 면으로부터 10미터 이상
플레어스택으로부터 단위공정시설 및 설비, 위험물질 저장탱크 또는 위험물질 하역설비의 사이	플레어스택으로부터 반경 20미터 이상. 다만, 단위공정시설 등이 불연재로 시공된 지붕 아래에 설치된 경우에는 그러하지 아니하다.
위험물질 저장탱크로부터 단위공정시설 및 설비, 보일러 또는 가열로의 사이	저장탱크의 바깥 면으로부터 20미터 이상. 다만, 저장탱크의 방호벽, 원격조종화설비 또는 살수설비를 설치한 경우에는 그러하지 아니하다.

정답 61 ③ 62 ④ 63 ① 64 ③

구분	안전거리
사무실·연구실·실험실·정비실 또는 식당으로부터 단위공정시설 및 설비, 위험물질 저장탱크, 위험물질 하역설비, 보일러 또는 가열로의 사이	사무실 등의 바깥 면으로부터 20미터 이상. 다만, 난방용 보일러인 경우 또는 사무실 등의 벽을 방호구조로 설치한 경우에는 그러하지 아니한다.

65 감전에 의한 전격위험을 결정하는 주된 인자와 거리가 먼 것은?

① 통전저항
② 통전전류의 크기
③ 통전경로
④ 통전시간

해설

감전재해의 요인

1차적 감전요소	• 통전전류의 크기 : 크면 위험, 인체의 저항이 일정할 때 접촉전압에 비례 • 통전경로 : 인체의 주요한 부분을 흐를수록 위험 • 통전시간 : 장시간 흐르면 위험 • 전원의 종류 : 전원의 크기(전압)가 동일한 경우 교류가 직류보다 위험하다.
2차적 감전요소	• 인체의 조건(저항) : 땀에 젖어 있거나 물에 젖어 있는 경우 인체의 저항이 감소하므로 위험성이 높아진다. • 전압 : 전압의 크기가 클수록 위험하다. • 계절 : 계절에 따라 인체의 저항이 변화하므로 전격에 대한 위험도에 영향을 준다.

66 인체가 현저히 젖어 있거나 인체의 일부가 금속성의 전기기구 또는 구조물에 상시 접촉되어 있는 상태의 허용접촉전압(V)은?

① 2.5V 이하
② 25V 이하
③ 50V 이하
④ 제한 없음

해설

허용접촉전압

종별	접촉상태	허용접촉전압
제1종	인체의 대부분이 수중에 있는 상태	2.5V 이하
제2종	• 인체가 현저하게 젖어 있는 상태 • 금속성의 전기기계장치나 구조물에 인체의 일부가 상시 접촉되어 있는 상태	25V 이하
제3종	제1종, 제2종 이외의 경우로 통상의 인체상태에 있어서 접촉전압이 가해지면 위험성이 높은 상태	50V 이하
제4종	• 제1종, 제2종 이외의 경우로 통상의 인체상태에 있어서 접촉전압이 가해지더라도 위험성이 낮은 상태 • 접촉전압이 가해질 우려가 없는 상태	제한 없음

67 다음 중 물질의 저장방법으로 옳은 것은?

① 황린 : 저장용기 중에 물을 넣어 보관
② 과산화수소 : 장기 보존 시에는 유리 용기에 저장
③ 피크린산 : 철 또는 구리로 된 용기에 저장
④ 마그네슘 : 다습하고, 통풍이 잘되는 장소에 보관

해설

황린(백린 = P_4)
pH 9(약알칼리성) 정도의 물속에 저장하며 보호액이 증발되지 않도록 한다.

68 최소착화에너지가 0.25mJ, 극간 정전용량이 10pF인 부탄가스 버너를 점화시키기 위해서 최소 얼마 이상의 전압을 인가하여야 하는가?

① 0.52×10^2 V
② 0.74×10^3 V
③ 7.07×10^3 V
④ 5.03×10^5 V

해설

최소발화에너지

$$E = \frac{1}{2}CV^2$$

여기서, E : 발화에너지[J]
C : 전기용량[F]
V : 방전전압[V]

① $E = \frac{1}{2}CV^2 \rightarrow 2E = CV^2 \rightarrow V^2 = \frac{2E}{C} \rightarrow V = \sqrt{\frac{2E}{C}}$

② $V = \sqrt{\frac{2E}{C}} = \sqrt{\frac{2 \times 0.25 \times 10^{-3}}{10 \times 10^{-12}}}$

$= 7,071.06[V] = 7.07 \times 10^3 [V]$

TIP pF = 10^{-12}F, mJ = 10^{-3}J

정답 65 ① 66 ② 67 ① 68 ③

69 페인트를 스프레이로 뿌려 도장작업을 하는 작업 중 발생할 수 있는 정전기 대전으로만 이루어진 것은?

① 유동대전, 충돌대전
② 유동대전, 마찰대전
③ 분출대전, 충돌대전
④ 분출대전, 유동대전

해설

정전기의 발생현상

분출대전	분체류, 액체류, 기체류가 단면적이 작은 개구부를 통해 분출할 때 분출물과 개구부의 마찰로 인하여 정전기가 발생
충돌대전	분체류에 의한 입자끼리 또는 입자와 고정된 고체의 충돌, 접촉, 분리 등에 의해 정전기 발생

70 다음 설명에 해당하는 위험장소의 종류로 옳은 것은?

> 공기 중에서 가연성 분진운의 형태가 연속적, 또는 장기적 또는 단기적 자주 폭발성 분위기가 존재하는 장소

① 0종 장소
② 1종 장소
③ 20종 장소
④ 21종 장소

해설

분진폭발 위험장소

분류	적요	예
20종 장소	분진운 형태의 가연성 분진이 폭발농도를 형성할 정도로 충분한 양이 정상 작동 중에 연속적으로 또는 자주 존재하거나, 제어할 수 없을 정도의 양 및 두께의 분진층이 형성될 수 있는 장소를 말한다.	호퍼·분진저장소·집진장치·필터 등의 내부
21종 장소	20종 장소 밖으로서(장소 외의 장소로서) 분진운 형태의 가연성 분진이 폭발농도를 형성할 정도의 충분한 양이 정상 작동 중에 존재할 수 있는 장소를 말한다.	집진장치·백필터·배기구 등의 주위, 이송벨트 샘플링 지역 등
22종 장소	21종 장소 밖으로서(장소 외의 장소로서) 가연성 분진운 형태가 드물게 발생 또는 단기간 존재할 우려가 있거나, 이상 작동 상태에서 가연성 분진운이 형성될 수 있는 장소를 말한다.	21종 장소에서 예방조치가 취하여진 지역, 환기설비 등과 같은 안전장치 배출구 주위 등

71 다음 중 산업안전보건법에 따른 방폭구조의 종류에 있어 방진방폭구조를 나타내는 표시로 옳은 것은?

① tD
② DDP
③ XDP
④ DP

해설

방진방폭구조(tD)
분진층이나 분진운의 점화를 방지하기 위하여 용기로 보호하는 전기기기에 적용되는 분진침투 방지, 표면온도 제한 등의 방법을 말한다.

72 다음 중 "공기 중의 발화온도"가 가장 높은 물질은?

① CH_4
② C_2H_2
③ H_2S
④ C_2H_6

해설

발화온도

메탄(CH_4)	아세틸렌(C_2H_2)	황화수소(H_2S)	에탄(C_2H_6)
537℃	305℃	260℃	472℃

73 물체의 마찰로 인하여 정전기가 발생할 때 정전기를 제거할 수 있는 방법은?

① 가열을 한다.
② 가습을 한다.
③ 건조하게 한다.
④ 마찰을 세게 한다.

해설

정전기재해의 방지대책
1. 접지(도체의 대전방지)
2. 유속의 제한
3. 보호구의 착용
4. 대전방지제 사용
5. 가습(상대습도를 60~70% 정도 유지)
6. 제전기 사용
7. 대전물체의 차폐
8. 정치시간의 확보
9. 도전성 재료 사용

74 다음 중 소화의 원리에 해당되지 않는 것은?

① 연소의 연쇄반응을 차단시킨다.
② 한계산소지수를 높이도록 한다.
③ 가연성 물질을 인화점 또는 발화점 이하로 낮춘다.
④ 혼합 기체의 농도를 연소범위 밖으로 벗어나게 한다.

해설
1. 연소의 연쇄반응을 차단시킨다. : 억제소화(부촉매소화)
2. 가연성 물질을 인화점 또는 발화점 이하로 낮춘다. : 냉각소화
3. 혼합 기체의 농도를 연소범위 밖으로 벗어나게 한다. : 질식소화

> **TIP** 한계산소지수
> 산소와 질소를 혼합한 기류 중에서 점화된 시료가 계속 연소하는 데 필요한 산소의 최저농도를 말한다.

75 인체가 전격을 당했을 경우 통전시간이 1초라면 심실세동을 일으키는 전류값(mA)은?(단, 심실세동 전류값은 Dalziel의 관계식을 이용한다.)

① 100 ② 165
③ 180 ④ 215

해설
심실세동전류(치사전류)

$$I = \frac{165}{\sqrt{T}} (mA)$$

여기서, I : 심실세동전류(mA)
T : 통전 시간(sec)
전류 I는 1,000명 중 5명 정도가 심실세동을 일으키는 값

$$I = \frac{165}{\sqrt{T}} = \frac{165}{\sqrt{1}} = 165[mA]$$

76 다음 중 건조설비의 사용상 주의사항으로 적절하지 않은 것은?

① 건조설비 가까이 가연성 물질을 두지 말 것
② 고온으로 가열 건조한 물질은 즉시 격리 저장할 것
③ 위험물 건조설비를 사용할 때는 미리 내부를 청소하거나 환기시킨 후 사용할 것
④ 건조 시 발생하는 가스·증기 또는 분진에 의한 화재·폭발의 위험이 있는 물질은 안전한 장소로 배출할 것

해설
건조설비의 사용 시 준수사항
1. 위험물 건조설비를 사용하는 경우에는 미리 내부를 청소하거나 환기할 것
2. 위험물 건조설비를 사용하는 경우에는 건조로 인하여 발생하는 가스·증기 또는 분진에 의하여 폭발·화재의 위험이 있는 물질을 안전한 장소로 배출시킬 것
3. 위험물 건조설비를 사용하여 가열건조하는 건조물은 쉽게 이탈되지 않도록 할 것
4. 고온으로 가열건조한 인화성 액체는 발화의 위험이 없는 온도로 냉각한 후에 격납시킬 것
5. 건조설비(바깥 면이 현저히 고온이 되는 설비만 해당)에 가까운 장소에는 인화성 액체를 두지 않도록 할 것

77 공정안전보고서에 포함되어야 할 세부 내용 중 공정안전자료에 해당하는 것은?

① 각종 건물·설비의 배치도
② 결함수 분석(FTA)
③ 도급업체 안전관리계획
④ 비상조치계획에 따른 교육계획

해설
공정안전자료
1. 취급·저장하고 있거나 취급·저장하려는 유해·위험물질의 종류 및 수량
2. 유해·위험물질에 대한 물질안전보건자료
3. 유해·위험설비의 목록 및 사양
4. 유해·위험설비의 운전방법을 알 수 있는 공정도면
5. 각종 건물·설비의 배치도
6. 폭발위험장소 구분도 및 전기단선도
7. 위험설비의 안전설계·제작 및 설치 관련 지침서

78 가정에서 요리를 할 때 사용하는 가스레인지에서 일어나는 가스의 연소형태에 해당되는 것은?

① 자기연소
② 분해연소
③ 표면연소
④ 확산연소

해설
확산연소
1. 가연성 가스가 공기 중의 지연성 가스(산소)와 접촉하여 접촉면에서 연소가 일어나는 현상(수소, 메탄, 프로판, 부탄 등)
2. 기체의 일반적인 연소형태이다.

정답 75 ② 76 ② 77 ① 78 ④

79 산업안전보건법에 따라 누전에 의한 감전위험을 방지하기 위하여 대지전압이 몇 V를 초과하는 이동형 또는 휴대형 전기기계·기구에는 감전방지용 누전차단기를 설치하여야 하는가?

① 50V
② 75V
③ 110V
④ 150V

해설
감전방지용 누전차단기의 적용대상
1. 대지전압이 150볼트를 초과하는 이동형 또는 휴대형 전기기계·기구
2. 물 등 도전성이 높은 액체가 있는 습윤장소에서 사용하는 저압(1.5천볼트 이하 직류전압이나 1천볼트 이하의 교류전압을 말한다)용 전기기계·기구
3. 철판·철골 위 등 도전성이 높은 장소에서 사용하는 이동형 또는 휴대형 전기기계·기구
4. 임시배선의 전로가 설치되는 장소에서 사용하는 이동형 또는 휴대형 전기기계·기구

80 어떤 인화성 액체가 점화원의 존재하에 지속적인 연소를 일으키는 최저온도를 무엇이라고 하는가?

① 인화점
② 발화점
③ 연소점
④ 산화점

해설
연소점(Fire Point)
인화성 액체가 공기 중에서 열을 받아 점화원의 존재하에 지속적인 연소를 일으킬 수 있는 최저온도를 말하며 동일한 물질일 경우 연소점은 인화점보다 약 3~10℃ 정도 높으며 연소를 5초 이상 지속할 수 있는 온도이다.

5과목 건설안전기술

81 사업주는 비계의 높이가 2m 이상인 작업장소에는 작업 발판을 설치하여야 하는데 그 설치기준으로 옳지 않은 것은?

① 발판재료는 작업할 때의 하중을 견딜 수 있도록 견고한 것으로 할 것
② 작업발판의 폭은 40cm 이상으로 하고, 발판재료 간의 틈은 3cm 이하로 할 것
③ 작업발판재료는 뒤집히거나 떨어지지 않도록 하나 이상의 지지물에 연결하거나 고정시킬 것
④ 추락의 위험이 있는 장소에는 안전난간을 설치할 것

해설
비계(달비계, 달대비계 및 말비계는 제외)의 높이가 2미터 이상인 작업장소의 작업발판 설치기준
1. 발판재료는 작업할 때의 하중을 견딜 수 있도록 견고한 것으로 할 것
2. 작업발판의 폭은 40센티미터 이상으로 하고, 발판재료 간의 틈은 3센티미터 이하로 할 것
3. 제2호에도 불구하고 선박 및 보트 건조작업의 경우 선박블록 또는 엔진실 등의 좁은 작업공간에 작업발판을 설치하기 위하여 필요하면 작업발판의 폭을 30센티미터 이상으로 할 수 있고, 걸침비계의 경우 강관기둥 때문에 발판재료 간의 틈을 3센티미터 이하로 유지하기 곤란하면 5센티미터 이하로 할 수 있다. 이 경우 그 틈 사이로 물체 등이 떨어질 우려가 있는 곳에는 출입금지 등의 조치를 하여야 한다.
4. 추락의 위험이 있는 장소에는 안전난간을 설치할 것(다만, 작업의 성질상 안전난간을 설치하는 것이 곤란한 경우, 작업의 필요상 임시로 안전난간을 해체할 때에 추락방호망을 설치하거나 근로자로 하여금 안전대를 사용하도록 하는 등 추락위험 방지 조치를 한 경우에는 그러하지 아니하다.)
5. 작업발판의 지지물은 하중에 의하여 파괴될 우려가 없는 것을 사용할 것
6. 작업발판재료는 뒤집히거나 떨어지지 않도록 둘 이상의 지지물에 연결하거나 고정시킬 것
7. 작업발판을 작업에 따라 이동시킬 경우에는 위험 방지에 필요한 조치를 할 것

82 리프트(Lift)의 방호장치에 해당하지 않는 것은?

① 권과방지장치
② 비상정지장치
③ 과부하방지장치
④ 자동경보장치

해설
리프트의 방호장치
리프트(자동차정비용 리프트는 제외)의 운반구 이탈 등의 위험을 방지하기 위하여 권과방지장치, 과부하방지장치, 비상정지장치 등을 설치하는 등 필요한 조치를 하여야 한다.

정답 79 ④ 80 ③ 81 ③ 82 ④

83 건설용 양중기에 대한 설명으로 옳은 것은?

① 삼각데릭은 인접시설에 장해가 없는 상태에서 360° 회전이 가능하다.
② 이동식 크레인(Crane)에는 트럭 크레인, 크롤러 크레인 등이 있다.
③ 휠 크레인에는 무한궤도식과 타이어식이 있으며 장거리 이동에 적당하다.
④ 크롤러 크레인은 휠 크레인보다 기동성이 뛰어나다.

해설
건설용 양중기
1. 삼각데릭의 회전범위 : 270°, 작업범위 : 180°이다.
2. 휠 크레인은 기계식과 유압식이 있으며, 기계식보다 유압식을 많이 사용한다.
3. 휠 크레인은 크롤러 크레인보다 기동성이 뛰어나다.

TIP 이동식 크레인의 종류
트럭 크레인, 크롤러 크레인, 휠 크레인, 유압 크레인 등

84 화물을 적재하는 경우 준수하여야 할 사항으로 옳지 않은 것은?

① 침하 우려가 없는 튼튼한 기반 위에 적재할 것
② 화물의 압력 정도와 관계없이 건물의 벽이나 칸막이 등을 이용하여 화물을 기대어 적재할 것
③ 하중이 한쪽으로 치우치지 않도록 쌓을 것
④ 불안정할 정도로 높이 쌓아 올리지 말 것

해설
화물의 적재 시 준수사항
1. 침하 우려가 없는 튼튼한 기반 위에 적재할 것
2. 건물의 칸막이나 벽 등이 화물의 압력에 견딜 만큼의 강도를 지니지 아니한 경우에는 칸막이나 벽에 기대어 적재하지 않도록 할 것
3. 불안정할 정도로 높이 쌓아 올리지 말 것
4. 하중이 한쪽으로 치우치지 않도록 쌓을 것

85 다음 ( ) 안에 들어갈 말로 옳은 것은?

콘크리트 측압은 콘크리트 타설속도, ( ), 단위용적중량, 온도, 철근배근상태 등에 따라 달라진다.

① 타설높이
② 타설순서
③ 콘크리트 강도
④ 박리제

해설
콘크리트 측압
1. 측압은 콘크리트가 아직 굳지 않는 유동체의 경우 발생하는 압력으로 온도, 타설속도(부어넣기 속도), 타설높이, 단위용적중량, 철근배근상태 등에 관계된다.
2. 콘크리트 높이에 따라 측압은 상승하나 일정높이 이상이 되면 측압은 증가하지 않는다.

TIP
- 타설속도가 빠를수록 커진다.
- 타설 시 상부에서 직접 낙하할 경우 커진다.
- 콘크리트의 비중(단위중량)이 클수록 크다.
- 외기의 온도, 습도가 낮을수록 커진다.
- 철골, 철근량이 적을수록 커진다.

86 다음은 산업안전보건법령에 따른 작업장에서의 투하설비 등에 관한 사항이다. 빈칸에 들어갈 내용으로 옳은 것은?

사업주는 높이가 ( ) 이상인 장소로부터 물체를 투하하는 경우 적당한 투하설비를 설치하거나 감시인을 배치하는 등 위험을 방지하기 위하여 필요한 조치를 하여야 한다.

① 2m
② 3m
③ 5m
④ 10m

해설
투하설비 등
높이가 3미터 이상인 장소로부터 물체를 투하하는 경우 적당한 투하설비를 설치하거나 감시인을 배치하는 등 위험을 방지하기 위하여 필요한 조치를 하여야 한다.

87 건설현장에서의 작업장 계단 및 계단참 설치기준으로 옳지 않은 것은?

① 계단 및 계단참을 설치하는 경우 안전율을 4 이상으로 할 것
② 높이가 3m를 초과하는 계단에 높이 3m 이내마다 너비 1.5m 이상의 계단참을 설치할 것
③ 계단을 설치하는 경우 그 폭을 1m 이상으로 할 것
④ 높이 1m 이상인 계단의 개방된 측면에는 안전난간을 설치할 것

정답 83 ② 84 ② 85 ① 86 ② 87 ②

해설

가설계단의 설치기준

계단 및 계단참의 강도	• 매제곱미터당 500킬로그램 이상의 하중에 견딜 수 있는 강도를 가진 구조로 설치하여야 한다. • 안전율(재료의 파괴응력도와 허용응력도의 비율)은 4 이상으로 하여야 한다. • 계단 및 승강구 바닥을 구멍이 있는 재료로 만드는 경우 렌치나 그 밖의 공구 등이 낙하할 위험이 없는 구조로 하여야 한다.
계단의 폭	• 계단을 설치하는 경우 그 폭을 1미터 이상으로 하여야 한다(다만, 급유용·보수용·비상용 계단 및 나선형 계단이거나 높이 1미터 미만의 이동식 계단인 경우에는 제외). • 계단에 손잡이 외의 다른 물건 등을 설치하거나 쌓아 두어서는 아니 된다.
계단참의 설치	높이가 3미터를 초과하는 계단에 높이 3미터 이내마다 진행방향으로 길이 1.2미터 이상의 계단참을 설치해야 한다.
천장의 높이	계단을 설치하는 경우 바닥면으로부터 높이 2미터 이내의 공간에 장애물이 없도록 하여야 한다(다만, 급유용·보수용·비상용 계단 및 나선형 계단인 경우에는 제외).
계단의 난간	높이 1미터 이상인 계단의 개방된 측면에 안전난간을 설치하여야 한다.

88 다음과 같은 조건에서 추락 시 로프의 지지점에서 최하단까지의 거리 h를 구하면 얼마인가?

- 로프 길이 150cm
- 로프 신율 30%
- 근로자 신장 170cm

① 2.8m ② 3.0m
③ 3.2m ④ 3.4m

해설

최하사점

$$H > h = 로프의\ 길이(l) + 로프의\ 신장(율)길이(l \times a) + 작업자의\ 키 \times \frac{1}{2}$$

여기서, h : 추락 시 로프 지지 위치에서 신체의 최하사점까지의 거리(최하사점)
H : 로프 지지 위치에서 바닥면까지의 거리

$h = 150 + (150 \times 0.3) + 170 \times \frac{1}{2} = 28[cm] = 2.8m$

89 블레이드의 길이가 길고 낮으며 블레이드의 좌우를 전후로 25~30° 각도로 회전시킬 수 있어 흙을 측면으로 보낼 수 있는 도저를 무슨 도저라 하는가?

① 레이크 도저
② 스트레이트 도저
③ 앵글 도저
④ 틸트 도저

해설

배토판(Blade)의 형태 및 작동방법에 의한 분류

스트레이트 도저 (Straight Dozer)	트랙터의 종방향 중심축에 배토판을 직각으로 설치하여 직선적인 굴착 및 압토작업에 효율적
앵글 도저 (Angle Dozer)	배토판을 진행방향에 따라 20~30°의 좌우로 돌릴 수 있도록 만든 장치로, 측면굴착에 유리
틸트 도저 (Tilt Dozer)	배토판을 좌우로 상하 25~30°까지 아래로 기울어지게 하여 도랑파기, 경사면 굴착에 유리
힌지 도저 (Hinge Dozer)	배토판 중앙에 힌지를 붙여 안팎으로 V자형으로 꺾을 수 있으며, 흙을 깎아 옆으로 밀어내면서 전진하므로 제설, 제토작업 및 다량의 흙을 전방으로 밀고 가는 데 적합한 도저

90 안전난간의 설치기준으로 옳지 않은 것은?

① 상부 난간대는 바닥면·발판 또는 경사로의 표면으로부터 90cm 이상 지점에 설치한다.
② 발판끝막이판은 바닥면 등으로부터 20cm 이상의 높이를 유지할 것
③ 상부 난간대와 중간 난간대는 난간 길이 전체에 걸쳐 바닥면 등과 평행을 유지할 것
④ 난간대는 지름 2.7cm 이상의 금속제 파이프나 그 이상의 강도가 있는 재료일 것

해설

안전난간의 구조 및 설치요건

구성	상부 난간대, 중간 난간대, 발끝막이판 및 난간기둥으로 구성할 것(다만, 중간 난간대, 발끝막이판 및 난간기둥은 이와 비슷한 구조와 성능을 가진 것으로 대체할 수 있음)

상부 난간대	상부 난간대는 바닥면·발판 또는 경사로의 표면(이하 "바닥면 등"이라 한다)으로부터 90센티미터 이상 지점에 설치하고, 상부 난간대를 120센티미터 이하에 설치하는 경우에는 중간 난간대는 상부 난간대와 바닥면 등의 중간에 설치해야 하며, 120센티미터 이상 지점에 설치하는 경우에는 중간 난간대를 2단 이상으로 균등하게 설치하고 난간의 상하 간격은 60센티미터 이하가 되도록 할 것(다만, 난간기둥 간의 간격이 25센티미터 이하인 경우에는 중간 난간대를 설치하지 않을 수 있음)
발끝막이판 (폭목)	발끝막이판은 바닥면 등으로부터 10센티미터 이상의 높이를 유지할 것(다만, 물체가 떨어지거나 날아올 위험이 없거나 그 위험을 방지할 수 있는 망을 설치하는 등 필요한 예방 조치를 한 장소는 제외)
난간기둥	상부 난간대와 중간 난간대를 견고하게 떠받칠 수 있도록 적정한 간격을 유지할 것
상부 난간대와 중간 난간대	상부 난간대와 중간 난간대는 난간 길이 전체에 걸쳐 바닥면 등과 평행을 유지할 것
난간대	난간대는 지름 2.7센티미터 이상의 금속제 파이프나 그 이상의 강도가 있는 재료일 것
하중	안전난간은 구조적으로 가장 취약한 지점에서 가장 취약한 방향으로 작용하는 100킬로그램 이상의 하중에 견딜 수 있는 튼튼한 구조일 것

91 토사 붕괴의 내적 요인이 아닌 것은?

① 사면, 법면의 경사 증가
② 절토 사면의 토질구성 이상
③ 성토 사면의 토질구성 이상
④ 토석의 강도 저하

해설
토석붕괴의 원인

외적 원인	• 사면, 법면의 경사 및 기울기의 증가 • 절토 및 성토 높이의 증가 • 공사에 의한 진동 및 반복 하중의 증가 • 지표수 및 지하수의 침투에 의한 토사 중량의 증가 • 지진, 차량, 구조물의 하중작용 • 토사 및 암석의 혼합층 두께
내적 원인	• 절토 사면의 토질·암질 • 성토 사면의 토질구성 및 분포 • 토석의 강도 저하

92 사다리식 통로의 설치기준으로 옳지 않은 것은?

① 발판과 벽과의 사이는 15cm 이상의 간격을 유지할 것
② 사다리의 상단은 걸쳐놓은 지점으로부터 40cm 이상 올라가도록 할 것
③ 폭은 30cm 이상으로 할 것
④ 사다리식 통로의 기울기는 75° 이하로 할 것

해설
사다리식 통로 등의 구조
1. 견고한 구조로 할 것
2. 심한 손상·부식 등이 없는 재료를 사용할 것
3. 발판의 간격은 일정하게 할 것
4. 발판과 벽과의 사이는 15센티미터 이상의 간격을 유지할 것
5. 폭은 30센티미터 이상으로 할 것
6. 사다리가 넘어지거나 미끄러지는 것을 방지하기 위한 조치를 할 것
7. 사다리의 상단은 걸쳐놓은 지점으로부터 60센티미터 이상 올라가도록 할 것
8. 사다리식 통로의 길이가 10미터 이상인 경우에는 5미터 이내마다 계단참을 설치할 것
9. 사다리식 통로의 기울기는 75도 이하로 할 것. 다만, 고정식 사다리식 통로의 기울기는 90도 이하로 하고, 그 높이가 7미터 이상인 경우에는 다음 각 목의 구분에 따른 조치를 할 것
   가. 등받이울이 있어도 근로자 이동에 지장이 없는 경우 : 바닥으로부터 높이가 2.5미터 되는 지점부터 등받이울을 설치할 것
   나. 등받이울이 있으면 근로자가 이동이 곤란한 경우 : 개인용 추락 방지 시스템을 설치하고 근로자로 하여금 전신안전대를 사용하도록 할 것
10. 접이식 사다리 기둥은 사용 시 접혀지거나 펼쳐지지 않도록 철물 등을 사용하여 견고하게 조치할 것

93 산업안전보건기준에 관한 규칙에 따른 작업장 근로자의 안전한 통행을 위하여 통로에 설치하여야 하는 조명시설의 조도기준(lux)은?

① 30 lux 이상
② 75 lux 이상
③ 150 lux 이상
④ 300 lux 이상

해설
통로의 조명
근로자가 안전하게 통행할 수 있도록 통로에 75럭스 이상의 채광 또는 조명시설을 하여야 한다(다만, 갱도 또는 상시 통행을 하지 아니하는 지하실 등을 통행하는 근로자에게 휴대용 조명기구를 사용하도록 한 경우에는 제외).

정답 91 ① 92 ② 93 ②

94 채석작업을 하는 경우 지반의 붕괴 또는 토사 등의 낙하로 인하여 근로자에게 발생할 우려가 있는 위험을 방지하기 위하여 취하여야 할 조치와 가장 거리가 먼 것은?

① 작업시작 전 작업장소 및 그 주변 지반의 부석과 균열의 유무와 상태 점검
② 함수·용수 및 동결상태의 변화 점검
③ 진동치 속도 점검
④ 발파 후 발파장소 점검

해설
채석작업 지반붕괴 위험방지
1. 점검자를 지명하고 당일 작업시작 전에 작업장소 및 그 주변 지반의 부석과 균열의 유무와 상태, 함수·용수 및 동결상태의 변화를 점검할 것
2. 점검자는 발파 후 그 발파장소와 그 주변의 부석 및 균열의 유무와 상태를 점검할 것

95 느슨하게 쌓여 있는 모래지반이 물로 포화되어 있을 때 지진이나 충격을 받으면 일시적으로 전단강도를 잃어버리는 현상은?

① 모관 현상
② 보일링 현상
③ 틱소트로피
④ 액상화 현상

해설
액상화(Liquefaction) 현상
1. 모래지반에서 순간충격 등에 의해 간극수압의 상승으로 유효응력이 감소되어 전단저항을 상실하고 지반이 액체와 같이 되는 현상
2. 액상화 발생 시 건물의 부상 및 부동침하가 발생

96 다음 중 모래지반의 내부 마찰각을 구할 수 있는 시험 방법은?

① 웰 포인트
② 표준관입시험
③ 지내력시험
④ 베인테스트

해설
표준관입시험(Standard Penetration Test)
1. 무게 63.5kg의 해머로 76cm 높이에서 자유낙하시켜 샘플러를 30cm 관입시키는 데 소요되는 타격횟수 N치를 측정하는 시험
2. 흙의 지내력 판단, 사질토 지반에 적용
3. N값이 클수록 밀실한 토질이다.

97 유해·위험 방지계획서 작성 대상 공사의 기준으로 옳지 않은 것은?

① 지상높이 31m 이상인 건축물 공사 또는 인공구조물
② 저수용량 1천만 톤 이상인 용수 전용 댐
③ 최대 지간길이가 50m 이상인 다리의 건설 등 공사
④ 깊이 10m 이상인 굴착공사

해설
유해위험방지계획서를 제출해야 하는 건설공사
1. 다음 각 목의 어느 하나에 해당하는 건축물 또는 시설 등의 건설·개조 또는 해체공사
   ㉠ 지상높이가 31미터 이상인 건축물 또는 인공구조물
   ㉡ 연면적 3만 제곱미터 이상인 건축물
   ㉢ 연면적 5천 제곱미터 이상인 시설로서 다음의 어느 하나에 해당하는 시설
   - 문화 및 집회시설(전시장 및 동물원·식물원은 제외)
   - 판매시설, 운수시설(고속철도의 역사 및 집배송시설은 제외)
   - 종교시설
   - 의료시설 중 종합병원
   - 숙박시설 중 관광숙박시설
   - 지하도상가
   - 냉동·냉장 창고시설
2. 연면적 5천 제곱미터 이상의 냉동·냉장창고시설의 설비공사 및 단열공사
3. 최대 지간길이(다리의 기둥과 기둥의 중심 사이의 거리)가 50미터 이상인 다리의 건설 등 공사
4. 터널의 건설 등 공사
5. 다목적댐, 발전용댐, 저수용량 2천만 톤 이상의 용수 전용 댐 및 지방상수도 전용 댐의 건설 등 공사
6. 깊이 10미터 이상인 굴착공사

98 물체가 떨어지거나 날아올 위험 또는 근로자가 추락할 위험이 있는 작업 시 착용하여야 할 보호구는?

① 보안경
② 안전모
③ 방열복
④ 방한복

해설
보호구의 지급

보안경	물체가 흩날릴 위험이 있는 작업
안전모	물체가 떨어지거나 날아올 위험 또는 근로자가 추락할 위험이 있는 작업
방열복	고열에 의한 화상 등의 위험이 있는 작업
방한모·방한복·방한화·방한장갑	섭씨 영하 18도 이하인 급냉동어창에서 하는 하역작업

정답 94 ③ 95 ④ 96 ② 97 ② 98 ②

99 철근의 가스절단 작업 시 안전상 유의해야 할 사항으로 옳지 않은 것은?

① 작업장에는 소화기를 비치하도록 한다.
② 호스, 전선 등은 다른 작업장을 거치는 곡선상의 배선이어야 한다.
③ 전선의 경우 피복이 손상되어 있는지를 확인하여야 한다.
④ 호스는 작업 중에 겹치거나 밟히지 않도록 한다.

해설

가스절단을 할 때 유의사항
1. 가스절단 및 용접자는 해당 자격 소지자라야 하며, 작업 중에는 보호구를 착용하여야 한다.
2. 가스절단 작업 시 호스는 겹치거나 구부러지거나 또는 밟히지 않도록 하고 전선의 경우에는 피복이 손상되어 있는지를 확인하여야 한다.
3. 호스, 전선 등은 다른 작업장을 거치지 않는 직선상의 배선이어야 하며, 길이가 짧아야 한다.
4. 작업장에서 가연성 물질에 인접하여 용접작업할 때에는 소화기를 비치하여야 한다.

100 지반보다 6m 정도 깊은 경질 지반의 기초파괴에 적합한 굴착 기계는?

① Drag Line   ② Tractor Shovel
③ Back Hoe   ④ Power Shovel

해설

백호(Back Hoe, 드래그 셔블)
1. 굴삭기가 위치한 지면보다 낮은 곳을 굴착하는 데 적당
2. 도랑파기에 적당하며 굴삭력이 우수
3. 비교적 굳은 지반의 토질에서도 사용 가능
4. 경사로나 연약지반에서는 무한궤도식이 타이어식보다 안전하다.

정답 99 ② 100 ③

PART 07
04 | 2024년 1회 기출복원문제

1과목 산업재해 예방 및 안전보건교육

01 다음 중 안전교육의 지도원칙으로 옳은 내용을 모두 고른 것은?

㉠ 피교육자 중심으로 교육한다.
㉡ 동기부여를 중요시 한다.
㉢ 쉬운 것에서 어려운 것으로 진행한다.
㉣ 오감을 활용한다.

① ㉡, ㉢, ㉣
② ㉠, ㉡, ㉢
③ ㉠, ㉡, ㉣
④ ㉠, ㉡, ㉢, ㉣

해설

안전보건교육의 기본적인 지도 원리(8원칙)
1. 피교육자 중심교육(상대방의 입장이 되어 가르칠 것)
2. 동기부여를 중요하게
3. 쉬운부분에서 어려운 부분으로 진행(쉬운 것에서 어려운 것으로 가르칠 것)
4. 반복에 의한 습관화 진행(중요한 것은 반복해서 가르칠 것)
5. 인상의 강화
6. 5관(감각기관)의 활용
7. 기능적인 이해
8. 한 번에 한 가지씩 교육(피교육자의 흡수능력을 고려)

02 안전교육 중 당초에는 일부 회사의 탑 메니지먼트(Top Managment)에 대해서만 행하여졌으나 그 후에 널리 보급된 것으로 정책의 수립, 조직, 통제, 운영 등의 교육방법은?

① TWI(Training Within Industry)
② MTP(Management Training Program)
③ CCS(Civil Communication Section)
④ ATT(America Telephone & Telegram Co)

해설

기업 내 정형교육

분류	교육대상자
TWI	제 일선 관리감독자
MTP	TWI보다 약간 높은 관리자(관리 문제에 치중하는 관리자)
CCS	당초에는 일부 회사의 최고 관리자에 대해서만 행하였던 것이 널리 보급된 것
ATT	교육대상이 한정되어 있지 않고, 한 번 훈련을 받은 관리자는 그 부하인 감독자에 대해 지도원이 될 수 있음

03 KOSHA-Guide를 제·개정하고 관리하는 기관으로 옳은 것은?

① 노동위원회
② 한국산업안전보건공단
③ 대한산업안전협회
④ 행정안전부

해설

KOSHA Guide
1. KOSHA Guide는 산업안전보건법령에서 정한 최소한의 수준이 아니라, 사업장의 자기규율 예방체계 확립을 지원하고, 좀 더 높은 수준의 안전보건 향상을 위해 참고할 수 있는 기술적 내용을 기술한 자율적 안전보건가이드이다.
2. KOSHA Guide는 산업안전보건법과 같은 강제적인 법률이 아닌 권고 기술기준으로써 한국산업안전보건공단에 의해서 제·개정되고 있는 지침이다.

04 학습 성취에 직접적인 영향을 미치는 요인과 가장 거리가 먼 것은?

① 적성
② 준비도
③ 개인차
④ 동기유발

해설

학습성취에 직접적인 영향을 미치는 요인
1. 준비도
2. 개인차
3. 동기유발

05 다음 중 인지과정 착오의 요인이 아닌 것은?

① 정서 불안정
② 감각차단 현상
③ 작업자의 기능미숙
④ 생리·심리적 능력의 한계

정답 01 ④ 02 ③ 03 ② 04 ① 05 ③

> 해설

착오의 요인

종류	내용
인지과정 착오	• 심리 또는 생리적 요인 • 정보량 저장의 한계 : 한계정보량보다 더 많은 정보가 들어오는 경우 정보를 처리하지 못하는 현상 • 감각차단 현상 : 단조로운 업무가 장시간 지속될 때 작업자의 감각기능 및 판단능력이 둔화 또는 마비되는 현상(예: 고도비행, 단독비행, 계기비행, 직선 고속도로 운행 등) • 정서적 불안정(불안, 공포) • 정보수용 능력의 한계 : 인간의 감지범위 밖의 정보
판단과정 착오	• 정보부족(옹고집, 지나친 자기중심적 인간) • 능력부족(지식부족, 경험부족) • 자기합리화(자기에게 유리하게 판단) • 환경조건불비(작업조건불량)
조치과정 착오	• 기술능력 미숙 • 경험 부족 • 피로

06 연간 평균 근로자수가 1440명인 B 기업체에서 근로자가 주당 40시간씩 50주를 근무하였으며, 그 외 조기출근 및 잔업시간의 합계가 100,000시간이었다. 이 기간 발생한 재해건수는 40건이며, 그중 사망재해는 1건(1명) 사망을 제외한 근로손실일수는 총 1,200일이다. 이때 B 기업체의 강도율을 구하시오.(단, 평균 출근율은 94%이다.)

① 3.22 ② 0.45
③ 2.10 ④ 3.10

> 해설

강도율

$$강도율 = \frac{근로손실일수}{연간총근로시간수} \times 1,000$$

$$= \frac{7,500 + 1,200}{(1,440 \times 40 \times 50) \times 0.94 + 100,000} \times 1,000$$

$$= 3.09 ≒ 3.10$$

07 산업안전보건법령상 자율검사프로그램에 포함되어야 할 사항에 해당하지 않는 것은?

① 안전검사대상기계 등의 보유 현황
② 안전검사대상기계 등의 검사주기 및 검사기준
③ 안전검사대상 유해·위험기계의 사용 실적
④ 향후 2년간 안전검사대상기계 등의 검사수행계획

> 해설

자율검사프로그램의 포함사항
1. 안전검사대상기계 등의 보유 현황
2. 검사원 보유 현황과 검사를 할 수 있는 장비 및 장비 관리 방법(자율안전검사기관에 위탁한 경우에는 위탁을 증명할 수 있는 서류를 제출)
3. 안전검사대상기계 등의 검사 주기 및 검사기준
4. 향후 2년간 안전검사대상기계 등의 검사수행계획
5. 과거 2년간 자율검사프로그램 수행 실적(재신청의 경우만 해당)

08 인간관계의 메커니즘 중 다른 사람의 행동양식이나 태도를 투입시키거나, 다른 사람 가운데서 자기와 비슷한 것을 발견하는 것을 무엇이라고 하는가?

① 암시 ② 동일화
③ 공감 ④ 커뮤니케이션

09 보호구 안전인증 고시에 따른 안전화의 정의 중 ( ) 안에 알맞은 것은?

경작업용 안전화란 (㉠)mm의 낙하높이에서 시험했을 때 충격과 (㉡ ±0.1)kN의 압축하중에서 시험했을 때 압박에 대하여 보호해 줄 수 있는 선심을 부착하여, 착용자를 보호하기 위한 안전화를 말한다.

① ㉠ 500, ㉡ 10.0
② ㉠ 250, ㉡ 10.0
③ ㉠ 500, ㉡ 4.4
④ ㉠ 250, ㉡ 4.4

> 해설

안전화의 시험방법

구분	내충격시험 충격조건	내압박성시험 하중
중작업용	1,000밀리미터의 낙하높이에서 시험	(15.0±0.1)킬로뉴턴(kN)의 압축하중에서 시험
보통작업용	500밀리미터의 낙하높이에서 시험	(10.0±0.1)킬로뉴턴(kN)의 압축하중에서 시험
경작업용	250밀리미터의 낙하높이에서 시험	(4.4±0.1)킬로뉴턴(kN)의 압축하중에서 시험

정답 06 ④ 07 ③ 08 ② 09 ④

10 산업안전보건법령상 다음 그림에 해당하는 안전보건표지의 종류로 옳은 것은?

① 통행금지 ② 물체이동 금지
③ 낙하물 경고 ④ 매달린 물체 경고

> **해설**
> 안전보건표지

물체이동 금지	낙하물 경고	매달린 물체 경고

11 다음 중 인간의 착각현상에서 실제로는 움직이지 않는 것이 어느 기준의 이동에 유도되어 움직이는 것처럼 느껴지는 현상을 무엇이라 하는가?

① 유도운동 ② 가현운동
③ 자동운동 ④ 플리커 현상

> **해설**
> 인간의 착각현상
>
> | 가현운동 | • 정지하고 있는 대상물을 나타냈다가 지웠다가 자주 반복하면 그 물체가 마치 운동하는 것처럼 인식 되는 현상
• 영화영상기법, β운동 |
> |---|---|
> | 자동운동 | • 암실 내에서 정지된 소광점을 응시하면 그 광점이 움직이는 것처럼 보이는 현상
• 자동운동이 생기기 쉬운 조건
　- 광점이 작을 것
　- 시야의 다른 부분이 어두울 것
　- 광(光)의 강도가 작을 것
　- 대상이 단순할 것 |
> | 유도운동 | • 실제로는 움직이지 않는 것이 어느 기준의 이동에 유도되어 움직이는 것처럼 느껴지는 현상
• 하행선 기차역에 정지하고 있는 열차 안의 승객이 반대편 상행선 열차의 출발로 인하여 하행선 열차가 움직이는 것처럼 느끼는 경우 |

12 산업안전보건법령상 협의체 구성 및 운영에 관한 사항으로 (　)에 알맞은 내용은?

> 도급인은 관계수급인 근로자가 도급인의 사업장에서 작업을 하는 경우 도급인과 수급인을 구성원으로 하는 안전 및 보건에 관한 협의체를 구성 및 운영하여야 한다. 이 협의체는 (　) 정기적으로 회의를 개최하고 그 결과를 기록·보존해야 한다.

① 매월 1회 이상 ② 2개월마다 1회
③ 3개월마다 1회 ④ 6개월마다 1회

> **해설**
> 안전 및 보건에 관한 협의체 구성 및 운영
>
> | 구성 | 도급인 및 그의 수급인 전원으로 구성해야 함 |
> |---|---|
> | 협의사항 | • 작업의 시작 시간
• 작업 또는 작업장 간의 연락방법
• 재해발생 위험이 있는 경우 대피방법
• 작업장에서의 위험성 평가의 실시에 관한 사항
• 사업주와 수급인 또는 수급인 상호 간의 연락방법 및 작업공정의 조정 |
> | 회의 | 협의체는 매월 1회 이상 정기적으로 회의를 개최하고 그 결과를 기록·보존해야 함 |

13 위험예지훈련 4라운드 기법의 진행방법에 있어 문제점 발견 및 중요 문제를 결정하는 단계는?

① 대책수립 단계 ② 현상파악 단계
③ 본질추구 단계 ④ 행동목표설정 단계

> **해설**
> 위험예지훈련의 4라운드
> • 1라운드(1R) : 현상파악(사실을 파악한다)
> • 2라운드(2R) : 본질추구(요인을 찾아낸다)
> • 3라운드(3R) : 대책수립(대책을 선정한다)
> • 4라운드(4R) : 목표설정(행동계획을 정한다)

14 버드(Bird)는 사고가 5개의 연쇄반응에 의하여 발생되는 것으로 보았다. 다음 중 재해 발생의 첫 단계에 해당하는 것은?

① 개인적 결함
② 사회적 환경
③ 전문적 관리의 부족
④ 불안전한 행동 및 불안전한 상태

정답　10 ④　11 ①　12 ①　13 ③　14 ③

해설

버드(Bird)의 최신 도미노이론
1. 제1단계 : 제어의 부족(관리)
2. 제2단계 : 기본원인(기원)
3. 제3단계 : 직접원인(징후)
4. 제4단계 : 사고(접촉)
5. 제5단계 : 상해(손실)

15 재해예방의 4원칙에 해당하는 내용이 아닌 것은?

① 예방가능의 원칙　② 원인계기의 원칙
③ 손실우연의 원칙　④ 사고조사의 원칙

해설

하인리히의 재해예방 4원칙

예방 가능의 원칙	천재지변을 제외한 모든 재해는 원칙적으로 예방이 가능하다.
손실 우연의 원칙	사고로 생기는 상해의 종류 및 정도는 우연적이다.
원인 계기의 원칙	사고와 손실의 관계는 우연적이지만 사고와 원인관계는 필연적이다.(사고에는 반드시 원인이 있다.)
대책 선정의 원칙	원인을 정확히 규명해서 대책을 선정하고 실시되어야 한다.(3E, 즉 기술, 교육, 독려를 중심으로)

16 재해의 기본원인 4M에 해당하지 않은 것은?

① Man　② Machine
③ Media　④ Measurement

해설

재해발생의 기본원인(4M)

외적 (환경적) 요인	인간관계 요인 (Man)	동료나 상사, 본인 이외의 사람 등의 인간관계를 의미
	작업적 요인 (Media)	• 작업의 내용, 작업정보, 작업방법, 작업환경의 요인 • 인간과 기계를 연결하는 매개체 • 작업방법의 부적절
	관리적 요인 (Management)	안전법규의 준수, 안전기준, 지휘감독 등의 단속 및 점검 • 교육훈련 부족 • 감독지도 불충분 • 적성배치 불충분
	설비적(물적) 요인 (Machine)	• 기계설비 등의 물적 조건 • 기계설비의 고장, 결함

17 알파파에 대응하는 의식수준을 나타내고 정상적인 의식 상태이기는 하나 휴식 시의 긴장을 풀고 쉬는 상태의 의식수준 단계는?

① phase Ⅳ　② phase Ⅱ
③ phase Ⅰ　④ phase Ⅲ

해설

의식수준의 단계

단계	의식의 상태	의식의 작용	행동상태	신뢰성	뇌파 형태
Phase 0 (제0단계)	무의식, 실신	0 (zero)	수면, 뇌 발작	0 (zero)	δ파
Phase Ⅰ (제Ⅰ단계)	정상이하, 의식흐림 (Subnormal), 의식 몽롱함	활발치 못함 (Inactive), 부주의	피로, 단조로움, 졸음, 술취함	0.9 이하	θ파
Phase Ⅱ (제Ⅱ단계)	정상, 이완상태, 느긋한 기분	수동적, 마음이 안쪽으로 향함	안정기거, 휴식 시, 정례작업 시 (정상작업 시), 일반적으로 일을 시작할 때 안정된 행동	0.99 ~0.9 9999	α파
Phase Ⅲ (제Ⅲ단계)	정상, 상쾌한 상태, 분명한 의식	능동적, 앞으로 향하는 주의, 주의력 범위 넓음	판단을 동반한 행동, 적극활동 시 가장 좋은 의식수준상태, 긴급이상 사태를 의식할 때	0.999 999 이상 (신뢰도가 가장 높은 상태)	β파
Phase Ⅳ (제Ⅳ단계)	과긴장, 흥분상태	판단정지, 주의의 치우침	긴급 방위반응, 당황해서 패닉 (감정흥분 시 당황한 상태)	0.9 이하	β파 또는 전자파

18 주의(Attention)의 특징 중 여러 종류의 자극을 자각할 때, 소수의 특정한 것에 한하여 주의가 집중되는 것은?

① 선택성　② 방향성
③ 변동성　④ 검출성

정답 15 ④　16 ④　17 ②　18 ①

해설
주의의 특징

선택성	• 주의는 동시에 두 개의 방향에 집중하지 못한다. • 여러 종류의 자극을 지각하거나 수용할 때 특정한 것에 한하여 선택하는 기능
변동성	• 고도의 주의는 장시간 지속할 수 없다.(주의에는 리듬이 존재) • 주의에는 리듬이 있어 언제나 일정 수준을 유지할 수 없다.
방향성	• 한 지점에 주의를 집중하면 다른 곳의 주의는 약해진다. • 주시점만 인지하는 기능

19 적응기제(Adjustment Mechanism) 중 방어적 기제(Defence Mechanism)에 해당하는 것은?

① 고립(Isolation)
② 퇴행(Regression)
③ 억압(Suppression)
④ 합리화(Rationalization)

해설
적응기제의 기본유형

구분	공격적 기제 (행동)	도피적 기제 (행동)	방어적(절충적) 기제(행동)
개념	욕구 불만에 대한 반항이나 자기를 괴롭히는 대상에 대하여 적극적이고 능동적으로 적대시하는 감정이나 태도를 취하는 행위	욕구불만에 의한 긴장이나 압박으로부터 벗어나 비합리적인 행동으로 공상에 도피하고 현실세계에서 벗어나 안정을 얻으려는 기제	자신의 약점이나 무능력, 열등감을 위장하여 유리하게 보호함으로써 안정감을 찾으려는 기제
유형	• 직접적 공격 기제 : 폭행, 싸움, 기물파손 등 • 간접적 공격 기제 : 비난, 폭언, 욕설 등	• 백일몽 • 퇴행 • 억압 • 반동형성 • 고립 등	• 승화 • 보상 • 합리화 • 투사 • 동일화 등

20 다음 중 안전교육의 목적과 가장 거리가 먼 것은?

① 설비의 안전화
② 제도의 정착화
③ 환경의 안전화
④ 행동의 안전화

해설
안전보건교육의 목적
1. 의식의 안전화(정신의 안전화)
2. 행동(동작)의 안전화
3. 환경의 안전화
4. 설비와 물자의 안전화

2과목 인간공학 및 위험성 평가·관리

21 10시간 설비 가동 시 설비고장으로 1시간 정지하였다면 설비고장강도율은 얼마인가?

① 0.1%
② 9%
③ 10%
④ 11%

해설
고장 강도율
고장으로 인해 설비가 정지한 시간의 비율을 표시한 것으로 안전관리에서 사용되고 있는 강도율을 설비관리의 말로 응용한 것을 말한다.

$$고장\ 강도율 = \frac{고장정지시간}{부하시간} \times 100$$
$$= \frac{설비고장 정지시간}{설비가동시간} \times 100$$

여기서, 부하시간(설비가동시간)= 전 동작시간 + 정지시간

$$고장\ 강도율 = \frac{설비고장 정지시간}{설비가동시간} \times 100 = \frac{1}{10} \times 100 = 10[\%]$$

22 사고 시나리오에서 연속된 사건들의 발생경로를 파악하고 평가하기 위한 귀납적이고 정량적인 시스템 안전 위험분석기법은?

① THERP
② ETA
③ PHA
④ FMEA

해설
사건수 분석(ETA)
1. 초기사건으로 알려진 특정한 장치의 이상 또는 운전자의 실수에 의해 발생되는 잠재적인 사고결과를 정량적으로 평가·분석하는 방법을 말한다.
2. 설비의 설계단계에서부터 사용단계까지 각 단계에서 위험을 분석하는 귀납적·정량적 분석방법

23 Swain에 의해 분류된 휴먼에러의 독립행동에 관한 분류 중 작위적 오류(Commission Error)에 해당되지 않는 것은?

① 전선(Cable)이 바뀌었다.
② 틀린 부품을 사용하였다.
③ 부품이 거꾸로 조립되었다.
④ 부품을 빠뜨리고 조립하였다.

해설

인간실수의 분류(심리적인 분류)

생략에러 (Omission Error, 부작위 실수)	필요한 직무 및 절차를 수행하지 않아(생략) 발생하는 에러 예) 가스밸브를 잠그는 것을 잊어 사고가 났다.
작위에러 (Commission Error)	필요한 작업 또는 절차의 불확실한 수행 (잘못 수행)으로 인한 에러 예) 전선이 바뀌었다, 틀린 부품을 사용하였다, 부품이 거꾸로 조립되었다 등
순서에러 (Sequential Error)	필요한 작업 또는 절차의 순서 착오로 인한 에러 예) 자동차 출발 시 핸드브레이크를 해제하지 않고 출발하여 발생한 경우
시간에러 (Time Error)	필요한 직무 또는 절차의 수행지연으로 인한 에러 예) 프레스 작업 중에 금형 내에 손이 오랫동안 남아 있어 발생한 재해
과잉행동에러 (Extraneous Error)	불필요한 작업 또는 절차를 수행함으로써 기인한 에러 예) 자동차 운전 중 습관적으로 손을 창문으로 내밀어 발생한 재해

TIP 생략에러(Omission Error) : 부품을 빠뜨리고 조립하였다.

24 사업장 위험성평가에 관한 지침에서 사업주가 유해·위험요인을 파악하는 방법으로 옳지 않은 것은?(단, 그 밖에 사업장의 특성에 적합한 방법은 제외)

① 근로자들의 상시적 제안에 의한 방법
② 안전보건 체크리스트에 의한 방법
③ 작업표준에 의한 방법
④ 설문조사 · 인터뷰 등 청취조사에 의한 방법

해설

유해 · 위험요인 파악
사업주는 사업장 내의 위험성 평가 대상에 따른 유해 · 위험요인을 파악하여야 한다. 이때 업종, 규모 등 사업장 실정에 따라 다음 각 호의 방법 중 어느 하나 이상의 방법을 사용하되, 특별한 사정이 없으면 사업장 순회점검에 의한 방법을 포함하여야 한다.
1. 사업장 순회점검에 의한 방법
2. 근로자들의 상시적 제안에 의한 방법
3. 설문조사 · 인터뷰 등 청취조사에 의한 방법
4. 물질안전보건자료, 작업환경측정결과, 특수건강진단결과 등 안전보건 자료에 의한 방법
5. 안전보건 체크리스트에 의한 방법
6. 그 밖에 사업장의 특성에 적합한 방법

25 소리의 물리학적 특성 중 음의 높낮이와 가장 관련성이 높은 것은?

① 진폭　　　　② 진동수
③ phon　　　　④ sone

해설

음의 물리학적 특성
1. 진폭 : 음의 강도(세기) : 큰 소리는 진폭이 크고, 작은 소리는 진폭이 작다.
2. 진동수 : 음의 고저(높낮이) : 높은 소리는 진동수가 크고, 낮은 소리는 진동수가 작다.
3. phon : 감각적인 음의 크기를 나타내는 양을 말하며, 1,000Hz 순음의 크기와 평균적으로 같은 크기로 느끼는 1,000Hz 순음의 세기레벨로 나타낸 것이다.
4. sone : 감각적인 음의 크기를 나타내는 양으로 음의 대소를 표현하는 단위를 말하며, 40dB의 1,000Hz 순음의 크기(=40Phon)를 1Sone이라 정의한다.

26 인간 – 기계 시스템의 신뢰도를 향상시킬 수 있는 방법으로 가장 적절하지 않은 것은?

① 중복설계　　　　② 고가재료 사용
③ 부품개선　　　　④ 충분한 여유용량

해설

신뢰성 설계기술(시스템의 신뢰도를 증가시키는 방법)
1. 리던던시 설계(중복설계)
2. 부품의 단순화와 표준화
3. 최적재료의 선정
4. 디레이팅 설계(구성부품에 걸리는 부하의 정격값에 여유를 두고 설계하는 방법)
5. 내환경성 설계
6. 인간공학적 설계와 보전성 설계(Fail safe와 Fool proof)

정답 23 ④　24 ③　25 ②　26 ②

27 인체의 동작 유형 중 굽혔던 팔꿈치를 펴는 동작을 나타내는 용어는?

① 내전(Adduction)　② 회내(Pronation)
③ 굴곡(Flexion)　④ 신전(Extension)

해설
신체부위의 운동(기본적인 동작)

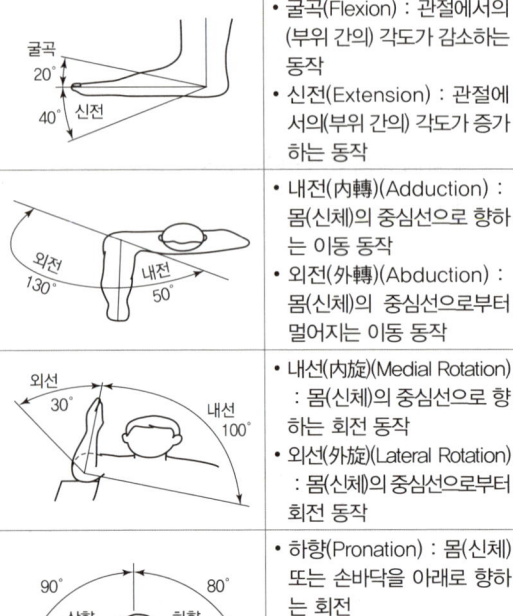

	• 굴곡(Flexion) : 관절에서의 (부위 간의) 각도가 감소하는 동작 • 신전(Extension) : 관절에서의(부위 간의) 각도가 증가하는 동작
	• 내전(內轉)(Adduction) : 몸(신체)의 중심선으로 향하는 이동 동작 • 외전(外轉)(Abduction) : 몸(신체)의 중심선으로부터 멀어지는 이동 동작
	• 내선(內旋)(Medial Rotation) : 몸(신체)의 중심선으로 향하는 회전 동작 • 외선(外旋)(Lateral Rotation) : 몸(신체)의 중심선으로부터 회전 동작
	• 하향(Pronation) : 몸(신체) 또는 손바닥을 아래로 향하는 회전 • 상향(Supination) : 몸(신체) 또는 손바닥을 위로 향하는 회전

28 신뢰성과 보전성을 효과적으로 개선하기 위해 작성하는 보전기록 자료로서 가장 거리가 먼 것은?

① 자재관리표　② MTBF분석표
③ 설비이력카드　④ 고장원인대책표

해설
보전기록자료
1. 설비이력카드
2. MTBF분석표
3. 고장원인대책표

29 정보를 전송하기 위해 청각적 표시장치를 이용하는 것이 바람직한 경우로 적합한 것은?

① 전언이 복잡한 경우
② 전언이 이후에 재참조되는 경우
③ 전언이 공간적인 사건을 다루는 경우
④ 전언이 즉각적인 행동을 요구하는 경우

해설
청각장치와 시각장치의 비교

청각적 표시장치	시각적 표시장치
1. 전언이 간단하다. 2. 전언이 짧다. 3. 전언이 이후에 재참조되지 않는다. 4. 전언이 시간적 사상을 다룬다. 5. 전언이 즉각적인 행동을 요구한다.(긴급할 때) 6. 수신장소가 너무 밝거나 암조응 유지가 필요시 7. 직무상 수신자가 자주 움직일 때 8. 수신자의 시각 계통이 과부하 상태일 때	1. 전언이 복잡하다. 2. 전언이 길다. 3. 전언이 후에 재참조된다. 4. 전언이 공간적인 위치를 다룬다. 5. 전언이 즉각적인 행동을 요구하지 않는다. 6. 수신장소가 너무 시끄러울 때 7. 직무상 수신자가 한곳에 머물 때 8. 수신자의 청각 계통이 과부하 상태일 때

30 프레스기계 작업, 밀링머신기계 작업 등 조종장치를 사용하여 통제하는 시스템의 형태로 옳은 것은?

① 기계화 시스템　② 수동 시스템
③ 자동화 시스템　④ 컴퓨터 시스템

해설
인간-기계 통합 체계의 유형

수동 시스템	• 수공구나 기타 보조물로 이루어지며 자신의 신체적인 힘을 원동력으로 사용하여 작업을 통제하는 시스템(인간이 사용자나 동력원으로 가능) • 다양성 있는 체계로 역할할 수 있는 능력을 충분히 활용하는 시스템 • 예 장인과 공구, 가수와 앰프
기계 시스템	• 고도로 통합된 부품들로 구성되어 있으며, 일반적으로 변화가 거의 없는 기능들을 수행하는 시스템 • 운전자의 조종에 의해 운용되며 융통성이 없는 시스템 • 동력은 기계가 제공하며, 조종장치를 사용하여 통제하는 것은 사람이다. • 반자동 체계라고도 한다. • 예 엔진, 자동차, 공작기계
자동 시스템	• 체계가 감지, 정보보관, 정보처리 및 의사결정, 행동을 포함한 모든 임무를 수행하는 체계 • 신뢰성이 완전한 자동체계란 불가능하므로 인간은 감시, 정비, 보전, 계획수립 등의 기능을 수행한다. • 예 자동화된 처리공장, 자동교환대, 컴퓨터

정답　27 ④　28 ①　29 ④　30 ①

31 체계분석 및 설계에 있어서 인간공학적 노력의 효능을 산정하는 척도의 기준에 포함되지 않는 것은?

① 성능의 향상
② 훈련비용의 절감
③ 인력 이용률의 저하
④ 생산 및 보전의 경제성 향상

해설

체계 분석 및 설계에 있어서의 인간공학의 가치(기여도)
1. 성능(Performance)의 향상
2. 훈련비용의 절감
3. 인력 이용률(Utilization)의 향상
4. 사고 및 오용으로부터의 손실 감소
5. 생산 및 보전의 경제성 증대
6. 사용자의 수용도 향상

32 1cd의 점광원에서 1m 떨어진 곳에서의 조도가 2lux이었다. 동일한 조건에서 3m 떨어진 곳에서의 조도는 약 몇 lux인가?

① 0.11
② 0.22
③ 0.33
④ 0.67

해설

조도

$$조도 = \frac{광도}{(거리)^2}$$

1. 광도 = 조도 × (거리)^2
2. 1m 거리의 광도 = 2 × 1^2 = 2[cd]이므로
3. 3m 거리의 조도 = $\frac{2}{3^2}$ = 0.22[lux]

33 공정분석에 있어 활용하는 공정도(Process Chart)의 도시기호 중 가공 또는 작업을 나타내는 기호는?

① ○
② ⇒
③ D
④ □

해설

공정도 기호

작업 혹은 가공	검사	운반	정체	저장
○	□	⇒	D	▽

34 소음성 난청의 초기단계인 C$_5$-dip 현상이 가장 현저하게 나타나는 주파수는 얼마인가?

① 10,000Hz
② 7,000Hz
③ 4,000Hz
④ 1,000Hz

해설

C$_5$-dip 현상
1. 소음성 난청의 초기단계로 4,000Hz에서 청력장애가 현저히 커지는 현상이다.
2. 우리 귀는 고주파음에 대단히 민감하다. 특히 4,000Hz에서 소음성 난청이 가장 많이 발생한다.

35 광원으로부터의 직사 휘광을 줄이기 위한 방법으로 적절하지 않은 것은?

① 휘광원 주위를 어둡게 한다.
② 가리개, 갓, 차양 등을 사용한다.
③ 광원을 시선에서 멀리 위치시킨다.
④ 광원의 수는 늘리고 휘도는 줄인다.

해설

광원으로 부터의 직사휘광처리
1. 광원의 휘도를 줄이고 수를 늘림
2. 광원을 시선에서 멀리 위치시킴
3. 휘광원 주위를 밝게 하여 광도비를 줄임
4. 가리개(Shield), 갓(Hood) 혹은 차양(Visor)을 사용

36 인간오류의 분류 중 원인에 의한 분류의 하나로, 작업자 자신으로부터 발생하는 에러로 옳은 것은?

① Command Error
② Secondary Error
③ Primary Error
④ Third Error

해설

원인의 레벨(Level)적 분류

Primary Error (1차 에러)	작업자 자신으로부터 발생한 에러
Secondary Error (2차 에러)	작업형태나 작업조건 중에서 다른 문제가 발생하여 필요한 직무나 절차를 수행할 수 없는 에러
Command Error (지시 에러)	작업자가 움직이려 해도 필요한 물건, 정보, 에너지 등이 공급되지 않아서 작업자가 움직일 수 없는 상황에서 발생한 에러

정답 31 ③ 32 ② 33 ① 34 ③ 35 ① 36 ③

37 60폰(phon)의 소리에 해당하는 손(sone)의 값은?

① 1
② 2
③ 4
④ 8

해설

phon(음량 수준)과 sone(음량)의 관계

$$\text{sone}치 = 2^{(\text{phon}치 - 40)/10}$$

※ 음량 수준이 10phon 증가하면 음량(sone)은 2배로 증가된다.

$$\text{sone}치 = 2^{(\text{phon}치 - 40)/10} = 2^{(60-40)/10} = 4[\text{sone}]$$

38 건강한 남성이 8시간 동안 특정 작업을 실시하고, 산소소비량이 1.2L/분으로 나타났다면 8시간 총 작업시간에 포함되어야 할 최소 휴식시간은?(단, 남성의 권장 평균에너지소비량은 5kcal/분, 안정 시 에너지소비량은 1.5kcal/분으로 가정한다.)

① 107분
② 117분
③ 127분
④ 137분

해설

휴식시간
1. 작업의 성질과 강도에 따라서 휴식시간이나 회수가 결정되어야 한다.
2. 공식

$$R = \frac{60(E-5)}{E-1.5}$$

여기서, R : 휴식시간(분)
E : 작업 시 평균 에너지소비량(kcal/분)
60 : 총작업시간(분)
1.5kcal/분 : 휴식시간 중의 에너지소비량

① 1L/분당 평균 에너지 소비량은 5kcal이다.
② 작업 시 평균 에너지 소비량 : 1.2L/분 × 5kcal = 6[kcal/분]이 된다.
③ 총 작업시간 = 8시간 × 60분 = 480분
④ $R = \frac{60(E-5)}{E-1.5} = \frac{480(6-5)}{6-1.5} = 106.67[분]$

39 화학공장(석유화학사업장 등)에서 가동문제를 파악하는 데 널리 사용되며, 위험요소를 예측하고, 새로운 공정에 대한 가동문제를 예측하는 데 사용되는 위험성평가방법은?

① SHA
② EVP
③ CCFA
④ HAZOP

해설

위험 및 운전성 검토(HAZOP)
1. 화학공장에서 가동문제를 파악하는 데 널리 사용된다. 즉 위험요소를 예측하고 새로운 공정에 대한(지식부족으로 인한) 가동문제를 예측하는 데 사용된다.
2. 5~7명의 각 분야별 전문가와 안전기사로 구성된 팀원들이 상상력을 동원하여 가이드단어로서 위험요소를 점검한다.
3. HAZOP의 적용은 대부분 상세설계 기간이나 설계가 완료된 단계, 즉 개발단계에서 수행되는 것이 보통이다.

40 FT도에 사용되는 다음 기호의 명칭으로 옳은 것은?

① 통상사상
② 수정기호
③ 제어게이트
④ 생략사상

해설

FTA분석 기호

번호	기호	명칭	내용
1		결함사상	사고가 일어난 사상(사건)
2		기본사상	더 이상 전개가 되지 않는 기본적인 사상 또는 발생확률이 단독으로 얻어지는 낮은 레벨의 기본적인 사상
3		통상사상 (가형사상)	통상발생이 예상되는 사상(예상되는 원인)
4		생략사상 (최후사상)	정보부족 또는 분석기술 불충분으로 더 이상 전개할 수 없는 사상 (작업진행에 따라 해석이 가능할 때는 다시 속행한다.)
5		전이기호 (이행기호)	• FT도상에서 다른 부분에 관한 이행 또는 연결을 나타낸다. • 상부에 선이 있는 경우는 다른 부분으로 전입(IN)
6		전이기호 (이행기호)	• FT도상에서 다른 부분에 관한 이행 또는 연결을 나타낸다. • 측면에 선이 있는 경우는 다른 부분으로 전출(OUT)

정답 37 ③ 38 ① 39 ④ 40 ④

3과목 기계·기구 및 설비 안전관리

41 드릴링 머신을 이용한 작업 시 안전 수칙에 관한 설명으로 옳지 않은 것은?

① 일감을 손으로 견고하게 쥐고 작업한다.
② 장갑을 끼고 작업을 하지 않는다.
③ 칩은 기계를 정지시킨 다음에 와이어브러시로 제거한다.
④ 드릴을 끼운 후에는 척 렌치를 반드시 탈거한다.

해설

드릴링 작업에 대한 안전수칙
1. 일감은 견고하게 고정시키며 관통된 것을 확인하기 위해 손으로 만져서는 안 된다.
2. 드릴을 끼운 후 척 렌치(Chuck Wrench)는 반드시 뺀다.
3. 작업모를 착용하고 옷소매가 긴 작업복은 입지 않는다.
4. 드릴작업에서는 보안경 및 안전덮개(Shield)를 설치한다.
5. 칩은 브러쉬(와이어 브러시)로 제거하고 장갑 착용은 금지한다.
6. 구멍 끝 작업에서는 절삭압력을 주어서는 안 된다.
7. 고정구를 사용하여 작업 중 공작물의 유동을 방지한다.
8. 가공 중에 구멍이 관통되면 기계를 멈추고 손으로 돌려서 드릴을 뺀다.
9. 일감의 설치, 테이블의 고정이나 조정은 기계를 정지시킨 후에 실시한다.
10. 큰 구멍을 뚫을 때는 반드시 작은 구멍을 먼저 뚫은 후 큰 구멍을 뚫는다.
11. 얇은 판에 구멍을 뚫을 때에는 나무판을 밑에 받치고 뚫는다.
12. 구멍이 거의 다 뚫리는 끝부분에서 일감이 드릴과 함께 맞물려 회전하기 쉬우므로 주의하여야 한다.

42 다음은 목재가공용 둥근톱에서 분할날에 관한 설명이다. ( ) 안의 내용을 올바르게 나타낸 것은?

- 분할날의 두께는 둥근톱 두께의 (①) 이상일 것
- 견고히 고정할 수 있으며 분할날과 톱날 원주면과의 거리는 (②) 이내로 조정, 유지할 수 있어야 한다.

① ① : 1.5배 ② : 15mm
② ① : 1.1배 ② : 12mm
③ ① : 1.1배 ② : 15mm
④ ① : 2배 ② : 20mm

해설

분할날의 설치구조
1. 분할 날의 두께는 둥근톱 두께의 1.1배 이상일 것

$$1.1t_1 \leq t_2 < b$$
(t_1 : 톱두께, t_2 : 분할날두께, b : 치진폭)

2. 견고히 고정할 수 있으며 분할날과 톱날 원주면과의 거리는 12mm 이내로 조정, 유지할 수 있어야 하고 표준 테이블면(승강반에 있어서도 테이블을 최하로 내린 때의 면) 상의 톱 뒷날의 2/3 이상을 덮도록 할 것
3. 재료는 KS D 3751(탄소공구강재)에서 정한 STC 5(탄소공구강) 또는 이와 동등이상의 재료를 사용할 것
4. 분할날 조임볼트는 2개 이상이어야 하며 볼트는 이완방지조치가 되어 있어야 한다.

43 프레스 등의 금형을 부착·해체 또는 조정 작업하는 작업을 할 때에 슬라이드가 갑자기 작동함으로써 근로자에게 발생할 우려가 있는 위험을 방지하기 위하여 설치하는 것은?

① 방호 울
② 안전블록
③ 권과방지장치
④ 게이트 가드

해설

금형조정작업의 위험 방지
프레스등의 금형을 부착·해체 또는 조정하는 작업을 할 때에 해당 작업에 종사하는 근로자의 신체가 위험한계 내에 있는 경우 슬라이드가 갑자기 작동함으로써 근로자에게 발생할 우려가 있는 위험을 방지하기 위하여 안전블록을 사용하는 등 필요한 조치를 하여야 한다.

44 산업안전보건법령상 양중기에서 절단하중이 100톤인 와이어로프를 사용하여 화물을 직접적으로 지지하는 경우, 화물의 최대허용하중(톤)은?

① 20
② 30
③ 40
④ 50

해설

와이어로프의 안전계수

$$안전율(안전계수) = \frac{절단하중(파괴하중)}{최대허용하중}$$

1. 화물의 하중을 직접 지지하는 달기와이어로프 또는 달기체인의 경우 안전계수 : 5 이상

정답 41 ① 42 ② 43 ② 44 ①

2. 최대허용하중 = $\dfrac{절단하중(파괴하중)}{안전계수} = \dfrac{100}{5} = 20$[톤]

TIP 와이어로프 등 달기구의 안전계수

구분	안전계수
근로자가 탑승하는 운반구를 지지하는 달기와이어로프 또는 달기체인의 경우	10 이상
화물의 하중을 직접 지지하는 달기와이어로프 또는 달기체인의 경우	5 이상
훅, 샤클, 클램프, 리프팅 빔의 경우	3 이상
그 밖의 경우	4 이상

45 작업장에서 사용하는 로프의 최대사용하중이 200kgf이고, 절단하중이 600kgf일 때 이 로프의 안전율은?

① 0.33　　② 3
③ 200　　④ 300

해설

안전율(안전계수)

안전율(안전계수) = $\dfrac{기초강도}{허용응력} = \dfrac{극한강도}{허용응력} = \dfrac{최대응력}{허용응력}$
= $\dfrac{절단하중(파괴하중)}{최대사용하중} = \dfrac{극한강도}{최대설계응력}$
= $\dfrac{파단하중}{안전하중} = \dfrac{인장강도}{허용응력}$

안전율 = $\dfrac{절단하중}{최대사용하중} = \dfrac{600}{200} = 3$

46 크레인 작업 시 조치사항 중 틀린 것은?

① 인양할 하물을 바닥에서 끌어당기거나 밀어내는 작업을 하지 아니할 것
② 유류드럼이나 가스통 등 운반 도중에 떨어져 폭발하거나 누출될 가능성이 있는 위험물 용기는 보관함에 담아 안전하게 매달아 운반할 것
③ 고정된 물체를 직접 분리·제거하는 작업을 할 것
④ 미리 근로자의 출입을 통제하여 인양 중인 하물이 작업자의 머리 위로 통과하지 않도록 할 것

해설

크레인 작업 시의 조치 및 준수사항
1. 인양할 하물을 바닥에서 끌어당기거나 밀어내는 작업을 하지 아니할 것
2. 유류드럼이나 가스통 등 운반 도중에 떨어져 폭발하거나 누출될 가능성이 있는 위험물 용기는 보관함에 담아 안전하게 매달아 운반할 것
3. 고정된 물체를 직접 분리·제거하는 작업을 하지 아니할 것
4. 미리 근로자의 출입을 통제하여 인양 중인 하물이 작업자의 머리 위로 통과하지 않도록 할 것
5. 인양할 하물이 보이지 아니하는 경우에는 어떠한 동작도 하지 아니할 것(신호하는 사람에 의하여 작업을 하는 경우는 제외)

47 개구부에서 회전하는 롤러의 위험점까지 최단거리가 400mm일 때 개구부 간격은?

① 35mm　　② 40mm
③ 56mm　　④ 66mm

해설

롤러기 가드의 개구부 간격(ILO기준, 위험점이 전동체가 아닌 경우)

$$Y = 6 + 0.15X \,(X < 160mm)$$
$$(단, X \geq 160mm 일 때 \; Y = 30mm)$$

여기서, X : 가드와 위험점 간의 거리(안전거리)(mm)
　　　 Y : 가드 개구부 간격(안전간극)(mm)

$Y = 6 + 0.15X = 6 + 0.15 \times 400 = 66$[mm]

48 프레스 방호장치의 공통일반구조에 대한 설명으로 틀린 것은?

① 방호장치의 표면은 벗겨짐 현상이 없어야 하며, 날카로운 모서리 등이 없어야 한다.
② 위험기계·기구 등에 장착이 용이하고 견고하게 고정될 수 있어야 한다.
③ 외부충격으로부터 방호장치의 성능이 유지될 수 있도록 보호덮개가 설치되어야 한다.
④ 각종 스위치, 표시램프는 돌출형으로 쉽게 근로자가 볼 수 있는 곳에 설치해야 한다.

해설

프레스 및 전단기 방호장치의 일반적인 구조
1. 방호장치의 표면은 벗겨짐 현상이 없어야 하며, 날카로운 모서리 등이 없어야 한다.
2. 위험기계·기구 등에 장착이 용이하고 견고하게 고정될 수 있어야 한다.

3. 외부충격으로부터 방호장치의 성능이 유지될 수 있도록 보호덮개가 설치되어야 한다.
4. 각종 스위치, 표시램프는 매립형으로 쉽게 근로자가 볼 수 있는 곳에 설치해야 한다.

해설

선반의 방호장치(안전장치)

칩 브레이커 (Chip Breaker)	절삭 중 칩을 자동적으로 끊어 주는 바이트에 설치된 안전장치
급정지 브레이크	가공작업 중 선반을 급정지시킬 수 있는 방호장치
실드(Shield)	가공물의 칩이 비산되어 발생하는 위험을 방지하기 위해 사용하는 덮개(칩 비산 방지 투명판)
척커버 (Chuck Cover)	척과 척으로 잡은 가공물의 돌출부에 작업자가 접촉하지 않도록 설치하는 덮개

49 숫돌의 지름이 D(mm), 회전수 N(rpm)이라 할 경우 숫돌의 원주속도 V(m/min)를 구하는 식으로 옳은 것은?

① $V = D \cdot N^2$
② $V = \dfrac{\pi \cdot D \cdot N}{1,000}$
③ $V = \dfrac{\pi \cdot D}{N}$
④ $V = \dfrac{N}{\pi \cdot D \cdot 1,000}$

해설

원주속도(회전속도)

$$V = \pi DN \text{[mm/min]} = \dfrac{\pi DN}{1,000} \text{[m/min]}$$

여기서, V : 원주속도(회전속도)(m/min)
D : 숫돌의 지름(mm)
N : 숫돌의 매분 회전수(rpm)

50 드릴링 머신의 드릴지름이 10mm이고, 드릴 회전수가 1,000rpm일 때 원주속도는 약 얼마인가?

① 3.14m/min
② 6.28m/min
③ 31.4m/min
④ 62.8m/min

해설

드릴링 머신의 원주속도

$$V = \dfrac{\pi DN}{1,000}$$

여기서, V : 드릴의 원주속도(m/min)
D : 드릴의 직경(mm)
N : 드릴의 회전수(rpm)

$V = \dfrac{\pi DN}{1,000} = \dfrac{\pi \times 10 \times 1,000}{1,000} = 31.4 \text{[m/min]}$

51 선반에서 절삭가공 중 발생하는 연속적인 칩을 자동적으로 끊어 주는 역할을 하는 것은?

① 칩 브레이커
② 방진구
③ 보안경
④ 커버

52 탁상용 연삭기에서 연삭숫돌과 작업대와의 간격은 몇 mm 이하로 조정할 수 있는 작업대를 갖추고 있어야 하나?

① 10mm 이하
② 6mm 이하
③ 5mm 이하
④ 3mm 이하

해설

덮개의 구조
탁상용 연삭기의 덮개에는 워크레스트 및 조정편을 구비하여야 하며, 워크레스트는 연삭숫돌과의 간격을 3밀리미터 이하로 조정할 수 있는 구조이어야 한다.

53 롤러기의 급정지장치를 작동시켰을 경우에 무부하 운전 시 앞면 롤러의 표면속도가 30m/min 이상일 때의 급정지거리로 적합한 것은?

① 앞면 롤러 원주의 1/1.5 이내 거리에서 급정지
② 앞면 롤러 원주의 1/2 이내 거리에서 급정지
③ 앞면 롤러 원주의 1/2.5 이내 거리에서 급정지
④ 앞면 롤러 원주의 1/3 이내 거리에서 급정지

해설

급정지장치의 성능조건

앞면 롤러의 표면속도(m/min)	급정지 거리
30 미만	앞면 롤러 원주의 1/3
30 이상	앞면 롤러 원주의 1/2.5

정답 49 ② 50 ③ 51 ① 52 ④ 53 ③

54 지게차의 작업상태별 안정도에 관한 내용으로 틀린 것은?(단, V는 최고속도(km/h)이다.)

① 주행 시의 전후 안정도는 18%이다.
② 하역작업 시의 좌우 안정도는 6%이다.
③ 하역작업 시의 전후 안정도는 20%이다.
④ 주행 시의 좌우 안정도는 $(15+1.1V)$%이다.

해설
지게차의 안정도 기준
1. 하역작업 시의 전후안정도 4% 이내(5톤 이상 : 3.5% 이내) (최대하중상태에서 포크를 가장 높이 올린 경우)
2. 주행 시의 전후안정도 18% 이내
3. 하역작업 시의 좌우안정도 6% 이내(최대하중상태에서 포크를 가장 높이 올리고 마스트를 가장 뒤로 기울인 경우)
4. 주행 시의 좌우안정도$(15+1.1V)$% 이내, V : 최고속도(km/h)

55 산업안전보건법령에 따라 양중기용 와이어로프의 사용금지 기준으로 옳은 것은?

① 지름의 감소가 공칭지름의 3%를 초과하는 것
② 지름의 감소가 공칭지름의 5%를 초과하는 것
③ 와이어로프의 한 꼬임에서 끊어진 소선(素線)의 수가 7% 이상인 것
④ 와이어로프의 한 꼬임에서 끊어진 소선(素線)의 수가 10% 이상인 것

해설
양중기 와이어로프 사용금지 조건
1. 이음매가 있는 것
2. 와이어로프의 한 꼬임에서 끊어진 소선의 수가 10% 이상인 것
3. 지름의 감소가 공칭지름의 7%를 초과하는 것
4. 꼬인 것
5. 심하게 변형되거나 부식된 것
6. 열과 전기충격에 의해 손상된 것

56 다음 중 크레인의 방호장치로 가장 적절하지 않은 것은?

① 파이널 리미트 스위치   ② 과부하방지장치
③ 비상정지장치   ④ 권과방지장치

해설
양중기 방호장치의 종류

방호장치의 조정 대상	크레인, 이동식 크레인, 리프트, 곤돌라, 승강기
방호장치의 종류	• 과부하방지장치 • 권과방지장치 • 비상정지장치 및 제동장치 • 그 밖의 방호장치(승강기의 파이널 리미트 스위치, 속도조절기, 출입문 인터록 등)

57 아세틸렌 용접장치를 사용하여 금속의 용접·용단 또는 가열작업을 하는 경우 게이지 압력으로 얼마를 초과하는 압력의 아세틸렌을 발생시켜 사용해서는 아니 되는가?

① 85[kPa]   ② 107[kPa]
③ 127[kPa]   ④ 150[kPa]

해설
압력의 제한
아세틸렌 용접장치를 사용하여 금속의 용접·용단 또는 가열작업을 하는 경우에는 게이지 압력이 127킬로파스칼을 초과하는 압력의 아세틸렌을 발생시켜 사용해서는 아니 된다.

58 산업안전보건법령에 따라 다음 중 목재가공용으로 사용되는 모떼기기계의 방호장치는?(단, 자동이송장치를 부착한 것은 제외한다.)

① 분할날   ② 날접촉예방장치
③ 급정지장치   ④ 이탈방지장치

해설
모떼기 기계의 방호장치
모떼기기계(자동이송장치를 부착한 것은 제외)에 날접촉예방장치를 설치하여야 한다. 다만, 작업의 성질상 날접촉예방장치를 설치하는 것이 곤란하여 해당 근로자에게 적절한 작업공구 등을 사용하도록 한 경우에는 그러하지 아니하다.

59 기계설비의 안전조건 중 구조의 안전화에 대한 설명으로 가장 거리가 먼 것은?

① 기계재료의 선정 시 재료 자체에 결함이 없는지 철저히 확인한다.
② 사용 중 재료의 강도가 열화될 것을 감안하여 설계 시 안전율을 고려한다.

정답 54 ③ 55 ④ 56 ① 57 ③ 58 ② 59 ③

③ 기계작동 시 기계의 오동작을 방지하기 위하여 오동작 방지 회로를 적용한다.
④ 가공 경화와 같은 가공결함이 생길 우려가 있는 경우는 열처리 등으로 결함을 방지한다.

해설
구조상의 안전화

설계상의 결함	• 가장 큰 원인은 강도산정(부하예측, 강도계산)상의 오류 • 사용상 강도의 열화를 고려하여 안전율을 산정
재료의 결함	기계 재료 자체에 균열, 부식, 강도 저하 등 결함이 있으므로 설계 시 재료의 선택에 유의하여야 한다.
가공의 결함	재료 가공 도중 결함이 생길 수 있으므로 기계적 특성을 갖는 적절한 열처리 등이 필요하다.

TIP 오동작을 방지하기 위하여 오동작 방지 회로를 적용하는 것은 기능적 안전화에 해당된다.

60 다음 중 컨베이어의 안전장치가 아닌 것은?
① 이탈 및 역주행방지장치
② 비상정지장치
③ 덮개 또는 울
④ 비상난간

해설
컨베이어의 안전장치
1. 이탈 및 역주행방지장치
2. 비상정지장치
3. 덮개 또는 울
4. 건널다리

4과목 전기 및 화학설비 안전관리

61 정전기 발생량과 관련된 내용으로 옳지 않은 것은?
① 분리속도가 빠를수록 정전기 발생량이 많아진다.
② 두 물질 간의 대전서열이 가까울수록 정전기 발생량이 많아진다.
③ 접촉면적이 넓을수록, 접촉압력이 증가할수록 정전기 발생량이 많아진다.
④ 물질의 표면이 수분이나 기름 등에 오염되어 있으면 정전기 발생량이 많아진다.

해설
정전기 발생의 영향요인(정전기 발생요인)

물체의 특성	일반적으로 대전량은 접촉이나 분리하는 두 가지 물체가 대전서열 내에서 가까운 곳에 있으면 적고 먼 위치에 있을수록 대전량이 큰 경향이 있다.
물체의 표면상태	• 표면이 거칠수록 정전기 발생량이 커진다. • 기름, 수분, 불순물 등 오염이 심할수록, 산화 부식이 심할수록 정전기 발생량이 커진다.
물체의 이력	정전기 발생량은 처음 접촉, 분리가 일어날 때 최대가 되며, 발생횟수가 반복될수록 발생량이 감소한다.
접촉면적 및 압력	접촉면적 및 압력이 클수록 정전기 발생량은 커진다.
분리속도	분리속도가 빠를수록 정전기 발생량이 커진다.
완화시간	완화시간이 길면 전하분리에 주는 에너지도 커져서 정전기 발생량이 커진다.

62 도체의 정전용량 $C = 20\mu F$, 대전전위(방전 시 전압) $V = 3kV$일 때 정전에너지(J)는?
① 45
② 90
③ 180
④ 360

해설
정전 에너지

$$W = \frac{1}{2}CV^2$$

여기서, W : 정전기 에너지(J)
C : 도체의 정전용량(F)
V : 대전 전위(V)
Q : 대전 전하량(C)

$W = \frac{1}{2}CV^2 = \frac{1}{2} \times (20 \times 10^{-6}) \times (3,000)^2 = 90[J]$

TIP $1[\mu F] = 10^{-6}[F]$, $1[V] = 10^{-3}[kV]$

63 작업장 내 시설하는 저압전선에는 감전 등의 위험으로 나전선을 사용하지 않고 있지만, 특별한 이유에 의하여 사용할 수 있도록 규정된 곳이 있는데 이에 해당되지 않은 것은?
① 버스덕트공사에 의하여 시설하는 경우
② 애자공사에 의하여 전개된 곳에 전기로용 전선을 시설하는 경우
③ 라이팅덕트공사에 의하여 시설하는 경우
④ 옥내전기설비를 금속관 공사에 의하여 시설하는 경우

정답 60 ④ 61 ② 62 ② 63 ④

> **해설**

나전선의 사용 제한
옥내에 시설하는 저압전선에는 나전선을 사용하여서는 아니 된다. 다만, 다음 중 어느 하나에 해당하는 경우에는 그러하지 아니하다.
1. 규정에 준하는 애자공사에 의하여 전개된 곳에 다음의 전선을 시설하는 경우
   ㉠ 전기로용 전선
   ㉡ 전선의 피복 절연물이 부식하는 장소에 시설하는 전선
   ㉢ 취급자 이외의 자가 출입할 수 없도록 설비한 장소에 시설하는 전선
2. 규정에 준하는 버스덕트공사에 의하여 시설하는 경우
3. 규정에 준하는 라이팅덕트공사에 의하여 시설하는 경우
4. 규정에 준하는 접촉 전선을 시설하는 경우

64 다음 중 정전작업 시 조치사항으로 틀린 것은?

① 개폐기에 잠금장치를 하고 통전금지에 꼬리표를 부착한다.
② 개로된 전로의 충전여부를 검전기구로 정전유무를 확인한다.
③ 단락접지를 한다.
④ 개로된 전로에서 전기기기 등은 접촉하기 전에 잔류전하는 완전히 보존한다.

> **해설**

정전전로에서의 전로차단 절차
1. 전기기기 등에 공급되는 모든 전원을 관련 도면, 배선도 등으로 확인할 것
2. 전원을 차단한 후 각 단로기 등을 개방하고 확인할 것
3. 차단장치나 단로기 등에 잠금장치 및 꼬리표를 부착할 것
4. 개로된 전로에서 유도전압 또는 전기에너지가 축적되어 근로자에게 전기위험을 끼칠 수 있는 전기기기 등은 접촉하기 전에 잔류전하를 완전히 방전시킬 것
5. 검전기를 이용하여 작업 대상 기기가 충전되었는지를 확인할 것
6. 전기기기 등이 다른 노출 충전부와의 접촉, 유도 또는 예비동력원의 역송전 등으로 전압이 발생할 우려가 있는 경우에는 충분한 용량을 가진 단락 접지기구를 이용하여 접지할 것

65 누전 경보기의 수신기는 옥내의 점검에 편리한 장소에 설치하여야 한다. 이 수신기의 설치장소로 옳지 않은 것은?

① 습도가 낮은 장소
② 온도의 변화가 거의 없는 장소
③ 화약류를 제조하거나 저장 또는 취급하는 장소
④ 부식성 증기와 가스는 발생되나 방식이 되어있는 곳

> **해설**

수신부의 설치장소
누전경보기의 수신부는 다음 각 호의 장소 외의 장소에 설치하여야 한다.(다만, 해당 누전경보기에 대하여 방폭·방식·방습·방온·방진 및 정전기 차폐 등의 방호조치를 한 것은 제외)
1. 가연성의 증기·먼지·가스 등이나 부식성의 증기·가스 등이 다량으로 체류하는 장소
2. 화약류를 제조하거나 저장 또는 취급하는 장소
3. 습도가 높은 장소
4. 온도의 변화가 급격한 장소
5. 대전류회로·고주파 발생회로 등에 따른 영향을 받을 우려가 있는 장소

66 산업안전보건법령에 따라 꽂음접속기를 설치 또는 사용하는 경우 준수하여야 할 사항으로 틀린 것은?

① 서로 다른 전압의 꽂음 접속기는 서로 접속되지 아니한 구조의 것을 사용할 것
② 습윤한 장소에 사용되는 꽂음접속기는 방수형 등 그 장소에 적합한 것을 사용할 것
③ 근로자가 해당 꽂음접속기를 접속시킬 경우에는 땀 등으로 젖은 손으로 취급하지 않도록 할 것
④ 꽂음접속기에 잠금장치가 있는 때에는 접속 후 개방하여 사용할 것

> **해설**

꽂음접속기의 설치·사용 시 준수사항
1. 서로 다른 전압의 꽂음접속기는 서로 접속되지 아니한 구조의 것을 사용할 것
2. 습윤한 장소에 사용되는 꽂음 접속기는 방수형 등 그 장소에 적합한 것을 사용할 것
3. 근로자가 해당 꽂음 접속기를 접속시킬 경우에는 땀 등으로 젖은 손으로 취급하지 않도록 할 것
4. 해당 꽂음 접속기에 잠금장치가 있는 경우에는 접속 후 잠그고 사용할 것

정답 64 ④ 65 ③ 66 ④

67 건설현장에서 사용하는 임시배선의 안전대책으로 거리가 먼 것은?

① 모든 전기기기의 외함은 접지시켜야 한다.
② 임시배선은 다심케이블을 사용하지 않아도 된다.
③ 배선은 반드시 분전반 또는 배전반에서 인출해야 한다.
④ 지상 등에서 금속관으로 방호할 때는 그 금속관을 접지해야 한다.

해설
임시배선은 다심케이블을 사용한다.

68 누설전류로 인해 화재가 발생될 수 있는 누전화재의 3요소에 해당하지 않는 것은?

① 누전점 ② 인입점
③ 접지점 ④ 출화점

해설
전기누전으로 인한 화재조사 시에 착안해야 할 입증 흔적
1. 누전점 : 전류의 유입점
2. 발화점 : 발화된 장소(출화점)
3. 접지점 : 전류의 유출점

69 다음 중 전선이 연소될 때의 단계별 순서로 가장 적절한 것은?

① 착화단계 → 순시용단 단계 → 발화단계 → 인화단계
② 인화단계 → 착화단계 → 발화단계 → 순시용단 단계
③ 순시용단 단계 → 착화단계 → 인화단계 → 발화단계
④ 발화단계 → 순시용단 단계 → 착화단계 → 인화단계

해설
배선의 용단단계에 따른 전선 전류밀도(전선의 연소 과정)

단계	인화단계	착화단계	발화단계		순시용단 단계
	허용전류의 3배정도	큰 전류, 점화원없이 착화연소	심선이 용단		심선용단 및 도선 폭발
			발화후 용단	용단과 동시발화	
전류밀도 (A/mm²)	40~43	43~60	60~70	75~120	120 이상

70 전폐형 방폭구조가 아닌 것은?

① 압력방폭구조 ② 내압방폭구조
③ 유입방폭구조 ④ 안전증방폭구조

해설
전폐형 구조의 방폭구조
전폐형 구조는 내부와 외부 사이를 완전히 차단시키는 구조를 말한다.
1. 내압 방폭구조
2. 압력 방폭구조
3. 유입 방폭구조

71 다음 중 일반적인 국소배기장치의 구성요소로 볼 수 없는 것은?

① 후드 ② 저장소
③ 덕트 ④ 송풍기

해설
국소배기장치의 구성요소
국소배기장치는 후드, 덕트, 공기정화장치, 송풍기, 배기덕트의 각 부분으로 구성되어 있다.

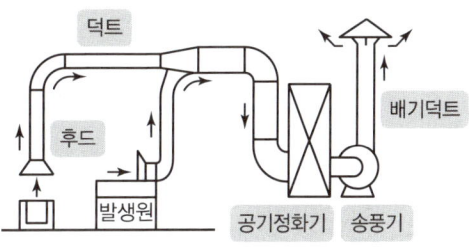

[국소배기장치의 계통도]

72 분진폭발에 대한 안전대책으로 적절하지 않은 것은?

① 분진의 퇴적을 방지한다.
② 점화원을 제거한다.
③ 입자의 크기를 최소화한다.
④ 불활성 분위기를 조성한다.

해설
입도와 입도분포
1. 분진의 표면적이 입자체적에 비하여 커지면 열의 발생속도가 방열속도보다 커져서 폭발이 용이해진다.
2. 평균 입자의 직경이 작고 밀도가 작을수록 비표면적은 크게 되고 표면에너지도 크게 되어 폭발이 용이해진다.

정답 67 ② 68 ② 69 ② 70 ④ 71 ② 72 ③

73 산업안전보건법령상 물질안전보건자료(MSDS) 작성 시 포함되어야 하는 항목이 아닌 것은?

① 물리화학적 특성
② 유해물질의 제조법
③ 환경에 미치는 영향
④ 누출사고 시 대처방법

해설
물질안전보건자료 작성 시 포함되어야 할 항목 및 그 순서
1. 화학제품과 회사에 관한 정보
2. 유해성·위험성
3. 구성성분의 명칭 및 함유량
4. 응급조치요령
5. 폭발·화재 시 대처방법
6. 누출사고 시 대처방법
7. 취급 및 저장방법
8. 노출방지 및 개인보호구
9. 물리화학적 특성
10. 안정성 및 반응성
11. 독성에 관한 정보
12. 환경에 미치는 영향
13. 폐기 시 주의사항
14. 운송에 필요한 정보
15. 법적규제 현황
16. 그 밖의 참고사항

74 다음 중 "공기 중의 발화온도"가 가장 높은 물질은?

① CH_4
② C_2H_2
③ C_2H_6
④ H_2S

해설
발화온도

메탄(CH_4)	아세틸렌(C_2H_2)	황화수소(H_2S)	에탄(C_2H_6)
537℃	305℃	260℃	472℃

75 다음 중 B급 화재에 해당되는 것은?

① 유류에 의한 화재
② 전기장치에 의한 화재
③ 일반 가연물에 의한 화재
④ 마그네슘 등에 의한 금속화재

해설
화재의 종류
1. A급 화재 : 일반화재
2. B급 화재 : 유류화재
3. C급 화재 : 전기화재
4. D급 화재 : 금속화재

76 다음 중 분해 폭발하는 가스의 폭발방지를 위하여 첨가하는 불활성 가스로 가장 적합한 것은?

① 산소
② 질소
③ 수소
④ 프로판

해설
불활성화
1. 가연성 혼합가스나 혼합분진에 불활성가스를 주입하여 산소의 농도를 최소산소농도 이하로 낮게 유지하는 것
2. 불활성가스
   • 질소
   • 이산화탄소
   • 수증기 또는 연소배기 가스 등이 있으며 통상적으로 불활성 가스로 질소가 사용된다.

77 황린의 저장 및 취급방법으로 옳은 것은?

① 강산화제을 첨가하여 중화된 상태로 저장한다.
② 물속에 저장한다.
③ 자연발화하므로 건조한 상태로 저장한다.
④ 강알칼리 용액 속에 저장한다.

해설
황린(백린, P_4)
pH9(약알칼리성) 정도의 물속에 저장하며 보호액이 증발되지 않도록 한다.

78 다음 중 고체연소의 종류에 해당하지 않는 것은?

① 표면연소
② 증발연소
③ 분해연소
④ 혼합연소

해설
가연물의 종류에 따른 연소의 분류

기체연소	확산연소, 예혼합연소
액체연소	증발연소, 액적연소
고체연소	표면연소, 분해연소, 증발연소, 자기연소

정답 73 ② 74 ① 75 ① 76 ② 77 ② 78 ④

79 혼합가스(A~C)의 조성이 다음 [표]와 같을 때 공기 중 폭발하한계는 약 몇 vol%인가?

가스	조성(vol%)	폭발하한계(vol%)
A	50	2.2
B	30	1.2
C	20	12.5

① 5.30　　② 1.20
③ 2.03　　④ 3.67

해설

르샤틀리에의 법칙(순수한 혼합가스일 경우)

$$\frac{100}{L} = \frac{V_1}{L_1} + \frac{V_2}{L_2} + \frac{V_3}{L_3} \cdots$$

$$L = \frac{100}{\frac{V_1}{L_1} + \frac{V_2}{L_2} + \cdots + \frac{V_n}{L_n}}$$

여기서, V_n : 전체 혼합가스 중 각 성분 가스의 체적(비율)[%]
　　　L_n : 각 성분 단독의 폭발한계(상한 또는 하한)
　　　L : 혼합가스의 폭발한계(상한 또는 하한)[vol%]

$$L = \frac{100}{\frac{V_1}{L_1} + \frac{V_2}{L_2} + \frac{V_3}{L_3}} = \frac{100}{\frac{50}{2.2} + \frac{30}{1.2} + \frac{20}{12.5}} = 2.03[\text{vol}\%]$$

80 윤활유를 닦은 기름걸레를 햇빛이 잘 드는 작업장의 구석에 모아 두었을 때 가장 발생가능성이 높은 재해는?

① 분진폭발
② 자연발화에 의한 화재
③ 정전기 불꽃에 의한 화재
④ 기계의 마찰열에 의한 화재

해설

자연발화

개념	외부로 방열하는 열보다 내부에서 발생하는 열의 양이 많은 경우에 발생
자연발화의 형태	• 산화열에 의한 발열(석탄, 건성유, 기름걸레 등) • 분해열에 의한 발열(셀룰로이드, 니트로셀룰로오스 등) • 흡착열에 의한 발열(활성탄, 목탄분말, 석탄분 등) • 미생물에 의한 발열(퇴비, 먼지, 볏짚 등) • 중합에 의한 발열(아크릴로니트릴 등)

TIP 기름걸레는 자연발화하므로 안전하게 금속재에 보관한다.
(플라스틱은 열전도율이 낮아 열의 축적에 의한 위험성이 더 크다.)

5과목　건설공사 안전관리

81 근로자가 추락하거나 넘어질 위험이 있는 장소에서 추락방호망의 설치기준으로 옳지 않은 것은?

① 망의 처짐은 짧은 변 길이의 15% 이상이 되도록 할 것
② 추락방호망은 수평으로 설치할 것
③ 건축물 등의 바깥쪽으로 설치하는 경우 추락방호망의 내민 길이는 벽면으로부터 3m 이상 되도록 할 것
④ 추락방호망의 설치위치는 가능하면 작업면으로부터 가까운 지점에 설치하여야 하며, 작업면으로부터 망의 설치지점까지의 수직거리는 10m를 초과하지 아니할 것

해설

추락방호망의 설치기준
① 추락방호망의 설치위치는 가능하면 작업면으로부터 가까운 지점에 설치하여야 하며, 작업면으로부터 망의 설치지점까지의 수직거리는 10미터를 초과하지 아니할 것
② 추락방호망은 수평으로 설치하고, 망의 처짐은 짧은 변 길이의 12퍼센트 이상이 되도록 할 것
③ 건축물 등의 바깥쪽으로 설치하는 경우 추락방호망의 내민 길이는 벽면으로부터 3미터 이상 되도록 할 것. 다만, 그물코가 20밀리미터 이하인 추락방호망을 사용한 경우에는 낙하물에 의한 위험 방지에 따른 낙하물방지망을 설치한 것으로 본다.

82 산업안전보건법령상 양중기를 사용하는 작업에서 운전자 또는 작업자가 보기 쉬운 곳에 부착하여야 하는 사항으로 옳지 않은 것은?

① 정격하중　　② 운전속도
③ 작업위치　　④ 경고표시

해설

정격하중 등의 표시
양중기(승강기 제외) 및 달기구를 사용하여 작업하는 운전자 또는 작업자가 보기 쉬운 곳에 해당 기계의 정격하중, 운전속도, 경고표시 등을 부착하여야 한다. 다만, 달기구는 정격하중만 표시한다.

정답　79 ③　80 ②　81 ①　82 ③

83 추락재해를 방지하기 위하여 10cm 그물코인 방망을 설치할 때 방망과 바닥면 사이의 최소 높이로 옳은 것은?(단, 설치된 방망의 단변 방향 길이 $L=2$m, 장변 방향 방망의 지지간격 $A=3$m이다.)

① 2.0m
② 2.4m
③ 3.0m
④ 3.4m

해설
방망의 사용방법(허용낙하높이)

높이 종류/ 조건	낙하높이(H_1)		방망과 바닥면 높이(H_2)		방망의 처짐길이(S)
	단일 방망	복합 방만	10cm 그물코	5cm 그물코	
$L<A$	$\frac{1}{4}(L+2A)$	$\frac{1}{5}(L+2A)$	$\frac{0.85}{4}(L+3A)$	$\frac{0.95}{4}(L+3A)$	$\frac{1}{4}(L+2A)\times\frac{1}{3}$
$L\geq A$	$3/4L$	$3/5L$	$0.85L$	$0.95L$	$\frac{3}{4}L\times\frac{1}{3}$

L : 단변방향길이(단위 : m)
A : 장변방향 방망의 지지간격(단위 : m)

1. 10cm 그물코이며, $L(2m) < A(3m)$이므로
2. $H_2 = \frac{0.85}{4}(L+3A) = \frac{0.85}{4}\times(2+3\times3) = 2.34$[m]

---

84 콘크리트 타설 시 거푸집의 측압에 영향을 미치는 인자들에 관한 설명으로 옳지 않은 것은?

① 벽 두께가 두꺼울수록 커진다.
② 타설 속도가 빠를수록 커진다.
③ 외기의 온도, 습도가 낮을수록 커진다.
④ 철골, 철근량이 많을수록 커진다.

해설
거푸집 측압증가에 영향을 미치는 인자(측압의 영향요소)
1. 거푸집 수평단면이 클수록 크다.
2. 콘크리트 슬럼프치가 클수록 커진다.
3. 거푸집 표면이 평활할수록(평탄) 커진다.
4. 콘크리트 시공연도가 좋을수록 커진다.
5. 외기의 온도, 습도가 낮을수록 커진다.
6. 타설 속도가 빠를수록 커진다.
7. 다짐이 충분할수록 커진다.
8. 타설 시 상부에서 직접 낙하할 경우 커진다.
9. 거푸집의 강성이 클수록 크다.
10. 콘크리트의 비중(단위중량)이 클수록 크다.
11. 벽 두께가 두꺼울수록 커진다.

---

85 다음은 산업안전보건법령에 따른 승강설비의 설치에 관한 내용이다. (　)에 들어갈 내용으로 옳은 것은?

사업주는 높이 또는 깊이가 (　)를 초과하는 장소에서 작업하는 경우 해당 작업에 종사하는 근로자가 안전하게 승강하기 위한 건설용 리프트 등의 설비를 설치하여야 한다. 다만, 승강설비를 설치하는 것이 작업의 성질상 곤란한 경우에는 그렇지 않다.

① 2m
② 3m
③ 4m
④ 5m

해설
승강설비의 설치
높이 또는 깊이가 2미터를 초과하는 장소에서 작업하는 경우 해당 작업에 종사하는 근로자가 안전하게 승강하기 위한 건설용 리프트 등의 설비를 설치해야 한다. 다만, 승강설비를 설치하는 것이 작업의 성질상 곤란한 경우에는 그렇지 않다.

---

86 위험물질을 제조·취급하는 작업장과 그 작업장이 있는 건축물에서의 비상구 설치기준으로 옳지 않은 것은?

① 비상구의 문은 피난방향으로 열리도록 하고, 실내에서 항상 열 수 있는 구조로 할 것
② 출입구와 같은 방향에 있지 아니하고, 출입구로부터 2m 이상 떨어져 있을 것
③ 작업장의 각 부분으로부터 하나의 비상구 또는 출입구까지의 수평거리가 50m 이하가 되도록 할 것
④ 비상구의 너비는 0.75m 이상으로 하고, 높이는 1.5m 이상으로 할 것

해설
비상구의 설치
1. 출입구와 같은 방향에 있지 아니하고, 출입구로부터 3미터 이상 떨어져 있을 것
2. 작업장의 각 부분으로부터 하나의 비상구 또는 출입구까지의 수평거리가 50미터 이하가 되도록 할 것
3. 비상구의 너비는 0.75미터 이상으로 하고, 높이는 1.5미터 이상으로 할 것
4. 비상구의 문은 피난 방향으로 열리도록 하고, 실내에서 항상 열 수 있는 구조로 할 것

정답 83 ② 84 ④ 85 ① 86 ②

87 굴착면의 기울기 기준 중 연암의 기울기는?

① 1 : 1.0
② 1 : 1.8
③ 1 : 0.5
④ 1 : 1.2

해설

굴착면의 기울기

지반의 종류	굴착면의 기울기
모래	1 : 1.8
연암 및 풍화암	1 : 1.0
경암	1 : 0.5
그 밖의 흙	1 : 1.2

88 블레이드의 길이가 길고 낮으며 블레이드의 좌우를 전후 25~30° 각도로 회전시킬 수 있어 흙을 측면으로 보낼 수 있는 도저는?

① 레이크 도저
② 스트레이트 도저
③ 앵글도저
④ 틸트도저

해설

배토판(Blade)의 형태 및 작동방법에 의한 분류

스트레이트 도저 (Straight Dozer)	트랙터의 종방향 중심축에 배토판을 직각으로 설치하여 직선적인 굴착 및 압토작업에 효율적
앵글 도저 (Angle Dozer)	배토판을 진행방향에 따라 20~30°의 좌우로 돌릴 수 있도록 만든 장치로, 측면굴착에 유리
틸트 도저 (Tilt Dozer)	배토판을 좌우로 상하 25~30°까지 아래로 기울어지게 하여 도랑파기, 경사면 굴착에 유리
힌지 도저 (Hinge Dozer)	배토판 중앙에 힌지를 붙여 안팎으로 V자형으로 꺾을 수 있으며, 흙을 깎아 옆으로 밀어내면서 전진하므로 제설, 제토작업 및 다량의 흙을 전방으로 밀고 가는 데 적합한 도저

89 가설통로를 설치하는 경우 준수하여야 할 기준으로 옳지 않은 것은?

① 견고한 구조로 할 것
② 경사는 30° 이하로 할 것
③ 경사가 30°를 초과하는 경우에는 미끄러지지 아니하는 구조로 할 것
④ 수직갱에 가설된 통로의 길이가 15m 이상인 경우에는 10m 이내마다 계단참을 설치할 것

해설

가설통로
1. 견고한 구조로 할 것
2. 경사는 30도 이하로 할 것(다만, 계단을 설치하거나 높이 2미터 미만의 가설통로로서 튼튼한 손잡이를 설치한 경우에는 그러하지 아니하다.)
3. 경사가 15도를 초과하는 경우에는 미끄러지지 아니하는 구조로 할 것
4. 추락할 위험이 있는 장소에는 안전난간을 설치할 것(다만, 작업상 부득이한 경우에는 필요한 부분만 임시로 해체할 수 있다.)
5. 수직갱에 가설된 통로의 길이가 15미터 이상인 경우에는 10미터 이내마다 계단참을 설치할 것
6. 건설공사에 사용하는 높이 8미터 이상인 비계다리에는 7미터 이내마다 계단참을 설치할 것

90 철근의 인력 운반 방법에 관한 설명으로 옳지 않은 것은?

① 긴 철근은 두 사람이 1조가 되어 같은 쪽의 어깨에 메고 운반한다.
② 양끝은 묶어서 운반한다.
③ 1회 운반 시 1인당 무게는 50kg 정도로 한다.
④ 공동작업 시 신호에 따라 작업한다.

해설

철근의 인력운반
1. 1인당 무게는 25킬로그램 정도가 적절하며, 무리한 운반을 삼가야 한다.
2. 2인 이상이 1조가 되어 어깨메기로 하여 운반하는 등 안전을 도모하여야 한다.
3. 긴 철근을 부득이 한 사람이 운반할 때에는 한쪽을 어깨에 메고 한쪽 끝을 끌면서 운반하여야 한다.
4. 운반할 때에는 양끝을 묶어 운반하여야 한다.
5. 내려놓을 때는 천천히 내려놓고 던지지 않아야 한다.
6. 공동 작업을 할 때에는 신호에 따라 작업을 하여야 한다.

91 산업안전보건법령상 건설업체의 산업재해발생률은 업무상 사고사망만인율을 산출한다. 사고 사망자 수 산정에서 제외되는 경우가 아닌 것은?

① 방화, 근로자간 또는 타인간의 폭행에 의한 경우
② 태풍·홍수·지진·눈사태 등 천재지변에 의한 불가항력적인 재해의 경우

정답 87 ① 88 ③ 89 ③ 90 ③ 91 ③

③ 건설공사와 관련된 업무를 수행하는 중 사고상 재해를 입은 경우
④ 야유회, 체육행사, 취침, 휴식 중의 사고 등 건설작업과 직접 관련이 없는 경우

해설

사고사망자 수 산정 제외
사고사망자 중 다음에 해당하는 경우로서 사업주의 법 위반으로 인한 것이 아니라고 인정되는 재해에 의한 사고사망자는 사고사망자 수 산정에서 제외한다.
1. 방화, 근로자간 또는 타인간의 폭행에 의한 경우
2. 「도로교통법」에 따라 도로에서 발생한 교통사고에 의한 경우(해당 공사의 공사용 차량·장비에 의한 사고는 제외)
3. 태풍·홍수·지진·눈사태 등 천재지변에 의한 불가항력적인 재해의 경우
4. 작업과 관련이 없는 제3자의 과실에 의한 경우(해당 목적물 완성을 위한 작업자간의 과실은 제외)
5. 그 밖에 야유회, 체육행사, 취침·휴식 중의 사고 등 건설 작업과 직접 관련이 없는 경우

> **TIP** 사고사망만인율
> 건설업체의 산업재해발생률은 사고사망만인율로 산출하되 소수점 셋째 자리에서 반올림한다.
> $$\text{사고사망만인율}(‰) = \frac{\text{사고사망자 수}}{\text{상시근로자 수}} \times 10{,}000$$

92 신축공사 현장에서 강관으로 외부비계를 설치할 때 비계기둥의 최고 높이가 45m라면 관련 법령에 따라 비계기둥을 2개의 강관으로 보강하여야 하는 높이는 지상으로부터 얼마까지인가?

① 14m
② 20m
③ 25m
④ 31m

해설

강관비계의 구조
1. 비계기둥의 제일 윗부분으로부터 31미터 되는 지점 밑부분의 비계기둥은 2개의 강관으로 묶어 세울 것
2. $45 - 31 = 14[m]$

> **TIP** 강관비계의 구조
> 1. 비계기둥의 간격은 띠장 방향에서는 1.85미터 이하, 장선 방향에서는 1.5미터 이하로 할 것. 다만, 다음 각 목의 어느 하나에 해당하는 작업의 경우에는 안전성에 대한 구조검토를 실시하고 조립도를 작성하면 띠장 방향 및 장선 방향으로 각각 2.7미터 이하로 할 수 있다.
>   ㉠ 선박 및 보트 건조작업
>   ㉡ 그 밖에 장비 반입·반출을 위하여 공간 등을 확보할 필요가 있는 등 작업의 성질상 비계기둥 간격에 관한 기준을 준수하기 곤란한 작업
> 2. 띠장 간격은 2.0미터 이하로 할 것. 다만, 작업의 성질상 이를 준수하기가 곤란하여 쌍기둥틀 등에 의하여 해당 부분을 보강한 경우에는 그러하지 아니하다.
> 3. 비계기둥의 제일 윗부분으로부터 31미터 되는 지점 밑부분의 비계기둥은 2개의 강관으로 묶어 세울 것. 다만, 브라켓(Bracket, 까치발) 등으로 보강하여 2개의 강관으로 묶을 경우 이상의 강도가 유지되는 경우에는 그러하지 아니하다.
> 4. 비계기둥 간의 적재하중은 400킬로그램을 초과하지 않도록 할 것

93 산업안전보건기준에 관한 규칙에 따라 계단 및 계단참을 설치하는 경우 매 m²당 최소 얼마 이상의 하중에 견딜 수 있는 강도를 가진 구조로 설치하여야 하는가?

① 500kg
② 600kg
③ 700kg
④ 800kg

해설

계단 및 계단참의 강도
① 매 제곱미터당 500킬로그램 이상의 하중에 견딜 수 있는 강도를 가진 구조로 설치하여야 한다.
② 안전율(재료의 파괴응력도와 허용응력도의 비율)은 4 이상으로 하여야 한다.
③ 계단 및 승강구 바닥을 구멍이 있는 재료로 만드는 경우 렌치나 그 밖의 공구 등이 낙하할 위험이 없는 구조로 하여야 한다.

94 철골작업에서의 승강로 설치기준 중 (   ) 안에 알맞은 것은?

> 사업주는 근로자가 수직방향으로 이동하는 철골부재에는 답단간격이 (   ) 이내인 고정된 승강로를 설치하여야 한다.

① 20cm
② 30cm
③ 40cm
④ 50cm

해설

철골작업 시의 위험방지(승강로의 설치)
근로자가 수직방향으로 이동하는 철골부재에는 답단간격이 30센티미터 이내인 고정된 승강로를 설치하여야 하며, 수평방향 철골과 수직방향 철골이 연결되는 부분에는 연결작업을 위하여 작업발판 등을 설치하여야 한다.

정답 92 ① 93 ① 94 ②

95 말비계를 조립하여 사용하는 경우의 준수사항으로 옳지 않은 것은?

① 말비계의 높이가 2m를 초과하는 경우에는 작업발판의 폭을 20cm 이상, 40cm 이하로 한다.
② 지주부재의 하단에는 미끄럼 방지장치를 설치한다.
③ 지주부재와 수평면의 기울기는 75° 이하로 한다.
④ 지주부재와 지주부재 사이를 고정시키는 보조부재를 설치한다.

해설
말비계 조립 시의 준수사항
1. 지주부재의 하단에는 미끄럼 방지장치를 하고, 근로자가 양측 끝부분에 올라서 작업하지 않도록 할 것
2. 지주부재와 수평면의 기울기를 75도 이하로 하고, 지주부재와 지주부재 사이를 고정시키는 보조부재를 설치할 것
3. 말비계의 높이가 2미터를 초과하는 경우에는 작업발판의 폭을 40센티미터 이상으로 할 것

96 건설공사 중 작업으로 인하여 물체가 떨어지거나 날아올 위험이 있을 때 조치할 사항으로 옳지 않은 것은?

① 안전난간 설치
② 보호구의 착용
③ 출입금지구역의 설정
④ 낙하물방지망의 설치

해설
물체가 떨어지거나 날아올 위험이 있는 경우의 위험방지
1. 낙하물 방지망 설치
2. 수직보호망 설치
3. 방호선반 설치
4. 출입금지구역 설정
5. 보호구 착용

TIP 안전난간 : 추락의 위험이 있는 장소에 설치한다.

97 낙하물 방지망 설치기준으로 옳지 않은 것은?

① 높이 10m 이내마다 설치한다.
② 내면 길이는 벽면으로부터 3m 이상으로 한다.
③ 수평면과의 각도는 20° 이상, 30° 이하를 유지한다.
④ 방호선반의 설치기준과 동일하다.

해설
낙하물방지망 또는 방호선반 설치 시 준수사항
1. 높이 10미터 이내마다 설치하고, 내민 길이는 벽면으로부터 2미터 이상으로 할 것
2. 수평면과의 각도는 20도 이상 30도 이하를 유지할 것

98 기상상태의 악화로 비계에서의 작업을 중지시킨 후 그 비계에서 작업을 다시 시작하기 전에 점검해야 할 사항에 해당하지 않는 것은?

① 기둥의 침하·변형·변위 또는 흔들림 상태
② 손잡이의 탈락 여부
③ 격벽의 설치여부
④ 발판재료의 손상 여부 및 부착 또는 걸림상태

해설
비계의 점검 및 보수

점검 보수 시기	• 비, 눈, 그 밖의 기상상태의 악화로 작업을 중지시킨 후 그 비계에서 작업할 경우 • 비계를 조립·해체하거나 변경한 후에 그 비계에서 작업을 하는 경우
작업 시작 전 점검사항	• 발판 재료의 손상 여부 및 부착 또는 걸림 상태 • 해당 비계의 연결부 또는 접속부의 풀림 상태 • 연결 재료 및 연결 철물의 손상 또는 부식 상태 • 손잡이의 탈락 여부 • 기둥의 침하, 변형, 변위 또는 흔들림 상태 • 로프의 부착 상태 및 매단 장치의 흔들림 상태

99 흙막이 지보공을 설치하였을 때 붕괴 등의 위험방지를 위하여 정기적으로 점검하고, 이상발견 시 즉시 보수하여야 하는 사항이 아닌 것은?

① 침하의 정도
② 버팀대의 긴압의 정도
③ 지형·지질 및 지층상태
④ 부재의 손상·변형·변위 및 탈락의 유무와 상태

해설
흙막이 지보공의 붕괴 등의 방지를 위한 점검사항
1. 부재의 손상·변형·부식·변위 및 탈락의 유무와 상태
2. 버팀대의 긴압의 정도
3. 부재의 접속부·부착부 및 교차부의 상태
4. 침하의 정도

정답 95 ① 96 ① 97 ② 98 ③ 99 ③

100 공사용 가설도로에 대한 설명 중 옳지 않은 것은?

① 도로는 장비 및 차량이 안전하게 운행할 수 있도록 견고하게 설치한다.
② 도로는 배수에 상관없이 평탄하게 설치한다.
③ 도로와 작업장이 접하여 있을 경우에는 방책 등을 설치한다.
④ 차량의 속도제한 표지를 부착한다.

해설

공사용 가설도로 설치기준
1. 도로는 장비와 차량이 안전하게 운행할 수 있도록 견고하게 설치할 것
2. 도로와 작업장이 접하여 있을 경우에는 방책 등을 설치할 것
3. 도로는 배수를 위하여 경사지게 설치하거나 배수시설을 설치할 것
4. 차량의 속도제한 표지를 부착할 것

정답 100 ②

PART 07

05 | 2024년 2회 기출복원문제

1과목 산업재해 예방 및 안전보건교육

01 다음 중 부주의 현상과 거리가 먼 것은?

① 의식의 우회
② 의식의 회복
③ 의식의 단절
④ 의식의 과잉

해설
부주의 발생현상

의식의 단절(중단)	• 의식의 흐름에 단절이 생기고 공백상태가 나타나는 경우 • 의식수준 제0단계의 상태(특수한 질병의 경우)
의식의 우회	• 의식의 흐름이 옆으로 빗나가 발생한 경우 • 의식수준 제0단계의 상태(걱정, 고민, 욕구불만 등)
의식수준의 저하	• 뚜렷하지 않은 의식의 상태로 심신이 피로하거나 단조로운 작업 등의 경우 • 의식수준 제I단계 이하의 상태
의식의 과잉	• 돌발사태 및 긴급이상사태에 직면하면 순간적으로 긴장되고 의식이 한 방향으로 쏠리는 주의의 일점집중현상의 경우 • 의식수준 제Ⅳ단계의 상태
의식의 혼란	• 외적조건에 문제가 있을 때 의식이 혼란되고 분산되어 작업에 잠재되어 있는 위험요인에 대응할 수 없는 경우 • 외부의 자극이 애매모호 하거나, 너무 강하거나 약할 때

02 버드(Bird)는 사고가 5개의 연쇄반응에 의하여 발생되는 것으로 보았다. 다음 중 재해 발생의 첫 단계에 해당하는 것은?

① 개인적 결함
② 사회적 환경
③ 관리의 부족
④ 불안전한 행동 및 불안전한 상태

해설
버드(Bird)의 최신 도미노이론
1. 제1단계 : 제어의 부족(관리)
2. 제2단계 : 기본원인(기원)
3. 제3단계 : 직접원인(징후)
4. 제4단계 : 사고(접촉)
5. 제5단계 : 상해(손실)

03 산업안전보건법령상 특별교육 대상 작업별 교육 내용 중 밀폐공간에서의 작업 시 교육 내용이 아닌 것은?(단, 그 밖에 안전·보건관리에 필요한 사항은 제외)

① 사고 시의 응급처치 및 비상시 구출에 관한 사항
② 유해물질이 인체에 미치는 영향
③ 보호구 착용 및 보호 장비 사용에 관한 사항
④ 산소농도 측정 및 작업환경에 관한 사항

해설
특별안전 보건교육내용(밀폐공간에서의 작업)
1. 산소농도 측정 및 작업환경에 관한 사항
2. 사고 시의 응급처치 및 비상시 구출에 관한 사항
3. 보호구 착용 및 보호 장비 사용에 관한 사항
4. 작업내용·안전작업방법 및 절차에 관한 사항
5. 장비·설비 및 시설 등의 안전점검에 관한 사항
6. 그 밖에 안전·보건관리에 필요한 사항

04 재해발생의 주요 원인에 있어 다음 중 불안전한 행동에 의한 요인이 아닌 것은?

① 결함이 있는 기계 설비 및 장비
② 보호구 미착용 및 위험한 장소에서 작업
③ 안전장치를 고장 내거나 안전장치의 기능을 제거
④ 권한 없이 행한 조작

해설
불안전한 행동과 상태의 분류

불안전한 행동 (인적 요인)	설비·기계 및 물질의 부적절한 사용·관리, 구조물 등 그 밖의 위험방치 및 미확인, 작업수행소홀 및 절차 미준수, 불안전한 작업자세, 작업수행 중 과실, 무모한 또는 불필요한 행위 및 동작, 복장, 보호구의 부적절한 사용, 불안전한 속도 조작, 안전장치의 기능 제거, 불안전한 인양 및 운반
불안전한 상태 (물적 요인)	물체 및 설비 자체의 결함, 방호조치의 부적절, 작업통로 등 장소불량 및 위험, 물체, 기계기구 등의 취급상 위험, 작업공정·절차의 부적절, 작업환경 등의 부적절, 보호구의 성능불량, 불안전한 설계로 인한 결함 발생

정답 01 ② 02 ③ 03 ② 04 ①

05 작업을 하고 있을 때 개인적 걱정, 고민 및 욕구불만 등에 의해 다른 데 정신을 빼앗기는 부주의 현상은?

① 의식의 과잉
② 의식수준의 저하
③ 의식의 집중화
④ 의식의 우회

해설

부주의 발생현상

의식의 단절(중단)	의식의 흐름에 단절이 생기고 공백상태가 나타나는 경우(특수한 질병의 경우)
의식의 우회	의식의 흐름이 옆으로 빗나가 발생한 경우(걱정, 고민, 욕구불만 등)
의식수준의 저하	뚜렷하지 않은 의식의 상태로 심신이 피로하거나 단조로운 작업 등의 경우
의식의 과잉	돌발사태 및 긴급이상사태에 직면하면 순간적으로 긴장되고 의식이 한 방향으로 쏠리는 주의의 일점 집중현상의 경우
의식의 혼란	외적 조건에 문제가 있을 때 의식이 혼란되고 분산되어 작업에 잠재되어 있는 위험요인에 대응할 수 없는 경우

06 연간근로자수가 300명인 A 공장에서 지난 1년간 1명의 재해자(신체장해등급1급)가 발생하였다면 이 공장의 강도율은?(단, 근로자 1인당 1일 8시간씩 연간 300일 근무하였다.)

① 4.27
② 6.42
③ 10.05
④ 10.42

해설

강도율
근로시간 1,000시간당 재해에 의해 잃어버린(상실되는) 근로손실 일수

$$강도율 = \frac{근로손실일수}{연간\ 총근로시간수} \times 1,000$$

$$강도율 = \frac{7500}{300 \times 8 \times 300} \times 1,000 = 10.416 = 10.42$$

TIP 사망 및 영구 전노동불능(신체장해등급 1~3급) 근로손실일수 : 7,500일

07 리더십의 3가지 유형 중 지도자가 모든 정책을 단독으로 결정하기 때문에 부하 직원들은 오로지 따르기만 하면 된다는 유형을 무엇이라 하는가?

① 안주형
② 자유방임형
③ 권위형
④ 경제형

해설

리더십의 유형(업무추진의 방식에 따른 방식)

분류	개념	특징
권위형 (독재적)	• 리더중심 • 부하직원의 정책 결정에 참여 거부 • 집단성원의 행위는 공격적 아니면 무관심 • 일 중심형으로 업적에 대한 관심은 높지만 인간관계에 무관심	지도자가 집단의 모든 권한 행사를 단독적으로 처리한다.
민주형 (민주적)	• 집단중심 • 추종자(부하직원)에게 참여와 자유 인정 • 추종자(부하직원)의 적극적 자기실현 기회의 확보 • 리더의 통제와 조정, 자유폭 제한	집단의 토론, 회의 등에 의해 정책을 결정한다.
자유방임형 (개방적)	• 종업원중심 • 집단 구성원에게 완전한 자유를 주고 리더의 권한 행사는 없음	집단에 대하여 전혀 리더십을 발휘하지 않고 명목상의 리더 자리만을 지키는 유형으로 지도자가 집단 구성원에게 완전히 자유를 주는 경우이다.

08 하행선 기차역에 정지하고 있는 열차 안의 승객이 반대편 상행선 열차의 출발로 인하여 하행선 열차가 움직이는 것 같은 착각을 일으키는 현상을 무엇이라고 하는가?

① 유도운동
② 자동운동
③ 가현운동
④ 브라운 운동

해설

인간의 착각현상

가현운동	• 정지하고 있는 대상물을 나타냈다가 지웠다가 자주 반복하면 그 물체가 마치 운동하는 것처럼 인식되는 현상 • 영화영상기법, β운동
자동운동	암실 내에서 정지된 소광점을 응시하면 그 광점이 움직이는 것처럼 보이는 현상

정답 05 ④ 06 ④ 07 ③ 08 ①

유도운동	• 실제로는 움직이지 않는 것이 어느 기준의 이동에 유도되어 움직이는 것처럼 느껴지는 현상 • 하행선 기차역에 정지하고 있는 열차안의 승객이 반대편 상행선 열차의 출발로 인하여 하행선 열차가 움직이는 것처럼 느끼는 경우

09 다음 중 토의법의 장점으로 볼 수 없는 것은?

① 사고표현력을 길러 준다.
② 결정된 사항에 따르도록 한다.
③ 내용에 대한 사전지식이 필요 없다.
④ 자기 스스로 사고하는 능력을 길러 준다.

해설
토의법

정의	다양한 과제와 문제에 대해 학습자 상호 간에 솔직하게 의견을 내어 공통의 이해를 꾀하면서 그룹의 결론을 도출해가는 것으로 안전지식과 관리에 대한 유경험자에게 적합한 교육방법(쌍방적 의사전달방법)
장점	• 사고표현력을 길러준다. • 결정된 사항에 따르도록 한다. • 자기 스스로 사고하는 능력을 길러준다. • 민주적 태도의 가치관을 육성할 수 있다. • 타인의 의견을 존중하는 태도를 기를 수 있다.
단점	• 토의 내용에 대한 충분한 사전 준비가 필요하다. • 교육에 시간이 너무 많이 소요된다. • 예측하지 못한 상황이 발생할 수 있다. • 소수에 의해 토론이 주도될 경우 나머지 학습자는 소외되거나 무관심한 상태에 빠지기 쉽다.

10 OJT(On the Job Training)의 특징이 아닌 것은?

① 훈련에 필요한 업무의 계속성이 끊어지지 않는다.
② 교육효과가 업무에 신속히 반영된다.
③ 다수의 근로자들을 대상으로 동시에 조직적 훈련이 가능하다.
④ 개개인에게 적절한 지도훈련이 가능하다.

해설
O.J.T(On the Job Training)의 특징
1. 직장의 실정에 맞는 구체적이고 실제적인 지도 교육이 가능하다.
2. 개개인에게 적절한 지도 훈련이 가능하다.(개인의 능력과 적성에 알맞은 맞춤교육이 가능하다)
3. 훈련 효과에 의해 상호 신뢰이해도가 높아진다.(상사와의 의사 소통 및 신뢰도 향상에 도움이 된다)
4. 교육의 효과가 업무에 신속하게 반영된다.
5. 교육의 이해도가 빠르고 동기부여가 쉽다.
6. 교육으로 인해 업무가 중단되는 업무손실이 적다.
7. 교육경비의 절감효과가 있다.

11 다음 중 히인리히 재해 발생 5단계 중 제3단계에 해당하는 것은?

① 불안전한 행동 또는 불안전한 상태
② 사회적 환경 및 유전적 요소
③ 관리의 부재
④ 사고

해설
하인리히(H.W.Heinrich)의 도미노이론(사고연쇄성)
1. 제1단계 : 사회적 환경 및 유전적 요인
2. 제2단계 : 개인적 결함
3. 제3단계 : 불안전한 행동 및 불안전한 상태
4. 제4단계 : 사고
5. 제5단계 : 재해
불안전한 행동이나 불안전한 상태, 즉 제3단계를 제거하면 사고나 재해를 예방할 수 있다.

12 다음 중 라인-스탭(Line-staff) 조직의 단점으로 볼 수 없는 것은?

① 권한의 분쟁이나 조정으로 인해 시간과 노력이 소모될 수 있다.
② 명령계통과 조언·권고적 참여가 혼동되기 쉽다.
③ 스탭의 월권행위가 발생하는 경우가 있다.
④ 라인이 스탭에 의존 또는 활용하지 않는 경우가 있다.

해설
라인-스태프형(Line-Staff형, 직계 참모형 조직)

특징	• 안전보건 업무를 전담하는 스태프를 별도로 두고 또 생산라인에는 그 부서의 장으로 하여금 계획된 생산라인의 안전관리조직을 통하여 실시하도록 한 조직 형태 • 스태프는 안전에 관한 기획, 조사, 검토 및 연구를 수행 • 라인형과 스태프형의 장점을 취한 절충식 조직형태 • 라인의 관리감독자에게도 안전에 관한 책임과 권한이 부여됨 • 안전활동과 생산업무가 분리될 가능성이 낮기 때문에 균형을 유지할 수 있음 • 1,000명 이상의 대규모 사업장에 적합한 조직 형태

정답 09 ③ 10 ③ 11 ① 12 ①

장점	• 조직원 전원을 자율적으로 안전활동에 참여시킬 수 있음 • 스태프에 의해 입안된 것을 경영자의 지침으로 명령 실시하도록 하므로 정확·신속함
단점	• 명령계통과 조언이나 권고적 참여가 혼동되기 쉬움 • 라인과 스태프 간에 협조가 안 될 경우 업무의 원활한 추진 불가(라인과 스태프 간의 월권 또는 상호 의견충돌이 생길 수 있음) • 라인이 스태프에 의존 또는 활용하지 않는 경우가 있음

13 다음 중 "사람은 전체 이미지를 각 부분들 사이의 상호관계와 맥락 속에서 지각한다."라고 강조한 게슈탈트의 4가지 원칙이 아닌 것은?

① 근접성　　② 유연성
③ 유사성　　④ 폐쇄성

해설

게슈탈트의 4원칙

근접성	사물을 인지할 때 가까이에 있는 물체들을 하나의 그룹으로 묶어서 인지	○○ ○○ ○○ ○○
유사성	서로 비슷한 것끼리 한데 묶어서 인지	●○●○●○
연속성	연속적으로 나열된 요소를 선이나 곡선의 형태로 인지	(a) 직선과 곡선의 교차　(b) 변형된 2개의 조합
폐쇄성	기존의 지식을 토대로 완성되지 않은 형태도 완성시켜 인지	

14 산업안전보건법령상 근로자 안전보건교육 중 채용 시의 교육 및 작업내용 변경 시의 교육 사항으로 옳은 것은?

① 물질안전보건자료에 관한 사항
② 건강증진 및 질병 예방에 관한 사항
③ 유해·위험 작업환경 관리에 관한 사항
④ 표준안전 작업방법 결정 및 지도·감독 요령에 관한 사항

해설

근로자 채용 시 교육 및 작업내용 변경 시 교육
1. 산업안전 및 산업재해 예방에 관한 사항(화재·폭발 사고 발생 시 대피에 관한 사항을 포함)
2. 산업보건 및 건강장해 예방에 관한 사항
3. 위험성 평가에 관한 사항
4. 산업안전보건법령 및 산업재해보상보험 제도에 관한 사항
5. 직무스트레스 예방 및 관리에 관한 사항
6. 직장 내 괴롭힘, 고객의 폭언 등으로 인한 건강장해 예방 및 관리에 관한 사항
7. 기계·기구의 위험성과 작업의 순서 및 동선에 관한 사항
8. 작업 개시 전 점검에 관한 사항
9. 정리정돈 및 청소에 관한 사항
10. 사고 발생 시 긴급조치에 관한 사항
11. 물질안전보건자료에 관한 사항

15 산업안전보건법상 중대재해에 해당하지 않는 것은?

① 추락으로 인하여 1명이 사망한 재해
② 건물의 붕괴로 인하여 15명의 부상자가 동시에 발생한 재해
③ 화재로 인하여 4개월의 요양이 필요한 부상자가 동시에 3명 발생한 재해
④ 근로환경으로 인하여 작업성 질병자가 동시에 5명 발생한 재해

해설

중대재해
1. 사망자가 1명 이상 발생한 재해
2. 3개월 이상의 요양이 필요한 부상자가 동시에 2명 이상 발생한 재해
3. 부상자 또는 직업성 질병자가 동시에 10명 이상 발생한 재해

16 T.W.I(Training Within Industry)의 교육내용이 아닌 것은?

① Job Support Training
② Job Method Training
③ Job Relation Training
④ Job Instruction Training

정답 13 ②　14 ①　15 ④　16 ①

해설
TWI의 교육 과정
1. Job Method Training(JMT) : 작업방법훈련, 작업개선 훈련
2. Job Instruction Training(JIT) : 작업지도훈련
3. Job Relations Training(JRT) : 인간관계 훈련, 부하통솔법
4. Job Safety Training(JST) : 작업안전훈련

17 다음 중 매슬로우(Maslow)가 제창한 인간의 욕구 5단계 이론을 단계별로 옳게 나열한 것은?

① 생리적 욕구 → 안전 욕구 → 사회적 욕구 → 존경의 욕구 → 자아실현의 욕구
② 안전 욕구 → 생리적 욕구 → 사회적 욕구 → 존경의 욕구 → 자아실현의 욕구
③ 사회적 욕구 → 생리적 욕구 → 안전 욕구 → 존경의 욕구 → 자아실현의 욕구
④ 사회적 욕구 → 안전 욕구 → 생리적 욕구 → 존경의 욕구 → 자아실현의 욕구

해설
매슬로(Maslow)의 욕구단계 이론

제1단계	생리적 욕구	기아, 갈증, 호흡, 배설, 성욕 등 생명유지의 기본적 욕구
제2단계	안전의 욕구	• 자기보존 욕구 - 안전을 구하려는 욕구 • 전쟁, 재해, 질병의 위험으로부터 자유로워지려는 욕구
제3단계	사회적 욕구	• 소속감과 애정에 대한 욕구 • 사회적으로 관계를 향상시키는 욕구
제4단계	인정받으려는 욕구 (자기 존중의 욕구)	자존심, 명예, 성취, 지위 등 인정받으려는 욕구
제5단계	자아실현의 욕구	잠재능력을 실현하고자 하는 성취욕구

18 맥그리거(McGregor)의 X이론에 따른 관리처방이 아닌 것은?

① 목표에 의한 관리
② 권위주의적 리더십 확립
③ 경제적 보상체제의 강화
④ 면밀한 감독과 엄격한 통제

해설
X, Y이론의 관리처방

X 이론의 관리처방	Y 이론의 관리처방
• 권위주의적 리더십의 확립 • 경제적 보상 체제의 강화 • 면밀한 감독과 엄격한 통제 • 상부 책임제도의 강화 • 설득, 보상, 벌, 통제에 의한 관리 • 조직구조의 고층성	• 분권화와 권한의 위임 • 목표에 의한 관리 • 비공식적 조직의 활용 • 민주적 리더십의 확립 • 직무확장 • 자체 평가제도의 활성화 • 조직 목표 달성을 위한 자율적인 통제 • 조직구조의 평면화

19 교육의 3요소 중 교육의 주체에 해당하는 것은?

① 강사
② 교재
③ 수강자
④ 교육방법

해설
교육의 3요소
① 교육의 주체 : 강사
② 교육의 객체 : 수강자(교육대상)
③ 교육의 매개체 : 교재(교육내용)

20 다음과 같은 스트레스에 대한 반응은 무엇에 해당하는가?

> 여동생이나 남동생을 얻게 되면서 손가락을 빠는 것과 같이 어린 시절의 버릇을 나타낸다.

① 투사
② 억압
③ 승화
④ 퇴행

해설
적응기제

투사	• 자기 마음속의 억압된 것을 다른 사람의 것으로 생각하는 것 • 자신이 미워하는 대상에 대해서, 그 사람이 자신을 미워한다고 생각한다.
억압	현실적으로 받아들이기 곤란한 충동이나 욕망(사회적으로 승인되지 않는 성적욕구, 공격적욕구, 감정) 등을 무의식적으로 억누르는 것
승화	• 억압당한 욕구가 사회적·문화적으로 가치있는 목적으로 향하여 노력함으로써 욕구를 충족하는 행위 • 성적욕구 및 공격적 행동 등이 예술, 스포츠 등으로 전환되는 것이 좋은 예이다.
퇴행	• 현실의 어려움을 이겨내지 못하고 어린 시절로 되돌아가고자 하는 행위 • 여동생이나 남동생을 얻게 되면서 손가락을 빠는 것과 같이 어린시절의 버릇을 나타낸다.

정답 17 ① 18 ① 19 ① 20 ④

2과목 인간공학 및 위험성 평가·관리

21 다음 중 서서 하는 작업이 앉은 자세 작업보다 좋은 경우가 아닌 것은?

① 매우 크거나 무거운 중량물을 취급하는 경우
② 작업 시 손으로 큰 힘이 요구되는 작업의 경우
③ 신체적으로 안정감이 필요한 경우
④ 작업의 내용이 많아 작업자들이 자주 이동하는 경우

해설
서서 하는 작업을 해야 하는 경우
1. 작업 시 큰 힘이 요구되는 경우
2. 주요 작업도구 및 부품이 한계범위 밖에 위치할 경우
3. 작업대 구조로 앉아서 하는 작업 시 다리의 여유공간이 충분하지 않은 경우
4. 작업의 내용이 많아 작업 시 이동이 필요한 경우

> **TIP** 정밀한 작업은 앉아서 작업하는 것이 좋으며 앉은 자세의 목적은 작업자로 하여금 작업에 필요한 안정된 자세를 갖게 하여 작업에 직업 필요하지 않는 다리, 발, 몸통 등과 같은 신체부위를 휴식시키고자 하는 것이다.

22 급작스런 큰 소음으로 인하여 생기는 생리적 변화가 아닌 것은?

① 근육이완   ② 혈압상승
③ 동공팽창   ④ 심장박동수 증가

해설
강한 소음으로 인한 생리적인 변화
1. 말초 순환계의 혈관이 수축
2. 동공, 맥박 강도, EEG 등에 변화
3. 부신피질 기능저하
4. 혈압상승, 신진대사 증가, 발한촉진, 위액 및 위장관 운동을 억제

23 설계된 시스템이나 기기의 잠재적인 고장 모드(Mode)를 찾아내고, 시스템이나 기기의 가동 중에 고장이 발생하였을 경우 임무수행에 미치는 영향을 검토하고 평가하여, 영향이 큰 고장모드에 대하여 적절한 대책을 세우는 시스템 위험분석기법은?

① PHA   ② FMEA
③ FTA   ④ MORT

해설
고장형태와 영향분석(FMEA)
1. 시스템이나 서브시스템 위험분석을 위하여 일반적으로 사용되는 전형적인 정성적, 귀납적 분석기법으로 시스템에 영향을 미치는 모든 요소의 고장을 형태별로 분석하여 그 영향을 검토하는 분석기법
2. 시스템 내의 위험요소가 얼마나 위험한 상태에 있는가를 정성적으로 평가하는 기법
3. 고장 발생을 최소로 하고자 하는 경우에 유효하다.

24 신호등 및 경고등의 설계 시 권장되는 사항과 거리가 먼 것은?

① 경고등의 수는 일반적으로 많을수록 좋다.
② 경고등의 위치는 작업자의 정상 시선의 30° 안에 있어야 한다.
③ 일시적인 위급 상황을 경고할 때는 점멸등이 효과적이다.
④ 경고등의 밝기는 뒤의 배경보다 2배 이상 밝아야 한다.

해설
경고등의 설계 지침
1. 점멸속도 : 초당 3~10회, 지속시간 0.05초 이상
2. 바로 뒤의 배경보다 2배 이상의 밝기를 가진다.
3. 경고등의 수는 일반적으로 하나가 좋다.
4. 정상 시선의 30° 안에 있어야 한다.

25 인간 오류(Human Error)를 독립행동과 원인에 의한 오류로 분류할 때 원인에 의한 분류에 해당하는 것은?

① Extraneous Error   ② Command Error
③ Omission Error   ④ Sequence Error

해설
원인의 레벨(Level)적 분류

Primary Error (1차 에러)	작업자 자신으로부터 발생한 에러
Secondary Error (2차 에러)	작업형태나 작업조건 중에서 다른 문제가 발생하여 필요한 직무나 절차를 수행할 수 없는 에러
Command Error (지시 에러)	작업자가 움직이려 해도 필요한 물건, 정보, 에너지 등이 공급되지 않아서 작업자가 움직일 수 없는 상황에서 발생한 에러

정답 21 ③ 22 ① 23 ② 24 ① 25 ②

> **TIP** 인간실수의 분류(심리적인 분류)

생략에러 (Omission Error) 부작위 실수	필요한 직무 및 절차를 수행하지 않아 (생략) 발생하는 에러 예 가스밸브를 잠그는 것을 잊어 사고가 났다.
작위에러 (Commission Error)	필요한 작업 또는 절차의 불확실한 수행(잘못 수행)으로 인한 에러 예 전선이 바뀌었다. 틀린 부품을 사용하였다. 부품이 거꾸로 조립되었다 등
순서에러 (Sequential Error)	필요한 작업 또는 절차의 순서 착오로 인한 에러 예 자동차 출발 시 핸드브레이크를 해제하지 않고 출발하여 발생한 경우
시간에러 (Time Error)	필요한 직무 또는 절차의 수행지연으로 인한 에러 예 프레스 작업 중에 금형 내에 손이 오랫동안 남아 있어 발생한 재해
과잉행동에러 (Extraneous Error)	불필요한 작업 또는 절차를 수행함으로써 기인한 에러 예 자동차 운전 중 습관적으로 손을 창문으로 내밀어 발생한 재해

26 인간공학에 관련된 설명으로 틀린 것은?

① 편리성, 쾌적성, 효율성을 높일 수 있다.
② 사고를 방지하고 안전성과 능률성을 높일 수 있다.
③ 인간의 특성과 한계점을 고려하여 제품을 설계한다.
④ 생산성을 높이기 위해 인간을 작업 특성에 맞추는 것이다.

> **해설**

인간공학의 정의
1. 인간의 특성과 한계 능력을 공학적으로 분석, 평가하여 이를 복잡한 체계의 설계에 응용함으로써 효율을 최대로 활용할 수 있도록 하는 학문분야이다.
2. 인간의 생리적, 심리적 요소를 연구하여 기계나 설비를 인간의 특성에 맞추어 설계하고자 하는 것이다.
3. 사람과 작업 간의 적합성에 관한 과학을 말한다.
4. 인간공학의 초점은 인간이 만들어 생활의 여러 가지 면에서 사용하는 물건, 기구 또는 환경을 설계하는 과정에서 인간을 고려하는 데 있다.

27 FTA에 사용되는 기호 중 다음 기호에 해당하는 것은?

① 생략사상
② 부정사상
③ 결함사상
④ 기본사상

> **해설**

FTA분석 기호

기호	명칭	내용
▭	결함사상	사고가 일어난 사상(사건)
○	기본사상	더 이상 전개가 되지 않는 기본적인 사상 또는 발생확률이 단독으로 얻어지는 낮은 레벨의 기본적인 사상
⌂	통상사상 (가형사상)	통상발생이 예상되는 사상(예상되는 원인)
◇	생략사상 (최후사상)	정보부족 또는 분석기술 불충분으로 더 이상 전개할 수 없는 사상(작업진행에 따라 해석이 가능할 때는 다시 속행한다.)
△	전이기호 (이행기호)	• FT도상에서 다른 부분에 관한 이행 또는 연결을 나타낸다. • 상부에 선이 있는 경우는 다른 부분으로 전입(IN)
△	전이기호 (이행기호)	• FT도상에서 다른 부분에 관한 이행 또는 연결을 나타낸다. • 측면에 선이 있는 경우는 다른 부분으로 전출(OUT)

28 부품배치의 원칙 중 체계의 목표달성에 긴요한 정도에 따른 우선순위를 결정하기 위한 기준으로 가장 적합한 것은?

① 중요성의 원칙
② 사용 빈도의 원칙
③ 기능별 배치의 원칙
④ 사용 순서의 원칙

정답 26 ④ 27 ④ 28 ①

해설

부품배치의 원칙

부품의 위치 결정	중요성의 원칙	체계의 목표달성에 긴요한 정도에 따른 우선순위를 설정
	사용빈도의 원칙	부품이 사용되는 빈도에 따른 우선순위 설정
부품의 배치 결정	기능별 배치의 원칙	기능적으로 관련된 부품들을 모아서 배치
	사용 순서의 원칙	순서적으로 사용되는 장치들을 가까이에 순서적으로 배치

29 사용자의 잘못된 조작 또는 실수로 인해 기계의 고장이 발생하지 않도록 설계하는 방법은?

① FMEA ② HAZOP
③ Fail Safe ④ Fool Proof

해설

풀 프루프와 페일 세이프

풀 프루프 (Fool Proof)	작업자가 기계를 잘못 취급하여 불안전 행동이나 실수를 하여도 기계설비의 안전기능이 작용되어 재해를 방지할 수 있는 기능을 가진 구조
페일 세이프 (Fail Safe)	기계나 그 부품에 파손·고장·기능 불량이 발생하여도 항상 안전하게 작동할 수 있는 기능을 가진 구조

30 레버를 10° 움직이면 표시장치는 1cm 이동하는 조종장치가 있다. 레버의 길이가 20cm라고 하면 이 조종장치의 통제표시비(C/D)는 약 얼마인가?

① 1.27 ② 2.38
③ 3.49 ④ 4.51

해설

조종-표시장치 이동비율(C/D비 : Control-Display Ratio)
회전운동을 하는 조종장치가 선형 표시장치를 움직일 경우

$$C/D비(C/R비) = \frac{(a/360) \times 2\pi L}{\text{표시장치의 이동거리}}$$

여기서, L : 반경(지레의 길이)
a : 조종장치가 움직인 각도

$$C/D비 = \frac{(a/360) \times 2\pi L}{\text{표시장치의 이동거리}} = \frac{(10/360) \times 2 \times \pi \times 20}{1} = 3.49$$

31 인간의 기대하는 바와 자극 또는 반응들이 일치하는 관계를 무엇이라 하는가?

① 관련성 ② 반응성
③ 양립성 ④ 자극성

해설

양립성(compatibility)
1. 자극들 간의, 반응들 간의, 자극-반응 조합의 관계가 인간의 기대와 모순되지 않는 것이다.(인간의 기대하는 바와 자극 또는 반응들이 일치하는 관계)
2. 양립성의 종류

공간 양립성	• 표시장치와 이에 대응하는 조종장치 간의 위치 또는 배열이 인간의 기대와 모순되지 않아야 한다. • 가스버너에서 오른쪽 조리대는 오른쪽 조절장치로, 왼쪽 조리대는 왼쪽 조절장치로 조정하도록 배치한다.
운동 양립성	• 조작장치의 방향과 표시장치의 움직이는 방향이 사용자의 기대와 일치하는 것 • 자동차를 운전하는 과정에서 우측으로 회전하기 위하여 핸들을 우측으로 돌린다.
개념 양립성	• 사람들이 가지고 있는(이미 사람들이 학습을 통해 알고 있는) 개념적 연상에 관한 기대와 일치하는 것 • 냉온수기에서 빨간색은 온수, 파란색은 냉수가 나온다.
양식 양립성	음성과업에 대해서는 청각적 자극 제시와 이에 대한 음성 응답 등에 해당

32 기계설비의 수명곡선에서 사용 중 예측할 수 없을 때에 발생하는 고장은?

① 초기고장 ② 우발고장
③ 마모고장 ④ 반복고장

해설

시스템 수명곡선(욕조곡선)

초기 고장	• 감소형-DFR(Decreasing Failure Rate) : 고장률이 시간에 따라 감소 • 불량제조, 생산과정에서 품질관리 미비, 설계미숙 등으로 일어나는 고장 • 점검작업이나 시운전 등으로 감소시킬 수 있다. • 보전예방(MP) 실시
우발 고장	• 일정형-CFR(Constant Failure Rate) : 고장률이 시간에 관계없이 거의 일정 • 예측할 수 없을 때 발생하는 고장으로 시운전이나 점검작업으로는 방지할 수 없다. • 낮은 안전계수, 사용자의 과오, 설계 강도 이상의 급격한 스트레스 축적, 최선의 검사방법으로도 탐지되지 않는 결함 때문에 발생하는 고장 • 사후보전(BM) 실시

정답 29 ④ 30 ③ 31 ③ 32 ②

마모 고장	• 증가형 – IFR(Increasing Failure Rate) : 고장률이 시간에 따라 증가 • 장치의 일부가 수명을 다하여 생기는 고장 • 부식 또는 산화, 마모 또는 피로, 불충한 정비 등으로 발생하는 고장 • 안전진단 및 적당한 보수에 의해 감소 시킬 수 있다. • 예방보전(PM) 실시

33 체계설계 과정 중 기본설계 단계의 주요활동으로 볼 수 없는 것은?

① 작업 설계
② 체계의 정의
③ 기능의 할당
④ 인간 성능 요건 명세

해설

인간–기계 체계설계의 기본단계 순서
1. 제1단계 : 목표 및 성능 명세 결정
   체계가 설계되기 전에 우선 그 목적이나 존재 이유가 있어야 한다.
2. 제2단계 : 시스템(체계)의 정의
   어떤 체계(특히 복잡한 것)의 경우에 있어서는 목적을 달성하기 위해서 특정한 기본적인 기능(임무)들이 수행되어야 한다.
3. 제3단계 : 기본설계
   주요 인간공학 활동은 ㉠ 인간, 하드웨어, 소프트웨어에 기능할당, ㉡ 인간 성능 요건 명세, ㉢ 직무분석, ㉣ 작업 설계가 있다.
4. 제4단계 : 인터페이스(계면) 설계
   인간–기계체계에서 인간과 기계가 만나는 면(面)을 계면이라고 한다.
5. 제5단계 : 촉진물 설계
   촉진물 설계 단계의 주 초점은 만족스러운 인간 성능을 증진시킬 보조물에 대해 설계하는 하는 것이다.
6. 제6단계 : 시험 및 평가
   체계 개발의 산물(기기, 절차 및 요원)이 계획된 대로 작동하는지 알아보기 위해 산물(産物)들을 측정하는 것이다.

34 반복되는 사건이 많이 있는 경우, FTA의 최소 컷 셋과 관련이 없는 것은?

① Fussel Algorithm
② Boolean Algorithm
③ Monte Carlo Algorithm
④ Limnios & Ziani Algorithm

해설

Monte Carlo 모의 실험
1. 구하고자 하는 수치의 확률적 분포를 반복 가능한 실험의 통계로부터 구하는 방법을 말하며, 시뮬레이션 테크닉의 일종이다.
2. 이 기법의 목적은 체계가 어디에서 요원에게 과도 혹은 과소한 부하를 주는가를 나타내고 보통의 조작자가 요구되는 모든 직무를 시간내에 완수할 수 있는가를 결정하기 위한 것이다.

35 FT도에 사용되는 논리기호 중 AND 게이트에 해당하는 것은?

① 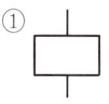   ②

③   ④

해설

FTA분석 기호 및 게이트 기호

AND 게이트	OR 게이트	결함사상	통상사상

36 작업장 내부의 추천반사율이 가장 낮아야 하는 곳은?

① 벽   ② 천장
③ 바닥   ④ 가구

해설

실내 면(面)의 추천 반사율

바닥	가구, 사무용 기기, 책상	창문 발(blind), 벽	천정
20~40%	25~45%	40~60%	80~90%

37 다음 중 소음에 의한 청력손실이 가장 크게 나타나는 주파수는?

① 500Hz   ② 1,000Hz
③ 2,000Hz   ④ 4,000Hz

정답 33 ② 34 ③ 35 ③ 36 ③ 37 ④

해설

청력 손실의 성격
1. 청력 손실의 정도는 노출되는 소음 수준에 따라 증가한다.(비례관계)
2. 강한 소음에 대해서는 노출기간에 따라 청력 손실도 증가한다.
3. 약한 소음에 대해서는 노출기간과 청력손실 간에 관계가 없다.
4. 청력 손실은 4,000Hz에서 크게 나타난다.

38 동전던지기에서 앞면이 나올 확률 P(앞)=0.6이고, 뒷면이 나올 확률 P(뒤)=0.4일 때, 앞면과 뒷면이 나올 사건의 정보량을 각각 맞게 나타낸 것은?

① 앞면 : 0.10bit, 뒷면 : 1.00bit
② 앞면 : 0.74bit, 뒷면 : 1.32bit
③ 앞면 : 1.32bit, 뒷면 : 0.74bit
④ 앞면 : 2.00bit, 뒷면 : 1.00bit

해설

정보의 측정 단위
각 대안의 실현 확률(즉, n의 역수)로 표현할 수도 있다.(즉, P를 각 대안의 실현 확률이라 하면)

$$H = \log_2 \frac{1}{P} \quad P = \frac{1}{n}$$

① 앞면
$H = \log_2 \frac{1}{P} = \log_2 \frac{1}{0.6} = 0.74[\text{bit}]$

② 뒷면
$H = \log_2 \frac{1}{P} = \log_2 \frac{1}{0.4} = 1.32[\text{bit}]$

39 휴먼 에러(Human Error)의 분류 중 필요한 임무나 절차의 순서 착오로 인하여 발생하는 오류는?

① Ommission Error   ② Sequential Error
③ Commission Error   ④ Extraneous Error

해설

인간실수의 분류(심리적인 분류)

생략에러 (Omission Error, 부작위 실수)	필요한 직무 및 절차를 수행하지 않아(생략) 발생하는 에러 예 가스밸브를 잠그는 것을 잊어 사고가 났다.
작위에러 (Commission Error)	필요한 작업 또는 절차의 불확실한 수행(잘못 수행)으로 인한 에러 예 전선이 바뀌었다. 틀린 부품을 사용하였다. 부품이 거꾸로 조립되었다 등
순서에러 (Sequential Error)	필요한 작업 또는 절차의 순서 착오로 인한 에러 예 자동차 출발 시 핸드브레이크를 해제하지 않고 출발하여 발생한 경우
시간에러 (Time Error)	필요한 직무 또는 절차의 수행지연으로 인한 에러 예 프레스 작업 중에 금형 내에 손이 오랫동안 남아 있어 발생한 재해
과잉행동에러 (Extraneous Error)	불필요한 작업 또는 절차를 수행함으로써 기인한 에러 예 자동차 운전 중 습관적으로 손을 창문으로 내밀어 발생한 재해

40 인체에서 뼈의 주요 기능으로 볼 수 없는 것은?

① 대사작용   ② 신체의 지지
③ 조혈작용   ④ 장기의 보호

해설

골격의 주요 기능
1. 지지(Support) : 신체를 지지하고 형상을 유지하는 역할
2. 보호(Protection) : 주요한 부분(생명기관)을 보호하는 역할
3. 근부착(Muscle Attachment) : 골격근이 수축할 때 지렛대 역할을 하여 신체활동(인체운동)을 수행하는 역할
4. 조혈(Blood Cell Production) : 골수에서 혈구를 생산하는 조혈작용
5. 무기질 저장(Mineral Storage) : 칼슘, 인산의 중요한 저장고가 되며 나트륨과 마그네슘 이온의 작은 저장고 역할

3과목 기계·기구 및 설비 안전관리

41 산업안전보건법령상 지게차를 이용한 작업 중 위쪽으로부터 떨어지는 물건에 의한 위험을 방지하기 위해 운전자의 머리 위쪽에 설치하는 방호장치는?

① 포크   ② 헤드가드
③ 백호   ④ 백레스트

정답 38 ② 39 ② 40 ① 41 ②

> **해설**

헤드가드
지게차를 이용한 작업 중 위쪽으로부터 떨어지는 물건에 의한 위험을 방지하기 위하여 운전자의 머리 위쪽에 설치하는 덮개를 말한다.

 TIP
- 포크 : 용접 또는 이음 장치에 의하여 지게차의 마스트에 부착된 2개 이상의 수평으로 돌출된 적재 장치를 말한다.
- 백레스트 : 지게차를 이용한 작업 중에 마스트를 뒤로 기울일 때 화물이 마스트 방향으로 떨어지는 것을 방지하기 위해 설치하는 짐받이 틀을 말한다.

42 피복금속 아크용접 작업 시 생기는 결함에 대한 설명 중 틀린 것은?

① 스패터(Spatter) : 용융된 금속의 작은 입자가 튀어나와 모재에 묻어있는 것
② 언더컷(Under Cut) : 전류가 과대하고 용접속도가 너무 빠르며, 아크를 짧게 유지하기 어려운 경우 모재 및 용접부의 일부가 녹아서 홈 또는 오목하게 생긴 부분
③ 크레이터(Crater) : 용착금속 속에 남아있는 가스로 인하여 생긴 구멍
④ 오버랩(Over Lap) : 용접봉의 운행이 불량하거나 용접봉의 용융 온도가 모재보다 낮을 때 과잉 융착 금속이 남아있는 부분

> **해설**

크레이터(Crater)
용접 끝부분이 오목하게 들어가는 것으로 불순물이 들어가기 쉽고 냉각 중에 균열이 생기기 쉽다.

43 500rpm으로 회전하는 연삭기의 숫돌지름이 200mm일 때 원주속도(m/min)는?

① 628　　　　　② 62.8
③ 314　　　　　④ 31.4

> **해설**

원주속도(회전속도)

$$V = \pi DN [\text{mm/min}] = \frac{\pi DN}{1,000} [\text{m/min}]$$

여기서, V : 원주속도(회전속도)(m/min)
D : 숫돌의 지름(mm)
N : 숫돌의 매분 회전수(rpm)

$$V = \frac{\pi DN}{1,000} (\text{m/min}) = \frac{\pi \times 200 \times 500}{1,000} = 314 (\text{m/min})$$

44 산업안전보건법령상 회전중인 연삭숫돌지름이 최소 얼마 이상인 경우로서 근로자에게 위험을 미칠 우려가 있는 경우 해당 부위에 덮개를 설치하여야 하는가?

① 3cm 이상　　　② 5cm 이상
③ 10cm 이상　　④ 20cm 이상

> **해설**

연삭기 작업면에 있어서의 안전기준
1. 회전 중인 연삭숫돌(지름이 5센티미터 이상인 것으로 한정)이 근로자에게 위험을 미칠 우려가 있는 경우에 그 부위에 덮개를 설치하여야 한다.
2. 연삭숫돌을 사용하는 작업의 경우 작업을 시작하기 전에는 1분 이상, 연삭숫돌을 교체한 후에는 3분 이상 시험운전을 하고 해당 기계에 이상이 있는지를 확인하여야 한다.
3. 시험운전에 사용하는 연삭숫돌은 작업시작 전에 결함이 있는지를 확인한 후 사용하여야 한다.
4. 연삭숫돌의 최고 사용회전속도를 초과하여 사용하도록 해서는 아니 된다.
5. 측면을 사용하는 것을 목적으로 하지 않는 연삭숫돌을 사용하는 경우 측면을 사용하도록 해서는 아니 된다.

45 프레스 가공품의 이송방법으로 2차 가공용 송급 배출장치가 아닌 것은?

① 다이얼 피더(Dial Feeder)
② 롤 피더(Roll Feeder)
③ 푸셔 피더(Pusher Feeder)
④ 트랜스퍼 피더(Transfer Feeder)

> **해설**

이송장치
1. 1차 가공용 송급배출장치(롤 피더, 그리퍼 피드 등)
2. 2차 가공용 송급배출장치(슈트, 다이얼 피더, 푸셔 피더, 트랜스퍼 피더, 프레스용 로봇 등)

정답 42 ③　43 ③　44 ②　45 ②

46 산업안전보건법령상 아세틸렌 용접장치에 대하여 취관마다 설치하여야 하는 방호장치는?(단, 주관 및 취관에 가장 가까운 분기관마다 이것을 부착한 경우에는 제외)

① 압력조정기 ② 안전기
③ 울 ④ 덮개

해설
안전기의 설치기준
1. 아세틸렌 용접장치의 취관마다 안전기를 설치하여야 한다. 다만, 주관 및 취관에 가장 가까운 분기관마다 안전기를 부착한 경우에는 그러하지 아니하다.
2. 가스용기가 발생기와 분리되어 있는 아세틸렌 용접장치에 대하여 발생기와 가스용기 사이에 안전기를 설치하여야 한다.

47 프레스 작업 중 작업자의 신체일부가 위험한 작업점으로 들어가면 자동적으로 정지되는 기능이 있는데, 이러한 안전 대책을 무엇이라고 하는가?

① 풀 프루프(Fool Proof)
② 페일 세이프(Fail Safe)
③ 인터록(Inter Lock)
④ 리미트 스위치(Limit Switch)

해설
풀 프루프(Fool Proof)
작업자가 기계를 잘못 취급하여 불안전 행동이나 실수를 하여도 기계설비의 안전 기능이 작용되어 재해를 방지할 수 있는 기능을 가진 구조

TIP
① 페일 세이프(Fail Safe) : 기계나 그 부품에 파손·고장이나 기능불량이 발생하여도 항상 안전하게 작동할 수 있는 기능을 가진 구조
② 인터록(Inter Lock) : 기계의 각 작동 부분 상호 간을 전기적, 기구적, 유공압 장치 등으로 연결해서 기계의 각 작동 부분이 정상으로 작동하기 위한 조건이 만족되지 않을 경우 자동적으로 그 기계를 작동할 수 없도록 하는 것
③ 리미트 스위치(Limit Switch) : 기계장치 등에서 동작이 일정한 한계에 도달하였을 때 스위치가 작동하여 차단하는 장치

48 프레스기에 설치하는 방호장치의 특징에 관한 설명으로 틀린 것은?

① 양수조작식의 경우 기계적 고장에 의한 2차 낙하에는 효과가 없다.
② 광전자식의 경우 핀클러치방식에는 사용할 수 없다.
③ 손쳐내기식은 측면방소가 불가능하다.
④ 가드식은 금형교환 빈도수가 많을 때 사용하기에 적합하다.

해설
게이트 가드식 방호장치(Gate Guard)
1. 금형교환의 빈도수가 적은 프레스에 적합하다.
2. 슬라이드의 작동중에 열 수 없는 구조 이어야 하며 가드를 닫지 않으면 슬라이드를 작동시킬 수 없는 구조의 것이어야 한다.
3. 금형의 크기에 따라 게이트 크기를 선택한다.

49 산업용 로봇 작업 시 안전조치 방법이 아닌 것은?

① 높이 1.8m 이상의 울타리 설치한다.
② 로봇의 조작방법 및 순서의 지침에 따라 작업한다.
③ 로봇 작업 중 이상상황의 대처를 위해 근로자 이외에도 로봇의 기동스위치를 조작할 수 있도록 한다.
④ 2인 이상의 근로자에게 작업을 시킬 때는 신호 방법의 지침을 정하고 그 지침에 따라 작업한다.

해설
산업용 로봇의 안전기준
1. 교시 등의 작업 시 안전조치 사항
   ㉠ 다음 각 목의 사항에 관한 지침을 정하고 그 지침에 따라 작업을 시킬 것
   • 로봇의 조작방법 및 순서
   • 작업 중의 매니퓰레이터의 속도
   • 2명 이상의 근로자에게 작업을 시킬 경우의 신호방법
   • 이상을 발견한 경우의 조치
   • 이상을 발견하여 로봇의 운전을 정지시킨 후 이를 재가동시킬 경우의 조치
   • 그 밖에 로봇의 예기치 못한 작동 또는 오조작에 의한 위험을 방지하기 위하여 필요한 조치
   ㉡ 작업에 종사하고 있는 근로자 또는 그 근로자를 감시하는 사람은 이상을 발견하면 즉시 로봇의 운전을 정지시키기 위한 조치를 할 것

정답 46 ② 47 ① 48 ④ 49 ③

ⓒ 작업을 하고 있는 동안 로봇의 기동스위치 등에 작업 중이라는 표시를 하는 등 작업에 종사하고 있는 근로자가 아닌 사람이 그 스위치 등을 조작할 수 없도록 필요한 조치를 할 것
2. 운전 중 위험방지
  ㉠ 높이 1.8미터 이상의 울타리
  ㉡ 컨베이어 시스템의 설치 등으로 울타리를 설치할 수 없는 일부 구간 : 안전매트 또는 광전자식 방호장치 등 감응형 방호장치 설치

50 산업안전보건법령상 가스집합장치로부터 얼마 이내의 장소에서는 흡연, 화기의 사용 또는 불꽃을 발생할 우려가 있는 행위를 금지하여야 하는가?

① 5m
② 7m
③ 10m
④ 25m

해설

가스집합 용접장치의 관리
가스집합장치로부터 5미터 이내의 장소에서는 흡연, 화기의 사용 또는 불꽃을 발생할 우려가 있는 행위를 금지할 것

51 연삭 숫돌과 작업받침대, 교반기의 날개, 하우스 등의 기계의 회전 운동하는 부분과 고정 부분 사이에 위험이 형성되는 위험점은?

① 물림점
② 끼임점
③ 절단점
④ 접선물림점

해설

기계운동 형태에 따른 위험점 분류

협착점 (Squeeze point)	왕복운동을 하는 운동부와 움직임이 없는 고정부 사이에서 형성되는 위험점 (고정점 + 운동점)	• 프레스 • 전단기 • 성형기 • 조형기 • 밴딩기 • 인쇄기
끼임점 (Shear point)	회전운동하는 부분과 고정부 사이에 위험이 형성되는 위험점 (고정점 + 회전운동)	• 연삭숫돌과 작업대 • 반복동작되는 링크기구 • 교반기의 날개와 몸체 사이 • 회전풀리와 벨트
절단점 (Cutting point)	회전하는 운동부 자체의 위험이나 운동하는 기계부분 자체의 위험에서 형성되는 위험점 (회전운동 + 기계)	• 밀링커터 • 둥근 톱의 톱날 • 목공용 띠톱 날
물림점 (Nip point)	회전하는 두 개의 회전체에 형성되는 위험점(서로 반대 방향의 회전체) (중심점 + 반대방향의 회전 운동)	• 기어와 기어의 물림 • 롤러와 롤러의 물림 • 롤러 분쇄기
접선 물림점 (Tangential nip point)	회전하는 부분의 접선방향으로 물려 들어갈 위험이 있는 위험점	• V벨트와 풀리 • 랙과 피니언 • 체인벨트 • 평벨트
회전 말림점 (Trapping point)	회전하는 물체의 길이, 굵기, 속도 등의 불규칙 부위와 돌기 회전부위에 의해 장갑 또는 작업복 등이 말려들 위험이 있는 위험점	• 회전하는 축 • 커플링 • 회전하는 드릴

52 지게차로 20km/hr의 속력으로 주행할 때 좌우 안정도는 몇 % 이내이어야 하는가?(단, 무부하상태를 기준으로 한다.)

① 37%
② 39%
③ 40%
④ 42%

해설

지게차의 안정도 기준
주행 시의 좌우 안정도
$= (15 + 1.1V)\%$ 이내 [V : 최고속도(km/hr)]
$= (15 + 1.1 \times 20) = 37[\%]$

53 산업안전보건법령에 따라 컨베이어의 작업 시작 전 점검사항 중 틀린 것은?

① 원동기 및 풀리 기능의 이상 유무
② 이탈 등의 방지 장치 기능의 이상 유무
③ 과부하방지장치 기능의 이상 유무
④ 원동기, 회전축, 기어 및 풀리 등의 덮개 또는 울 등의 이상 유무

해설

컨베이어의 작업시작 전 점검사항
1. 원동기 및 풀리(Pulley) 기능의 이상 유무
2. 이탈 등의 방지장치 기능의 이상 유무
3. 비상정지장치 기능의 이상 유무
4. 원동기・회전축・기어 및 풀리 등의 덮개 또는 울 등의 이상 유무

54 재해 통계적 원인 분석 시 사고의 유형, 기인물 등 분류 항목을 큰 순서대로 도표화한 것은?

① 파레토도 ② 특성요인도
③ 크로스도 ④ 관리도

해설
통계에 의한 원인분석
1. 파레토도
   사고의 유형, 기인물 등 분류항목을 큰 값에서 작은 값의 순서로 도표화하며, 문제나 목표의 이해에 편리하다.
2. 특성 요인도
   특성과 요인관계를 어골상으로 도표화하여 분석하는 기법(원인과 결과를 연계하여 상호 관계를 파악하기 위한 분석방법)
3. 클로즈(Close) 분석
   두 개 이상의 문제관계를 분석하는 데 사용하는 것으로, 데이터를 집계하고 표로 표시하여 요인별 결과내역을 교차한 클로즈 그림을 작성하여 분석하는 기법
4. 관리도
   재해발생 건수 등의 추이에 대해 한계선을 설정하여 목표 관리를 수행하는 데 사용되는 방법으로 관리선은 관리상한선, 중심선, 관리하한선으로 구성된다.

55 롤러기의 급정지를 위한 방호장치를 설치하고자 한다. 앞면 롤러의 지름이 30cm이고, 회전수가 30rpm일 때 요구되는 급정지 거리의 기준은?

① 급정지 거리가 앞면 롤러 원주의 1/3 이상일 것
② 급정지 거리가 앞면 롤러 원주의 1/3 이내일 것
③ 급정지 거리가 앞면 롤러 원주의 1/2.5 이상일 것
④ 급정지 거리가 앞면 롤러 원주의 1/2.5 이내일 것

해설
롤러기의 급정지 거리

$$V = \frac{\pi DN}{1,000} (\text{m/min})$$

여기서, V : 표면속도
D : 롤러 원통의 직경(mm)
N : 1분간 롤러가 회전되는 수(rpm)

1. $V = \frac{\pi DN}{1,000}(\text{m/min}) = \frac{\pi \times 300 \times 30}{1,000} = 28.27(\text{m/min})$
2. 무부하 동작에서 급정지거리

앞면 롤러의 표면속도(m/min)	급정지 거리
30 미만	앞면 롤러 원주의 1/3
30 이상	앞면 롤러 원주의 1/2.5

3. 표면속도(V)가 28.27(m/mm)로 30(m/min) 미만이므로 앞면 롤러 원주의 1/3이다.

56 산업안전보건법에서 정한 양중기의 종류에 해당하지 않는 것은?

① 리프트 ② 호이스트
③ 곤돌라 ④ 컨베이어

해설
양중기의 종류
1. 크레인(호이스트 포함)
2. 이동식 크레인
3. 리프트(이삿짐운반용 리프트의 경우 적재하중 0.1톤 이상인 것)
4. 곤돌라
5. 승강기

57 밀링작업 시 안전수칙에 해당되지 않는 것은?

① 칩이나 부스러기는 반드시 브러시를 사용하여 제거한다.
② 가공 중에는 가공면을 손으로 점검한다.
③ 기계를 가동 중에는 변속시키지 않는다.
④ 바이트는 가급적 짧게 고정시킨다.

해설
밀링 작업에 대한 안전수칙
1. 제품을 따 내는 데에는 손끝을 대지 말아야 한다.
2. 운전 중 가공면에 손을 대지 말아야 하며 장갑 착용을 금지한다.
3. 칩을 제거할 때에는 커터의 운전을 중지하고 브러시(솔)를 사용하며 걸레를 사용하지 않는다.
4. 칩의 비산이 많으므로 보안경을 착용한다.
5. 커터 설치 시 및 측정은 반드시 기계를 정지시킨 후에 한다.
6. 일감(공작물)은 테이블 또는 바이스에 안전하게 고정한다.
7. 상하 이송장치의 핸들은 사용 후 반드시 빼 두어야 한다.
8. 가공 중에 밀링머신에 얼굴을 대지 않는다.
9. 절삭 속도는 재료에 따라 정한다.
10. 커터를 끼울 때는 아버를 깨끗이 닦는다.
11. 일감(공작물)을 고정하거나 풀어낼 때는 기계를 정지시킨다.
12. 테이블 위에 공구 등을 올려놓지 않는다.
13. 강력 절삭을 할 때는 일감을 바이스에 깊이 물린다.
14. 급속이송은 백래시 제거장치가 동작하지 않고 있음을 확인한 후 실시하고, 급속이송은 한 방향으로만 한다.

정답 54 ① 55 ② 56 ④ 57 ②

58 금형의 안전화에 대한 설명 중 틀린 것은?

① 금형의 틈새는 8mm 이상 충분하게 확보한다.
② 금형 사이에 신체 일부가 들어가지 않도록 한다.
③ 충격이 반복되어 부가되는 부분에는 완충장치를 설치한다.
④ 금형설치용 홈은 설치된 프레스의 홈에 적합한 형상의 것으로 한다.

해설
금형에 의한 위험 방지
다음 부분의 간격이 8mm 이하가 되도록 금형을 설치하여 신체의 일부가 들어가지 않도록 한다.
1. 상사점에 있어서 상형과 하형과의 간격
2. 금형 가이드 포스트(Guide Post)와 가이드 부쉬와의 간격

59 연삭숫돌을 사용하는 작업 시 해당 기계의 이상 유·무를 확인하기 위한 시험운전 시간으로 옳은 것은?

① 작업시작 전 30초 이상, 연삭숫돌 교체 후 5분 이상
② 작업시작 전 30초 이상, 연삭숫돌 교체 후 3분 이상
③ 작업시작 전 1분 이상, 연삭숫돌 교체 후 5분 이상
④ 작업시작 전 1분 이상, 연삭숫돌 교체 후 3분 이상

해설
연삭기 작업면에 있어서의 안전기준
1. 회전 중인 연삭숫돌(지름이 5센티미터 이상인 것으로 한정)이 근로자에게 위험을 미칠 우려가 있는 경우에 그 부위에 덮개를 설치하여야 한다.
2. 연삭숫돌을 사용하는 작업의 경우 작업을 시작하기 전에는 1분 이상, 연삭숫돌을 교체한 후에는 3분 이상 시험운전을 하고 해당 기계에 이상이 있는지를 확인하여야 한다.
3. 시험운전에 사용하는 연삭숫돌은 작업시작 전에 결함이 있는지를 확인한 후 사용하여야 한다.
4. 연삭숫돌의 최고 사용회전속도를 초과하여 사용하도록 해서는 아니 된다.
5. 측면을 사용하는 것을 목적으로 하지 않는 연삭숫돌을 사용하는 경우 측면을 사용하도록 해서는 아니 된다.

60 기계설비의 방호는 위험장소에 대한 방호와 위험원에 대한 방호로 분류할 때, 다음 위험원에 대한 방호장치에 해당하는 것은?

① 격리형 방호장치
② 포집형 방호장치
③ 접근거부형 방호장치
④ 위치제한형 방호장치

해설
방호장치의 분류
1. 위험장소 : 격리형 방호장치, 위치제한형 방호장치, 접근반응형 방호장치, 접근 거부형 방호장치
2. 위험원 : 포집형 방호장치, 감지형 방호장치

4과목 전기 및 화학설비 안전관리

61 인체가 전격을 당했을 경우 통전시간이 0.5초라면 심실세동을 일으키는 전류값은 약 몇 mA인가? (단, 심실세동전류값은 Dalziel의 관계식을 이용한다.)

① 100
② 165
③ 233
④ 332

해설
심실세동전류(치사전류)

$$I = \frac{165}{\sqrt{T}} (\text{mA})$$

여기서, I : 심실세동전류(mA)
T : 통전 시간(sec)
전류 I는 1,000명 중 5명 정도가 심실세동을 일으키는 값

$$I = \frac{165}{\sqrt{T}} = \frac{165}{\sqrt{0.5}} = 233[\text{mA}]$$

62 정전기 발생에 영향을 주는 요인이 아닌 것은?

① 물체의 특성
② 물체의 표면상태
③ 접촉면적 및 압력
④ 응집속도

해설
정전기 발생의 영향요인(정전기 발생요인)

물체의 특성	일반적으로 대전량은 접촉이나 분리하는 두 가지 물체가 대전서열 내에서 가까운 곳에 있으면 적고 먼 위치에 있을수록 대전량이 큰 경향이 있다.
물체의 표면상태	• 표면이 거칠수록 정전기 발생량이 커진다. • 기름, 수분, 불순물 등 오염이 심할수록, 산화 부식이 심할수록 정전기 발생량이 커진다.
물체의 이력	정전기 발생량은 처음 접촉, 분리가 일어날 때 최대가 되며, 발생횟수가 반복될수록 발생량이 감소한다.

정답 58 ① 59 ④ 60 ② 61 ③ 62 ④

접촉면적 및 압력	접촉면적 및 압력이 클수록 정전기 발생량은 커진다.
분리속도	분리속도가 빠를수록 정전기 발생량이 커진다.
완화시간	완화시간이 길면 전하분리에 주는 에너지도 커져서 정전기 발생량이 커진다.

63 다음 중 전기기기의 누전으로 인한 감전재해의 방지대책이 아닌 것은?

① 절연용 보호구의 사용
② 전선로의 절연을 양호하게 유지
③ 전기관리자 외 사용금지
④ 감전방지용 누전차단기의 사용 및 접지

해설

누전 대책
1. 절연 열화 및 파괴의 원인이 되는 습기, 과열, 부식 등의 사전 예방
2. 금속체인 구조재, 수도관, 가스관 등과 충전부 및 절연물을 이격
3. 확실한 접지 조치 및 누전차단기 설치

64 다음 중 정전작업 시 안전조치와 가장 거리가 먼 것은?

① 접근 한계거리 유지
② 단락접지의 실시
③ 개폐기 잠금장치, 통전금지표지
④ 잔류잔하 방전 조치

해설

접근 한계거리 유지는 충전전로를 취급하거나 그 인근에서의 작업 시 안전조치 사항이다.

TIP 정전전로에서의 전로차단 절차
① 전기기기 등에 공급되는 모든 전원을 관련 도면, 배선도 등으로 확인할 것
② 전원을 차단한 후 각 단로기 등을 개방하고 확인할 것
③ 차단장치나 단로기 등에 잠금장치 및 꼬리표를 부착할 것
④ 개로된 전로에서 유도전압 또는 전기에너지가 축적되어 근로자에게 전기위험을 끼칠 수 있는 전기기기 등은 접촉하기 전에 잔류전하를 완전히 방전시킬 것
⑤ 검전기를 이용하여 작업 대상 기기가 충전되었는지를 확인할 것

⑥ 전기기기 등이 다른 노출 충전부와의 접촉, 유도 또는 예비동력원의 역송전 등으로 전압이 발생할 우려가 있는 경우에는 충분한 용량을 가진 단락 접지기구를 이용하여 접지할 것

65 10Ω의 저항에 10A의 전류를 1분간 흘렸을 때의 발열량은 몇 cal인가?

① 1,800
② 3,600
③ 7,200
④ 14,400

해설

열량

$$Q = 0.24I^2RT \times 10^{-3}[kcal] = 0.24I^2RT[cal]$$

여기서, Q : 열량[J]
I : 전류[A]
R : 저항[Ω]
T : 전류가 흐른 시간[sec]

$Q = 0.24I^2RT = 0.24 \times 10^2 \times 10 \times 60 = 14,400[cal]$

66 다음 중 전압의 분류가 잘못된 것은?

① 1,000V 이하의 교류 전압 – 저압
② 1,500V 이하의 직류 전압 – 저압
③ 1,000V 초과 7kV 이하의 교류 전압 – 고압
④ 10kV를 초과하는 직류전압 – 초고압

해설

전압의 구분

전원의 종류	저압	고압	특고압
직류(DC)	1,500V 이하	1,500V 초과 7,000V 이하	7,000V 초과
교류(AC)	1,000V 이하	1,000V 초과 7,000V 이하	7,000V 초과

67 다음 중 통전경로별 위험도가 가장 높은 경로는?

① 왼손 – 등
② 오른손 – 가슴
③ 왼손 – 가슴
④ 오른손 – 양발

해설

통전 경로별 위험도
감전 시의 영향은 전류의 경로에 따라 그 위험성이 달라지며, 전류가 심장 또는 그 주위를 통하게 되면 심장에 영향을 주어 가장 위험하다.

정답 63 ③ 64 ① 65 ④ 66 ④ 67 ③

통전경로	심장전류계수	통전경로	심장전류계수
왼손 – 가슴	1.5	왼손 – 등	0.7
오른손 – 가슴	1.3	한 손 또는 양손 – 앉아 있는 자리	0.7
왼손 – 한 발 또는 양발	1.0	왼손 – 오른손	0.4
양손 – 양발	1.0	오른손 – 등	0.3
오른손 – 한 발 또는 양발	0.8		

※ 숫자가 클수록 위험도가 높다.

68 액체가 관내를 이동할 때에 정전기가 발생하는 현상은?

① 마찰대전
② 박리대전
③ 분출대전
④ 유동대전

해설
유동대전
1. 액체류를 파이프 등으로 수송할 때 액체류가 파이프 등과 접촉하여 두 물질의 경계에 전기 2중층이 형성되어 정전기 발생
2. 액체류의 유동속도가 정전기 발생에 큰 영향을 준다.
3. 파이프속에 저항이 높은 액체가 흐를 때 발생

TIP
① 마찰대전 : 두 물체가 서로 접촉시 위치의 이동으로 전하의 분리 및 재배열이 일어나는 현상
② 박리대전 : 상호 밀착해 있던 물체가 떨어지면서 전하 분리가 생겨 정전기가 발생(필름 벗겨 낼 때)
③ 분출대전 : 분체류, 액체류, 기체류가 단면적이 작은 개구부를 통해 분출할 때 분출물과 개구부의 마찰로 인하여 정전기가 발생

69 방폭구조의 명칭과 표기기호가 잘못 연결된 것은?

① 안전증방폭구조 : e
② 유입(油入)방폭구조 : o
③ 내압(耐壓)방폭구조 : p
④ 본질안전방폭구조 : ia 또는 ib

해설
방폭구조의 종류 및 기호

내압 방폭구조	d	안전증 방폭구조	e	비점화 방폭구조	n
압력 방폭구조	p	특수 방폭구조	s	몰드 방폭구조	m
유입 방폭구조	o	본질안전 방폭구조	i(ia, ib)	충전 방폭구조	q

70 감전사고의 사망경로에 해당되지 않는 것은?

① 전류가 뇌의 호흡중추부로 흘러 발생한 호흡기능 마비
② 전류가 흉부에 흘러 발생한 흉부근육수축으로 인한 질식
③ 전류가 심장부로 흘러 심실세동에 의한 혈액순환기능 장애
④ 전류가 인체에 흐를 때 인체에 저항으로 발생한 주울열에 의한 화상

해설
전격(감전)현상의 메커니즘
1. 심장부에 전류가 흘러 심실세동이 발생하여 혈액순환기능이 상실되어 일어난 것
2. 뇌의 호흡중추신경에 전류가 흘러 호흡기능이 정지되어 일어난 것
3. 흉부에 전류가 흘러 흉부근육수축에 의한 질식으로 일어난 것

71 다음 중 산업안전보건법령상 위험물의 종류에서 인화성 가스에 해당하지 않는 것은?

① 수소
② 질산에스테르
③ 아세틸렌
④ 메탄

해설
인화성 가스
1. 수소
2. 아세틸렌
3. 에틸렌
4. 메탄
5. 에탄
6. 프로판
7. 부탄
8. 유해 · 위험물질 규정량에 따른 가스

정답 68 ④ 69 ③ 70 ④ 71 ②

72 부탄의 연소하한값이 1.6vol%일 경우, 연소에 필요한 최소산소농도는 약 몇 vol%인가?

① 9.4 ② 10.4
③ 11.4 ④ 12.4

해설

최소산소농도(MOC ; Minimum Oxygen Concentration)

$$최소산소농도(MOC) = 연소하한계 \times 산소의\ 화학양론적\ 계수$$

1. $C_4H_{10} + 6.5O_2 \rightarrow 4CO_2 + 5H_2O$
2. 최소산소농도(MOC) = 연소하한계 × 산소의 화학양론적 계수 = $1.6 \times 6.5 = 10.4(\%)$

73 공기 중에 3ppm의 디메틸아민(Demethylamine, TLV-TWA : 10ppm)과 20ppm의 시클로헥산올(Cyclohexanol, TLV-TWA : 50ppm)이 있고, 10ppm의 산화프로필렌(Propyleneoxide, TLV-TWA : 20ppm)이 존재한다면 혼합 TLV-TWA는 몇 ppm인가?

① 12.5 ② 22.5
③ 27.5 ④ 32.5

해설

노출지수(EI ; Exposure Index) : 공기 중 혼합물질

- 노출지수$(EI) = \dfrac{C_1}{TLV_1} + \dfrac{C_2}{TLV_2} + \cdots + \dfrac{C_n}{TLV_n}$

  여기서, C_n : 각 혼합물질의 공기 중 농도
  TLV_n : 각 혼합물질의 노출기준

- 보정된 허용농도(기준) = $\dfrac{혼합물의\ 공기중농도(C_1 + C_2 + \cdots + C_n)}{노출지수(EI)}$

① 노출지수$(EI) = \dfrac{C_1}{TLV_1} + \dfrac{C_2}{TLV_2} + \dfrac{C_3}{TLV_3}$

$= \dfrac{3}{10} + \dfrac{20}{50} + \dfrac{10}{20} = 1.2$

② 보정된 허용농도(기준)

$= \dfrac{혼합물의\ 공기중농도(C_1 + C_2 + \cdots + C_n)}{노출지수(EI)}$

$= \dfrac{3 + 20 + 10}{1.2} = 27.5[ppm]$

74 다음 중 독성이 강한 순서로 옳게 나열된 것은?

① 일산화탄소 > 염소 > 아세톤
② 일산화탄소 > 아세톤 > 염소
③ 염소 > 일산화탄소 > 아세톤
④ 염소 > 아세톤 > 일산화탄소

해설

화학물질의 노출기준

유해물질의 명칭	화학식	노출기준 TWA ppm	노출기준 TWA mg/m³
염소	Cl_2	0.5	–
일산화탄소	CO	30	–
아세톤	CH_3COCH_3	500	–

75 다음 중 인화점이 가장 낮은 것은?

① 벤젠 ② 메탄올
③ 이황화탄소 ④ 디에틸에테르

해설

인화성 액체의 인화점

액체	인화점	액체	인화점
벤젠	-11℃	이황화탄소	-30℃
메탄올	16℃	디에틸에테르	-45℃

76 다음 중 니트로글리세린에 관한 설명으로 틀린 것은?

① 물에 잘 녹으며, 액체 상태로 운반한다.
② 점화하면 즉시 연소하고, 다량이면 폭발력이 강하다.
③ 상온에서 액체이지만 겨울철에는 동결한다.
④ 질산과 황산의 혼산 중에 글리세린을 반응시켜 만든다.

해설

니트로글리세린
1. 강산화제, 나트륨(Na), 수산화나트륨(NaOH) 등과 혼촉 시 발화 폭발하며, 환기가 잘 되는 냉암소에 보관한다.
2. 물에는 거의 녹지 않으나 메탄올, 벤젠, 아세톤 등에는 녹으며, 겨울철에는 동결할 우려가 있다.

정답 72 ② 73 ③ 74 ③ 75 ④ 76 ①

77 연소의 3요소에 해당되지 않는 것은?

① 가연물　　　② 점화원
③ 연쇄반응　　④ 산소공급원

해설

연소의 3요소
1. 가연성 물질(가연물)
2. 산소공급원
3. 점화원

78 산업안전보건기준에 관한 규칙에서 규정하는 급성 독성 물질의 기준으로 틀린 것은?

① 쥐에 대한 경구투입실험에 의하여 실험동물의 50%를 사망시킬 수 있는 물질의 양이 kg당 300mg-(체중) 이하인 화학물질
② 쥐에 대한 경피흡수실험에 의하여 실험동물의 50%를 사망시킬 수 있는 물질의 양이 kg당 1,000mg-(체중) 이하인 화학물질
③ 토끼에 대한 경피흡수실험에 의하여 실험동물의 50%를 사망시킬 수 있는 물질의 양이 kg당 1,000mg-(체중) 이하인 화학물질
④ 쥐에 대한 4시간 동안의 흡입실험에 의하여 실험동물의 50%를 사망시킬 수 있는 가스의 농도가 3,000ppm 이상인 화학물질

해설

급성 독성 물질
1. 쥐에 대한 경구투입실험에 의하여 실험동물의 50퍼센트를 사망시킬 수 있는 물질의 양, 즉 LD50(경구, 쥐)이 킬로그램당 300밀리그램-(체중) 이하인 화학물질
2. 쥐 또는 토끼에 대한 경피흡수실험에 의하여 실험동물의 50퍼센트를 사망시킬 수 있는 물질의 양, 즉 LD50(경피, 토끼 또는 쥐)이 킬로그램당 1,000밀리그램-(체중) 이하인 화학물질
3. 쥐에 대한 4시간 동안의 흡입실험에 의하여 실험동물의 50퍼센트를 사망시킬 수 있는 물질의 농도, 즉 가스 LC50(쥐, 4시간 흡입)이 2,500ppm 이하인 화학물질, 증기 LC50(쥐, 4시간 흡입)이 10mg/L 이하인 화학물질, 분진 또는 미스트 1mg/L 이하인 화학물질

79 다음의 주의사항에 해당하는 물질은?

> 산화제와 접촉 및 혼합은 위험하고 화재 시 주수소화를 하면 위험성이 더 커지므로 건조한 모래 등으로 질식소화를 한다.

① 마그네슘　　　② 과산화수소
③ 과염소산나트륨　④ 황인

해설

마그네슘(제2류 위험물)
1. 고온에서 유황 및 할로겐, 산화제와 접촉하면 매우 격렬하게 발열한다.
2. 일단 연소하면 소화가 곤란하나 초기 소화 또는 대규모 화재 시는 석회분, 마른 모래 등으로 소화한다.
3. 물, CO_2, N_2, 포, 할로겐 화합물 소화약제는 소화 적응성이 없으므로 절대 사용을 엄금한다.

80 산업안전보건기준에 관한 규칙에 따라 폭발성 물질을 저장·취급하는 화학설비 및 그 부속설비를 설치할 때, 단위공정시설 및 설비로부터 다른 단위공정시설 및 설비 사이의 안전거리는 설비 바깥 면으로부터 몇 m 이상 두어야 하는가?(단, 원칙적인 경우에 한한다.)

① 3　　② 5
③ 10　④ 20

해설

위험물을 저장·취급하는 화학설비 및 그 부속설비를 설치하는 경우의 안전거리

구분	안전거리
단위공정시설 및 설비로부터 다른 단위공정시설 및 설비의 사이	설비의 바깥 면으로부터 10미터 이상
플레어스택으로부터 단위공정시설 및 설비, 위험물질 저장탱크 또는 위험물질 하역설비의 사이	플레어스택으로부터 반경 20미터 이상(다만, 단위공정시설 등이 불연재로 시공된 지붕 아래에 설치된 경우에는 제외)
위험물질 저장탱크로부터 단위공정시설 및 설비, 보일러 또는 가열로의 사이	저장탱크의 바깥 면으로부터 20미터 이상(다만, 저장탱크의 방호벽, 원격조종 화설비 또는 살수설비를 설치한 경우에는 제외)
사무실·연구실·실험실·정비실 또는 식당으로부터 단위공정시설 및 설비, 위험물질 저장탱크, 위험물질 하역설비, 보일러 또는 가열로의 사이	사무실 등의 바깥 면으로부터 20미터 이상(다만, 난방용 보일러인 경우 또는 사무실 등의 벽을 방호구조로 설치한 경우에는 제외)

정답 77 ③　78 ④　79 ①　80 ③

5과목 건설공사 안전관리

81 산업안전보건법령상 근로자가 상시 작업하는 장소의 작업면 조도기준으로 옳지 않은 것은?(단, 갱내 작업장과 감광재료를 취급하는 작업장은 제외한다.)

① 초정밀작업 : 700럭스(lux) 이상
② 정밀작업 : 300럭스(lux) 이상
③ 그 밖의 작업 : 75럭스(lux) 이상
④ 보통작업 : 150럭스(lux) 이상

해설

적정 조명 수준

작업의 종류	작업면 조도
초정밀작업	750럭스(lux) 이상
정밀작업	300럭스(lux) 이상
보통작업	150럭스(lux) 이상
그 밖의 작업	75럭스(lux) 이상

82 기계운반하역 시 걸이 작업의 준수사항으로 옳지 않은 것은?

① 와이어로프 등은 크레인의 후크 중심에 걸어야 한다.
② 인양 물체의 안정을 위하여 2줄 걸이 이상을 사용해야 한다.
③ 와이어로프의 매다는 설치각도는 수평면에서 90도 이내로 한다.
④ 근로자를 매달린 물체 위에 탑승시키지 않아야 한다.

해설

고정식 기계운반하역 시 걸이 작업의 준수사항
1. 와이어로프 등은 크레인의 후크 중심에 걸어야 한다.
2. 인양 물체의 안정을 위하여 2줄 걸이 이상을 사용하여야 한다.
3. 밑에 있는 물체를 걸고자 할 때에는 위의 물체를 제거한 후에 행하여야 한다.
4. 매다는 각도는 60도 이내로 하여야 한다.
5. 근로자를 매달린 물체 위에 탑승시키지 않아야 한다.

83 거푸집 공사 관련 재료의 선정 시 고려사항으로 옳지 않은 것은?

① 목재거푸집 : 흠집 및 옹이가 많은 거푸집과 합판은 사용을 금지한다.
② 강재거푸집 : 형상이 찌그러진 것은 교정한 후에 사용한다.
③ 지보공재 : 변형, 부식이 없는 것을 사용한다.
④ 연결재 : 연결부위의 다양한 형상에 적응 가능한 소철선을 사용한다.

해설

거푸집 재료의 선정방법
1. 목재 거푸집
   • 흠집 및 옹이가 많은 거푸집과 합판의 접착부분이 떨어져 구조적으로 약한 것은 사용하여서는 아니 된다.
   • 거푸집의 띠장은 부러지거나 균열이 있는 것을 사용하여서는 아니 된다.
2. 강재 거푸집
   • 형상이 찌그러지거나, 비틀림 등 변형이 있는 것은 교정한 다음 사용하여야 한다.
   • 강재 거푸집의 표면에 녹이 많이 나 있는 것은 쇠솔(Wire Brush) 또는 샌드 페이퍼(Sand Paper) 등을 닦아내고 박리제(Form Pil)를 엷게 칠해 두어야 한다.
3. 지보공(동바리) 재
   • 현저한 손상, 변형, 부식이 있는 것과 옹이가 깊숙히 박혀있는 것은 사용하지 말아야 한다.
   • 각재 또는 강관 지주는 양끝을 일직선으로 그은 선 안에 있어야 하고, 일직선 밖으로 굽어져 있는 것은 사용을 금하여야 한다.
   • 강관지주(동바리), 보 등을 조합한 구조는 최대 허용하중을 초과하지 않는 범위에서 사용하여야 한다.
4. 연결재
   • 정확하고 충분한 강도가 있는 것이어야 한다.
   • 회수, 해체하기가 쉬운 것이어야 한다.
   • 조합 부품수가 적은 것이어야 한다.

84 다음은 산업안전보건기준에 관한 규칙 중 조립도에 관한 사항이다. ( ) 안에 알맞은 것은?

거푸집 및 동바리를 조립하는 경우에는 그 구조를 검토한 후 조립도를 작성하여야 한다.
조립도에는 거푸집 및 동바리를 구성하는 부재의 재질·단면규격·( ) 및 이음방법 등을 명시해야 한다.

① 부재강도 ② 기울기
③ 안전대책 ④ 설치간격

정답 81 ① 82 ③ 83 ④ 84 ④

> **해설**
>
> 거푸집 및 동바리 조립도
> 1. 거푸집 및 동바리를 조립하는 경우에는 그 구조를 검토한 후 조립도를 작성하고, 그 조립도에 따라 조립하도록 해야 한다.
> 2. 조립도에는 거푸집 및 동바리를 구성하는 부재의 재질·단면규격·설치간격 및 이음방법 등을 명시해야 한다.

85 다음은 공사진척에 따른 안전관리비의 사용기준이다. (   )에 들어갈 내용으로 옳은 것은?

공정률	50% 이상 70% 미만	70% 이상 90% 미만	90% 이상
사용기준	( )	70% 이상	90% 이상

① 30% 이상
② 40% 이상
③ 50% 이상
④ 60% 이상

> **해설**
>
> 공사진척에 따른 안전관리비 사용기준
>
> | 공정율 | 50퍼센트 이상 70퍼센트 미만 | 70퍼센트 이상 90퍼센트 미만 | 90퍼센트 이상 |
> |---|---|---|---|
> | 사용기준 | 50퍼센트 이상 | 70퍼센트 이상 | 90퍼센트 이상 |

86 다음 중 건설공사 특수성에 따른 안전관리의 문제점으로 옳지 않은 것은?

① 작업 도구나 위치가 이동성을 갖고 있어 작업 자체의 높은 위험성이 있다.
② 건설공사의 대부분이 옥외에서 이루어지는 작업으로 공사의 진행에 따라 작업의 환경과 종류가 수시로 변화하게 되어 재해의 위험성을 예측하기가 매우 어렵다.
③ 근로자의 피로 축적, 안전 교육의 무시 등으로 인해 근로자의 안전의식이 부족하다.
④ 고용이 안정적이고 근로자가 유동적이다.

> **해설**
>
> 건설공사 특수성에 따른 재해 발생 원인
> 1. 작업환경의 특수성
> 2. 작업 자체의 위험성
> 3. 공사계약의 일방성(편무성)
> 4. 안전관련 법령의 규제와 처벌 위주 정책의 한계
> 5. 신기술·신공법 적용에 따른 불안전성
> 6. 원도급업자와 하도급업자 간의 복잡한 관계
> 7. 근로자의 안전의식 부족
> 8. 당해년 예산 회계 제도에 따른 공사 시기의 부적정
> 9. 근로자의 이동성과 전문 기능 인력 수급의 부족

87 터널 지보공을 조립하는 경우에는 미리 그 구조를 검토한 후 조립도를 작성하고, 그 조립도에 따라 조립하도록 하여야 하는데 조립도에 명시해야 할 사항과 가장 거리가 먼 것은?

① 재료의 강도
② 단면규격
③ 이음방법
④ 설치간격

> **해설**
>
> 조립도
>
> | 흙막이 지보공 | 조립도는 흙막이판·말뚝·버팀대 및 띠장 등 부재의 배치·치수·재질 및 설치방법과 순서가 명시되어야 한다. |
> |---|---|
> | 터널 지보공 | 조립도에는 재료의 재질, 단면규격, 설치간격 및 이음방법 등을 명시하여야 한다. |
> | 거푸집 동바리 | 조립도에는 거푸집 및 동바리를 구성하는 부재의 재질·단면규격·설치간격 및 이음방법 등을 명시해야 한다. |

88 다음 중 유해위험방지계획서 작성 및 제출대상에 해당되는 공사는?

① 지상높이가 20m인 건축물의 해체공사
② 깊이 9.5m인 굴착공사
③ 최대 지간거리가 50m인 교량건설공사
④ 저수용량 1천만 톤인 용수전용 댐

> **해설**
>
> 유해위험방지계획서를 제출해야 될 건설공사
> 1. 다음 각 목의 어느 하나에 해당하는 건축물 또는 시설 등의 건설·개조 또는 해체공사
>   ㉠ 지상높이가 31미터 이상인 건축물 또는 인공구조물
>   ㉡ 연면적 3만 제곱미터 이상인 건축물
>   ㉢ 연면적 5천 제곱미터 이상인 시설로서 다음의 어느 하나에 해당하는 시설
>   • 문화 및 집회시설(전시장 및 동물원·식물원은 제외)
>   • 판매시설, 운수시설(고속철도의 역사 및 집배송시설은 제외)
>   • 종교시설
>   • 의료시설 중 종합병원

정답 85 ③ 86 ④ 87 ① 88 ③

- 숙박시설 중 관광숙박시설
- 지하도상가
- 냉동·냉장 창고시설
2. 연면적 5천 제곱미터 이상인 냉동·냉장 창고시설의 설비공사 및 단열공사
3. 최대 지간길이(다리의 기둥과 기둥의 중심사이의 거리)가 50미터 이상인 다리의 건설등 공사
4. 터널의 건설등 공사
5. 다목적댐, 발전용댐, 저수용량 2천만 톤 이상의 용수 전용 댐 및 지방상수도 전용 댐의 건설등 공사
6. 깊이 10미터 이상인 굴착공사

89 지반의 투수계수에 영향을 주는 인자에 해당하지 않는 것은?

① 토립자의 단위중량
② 유체의 점성계수
③ 토립자의 공극비
④ 유체의 밀도

해설
지반의 투수계수에 영향을 미치는 요소
1. 흙입자의 크기가 클수록 투수계수가 증가한다.
2. 물의 밀도와 농도가 클수록 투수계수가 증가한다.
3. 물의 점성계수가 클수록 투수계수가 감소한다.
4. 간극비(공극비)가 클수록 투수계수가 증가한다.
5. 포화도가 클수록 투수계수가 증가한다.
6. 점토의 면모구조가 이산구조보다 투수계수가 크다.
7. 흙의 비중은 투수계수와 관계가 없다.

90 건설업 산업안전보건관리비의 사용항목으로 가장 거리가 먼 것은?

① 안전시설비
② 사업장의 안전보건진단비
③ 근로자 건강장해 예방비
④ 본사 일반관리비

해설
건설업 산업안전보건관리비의 사용내역
1. 안전관리자·보건관리자의 임금 등
2. 안전시설비 등
3. 보호구 등
4. 안전보건진단비 등
5. 안전보건교육비 등

6. 근로자 건강장해 예방비 등
7. 건설재해예방전문지도기관의 지도에 대한 대가로 자기공사자가 지급하는 비용

91 다음과 같은 조건에서 방망사의 신품에 대한 최소 인장강도로 옳은 것은?(단, 그물코의 크기는 10cm, 매듭방망)

① 240kg
② 200kg
③ 150kg
④ 110kg

해설
방망사의 신품에 대한 인장강도

그물코의 크기 (단위 : 센티미터)	방망의 종류(단위 : 킬로그램)	
	매듭 없는 방망	매듭방망
10	240(150)	200(135)
5		110(60)

※ 단, ( )는 폐기 시 인장강도

92 사다리식 통로 등을 설치하는 경우 준수해야 할 기준으로 옳지 않은 것은?

① 접이식 사다리 기둥은 사용 시 접혀지거나 펼쳐지지 않도록 철물 등을 사용하여 견고하게 조치할 것
② 발판과 벽과의 사이는 15cm 이상의 간격을 유지할 것
③ 폭은 40cm 이상으로 할 것
④ 사다리식 통로의 길이가 10m 이상인 경우에는 5m 이내마다 계단참을 설치할 것

해설
사다리식 통로
1. 견고한 구조로 할 것
2. 심한 손상·부식 등이 없는 재료를 사용할 것
3. 발판의 간격은 일정하게 할 것
4. 발판과 벽과의 사이는 15센티미터 이상의 간격을 유지할 것
5. 폭은 30센티미터 이상으로 할 것
6. 사다리가 넘어지거나 미끄러지는 것을 방지하기 위한 조치를 할 것
7. 사다리의 상단은 걸쳐놓은 지점으로부터 60센티미터 이상 올라가도록 할 것
8. 사다리식 통로의 길이가 10미터 이상인 경우에는 5미터 이내마다 계단참을 설치할 것

정답 89 ① 90 ④ 91 ② 92 ③

9. 사다리식 통로의 기울기는 75도 이하로 할 것. 다만, 고정식 사다리식 통로의 기울기는 90도 이하로 하고, 그 높이가 7미터 이상인 경우에는 다음 각 목의 구분에 따른 조치를 할 것
   ㉠ 등받이울이 있어도 근로자 이동에 지장이 없는 경우 : 바닥으로부터 높이가 2.5미터 되는 지점부터 등받이울을 설치할 것
   ㉡ 등받이울이 있으면 근로자가 이동이 곤란한 경우 : 개인용 추락 방지 시스템을 설치하고 근로자로 하여금 전신안전대를 사용하도록 할 것
10. 접이식 사다리 기둥은 사용 시 접혀지거나 펼쳐지지 않도록 철물 등을 사용하여 견고하게 조치할 것

93 옥외에 설치되어 있는 주행크레인에 대하여 이탈방지장치를 작동시키는 등 이탈방지를 위한 조치를 하여야 하는 순간 풍속 기준은?

① 초당 10m 초과   ② 초당 20m 초과
③ 초당 30m 초과   ④ 초당 40m 초과

해설
폭풍 등에 의한 안전조치사항

풍속의 기준	내용	시기	안전조치사항
순간 풍속이 초당 30미터[m/s]를 초과	폭풍에 의한 이탈 방지	바람이 불어올 우려가 있는 경우	옥외에 설치되어 있는 주행 크레인에 대하여 이탈방지장치를 작동시키는 등 이탈 방지를 위한 조치를 하여야 한다.
	폭풍 등으로 인한 이상 유무 점검	바람이 불거나 중진 이상 진도의 지진이 있은 후	옥외에 설치되어 있는 양중기를 사용하여 작업을 하는 경우에는 미리 기계 각 부위에 이상이 있는지를 점검하여야 한다.
순간 풍속이 초당 35미터[m/s]를 초과	붕괴 등의 방지	바람이 불어올 우려가 있는 경우	건설작업용 리프트(지하에 설치되어 있는 것은 제외)에 대하여 받침의 수를 증가시키는 등 그 붕괴 등을 방지하기 위한 조치를 하여야 한다.
	폭풍에 의한 무너짐 방지		옥외에 설치되어 있는 승강기에 대하여 받침의 수를 증가시키는 등 승강기가 무너지는 것을 방지하기 위한 조치를 하여야 한다.

94 고소작업대를 사용하는 경우 준수해야 할 사항으로 옳지 않은 것은?

① 안전한 작업을 위하여 적정수준의 조도를 유지할 것
② 전로(電路)에 근접하여 작업을 하는 경우에는 작업감시자를 배치하는 등 감전사고를 방지하기 위하여 필요한 조치를 할 것
③ 작업대의 붐대를 상승시킨 상태에서 탑승자는 작업대를 벗어나지 말 것
④ 전환스위치는 다른 물체를 이용하여 고정할 것

해설
고소작업대 사용 시 준수사항
1. 작업자가 안전모·안전대 등의 보호구를 착용하도록 할 것
2. 관계자가 아닌 사람이 작업구역에 들어오는 것을 방지하기 위하여 필요한 조치를 할 것
3. 안전한 작업을 위하여 적정수준의 조도를 유지할 것
4. 전로(電路)에 근접하여 작업을 하는 경우에는 작업감시자를 배치하는 등 감전사고를 방지하기 위하여 필요한 조치를 할 것
5. 작업대를 정기적으로 점검하고 붐·작업대 등 각 부위의 이상 유무를 확인할 것
6. 전환스위치는 다른 물체를 이용하여 고정하지 말 것
7. 작업대는 정격하중을 초과하여 물건을 싣거나 탑승하지 말 것
8. 작업대의 붐대를 상승시킨 상태에서 탑승자는 작업대를 벗어나지 말 것. 다만, 작업대에 안전대 부착설비를 설치하고 안전대를 연결하였을 때에는 그러하지 아니하다.

95 산업안전보건관리비계상기준에 따른 건축공사의 대상액 「5억 원 미만」의 안전관리비 비율로 옳은 것은?

① 1.85%   ② 3.09%
③ 3.11%   ④ 3.43%

해설
공사 종류 및 규모별 산업안전보건관리비 계상기준표
(단위 : 원)

공사 종류	대상액 5억 원 미만인 경우 적용비율(%)	대상액 5억 원 이상 50억 원 미만인 경우		대상액 50억 원 이상인 경우 적용비율(%)	보건관리자 선임대상 건설공사의 적용비율(%)
		적용비율(%)	기초액		
건축공사	3.11%	2.28%	4,325,000원	2.37%	2.64%
토목공사	3.15%	2.53%	3,300,000원	2.60%	2.73%
중건설공사	3.64%	3.05%	2,975,000원	3.11%	3.39%
특수건설공사	2.07%	1.59%	2,450,000원	1.64%	1.78%

안전관리비 대상액 = 공사원가계산서 구성항목 중 직접재료비, 간접재료비와 직접노무비를 합한 금액(발주자가 재료를 제공할 경우에는 해당 재료비를 포함)

96 수중굴착 및 구조물의 기초바닥 등과 같은 협소하고 상당히 깊은 범위의 굴착과 호퍼작업에 가장 적당한 굴착기계는?

① 파워셔블
② 힝타기
③ 클램셸
④ 리버스서큘레이션드릴

해설
클램셸(Clam Shell)
1. 좁고 깊은 곳의 수직굴착, 수중굴착에 적당
2. 지하연속벽 공사, 깊은 우물통 파기에 사용
3. 구조물의 기초바닥, 잠함 등과 같은 협소하고 깊은 범위의 굴착에 적합

97 건립 중 강풍에 의한 풍압 등 외압에 대한 내력이 설계에 고려되었는지 확인하여야 하는 철골구조물의 기준으로 옳지 않은 것은?

① 높이 20m 이상의 구조물
② 구조물의 폭과 높이의 비가 1 : 3 이상인 구조물
③ 이음부가 현장용접인 구조물
④ 연면적당 철골량이 50kg/m² 이하인 구조물

해설
외압(강풍에 의한 풍압 등)에 대한 내력 설계 확인 구조물
1. 높이 20미터 이상의 구조물
2. 구조물의 폭과 높이의 비가 1 : 4 이상인 구조물
3. 단면구조에 현저한 차이가 있는 구조물
4. 연면적당 철골량이 50kg/m² 이하인 구조물
5. 기둥이 타이플레이트(Tie Plate)형인 구조물
6. 이음부가 현장용접인 구조물

98 차량계 하역운반기계에 화물을 적재할 때의 준수사항과 거리가 먼 것은?

① 하중이 한쪽으로 치우치지 않도록 적재할 것
② 구내운반차 또는 화물자동차의 경우 화물의 붕괴 또는 낙하에 의한 위험을 방지하기 위하여 화물에 로프를 거는 등 필요한 조치를 할 것
③ 운전자의 시야를 가리지 않도록 화물을 적재할 것
④ 제동장치 및 조정장치 기능의 이상 유무를 점검할 것

해설
화물적재 시의 조치
1. 하중이 한쪽으로 치우치지 않도록 적재할 것
2. 구내운반차 또는 화물자동차의 경우 화물의 붕괴 또는 낙하에 의한 위험을 방지하기 위하여 화물에 로프를 거는 등 필요한 조치를 할 것
3. 운전자의 시야를 가리지 않도록 화물을 적재할 것
4. 화물을 적재하는 경우에는 최대적재량을 초과하지 않을 것

99 콘크리트 타설작업을 하는 경우에 준수해야 할 사항으로 옳지 않은 것은?

① 콘크리트를 타설하는 경우에는 편심을 유발하여 한쪽 부분부터 밀실하게 타설되도록 유도할 것
② 당일의 작업을 시작하기 전에 해당 작업에 관한 거푸집 및 동바리의 변형·변위 및 지반의 침하 유무 등을 점검하고 이상이 있으면 보수할 것
③ 작업 중에는 거푸집 및 동바리의 변형·변위 및 침하 유무 등을 감시할 수 있는 감시자를 배치하여 이상이 있으면 작업을 중지하고 근로자를 대피시킬 것
④ 설계도서상의 콘크리트 양생기간을 준수하여 거푸집 및 동바리를 해체할 것

해설
콘크리트 타설 작업 시 준수사항
1. 당일의 작업을 시작하기 전에 해당 작업에 관한 거푸집 및 동바리의 변형·변위 및 지반의 침하 유무 등을 점검하고 이상이 있으면 보수할 것
2. 작업 중에는 감시자를 배치하는 등의 방법으로 거푸집 및 동바리의 변형·변위 및 침하 유무 등을 확인해야 하며, 이상이 있으면 작업을 중지하고 근로자를 대피시킬 것
3. 콘크리트 타설작업 시 거푸집 붕괴의 위험이 발생할 우려가 있으면 충분한 보강조치를 할 것
4. 설계도서상의 콘크리트 양생기간을 준수하여 거푸집 및 동바리를 해체할 것
5. 콘크리트를 타설하는 경우에는 편심이 발생하지 않도록 골고루 분산하여 타설할 것

정답 96 ③ 97 ② 98 ④ 99 ①

100 다음은 지붕 위에서의 위험방지를 위한 내용이다. 빈 칸에 알맞은 수치로 옳은 것은?

> 슬레이트 등 강도가 약한 재료로 덮은 지붕에는 폭 (   ) 이상의 발판을 설치할 것

① 20cm
② 25cm
③ 30cm
④ 40cm

해설

지붕 위에서의 위험방지
1. 지붕의 가장자리에 안전난간을 설치할 것
2. 채광창(Skylight)에는 견고한 구조의 덮개를 설치할 것
3. 슬레이트 등 강도가 약한 재료로 덮은 지붕에는 폭 30센티미터 이상의 발판을 설치할 것
4. 작업환경 등을 고려할 때 안전난간을 설치하기 곤란한 경우에는 추락방호망을 설치해야 한다. 다만, 사업주는 작업환경 등을 고려할 때 추락방호망을 설치하기 곤란한 경우에는 근로자 에게 안전대를 착용하도록 하는 등 추락 위험을 방지하기 위하여 필요한 조치를 해야 한다.

정답 100 ③

06 2024년 3회 기출복원문제

1과목 산업재해 예방 및 안전보건교육

01 안전관리 조직 중 라인-스텝(Line-staff)형에 대한 설명으로 틀린 것은?

① 안전 스텝의 힘이 강해지면 라인이 유명무실해질 수 있다.
② 안전활동이 생산과 관련이 없어질 가능성이 높다.
③ 명령계통과 조언 권고적 참여가 혼동되기 쉽다.
④ 안전 스텝은 안전에 관한 기획, 입안, 조사, 검토 및 연구를 수행한다.

해설
라인-스태프형(Line-staff형, 직계 참모형 조직)

특징	• 안전보건 업무를 전담하는 스태프를 별도로 두고 또 생산라인에는 그 부서의 장으로 하여금 계획된 생산라인의 안전관리조직을 통하여 실시하도록 한 조직 형태 • 스태프는 안전에 관한 기획, 조사, 검토 및 연구를 수행 • 라인형과 스태프형의 장점을 취한 절충식 조직형태 • 라인의 관리감독자에게도 안전에 관한 책임과 권한이 부여됨 • 안전활동과 생산업무가 분리될 가능성이 낮기 때문에 균형을 유지할 수 있음 • 1,000명 이상의 대규모 사업장에 적합한 조직 형태
장점	• 조직원 전원을 자율적으로 안전활동에 참여시킬 수 있음 • 스태프에 의해 입안된 것을 경영자의 지침으로 명령 실시하도록 하므로 정확·신속함
단점	• 명령계통과 조언이나 권고적 참여가 혼동되기 쉬움 • 라인과 스태프 간에 협조가 안 될 경우 업무의 원활한 추진 불가(라인과 스태프간의 월권 또는 상호 의견충돌이 생길 수 있음) • 라인이 스태프에 의존 또는 활용하지 않는 경우가 있음

02 리더십(Leadership)의 특성에 대한 설명으로 옳은 것은?

① 지휘형태는 민주적이다.
② 권한부여는 위에서 위임된다.
③ 구성원과의 관계는 지배적 구조이다.
④ 권한근거는 법적 또는 공식적으로 부여된다.

해설
헤드십과 리더십의 구분

구분	헤드십	리더십
권한행사 및 부여	위에서 위임하여 임명된 헤드	밑에서부터의 동의에 의해 선출된 리더
권한근거	법적 또는 공식적	개인능력
상관과 부하와의 관계	지배적	개인적인 경향
책임귀속	상사	상사와 부하
부하와의 사회적 간격	넓다	좁다
지위형태	권위주의적	민주주의적
권한귀속	공식화된 규정에 의함	집단목표에 기여한 공로 인정

03 OFF JT(Off Job Training)의 설명으로 틀린 것은?

① 효과가 곧 업무에 나타나며 훈련의 좋고 나쁨에 따라 개선이 쉽다.
② 교육훈련목표에 대해 집단적 노력이 흐트러질 수 있다.
③ 전문가를 초빙하여 강사로 활용이 가능하다.
④ 다수의 근로자에게 조직적 훈련이 가능하다.

해설
OFF J.T(Off the Job Training)
1. 외부의 전문가를 활용할 수 있다.(전문가를 초빙하여 강사로 활용이 가능하다.)
2. 다수의 대상자에게 조직적 훈련이 가능하다.
3. 특별교재, 교구, 시설을 유효하게 사용할 수 있다.
4. 타 직종 사람과의 많은 지식, 경험을 교류할 수 있다.
5. 업무와 분리되어 교육에 전념하는 것이 가능하다.
6. 교육목표를 위하여 집단적으로 협조와 협력이 가능하다.
7. 법규, 원리, 원칙, 개념, 이론 등의 교육에 적합하다.

정답 01 ② 02 ① 03 ①

04 보호구 안전인증 고시상 최대사용전압이 교류(실효값) 1,000V 또는 직류 1,500V의 작업에 사용하는 내전압용 절연장갑의 등급은?

① 0등급 ② 1등급
③ 2등급 ④ 3등급

해설

내전압용 절연장갑의 등급

등급	최대사용전압		등급별 색상
	교류(V, 실효값)	직류(V)	
00	500	750	갈색
0	1,000	1,500	빨강색
1	7,500	11,250	흰색
2	17,000	25,500	노랑색
3	26,500	39,750	녹색
4	36,000	54,000	등색

05 하인리히의 재해구성비율에 따라 경상사고가 87건 발생하였다면 무상해사고는 몇 건이 발생하였겠는가?

① 300건 ② 600건
③ 900건 ④ 1,200건

해설

하인리히(H. W. Heinrich)의 재해구성비율

하인리히의 재해구성비율(1 : 29 : 300)		
중상 및 사망	경상해	무상해사고
1	29	300
$1 : 29 = x : 87$		$29 : 300 = 87 : x$
$29x = 87$		$29x = 300 \times 87$
$x = \frac{87}{29} = 3$(건)	$29 \times 3 = 87$(건)	$x = \frac{300 \times 87}{29} = 900$(건)

06 작업장에서 매일 작업자가 작업 전, 중, 후에 시설과 작업동작 등에 대하여 실시하는 안전점검의 종류를 무엇이라 하는가?

① 정기점검 ② 일상점검
③ 임시점검 ④ 특별점검

해설

안전점검(점검주기에 의한 구분)

정기점검 (계획점검)	일정기간마다 정기적으로 실시하는 점검으로 주간점검, 월간점검, 연간점검 등이 있다.(마모상태, 부식, 손상, 균열 등 설비의 상태 변화나 이상 유무 등을 점검한다.)
수시점검 (일상점검, 일일점검)	• 매일 현장에서 작업 시작 전, 작업 중, 작업 후에 일상적으로 실시하는 점검(작업자, 작업담당자가 실시한다.) • 작업 시작 전 점검사항 : 주변의 정리정돈, 주변의 청소 상태, 설비의 방호장치 점검, 설비의 주유상태, 구동부분 등 • 작업 중 점검사항 : 이상소음, 진동, 냄새, 가스 및 기름 누출, 생산품질의 이상 여부 등 • 작업 종료 시 점검사항 : 기계의 청소와 정비, 안전장치의 작동 여부, 스위치 조작, 환기, 통로정리 등
임시점검	정기점검 실시 후 다음 점검기일 이전에 임시로 실시하는 점검(기계, 기구 또는 설비의 이상 발견 시에 임시로 점검)
특별점검	• 기계, 기구 또는 설비를 신설하거나 변경 내지는 고장 수리 등을 할 경우 • 강풍 또는 지진 등의 천재지변 발생 후의 점검 • 산업안전 보건 강조기간에도 실시

07 다음 중 재해관련통계 산출 공식으로 맞는 것은?

① 재해율 $= \dfrac{재해자수}{임금근로자수} \times 100$

② 연천인율 $= \dfrac{연간 재해자수}{연간 총근로시간수} \times 1,000$

③ 도수율 $= \dfrac{재해발생건수}{연평균 근로자수} \times 1,000,000$

④ 강도율 $= \dfrac{근로손실일수}{연평균 근로자수} \times 1,000$

해설

재해관련통계 산출공식

1. 연천인율 $= \dfrac{연간 재해자수}{연평균 근로자수} \times 1,000$

2. 도수율 $= \dfrac{재해발생건수}{연간총근로시간수} \times 1,000,000$

3. 강도율 $= \dfrac{근로손실일수}{연간총근로시간수} \times 1,000$

정답 04 ① 05 ③ 06 ② 07 ①

08 산업안전보건법령상 안전관리자가 수행하여야 할 업무가 아닌 것은?(단, 그 밖에 안전에 관한 사항으로서 고용노동부장관이 정하는 사항은 제외한다.)

① 위험성평가에 관한 보좌 및 조언·지도
② 물질안전보건자료의 게시 또는 비치에 관한 보좌 및 조언·지도
③ 사업장 순회점검, 지도 및 조치의 건의
④ 산업재해에 관한 통계의 유지·관리·분석을 위한 보좌 및 조언·지도

해설
안전관리자의 업무
1. 산업안전보건위원회 또는 안전 및 보건에 관한 노사협의체에서 심의·의결한 업무와 해당 사업 장의 안전보건관리규정 및 취업규칙에서 정한 업무
2. 위험성 평가에 관한 보좌 및 지도·조언
3. 안전인증대상 기계 등과 자율안전확인대상 기계 등 구입 시 적격품의 선정에 관한 보좌 및 지도·조언
4. 해당 사업장 안전교육계획의 수립 및 안전교육 실시에 관한 보좌 및 지도·조언
5. 사업장 순회점검, 지도 및 조치 건의
6. 산업재해 발생의 원인 조사·분석 및 재발 방지를 위한 기술적 보좌 및 지도·조언
7. 산업재해에 관한 통계의 유지·관리·분석을 위한 보좌 및 지도·조언
8. 법 또는 법에 따른 명령으로 정한 안전에 관한 사항의 이행에 관한 보좌 및 지도·조언
9. 업무수행 내용의 기록·유지
10. 그 밖에 안전에 관한 사항으로서 고용노동부장관이 정하는 사항

09 안전동기를 유발시킬 수 있는 방법과 거리가 먼 것은?

① 경쟁과 협동심을 유발시킨다.
② 안전목표를 명확히 설정한다.
③ 포상 조건만을 강조한다.
④ 동기유발의 최적수준을 유지토록 한다.

해설
동기부여의 방법
1. 안전의 근본이념을 인식시킨다.
2. 안전 목표를 명확히 설정 하여 주지시킨다.
3. 결과의 가치를 인식하고 알려준다.
4. 상과 벌을 준다.(상벌 제도를 합리적으로 시행한다.)
5. 경쟁과 협동을 유도한다.
6. 동기 유발의 최적수준을 유지한다.

10 다음 중 보호구 안전인증기준에 있어 방독마스크에 관한 용어의 설명으로 틀린 것은?

① "파과"란 대응하는 가스에 대하여 정화통 내부의 흡착제가 포화상태가 되어 흡착능력을 상실한 상태를 말한다.
② "파과곡선"이란 파과시간과 유해물질의 종류에 대한 관계를 나타낸 곡선을 말한다.
③ "겸용 방독마스크"란 방독마스크(복합용 포함)의 성능에 방진마스크의 성능이 포함된 방독마스크를 말한다.
④ "전면형 방독마스크"란 유해물질 등으로부터 안면부 전체(입, 코, 눈)를 덮을 수 있는 구조의 방독마스크를 말한다.

해설
파과곡선의 정의
파과시간과 유해물질 등에 대한 농도와의 관계를 나타낸 곡선을 말한다.

11 산업안전보건법령상 안전인증대상 기계 또는 설비가 아닌 것은?

① 프레스 ② 전단기
③ 롤러기 ④ 산업용 원심기

해설
안전인증대상 기계 또는 설비
1. 프레스
2. 전단기 및 절곡기
3. 크레인
4. 리프트
5. 압력용기
6. 롤러기
7. 사출성형기
8. 고소 작업대
9. 곤돌라

12 보호구 관련 규정에 따른 안전모의 착장체 구성요소에 해당되지 않는 것은?

① 모체 ② 머리받침끈
③ 머리고정대 ④ 머리받침고리

정답 08 ② 09 ③ 10 ② 11 ④ 12 ①

> **해설**

안전모의 구조

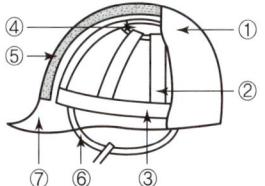

[안전모의 명칭]

번호	명칭	
①	모체	
②	착장체	머리받침끈
③		머리고정대
④		머리받침고리
⑤	충격흡수재(자율안전확인에서는 제외)	
⑥	턱끈	
⑦	챙(차양)	

13 알더퍼의 ERG(Existence Relation Growth) 이론에서 생리적 욕구, 물리적 측면의 안전욕구 등 저차원적 욕구에 해당하는 것은?

① 관계욕구 ② 성장욕구
③ 존재욕구 ④ 사회적 욕구

> **해설**

알더퍼(Alderfer)의 ERG이론

생존(Existence) 욕구 (존재욕구)	유기체의 생존과 유지에 관련된 욕구 • 의식주와 같은 기본적인 욕구 • 임금, 안전한 작업조건 • 직무안전
관계(Relatedness) 욕구	다른 사람과의 상호작용을 통하여 만족을 추구하는 대인욕구 • 의미 있는 타인과의 상호작용 • 대인 욕구
성장(Growth) 욕구	개인적인 발전과 증진에 관한 욕구(잠재력의 발전으로 충족) • 개인의 발전능력 • 잠재력 충족

14 파블로프(Pavlov)의 조건반사설에 의한 학습이론의 원리에 해당하지 않는 것은?

① 일관성의 원리 ② 시간의 원리
③ 강도의 원리   ④ 준비성의 원리

> **해설**

학습의 원리

조건반사설 (Pavlov)	시행 착오설 (Thorndike)	조작적 조건 형성이론 (Skinner)
• 강도의 원리 • 일관성의 원리 • 시간의 원리 • 계속성의 원리	• 효과의 법칙 • 준비성의 법칙 • 연습의 법칙	• 강화의 원리 • 소거의 원리 • 조형의 원리 • 자발적 회복의 원리 • 변별의 원리

15 기억의 과정 중 과거의 학습경험을 통해서 학습된 행동이 현재와 미래에 지속되는 것을 무엇이라 하는가?

① 기명(Memorizing) ② 파지(Retention)
③ 재생(Recall)   ④ 재인(Recognition)

> **해설**

파지와 망각

파지	• 기록이 계속 간직되는 것 • 과거의 학습경험이 현재와 미래의 행동에 영향을 주는 작용 • 학습된 내용이 지속되는 현상
망각	경험한 내용이나 학습된 내용을 다시 생각하여 작업에 적용하지 아니하고 방치함으로써 경험의 내용이나 인상이 약해지거나 소멸되는 현상

16 다음 중 인간이 자기의 실패나 약점을 그럴듯한 이유를 들어 남의 비난을 받지 않도록 하며 또한 자위도 하는 방어기제를 무엇이라 하는가?

① 보상   ② 투사
③ 합리화 ④ 전이

> **해설**

적응기제

투사	• 자기 마음속의 억압된 것을 다른 사람의 것으로 생각하는 것 • 자신이 미워하는 대상에 대해서, 그 사람이 자신을 미워한다고 생각한다.
도피	• 도피하려는 심리작용 • 두통이나 복통 등을 구실 삼아 작업현장에서 도피
합리화	• 자기의 난처한 입장이나 실패의 결점을 이유나 변명으로 일관하는 것 • 실제의 행위나 상태보다 훌륭하게 평가되기 위하여 구실을 내세우는 행위 • 시합에 진 운동선수가 컨디션이 좋지 않았다고 한다.

정답 13 ③ 14 ④ 15 ② 16 ③

동일화	• 다른 사람의 행동양식이나 태도를 투입하거나 다른 사람 가운데서 자기와 비슷한 것을 발견하게 되는 것 • 동창생을 자랑하거나 우쭐대는 것 • 아버지의 성공을 자랑하며 자신의 목에 힘이 들어간다.

17 특성에 따른 안전교육의 3단계에 포함되지 않는 것은?

① 태도교육 ② 지식교육
③ 직무교육 ④ 기능교육

해설

안전보건교육의 3단계

지식교육(제1단계) – 기능교육(제2단계) – 태도교육(제3단계)

TIP 안전·보건교육의 단계별 교육과정
① 제1단계 : 지식교육
  • 강의, 시청각교육을 통한 지식의 전달과 이해
  • 근로자가 지켜야 할 규정의 숙지를 위한 교육
② 제2단계 : 기능교육
  • 시범, 견학, 실습, 현장실습을 통한 경험체득과 이해
  • 교육 대상자가 스스로 행함으로서 습득하는 교육
  • 같은 내용을 반복해서 개인의 시행착오에 의해서만 얻어지는 교육
③ 제3단계 : 태도교육
  • 작업동작지도, 생활지도 등을 통한 안전의 습관화 및 일체감
  • 동기를 부여하는 데 가장 적절한 교육
  • 안전한 작업방법을 알고 있으나 시행하지 않는 것에 대한 교육

18 산업안전보건법령상 안전·보건표지의 색채별 색도 기준이 올바르게 연결된 것은?(단, 순서는 색상 명도/채도이며, 색도기준은 KS에 따른 색의 3속성에 의한 표시방법에 따른다.)

① 빨간색 – 5R 4/13
② 노란색 – 2.5Y 8/12
③ 파란색 – 7.5PB 2.5/7.5
④ 녹색 – 2.5G 4/10

해설

안전·보건표지의 색채, 색도기준 및 용도

색채	색도기준	용도	사용 예
빨간색	7.5R 4/14	금지	정지신호, 소화설비 및 그 장소, 유해행위의 금지
		경고	화학물질 취급장소에서의 유해·위험 경고
노란색	5Y 8.5/12	경고	화학물질 취급장소에서의 유해·위험경고 이외의 위험경고, 주의표지 또는 기계방호물
파란색	2.5PB 4/10	지시	특정 행위의 지시 및 사실의 고지
녹색	2.5G 4/10	안내	비상구 및 피난소, 사람 또는 차량의 통행표지
흰색	N9.5		파란색 또는 녹색에 대한 보조색
검은색	N0.5		문자 및 빨간색 또는 노란색에 대한 보조색

19 다음 중 교육과제에 정통한 전문가 4~5명이 피교육자 앞에서 자유로이 토의를 실시한 다음에 피교육자 전원이 참가하여 사회자의 사회에 따라 토의하는 방식을 무엇이라 하는가?

① 포럼(Forum)
② 패널 디스커션(Panel Discussion)
③ 심포지엄(Symposium)
④ 버즈 세션(Buzz Session)

해설

토의법의 종류

패널 디스커션(Panel Discussion)	전문가 4~5명이 피교육자 앞에서 자유로이 토의를 하고, 그 후에 피교육자 전원이 사회자의 사회에 따라 토의하는 방법
심포지엄(Symposium)	발제자 없이 몇 사람의 전문가에 의하여 과제에 관한 견해를 발표한 뒤에 참가자로 하여금 의견이나 질문을 하게 하여 토의하는 방법
버즈 세션(Buzz Session)	6–6 회의라고도 하며, 참가자가 다수인 경우에 전원을 토의에 참가시키기 위한 방법으로 소집단을 구성하여 회의를 진행시키는 방법
포럼(Forum)	새로운 자료나 주제를 내보이거나 발표한 후 피교육자로 하여금 문제나 의견을 제시하게 하고 다시 깊이 있게 토론해 나가는 방법

정답 17 ③ 18 ④ 19 ②

20 레빈(Lewin)은 인간행동과 인간의 조건 및 환경조건의 관계를 다음과 같이 표시하였다. 이때 'ƒ'의 의미는?

$$B = f(P \cdot E)$$

① 행동
② 조명
③ 지능
④ 함수

해설

레빈(K. Lewin)의 행동법칙

$$B = f(P \cdot E)$$

여기서, B : Behavior(인간의 행동)
f : Function(함수관계), $P \cdot E$에 영향을 줄 수 있는 조건
P : Person(개체, 개인의 자질, 연령, 경험, 심신상태, 성격, 지능 등)
E : Environment(심리적 환경 – 작업환경, 인간관계, 설비적 결함 등)

레빈의 이론
인간의 행동(B)은 개인의 자질과 심리학적 환경과의 상호 함수관계이다.

2과목 인간공학 및 위험성 평가·관리

21 인체측정과 작업공간 설계에 관한 설명으로 틀린 것은?

① 최대작업역 : 전완과 상완을 곧게 펴서 피악할 수 있는 영역
② 정상작업역 : 상완을 자연스럽게 수직으로 늘어뜨린 채, 손목을 움직여 파악할 수 있는 영역
③ 동적 측정 : 신체의 움직임에 따른 활동범위 등을 측정
④ 정적 측정 : 표준자세에서 움직이지 않는 자세에서 인체를 측정하는 것으로 골격 등 신체부위를 측정

해설

1. 최대작업역 : 아래팔(전완)과 윗팔(상완)을 곧게 펴서 파악할 수 있는 구역
2. 정상작업역 : 윗팔(상완)을 자연스럽게 수직으로 늘어뜨린 채, 아래팔(전완)만으로 편하게 뻗어 파악할 수 있는 구역
3. 기능적 인체 치수(동적 측정) : 인체 계측 중 운전 또는 워드 작업과 같이 인체의 각 부분이 서로 조화를 이루어 움직이는 자세에서의 인체치수를 측정하는 것으로 일반적으로 상지나 하지의 운동, 체위의 움직임에 따른 상태에서 측정하는 것
4. 구조적 인체 치수(정적 측정) : 표준 자세에서 움직이지 않는 피측정자를 인체 계측기 등으로 측정하는 것

22 다음 중 Oxford지수(Wet–dry Index, WD)를 구하는 공식으로 옳은 것은?

① WD = (0.8 × 글로브온도) + (0.2 × 자연습구온도)
② WD = (0.2 × 글로브온도) + (0.8 × 자연습구온도)
③ WD = (0.85 × 습구온도) + (0.15 × 건구온도)
④ WD = (0.85 × 건구온도) + (0.15 × 습구온도)

해설

Oxford 지수
습건(WD) 지수라고도 부르며, 습구 온도(W)와 건구 온도(D)의 가중 평균치로서 정의된다.

$$WD = 0.85W + 0.15D$$

23 제어장치의 레버를 1cm 움직였을 때, 표시장치의 지침이 4cm 움직였다면 이 기기의 통제표시비는 약 얼마인가?

① 0.25
② 0.6
③ 1.5
④ 1.7

해설

선형 조종장치가 선형 표시장치를 움직일 때 각각 직선변위의 비(제어표시비)

$$C/D비 (C/R비) = \frac{\text{조종장치(제어기기)의 이동거리}}{\text{표시장치(표시기기)의 반응거리}}$$

$$C/D비 = \frac{\text{조종장치의 이동거리}}{\text{표시장치의 반응거리}} = \frac{1}{4} = 0.25$$

정답 20 ④ 21 ② 22 ③ 23 ①

24 다음 중 인간-기계 시스템 설계과정의 단계에서 가장 먼저 실시되어야 하는 단계는?

- 기본설계
- 시스템 정의
- 목표 및 성능 명세 결정
- 인간-기계 인터페이스 설계
- 매뉴얼 및 성능보조자료 작성
- 시험 및 평가

① 인간-기계 인터페이스 설계
② 기본설계
③ 목표 및 성능 명세 결정
④ 매뉴얼 및 성능보조자료 작성

해설
인간-기계 체계설계의 기본단계 순서
1. 제1단계 : 목표 및 성능 명세 결정
2. 제2단계 : 시스템(체계)의 정의
3. 제3단계 : 기본설계
4. 제4단계 : 인터페이스(계면) 설계
5. 제5단계 : 촉진물 설계
6. 제6단계 : 시험 및 평가

25 결함수분석(FTA)에서 사용되는 논리게이트 중 다음 게이트의 명칭에 해당하는 것은?

① 위험지속기호
② 배타적 OR게이트
③ 조합 AND 게이트
④ 우선적 AND 게이트

해설
게이트
1. 위험지속기호 : 입력사상이 발생하여 어떤 일정한 시간이 지속될 때에 출력이 생긴다. 만약 지속되지 않으면 출력은 생기지 않는다.
2. 배타적 OR 게이트 : OR 게이트이지만 2개 또는 그 이상의 입력이 동시에 존재하는 경우에는 출력이 생기지 않는다.
3. 조합 AND 게이트 : 3개 이상의 입력사상 중 어느 것이나 2개가 일어나면 출력이 생긴다.
4. 우선적 AND 게이트 : 입력사상 중 어떤 사상이 다른 사상보다 먼저 일어난 때에 출력사상이 생긴다. 즉, 출력이 발생하기 위해서는 입력들이 정해진 순서로 발생해야 한다.

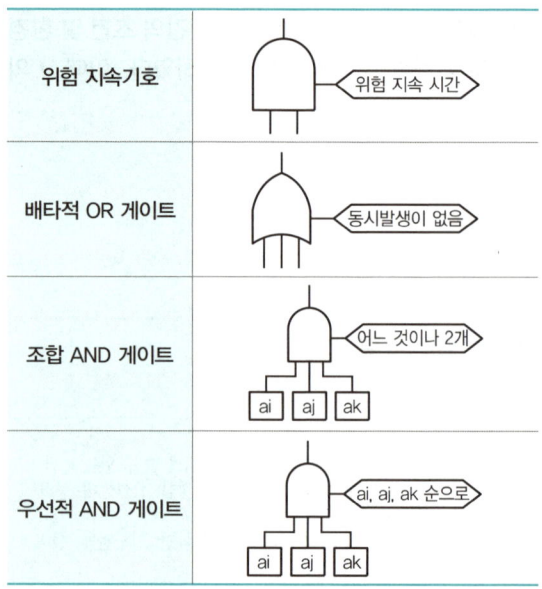

26 다음 중 인체계측에 관한 설명으로 틀린 것은?

① 의자, 피복과 같이 신체모양과 치수와 관련성이 높은 설비의 설계에 중요하게 반영된다.
② 일반적으로 몸의 측정 치수는 구조적 치수(Structural Dimension)와 기능적 치수(Functional Dimension)로 나눌 수 있다.
③ 인체계측치의 활용시에는 문화적 차이를 고려하여야 한다.
④ 인체계측치를 활용한 설계는 인간의 신체적 안락에는 영향을 미치지만 성능수행과는 관련이 없다.

해설
인체측정학의 개요
1. 일상생활에서 사용하는 도구나 설비를 설계할 때 인체 측정치를 이용하여 신체의 다양한 치수를 비롯하여 신체 부위의 부피, 질량, 무게 중심 등의 물리적 특성을 다루는 학문을 인체측정학이라 한다.
2. 의자, 책상, 작업공간, 피복 등과 같이 신체모양이나 치수에 관계있는 설비의 설계에 반영된다.
3. 인체측정치를 활용한 설계는 신체적인 안락뿐만 아니라 인간의 성능에 까지도 영향을 미친다.

정답 24 ③ 25 ② 26 ④

27 [그림] 결합수에서 최소 컷셋(A)과 신뢰도(B)를 올바르게 나타낸 것은?(단, 각각 사건의 고장확률은 0.2이다.)

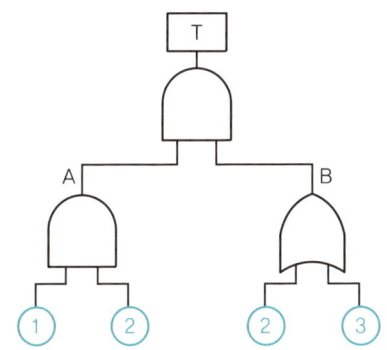

① A : (1,2), (2,3) B : 99.99%
② A : (1,2), B : 98.56%
③ A : (1,2,3), B : 99.45%
④ A : (1,3), B : 96.84%

해설

1. 미니멀 컷 셋 구하기

   ⓐ　　　ⓑ　　　ⓒ　　　　ⓓ　　　ⓔ
   T → A, B → ①, ②, B → ①, ②　→ ①, ②　→ ①, ②
   　　　　　　　　　　①, ②, ③　①, ②, ③

2. 신뢰도 계산
   ㉠ A = 0.2 × 0.2 = 0.04
   ㉡ B = 1 − (1 − 0.2)(1 − 0.2) = 0.36
   ㉢ T = 0.04 × 0.36 = 0.0144
   ㉣ 신뢰도 = 1 − 0.0144 = 0.9856 = 98.56%

> **TIP** 1. ⓒ에서 1행의 컷 셋은 (②)가 중복되어 있으므로 ⓓ에서 1행 처럼 (①, ②)가 되고 ⓓ의 2행에서는 (①, ②)이 포함되어 있기 때문에 최소 컷셋은 ⓔ와 같다.
> 2. 본 문제는 고장확률을 구하는 문제가 아니라 신뢰도를 구하는 문제이다. FTA는 사고의 원인이 되는 장치의 이상이나 고장의 다양한 조합 및 작업자 실수 원인을 연역적으로 분석하는 방법이라는 개념을 알고 있어야 한다.

28 다음 내용에 해당하는 양립성의 종류는?

> 자동차를 운전하는 과정에서 우측으로 회전하기 위하여 핸들을 우측으로 돌린다.

① 개념의 양립성　② 운동의 양립성
③ 공간의 양립성　④ 감성의 양립성

해설

양립성의 종류

공간 양립성	• 표시장치와 이에 대응하는 조종장치 간의 위치 또는 배열이 인간의 기대와 모순되지 않아야 한다. • 가스버너에서 오른쪽 조리대는 오른쪽 조절장치로, 왼쪽 조리대는 왼쪽 조절장치로 조정하도록 배치한다.
운동 양립성	• 조작장치의 방향과 표시장치의 움직이는 방향이 사용자의 기대와 일치하는 것 • 자동차를 운전하는 과정에서 우측으로 회전하기 위하여 핸들을 우측으로 돌린다.
개념 양립성	• 사람들이 가지고 있는(이미 사람들이 학습을 통해 알고 있는) 개념적 연상에 관한 기대와 일치하는 것 • 냉온수기에서 빨간색은 온수, 파란색은 냉수가 나온다.
양식 양립성	음성과업에 대해서는 청각적 자극 제시와 이에 대한 음성 응답 등에 해당

29 다음 중 FT도에서 사용되는 기호의 명칭으로 옳은 것은?

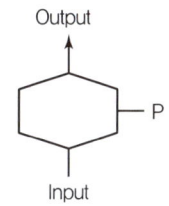

① 억제 게이트　② 부정 게이트
③ 베타적 OR 게이트　④ 우선적 AND 게이트

해설

게이트 기호

억제게이트	
부정게이트	A
배타적 OR 게이트	동시발생이 없음
우선적 AND 게이트	ai, aj, ak 순으로 ai　aj　ak

정답 27 ②　28 ②　29 ①

30 시식별에 영향을 주는 인자에 해당하지 않는 것은?

① 노출시간 ② 연령
③ 마스킹 효과 ④ 휘도 수준

해설

시식별에 영향을 주는 조건
1. 노출시간 : 조도가 큰 조건에서는 노출시간이 클수록 식별력이 커지지만 그 이상에서는 같다.
2. 연령 : 나이가 들면 시력과 대비감도가 나빠진다. 일반적으로 40세를 넘어서면서부터 이러한 기능의 저하는 계속된다.
3. 휘광(Glare) : 눈이 적응된 휘도 보다 밝은 광원이나 반사광이 시계 내에 있을 때 생기는 눈부심 현상이다.

31 [보기]는 화학설비의 안전성 평가 단계를 간략히 나열한 것이다. 다음 중 평가 단계 순서를 올바르게 나타낸 것은?

[보기]
㉠ 관계자료의 정비검토
㉡ 정량적 평가
㉢ FTA에 의한 재평가
㉣ 안전대책
㉤ 정성적 평가
㉥ 재해정보에 의한 재평가

① ㉠ → ㉤ → ㉡ → ㉣ → ㉥ → ㉢
② ㉠ → ㉢ → ㉤ → ㉡ → ㉣ → ㉥
③ ㉠ → ㉤ → ㉡ → ㉥ → ㉢ → ㉣
④ ㉠ → ㉤ → ㉣ → ㉡ → ㉥ → ㉢

해설

안전성 평가의 단계
안전성 평가는 6단계에 의해 실시되며, 경우에 따라 5단계와 6단계가 동시에 이루어지는 경우도 있다.
1. 제1단계 : 관계자료의 정비검토
2. 제2단계 : 정성적 평가
3. 제3단계 : 정량적 평가
4. 제4단계 : 안전대책
5. 제5단계 : 재해정보에 의한 재평가
6. 제6단계 : FTA에 의한 재평가

32 다음 중 누적손상장애(CTDs)의 원인으로 거리가 먼 것은?

① 장시간 진동공구의 사용
② 과도한 힘의 사용
③ 높은 장소에서의 작업
④ 부적절한 자세에서의 작업

해설

근골격계 질환
1. 반복적인 동작, 부적절한 작업자세, 무리한 힘의 사용, 날카로운 면과의 신체접촉, 진동 및 온도 등의 요인에 의하여 발생하는 건강장해로서 목, 어깨, 허리, 팔·다리의 신경·근육 및 그 주변 신체조직 등에 나타나는 질환을 말한다.
2. 유사용어로는 누적 외상성 질환(CTD_s), 반복성 긴장 상해 등이 있다.

33 정보입력에 사용되는 표시장치 중 시각적 표시장치와 비교하여 청각적 표시장치를 사용하는 것이 유리한 경우는?

① 수신자가 한곳에 머무를 경우
② 메시지가 공간적 위치를 다를 경우
③ 메시지가 복잡할 경우
④ 메시지가 짧을 경우

해설

청각장치와 시각장치의 비교

청각적 표시장치	시각적 표시장치
1. 전언이 간단하다.	1. 전언이 복잡하다.
2. 전언이 짧다.	2. 전언이 길다.
3. 전언이 후에 재참조되지 않는다.	3. 전언이 후에 재참조된다.
4. 전언이 시간적 사상을 다룬다.	4. 전언이 공간적인 위치를 다룬다.
5. 전언이 즉각적인 행동을 요구한다.(긴급할 때)	5. 전언이 즉각적인 행동을 요구하지 않는다.
6. 수신장소가 너무 밝거나 암조응 유지가 필요시	6. 수신장소가 너무 시끄러울 때
7. 직무상 수신자가 자주 움직일 때	7. 직무상 수신자가 한곳에 머물 때
8. 수신자의 시각 계통이 과부하 상태일 때	8. 수신자의 청각 계통이 과부하 상태일 때

34 다음 중 인체측정 자료를 응용하고자 할 경우 최대치수 기준으로 적용하기에 적절하지 않은 것은?

① 문의 높이 ② 선반의 높이
③ 통로의 높이 ④ 비상구의 높이

해설
극단치를 이용한 설계

구분	최대 집단치 설계	최소 집단치 설계
개념	• 대상 집단에 대한 인체 측정 변수의 상위 백분위수를 기준으로 90, 95 혹은 99%치가 사용 • 대표치는 남성의 95백분위수를 이용	• 관련 인체 측정 변수 분포의 1, 5, 10% 등과 같은 하위 백분위수를 기준으로 결정 • 대표치는 여성의 5백분위수를 이용
사례	• 출입문, 탈출구의 크기, 통로 등과 같은 공간여유를 정할 때 사용 • 그네, 줄사다리와 같은 지지물 등의 최소지지 중량(강도) • 버스 내 승객용 좌석간의 거리, 위험구역 울타리 • 작업대와 의자 사이의 간격	• 선반의 높이 • 조종 장치까지의 거리 (조작자와 제어버튼 사이의 거리) • 비상벨의 위치 설계

35 그림과 같은 시스템의 신뢰도로 옳은 것은?(단, 그림의 숫자는 각 부품의 신뢰도이다.)

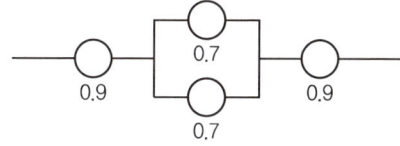

① 0.6261 ② 0.7371
③ 0.8481 ④ 0.9591

해설
시스템의 신뢰도
$R = 0.9 \times [1 - (1 - 0.7)(1 - 0.7)] \times 0.9 = 0.7371$

36 시스템의 수명곡선에서 고장의 발생형태가 일정하게 나타나는 기간은?

① 초기고장기간 ② 우발고장기간
③ 마모고장기간 ④ 피로고장기간

해설
시스템 수명곡선(욕조곡선)

초기 고장	• 감소형(DFR ; Decreasing Failure Rate) : 고장률이 시간에 따라 감소 • 불량 제조, 생산과정에서 품질관리 미비, 설계 미숙 등으로 일어나는 고장 • 점검작업이나 시운전 등으로 감소시킬 수 있다. • 보전예방(MP) 실시
우발 고장	• 일정형(CFR ; Constant Failure Rate) : 고장률이 시간에 관계없이 거의 일정 • 예측할 수 없을 때 발생하는 고장으로 시운전이나 점검작업으로는 방지할 수 없다. • 낮은 안전계수, 사용자의 과오, 설계강도 이상의 급격한 스트레스 축적, 최선의 검사방법으로도 탐지되지 않는 결함 때문에 발생하는 고장 • 사후보전(BM) 실시
마모 고장	• 증가형(IFR ; Increasing Failure Rate) : 고장률이 시간에 따라 증가 • 장치의 일부가 수명을 다하여 생기는 고장 • 부식 또는 산화, 마모 또는 피로, 불충분 정비 등으로 발생하는 고장 • 안전진단 및 적당한 보수에 의해 감소시킬 수 있다. • 예방보전(PM) 실시

37 실효온도(ET)의 결정요소가 아닌 것은?

① 온도 ② 습도
③ 대류 ④ 복사

해설
실효온도(Effective Temperature)[체감온도, 감각온도]
1. 개요
   ㉠ 온도, 습도 및 공기의 유동이 인체에 미치는 열효과를 하나의 수치로 통합한 경험적 감각지수
   ㉡ 상대습도 100%일 때의 건구온도에서 느끼는 것과 동일한 온감이다.
   ㉢ 실제로 감각되는 온도로서 실감온도라고 한다.
2. 실효온도의 결정요소(실효온도에 영향을 주는 요인)
   ㉠ 온도 ㉡ 습도 ㉢ 공기의 유동(대류)

38 위험조정을 위해 필요한 기술은 조직형태에 따라 다양하며 4가지로 분류하였을 때 이에 속하지 않는 것은?

① 전가(Transfer) ② 보류(Retention)
③ 계속(Continuation) ④ 감축(Reduction)

정답 34 ② 35 ② 36 ② 37 ④ 38 ③

해설
위험처리기술(위험관리기법)

위험의 회피 (Avoidance)	• 위험 자체를 피하는 행위 • 잠재적 이익도 포기하는 극히 소극적인 수단
위험의 감소 (Reduction)	• 위험을 적극적으로 예방하고 경감하는 행위 • 잠재적 위험의 노출을 최대한 감소하는 방법
위험의 전가 (Transfer)	• 위험을 제3자에게 전가하거나 공유하는 행위 • 보험, 공제조합, 기금 등
위험의 보유(보류) (Retention)	• 무계획적 보유 : 가장 위험한 행위 • 계획적 보유 : 회피, 감소, 전가될 수 없는 위험에 적극적으로 대응

39 일반적으로 인체에 가해지는 온·습도 및 기류 등의 외적변수를 종합적으로 평가하는 데에는 "불쾌지수"라는 지표가 이용된다. 불쾌지수의 계산식이 다음과 같은 경우, 건구온도와 습구온도의 단위로 옳은 것은?

$$불쾌지수 = 0.72 \times (건구온도 + 습구온도) + 40.6$$

① 실효온도
② 화씨온도
③ 절대온도
④ 섭씨온도

해설
불쾌지수
인체에 가해지는 온·습도 및 기류 등의 외적변수를 종합적으로 평가하는 데에는 불쾌지수라는 지표가 이용된다.

> **TIP** 섭씨 = 0.72 × (건구온도 + 습구온도) + 40.6
> 화씨 = (건구온도 + 습구온도) × 0.4 + 15
> ① 70 이하 : 모든 사람이 불쾌를 느끼지 않는다.
> ② 70 이상 : 불쾌를 느끼기 시작한다.
> ③ 80 이상 : 모든 사람이 불쾌감를 느낀다.

40 다음 중 음(音)의 크기를 나타내는 단위로만 나열된 것은?

① dB, nit
② phon, lb
③ dB, psi
④ phon, dB

해설
음의 크기 단위
1. dB : 음의 전파방향에 수직한 단위면적을 단위시간에 통과하는 음의 세기량 또는 음의 압력량이며 소리(소음)의 크기를 나타내는 단위이다.
2. Phon : 정량적 평가를 하기 위한 음량 수준 척도

> **TIP** • nit : 휘도의 단위(1nit = cd/m²)
> • lb(파운드) : 무게의 단위
> • psi : 압력의 단위

3과목 기계·기구 및 설비 안전관리

41 밀링작업 시 안전수칙에 해당되지 않는 것은?

① 칩이나 부스러기는 반드시 브러시를 사용하여 제거한다.
② 가공 중에는 가공면을 손으로 점검하지 않는다.
③ 커터를 교체할 때에는 작업 도중에 한다.
④ 바이트는 가급적 짧게 고정시킨다.

해설
밀링 작업에 대한 안전수칙
1. 제품을 따 내는 데에는 손끝을 대지 말아야 한다.
2. 운전 중 가공면에 손을 대지 말아야 하며 장갑 착용을 금지한다.
3. 칩을 제거할 때에는 커터의 운전을 중지하고 브러시(솔)를 사용하며 걸레를 사용하지 않는다.
4. 칩의 비산이 많으므로 보안경을 착용한다.
5. 커터 설치 시 및 측정은 반드시 기계를 정지시킨 후에 한다.
6. 일감(공작물)은 테이블 또는 바이스에 안전하게 고정한다.
7. 상하 이송장치의 핸들은 사용 후 반드시 빼 두어야 한다.
8. 가공 중에 밀링머신에 얼굴을 대지 않는다.
9. 절삭 속도는 재료에 따라 정한다.
10. 커터를 끼울 때는 아버를 깨끗이 닦는다.
11. 일감(공작물)을 고정하거나 풀어낼 때는 기계를 정지시킨다.
12. 테이블 위에 공구 등을 올려놓지 않는다.
13. 강력 절삭을 할 때는 일감을 바이스에 깊이 물린다.
14. 급속이송은 백래시 제거장치가 동작하지 않고 있음을 확인한 후 실시하고, 급속이송은 한 방향으로만 한다.

42 다음 중 반대로 회전하는 두 개의 회전체가 맞닿는 사이에 발생하는 위험점은?

① 협착점
② 절단점
③ 물림점
④ 끼임점

정답 39 ④ 40 ④ 41 ③ 42 ③

> 해설

기계운동 형태에 따른 위험점 분류

협착점 (Squeeze Point)	왕복운동을 하는 운동부와 움직임이 없는 고정부 사이에서 형성되는 위험점 (고정점 + 운동점)	• 프레스 • 전단기 • 성형기 • 조형기 • 밴딩기 • 인쇄기
끼임점 (Shear Point)	회전운동하는 부분과 고정부 사이에 위험이 형성되는 위험점 (고정점 + 회전운동)	• 연삭숫돌과 작업대 • 반복동작되는 링크기구 • 교반기의 날개와 몸체 사이 • 회전풀리와 벨트
절단점 (Cutting Point)	회전하는 운동부 자체의 위험이나 운동하는 기계부분 자체의 위험에서 형성되는 위험점 (회전운동 + 기계)	• 밀링커터 • 둥근 톱의 톱날 • 목공용 띠톱 날
물림점 (Nip Point)	회전하는 두 개의 회전체에 형성되는 위험점(서로 반대방향의 회전체) (중심점 + 반대방향의 회전운동)	• 기어와 기어의 물림 • 롤러와 롤러의 물림 • 롤러 분쇄기
접선 물림점 (Tangential Nip Point)	회전하는 부분의 접선방향으로 물려 들어갈 위험이 있는 위험점	• V벨트와 풀리 • 랙과 피니언 • 체인벨트 • 평벨트
회전 말림점 (Trapping Point)	회전하는 물체의 길이, 굵기, 속도 등의 불규칙 부위와 돌기 회전부위에 의해 장갑 또는 작업복 등이 말려들 위험이 있는 위험점	• 회전하는 축 • 커플링 • 회전하는 드릴

43 산업안전보건법령에 따른 보일러의 안전한 가동을 위하여 보일러 규격에 맞는 압력방출장치를 2개 이상 설치된 경우 옳은 것은?

① 최고사용압력 이상에서 1개가 작동되고, 다른 압력방출장치는 최고사용압력 2배 이하에서 작동되도록 부착하여야 한다.
② 최고사용압력 이하에서 1개가 작동되고, 다른 압력방출장치는 최고사용압력 1.05배 이하에서 작동되도록 부착하여야 한다.
③ 최고사용압력 이상에서 1개가 작동되고, 다른 압력방출장치는 최고사용압력 2배 이상에서 작동되도록 부착하여야 한다.
④ 최고사용압력 이상에서 1개가 작동되고, 다른 압력방출장치는 최고사용압력 1.05배 이하에서 작동되도록 부착하여야 한다.

> 해설

보일러의 압력방출장치
1. 보일러의 안전한 가동을 위하여 보일러 규격에 맞는 압력방출장치를 1개 또는 2개 이상 설치하고 최고사용압력(설계압력 또는 최고허용압력) 이하에서 작동되도록 하여야 한다.
2. 압력방출장치가 2개 이상 설치된 경우에는 최고사용압력 이하에서 1개가 작동되고, 다른 압력방출장치는 최고사용압력 1.05배 이하에서 작동되도록 부착하여야 한다.
3. 압력방출장치는 매년 1회 이상 교정을 받은 압력계를 이용하여 설정압력에서 압력방출장치가 적정하게 작동하는지를 검사한 후 납으로 봉인하여 사용하여야 한다.(공정안전보고서 이행상태 평가결과가 우수한 사업장은 압력방출장치에 대하여 4년마다 1회 이상 설정압력에서 압력방출장치가 적정하게 작동하는지를 검사할 수 있다.)

44 보일러의 연도(굴뚝)에서 버려지는 여열을 이용하여 보일러에 공급되는 급수를 예열하는 부속장치는?

① 과열기　　　　② 절탄기
③ 공기예열기　　④ 연소장치

> 해설

보일러의 장치

과열기	본체에서 발생하는 포화온도 이상으로 재가열하여 과열증기로 만드는 장치
절탄기	연도(굴뚝)에서 버려지는 여열을 이용하여 보일러에 공급되는 급수를 예열하는 장치
공기예열기	연도(굴뚝)에서 버려지는 여열을 이용하여 보일러에 공급되는 온도를 올리기 위한 장치
연소장치	기본본체에 열을 공급하기 위해 연료를 연소시키기 위한 장치

45 다음 중 연삭숫돌의 파괴원인으로 거리가 가장 먼 것은?

① 숫돌 자체에 균열이 있을 때
② 플랜지의 직경은 숫돌직경의 1/3 이상이며 고정 측과 이동 측의 직경이 같을 때
③ 숫돌의 회전속도가 너무 빠를 때
④ 숫돌에 과대한 충격을 가할 때

정답　43 ②　44 ②　45 ②

해설

연삭숫돌의 파괴 원인
1. 숫돌의 회전속도가 너무 빠를 때
2. 숫돌 자체에 균열이 있을 때
3. 숫돌에 과대한 충격을 가할 때
4. 숫돌의 측면을 사용하여 작업할 때
5. 숫돌의 불균형이나 베어링 마모에 의한 진동이 있을 때 (숫돌이 경우에 따라 파손될 수 있다.)
6. 숫돌 반경방향의 온도변화가 심할 때
7. 작업에 부적당한 숫돌을 사용할 때
8. 숫돌의 치수가 부적당할 때
9. 플랜지가 현저히 작을 때

> **TIP** 플랜지의 지름은 숫돌지름의 1/3 이상인 것을 사용하며 양쪽 모두 같은 크기로 한다.
>
> $$\text{플랜지의 지름} = \text{숫돌지름} \times \frac{1}{3}$$

46 다음 중 재해조사 시의 유의사항으로 가장 적절하지 않은 것은?

① 사실을 수집한다.
② 사람, 기계설비, 양면의 재해요인을 모두 도출한다.
③ 객관적인 입장에서 공정하게 조사하며, 조사는 2인 이상이 한다.
④ 목격자의 증언과 추측의 말은 모두 반영하여 분석하고, 결과를 도출한다.

해설

조사상의 유의사항
1. 사실을 수집 하고 재해 이유는 뒤로 미룬다.
2. 목격자 등이 발언하는 사실 이외의 추측의 말은 참고로 한다.
3. 조사는 신속하게 행하고 2차 재해의 방지를 도모한다.
4. 사람, 설비, 환경의 측면에서 재해요인을 도출한다.
5. 객관성을 가지고 제3자의 입장에서 공정하게 조사하며, 조사는 2인 이상으로 한다.
6. 책임추궁보다 재발방지를 우선하는 기본태도를 갖는다.
7. 피해자에 대한 구급조치를 우선으로 한다.
8. 2차 재해의 예방과 위험성에 대응하여 보호구를 착용한다.
9. 발생 후 가급적 빨리 재해현장이 변형되지 않은 상태에서 실시한다.

47 산업안전보건법령에 따라 양중기용 와이어로프의 사용금지 기준으로 옳은 것은?

① 지름의 감소가 공칭지름의 3%를 초과하는 것
② 지름의 감소가 공칭지름의 5%를 초과하는 것
③ 와이어로프의 한 꼬임에서 끊어진 소선의 수가 7% 이상인 것
④ 와이어로프의 한 꼬임에서 끊어진 소선의 수가 10% 이상인 것

해설

양중기 와이어로프 사용금지 조건
1. 이음매가 있는 것
2. 와이어로프의 한 꼬임에서 끊어진 소선의 수가 10퍼센트 이상인 것
3. 지름의 감소가 공칭지름의 7퍼센트를 초과하는 것
4. 꼬인 것
5. 심하게 변형되거나 부식된 것
6. 열과 전기충격에 의해 손상된 것

48 다음 중 연삭기의 원주속도 V(m/s)를 구하는 식으로 옳은 것은?(단, D는 숫돌의 지름(m), n은 회전수(rpm))

① $V = \dfrac{\pi Dn}{16}$ ② $V = \dfrac{\pi Dn}{32}$

③ $V = \dfrac{\pi Dn}{60}$ ④ $V = \dfrac{\pi Dn}{1,000}$

해설

원주속도(회전속도)

$$V = \pi DN [\text{mm/min}] = \frac{\pi DN}{1,000}[\text{m/min}]$$

여기서 V : 원주속도(회전속도)(m/min)
D : 숫돌의 지름(mm)
N : 숫돌의 매분 회전수(rpm)

1. 공식에서는 숫돌의 지름이 (mm)인데 문제에서 숫돌의 지름이 (m)로 주어졌으므로

$$V = \frac{\pi DN}{1,000}(\text{m/min}) = \frac{\pi \times D \times 1,000 \times N}{1,000}(\text{m/min})$$
$$= \pi DN(\text{m/min})$$

2. 공식에서는 원주속도의 단위가 (m/min)인데 문제에서 원주속의 단위가 (m/s)로 주어졌으므로

$$V = \pi DN \times \frac{1}{60(\text{초})} = \frac{\pi DN}{60}(\text{m/s})$$

정답 46 ④ 47 ④ 48 ③

49 프레스의 양수조작식 방호장치에서 누름버튼의 상호간 내측거리는 몇 mm 이상이어야 하는가?

① 200
② 300
③ 400
④ 500

해설

양수조작식
누름버튼의 상호 간 내측거리는 300mm 이상이어야 한다.

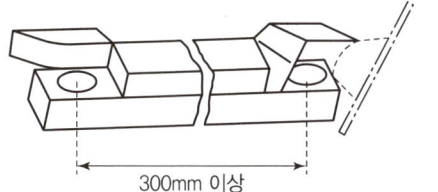

50 산업안전보건법령에 따른 아세틸렌용접장치에 대한 설명으로 올바른 것은?

① 발생기실을 옥외에 설치한 경우 그 개구부를 다른 건축물로부터 1미터 이상 떨어지도록 하여야 한다.
② 아세틸렌 용접장치의 아세틸렌 전용 발생기실은 건물의 반드시 지하에 위치하여야 한다.
③ 주관 및 취관에 가장 가까운 분기관마다 설치한 경우를 제외하고 아세틸렌 용접장치의 안전기는 취관마다 설치하여야 한다.
④ 아세틸렌 전용의 발생기실은 화기를 사용하는 설비로부터 1.5미터를 초과하는 장소에 설치하여야 한다.

해설

발생기실의 설치 장소
1. 아세틸렌 용접장치의 아세틸렌 발생기를 설치하는 경우에는 전용의 발생기실에 설치하여야 한다.
2. 건물의 최상층에 위치하여야 하며, 화기를 사용하는 설비로부터 3미터를 초과하는 장소에 설치하여야 한다.
3. 옥외에 설치한 경우에는 그 개구부를 다른 건축물로부터 1.5미터 이상 떨어지도록 하여야 한다.

51 산업안전보건법령상 목재가공용 기계에 사용되는 방호장치의 연결이 옳지 않은 것은?

① 둥근톱기계 : 톱날접촉예방장치
② 띠톱기계 : 날접촉예방장치
③ 모떼기기계 : 날접촉예방장치
④ 동력식 수동대패기계 : 반발예방장치

해설

동력식 수동대패기의 방호장치
칼날접촉방지장치 : 인체가 대패날에 접촉하지 않도록 덮어 주는 것으로 덮개를 의미한다.

52 롤러기에 사용되는 급정지장치의 종류가 아닌 것은?

① 손 조작식
② 발 조작식
③ 무릎 조작식
④ 복부 조작식

해설

급정지장치의 설치방법

급정지장치 조작부의 종류	위치	비고
손으로 조작하는 것	밑면으로부터 1.8m 이내	위치는 급정지장치 조작부의 중심점을 기준으로 함
복부로 조작하는 것	밑면으로부터 0.8m 이상 1.1m 이내	
무릎으로 조작하는 것	밑면으로부터 0.4m 이상 0.6m 이내	

53 보일러수 속에 불순물 농도가 높아지면서 수면에 거품이 형성되어 수위가 불안정하게 되는 현상은?

① 포밍
② 서징
③ 수격현상
④ 공동현상

해설

보일러 취급 시 이상현상

프라이밍 (Priming)	보일러수가 극심하게 끓어서 수면에서 계속하여 물방울이 비산하고 증기부가 물방울로 충만하여 수위가 불안정하게 되는 현상
포밍 (Foaming)	보일러 수에 유지류, 고형물 등의 부유물로 인해 거품이 발생하여 수위를 판단하지 못하는 현상
캐리오버 (Carry Over)	• 보일러에서 증기관 쪽으로 보내는 증기에 대량의 물방울이 포함되는 경우로 플라이밍이나 포밍이 생기면 필연적으로 발생 • 보일러에서 증기의 순도를 저하시킴으로써 관내 응축수가 생겨 워터해머의 원인이 되는 것
워터해머 (Water Hammer, 수격작용)	증기관 내에서 증기를 보내기 시작할 때 해머로 치는 듯한 소리를 내며 관이 진동하는 현상, 워터해머는 캐리오버에 기인한다.

정답 49 ② 50 ③ 51 ④ 52 ② 53 ①

54 산업안전보건기준에 관한 규칙상 지게차의 헤드가드 설치기준에 관한 설명으로 틀린 것은?

① 강도는 지게차의 최대하중의 2배 값의 등분포정하중에 견딜 수 있을 것
② 상부틀의 각 개구의 폭 또는 길이가 16cm 미만일 것
③ 강도는 지게차의 최대하중의 값이 4톤을 넘는 것에 대하여서는 4톤으로 한다.
④ 상부틀의 각 개구의 폭 또는 길이가 26cm 미만일 것

해설
헤드가드
1. 강도는 지게차의 최대하중의 2배 값(4톤을 넘는 값에 대해서는 4톤으로 한다)의 등분포정하중에 견딜 수 있을 것
2. 상부틀의 각 개구의 폭 또는 길이가 16센티미터 미만일 것
3. 운전자가 앉아서 조작하거나 서서 조작하는 지게차의 헤드가드는 한국산업표준에서 정하는 높이 기준 이상일 것 (좌식 : 0.903m 이상, 입식 : 1.88m 이상)

55 다음 중 작업장에 대한 안전조치 사항으로 틀린 것은?

① 상시통행을 하는 통로에는 75럭스 이상의 채광 또는 조명시설을 하여야 한다.
② 산업안전보건법으로 규정된 위험물질을 취급하는 작업장에 설치하여야 하는 비상구는 너비 0.75m 이상, 높이 1.5m 이상이어야 한다.
③ 높이가 3m를 초과하는 계단에는 높이 3m 이내마다 진행방향으로 길이 90cm 이상의 계단참을 설치하여야 한다.
④ 상시 50명 이상의 근로자가 작업하는 옥내 작업장에는 비상시에 근로자에게 신속하게 알리기 위한 경보용 설비를 설치하여야 한다.

해설
계단참의 높이
높이가 3미터를 초과하는 계단에 높이 3미터 이내마다 진행방향으로 길이 1.2미터 이상의 계단참을 설치할 것

54 산업안전보건법령상 프레스기의 사용하는 양수조작식 방호장치의 일반구조에 관한 설명 중 틀린 것은?

① 방호장치는 사용전원전압의 ±50%의 변동에 대하여 정상적으로 작동되어야 한다.
② 누름버튼을 양손으로 동시에 조작하지 않으면 작동시킬 수 없는 구조이어야 한다.
③ 1행정 1정지 기구에 사용할 수 있어야 한다.
④ 양쪽버튼의 작동시간 차이는 최대 0.5초 이내일 때 프레스가 동작되도록 해야 한다.

해설
양수조작식 방호장치
방호장치는 릴레이, 리미트스위치 등의 전기부품의 고장, 전원전압의 변동 및 정전에 의해 슬라이드가 불시에 동작하지 않아야 하며, 사용전원전압의 ±(100분의 20)의 변동에 대하여 정상으로 작동되어야 한다.

55 산업안전보건법령에 따라 컨베이어의 작업 시작 전 점검사항 중 틀린 것은?

① 원동기 및 풀리 기능의 이상 유무
② 이탈 등의 방지 장치 기능의 이상 유무
③ 과부하방지장치 기능의 이상 유무
④ 원동기, 회전축, 기어 및 풀리 등의 덮개 또는 울 등의 이상 유무

해설
컨베이어의 작업시작 전 점검사항
1. 원동기 및 풀리(Pulley) 기능의 이상 유무
2. 이탈 등의 방지장치 기능의 이상 유무
3. 비상정지장치 기능의 이상 유무
4. 원동기·회전축·기어 및 풀리 등의 덮개 또는 울 등의 이상 유무

56 통로의 설치기준 중 (   ) 안에 공통적으로 들어갈 숫자로 옳은 것은?

> 사업주는 통로 면으로부터 높이 (   )미터 이내에는 장애물이 없도록 하여야 한다.
> 다만, 부득이하게 통로 면으로부터 높이 (   )미터 이내에 장애물을 설치할 수밖에 없거나 통로 면으로부터 높이 (   )미터 이내의 장애물을 제거하는 것이 곤란하다고 고용

정답 54 ④ 55 ③ 54 ① 55 ③ 56 ②

노동부장관이 인정하는 경우에는 근로자에게 발생할 수 있는 부상 등의 위험을 방지하기 위한 안전 조치를 하여야 한다.

① 1 ② 2
③ 1.5 ④ 2.5

해설

통로의 설치
1. 작업장으로 통하는 장소 또는 작업장 내에 근로자가 사용할 안전한 통로를 설치하고 항상 사용할 수 있는 상태로 유지하여야 한다.
2. 통로의 주요 부분에는 통로표시를 하고, 근로자가 안전하게 통행할 수 있도록 하여야 한다.
3. 통로 면으로부터 높이 2미터 이내에는 장애물이 없도록 하여야 한다.(다만, 부득이하게 통로 면으로부터 높이 2미터 이내에 장애물을 설치할 수밖에 없거나 통로 면으로부터 높이 2미터 이내의 장애물을 제거하는 것이 곤란하다고 고용노동부장관이 인정하는 경우에는 근로자에게 발생할 수 있는 부상 등의 위험을 방지하기 위한 안전 조치를 하여야 한다.)

57 롤러의 위험점 앞에 개구간격 18mm의 가드를 설치하는 경우 위험점에서 가드까지의 최단 거리는? (단, 위험점이 전동체는 아니다.)

① 20mm ② 60mm
③ 80mm ④ 160mm

해설

롤러기 가드의 개구부 간격(ILO기준, 위험점이 전동체가 아닌 경우)

$$Y = 6 + 0.15X \, (X < 160mm)$$
(단, $X \geq 160mm$일 때, $Y = 30mm$)

여기서, X : 가드와 위험점 간의 거리(안전거리)(mm)
Y : 가드 개구부 간격(안전간극)(mm)

1. $Y = 6 + 0.15X \rightarrow 18 = 6 + 0.15X$
2. $X = \dfrac{18 - 6}{0.15} = 80[mm]$

58 산업안전보건법령상 프레스를 사용하여 작업을 할 때 작업시작 전 점검 항목에 해당하지 않는 것은?

① 전선 및 접속부 상태
② 클러치 및 브레이크의 기능
③ 프레스의 금형 및 고정볼트 상태
④ 1행정 1정지기구·급정지장치 및 비상정지 장치의 기능

해설

프레스 등의 작업시작 전 점검사항
1. 클러치 및 브레이크의 기능
2. 크랭크축·플라이휠·슬라이드·연결봉 및 연결 나사의 풀림 여부
3. 1행정 1정지기구·급정지장치 및 비상정지장치의 기능
4. 슬라이드 또는 칼날에 의한 위험방지 기구의 기능
5. 프레스의 금형 및 고정볼트 상태
6. 방호장치의 기능
7. 전단기의 칼날 및 테이블의 상태

59 다음 중 크레인의 방호장치로 가장 적절하지 않은 것은?

① 파이널 리미트 스위치 ② 과부하방지장치
③ 비상정지장치 ④ 권과방지장치

해설

양중기 방호장치의 종류

방호장치의 조정 대상	크레인, 이동식 크레인, 리프트, 곤돌라, 승강기
방호장치의 종류	• 과부하방지장치 • 권과방지장치 • 비상정지장치 및 제동장치 • 그 밖의 방호장치(승강기의 파이널 리미트 스위치, 속도조절기, 출입문 인터록 등)

60 선반작업에서 가공물이 길이가 외경에 비하여 과도하게 길 때, 절삭저항에 의한 떨림을 방지하기 한 장치는?

① 센터 ② 심봉
③ 방진구 ④ 돌리개

해설

방진구
1. 가공물의 길이가 외경에 비해 가늘고 긴 공작물을 가공할 경우 자중 및 절삭력으로 인하여 휘거나 처짐, 진동을 방지하기 위하여 사용하는 기구로 고정식과 이동식 방진구가 있다.
2. 가공물의 길이가 직경의 12배 이상일 때는 반드시 방진구를 사용하여야 한다.

정답 57 ③ 58 ① 59 ① 60 ③

4과목 전기 및 화학설비 안전관리

61 저압 옥내 직류전기설비를 전로 보호장치의 확실한 동작의 확보와 이상전압 및 대지전압의 억제를 위하여 접지를 하여야 하나 직류 2선식으로 시설할 때, 접지를 생략할 수 있는 경우로 옳지 않은 것은?

① 접지검출기를 설치하고 특정구역 내의 산업용 기계기구에만 공급하는 경우
② 사용전압이 110V 이상인 경우
③ 최대전류 30mA 이하의 직류화재경보회로
④ 교류전로로부터 공급을 받는 정류기에서 인출되는 직류계통

해설
저압 옥내 직류전기설비의 접지
저압 옥내 직류전기설비는 전로 보호장치의 확실한 동작의 확보, 이상전압 및 대지전압의 억제를 위하여 직류 2선식의 임의의 한 점 또는 변환장치의 직류측 중간점, 태양전지의 중간점 등을 접지하여야 한다. 다만, 직류 2선식을 다음에 따라 시설하는 경우는 그러하지 아니하다.
1. 사용전압이 60V 이하인 경우
2. 접지검출기를 설치하고 특정구역 내의 산업용 기계기구에만 공급하는 경우
3. 교류전로로부터 공급을 받는 정류기에서 인출되는 직류계통
4. 최대전류 30mA 이하의 직류화재경보회로
5. 절연감시장치 또는 절연고장점검출장치를 설치하여 관리자가 확인할 수 있도록 경보장치를 시설하는 경우

62 다음 중 감지전류에 미치는 주파수의 영향에 대한 설명으로 옳은 것은?

① 주파수의 감전은 아무 상관관계가 없다.
② 주파수를 증가시키면 감지전류는 증가한다.
③ 주파수가 높을수록 전력의 영향은 증가한다.
④ 주파수가 낮을수록 고온증으로 사망하는 경우가 많다.

해설
최소감지전류
1. 인체에 전압을 인가하여 통전전류의 값을 서서히 증가시켜서, 어느 일정한 값에 도달하게 되면 고통을 느끼지 않으면서 전기가 흐르는 것을 감지하게 되는데 이때의 전류값을 최소감지전류라고 한다.
2. 교류보다는 직류의 경우 감지전류가 더 크게 나타난다.
3. 직류일 때 평균 최소감지전류는 5.2mA이고 교류에 비해 약 5배의 수치가 된다.
4. 주파수를 증가시키면 감지전류는 증가된다. 즉 주파수가 높을수록 전격의 영향은 감소한다.

63 교류아크용접기의 자동전격방지기는 대상으로 하는 용접기의 주회로를 제어하는 장치를 가지고 있어, 용접봉의 조작에 따라 용접할 때에만 용접기의 주회로를 형성하고, 그 외에는 용접기의 출력 측의 무부하전압을 얼마 이하로 저하시키도록 동작하는 장치를 말하는가?

① 15V ② 25V
③ 30V ④ 50V

해설
자동전격방지기
용접기의 주회로(변압기의 경우는 1차 회로 또는 2차 회로)를 제어하는 장치를 가지고 있어, 용접봉의 조작에 따라 용접할 때에만 용접기의 주회로를 형성하고, 그 외에는 용접기의 출력 측의 무부하전압을 25볼트 이하로 저하시켜 감전의 위험 및 전력손실을 방지하는 장치를 말한다.

64 산업안전보건기준에 관한 규칙에 따른 전기기계·기구의 설치 시 고려할 사항으로 거리가 먼 것은?

① 전기기계·기구의 충분한 전기적 용량 및 기계적 강도
② 전기기계·기구의 안전효율을 높이기 위한 시간 가동률
③ 습기·분진 등 사용장소의 주위 환경
④ 전기적·기계적 방호수단의 적정성

해설
전기기계·기구 설치 시 고려사항
1. 전기 기계·기구의 충분한 전기적 용량 및 기계적 강도
2. 습기·분진 등 사용장소의 주위 환경
3. 전기적·기계적 방호수단의 적정성

정답 61 ② 62 ② 63 ② 64 ②

65 전기화재의 직접적인 발생요인과 가장 거리가 먼 것은?

① 피뢰기의 손상
② 누전, 열의 축적
③ 과전류 및 절연의 손상
④ 자락 및 접속불량으로 인한 과열

해설
전기화재의 원인
1. 단락
2. 누전
3. 과전류
4. 스파크
5. 접촉부과열
6. 절연열화에 의한 발열
7. 지락
8. 낙뢰
9. 정전기 스파크

66 절연된 컨베이어 벨트 시스템에서 발생하는 정전기의 전압이 10kV이고 이때 정전용량이 5pF일 때 이 시스템에서 1회의 정전기 방전으로 생성될 수 있는 에너지는 얼마인가?

① 0.2mJ
② 0.25mJ
③ 0.5mJ
④ 0.25J

해설
정전 에너지

$$W = \frac{1}{2}CV^2 = \frac{1}{2}QV = \frac{1}{2}\frac{Q^2}{C}$$

대전 전하량 $(Q) = C \cdot V$, 대전 전위 $(V) = \frac{Q}{C}$

여기서, W : 정전기 에너지(J)
C : 도체의 정전용량(F)
V : 대전 전위(V)
Q : 대전 전하량(C)

$W = \frac{1}{2}CV^2 = \frac{1}{2} \times (5 \times 10^{-12}) \times (10,000)^2 = 0.00025[J]$
$= 0.25[mJ]$

TIP 단위
$1pF = 10^{-12}F$, $1mJ = 10^{-3}J$, $1V = 10^{-3}kV$

67 정전기 제거방법으로 가장 거리가 먼 것은?

① 설비 주위를 가습한다.
② 설비의 금속 부분을 접지한다.
③ 설비의 주변에 적외선을 조사한다.
④ 정전기 발생 방지 도장을 실시한다.

해설
정전기재해의 방지대책
1. 접지(도체의 대전방지)
2. 유속의 제한
3. 보호구의 착용
4. 대전방지제 사용
5. 가습(상대습도를 60~70%정도 유지)
6. 제전기 사용
7. 대전물체의 차폐
8. 정치시간의 확보
9. 도전성 재료 사용

68 다음 중 전기기기의 절연의 종류와 최고허용온도가 잘못 연결된 것은?

① Y : 90℃
② A : 105℃
③ B : 130℃
④ F : 180℃

해설
절연방식에 따른 분류

절연종별	허용최고온도[℃]	용도
Y종	90	저전압의 기기
A종	105	보통의 회전기, 변압기
E종	120	대용량 및 보통의 기기
B종	130	고전압의 기기
F종	155	고전압의 기기
H종	180	건식 변압기
C종	180 초과	특수한 기기

69 선간전압이 6.6kV인 충전전로 인근에서 유자격자가 작업하는 경우 충전전로에 대한 최소 접근한계거리(cm)는?(단, 충전부에 절연 조치가 되어 있지 않고, 작업자는 절연장갑을 않았다.)

① 20
② 30
③ 50
④ 60

해설
충전전로에서의 전기작업

충전전로의 선간전압 (단위 : 킬로볼트)	충전전로에 대한 접근한계거리 (단위 : 센티미터)
0.3 이하	접촉금지
0.3 초과 0.75 이하	30
0.75 초과 2 이하	45
2 초과 15 이하	60
15 초과 37 이하	90

정답 65 ① 66 ② 67 ③ 68 ④ 69 ④

충전전로의 선간전압 (단위 : 킬로볼트)	충전전로에 대한 접근한계거리 (단위 : 센티미터)
37 초과 88 이하	110
88 초과 121 이하	130
121 초과 145 이하	150
145 초과 169 이하	170
169 초과 242 이하	230
242 초과 362 이하	380
362 초과 550 이하	550
550 초과 800 이하	790

70 절연물은 여러 가지 원인으로 전기저항이 저하되어 이른바 절연불량을 일으켜 위험한 상태가 되는데 절연불량의 주요 원인이 아닌 것은?

① 정전에 의한 전기적 원인
② 온도상승에 의한 열적 요인
③ 진동, 충격 등에 의한 기계적 요인
④ 높은 이상전압 등에 의한 전기적 요인

해설
전기절연물의 절연파괴(불량) 주요 원인
1. 진동, 충격 등에 의한 기계적 요인
2. 산화 등에 의한 화학적 요인
3. 온도상승에 의한 열적 요인
4. 높은 이상전압 등에 의한 전기적 요인

71 산업안전보건법령상 공정안전보고서의 내용 중 공정안전자료에 포함되지 않는 것은?

① 유해하거나 위험한 설비의 목록 및 사양
② 안전운전지침서
③ 폭발위험장소 구분도 및 전기단선도
④ 각종 건물·설비의 배치도

해설
공정안전자료
1. 취급·저장하고 있거나 취급·저장하려는 유해·위험물질의 종류 및 수량
2. 유해·위험물질에 대한 물질안전보건자료
3. 유해하거나 위험한 설비의 목록 및 사양
4. 유해하거나 위험한 설비의 운전방법을 알 수 있는 공정도면
5. 각종 건물·설비의 배치도
6. 폭발위험장소 구분도 및 전기단선도
7. 위험설비의 안전설계·제작 및 설치 관련 지침서

72 다음 중 옥외에 시설되어 있는 전기설비의 화재에 사용되는 소화기의 소화제로 가장 적합한 것은?

① 산 및 알칼리
② 메탄올
③ 이산화탄소
④ 염화칼슘

해설
이산화탄소 소화기
1. 공기 중에 존재하고 있는 산소의 농도 21%를 15% 이하로 낮추어 소화하는 질식 작용과 CO_2 가스 방출 시 기화열의 흡수로 인하여 소화하는 냉각 작용을 하는 소화약제이다.
2. 전기의 부도체로서 C급 화재(전기화재)에 매우 효과적이다.

73 산업안전보건법령에서 정한 위험물을 기준량 이상으로 제조하거나 취급하는 설비 중 "특수화학설비"에 해당하지 않는 것은?

① 온도가 섭씨 100도인 상태에서 운전되는 설비
② 발열반응이 일어나는 반응장치
③ 증류·정류·증발·추출 등 분리를 하는 장치
④ 가열로 또는 가열기

해설
특수화학설비
1. 발열반응이 일어나는 반응장치
2. 증류·정류·증발·추출 등 분리를 하는 장치
3. 가열시켜 주는 물질의 온도가 가열되는 위험물질의 분해온도 또는 발화점보다 높은 상태에서 운전되는 설비
4. 반응폭주 등 이상 화학반응에 의하여 위험물질이 발생할 우려가 있는 설비
5. 온도가 섭씨 350도 이상이거나 게이지 압력이 980킬로파스칼 이상인 상태에서 운전되는 설비
6. 가열로 또는 가열기

74 리튬(Li)에 관한 설명으로 틀린 것은?

① 연소 시 산소와는 반응하지 않는 특성이 있다.
② 염산과 반응하여 수소를 발생한다.
③ 물과 반응하여 수소를 발생한다.
④ 화재발생 시 소화방법으로는 건조된 마른 모래 등을 이용한다.

정답 70 ① 71 ② 72 ③ 73 ① 74 ①

해설
리튬(Li)[제3류 위험물]
1. 공기 중에서 서서히 가열해도 발화하여 연소하며, 연소 시 탄산가스(CO_2) 속에서도 꺼지지 않고 연소한다.
2. 산, 알코올류와는 격렬히 반응하여 수소를 발생한다.
3. 물과는 격렬하게 반응하여 수소를 발생한다.
4. 주수를 엄금하고 잘 건조된 소금분말, 마른모래, 건조 분말 소화약제에 의해 질식소화를 한다.

75 다음 중 가연성 가스가 아닌 것은?
① 이산화탄소
② 수소
③ 메탄
④ 아세틸렌

해설
고압가스(가연성에 의한 분류)

가연성 가스	공기 중에서 연소하면 폭발하는 가스(아세틸렌, 암모니아, 수소, 일산화탄소, 메탄, 프로판, 부탄, 에틸렌 등)
지연성 가스	산소, 공기 등 다른 가연성가스의 연소를 돕는 가스, 즉 연소하거나 폭발되지 않지만 연소를 지지하는 가스(산소, 공기, 염소, 산화질소, 오존, 불소 등)
불연성 가스	자신이 연소하지도 않고 다른 물질을 연소시키지도 않는 가스로 연소하고 있는 화염을 꺼지게 하는 가스(헬륨, 네온, 질소, 아르곤, 이산화탄소 등)

76 다음 가스 중 공기 중에서 폭발범위가 넓은 순서로 옳은 것은?
① 아세틸렌 > 프로판 > 수소 > 일산화탄소
② 수소 > 아세틸렌 > 프로판 > 일산화탄소
③ 아세틸렌 > 수소 > 일산화탄소 > 프로판
④ 수소 > 프로판 > 일산화탄소 > 아세틸렌

해설
주요 가연성 가스의 폭발범위

가연성 가스	폭발하한값(%)	폭발상한값(%)	폭발범위
아세틸렌(C_2H_2)	2.5	81.0	81.0 − 2.5 = 78.5
수소(H_2)	4.0	75.0	75.0 − 4.0 = 71.0
일산화탄소(CO)	12.5	74.0	74.0 − 12.5 = 61.5
프로판(C_3H_8)	2.1	9.5	9.5 − 2.1 = 7.4

77 메탄 20vol%, 에탄 25vol%, 프로판 55vol%의 조성을 가진 혼합가스의 폭발하한계 값(vol%)은 약 얼마인가?(단, 메탄, 에탄 및 프로판가스의 폭발하한값은 각각 5vol%, 3vol%, 2vol%이다.)
① 2.51
② 3.12
③ 4.26
④ 5.22

해설
르샤틀리에의 법칙(순수한 혼합가스일 경우)

$$\frac{100}{L} = \frac{V_1}{L_1} + \frac{V_2}{L_2} + \frac{V_3}{L_3} \cdots$$

$$L = \frac{100}{\frac{V_1}{L_1} + \frac{V_2}{L_2} + \cdots + \frac{V_n}{L_n}}$$

여기서, V_n : 전체 혼합가스 중 각 성분 가스의 체적(비율)[%]
L_n : 각 성분 단독의 폭발한계(상한 또는 하한)
L : 혼합가스의 폭발한계(상한 또는 하한)[vol%]

$$L = \frac{100}{\frac{20}{5} + \frac{25}{3} + \frac{55}{2}} = 2.51 [vol\%]$$

78 최소점화에너지(MIE)와 온도, 압력 관계를 옳게 설명한 것은?
① 압력, 온도에 모두 비례한다.
② 압력, 온도 모두 반비례한다.
③ 압력에 비례하고, 온도에 반비례한다.
④ 압력에 반비례하고, 온도에 비례한다.

해설
최소발화에너지의 영향요소
1. 특정화합물이나 혼합물의 조성
2. 농도(많아지면 MIE는 작아진다.)
3. 압력(상승하면 MIE는 작아진다.)
4. 온도(상승하면 MIE는 작아진다.)
5. 유속(상승하면 MIE는 커진다.)
6. 연소속도(상승하면 MIE는 적어진다.)

79 A 가스의 폭발하한계가 4.1vol%, 폭발상한계가 62vol%일 때 이 가스의 위험도는 약 얼마인가?
① 8.94
② 12.75
③ 14.12
④ 16.12

정답 75 ① 76 ③ 77 ① 78 ② 79 ③

해설

위험도

$$H = \frac{UFL - LFL}{LFL}$$

여기서, UFL : 연소상한값
LFL : 연소하한값
H : 위험도

$H = \frac{UFL - LFL}{LFL} = \frac{62 - 4.1}{4.1} = 14.12$

80 가열·마찰·충격 또는 다른 화학물질과의 접촉 등으로 인하여 산소나 산화제의 공급이 없더라도 폭발 등 격렬한 반응을 일으킬 수 있는 물질은?

① 알코올류 ② 무기과산화물
③ 니트로화합물 ④ 과망간산칼륨

해설

제5류 위험물(자기반응성 물질)
1. 열적으로 불안정하여 외부로부터 산소의 공급 없이도 가열, 충격 등에 의해 강렬하게 발열·분해하기 쉬운 액체·고체 또는 혼합물을 말한다.
2. 종류 : 유기과산화물, 질산에스테르류, 니트로화합물, 아조화합물, 디아조화합물, 히드라진 유도체, 히드록실아민, 히드록실아민염류 등

5과목 건설공사 안전관리

81 건설업 산업안전보건관리비의 사용항목이 아닌 것은?

① 건설공사 현장에서 안전기원제 등 산업재해 예방을 기원하는 행사를 개최하기 위해 소요되는 비용
② 안전보건관리책임자, 안전관리자, 보건관리자가 업무수행을 위해 필요한 정보를 취득하기 위한 목적으로 도서, 정기간행물을 구입하는 데 소요되는 비용
③ 안전보건진단비 등
④ 기계·기구와 방호장치가 일체로 제작된 경우의 비용

해설

건설업 산업안전보건관리비의 사용내역
산업재해 예방을 위한 안전난간, 추락방호망, 안전대 부착설비, 방호장치(기계·기구와 방호장치가 일체로 제작된 경우, 방호장치 부분의 가액에 한함) 등 안전시설의 구입·임대 및 설치를 위해 소요되는 비용

82 산업안전보건법령에서 정의하고 있는 승강기 중 일정한 경사로 또는 수평로를 따라 위·아래 또는 옆으로 움직이는 디딤판을 통해 사람이나 화물을 승강장으로 운송시키는 설비에 해당하는 것은?

① 승객용 엘리베이터
② 에스컬레이터
③ 소형화물용 엘리베이터
④ 승객화물용 엘리베이터

해설

승강기
건축물이나 고정된 시설물에 설치되어 일정한 경로에 따라 사람이나 화물을 승강장으로 옮기는 데에 사용되는 설비로서 다음의 것을 말한다.
1. 승객용 엘리베이터 : 사람의 운송에 적합하게 제조·설치된 엘리베이터
2. 승객화물용 엘리베이터 : 사람의 운송과 화물 운반을 겸용하는 데 적합하게 제조·설치된 엘리베이터
3. 화물용 엘리베이터 : 화물 운반에 적합하게 제조·설치된 엘리베이터로서 조작자 또는 화물취급자 1명은 탑승할 수 있는 것(적재용량이 300킬로그램 미만인 것은 제외한다)
4. 소형화물용 엘리베이터 : 음식물이나 서적 등 소형 화물의 운반에 적합하게 제조·설치된 엘리베이터로서 사람의 탑승이 금지된 것
5. 에스컬레이터 : 일정한 경사로 또는 수평로를 따라 위·아래 또는 옆으로 움직이는 디딤판을 통해 사람이나 화물을 승강장으로 운송시키는 설비

83 굴착공사의 경우 산업안전보건법령에 따른 유해위험방지계획서 제출대상의 기준으로 옳은 것은?

① 깊이 5m 이상인 굴착공사
② 깊이 8m 이상인 굴착공사
③ 깊이 10m 이상인 굴착공사
④ 깊이 15m 이상인 굴착공사

해설
유해위험방지계획서를 제출해야 하는 건설공사
1. 다음 각 목의 어느 하나에 해당하는 건축물 또는 시설 등의 건설·개조 또는 해체공사
   ㉠ 지상높이가 31미터 이상인 건축물 또는 인공구조물
   ㉡ 연면적 3만 제곱미터 이상인 건축물
   ㉢ 연면적 5천 제곱미터 이상인 시설로서 다음의 어느 하나에 해당하는 시설
   • 문화 및 집회시설(전시장 및 동물원·식물원은 제외)
   • 판매시설, 운수시설(고속철도의 역사 및 집배송시설은 제외)
   • 종교시설
   • 의료시설 중 종합병원
   • 숙박시설 중 관광숙박시설
   • 지하도상가
   • 냉동·냉장 창고시설
2. 연면적 5천 제곱미터 이상인 냉동·냉장 창고시설의 설비공사 및 단열공사
3. 최대 지간길이(다리의 기둥과 기둥의 중심사이의 거리)가 50미터 이상인 다리의 건설등 공사
4. 터널의 건설등 공사
5. 다목적댐, 발전용댐, 저수용량 2천만 톤 이상의 용수 전용 댐 및 지방상수도 전용 댐의 건설등 공사
6. 깊이 10미터 이상인 굴착공사

84 다음 중 곤돌라형 달비계를 설치하는 경우 와이어로프의 사용금지 규정으로 옳지 않은 것은?

① 지름의 감소가 공칭지름의 5퍼센트를 초과하는 것
② 이음매가 있는 것
③ 와이어로프의 한 꼬임의 수가 10퍼센트 이상인 것
④ 열과 전기충격에 의해 손상된 것

해설
곤돌라형 달비계 와이어로프 사용금지 조건
1. 이음매가 있는 것
2. 와이어로프의 한 꼬임에서 끊어진 소선의 수가 10퍼센트 이상인 것
3. 지름의 감소가 공칭지름의 7퍼센트를 초과하는 것
4. 꼬인 것
5. 심하게 변형되거나 부식된 것
6. 열과 전기충격에 의해 손상된 것

85 작업에서의 위험요인과 재해형태가 가장 관련이 적은 것은?

① 무리한 자재적재 및 통로 미확보 → 전도
② 개구부 안전난간 미설치 → 추락
③ 벽돌 등 중량물 취급 작업 → 협착
④ 항만 하역 작업 → 질식

해설
항만 하역 작업의 핵심위험요인
1. 작업 중 작업방법 불량에 따른 화물 붕괴의 위험이 있다.
2. 설비 불량에 따른 매달린 화물의 낙하의 위험이 있다.

86 철골작업 시 폭우와 같은 악천후에 작업을 중지하여야 하는 강우량 기준은?

① 1시간당 1mm 이상일 때
② 2시간당 1mm 이상일 때
③ 3시간당 2mm 이상일 때
④ 4시간당 2mm 이상일 때

해설
작업의 제한(철골작업 중지)
1. 풍속이 초당 10미터 이상인 경우
2. 강우량이 시간당 1밀리미터 이상인 경우
3. 강설량이 시간당 1센티미터 이상인 경우

87 산업안전보건법령상 양중기에 해당되지 않는 것은?

① 크레인   ② 항발기
③ 곤돌라   ④ 리프트

해설
양중기의 종류
1. 크레인(호이스트 포함)
2. 이동식 크레인
3. 리프트(이삿짐운반용 리프트의 경우 적재하중 0.1톤 이상인 것)
4. 곤돌라
5. 승강기

정답 84 ① 85 ④ 86 ① 87 ②

88 안전난간의 설치기준으로 옳지 않은 것은?

① 상부 난간대는 바닥면·발판 또는 경사로의 표면으로부터 90cm 이상 지점에 설치한다.
② 발판끝막이판은 바닥 면 등으로부터 20cm 이상의 높이를 유지할 것
③ 상부 난간대와 중간 난간대는 난간 길이 전체에 걸쳐 바닥 면 등과 평행을 유지할 것
④ 난간대는 지름 2.7cm 이상의 금속제 파이프나 그 이상의 강도가 있는 재료일 것

해설
안전난간의 구조 및 설치요건

구성	상부 난간대, 중간 난간대, 발끝막이판 및 난간기둥으로 구성할 것(다만, 중간 난 간대, 발끝막이판 및 난간기둥은 이와 비슷한 구조와 성능을 가진 것으로 대체할 수 있음)
상부 난간대	상부 난간대는 바닥 면·발판 또는 경사로의 표면(바닥 면)으로부터 90센티미터 이상 지점에 설치하고, 상부 난간대를 120센티미터 이하에 설치하는 경우에는 중간 난간대는 상부 난간대와 바닥 면 등의 중간에 설치해야 하며, 120센티미터 이상 지점에 설치하는 경우에는 중간 난간대를 2단 이상으로 균등하게 설치하고 난간의 상하 간격은 60센티미터 이하가 되도록 할 것(다만, 난간 기둥 간의 간격이 25센티미터 이하인 경우에는 중간 난간대를 설치하지 않을 수 있음)
발끝막이판 (폭목)	발끝막이판은 바닥 면 등으로부터 10센티미터 이상의 높이를 유지할 것(다만, 물 체가 떨어지거나 날아올 위험이 없거나 그 위험을 방지할 수 있는 망을 설치하는 등 필요한 예방 조치를 한 장소는 제외)
난간기둥	상부 난간대와 중간 난간대를 견고하게 떠받칠 수 있도록 적정한 간격을 유지할 것
상부 난간대와 중간 난간대	상부 난간대와 중간 난간대는 난간 길이 전체에 걸쳐 바닥 면 등과 평행을 유지할 것
난간대	난간대는 지름 2.7센티미터 이상의 금속제 파이프나 그 이상의 강도가 있는 재료 일 것
하중	안전난간은 구조적으로 가장 취약한 지점에서 가장 취약한 방향으로 작용하는 100킬로그램 이상의 하중에 견딜 수 있는 튼튼한 구조일 것

89 사다리식 통로 등을 설치하는 경우 준수해야 할 기준으로 옳지 않은 것은?

① 접이식 사다리 기둥은 사용 시 접혀지거나 펼쳐지지 않도록 철물 등을 사용하여 견고하게 조치할 것
② 발판과 벽과의 사이는 25cm 이상의 간격을 유지할 것
③ 폭은 30cm 이상으로 할 것
④ 사다리식 통로의 길이가 10m 이상인 경우에는 5m 이내마다 계단참을 설치할 것

해설
사다리식 통로
1. 견고한 구조로 할 것
2. 심한 손상·부식 등이 없는 재료를 사용할 것
3. 발판의 간격은 일정하게 할 것
4. 발판과 벽과의 사이는 15센티미터 이상의 간격을 유지할 것
5. 폭은 30센티미터 이상으로 할 것
6. 사다리가 넘어지거나 미끄러지는 것을 방지하기 위한 조치를 할 것
7. 사다리의 상단은 걸쳐놓은 지점으로부터 60센티미터 이상 올라가도록 할 것
8. 사다리식 통로의 길이가 10미터 이상인 경우에는 5미터 이내마다 계단참을 설치할 것
9. 사다리식 통로의 기울기는 75도 이하로 할 것. 다만, 고정식 사다리식 통로의 기울기는 90도 이하로 하고, 그 높이가 7미터 이상인 경우에는 다음 각 목의 구분에 따른 조치를 할 것
   ㉠ 등받이울이 있어도 근로자 이동에 지장이 없는 경우 : 바닥으로부터 높이가 2.5미터 되는 지점부터 등받이울을 설치할 것
   ㉡ 등받이울이 있으면 근로자가 이동이 곤란한 경우 : 개인용 추락 방지 시스템을 설치하고 근로자로 하여금 전신안전대를 사용하도록 할 것
10. 접이식 사다리 기둥은 사용 시 접혀지거나 펼쳐지지 않도록 철물 등을 사용하여 견고하게 조치할 것

90 크레인을 사용하여 작업을 할 때 작업시작 전에 점검하여야 하는 사항에 해당하지 않는 것은?

① 권과방지장치·브레이크·클러치 및 운전장치의 기능
② 주행로의 상측 및 트롤리가 횡행하는 레일의 상태
③ 와이어로프가 통하고 있는 곳의 상태
④ 압력 방출 장치의 기능

해설
크레인을 사용하여 작업을 하는 때 작업시작 전 점검사항
1. 권과방지장치·브레이크·클러치 및 운전장치의 기능
2. 주행로의 상측 및 트롤리(Trolley)가 횡행하는 레일의 상태
3. 와이어로프가 통하고 있는 곳의 상태

정답 88 ② 89 ② 90 ④

91 히빙현상에 대한 안전대책과 가장 거리가 먼 것은?

① 어스앵커 설치
② 흙막이벽의 근입심도 확보
③ 양질의 재료로 지반개량 실시
④ 굴착주변에 상재하중을 증대

해설

히빙(Heaving)현상
1. 정의
   연질점토 지반에서 굴착에 의한 흙막이 내·외면의 흙의 중량차로 인해 굴착저면이 부풀어 올라오는 현상
2. 안전대책
   ㉠ 흙막이 근입깊이를 깊게
   ㉡ 표토제거 하중감소
   ㉢ 굴착저면 지반개량(흙의 전단강도를 높임)
   ㉣ 굴착면 하중증가
   ㉤ 어스앵커 설치
   ㉥ 주변 지하수위 저하
   ㉦ 소단굴착을 하여 소단부 흙의 중량이 바닥을 누르게 함
   ㉧ 토류벽의 배면토압을 경감

92 추락방지망의 달기로프를 지지점에 부착할 때 지지점의 간격이 1.5m인 경우 지지점의 강도는 최소 얼마 이상이어야 하는가?

① 200kg
② 300kg
③ 400kg
④ 500kg

해설

지지점의 강도
방망 지지점은 600킬로그램의 외력에 견딜 수 있는 강도를 보유하여야 한다.(다만, 연속적인 구조물이 방망 지지점인 경우의 외력이 다음 식에서 계산한 값에 견딜 수 있는 것은 제외)

$$F = 200B$$

여기서, F : 외력(kg)
B : 지지점간격(m)

93 비탈면 붕괴 방지를 위한 붕괴방지공법과 가장 거리가 먼 것은?

① 배토공법
② 압성토공법
③ 공작물의 설치
④ 언더피닝 공법

해설

붕괴예방대책
1. 적절한 경사면의 기울기를 계획하여야 한다.
2. 경사면의 기울기가 당초 계획과 차이가 발생되면 즉시 재검토하여 계획을 변경시켜야 한다.
3. 활동할 가능성이 있는 토석은 제거하여야 한다.
4. 경사면의 하단부에 압성토 등 보강공법으로 활동에 대한 저항대책을 강구하여야 한다.
5. 말뚝(강관, H형강, 철근 콘크리트)을 타입하여 지반을 강화시킨다.
6. 빗물, 지표수, 지하수의 사전제거 및 침투를 방지하여야 한다.

TIP 언더피닝 공법
기존건물에 기초를 보강하거나 새로운 기초 설비를 위해 기존건물을 보호하는 보강공사공법을 말한다.

94 차량계 하역운반기계 등을 이송하기 위하여 자주(自走) 또는 견인에 의하여 화물자동차에 싣거나 내리는 작업을 할 때 발판·성토 등을 사용하는 경우 기계의 전도 또는 굴러 떨어짐에 의한 위험을 방지하기 위하여 준수하여야 할 사항으로 옳지 않은 것은?

① 싣거나 내리는 작업은 견고한 경사지에서 실시할 것
② 가설대 등을 사용하는 경우에는 충분한 폭 및 강도와 적당한 경사를 확보할 것
③ 발판을 사용하는 경우에는 충분한 길이·폭 및 강도를 가진 것을 사용할 것
④ 지정운전자의 성명·연락처 등을 보기 쉬운 곳에 표시하고 지정운전자 외에는 운전하지 않도록 할 것

해설

차량계 하역운반기계 등의 이송 시 준수사항
1. 싣거나 내리는 작업은 평탄하고 견고한 장소에서 할 것
2. 발판을 사용하는 경우에는 충분한 길이·폭 및 강도를 가진 것을 사용하고 적당한 경사를 유지하기 위하여 견고하게 설치할 것
3. 가설대 등을 사용하는 경우에는 충분한 폭 및 강도와 적당한 경사를 확보할 것
4. 지정운전자의 성명·연락처 등을 보기 쉬운 곳에 표시하고 지정운전자 외에는 운전하지 않도록 할 것

정답 91 ④ 92 ② 93 ④ 94 ①

95 잠함 또는 우물통의 내부에서 근로자가 굴착작업을 하는 경우의 준수사항으로 옳지 않은 것은?

① 산소결핍 우려가 있는 경우에는 산소의 농도를 측정하는 사람을 지명하여 측정하도록 할 것
② 근로자가 안전하게 오르내리기 위한 설비를 설치할 것
③ 굴착깊이가 20m를 초과하는 경우에는 해당 작업장소와 외부와의 연락을 위한 통신설비 등을 설치할 것
④ 잠함 또는 우물통의 급격한 침하에 의한 위험을 방지하기 위하여 바닥으로부터 천장 또는 보까지의 높이는 2m 이내로 할 것

해설

잠함 등 내부에서의 작업(잠함, 우물통, 수직갱 등 이와 유사한 건설물 또는 설비)
1. 산소 결핍 우려가 있는 경우에는 산소의 농도를 측정하는 사람을 지명하여 측정하도록 할 것
2. 근로자가 안전하게 오르내리기 위한 설비를 설치할 것
3. 굴착 깊이가 20미터를 초과하는 경우에는 해당 작업장소와 외부와의 연락을 위한 통신설비 등을 설치할 것
4. 산소 결핍이 인정되거나 굴착 깊이가 20미터를 초과하는 경우에는 송기를 위한 설비를 설치하여 필요한 양의 공기를 공급해야 한다.

> **TIP** 급격한 침하로 인한 위험방지(잠함 또는 우물통의 내부에서 굴착작업을 하는 경우)
> 1. 침하관계도에 따라 굴착방법 및 재하량 등을 정할 것
> 2. 바닥으로부터 천장 또는 보까지의 높이는 1.8미터 이상으로 할 것

96 물체가 떨어지거나 날아올 위험 또는 근로자가 추락할 위험이 있는 작업 시 착용하여야 할 보호구는?

① 보안경
② 안전모
③ 방열복
④ 방한복

해설

보호구의 지급

보안경	물체가 흩날릴 위험이 있는 작업
안전모	물체가 떨어지거나 날아올 위험 또는 근로자가 추락할 위험이 있는 작업
방열복	고열에 의한 화상 등의 위험이 있는 작업
방한모 · 방한복 · 방한화 · 방한장갑	섭씨 영하 18도 이하인 급냉동어창에서 하는 하역작업

97 굴착면 붕괴의 원인과 가장 거리가 먼 것은?

① 사면경사의 증가
② 성토 높이의 감소
③ 공사에 의한 진동하중의 증가
④ 굴착높이의 증가

해설

토석붕괴의 원인

외적 원인	• 사면, 법면의 경사 및 기울기의 증가 • 절토 및 성토 높이의 증가 • 공사에 의한 진동 및 반복하중의 증가 • 지표수 및 지하수의 침투에 의한 토사 중량의 증가 • 지진, 차량, 구조물의 하중작용 • 토사 및 암석의 혼합층 두께
내적 원인	• 절토 사면의 토질 · 암질 • 성토 사면의 토질구성 및 분포 • 토석의 강도 저하

98 낙하물방지망 또는 방호선반을 설치하는 경우에 요구되는 벽면으로부터 내민 길이의 기준으로 옳은 것은?

① 1.5m 이상
② 1m 이상
③ 2.5m 이상
④ 2m 이상

해설

낙하물방지망 또는 방호선반 설치 시 준수사항
1. 높이 10미터 이내마다 설치하고, 내민 길이는 벽면으로부터 2미터 이상으로 할 것
2. 수평면과의 각도는 20도 이상 30도 이하를 유지할 것

99 강관을 사용하여 비계를 구성하는 경우 비계기둥 간의 적재하중은 몇 kg을 초과하지 않도록 하여야 하는가?

① 500kg
② 400kg
③ 300kg
④ 200kg

해설

강관비계의 구조
1. 비계기둥의 간격은 띠장 방향에서는 1.85미터 이하, 장선 방향에서는 1.5미터 이하로 할 것. 다만, 다음 각 목의 어느 하나에 해당하는 작업의 경우에는 안전성에 대한 구조검토를 실시하고 조립도를 작성하면 띠장 방향 및 장선 방향으로 각각 2.7미터 이하로 할 수 있다.
   ㉠ 선박 및 보트 건조작업

정답 95 ④ 96 ② 97 ② 98 ④ 99 ②

ⓒ 그 밖에 장비 반입·반출을 위하여 공간 등을 확보할 필요가 있는 등 작업의 성질상 비계기둥 간격에 관한 기준을 준수하기 곤란한 작업
2. 띠장 간격은 2.0미터 이하로 할 것. 다만, 작업의 성질상 이를 준수하기가 곤란하여 쌍기둥틀 등에 의하여 해당 부분을 보강한 경우에는 그러하지 아니하다.
3. 비계기둥의 제일 윗부분으로부터 31미터 되는 지점 밑부분의 비계기둥은 2개의 강관으로 묶어 세울 것. 다만, 브라켓(Bracket, 까치발) 등으로 보강하여 2개의 강관으로 묶을 경우 이상의 강도가 유지되는 경우에는 그러하지 아니하다.
4. 비계기둥 간의 적재하중은 400킬로그램을 초과하지 않도록 할 것

100 부두·안벽 등 하역작업을 하는 장소에서 부두 또는 안벽의 선을 따라 통로를 설치하는 경우 그 통로의 최소폭 기준은?

① 30cm 이상 ② 50cm 이상
③ 70cm 이상 ④ 90cm 이상

해설

부두·안벽 등 하역작업장 조치사항
1. 작업장 및 통로의 위험한 부분에는 안전하게 작업할 수 있는 조명을 유지할 것
2. 부두 또는 안벽의 선을 따라 통로를 설치하는 경우에는 폭을 90센티미터 이상으로 할 것
3. 육상에서의 통로 및 작업장소로서 다리 또는 선거 갑문을 넘는 보도 등의 위험한 부분에는 안전난간 또는 울타리 등을 설치할 것

정답 100 ④

PART 07

07 2025년 1회 기출복원문제

1과목 산업재해 예방 및 안전보건교육

01 자신의 약점이나 무능력, 열등감을 위장하여 유리하게 보호함으로써 안정감을 찾으려는 방어적 적응기제에 해당하는 것은?

① 보상
② 고립
③ 퇴행
④ 억압

해설
적응기제

보상	자신의 결함과 무능에 의해 생긴 열등감을 다른 것으로 대치하여 욕구를 충족하려는 행위 예 공부 못하는 학생이 운동을 열심히 하는 것, 결혼에 실패한 사람이 고아들에게 정열을 쏟는 것
고립	현실도피의 행위이며 실패를 자기의 내부로 돌리는 유형 예 키가 작은 사람이 키가 큰 친구들과 사진을 같이 찍으려 하지 않는 것
퇴행	현실의 어려움을 이겨내지 못하고 어린 시절로 되돌아가고자 하는 행위 예 여동생이나 남동생을 얻게 되면서 손가락을 빠는 것과 같이 어린 시절의 버릇을 나타내는 것
억압	현실적으로 받아들이기 곤란한 충동이나 욕망(사회적으로 승인되지 않는 성적 욕구, 공격적 욕구, 감정) 등을 무의식적으로 억누르는 것 예 사업에 실패한 후 모든 것을 술로 잊으려는 것

02 하인리히의 사고예방 대책 5단계 중 작업 공정 및 위험물을 파악하는 단계는?

① 시정 방법의 선정
② 사실의 발견
③ 분석평가
④ 안전관리조직

해설
하인리히의 재해예방 5단계(사고예방 대책의 기본원리)

제1단계	조직 (안전관리 조직)	• 경영자의 안전목표 설정 • 안전관리조직의 편성 • 안전관리조직과 책임 부여 • 조직을 통한 안전활동 • 안전관리 규정의 제정
제2단계	사실의 발견 (현상파악)	• 안전사고 및 활동기록의 검토 • 작업분석 및 불안전요소 발견 • 안전점검 및 안전진단 • 사고조사 • 관찰 및 보고서의 연구 • 안전토의 및 회의 • 근로자의 건의 및 여론조사
제3단계	분석평가	• 불안전 요소의 분석 • 현장조사 결과의 분석 • 사고보고서 분석 • 인적·물적 환경조건의 분석 • 작업공정의 분석 • 교육과 훈련의 분석 • 안전수칙 및 안전기준의 분석
제4단계	시정책의 선정 (대책의 선정)	• 인사 및 배치조정 • 기술적 개선 • 기술교육 및 훈련의 개선 • 안전관리 행정업무의 개선 • 규정 및 수칙의 개선 • 확인 및 통제체제 개선
제5단계	시정책의 적용 (목표달성)	• 3E의 적용단계(기술적 대책, 교육적 대책, 독려적 대책) • 목표설정 실시 • 결과의 재평가 및 개선

03 산업안전보건법령상 안전보건표지의 종류 중 안내표지에 해당하지 않는 것은?

① 녹십자표지
② 들것
③ 안전복
④ 비상구

해설
안내표지

401 녹십자표지	402 응급구호표지	403 들 것	404 세안장치
➕	➕		
405 비상용기구	406 비상구	407 좌측비상구	408 우측비상구

정답 01 ① 02 ② 03 ③

04 다음 중 재해관련통계 산출공식으로 맞는 것은?

① 재해율 = $\dfrac{\text{재해자수}}{\text{임금근로자수}} \times 100$

② 연천인율 = $\dfrac{\text{연간 재해자수}}{\text{연간 총근로시간수}} \times 1,000$

③ 도수율 = $\dfrac{\text{재해발생건수}}{\text{연평균 근로자수}} \times 1,000,000$

④ 강도율 = $\dfrac{\text{근로손실일수}}{\text{연평균 근로자수}} \times 1,000$

해설

재해관련통계 산출공식

1. 연천인율 = $\dfrac{\text{연간 재해자수}}{\text{연평균 근로자수}} \times 1,000$
2. 도수율 = $\dfrac{\text{재해발생건수}}{\text{연간 총근로시간수}} \times 1,000,000$
3. 강도율 = $\dfrac{\text{근로손실일수}}{\text{연간 총근로시간수}} \times 1,000$

05 경보기가 울려도 기차가 오기까지 아직 시간이 있다고 판단하여 건널목을 건너다가 사고를 당했다. 다음 중 이 재해자의 행동성향으로 옳은 것은?

① 착오·착각
② 무의식행동
③ 억측판단
④ 지름길반응

해설

정보가 불확실할 때
1. 억측판단 : 자기 멋대로 하는 주관적인 판단
2. 억측판단의 발생 배경
   ㉠ 정보가 불확실할 때
   ㉡ 희망적인 관측이 있을 때
   ㉢ 과거의 성공한 경험이 있을 때
   ㉣ 초조한 심정

06 산업안전보건법령상 산업안전보건위원회의 사용자 위원에 해당되지 않는 사람은?

① 보건관리자
② 해당 사업의 대표자
③ 근로자 대표
④ 안전관리자

해설

산업안전보건위원회의 구성

구분	산업안전보건위원회 구성위원
근로자 위원	1. 근로자대표 2. 근로자대표가 지명하는 1명 이상의 명예산업안전감독관(위촉되어 있는 사업장의 경우) 3. 근로자대표가 지명하는 9명 이내의 해당 사업장의 근로자(명예산업안전감독관 이 근로자위원으로 지명되어 있는 경우에는 그 수를 제외한 수의 근로자를 말한다)
사용자 위원	상시 근로자 50명 이상 100명 미만을 사용하는 사업장에서는 5.에 해당하는 사람을 제외하고 구성할 수 있다. 1. 해당 사업의 대표자 2. 안전관리자 1명 3. 보건관리자 1명 4. 산업보건의(해당 사업장에 선임되어 있는 경우) 5. 해당 사업의 대표자가 지명하는 9명 이내의 해당 사업장 부서의 장

07 산업안전보건법령상 다음이 설명하는 안전모의 종류는?

물체의 낙하 또는 비래 및 추락에 의한 위험을 방지 또는 경감하고, 머리부위 감전에 우의한 위험을 방지하기 위한 안전모

① AC형
② AEF형
③ ABE형
④ AB형

해설

추락 및 감전 위험방지용 안전모의 종류

종류(기호)	사용 구분	비고
AB	물체의 낙하 또는 비래 및 추락에 의한 위험을 방지 또는 경감시키기 위한 것	
AE	물체의 낙하 또는 비래에 의한 위험을 방지 또는 경감하고, 머리부위 감전에 의한 위험을 방지하기 위한 것	내전압성
ABE	물체의 낙하 또는 비래 및 추락에 의한 위험을 방지 또는 경감하고, 머리부위 감전에 의한 위험을 방지하기 위한 것	내전압성

내전압성이란 7,000V 이하의 전압에 견디는 것을 말한다.

정답 04 ① 05 ③ 06 ③ 07 ③

08 안전보건표지의 색채 및 색도기준 중 다음 ( ) 안에 알맞은 것은?

색채	색도기준	용도
(㉠)	5Y 8.5/12	경고
(㉡)	2.5PB 4/10	지시

① ㉠ 빨간색, ㉡ 흰색
② ㉠ 검은색, ㉡ 노란색
③ ㉠ 흰색, ㉡ 녹색
④ ㉠ 노란색, ㉡ 파란색

해설

안전·보건표지의 색채, 색도기준 및 용도

색채	색도기준	용도	사용 예
빨간색	7.5R 4/14	금지	정지신호, 소화설비 및 그 장소, 유해행위의 금지
		경고	화학물질 취급장소에서의 유해·위험 경고
노란색	5Y 8.5/12	경고	화학물질 취급장소에서의 유해·위험경고 이외의 위험경고, 주의표지 또는 기계방호물
파란색	2.5PB 4/10	지시	특정 행위의 지시 및 사실의 고지
녹색	2.5G 4/10	안내	비상구 및 피난소, 사람 또는 차량의 통행표지
흰색	N9.5		파란색 또는 녹색에 대한 보조색
검은색	N0.5		문자 및 빨간색 또는 노란색에 대한 보조색

09 산업안전보건법령상 중대재해의 범위에 해당하지 않는 것은?

① 사망자가 1명 이상 발생한 재해
② 직업성 질병자가 동시에 5명 발생한 재해
③ 3개월 이상의 요양에 필요한 부상자가 동시에 2명 이상 발생한 재해
④ 부상자가 동시에 10명 이상 발생한 재해

해설

중대재해
1. 사망자가 1명 이상 발생한 재해
2. 3개월 이상의 요양이 필요한 부상자가 동시에 2명 이상 발생한 재해
3. 부상자 또는 직업성 질병자가 동시에 10명 이상 발생한 재해

10 다음 중 피로의 직접적인 원인과 가장 거리가 먼 것은?

① 작업 적성
② 작업 환경
③ 작업 강도
④ 작업 속도

해설

피로의 직접적인 원인
1. 작업시간과 작업강도
2. 작업환경조건
3. 작업속도
4. 작업시각과 작업시간
5. 작업태도

11 다음 중 고·저온 환경 또는 물체에 노출·접촉된 경우 재해의 발생형태를 무엇이라 하는가?

① 이상온도 접촉
② 화학물질 누출·접촉
③ 산소결핍
④ 폭발·파열

해설

발생형태
1. 이상온도 접촉 : 고·저온 환경 또는 물체에 노출·접촉된 경우
2. 화학물질 누출·접촉 : 유해·위험물질에 노출·접촉 또는 흡입한 경우
3. 산소결핍 : 유해물질과 관련 없이 산소가 부족한 상태·환경에 노출되었거나 이물질 등에 의하여 기도가 막혀 호흡기능이 불충분한 경우
4. 폭발·파열 : 건축물, 용기 내 또는 대기 중에서 물질의 화학적, 물리적 변화가 급격히 진행되어 열, 폭음, 폭발압이 동반하여 발생하는 경우를 말하며, 파열은 배관, 용기 등이 물리적인 압력에 의하여 찢어지거나 터진 경우로서 폭풍압이 동반되지 않은 경우

12 A사업장의 조건이 다음과 같을 때 주어진 조건을 활용하여 이 사업장의 도수율을 구하시오

- 평균근로자수 : 400명
- 1인당 근로시간 : 1일 8시간씩 300일 근무
- 잔업시간 : 1인당 연간 50시간
- 재해발생건수 : 5건(사망 1건, 신체장애등급 : 10급 4건)

정답 08 ④ 09 ② 10 ① 11 ① 12 ②

① 0.05　　　　② 5.10
③ 5.20　　　　④ 10.10

해설

도수율

$$도수율 = \frac{재해발생건수}{연간 총근로시간수} \times 1{,}000{,}000$$

$$출근율 = \frac{5}{(400 \times 8 \times 300) + (400 \times 50)} \times 1{,}000{,}000$$
$$= 5.102$$

13 리더와 추종자(부하)가 서로 구속이 없이 자유롭게 행동이 이루어지는 리더십 유형은?

① 자유방임형
② 권력형
③ 민주형
④ 권위형

해설

리더십의 유형(업무추진의 방식에 따른 방식)

분류	개념	특징
권위형 (독재적)	• 리더중심 • 부하직원의 정책 결정에 참여 거부 • 집단성원의 행위는 공격 아니면 무관심 • 일 중심형으로 업적에 대한 관심은 높지만 인간관계에 무관심	지도자가 집단의 모든 권한 행사를 단독적으로 처리한다.
민주형 (민주적)	• 집단중심 • 추종자(부하직원)에게 참여와 자유 인정 • 추종자(부하직원)의 적극적 자기실현 기회의 확보 • 리더의 통제와 조정, 자유폭 제한	집단의 토론, 회의 등에 의해 정책을 결정한다.
자유방임형 (개방적)	• 종업원중심 • 집단 구성원에게 완전한 자유를 주고 리더의 권한 행사는 없음	집단에 대하여 전혀 리더십을 발휘하지 않고 명목상의 리더 자리만을 지키는 유형으로 지도자가 집단 구성원에게 완전히 자유를 주는 경우이다.

14 스트레스의 요인 중 직무특성과 관련된 요인으로 볼 수 없는 것은?

① 조직의 구조
② 업무의 반복성
③ 근무시간
④ 작업속도

해설

산업스트레스의 요인
1. 직무특성의 요인 : 작업속도, 근무시간, 업무의 반복성, 작업교대, 복잡성, 위험성 등
2. 스트레스는 동기부여의 저하, 신체적, 정신적 건강뿐만 아니라 직무몰입과 생산성 감소의 직접적인 원인이 된다.

15 보호구 안전인증 고시에 따른 안전화의 정의 중 ( ) 안에 알맞은 것은?

경작업용 안전화란 (㉠)mm의 낙하높이에서 시험했을 때 충격과 (㉡ ± 0.1)kN의 압축하중에서 시험했을 때 압박에 대하여 보호해 줄 수 있는 선심을 부착하여, 착용자를 보호하기 위한 안전화를 말한다.

① ㉠ 500, ㉡ 10.0　　② ㉠ 250, ㉡ 10.0
③ ㉠ 500, ㉡ 4.4　　　④ ㉠ 250, ㉡ 4.4

해설

안전화의 시험방법

구분	내충격시험 충격조건	내압박성시험 하중
중작업용	1,000밀리미터의 낙하높이에서 시험	(15.0±0.1)킬로뉴턴(kN)의 압축하중에서 시험
보통 작업용	500밀리미터의 낙하높이에서 시험	(10.0±0.1)킬로뉴턴(kN)의 압축하중에서 시험
경작업용	250밀리미터의 낙하높이에서 시험	(4.4±0.1)킬로뉴턴(kN)의 압축하중에서 시험

16 다음과 같은 스트레스에 대한 반응은 무엇에 해당하는가?

여동생이나 남동생을 얻게 되면서 손가락을 빠는 것과 같이 어린 시절의 버릇을 나타낸다.

① 투사　　　　② 억압
③ 승화　　　　④ 퇴행

정답 13 ①　14 ①　15 ④　16 ④

> **해설**

적응기제

투사	• 자기 마음속의 억압된 것을 다른 사람의 것으로 생각하는 것 • 자신이 미워하는 대상에 대해서, 그 사람이 자신을 미워한다고 생각한다.
억압	현실적으로 받아들이기 곤란한 충동이나 욕망(사회적으로 승인되지 않는 성적욕구, 공격적욕구, 감정) 등을 무의식적으로 억누르는 것
승화	• 억압당한 욕구가 사회적·문화적으로 가치있는 목적으로 향하여 노력함으로써 욕구를 충족하는 행위 • 성적욕구 및 공격적 행동 등이 예술, 스포츠 등으로 전환되는 것이 좋은 예이다.
퇴행	• 현실의 어려움을 이겨내지 못하고 어린 시절로 되돌아가고자 하는 행위 • 여동생이나 남동생을 얻게 되면서 손가락을 빠는 것과 같이 어린 시절의 버릇을 나타낸다.

17 다음 중 재해예방의 4원칙에 해당하지 않는 것은?

① 사실의 발견 ② 손실우연의 원칙
③ 예방가능의 원칙 ④ 원인계기의 원칙

> **해설**

하인리히의 재해예방 4원칙

예방 가능의 원칙	천재지변을 제외한 모든 재해는 원칙적으로 예방이 가능하다.
손실 우연의 원칙	사고로 생기는 상해의 종류 및 정도는 우연적이다.
원인 계기의 원칙	사고와 손실의 관계는 우연적이지만 사고와 원인 관계는 필연적이다(사고에는 반드시 원인이 있다).
대책 선정의 원칙	원인을 정확히 규명해서 대책을 선정하고 실시되어야 한다(3E, 즉 기술, 교육, 독려를 중심으로).

18 다음 중 인간의 착각현상에서 실제로는 움직이지 않는 것이 어느 기준의 이동에 유도되어 움직이는 것처럼 느껴지는 현상을 무엇이라 하는가?

① 유도운동 ② 가현운동
③ 자동운동 ④ 플리커 현상

> **해설**

인간의 착각현상

가현운동	• 정지하고 있는 대상물을 나타냈다가 지웠다가 자주 반복하면 그 물체가 마치 운동하는 것처럼 인식되는 현상 • 영화영상기법, β운동
자동운동	• 암실 내에서 정지된 소광점을 응시하면 그 광점이 움직이는 것처럼 보이는 현상 • 자동운동이 생기기 쉬운 조건 – 광점이 작을 것 – 시야의 다른 부분이 어두울 것 – 광(光)의 강도가 작을 것 – 대상이 단순할 것
유도운동	• 실제로는 움직이지 않는 것이 어느 기준의 이동에 유도되어 움직이는 것처럼 느껴지는 현상 • 하행선 기차역에 정지하고 있는 열차 안의 승객이 반대편 상행선 열차의 출발로 인하여 하행선 열차가 움직이는 것처럼 느끼는 경우

19 산업안전보건법령상 안전인증대상 기계 또는 설비가 아닌 것은?

① 프레스 ③ 롤러기
② 전단기 ④ 산업용 원심기

> **해설**

안전인증대상 기계 또는 설비

1. 프레스 6. 롤러기
2. 전단기 및 절곡기 7. 사출성형기
3. 크레인 8. 고소 작업대
4. 리프트 9. 곤돌라
5. 압력용기

20 레빈(Lewin)은 인간행동과 인간의 조건 및 환경 조건의 관계를 다음과 같이 표시하였다. 이때 'f'의 의미는?

$$B = f(P \cdot E)$$

① 행동 ② 조명
③ 지능 ④ 함수

> **해설**

레빈(K. Lewin)의 행동법칙

$$B = f(P \cdot E)$$

여기서, B : Behavior(인간의 행동)
 f : Function(함수관계), $P \cdot E$에 영향을 줄 수 있는 조건
 P : Person(개체, 개인의 자질, 연령, 경험, 심신상태, 성격, 지능 등)
 E : Environment(심리적 환경 – 작업환경, 인간관계, 설비적 결함 등)

레빈의 이론
인간의 행동(B)은 개인의 자질과 심리학적 환경과의 상호 함수관계이다.

정답 17 ① 18 ① 19 ④ 20 ④

2과목 인간공학 및 위험성 평가·관리

21 신체동작의 유형 중 굴곡과 반대방향의 동작으로서 관절이 만드는 각도가 증가하는 동작을 무엇이라 하는가?

① 내전(Adduction) ② 외전(Abduction)
③ 회외(Supination) ④ 신전(Extension)

해설

신체부위의 운동(기본적인 동작)

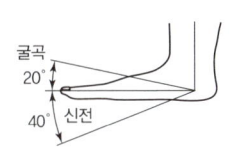	• 굴곡(Flexion) : 관절에서의 (부위 간의) 각도가 감소하는 동작 • 신전(Extension) : 관절에서의(부위 간의) 각도가 증가하는 동작
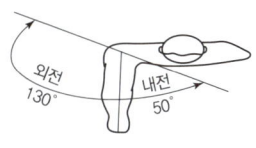	• 내전(內轉)(Adduction) : 몸(신체)의 중심선으로 향하는 이동 동작 • 외전(外轉)(Abduction) : 몸(신체)의 중심선으로부터 멀어지는 이동 동작
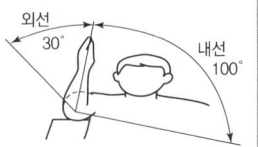	• 내선(內旋)(Medial Rotation) : 몸(신체)의 중심선으로 향하는 회전 동작 • 외선(外旋)(Lateral Rotation) : 몸(신체)의 중심선으로부터 회전 동작
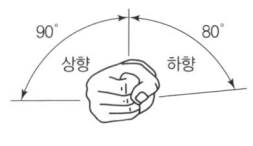	• 하향(Pronation) : 몸(신체) 또는 손바닥을 아래로 향하는 회전 • 상향(Supination) : 몸(신체) 또는 손바닥을 위로 향하는 회전

22 화학공장(석유화학사업장 등)에서 가동문제를 파악하는 데 널리 사용되며, 위험요소를 예측하고, 새로운 공정에 대한 가동문제를 예측하는 데 사용되는 위험성평가방법은?

① SHA   ② EVP
③ CFA   ④ HAZOP

해설

위험 및 운전성 검토(HAZOP)
1. 화학공장에서 가동문제를 파악하는 데 널리 사용된다. 즉 위험요소를 예측하고 새로운 공정에 대한(지식부족으로 인한) 가동문제를 예측하는 데 사용된다.
2. 5~7명의 각 분야별 전문가와 안전기사로 구성된 팀원들이 상상력을 동원하여 가이드단어로서 위험요소를 점검한다.
3. HAZOP의 적용은 대부분 상세설계 기간이나 설계가 완료된 단계, 즉 개발단계에서 수행되는 것이 보통이다.

23 조종장치의 저항 중 갑작스런 속도의 변화를 막고 부드러운 제어동작을 유지하게 해주는 저항을 무엇이라 하는가?

① 점성저항   ② 관성저항
③ 마찰저항   ④ 탄성저항

해설

점성 저항(Viscous Damping)
1. 출력과 반대 방향으로 속도에 비례해서 작용하는 힘 때문에 생기는 항력
2. 원활한 제어를 도우며, 규정된 변위 속도를 유지하는 효과가 있다.

24 고장 손실에 따른 피해가 큰 중점 설비대상으로 미리 검사하고 조정하는 설비보전방식은?

① 계량보전   ② 사후보전
③ 예방보전   ④ 일산보전

해설

설비의 보전

계량보전	설비의 고장이 일어나지 않도록 혹은 보전이나 수리가 쉽도록 설비를 개량하는 것을 개량보전이라 한다.
사후보전	고장정지 또는 유해한 성능저하를 초래한 뒤 수리를 하는 보전 방법으로 기계설비가 고장을 일으키거나 파손되었을 때 신속히 교체 또는 보수하는 것을 지칭한다.
예방보전	설비를 항상 정상, 양호한 상태로 유지하기 위한 정기적인 검사와 초기의 단계에서 성능의 저하나 고장을 제거하던가 조정 또는 수복하기 위한 설비보전 방식으로 고장정지의 손실이 큰 중점설비를 대상으로 한다.
일상보전	매일 또는 매주와 같이 일상적으로 행해지는 설비의 점검·청소·조정·급유·부품 등의 활동을 말한다.

정답 21 ④ 22 ④ 23 ① 24 ③

25 다음 중 인간공학에 있어서 체계기준(System Criteria)에 해당되지 않는 것은?

① 과오빈도
② 운용비
③ 신뢰도
④ 소요인력

해설
기준의 유형

체계기준 (System Criteria)	근본적으로 체계기준이란 체계의 성능이나 산출물(Out Put)에 관련되는 기준이다. 즉, 체계가 원래 의도한 바를 얼마나 달성하는가를 반영하는 기준이다. • 체계의 예상수명 • 운용이나 사용상의 용이성 • 정비도 • 신뢰도 • 운용비 • 소요 인력
인간기준 (Human Criteria)	작업실행 중의 인간의 행동과 응답을 다루는 것으로서 성능척도, 생리학적 지표, 주관적 반응 등으로 측정한다. • 인간성능 척도 • 생리학적 지표 • 주관적 반응 • 사고빈도

26 소음방지대책 중 음원에 대한 대책으로 틀린 것은?

① 음원의 밀폐
② 발생원 제거
③ 방진·제진
④ 온·습도 조절

해설
소음방지대책
1. 소음원의 제거 : 가장 적극적인 대책
2. 소음원을 통제 : 기계의 적절한 설계, 정비 및 주유, 고무받침대 부착, 소음기 사용(차량) 등
3. 소음의 격리 : 씌우개(Enclosure), 장벽을 사용(창문을 닫으면 약 10dB 감음됨)
4. 적절한 배치(Lay Out)
5. 음향 처리제 사용
6. 차폐 장치(Baffle) 및 흡음재 사용
7. 방음 보호 용구

27 시각적 표시장치보다 청각적 표시장치를 이용하는 것이 유리한 경우는?

① 전언이 공간적인 사건을 다루는 경우
② 전언이 복잡한 경우
③ 전언이 즉각적인 행동을 요구하는 경우
④ 전언이 이후에 재참조되는 경우

해설
청각장치와 시각장치의 비교

청각적 표시장치	시각적 표시장치
1. 전언이 간단하다. 2. 전언이 짧다. 3. 전언이 후에 재참조되지 않는다. 4. 전언이 시간적 사상을 다룬다. 5. 전언이 즉각적인 행동을 요구한다.(긴급할 때) 6. 수신장소가 너무 밝거나 암조응 유지가 필요시 7. 직무상 수신자가 자주 움직일 때 8. 수신자의 시각 계통이 과부하 상태일 때	1. 전언이 복잡하다. 2. 전언이 길다. 3. 전언이 후에 재참조된다. 4. 전언이 공간적인 위치를 다룬다. 5. 전언이 즉각적인 행동을 요구하지 않는다. 6. 수신장소가 너무 시끄러울 때 7. 직무상 수신자가 한곳에 머물 때 8. 수신자의 청각 계통이 과부하 상태일 때

28 3개의 서로 다른 부품이 OR Gate에 연결된 FTA 모델이다. 각 부품의 고장확률은 모두 0.3이고, "시스템이 작동 안됨"을 정상사상(Top Event)으로 했을 때 정상사상이 발생할 확률은?

① 0.512
② 0.657
③ 0.973
④ 0.992

해설
발생확률의 계산
발생확률 $= 1 - (1-0.3)(1-0.3)(1-0.3) = 0.657$

29 결함수분석법(FTA)에서 정상사상(Top Event)이 발생하지 않게 하는 기본사상들의 집합을 무엇이라고 하는가?

① 컷셋(Cut Set)
② 페일셋(Fail Set)
③ 트루셋(Truth Set)
④ 패스셋(Path Set)

정답 25 ① 26 ④ 27 ③ 28 ② 29 ④

해설
컷셋과 패스셋
1. 컷셋(Cut Set) : 정상사상을 발생시키는 기본사상의 집합으로 그 안에 포함되는 모든 기본사상(여기서는 통상사상, 생략결함사상 등을 포함한 기본사상)이 발생할 때 정상사상을 발생시킬 수 있는 기본사상의 집합
2. 패스셋(Path Set) : 그 안에 포함되는 모든 기본사상이 일어나지 않을 때 처음으로 정상사상이 일어나지 않는 기본사상의 집합, 즉 시스템이 고장나지 않도록 하는 사상의 조합이다.

30 Oxford 지수(Wet-Dry Index, WD)를 구하는 공식으로 옳은 것은?

① WD = (0.3 × 글로브온도) + (0.7 × 자연습구온도)
② WD = (0.7 × 글로브온도) + (0.3 × 자연습구온도)
③ WD = (0.85 × 건구온도) + (0.15 × 습구온도)
④ WD = (0.85 × 습구온도) + (0.15 × 건구온도)

해설
Oxford 지수
습건(WD) 지수라고도 부르며, 습구 온도(W)와 건구 온도(D)의 가중 평균치로서 정의된다.

$$WD = 0.85W + 0.15D$$

31 결함나무분석(FTA)에서 사용되는 사상 기호 중 "시스템의 정상적인 가동상태에서 일어날 것이 기대되는 사상"을 나타내는 기호는?

① 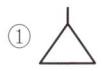 ②
③   ④

해설
FTA 분석 기호

번호	기호	명칭	내용
1	□	결함사상	사고가 일어난 사상(사건)
2	○	기본사상	더 이상 전개가 되지 않는 기본적인 사상 또는 발생확률이 단독으로 얻어지는 낮은 레벨의 기본적인 사상
3	⌂	통상사상 (가형사상)	통상발생이 예상되는 사상(예상되는 원인)
4	◇	생략사상 (최후사상)	정보부족 또는 분석기술 불충분으로 더 이상 전개할 수 없는 사상(작업진행에 따라 해석이 가능할 때는 다시 속행한다.)
5	△	전이기호 (이행기호)	• FT도상에서 다른 부분에 관한 이행 또는 연결을 나타낸다. • 상부에 선이 있는 경우는 다른 부분으로 전입(IN)
6	△	전이기호 (이행기호)	• FT도상에서 다른 부분에 관한 이행 또는 연결을 나타낸다. • 측면에 선이 있는 경우는 다른 부분으로 전출(OUT)

32 사업장 위험성평가에 관한 지침상 위험성을 결정한 결과 허용 가능한 위험성이 아니라고 판단되는 경우에 고려해야 할 요소가 아닌 것은?

① 위험한 작업의 폐지·변경
② 영향을 받는 근로자 수
③ 위험성의 수준
④ 근로자의 만족도

해설
위험성 감소대책 수립 및 실행
1. 사업주는 허용 가능한 위험성이 아니라고 판단한 경우에는 위험성의 수준, 영향을 받는 근로자 수 및 다음 각 호의 순서를 고려하여 위험성 감소를 위한 대책을 수립하여 실행하여야 한다. 이 경우 법령에서 정하는 사항과 그 밖에 근로자의 위험 또는 건강장해를 방지하기 위하여 필요한 조치를 반영하여야 한다.
   ㉠ 위험한 작업의 폐지·변경, 유해·위험물질 대체 등의 조치 또는 설계나 계획 단계에서 위험성을 제거 또는 저감하는 조치
   ㉡ 연동장치, 환기장치 설치 등의 공학적 대책
   ㉢ 사업장 작업절차서 정비 등의 관리적 대책
   ㉣ 개인용 보호구의 사용
2. 사업주는 위험성 감소대책을 실행한 후 해당 공정 또는 작업의 위험성의 수준이 사전에 자체 설정한 허용 가능한 위험성의 수준인지를 확인하여야 한다.
3. 2에 따른 확인 결과, 위험성이 자체 설정한 허용 가능한 위험성 수준으로 내려오지 않는 경우에는 허용 가능한 위험성 수준이 될 때까지 추가의 감소대책을 수립·실행하여야 한다.

정답 30 ④ 31 ④ 32 ④

4. 사업주는 중대재해, 중대산업사고 또는 심각한 질병이 발생할 우려가 있는 위험성으로서 1에 따라 수립한 위험성 감소대책의 실행에 많은 시간이 필요한 경우에는 즉시 잠정적인 조치를 강구하여야 한다.

33 근골격계 질환의 인간공학적 주요 위험요인과 가장 거리가 먼 것은?

① 과도한 힘 ② 부적절한 자세
③ 단순 반복 작업 ④ 고온의 환경

해설
근골격계 질환
1. 반복적인 동작, 부적절한 작업자세, 무리한 힘의 사용, 날카로운 면과의 신체접촉, 진동 및 온도 등의 요인에 의하여 발생하는 건강장해로서 목, 어깨, 허리, 팔·다리의 신경·근육 및 그 주변 신체조직 등에 나타나는 질환을 말한다.
2. 유사용어로는 누적 외상성 질환(CTDS), 반복성 긴장 상해 등이 있다.

34 인간-기계통합 체계에서 인간 또는 기계에 의해서 수행되는 4가지 기본 기능 중 다른 3가지 기능 모두와 상호 연관관계를 가지고 있는 것은?

① 정보처리 및 의사결정
② 정보의 수용
③ 정보의 저장
④ 행동 기능

해설
체계(System)의 기본기능 및 업무

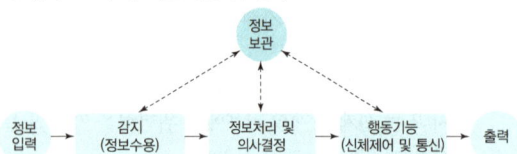

35 작업형태나 작업조건 중에서 다른 문제가 생겨 필요사항을 실행할 수 없는 경우나 어떤 결함으로부터 파생하여 발생하는 오류를 무엇이라 하는가?

① Commission Error ② Command Error
③ Extraneous Error ④ Secondary Error

해설
인간오류 원인의 레벨(Level)적 분류

1차 에러 (Primary Error)	작업자 자신으로부터 발생한 에러
2차 에러 (Secondary Error)	작업형태나 작업조건 중에서 다른 문제가 발생하여 필요한 직무나 절차를 수행할 수 없는 에러
지시 에러 (Command Error)	작업자가 움직이려 해도 필요한 물건, 정보, 에너지 등이 공급되지 않아서 작업자가 움직일 수 없는 상황에서 발생한 에러

36 인체에서 뼈의 주요 기능으로 볼 수 없는 것은?

① 대사작용 ② 신체의 지지
③ 조혈작용 ④ 장기의 보호

해설
골격의 주요 기능
1. 지지(Support) : 신체를 지지하고 형상을 유지하는 역할
2. 보호(Protection) : 주요한 부분(생명기관)을 보호하는 역할
3. 근부착(Muscle Attachment) : 골격근이 수축할 때 지렛대 역할을 하여 신체활동(인체운동)을 수행하는 역할
4. 조혈(Blood Cell Production) : 골수에서 혈구를 생산하는 조혈작용
5. 무기질 저장(Mineral Storage) : 칼슘, 인산의 중요한 저장고가 되며 나트륨과 마그네슘 이온의 작은 저장고 역할

37 NIOSH의 연구에 기초하여, 목과 어깨 부위의 근골격계 질환 발생과 인과관계가 가장 적은 위험요인은?

① 진동 ② 반복작업
③ 과도한 힘 ④ 작업자세

해설
근골격계 질환과 유해인자 사이의 연관성

목과 목 (어깨부위)	작업자세가 강한 연관성이 있고, 반복성과 힘은 연관성이 있으며, 진동은 연관성에 대한 증거가 불충분
어깨 부위	작업자세와 반복성이 연관성이 있으며, 힘과 진동은 연관성에 대한 증거가 불충분
팔꿈치 부위	작업자세, 반복성, 힘이 혼합된 위험요인들로 강한 연관성이 있으며, 힘은 연관성이 존재하고, 반복성과 작업자세는 연관성에 대한 증거가 불충분

정답 33 ④ 34 ③ 35 ④ 36 ① 37 ①

손 및 손목 부위 (수근관증후군)	작업자세, 반복성, 힘이 혼합된 위험요인들로 강한 연관성이 있으며, 반복성, 힘, 진동은 연관성이 존재하고, 작업자세는 연관성에 대한 증거가 불충분
손 및 손목 부위 (건초염)	작업자세, 반복성, 힘이 혼합된 위험요인들로 강한 연관성이 있으며, 반복성, 힘, 작업자세가 연관성이 존재
손 및 손목 부위 (진동증후군)	진동만이 강한 연관성이 있음
허리 부위	들기 작업과 힘, 전신진동이 강한 연관성이 있으며, 작업자세와 고된 작업은 연관성이 있으며, 정적인 자세는 연관성에 대한 증거가 불충분

38 다음 중 인간-기계 시스템 설계과정의 단계에서 가장 먼저 실시되어야 하는 단계는?

- 기본설계
- 시스템 정의
- 목표 및 성능 명세 결정
- 인간-기계 인터페이스 설계
- 매뉴얼 및 성능보조자료 작성
- 시험 및 평가

① 인간-기계 인터페이스 설계
② 기본설계
③ 목표 및 성능 명세 결정
④ 매뉴얼 및 성능보조자료 작성

해설
인간-기계 체계설계의 기본단계 순서
1. 제1단계 : 목표 및 성능 명세 결정
2. 제2단계 : 시스템(체계)의 정의
3. 제3단계 : 기본설계
4. 제4단계 : 인터페이스(계면) 설계
5. 제5단계 : 촉진물 설계
6. 제6단계 : 시험 및 평가

39 Swain에 의해 분류된 휴먼에러의 독립행동에 관한 분류 중 작위적 오류(Commission Error)에 해당되지 않는 것은?

① 전선(Cable)이 바뀌었다.
② 틀린 부품을 사용하였다.
③ 부품이 거꾸로 조립되었다.
④ 부품을 빠뜨리고 조립하였다.

해설
인간실수의 분류(심리적인 분류)

생략에러 (Omission Error, 부작위 실수)	필요한 직무 및 절차를 수행하지 않아(생략) 발생하는 에러 예 가스밸브를 잠그는 것을 잊어 사고가 났다.
작위에러 (Commission Error)	필요한 작업 또는 절차의 불확실한 수행(잘못 수행)으로 인한 에러 예 전선이 바뀌었다, 틀린 부품을 사용하였다, 부품이 거꾸로 조립되었다 등
순서에러 (Sequential Error)	필요한 작업 또는 절차의 순서 착오로 인한 에러 예 자동차 출발 시 핸드브레이크를 해제하지 않고 출발하여 발생한 경우
시간에러 (Time Error)	필요한 직무 또는 절차의 수행지연으로 인한 에러 예 프레스 작업 중에 금형 내에 손이 오랫동안 남아 있어 발생한 재해
과잉행동에러 (Extraneous Error)	불필요한 작업 또는 절차를 수행함으로써 기인한 에러 예 자동차 운전 중 습관적으로 손을 창문으로 내밀어 발생한 재해

40 인체측정과 작업공간 설계에 관한 설명으로 틀린 것은?

① 최대작업역 : 전완과 상완을 곧게 펴서 파악할 수 있는 영역
② 정상작업역 : 상완을 자연스럽게 수직으로 늘어뜨린 채, 손목을 움직여 파악할 수 있는 영역
③ 동적 측정 : 신체의 움직임에 따른 활동범위 등을 측정
④ 정적 측정 : 표준자세에서 움직이지 않는 자세에서 인체를 측정하는 것으로 골격 등 신체부위를 측정

해설
1. 최대작업역 : 아래팔(전완)과 위팔(상완)을 곧게 펴서 파악할 수 있는 구역
2. 정상작업역 : 위팔(상완)을 자연스럽게 수직으로 늘어뜨린 채, 아래팔(전완)만으로 편하게 뻗어 파악할 수 있는 구역
3. 기능적 인체 치수(동적 측정) : 인체 계측 중 운전 또는 워드 작업과 같이 인체의 각 부분이 서로 조화를 이루어 움직이는 자세에서의 인체치수를 측정하는 것으로 일반적으로 상지나 하지의 운동, 체위의 움직임에 따른 상태에서 측정하는 것
4. 구조적 인체 치수(정적 측정) : 표준 자세에서 움직이지 않는 피측정자를 인체 계측기 등으로 측정하는 것

정답 38 ③ 39 ④ 40 ②

3과목 기계·기구 및 설비 안전관리

41 산업안전보건법령상 프레스의 방호장치에 해당되지 않는 것은?

① 가드식 방호장치
② 수인식 방호장치
③ 롤 피드식 방호장치
④ 손쳐내기식 방호장치

해설
프레스의 방호장치
- 가드식
- 손쳐내기식
- 수인식
- 양수조작식
- 광전자식

42 기계설비의 방호는 위험장소에 대한 방호와 위험원에 대한 방호로 분류할 때, 다음 위험원에 대한 방호장치에 해당하는 것은?

① 격리형 방호장치
② 포집형 방호장치
③ 접근거부형 방호장치
④ 위치제한형 방호장치

해설
방호장치의 분류
1. 위험장소 : 격리형 방호장치, 위치제한형 방호장치, 접근반응형 방호장치, 접근 거부형 방호장치
2. 위험원 : 포집형 방호장치, 감지형 방호장치

43 산업안전보건법령상 컨베이어의 작업시작 전 점검해야 할 사항으로 가장 거리가 먼 것은?

① 원동기 및 풀리(Pulley) 기능의 이상 유무
② 비상정지장치 기능의 이상 유무
③ 이탈 등의 방지장치 기능의 이상 유무
④ 클러치 및 브레이크 기능의 이상 유무

해설
컨베이어의 작업시작 전 점검사항
1. 원동기 및 풀리(Pulley) 기능의 이상 유무
2. 이탈 등의 방지장치 기능의 이상 유무
3. 비상정지장치 기능의 이상 유무
4. 원동기·회전축·기어 및 풀리 등의 덮개 또는 울 등의 이상 유무

44 산업안전보건법령상 지게차를 이용한 작업 중 위쪽으로부터 떨어지는 물건에 의한 위험을 방지하기 위해 운전자의 머리 위쪽에 설치하는 방호장치는?

① 포크
② 헤드가드
③ 백호
④ 백레스트

해설
헤드가드
지게차를 이용한 작업 중 위쪽으로부터 떨어지는 물건에 의한 위험을 방지하기 위하여 운전자의 머리 위쪽에 설치하는 덮개를 말한다.

TIP
- 포크 : 용접 또는 이음 장치에 의하여 지게차의 마스트에 부착된 2개 이상의 수평으로 돌출된 적재 장치를 말한다.
- 백레스트 : 지게차를 이용한 작업 중에 마스트를 뒤로 기울일 때 화물이 마스트 방향으로 떨어지는 것을 방지하기 위해 설치하는 짐받이 틀을 말한다.

45 다음은 목재가공용 둥근톱에서 분할날에 관한 설명이다. ( ) 안의 내용을 올바르게 나타낸 것은?

- 분할날의 두께는 둥근톱 두께의 (㉠) 이상일 것
- 견고히 고정할 수 있으며 분할날과 톱날 원주면과의 거리는 (㉡) 이내로 조정, 유지할 수 있어야 한다.

① ㉠ : 1.5배, ㉡ : 15mm
② ㉠ : 1.1배, ㉡ : 12mm
③ ㉠ : 1.1배, ㉡ : 15mm
④ ㉠ : 2배, ㉡ : 20mm

해설
분할날의 설치구조
1. 분할 날의 두께는 둥근톱 두께의 1.1배 이상일 것

$$1.1t_1 \leq t_2 < b$$
(t_1 : 톱두께, t_2 : 분할날두께, b : 치진폭)

2. 견고히 고정할 수 있으며 분할날과 톱날 원주면과의 거리는 12mm 이내로 조정, 유지할 수 있어야 하고 표준 테이블면(승강반에 있어서도 테이블을 최하로 내린 때의 면) 상의 톱 뒷날의 2/3 이상을 덮도록 할 것
3. 재료는 KS D 3751(탄소공구강재)에서 정한 STC 5(탄소공구강) 또는 이와 동등이상의 재료를 사용할 것
4. 분할날 조임볼트는 2개 이상이어야 하며 볼트는 이완방지조치가 되어 있어야 한다.

정답 41 ③ 42 ② 43 ④ 44 ② 45 ②

46 근로자에게 위험을 미칠 우려가 있는 원동기, 축이음, 풀리 등에 설치하여야 하는 것은?

① 덮개 ② 압력계
③ 통풍장치 ④ 과압방지기

해설
원동기·회전축 등의 위험방지

원동기·회전축·기어·풀리·플라이휠·벨트 및 체인 등 근로자가 위험에 처할 우려가 있는 부위	덮개, 울, 슬리브, 건널다리 등
회전축·기어·풀리 및 플라이휠 등에 부속되는 키·핀 등의 기계요소	• 묻힘형 • 덮개
벨트의 이음 부분	돌출된 고정구 사용 금지

47 산업안전보건법령상 양중기에서 절단하중이 100톤인 와이어로프를 사용하여 화물을 직접적으로 지지하는 경우, 화물의 최대허용하중(톤)은?

① 20 ② 30
③ 40 ④ 50

해설
와이어로프의 안전계수

$$\text{안전율(안전계수)} = \frac{\text{절단하중(파괴하중)}}{\text{최대허용하중}}$$

1. 화물의 하중을 직접 지지하는 달기와이어로프 또는 달기체인의 경우 안전계수 : 5 이상
2. 최대허용하중 = $\frac{\text{절단하중(파괴하중)}}{\text{안전계수}} = \frac{100}{5} = 20[\text{톤}]$

TIP 와이어로프 등 달기구의 안전계수

근로자가 탑승하는 운반구를 지지하는 달기와이어로프 또는 달기체인의 경우	10 이상
화물의 하중을 직접 지지하는 달기와이어로프 또는 달기체인의 경우	5 이상
훅, 샤클, 클램프, 리프팅 빔의 경우	3 이상
그 밖의 경우	4 이상

48 500rpm으로 회전하는 연삭기의 숫돌지름이 200mm일 때 원주속도(m/min)는?

① 628 ② 62.8
③ 314 ④ 31.4

해설
원주속도(회전속도)

$$V = \pi DN[\text{mm/min}] = \frac{\pi DN}{1,000}[\text{m/min}]$$

여기서, V : 원주속도(회전속도)(m/min)
D : 숫돌의 지름(mm)
N : 숫돌의 매분 회전수(rpm)

$V = \frac{\pi DN}{1,000}(\text{m/min}) = \frac{\pi \times 200 \times 500}{1,000} = 314(\text{m/min})$

49 산업안전보건법령상 탁상용 연삭기에 사용하는 것으로서 공작물을 연삭할 때 가공물 지지점이 되도록 받쳐주는 것을 무엇이라 하는가?

① 주판 ② 측판
③ 심압대 ④ 워크레스트(Workrest)

해설
워크레스트(Workrest)
탁상용 연삭기에 사용하는 것으로 공작물을 연삭할 때 가공물 지지점이 되도록 받쳐주는 것을 말한다.

50 선반 작업의 안전사항으로 가장 적절하지 않은 것은?

① 배드 위에 공구를 올려놓지 않아야 한다.
② 바이트는 끝을 매우 길게 장치한다.
③ 바이트를 교환할 때는 기계를 정지시키고 한다.
④ 반드시 보안경을 착용한다.

해설
선반 작업 시 주의사항
1. 칩(Chip)이 비산할 때는 보안경을 쓰고 방호판을 설치 사용한다.
2. 베드 위에 공구를 올려 놓지 않아야 한다.
3. 작업 중에 가공품을 만지지 않는다.
4. 장갑 착용을 금한다.
5. 작업 시 공구는 항상 정리해 둔다.
6. 가능한 한 절삭 방향은 주축대 쪽으로 한다.
7. 기계 점검을 한 후 작업을 시작한다.
8. 칩(Chip)이나 부스러기를 제거할 때는 기계를 정지시키고 압축공기를 사용하지 말고 반드시 브러시(솔)을 사용한다.
9. 치수 측정, 주유 및 청소를 할 때는 반드시 기계를 정지시키고 한다.

정답 46 ① 47 ① 48 ③ 49 ④ 50 ②

10. 기계를 운전 중에 백 기어(Back Gear)를 사용하지 말고 시동 전에 심압대가 잘죄어 있는가를 확인 한다.
11. 바이트는 가급적 짧게 장치하며 가공물의 길이가 직경의 12배 이상일 때는 반드시 방진구를 사용하여 진동을 막는다.
12. 리드 스크루에는 작업자의 하부가 걸리기 쉬우므로 조심해야 한다.

51 방호장치 자율안전기준 고시 기준상 롤러기의 급정지장치 중 무릎조작식의 경우 조작부의 설치위치로 옳은 것은?(단, 위치는 급정지장치 조작부의 중심점을 기준)

① 밑면에서 0.6m 이내
② 밑면에서 0.8~1.1m 이내
③ 밑면에서 0.7~0.8m 이내
④ 밑면에서 1.8m 이상

해설
급정지장치의 설치방법

급정지장치 조작부의 종류	위치	비고
손으로 조작하는 것	밑면으로부터 1.8m 이내	위치는 급정지장치 조작부의 중심점을 기준으로 함
복부로 조작하는 것	밑면으로부터 0.8m 이상 1.1m 이내	
무릎으로 조작하는 것	밑면으로부터 0.4m 이상 0.6m 이내	

52 절삭 중 칩을 짧게 절단하는 선반의 방호장치는?

① 칩 브레이커(Chip Breaker)
② 바이트
③ 심압대
④ 주축대

해설
선반의 방호장치(안전장치)

칩 브레이커 (Chip Breaker)	절삭 중 칩을 자동적으로 끊어 주는 바이트에 설치된 안전장치
급정지 브레이크	가공작업 중 선반을 급정지시킬 수 있는 방호장치
실드 (Shield)	가공물의 칩이 비산되어 발생하는 위험을 방지하기 위해 사용하는 덮개(칩비산방지 투명판)

척 커버 (Chuck Cover)	척과 척으로 잡은 가공물의 돌출부에 작업자가 접촉하지 않도록 설치하는 덮개

53 산업안전보건법령상 가스집합장치로부터 얼마 이내의 장소에서는 흡연, 화기의 사용 또는 불꽃을 발생할 우려가 있는 행위를 금지하여야 하는가?

① 5m
② 7m
③ 10m
④ 25m

해설
가스집합 용접장치의 관리
가스집합장치로부터 5미터 이내의 장소에서는 흡연, 화기의 사용 또는 불꽃을 발생할 우려가 있는 행위를 금지할 것

54 산업안전보건법령상 합판, 종이, 천, 금속박 등을 통과시키는 롤러기로서 근로자가 위험해질 우려가 있는 부위에 설치해야 할 방호장치는?

① 안내 롤러
② 방호판
③ 과부하방지장치
④ 반발예방장치

해설
합판·종이·천 및 금속박 등을 통과시키는 롤러기로서 근로자가 위험해질 우려가 있는 부위에는 울 또는 가이드롤러(Guide Roller) 등을 설치하여야 한다.

55 프레스에서 동력의 전달을 단속하는 역할을 하는 것은?

① 받침대
② 클러치
③ 펀치
④ 울

해설
프레스의 클러치는 동력을 연결 또는 단락시키는 것으로 중요한 점검부분이며, 재해방지를 위해 가장 중요한 역할을 한다.

정답 51 ① 52 ① 53 ① 54 ① 55 ②

56 피복금속 아크용접 작업 시 생기는 결함에 대한 설명 중 틀린 것은?

① 스패터(Spatter) : 용융된 금속의 작은 입자가 튀어나와 모재에 묻어있는 것
② 언더컷(Under Cut) : 전류가 과대하고 용접속도가 너무 빠르며, 아크를 짧게 유지하기 어려운 경우 모재 및 용접부의 일부가 녹아서 홈 또는 오목하게 생긴 부분
③ 크레이터(Crater) : 용착금속 속에 남아있는 가스로 인하여 생긴 구멍
④ 오버랩(Over Lap) : 용접봉의 운행이 불량하거나 용접봉의 용융 온도가 모재보다 낮을 때 과잉 융착 금속이 남아있는 부분

해설
크레이터(Crater)
용접 끝부분이 오목하게 들어가는 것으로 불순물이 들어가기 쉽고 냉각 중에 균열이 생기기 쉽다.

57 산업안전보건법령상 회전 중인 연삭숫돌지름이 최소 얼마 이상인 경우로서 근로자에게 위험을 미칠 우려가 있는 경우 해당 부위에 덮개를 설치하여야 하는가?

① 3cm 이상
② 5cm 이상
③ 10cm 이상
④ 20cm 이상

해설
연삭기 작업면에 있어서의 안전기준
1. 회전 중인 연삭숫돌(지름이 5센티미터 이상인 것으로 한정)이 근로자에게 위험을 미칠 우려가 있는 경우에 그 부위에 덮개를 설치하여야 한다.
2. 연삭숫돌을 사용하는 작업의 경우 작업을 시작하기 전에는 1분 이상, 연삭숫돌을 교체한 후에는 3분 이상 시험운전을 하고 해당 기계에 이상이 있는지를 확인하여야 한다.
3. 시험운전에 사용하는 연삭숫돌은 작업시작 전에 결함이 있는지를 확인한 후 사용하여야 한다.
4. 연삭숫돌의 최고 사용회전속도를 초과하여 사용하도록 해서는 아니 된다.
5. 측면을 사용하는 것을 목적으로 하지 않는 연삭숫돌을 사용하는 경우 측면을 사용하도록 해서는 아니 된다.

58 지게차로 20km/hr의 속력으로 주행할 때 좌우 안정도는 몇 % 이내이어야 하는가?(단, 무부하상태를 기준으로 한다.)

① 37%
② 39%
③ 40%
④ 42%

해설
지게차의 안정도 기준
주행 시의 좌우 안정도
$= (15 + 1.1V)\%$ 이내 [V : 최고속도(km/hr)]
$= (15 + 1.1 \times 20) = 37[\%]$

59 프레스 작업 중 작업자의 신체일부가 위험한 작업점으로 들어가면 자동적으로 정지되는 기능이 있는데, 이러한 안전 대책을 무엇이라고 하는가?

① 풀 프루프(Fool Proof)
② 페일 세이프(Fail Safe)
③ 인터록(Inter Lock)
④ 리미트 스위치(Limit Switch)

해설
풀 프루프(Fool Proof)
작업자가 기계를 잘못 취급하여 불안전 행동이나 실수를 하여도 기계설비의 안전 기능이 작용되어 재해를 방지할 수 있는 기능을 가진 구조

TIP
① 페일 세이프(Fail Safe) : 기계나 그 부품에 파손·고장이나 기능불량이 발생하여도 항상 안전하게 작동할 수 있는 기능을 가진 구조
② 인터록(Inter Lock) : 기계의 각 작동 부분 상호 간을 전기적, 기구적, 유공압 장치 등으로 연결해서 기계의 각 작동 부분이 정상으로 작동하기 위한 조건이 만족되지 않을 경우 자동적으로 그 기계를 작동할 수 없도록 하는 것
③ 리미트 스위치(Limit Switch) : 기계장치 등에서 동작이 일정한 한계에 도달하였을 때 스위치가 작동하여 차단하는 장치

60 산업안전보건법령상 위험한 기계·기구의 방호조치에 대한 사업주·근로자 준수사항으로 가장 적절하지 않은 것은?

① 방호조치의 기능상실을 발견 시 사업주에게 신고할 것

정답 56 ③ 57 ② 58 ① 59 ① 60 ②

② 방호조치 해체 시 해당 근로자가 판단하여 해체할 것
③ 방호조치의 기능상실에 대한 신고가 있을 시 사업주는 수리, 보수 및 작업 중지 등 적절한 조치를 할 것
④ 방호조치 해체 사유가 소멸된 경우 근로자는 즉시 원상회복시킬 것

해설
방호조치 해체 등에 필요한 조치
1. 방호조치를 해체하려는 경우 : 사업주의 허가를 받아 해체할 것
2. 방호조치 해체 사유가 소멸된 경우 : 방호조치를 지체 없이 원상으로 회복시킬 것
3. 방호조치의 기능이 상실된 것을 발견한 경우 : 지체 없이 사업주에게 신고할 것
4. 사업주는 방호조치의 기능이 상실된 것을 발견한 경우에 따른 신고가 있으면 즉시 수리, 보수 및 작업중지 등 적절한 조치를 해야 한다.

4과목 전기 및 화학설비 안전관리

61 인체가 현저히 젖어 있거나 인체의 일부가 금속성의 전기기구 또는 구조물에 상시 접촉되어 있는 상태의 허용접촉전압(V)은?

① 2.5V 이하　② 25V 이하
③ 50V 이하　④ 제한 없음

해설
허용 접촉전압

종별	접촉상태	허용접촉전압
제1종	인체의 대부분이 수중에 있는 상태	2.5V 이하
제2종	• 인체가 현저하게 젖어있는 상태 • 금속성의 전기기계장치나 구조물에 인체의 일부가 상시 접촉되어 있는 상태	25V 이하
제3종	제1종, 제2종 이외의 경우로 통상의 인체상태에 있어서 접촉전압이 가해지면 위험성이 높은 상태	50V 이하
제4종	• 제1종, 제2종 이외의 경우로 통상의 인체상태에 있어서 접촉전압이 가해지더라도 위험성이 낮은 상태 • 접촉전압이 가해질 우려가 없는 상태	제한 없음

62 선간전압이 6.6kV인 충전전로 인근에서 유자격자가 작업하는 경우 충전전로에 대한 최소 접근한계 거리(cm)는?(단, 근로자 및 노출 충전부에 대한 안전대책이 없는 경우이다.)

① 20　② 30
③ 50　④ 60

해설
충전전로에서의 전기작업

충전전로의 선간전압 (단위 : 킬로볼트)	충전전로에 대한 접근한계거리 (단위 : 센티미터)
0.3 이하	접촉금지
0.3 초과 0.75 이하	30
0.75 초과 2 이하	45
2 초과 15 이하	60
15 초과 37 이하	90
37 초과 88 이하	110
88 초과 121 이하	130
121 초과 145 이하	150
145 초과 169 이하	170
169 초과 242 이하	230
242 초과 362 이하	380
362 초과 550 이하	550
550 초과 800 이하	790

63 전선의 연결에서 접촉불량이 화재로 이어지는 주된 이유로 가장 적절한 것은?
① 누전의 증가에 따른 접지점 발생
② 저항의 증가에 따른 과열의 발생
③ 전압의 증가에 따른 방전현상
④ 기계적 마찰에 의한 전압의 상승

해설
전선의 연결에서 접촉불량이 화재로 이어지는 주된 이유는 접촉면에서의 저항의 증가로 인한 과열이 발생하기 때문이다. 전선의 접촉불량이 있으면 접촉면에 저항이 커져 전류가 흐를 때 열이 과도하게 발생하고 열이 축적되어 허용범위를 넘으면 절연물이 열에 의해 손상되어 주변 물질이 타거나 녹아 화재로 이어질 수 있다.

정답 61 ② 62 ④ 63 ②

64 교류아크 용접기의 재해방지를 위해 쓰이는 것은?

① 자동전격방지 장치
② 리미트 스위치
③ 정전압 장치
④ 정전류 장치

해설

자동전격방지기
용접기의 주회로(변압기의 경우는 1차회로 또는 2차회로)를 제어하는 장치를 가지고 있어, 용접봉의 조작에 따라 용접할 때에만 용접기의 주회로를 형성하고, 그 외에는 용접기의 출력 측의 무부하전압을 25볼트 이하로 저하시켜 감전의 위험 및 전력손실을 방지하는 장치를 말한다.

65 다음 중 전압의 분류가 잘못된 것은?

① 1,000V 이하의 교류전압 – 저압
② 1,500V 이하의 직류전압 – 저압
③ 1,000V 초과 7,000V 이하의 교류전압 – 고압
④ 10kV를 초과하는 직류전압 – 초고압

해설

전압의 구분

전원의 종류	저압	고압	특고압
직류(DC)	1,500V 이하	1,500V 초과 7,000V 이하	7,000V 초과
교류(AC)	1,000V 이하	1,000V 초과 7,000V 이하	7,000V 초과

66 과전류차단기로 시설하는 퓨즈 중 고압전로에 사용하는 비포장 퓨즈에 대한 설명으로 옳은 것은?

① 정격전류의 1.25배의 전류에 견디고 또한 2배의 전류로 2분 안에 용단되는 것이어야 한다.
② 정격전류의 1.25배의 전류에 견디고 또한 2배의 전류로 4분 안에 용단되는 것이어야 한다.
③ 정격전류의 2배의 전류에 견디고 또한 2배의 전류로 4분 안에 용단되는 것이어야 한다.
④ 정격전류의 2배의 전류에 견디고 또한 2배의 전류로 4분 안에 용단되는 것이어야 한다.

해설

고압 전로에 사용하는 퓨즈

포장퓨즈	비포장 퓨즈
• 정격전류의 1.3배의 전류에 견딜 것 • 2배의 전류로 120분 안에 용단되는 것	• 정격전류의 1.25배의 전류에 견딜 것 • 2배의 전류로 2분 안에 용단되는 것

67 전기작업 중 정전작업 순서로 옳은 것은?

① 전로개방 – 검전 – 잔류전하방전 – 단락접지
② 전로개방 – 검전 – 단락접지 – 잔류전하방전
③ 전로개방 – 잔류전하방전 – 검전 – 단락접지
④ 전로개방 – 잔류전하방전 – 단락접지 – 검전

해설

정전전로에서의 전로차단 절차
1. 전기기기 등에 공급되는 모든 전원을 관련 도면, 배선도 등으로 확인할 것
2. 전원을 차단한 후 각 단로기 등을 개방하고 확인할 것
3. 차단장치나 단로기 등에 잠금장치 및 꼬리표를 부착할 것
4. 개로된 전로에서 유도전압 또는 전기에너지가 축적되어 근로자에게 전기위험을 끼칠 수 있는 전기기기 등은 접촉하기 전에 잔류전하를 완전히 방전시킬 것
5. 검전기를 이용하여 작업 대상 기기가 충전되었는지를 확인할 것
6. 전기기기 등이 다른 노출 충전부와의 접촉, 유도 또는 예비동력원의 역송전 등으로 전압이 발생할 우려가 있는 경우에는 충분한 용량을 가진 단락 접지기구를 이용하여 접지할 것

68 방전의 분류로 옳지 않은 것은?

① 불꽃 방전
② 코로나 방전
③ 전도 브러시 방전
④ 스트리머 방전

해설

정전기 방전의 형태
1. 코로나(Corona) 방전
2. 스트리머(Streamer) 방전
3. 불꽃(Spark) 방전
4. 연면(Surface) 방전
5. 브러시(Brush) 방전
6. 뇌상방전

정답 64 ① 65 ④ 66 ① 67 ③ 68 ③

69 Dalziel의 심실세동전류와 통전시간과의 관계식에 의하면 인체 전격시의 통전시간이 4초이었다고 했을 때 심실세동 전류의 크기는 약 몇 mA인가?

① 42
② 83
③ 165
④ 185

해설

심실세동전류(치사전류)

$$I = \frac{165}{\sqrt{T}} \text{(mA)}$$

여기서, I : 심실세동전류(mA)
T : 통전 시간(sec)
전류 I는 1,000명 중 5명 정도가 심실세동을 일으키는 값

$I = \frac{165}{\sqrt{T}} = \frac{165}{\sqrt{4}} = 82.5 ≒ 83[\text{mA}]$

70 전선 간에 가해지는 전압이 어떤 값 이상으로 되면 전선 주위의 전기장이 강하게 되어 전선 표면의 공기가 국부적으로 절연이 파괴가 되어 빛과 소리를 내는데 이와 같은 것을 무엇이라고 하는가?

① 표피 작용
② 페란티 효과
③ 코로나 현상
④ 근접 현상

해설

코로나 현상
1. 전선 간에 가해지는 전압이 어떤 값 이상으로 되면 전선 주위의 전기장이 강하게 되어 전선 표면의 공기가 국부적으로 절연이 파괴가 되어 빛과 소리를 내면서 방전되는 현상을 말한다.
2. 코로나의 영향
   ㉠ 코로나 손실에 의한 송전효율 저하
   ㉡ 전선의 부식을 촉진
   ㉢ 코로나 잡음이 발생
   ㉣ 통신선로 유도장해 발생 등

71 다음 중 폭발하한농도(vol%)가 가장 높은 것은?

① 일산화탄소
② 아세틸렌
③ 디에틸에테르
④ 아세톤

해설

주요 가연성 가스의 폭발범위

가연성 가스	폭발하한 값(%)	폭발상한 값(%)
일산화탄소(CO)	12.5	74.0
아세틸렌(C_2H_2)	2.5	81.0
디에틸에테르($C_2H_5OC_2H_5$)	1.9	48
아세톤(CH_3COCH_3)	2.5	12.8

72 다음 중 건조설비의 사용상 주의사항으로 적절하지 않은 것은?

① 고조설비 가까이 가연성 물질을 두지 말 것
② 고온으로 가열 건조한 물질은 즉시 격리 저장할 것
③ 위험물 건조설비를 사용할 때는 미리 내부를 청소하거나 환기시킨 후 사용할 것
④ 건조 시 발생하는 가스·증기 또는 분진에 의한 화재·폭발의 위험이 있는 물질은 안전한 장소로 배출할 것

해설

건조설비의 사용 시 준수사항
1. 위험물 건조설비를 사용하는 경우에는 미리 내부를 청소하거나 환기할 것
2. 위험물 건조설비를 사용하는 경우에는 건조로 인하여 발생하는 가스·증기 또는 분진에 의하여 폭발·화재의 위험이 있는 물질을 안전한 장소로 배출시킬 것
3. 위험물 건조설비를 사용하여 가열건조하는 건조물은 쉽게 이탈되지 않도록 할 것
4. 고온으로 가열건조한 인화성 액체는 발화의 위험이 없는 온도로 냉각한 후에 격납시킬 것
5. 건조설비(바깥 면이 현저히 고온이 되는 설비만 해당)에 가까운 장소에는 인화성 액체를 두지 않도록 할 것

73 리튬(Li)에 관한 설명으로 틀린 것은?

① 연소 시 산소와는 반응하지 않는 특성이 있다.
② 염산과 반응하여 수소를 발생한다.
③ 물과 반응하여 수소를 발생한다.
④ 화재 발생 시 소화방법으로는 건조된 마른 모래 등을 이용한다.

정답 69 ② 70 ③ 71 ① 72 ② 73 ①

> **해설**

리튬(Li)[제3류 위험물]
1. 공기 중에서 서서히 가열해도 발화하여 연소하며, 연소 시 탄산가스(CO_2) 속에서도 꺼지지 않고 연소한다.
2. 산, 알코올류와는 격렬히 반응하여 수소를 발생한다.
3. 물과는 격렬하게 반응하여 수소를 발생한다.
4. 주수를 엄금하고 잘 건조된 소금분말, 마른모래, 건조 분말 소화약제에 의해 질식소화를 한다.

74 산업안전보건법령상 물질안전보건자료(MSDS) 작성 시 포함되어야 하는 항목이 아닌 것은?

① 물리화학적 특성
② 유해물질의 제조법
③ 환경에 미치는 영향
④ 누출사고 시 대처방법

> **해설**

물질안전보건자료 작성 시 포함되어야 할 항목 및 그 순서
1. 화학제품과 회사에 관한 정보
2. 유해성·위험성
3. 구성성분의 명칭 및 함유량
4. 응급조치요령
5. 폭발·화재 시 대처방법
6. 누출사고 시 대처방법
7. 취급 및 저장방법
8. 노출방지 및 개인보호구
9. 물리화학적 특성
10. 안정성 및 반응성
11. 독성에 관한 정보
12. 환경에 미치는 영향
13. 폐기 시 주의사항
14. 운송에 필요한 정보
15. 법적규제 현황
16. 그 밖의 참고사항

75 낮은 압력에서 물질의 끓는점이 내려가는 현상을 이용하여 시행하는 분리법으로 온도를 높여서 가열할 경우 원료가 분해될 우려가 있는 물질을 증류할 때 사용하는 방법을 무엇이라 하는가?

① 진공증류
② 추출증류
③ 공비증류
④ 수증기증류

> **해설**

특수한 증류방법

감압증류 (진공증류)	상압하에서 끓는점까지 가열할 경우 분해할 우려가 있는 물질의 증류를 감압 또는 진공하여 끓는점을 내려서 증류하는 방법
추출증류	분리하여야 하는 물질의 끓는점이 비슷한 경우 증류하는 방법
공비증류	일반적인 증류로 순수한 성분을 분리할 수 없는 혼합물의 경우 증류하는 방법
수증기증류	물에 거의 용해하지 않는 휘발성 액체에 수증기를 불어 넣으면서 가열하면 그 액체는 원래의 끓는점보다 상당히 낮은 온도에서 유출하는 방법

76 다음 중 니트로글리세린에 관한 설명으로 틀린 것은?

① 물에 잘 녹으며, 액체 상태로 운반한다.
② 점화하면 즉시 연소하고, 다량이면 폭발력이 강하다.
③ 상온에서 액체이지만 겨울철에는 동결한다.
④ 질산과 황산의 혼산 중에 글리세린을 반응시켜 만든다.

> **해설**

니트로글리세린
1. 강산화제, 나트륨(Na), 수산화나트륨(NaOH) 등과 혼촉 시 발화 폭발하며, 환기가 잘 되는 냉암소에 보관한다.
2. 물에는 거의 녹지 않으나 메탄올, 벤젠, 아세톤 등에는 녹으며, 겨울철에는 동결할 우려가 있다.

77 다음 중 할로겐화합물 소화약제에 관한 설명으로 틀린 것은?

① 주된 소화효소는 억제소화이다.
② 유류나 전기 화재에 적합하다.
③ 변질 우려가 있어 장기간 저장이 어렵다.
④ 구성원소로는 C, F, Cl, Br_2 등이 있다.

> **해설**

할로겐화합물 소화약제
1. 할로겐화합물이란 불소, 염소, 브롬 및 요오드 등 할로겐족 원소를 하나 이상 함유한 화학물질을 말한다.
2. 변질, 분해가 없고, 전기의 불량도체이므로 유류화재, 전기화재에 많이 사용된다.

정답 74 ② 75 ① 76 ① 77 ③

3. 상온에서 압축하면 쉽게 액체 상태로 변하기 때문에 용기에 쉽게 저장할 수 있다.
4. 수명이 반영구적이다.

78 윤활유를 닦은 기름걸레를 햇빛이 잘 드는 작업장의 구석에 모아 두었을 때 가장 발생가능성이 높은 재해는?

① 분진폭발
② 자연발화에 의한 화재
③ 정전기 불꽃에 의한 화재
④ 기계의 마찰열에 의한 화재

해설

자연발화

개념	외부로 방열하는 열보다 내부에서 발생하는 열의 양이 많은 경우에 발생
자연발화의 형태	• 산화열에 의한 발열(석탄, 건성유, 기름걸레 등) • 분해열에 의한 발열(셀룰로이드, 니트로셀룰로오스 등) • 흡착열에 의한 발열(활성탄, 목탄분말, 석탄분 등) • 미생물에 의한 발열(퇴비, 먼지, 볏짚 등) • 중합에 의한 발열(아크릴로니트릴 등)

TIP 기름걸레는 자연발화하므로 안전하게 금속재에 보관한다. (플라스틱은 열전도율이 낮아 열의 축적에 의한 위험성이 더 크다.)

79 유해·위험설비의 설치·이전 시 공정안전보고서의 제출시기로 옳은 것은?

① 공사완료 전까지
② 공사 후 시운전 익일까지
③ 설비 가동 후 30일 이내에
④ 공사의 착공일 30일 전까지

해설

공정안전보고서의 제출
사업주는 제출대상에 따른 유해하거나 위험한 설비의 설치·이전 또는 주요 구조부분의 변경공사의 착공일 30일 전까지 공정안전보고서를 2부 작성하여 공단에 제출해야 한다.

80 다음 중 분해 폭발하는 가스의 폭발방지를 위하여 첨가하는 불활성 가스로 가장 적합한 것은?

① 산소
② 질소
③ 수소
④ 프로판

해설

불활성화
1. 가연성 혼합가스나 혼합분진에 불활성가스를 주입하여 산소의 농도를 최소산소농도 이하로 낮게 유지하는 것
2. 불활성 가스
   ㉠ 질소
   ㉡ 이산화탄소
   ㉢ 수증기 또는 연소배기 가스 등이 있으며 통상적으로 불활성 가스로 질소가 사용된다.

5과목 건설공사 안전관리

81 수중굴착 및 구조물의 기초바닥 등과 같은 협소하고 상당히 깊은 범위의 굴착과 호퍼작업에 가장 적당한 굴착기계는?

① 파워셔블
② 항타기
③ 클램셸
④ 리버스 서큘레이션 드릴

해설

클램셸(Clam Shell)
1. 좁고 깊은 곳의 수직굴착, 수중굴착에 적당
2. 지하연속벽 공사, 깊은 우물통 파기에 사용
3. 구조물의 기초바닥, 잠함 등과 같은 협소하고 깊은 범위의 굴착에 적합

82 동바리 유형에 따른 동바리 조립 시 준수사항으로 옳지 않은 것은?

① 시스템 동바리의 경우 수평재는 수직재와 직각으로 설치해야 하며, 흔들리지 않도록 견고하게 설치할 것
② 동바리로 사용하는 조립강주의 경우 조립강주의 높이가 4미터를 초과하는 경우에는 높이 4미터 이내마다 수평연결재를 2개 방향으로 설치하고 수평연결재의 변위를 방지할 것

정답 78 ② 79 ④ 80 ② 81 ③ 82 ③

③ 동바리로 사용하는 강관틀의 경우 최상단 및 3단 이내마다 동바리의 측면과 틀면의 방향 및 교차가새의 방향에서 3개 이내마다 수평연결재를 설치하고 수평연결재의 변위를 방지할 것

④ 동바리로 사용하는 파이프 서포트의 경우 파이프 서포트를 3개 이상 이어서 사용하지 않도록 할 것

해설

동바리로 사용하는 강관틀의 경우
1. 강관틀과 강관틀 사이에 교차가새를 설치할 것
2. 최상단 및 5단 이내마다 동바리의 측면과 틀면의 방향 및 교차가새의 방향에서 5개 이내마다 수평연결재를 설치하고 수평연결재의 변위를 방지할 것
3. 최상단 및 5단 이내마다 동바리의 틀면의 방향에서 양단 및 5개틀 이내마다 교차가새의 방향으로 띠장틀을 설치할 것

83 다음은 공사진척에 따른 안전관리비의 사용기준이다. ( )에 들어갈 내용으로 옳은 것은?

공정률	50% 이상 70% 미만	70% 이상 90% 미만	90% 이상
사용기준	( )	70% 이상	90% 이상

① 30% 이상
② 40% 이상
③ 50% 이상
④ 60% 이상

해설

공사진척에 따른 안전관리비 사용기준

공정율	50퍼센트 이상 70퍼센트 미만	70퍼센트 이상 90퍼센트 미만	90퍼센트 이상
사용기준	50퍼센트 이상	70퍼센트 이상	90퍼센트 이상

84 양중기의 와이어로프 등 달기구의 절단하중의 값이 1,000kg일 때 최대하중 값은 얼마인가?(단, 안전계수는 10이라고 가정한다.)

① 10kg
② 50kg
③ 100kg
④ 200kg

해설

와이어로프의 안전계수

$$안전계수 = \frac{절단하중}{최대하중\ 값}$$

최대하중 값 $= \dfrac{절단하중}{안전계수} = \dfrac{1,000}{10} = 100(kg)$

85 신축공사 현장에서 강관으로 외부비계를 설치할 때 비계기둥의 최고 높이가 45m라면 관련 법령에 따라 비계기둥을 2개의 강관으로 보강하여야 하는 높이는 지상으로부터 얼마까지인가?(단, 브라켓 등으로 보강하여 2개의 강관으로 묶을 경우 이상의 강도가 유지되는 경우에는 그러하지 아니하다.)

① 14m
② 20m
③ 25m
④ 31m

해설

강관비계의 구조
1. 비계기둥의 제일 윗부분으로부터 31미터 되는 지점 밑부분의 비계기둥은 2개의 강관으로 묶어 세울 것
2. 45－31＝14[m]

TIP 강관비계의 구조
1. 비계기둥의 간격은 띠장 방향에서는 1.85미터 이하, 장선 방향에서는 1.5미터 이하로 할 것. 다만, 다음 각 목의 어느 하나에 해당하는 작업의 경우에는 안전성에 대한 구조검토를 실시하고 조립도를 작성하면 띠장 방향 및 장선 방향으로 각각 2.7미터 이하로 할 수 있다.
   ㉠ 선박 및 보트 건조작업
   ㉡ 그 밖에 장비 반입·반출을 위하여 공간 등을 확보할 필요가 있는 등 작업의 성질상 비계기둥 간격에 관한 기준을 준수하기 곤란한 작업
2. 띠장 간격은 2.0미터 이하로 할 것. 다만, 작업의 성질상 이를 준수하기가 곤란하여 쌍기둥틀 등에 의하여 해당 부분을 보강한 경우에는 그러하지 아니하다.
3. 비계기둥의 제일 윗부분으로부터 31미터 되는 지점 밑부분의 비계기둥은 2개의 강관으로 묶어 세울 것. 다만, 브라켓(Bracket, 까치발) 등으로 보강하여 2개의 강관으로 묶을 경우 이상의 강도가 유지되는 경우에는 그러하지 아니하다.
4. 비계기둥 간의 적재하중은 400킬로그램을 초과하지 않도록 할 것

86 중량물의 취급작업 시 근로자의 위험을 방지하기 위하여 사전에 작성하여야 하는 작업계획서 내용에 해당되지 않는 것은?

① 추락위험을 예방할 수 있는 안전대책
② 낙하위험을 예방할 수 있는 안전대책
③ 전도위험을 예방할 수 있는 안전대책

정답 83 ③ 84 ③ 85 ① 86 ④

④ 침수위험을 예방할 수 있는 안전대책

해설
중량물의 취급작업 작업계획서 내용
1. 추락위험을 예방할 수 있는 안전대책
2. 낙하위험을 예방할 수 있는 안전대책
3. 전도위험을 예방할 수 있는 안전대책
4. 협착위험을 예방할 수 있는 안전대책
5. 붕괴위험을 예방할 수 있는 안전대책

87 흙의 입도 분포와 관련한 삼각좌표에 나타나는 흙의 분류에 해당되지 않는 것은?
① 모래
② 점토
③ 자갈
④ 실트

해설
삼각좌표 분류법
1. 자갈을 제외한 점토분, 실트분, 모래분의 3성분으로 나누고 각 성분의 함유율로부터 흙을 분류하며, 함유율 합계는 반드시 100%가 되어야 한다.
2. 점성토의 연경도에 대한 고려는 없어 공학적 차원에서는 거의 사용하지 않고 농학적인 분류에서 사용한다.

> **TIP** 입경(토립자의 크기)에 의한 분류
> ① 콜로이드
> ② 점토
> ③ 실트
> ④ 모래
> ⑤ 자갈

88 콘크리트 타설 작업 시 준수사항으로 옳지 않은 것은?
① 바닥 위에 흘린 콘크리트는 완전히 청소한다.
② 가능한 높은 곳으로부터 자연 낙하시켜 콘크리트를 타설한다.
③ 지나친 진동기 사용은 재료분리를 일으킬 수 있으므로 금해야 한다.
④ 최상부의 슬래브는 이어붓기를 되도록 피하고 일시에 전체를 타설하도록 한다.

해설
높은 곳에서 타설하면 측압의 증가로 거푸집 변형 및 재료분리의 현상이 발생하므로 가능한 타설 높이를 낮게 하여야 한다.

89 안전난간의 구조 및 설치 요건으로 옳지 않은 것은?
① 상부난간대는 바닥면으로부터 높이 80cm 이상 110cm 이하에 설치할 것
② 난간대는 지름 2.7센티미터 이상의 금속제 파이프나 그 이상의 강도가 있는 재료일 것
③ 안전난간은 구조적으로 가장 취약한 지점에서 가장 취약한 방향으로 작용하는 100킬로그램 이상의 하중에 견딜 수 있는 튼튼한 구조일 것
④ 상부 난간대, 중간 난간대, 발끝막이판 및 난간기둥으로 구성할 것

해설
안전난간의 구조 및 설치요건

구성	상부 난간대, 중간 난간대, 발끝막이판 및 난간기둥으로 구성할 것(다만, 중간 난간대, 발끝막이판 및 난간기둥은 이와 비슷한 구조와 성능을 가진 것으로 대체할 수 있음)
상부 난간대	상부 난간대는 바닥면·발판 또는 경사로의 표면(이하 "바닥면 등"이라 한다)으로부터 90센티미터 이상 지점에 설치하고, 상부 난간대를 120센티미터 이하에 설치하는 경우에는 중간 난간대는 상부 난간대와 바닥면 등의 중간에 설치해야 하며, 120센티미터 이상 지점에 설치하는 경우에는 중간 난간대를 2단 이상으로 균등하게 설치하고 난간의 상하 간격은 60센티미터 이하가 되도록 할 것(다만, 난간기둥 간의 간격이 25센티미터 이하인 경우에는 중간 난간대를 설치하지 않을 수 있음)
발끝막이판 (폭목)	발끝막이판은 바닥면 등으로부터 10센티미터 이상의 높이를 유지할 것(다만, 물체가 떨어지거나 날아올 위험이 없거나 그 위험을 방지할 수 있는 망을 설치하는 등 필요한 예방 조치를 한 장소는 제외)
난간기둥	상부 난간대와 중간 난간대를 견고하게 떠받칠 수 있도록 적정한 간격을 유지할 것
상부 난간대와 중간 난간대	상부 난간대와 중간 난간대는 난간 길이 전체에 걸쳐 바닥면 등과 평행을 유지할 것
난간대	난간대는 지름 2.7센티미터 이상의 금속제 파이프나 그 이상의 강도가 있는 재료일 것
하중	안전난간은 구조적으로 가장 취약한 지점에서 가장 취약한 방향으로 작용하는 100킬로그램 이상의 하중에 견딜 수 있는 튼튼한 구조일 것

정답 87 ③ 88 ② 89 ①

90 누전에 의한 감전의 위험을 방지하기 위하여 접지를 해야 하는 부분을 모두 고른 것은?

㉠ 전기기계·기구의 금속제 외함·금속제 외피 및 철대
㉡ 물기 또는 습기가 있는 장소에 고정 설치되어 충전될 우려가 있는 비충전 금속체
㉢ 냉장고·세탁기·컴퓨터 및 주변기기등과 같은 고정형 전기기계·기구
㉣ 전기용품안전관리법에 의한 이중 절연구조로 된 전기기계·기구

① ㉠, ㉡
② ㉠, ㉡, ㉢
③ ㉠, ㉡, ㉢, ㉣
④ ㉠, ㉣

해설
전기 기계·기구의 접지(접지 대상)
1. 전기 기계·기구의 금속제 외함, 금속제 외피 및 철대
2. 고정 설치되거나 고정배선에 접속된 전기 기계·기구의 노출된 비충전 금속체 중 충전될 우려가 있는 다음 각 목의 어느 하나에 해당하는 비충전 금속체
   - 지면이나 접지된 금속체로부터 수직거리 2.4미터, 수평거리 1.5미터 이내인 것
   - 물기 또는 습기가 있는 장소에 설치되어 있는 것
   - 금속으로 되어 있는 기기접지용 전선의 피복·외장 또는 배선관 등
   - 사용전압이 대지전압 150볼트를 넘는 것
3. 코드와 플러그를 접속하여 사용하는 전기 기계·기구 중 다음 각 목의 어느 하나에 해당하는 노출된 비충전 금속체
   - 사용전압이 대지전압 150볼트를 넘는 것
   - 냉장고·세탁기·컴퓨터 및 주변기기 등과 같은 고정형 전기기계·기구
   - 고정형·이동형 또는 휴대형 전동기계·기구
   - 물 또는 도전성이 높은 곳에서 사용하는 전기 기계·기구, 비접지형 콘센트
   - 휴대형 손전등

> **TIP** 접지를 하지 않아도 되는 대상
> 1. 이중절연구조 또는 이와 같은 수준 이상으로 보호되는 구조로 된 전기 기계·기구
> 2. 절연대 위 등과 같이 감전 위험이 없는 장소에서 사용하는 전기 기계·기구
> 3. 비접지방식의 전로(그 전기 기계·기구의 전원 측의 전로에 설치한 절연변압기의 2차 전압이 300볼트 이하, 정격용량이 3킬로볼트암페어 이하이고 그 절연변압기의 부하 측의 전로가 접지되어 있지 아니한 것으로 한정)에 접속하여 사용되는 전기 기계·기구

91 지하수의 유량계산을 위한 Darcy의 법칙에서 투수계수에 대한 설명으로 옳지 않은 것은?

① 모래는 진흙보다 투수계수가 크다.
② 투수계수는 현장시험을 통하여 구할 수 있다.
③ 투수계수는 간극의 크기가 작을수록 증가한다.
④ 투수계수는 모래에서 평균입자지름(유효입경)의 제곱에 비례한다.

해설
투수계수
1. 투수계수는 지반 속으로 물이 흐르는 속도이다.
2. 간극비(공극비)가 클수록 투수계수가 증가한다.

92 가설통로를 설치하는 경우 준수하여야 할 기준으로 옳지 않은 것은?

① 견고한 구조로 할 것
② 경사는 30° 이하로 할 것
③ 경사가 45°를 초과하는 경우에는 미끄러지지 아니하는 구조로 할 것
④ 수직갱에 가설된 통로의 길이가 15m 이상인 경우에는 10m 이내마다 계단참을 설치할 것

해설
가설통로
1. 견고한 구조로 할 것
2. 경사는 30도 이하로 할 것(다만, 계단을 설치하거나 높이 2미터 미만의 가설통로로서 튼튼한 손잡이를 설치한 경우에는 그러하지 아니하다.)
3. 경사가 15도를 초과하는 경우에는 미끄러지지 아니하는 구조로 할 것
4. 추락할 위험이 있는 장소에는 안전난간을 설치할 것(다만, 작업상 부득이한 경우에는 필요한 부분만 임시로 해체할 수 있다.)
5. 수직갱에 가설된 통로의 길이가 15미터 이상인 경우에는 10미터 이내마다 계단참을 설치할 것
6. 건설공사에 사용하는 높이 8미터 이상인 비계다리에는 7미터 이내마다 계단참을 설치할 것

정답 90 ② 91 ③ 92 ③

93 산업안전보건법령상 지반의 종류 중 연암의 굴착면 기울기 기준으로 옳은 것은?

① 1 : 0.5
② 1 : 1.0
③ 1 : 1.2
④ 1 : 1.8

해설

굴착면의 기울기

지반의 종류	굴착면의 기울기
모래	1 : 1.8
연암 및 풍화암	1 : 1.0
경암	1 : 0.5
그 밖의 흙	1 : 1.2

94 화물의 하중을 직접 지지하는 달기와이어로프 또는 달기체인의 안전계수 기준으로 옳은 것은?

① 3 이상
② 4 이상
③ 5 이상
④ 10 이상

해설

와이어로프 등 달기구의 안전계수

근로자가 탑승하는 운반구를 지지하는 달기와이어로프 또는 달기체인의 경우	10 이상
화물의 하중을 직접 지지하는 달기와이어로프 또는 달기체인의 경우	5 이상
훅, 샤클, 클램프, 리프팅 빔의 경우	3 이상
그 밖의 경우	4 이상

95 철골작업을 중지해야할 경우의 강우량 기준으로 옳은 것은?

① 시간당 10cm 이상
② 시간당 1mm 이상
③ 시간당 5mm 이상
④ 시간당 1cm 이상

해설

작업의 제한(철골작업 중지)
1. 풍속이 초당 10미터 이상인 경우
2. 강우량이 시간당 1밀리미터 이상인 경우
3. 강설량이 시간당 1센티미터 이상인 경우

96 건립 중 강풍에 의한 풍압 등 외압에 대한 내력이 설계에 고려되었는지 확인하여야 하는 철골구조물의 기준으로 옳지 않은 것은?

① 높이 20m 이상의 구조물
② 구조물의 폭과 높이의 비가 1 : 3 이상인 구조물
③ 이음부가 현장용접인 구조물
④ 연면적당 철골량이 50kg/m² 이하인 구조물

해설

외압(강풍에 의한 풍압 등)에 대한 내력 설계 확인 구조물
1. 높이 20미터 이상의 구조물
2. 구조물의 폭과 높이의 비가 1 : 4 이상인 구조물
3. 단면구조에 현저한 차이가 있는 구조물
4. 연면적당 철골량이 50kg/m² 이하인 구조물
5. 기둥이 타이플레이트(Tie Plate)형인 구조물
6. 이음부가 현장용접인 구조물

97 콘크리트 타설 작업을 하는 경우에 준수해야 할 사항으로 옳지 않은 것은?

① 콘크리트를 타설하는 경우에는 편심을 유발하여 한쪽 부분부터 밀실하게 타설되도록 유도할 것
② 당일의 작업을 시작하기 전에 해당 작업에 관한 거푸집 및 동바리의 변형·변위 및 지반의 침하 유무 등을 점검하고 이상이 있으면 보수할 것
③ 작업 중에는 거푸집 및 동바리의 변형·변위 및 침하 유무 등을 감시할 수 있는 감시자를 배치하여 이상이 있으면 작업을 중지하고 근로자를 대피시킬 것
④ 설계도서상의 콘크리트 양생기간을 준수하여 거푸집 및 동바리를 해체할 것

해설

콘크리트 타설 작업 시 준수사항
1. 당일의 작업을 시작하기 전에 해당 작업에 관한 거푸집 및 동바리의 변형·변위 및 지반의 침하 유무 등을 점검하고 이상이 있으면 보수할 것
2. 작업 중에는 감시자를 배치하는 등의 방법으로 거푸집 및 동바리의 변형·변위 및 침하 유무 등을 확인해야 하며, 이상이 있으면 작업을 중지하고 근로자를 대피시킬 것
3. 콘크리트 타설작업 시 거푸집 붕괴의 위험이 발생할 우려가 있으면 충분한 보강조치를 할 것
4. 설계도서상의 콘크리트 양생기간을 준수하여 거푸집 및 동바리를 해체할 것
5. 콘크리트를 타설하는 경우에는 편심이 발생하지 않도록 골고루 분산하여 타설할 것

정답 93 ② 94 ③ 95 ② 96 ② 97 ①

98 산업안전보건관리비 중 안전시설 등의 항목으로 옳지 않은 것은?

① 안전대 부착설비, 방호장치 등 안전시설의 구입·임대 및 설치를 위해 소용되는 비용
② 안전난간, 추락방호망 등 안전시설의 구입·임대 및 설치를 위해 소요되는 비용
③ 건설기술진흥법에 따른 스마트 안전장비 구입·임대 비용의 5분의 3에 해당하는 비용
④ 용접 작업 등 화재 위험작업 시 사용하는 소화기의 구입·임대비용

해설
안전시설비 등
1. 산업재해 예방을 위한 안전난간, 추락방호망, 안전대 부착설비, 방호장치(기계·기구와 방호장치가 일체로 제작된 경우, 방호장치 부분의 가액에 한함) 등 안전시설의 구입·임대 및 설치 등을 위해 소요되는 비용
2. 스마트 안전장비 구입·임대 비용. 다만, 계상된 산업안전보건관리비 총액의 10분의 2를 초과할 수 없다.
3. 용접 작업 등 화재 위험작업 시 사용하는 소화기의 구입·임대비용

99 사질토 지반의 상대밀도를 판정하기 위해 실시하는 현장시험으로 63.5kg의 추를 75cm 정도의 높이에서 떨어뜨려 30cm 관입시킬 때의 타격횟수(N)를 측정하는 토질시험방법은?

① 베인(Vane)시험
② 오우거(Auger)보링 시험
③ 평판재하 시험
④ 표준관입 시험

해설
표준관입시험(Standard Penetration Test)
1. 무게 63.5kg의 해머로 76cm 높이에서 자유낙하시켜 샘플러를 30cm 관입시키는 데 소요되는 타격횟수 N치를 측정하는 시험
2. 흙의 지내력 판단, 사질토 지반에 적용
3. N값이 클수록 밀실한 토질이다.

N의 값	흙의 상태
0~4	매우 느슨
4~10	느슨
10~30	보통
30~50	조밀
50 이상	매우 조밀

100 산업안전보건기준에 관한 규칙에 따라 계단 및 계단참을 설치하는 경우 매 m²당 최소 얼마 이상의 하중에 견딜 수 있는 강도를 가진 구조로 설치하여야 하는가?

① 500kg
② 600kg
③ 700kg
④ 800kg

해설
계단 및 계단참의 강도
1. 매제곱미터당 500킬로그램 이상의 하중에 견딜 수 있는 강도를 가진 구조로 설치하여야 한다.
2. 안전율(재료의 파괴응력도와 허용응력도의 비율)은 4 이상으로 하여야 한다.
3. 계단 및 승강구 바닥을 구멍이 있는 재료로 만드는 경우 렌치나 그 밖의 공구 등이 낙하할 위험이 없는 구조로 하여야 한다.

PART 07
08 2025년 2회 기출복원문제

1과목 산업재해 예방 및 안전보건교육

01 산업 재해유형으로 볼 수 없는 것은?

① 연쇄형
② 지그재그형
③ 복합형
④ 집중형

해설

산업재해의 발생형태

구분	내용	발생형태
단순 자극형 (집중형)	상호 자극에 의하여 순간적으로 재해가 발생하는 유형으로 재해가 일어난 장소와 그 시기에 일시적으로 요인이 한 곳에 집중	
연쇄형	어느 하나의 사고 요인이 또 다른 사고 요인을 발생시키면서 재해를 발생시키는 유형	단순형 / 복합 연쇄형
복합형	단순자극형(집중형)과 연쇄형의 복합적인 재해 발생 유형	

02 적응기제(Adjustment Mechanism) 중 방어적 기제(Defence Mechanism)가 아닌 것은?

① 동일화
② 보상
③ 합리화
④ 고립

해설

적응기제의 기본유형

구분	공격적 기제(행동)	도피적 기제(행동)	방어적(절충적) 기제(행동)
개념	욕구 불만에 대한 반항이나 자기를 괴롭히는 대상에 대하여 적극적이고 능동적으로 적대시하는 감정이나 태도를 취하는 행위	욕구불만에 의한 긴장이나 압박으로부터 벗어나 비합리적인 행동으로 공상에 도피하고 현실세계에서 벗어나 안정을 얻으려는 기제	자신의 약점이나 무능력, 열등감을 위장하여 유리하게 보호함으로써 안정감을 찾으려는 기제
유형	• 직접적 공격 기제: 폭행, 싸움, 기물파손 등 • 간접적 공격 기제: 비난, 폭언, 욕설 등	• 백일몽 • 퇴행 • 억압 • 반동형성 • 고립 등	• 승화 • 보상 • 합리화 • 투사 • 동일화 등

03 한 사람의 평생 근로연수를 40년으로 하고, 1일 8시간씩 1개월에 25일의 정상근로와 연간 100시간의 시간외 근무를 하였다고 가정한다면, 이 근로자가 도수율이 15.13인 사업장에서 근무하는 경우에 평생 근로기간 중 약 몇 건의 재해를 당할 수 있겠는가?

① 1.51
② 2.51
③ 5.02
④ 15.13

해설

1. 평생근로시간 = (25일 × 12개월 × 8시간 × 40년) + (100시간 × 40년) = 100,000시간

2. 환산도수율 = 도수율 × $\frac{1}{10}$ = 1.51(건)

TIP 환산 재해율

• 환산강도율(S): 10만시간(평생근로)당의 근로손실일 수
$$S = 강도율 × \frac{100,000}{1,000} = 강도율 × 100(일)$$

• 환산도수율(F): 10만시간(평생근로)당의 재해건수
$$F = 도수율 × \frac{100,000}{1,000,000} = 도수율 × \frac{1}{10}(건)$$

• $\frac{S}{F}$ = 재해 1건당의 근로손실일수

정답 01 ② 02 ④ 03 ①

04 허츠버그(Herzberg)의 2요인(동기·위생) 이론에서 동기요인에 해당하는 것은?

① 보수
② 안전
③ 성취감
④ 감독

해설

허즈버그(F. Herzberg)의 2요인(동기-위생)이론

동기요인(직무내용)	위생요인(직무환경)
• 성취감 • 책임감 • 성장과 발전 • 안정감 • 도전감 • 일 그 자체	• 보수 • 작업조건 • 관리감독 • 임금 • 지위 • 회사 정책과 관리

05 산업스트레스의 요인 중 직무특성과 관련된 요인으로 볼 수 없는 것은?

① 조직의 구조
② 업무의 반복성
③ 근무시간
④ 작업속도

해설

산업스트레스의 요인
1. 직무특성의 요인 : 작업속도, 근무시간, 업무의 반복성, 작업교대, 복잡성, 위험성 등
2. 스트레스는 동기부여의 저하, 신체적, 정신적 건강뿐만 아니라 직무몰입과 생산성 감소의 직접적인 원인이 된다.

06 다음 중 직무적성검사에 있어 갖추어야 할 요건으로 볼 수 없는 것은?

① 규준성
② 타당성
③ 표준화
④ 융통성

해설

심리검사의 구비조건

표준화	검사의 관리를 위한 조건, 절차의 일관성과 통일성에 대한 심리검사의 표준화가 마련되어야 한다.
객관성	검사결과의 채점하는 과정에서 채점자의 편견이나 주관성이 배제되어야 하며, 공정한 평가가 이루어져야 한다.
규준성	검사결과의 해석에 있어 상대적 위치를 결정하기 위한 참조 또는 비교의 기준이 있어야 한다.
타당성	측정하고자 하는 것을 실제로 측정하고 있는 가를 나타내는 것이다.

07 다음 중 안전보건교육의 단계별 교육과정에 해당하지 않는 것은?

① 기능교육
② 지식교육
③ 태도교육
④ 정기교육

해설

안전보건교육의 3단계

제1단계 지식교육 ➡ 제2단계 기능교육 ➡ 제3단계 태도교육

TIP 안전·보건교육의 단계별 교육과정
① 제1단계 : 지식교육
  • 강의, 시청각교육을 통한 지식의 전달과 이해
  • 근로자가 지켜야 할 규정의 숙지를 위한 교육
② 제2단계 : 기능교육
  • 시범, 견학, 실습, 현장실습을 통한 경험체득과 이해
  • 교육 대상자가 스스로 행함으로서 습득하는 교육
  • 같은 내용을 반복해서 개인의 시행착오에 의해서만 얻어지는 교육
③ 제3단계 : 태도교육
  • 작업동작지도, 생활지도 등을 통한 안전의 습관화 및 일체감
  • 동기를 부여하는 데 가장 적절한 교육
  • 안전한 작업방법을 알고는 있으나 시행하지 않는 것에 대한 교육

08 주의의 수준에서 중간 수준에 포함되지 않는 것은?

① 다른 곳에 주의를 기울이고 있을 때
② 가시시야 내 부분
③ 수면 중
④ 일상과 같은 조건일 경우

해설

주의의 수준

0(zero) 수준	• 수면 중 • 자극에 의한 반응시간 내
중간수준	• 다른 곳에 주의를 기울이고 있을 때 • 가시 시야 내 부분 • 일상과 같은 조건의 경우
고수준	• 주시부분 • 예기수준이 높을 때(예측하고 있을 때)

정답 04 ③ 05 ① 06 ④ 07 ④ 08 ③

09 안전보건 교육 단계에 있어 기능교육의 교육 내용으로 틀린 것은?

① 점검 · 검사 · 정비에 관한 기능
② 전문적 기술 및 안전기술
③ 안전장치(방호장치) 관리
④ 안전의식의 향상 및 안전에 대한 책임감 주입

해설

기능교육의 교육내용
1. 전문적 기술기능
2. 안전기술 기능
3. 방호장치 관리기능
4. 점검검사 정비기능

TIP

지식교육의 교육내용	• 안전의식의 향상 • 안전의 책임감을 주입 • 기능, 태도, 교육에 필요한 기초지식의 주입 • 근로자가 지켜야 할 안전규정의 숙지 • 공정 속에 잠재된 위험요소를 이해시킴
태도교육의 교육내용	• 표준작업방법의 습관화 • 공구, 보호구의 관리 및 취급태도의 확립 • 작업 전후의 점검 및 검사 요령의 정확한 습관화 • 안전작업의 지시, 전달, 확인 등 언어태도의 습관화 및 정확화

10 안전교육방법 중 활용할 수 있는 오관(감각기관)에 있어서 효과치가 가장 높은 것은?

① 후각   ② 시각
③ 청각   ④ 촉각

해설

5관(감각기관)의 활용

5관의 효과치	이해도
• 시각효과 : 60% • 청각효과 : 20% • 촉각효과 : 15% • 미각효과 : 3% • 후각효과 : 2%	• 귀 : 20% • 눈 : 40% • 귀+눈 : 60% • 입 : 80% • 머리+손, 발 : 90%

11 알파파에 대응하는 의식수준을 나타내고 정상적인 의식 상태이기는 하나 휴식 시의 긴장을 풀고 쉬는 상태의 의식수준 단계는?

① phase Ⅳ   ② phase Ⅱ
③ phase Ⅰ   ④ phase Ⅲ

해설

의식수준의 단계

단계	의식 상태	의식의 작용	행동 상태	신뢰성	뇌파 형태
Phase 0 (제0단계)	무의식, 실신	0(zero)	수면, 뇌 발작	0(zero)	δ파
Phase Ⅰ (제Ⅰ단계)	정상 이하, 의식흐림 (Subnormal) 의식 몽롱함	활발치 못함 (Inactive) 부주의	피로, 단조로움, 졸음, 술취함	0.9 이하	θ파
Phase Ⅱ (제Ⅱ단계)	정상, 이완상태, 느긋한 기분	수동적, 마음이 안쪽으로 향함	안정기거, 휴식 시, 정례작업 시 (정상작업 시) 일반적으로 일을 시작할 때 안정된 행동	0.99~0.99999	α파
Phase Ⅲ (제Ⅲ단계)	정상, 상쾌한 상태, 분명한 의식	능동적, 앞으로 향하는 주의, 주의력 범위 넓음	판단을 동반한 행동, 적극활동 시 가장 좋은 의식수준상태, 긴급이상 사태를 의식할 때	0.999999 이상 (신뢰도가 가장 높은 상태)	β파
Phase Ⅳ (제Ⅳ단계)	과긴장, 흥분상태	판단정지, 주의의 치우침	긴급 방위반응, 당황해서 패닉 (감정흥분 시 당황한 상태)	0.9 이하	β파 또는 전자파

12 하인리히의 재해구성비율에 따라 경상사고가 87건 발생하였다면 무상해사고는 몇 건이 발생하였겠는가?

① 300건   ② 600건
③ 900건   ④ 1,200건

해설

하인리히(H. W. Heinrich)의 재해구성비율

하인리히의 재해구성비율(1 : 29 : 300)		
중상 및 사망	경상해	무상해사고
1	29	300

$1 : 29 = x : 87$
$29x = 87$
$x = \dfrac{87}{29} = 3(건)$ $29 \times 3 = 87(건)$

$29 : 300 = 87 : x$
$29x = 300 \times 87$
$x = \dfrac{300 \times 87}{29} = 900(건)$

정답 09 ④ 10 ② 11 ② 12 ③

13 상황성 누발자의 재해유발원인과 거리가 먼 것은?

① 작업의 어려움
② 기계설비의 결함
③ 심신의 근심
④ 주의력의 산만

해설

재해 누발자의 유형

상황성 누발자	• 작업이 어렵기 때문 • 기계설비에 결함이 있기 때문 • 심신에 근심이 있기 때문 • 환경상 주의력의 집중이 혼란되기 때문
습관성 누발자	• 재해의 경험에 의해 겁을 먹거나 신경과민 • 일종의 슬럼프 상태
미숙성 누발자	• 기능이 미숙하기 때문 • 환경에 익숙하지 못하기 때문(환경에 적응 미숙)
소질성 누발자	• 개인의 소질 가운데 재해원인의 요소를 가진 자(주의력 산만, 저지능, 흥분성, 비협조성, 소심한 성격, 도덕성의 결여, 감각운동 부적합 등) • 개인의 특수성격 소유자

14 다음 중 산업안전보건법령상 안전보건관리규정에 포함되어 있지 않은 내용은?(단, 그 밖에 안전 및 보건에 관한 사항은 제외한다.)

① 작업자 선발에 관한 사항
② 안전보건교육에 관한 사항
③ 사고 조사 및 대책 수립에 관한 사항
④ 작업장의 안전 및 보건 관리에 관한 사항

해설

안전보건관리규정의 포함사항
1. 안전 및 보건에 관한 관리조직과 그 직무에 관한 사항
2. 안전보건교육에 관한 사항
3. 작업장의 안전 및 보건 관리에 관한 사항
4. 사고 조사 및 대책 수립에 관한 사항
5. 그 밖에 안전 및 보건에 관한 사항

15 위험예지훈련 기초 4라운드(4R)에서 라운드별 내용이 바르게 연결된 것은?

① 1라운드 : 현상파악
② 2라운드 : 대책수립
③ 3라운드 : 목표설정
④ 4라운드 : 본질추구

해설

위험예지훈련의 4라운드
• 1라운드(1R) : 현상파악(사실을 파악한다.)
• 2라운드(2R) : 본질추구(요인을 찾아낸다.)
• 3라운드(3R) : 대책수립(대책을 선정한다.)
• 4라운드(4R) : 목표설정(행동계획을 정한다.)

16 다음 중 매슬로우(Maslow)가 제창한 인간의 욕구 5단계 이론을 단계별로 옳게 나열한 것은?

① 생리적 욕구 → 안전 욕구 → 사회적 욕구 → 존경의 욕구 → 자아실현의 욕구
② 안전 욕구 → 생리적 욕구 → 사회적 욕구 → 존경의 욕구 → 자아실현의 욕구
③ 사회적 욕구 → 생리적 욕구 → 안전 욕구 → 존경의 욕구 → 자아실현의 욕구
④ 사회적 욕구 → 안전 욕구 → 생리적 욕구 → 존경의 욕구 → 자아실현의 욕구

해설

매슬로(Maslow)의 욕구단계 이론

제1단계	생리적 욕구	기아, 갈증, 호흡, 배설, 성욕 등 생명유지의 기본적 욕구
제2단계	안전의 욕구	• 자기보존 욕구-안전을 구하려는 욕구 • 전쟁, 재해, 질병의 위험으로부터 자유로워지려는 욕구
제3단계	사회적 욕구	• 소속감과 애정에 대한 욕구 • 사회적으로 관계를 향상시키는 욕구
제4단계	인정받으려는 욕구 (자기 존중의 욕구)	자존심, 명예, 성취, 지위 등 인정받으려는 욕구
제5단계	자아실현의 욕구	잠재능력을 실현하고자 하는 성취욕구

17 인간의 주의의 특성에 해당하지 않는 것은?

① 변동성
② 선택성
③ 방향성
④ 가시성

정답 13 ④ 14 ① 15 ① 16 ① 17 ④

해설

주의의 특징

선택성	• 주의는 동시에 두 개의 방향에 집중하지 못한다. • 여러 종류의 자극을 지각하거나 수용할 때 특정한 것에 한하여 선택하는 기능이다.
변동성	• 고도의 주의는 장시간 지속할 수 없다.(주의에는 리듬이 존재) • 주의에는 리듬이 있어 언제나 일정 수준을 유지할 수 없다.
방향성	• 한 지점에 주의를 집중하면 다른 곳의 주의는 약해진다. • 주시점만 인지하는 기능이다.

18 학습 성취에 직접적인 영향을 미치는 요인과 가장 거리가 먼 것은?

① 적성 ② 준비도
③ 개인차 ④ 동기유발

해설

학습성취에 직접적인 영향을 미치는 요인
1. 준비도
2. 개인차
3. 동기유발

19 다음 재해손실 비용 중 직접손실비에 해당하는 것은?

① 진료비
② 입원 중의 잡비
③ 당일 손실 시간손비
④ 구원, 연락으로 인한 부동 임금

해설

직접비와 간접비

직접비	법적으로 정한 산재보상비(산재자에게 지급되는 보상비 일체) • 요양급여(진찰비, 간호비용 등) • 휴업급여 • 장해급여 • 간병급여 • 유족급여 • 장의비 • 상병보상 연금 • 기타(장해특별급여, 유족특별급여, 직업재활급여)
간접비	직접비를 제외한 모든 비용(산재로 인해 기업이 입은 재산상의 손실) • 인적 손실 • 물적 손실 • 생산손실 • 특수손실 • 기타 손실

20 기기의 적정한 배치, 변형, 균열, 손상, 부식 등의 유무를 육안, 촉수 등으로 조사 후 그 설비별로 정해진 점검기준에 따라 양부를 확인하는 점검은?

① 외관점검 ② 작동점검
③ 기능점검 ④ 종합점검

해설

안전점검의 종류(점검방법에 의한 구분)

외관점검 (육안점검)	기기의 적정한 배치, 설치상태, 변형, 균열, 손상, 부식, 볼트의 풀림 등의 유무를 외관에서 시각 및 촉각 등으로 조사하고 점검기준에 의행 양부를 확인하는 것
작동점검 (작동상태검사)	안전장치나 누전차단기 등을 정해진 순서에 의해 작동시켜 작동상황의 양부를 확인하는 것
기능점검 (조작검사)	간단한 조작을 행하여 대상기기의 기능의 양부를 확인하는 것
종합점검	정해진 점검기준에 의해 측정·검사하고 또 정해진 조건하에서 운전시험을 행하여 그 기계설비의 종합적인 기능을 확인하는 것

2과목 인간공학 및 위험성 평가·관리

21 인간-기계 시스템에서 기계와 비교한 인간의 장점으로 볼 수 없는 것은?(단, 인공지능과 관련된 사항은 제외한다.)

① 완전히 새로운 해결책을 찾아낸다.
② 여러 개의 프로그램된 활동을 동시에 수행한다.
③ 다양한 경험을 토대로 하여 의사결정을 한다.
④ 상황에 따라 변화하는 복잡한 자극 형태를 식별한다.

해설

인간이 기계보다 우수한 기능
1. 매우 낮은 수준의 자극(시각, 청각, 촉각, 후각, 미각적인)을 감지한다.
2. 수신 상태가 나쁜 음극선과에 나타나는 영상과 같이 배경잡음이 심한 경우에도 신호를 인지할 수 있다.
3. 항공 사진의 피사체나 말소리처럼 상황에 따라 변화하는 복잡한 자극의 형태를 식별할 수 있다.
4. 주의의 예기치 못한 상황을 감지할 수 있다.
5. 많은 양의 정보를 오랜 기간 동안 보관하였다가 적절한 정보를 상기한다.
6. 다양한 경험을 토대로 의사결정을 한다.
7. 어떤 운용 방법이 실패할 경우, 다른 방법을 선택한다.

정답 18 ① 19 ① 20 ① 21 ②

8. 관찰을 통해서 일반화하여 귀납적으로 추리한다.
9. 원칙을 적용하여 다양한 문제를 해결한다.
10. 완전히 새로운 해결책을 찾을 수 있다.
11. 다양한 운용상의 요건에 맞추어서 신체적인 반응을 적응시킨다.
12. 과부하 상황에서 불가피한 경우에는 중요한 일에만 전념한다.
13. 주관적으로 추산하고 평가한다.

> **TIP** 여러 개의 프로그램된 활동을 동시에 수행하는 것은 인간보다 기계가 우수하다.

22 휴먼 에러(Human Error)의 분류 중 필요한 임무나 절차의 순서 착오로 인하여 발생하는 오류는?

① Ommission Error
② Sequential Error
③ Commission Error
④ Extraneous Error

해설

인간실수의 분류(심리적인 분류)

생략에러 (Omission Error, 부작위 실수)	필요한 직무 및 절차를 수행하지 않아(생략) 발생하는 에러 예 가스밸브를 잠그는 것을 잊어 사고가 났다.
작위에러 (Commission Error)	필요한 작업 또는 절차의 불확실한 수행(잘못 수행)으로 인한 에러 예 전선이 바뀌었다, 틀린 부품을 사용하였다, 부품이 거꾸로 조립되었다 등
순서에러 (Sequential Error)	필요한 작업 또는 절차의 순서 착오로 인한 에러 예 자동차 출발 시 핸드브레이크를 해제하지 않고 출발하여 발생한 경우
시간에러 (Time Error)	필요한 직무 또는 절차의 수행지연으로 인한 에러 예 프레스 작업 중에 금형 내에 손이 오랫동안 남아 있어 발생한 재해
과잉행동에러 (Extraneous Error)	불필요한 작업 또는 절차를 수행함으로써 기인한 에러 예 자동차 운전 중 습관적으로 손을 창문으로 내밀어 발생한 재해

23 인체측정치를 이용한 설계에 관한 설명으로 옳은 것은?

① 평균치를 기준으로 한 설계를 제일 먼저 고려한다.
② 의자의 깊이와 너비는 모두 작은 사람을 기준으로 설계한다.
③ 자세와 동작에 따라 고려해야 할 인체측정치수가 달라진다.
④ 큰 사람을 기준으로 한 설계는 인체측정치의 5%tile을 사용한다.

해설

인체계측 자료의 응용원칙
1. 인체측정치를 이용한 설계 흐름도는 조절 가능한 설계 → 극단치를 이용한 설계 → 평균치를 이용한 설계 순서로 설계에 적용한다.
2. 의자의 깊이는 최소 집단치 설계, 의자의 너비는 최대 집단치를 기준으로 설계한다.
3. 최대 집단치를 기준으로 한 설계의 대표치는 남성의 95백분위수를 사용한다.

24 제어장치와 표시장치에 있어 물리적 형태나 배열을 유사하게 설계하는 것은 어떤 양립성(Compatibility)의 원칙에 해당하는가?

① 시각적 양립성(Visual Compatibility)
② 양식 양립성(Modality Compatibility)
③ 공간적 양립성(Spatial Compatibility)
④ 개념적 양립성(Conceptual Compatibility)

해설

양립성의 종류

공간 양립성	• 표시장치와 이에 대응하는 조종장치 간의 위치 또는 배열이 인간의 기대와 모순되지 않아야 한다. • 가스버너에서 오른쪽 조리대는 오른쪽 조절장치로, 왼쪽 조리대는 왼쪽 조절장치로 조정하도록 배치한다.
운동 양립성	• 조작장치의 방향과 표시장치의 움직이는 방향이 사용자의 기대와 일치하는 것 • 자동차를 운전하는 과정에서 우측으로 회전하기 위하여 핸들을 우측으로 돌린다.
개념 양립성	• 사람들이 가지고 있는(이미 사람들이 학습을 통해 알고 있는) 개념적 연상에 관한 기대와 일치하는 것 • 냉온수기에서 빨간색은 온수, 파란색은 냉수가 나온다.
양식 양립성	음성과업에 대해서는 청각적 자극 제시와 이에 대한 음성 응답 등에 해당

25 작업장 내부의 추천반사율이 가장 낮아야 하는 곳은?

① 벽
② 천장
③ 바닥
④ 가구

정답 22 ② 23 ③ 24 ③ 25 ③

해설

실내 면(面)의 추천 반사율

바닥	가구, 사무용 기기, 책상	창문 발(blind), 벽	천정
20~40%	25~45%	40~60%	80~90%

26 인간-기계 체계에서 인간의 과오에 기인된 원인 확률을 분석하여 위험성의 예측과 개선을 위한 평가 기법은?

① PHA
② FMEA
③ THERP
④ MORT

해설

인간과오율 예측기법(THERP ; Technique For Human Error Rate Prediction)
1. 사고원인 가운데 인간의 과오나 기인된 원인분석, 확률을 계산함으로써 제품의 결함을 감소시키고, 인간공학적 대책을 수립하는 데 사용되는 분석기법
2. 인간의 과오(Human Error)를 정량적으로 평가하기 위해 개발된 기법(Swain 등에 의해 개발된 인간과오율 예측기법)

27 FT도에서 입력현상이 발생하여 어떤 일정 시간이 지속된 후 출력이 발생하는 것을 나타내는 게이트나 기호로 옳은 것은?

① 위험 지속 기호
② 조합 AND 게이트
③ 시간 단축 기호
④ 억제 게이트

해설

위험 지속기호

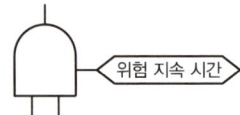

입력사상이 생겨 어떤 일정한 시간이 지속했을 때 출력이 생긴다. 만약 지속되지 않으면 출력은 생기지 않는다.

28 고열환경에서 심한 육체노동 후에 탈수와 체내 염분 농도 부족으로 근육의 수축이 격렬하게 일어나는 장해는?

① 열경련(Heat Cramp)
② 열사병(Heat Stroke)
③ 열쇠약(Heat Prostration)
④ 열피로(Heat Exhaustion)

해설

고열장애의 분류
1. 열경련(Heat Cramp)
   고온환경에서 지속적으로 심한 육체적인 노동을 함으로써 과다한 땀의 배출로 전해질이 고갈되어 발생하는 근육의 경련현상을 말한다.
2. 열사병(Heat Stroke)
   고온다습한 환경에 노출될 때 뇌 온도의 상승으로 신체 내부의 체온조절 중추에 기능장애를 일으켜 생기는 위급한 상태를 말한다.
3. 열쇠약(Heat Prostration)
   고열에 의한 만성 체력소모를 의미한다.
4. 열소모(Heat Exhaustion, 열피로)
   고온환경에서 장시간 힘든 노동을 할 때 땀을 많이 흘려(과다 발한) 수분과 염분 손실이 많을 때 생긴다.

29 일반적으로 인체에 가해지는 온·습도 및 기류 등의 외적변수를 종합적으로 평가하는 데에는 "불쾌지수"라는 지표가 이용된다. 불쾌지수의 계산식이 다음과 같은 경우, 건구온도와 습구온도의 단위로 옳은 것은?

불쾌지수 = 0.72 × (건구온도 + 습구온도) + 40.6

① 실효온도
② 화씨온도
③ 절대온도
④ 섭씨온도

해설

불쾌지수
인체에 가해지는 온·습도 및 기류 등의 외적변수를 종합적으로 평가하는 데에는 불쾌지수라는 지표가 이용된다.

TIP 섭씨 = 0.72 × (건구온도 + 습구온도) + 40.6
화씨 = (건구온도 + 습구온도) × 0.4 + 15
① 70 이하 : 모든 사람이 불쾌를 느끼지 않는다.
② 70 이상 : 불쾌를 느끼기 시작한다.
③ 80 이상 : 모든 사람이 불쾌감을 느낀다.

30 FTA에 의한 재해사례 연구의 순서를 올바르게 나열한 것은?

A. 목표사상 선정   B. FT도 작성
C. 사상마다 재해원인 규명   D. 개선계획 작성

① A → B → C → D
② A → C → B → D
③ B → C → A → D
④ B → A → C → D

해설

FTA에 의한 재해사례의 연구 순서
1. 제1단계 : 톱사상(정상사상)의 선정
2. 제2단계 : 각 사상의 재해원인 규명
3. 제3단계 : FT도의 작성
4. 제4단계 : 개선 계획의 작성

31 1cd의 점광원에서 1m 떨어진 곳에서의 조도가 3lux이었다. 동일한 조건에서 5m 떨어진 곳에서의 조도는 약 몇 lux인가?

① 0.12
② 0.22
③ 0.36
④ 0.56

해설

조도

$$조도 = \frac{광도}{(거리)^2}$$

1. 광도 = 조도 × (거리)^2
2. 1m 거리의 광도 = 3 × 1^2 = 3[cd]이므로
3. 5m 거리의 조도 = $\frac{3}{5^2}$ = 0.12[lux]

32 시식별에 영향을 주는 인자에 해당하지 않는 것은?

① 노출시간
② 연령
③ 마스킹 효과
④ 휘도 수준

해설

시식별에 영향을 주는 조건
1. 노출시간 : 조도가 큰 조건에서는 노출시간이 클수록 식별력이 커지지만 그 이상에서는 같다.
2. 연령 : 나이가 들면 시력과 대비감도가 나빠진다. 일반적으로 40세를 넘어서면서부터 이러한 기능의 저하는 계속된다.
3. 휘광(Glare) : 눈이 적응된 휘도보다 밝은 광원이나 반사광이 시계 내에 있을 때 생기는 눈부심 현상이다.

33 강의용 책상과 의자를 설계할 때 고려해야 할 변수와 적용할 인체측정자료 응용원칙이 적절하게 연결된 것은?

① 의자 높이 – 최대 집단치 설계
② 의자 깊이 – 최대 집단치 설계
③ 의자 너비 – 최대 집단치 설계
④ 책상 높이 – 최대 집단치 설계

해설

책상 및 의자의 높이는 조절 가능한 설계, 의자의 깊이는 최소 집단치 설계를 하는 것이 적절하다.

34 실효온도(ET)의 결정요소가 아닌 것은?

① 온도
② 습도
③ 대류
④ 복사

해설

실효온도(Effective Temperature, 체감온도, 감각온도)
1. 온도, 습도 및 공기의 유동이 인체에 미치는 열효과를 하나의 수치로 통합한 경험적 감각지수
2. 상대습도 100%일 때의 건구온도에서 느끼는 것과 동일한 온감이다.
3. 실제로 감각되는 온도로서 실감온도라고 한다.
4. 실효온도의 결정요소(실효온도에 영향을 주는 요인)
   ㉠ 온도
   ㉡ 습도
   ㉢ 공기의 유동(대류)

35 위험조정을 위해 필요한 기술에 속하지 않는 것은?

① 위험 지연
② 위험 감축
③ 위험 회피
④ 위험 보류

해설

위험처리기술(위험관리기법)

위험의 회피 (Avoidance)	• 위험 자체를 피하는 행위 • 잠재적 이익도 포기하는 극히 소극적인 수단
위험의 감소 (Reduction)	• 위험을 적극적으로 예방하고 경감하는 행위 • 잠재적 위험의 노출을 최대한 감소하는 방법
위험의 전가 (Transfer)	• 위험을 제3자에게 전가하거나 공유하는 행위 • 보험, 공제조합, 기금 등
위험의 보유(보류) (Retention)	• 무계획적 보유 : 가장 위험한 행위 • 계획적 보유 : 회피, 감소, 전가될 수 없는 위험에 적극적으로 대응

정답 30 ② 31 ① 32 ③ 33 ③ 34 ④ 35 ①

36 인간-기계 시스템의 신뢰도를 향상시킬 수 있는 방법으로 가장 적절하지 않은 것은?

① 중복설계
② 고가재료 사용
③ 부품개선
④ 충분한 여유용량

> **해설**
> 신뢰성 설계기술(시스템의 신뢰도를 증가시키는 방법)
> 1. 리던던시 설계(중복설계)
> 2. 부품의 단순화와 표준화
> 3. 최적재료의 선정
> 4. 디레이팅 설계(구성부품에 걸리는 부하의 정격값에 여유를 두고 설계하는 방법)
> 5. 내환경성 설계
> 6. 인간공학적 설계와 보전성 설계(Fail safe와 Fool proof)

37 산업안전보건법령상 정밀작업 시 갖추어져야 할 작업면의 조도 기준은?(단, 갱내 작업장과 감광재료를 취급하는 작업장은 제외한다.)

① 75럭스 이상
② 150럭스 이상
③ 300럭스 이상
④ 750럭스 이상

> **해설**
> 적정 조명 수준
>
> | 작업의 종류 | 작업면 조도 |
> |---|---|
> | 초정밀작업 | 750럭스(lux) 이상 |
> | 정밀작업 | 300럭스(lux) 이상 |
> | 보통작업 | 150럭스(lux) 이상 |
> | 그 밖의 작업 | 75럭스(lux) 이상 |

38 고장의 발생상황 중 부적합품 제조, 생산과정에서의 품질관리 미비, 설계미숙 등으로 일어나는 고장은?

① 초기고장
② 마모고장
③ 우발고장
④ 품질관리고장

> **해설**
> 시스템 수명곡선(욕조곡선)
>
> | | |
> |---|---|
> | 초기고장 | • 감소형-DFR(Decreasing Failure Rate) : 고장률이 시간에 따라 감소
• 불량제조, 생산과정에서 품질관리 미비, 설계미숙 등으로 일어나는 고장
• 점검작업이나 시운전 등으로 감소시킬 수 있다.
• 보전예방(MP) 실시 |
> | 우발고장 | • 일정형-CFR(Constant Failure Rate) : 고장률이 시간에 관계없이 거의 일정
• 예측할 수 없을 때 발생하는 고장으로 시운전이나 점검작업으로는 방지할 수 없다.
• 낮은 안전계수, 사용자의 과오, 설계강도 이상의 급격한 스트레스 축적, 최선의 검사방법으로도 탐지되지 않는 결함 때문에 발생하는 고장
• 사후보전(BM) 실시 |
> | 마모고장 | • 증가형-IFR(Increasing Failure Rate) : 고장률이 시간에 따라 증가
• 장치의 일부가 수명을 다하여 생기는 고장
• 부식 또는 산화, 마모 또는 피로, 불충한 정비 등으로 발생하는 고장
• 안전진단 및 적당한 보수에 의해 감소시킬 수 있다.
• 예방보전(PM) 실시 |

39 다음 중 시스템 안전성 평가의 순서를 가장 올바르게 나열한 것은?

① 자료의 정리 → 정량적 평가 → 정성적 평가 → 대책 수립 → 재평가
② 자료의 정리 → 정성적 평가 → 정량적 평가 → 재평가 → 대책 수립
③ 자료의 정리 → 정량적 평가 → 정성적 평가 → 재평가 → 대책 수립
④ 자료의 정리 → 정성적 평가 → 정량적 평가 → 대책 수립 → 재평가

> **해설**
> 안전성 평가의 단계
> 안전성 평가는 6단계에 의해 실시되며, 경우에 따라 5단계와 6단계가 동시에 이루어지는 경우도 있다.
> 1. 제1단계 : 관계자료의 정비검토
> 2. 제2단계 : 정성적 평가
> 3. 제3단계 : 정량적 평가
> 4. 제4단계 : 안전대책
> 5. 제5단계 : 재해정보에 의한 재평가
> 6. 제6단계 : FTA에 의한 재평가

정답 36 ② 37 ③ 38 ① 39 ④

40 일반적인 인간-기계 시스템의 형태 중 인간이 사용자나 동력원으로 기능하는 것은?

① 수동체계
② 기계화체계
③ 자동체계
④ 반자동체계

해설

인간-기계 통합 체계의 유형

수동 시스템	• 수공구나 기타 보조물로 이루어지며 자신의 신체적인 힘을 원동력으로 사용하여 작업을 통제하는 시스템(인간이 사용자나 동력원으로 가능) • 다양성 있는 체계로 역할할 수 있는 능력을 충분히 활용하는 시스템 예 장인과 공구, 가수와 앰프
기계 시스템	• 고도로 통합된 부품들로 구성되어 있으며, 일반적으로 변화가 거의 없는 기능들을 수행하는 시스템 • 운전자의 조종에 의해 운용되며 융통성이 없는 시스템 • 동력은 기계가 제공하며, 조종장치를 사용하여 통제하는 것은 사람이다. • 반자동 체계라고도 한다. 예 엔진, 자동차, 공작기계
자동 시스템	• 체계가 감지, 정보보관, 정보처리 및 의사결정, 행동을 포함한 모든 임무를 수행하는 체계 • 신뢰성이 완전한 자동체계란 불가능하므로 인간은 감시, 정비, 보전, 계획수립 등의 기능을 수행한다. 예 자동화된 처리공장, 자동교환대, 컴퓨터

3과목 기계·기구 및 설비 안전관리

41 프레스 광전자식 방호장치의 작동시간(T_c)은 30ms이고, 프레스의 급정지시간(T_s)은 20ms라면 광축의 최소 설치거리는?(단, T_c : 광선에 신체의 일부가 감지된 후로부터 급정지기구 작동 시까지의 시간, T_s : 급정지기구가 작동을 개시한 때로부터 슬라이드가 정지 할 때까지의 시간)

① 75mm
② 80mm
③ 100mm
④ 150mm

해설

광전자식 방호장치의 설치 안전거리

$$D = 1,600 \times (T_c + T_s)$$

여기서, D : 안전거리(mm)
T_c : 방호장치의 작동시간[즉, 손이 광선을 차단했을 때부터 급정지기구가 작동을 개시할 때까지의 시간(초)]
T_s : 프레스 등의 최대정지시간[즉, 급정지기구가 작동을 개시했을 때부터 슬라이드 등이 정지할 때까지의 시간(초)]

$D = 1,600 \times (T_c + T_s) = 1,600 \times (0.03 + 0.02) = 80[\text{mm}]$

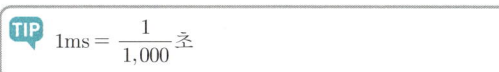

TIP $1\text{ms} = \dfrac{1}{1,000}$ 초

42 보일러수 속에 불순물 농도가 높아지면서 수면에 거품이 형성되어 수위가 불안정하게 되는 현상은?

① 포밍
② 서징
③ 수격현상
④ 공동현상

해설

보일러 취급 시 이상현상

프라이밍 (Priming)	보일러수가 극심하게 끓어서 수면에서 계속하여 물방울이 비산하고 증기부가 물방울로 충만하여 수위가 불안정하게 되는 현상
포밍 (Foaming)	보일러 수에 유지류, 고형물 등의 부유물로 인해 거품이 발생하여 수위를 판단하지 못하는 현상
캐리오버 (Carry Over)	• 보일러에서 증기관 쪽에 보내는 증기에 대량의 물방울이 포함되는 경우로 플라이밍이나 포밍이 생기면 필연적으로 발생 • 보일러에서 증기의 순도를 저하시킴으로써 관내 응축수가 생겨 워터해머의 원인이 되는 것
워터해머 (Water Hammer, 수격작용)	증기관 내에서 증기를 보내기 시작할 때 해머로 치는 듯한 소리를 내며 관이 진동하는 현상. 워터해머는 캐리오버에 기인한다.

43 기계의 운동 형태에 따른 위험점의 분류에서 고정부분과 회전하는 동작부분이 함께 만드는 위험점으로 연삭숫돌과 작업대, 교반기의 교반날개와 몸체 사이에서 형성되는 위험점으로 가장 적절한 것은?

① 회전말림점
② 절단점
③ 끼임점
④ 물림점

정답 40 ① 41 ② 42 ① 43 ③

> **해설**

기계운동 형태에 따른 위험점 분류

협착점 (Squeeze point)	왕복운동을 하는 운동부와 움직임이 없는 고정부 사이에서 형성되는 위험점(고정점 + 운동점)	• 프레스 • 전단기 • 성형기 • 조형기 • 밴딩기 • 인쇄기
끼임점 (Shear point)	회전운동하는 부분과 고정부 사이에 위험이 형성되는 위험점(고정점 + 회전운동)	• 연삭숫돌과 작업대 • 반복동작되는 링크기구 • 교반기의 날개와 몸체 사이 • 회전풀리와 벨트
절단점 (Cutting point)	회전하는 운동부 자체의 위험이나 운동하는 기계부분 자체의 위험에서 형성되는 위험점(회전운동 + 기계)	• 밀링커터 • 둥근 톱의 톱날 • 목공용 띠톱 날
물림점 (Nip point)	회전하는 두 개의 회전체에 형성되는 위험점(서로 반대방향의 회전체)(중심점 + 반대방향의 회전운동)	• 기어와 기어의 물림 • 롤러와 롤러의 물림 • 롤러 분쇄기
접선 물림점 (Tangential nip point)	회전하는 부분의 접선방향으로 물려 들어갈 위험이 있는 위험점	• V벨트와 풀리 • 랙과 피니언 • 체인벨트 • 평벨트
회전 말림점 (Trapping point)	회전하는 물체의 길이, 굵기, 속도 등의 불규칙 부위와 돌기 회전부위에 의해 장갑 또는 작업복 등이 말려들 위험이 있는 위험점	• 회전하는 축 • 커플링 • 회전하는 드릴

44 산업안전보건법령상 와이어로프를 달비계에 사용해도 되는 것으로 가장 적절한 것은?

① 열과 전기충격에 의해 손상된 것
② 심하게 변형되거나 부식된 것
③ 지름의 감소가 공칭지름의 1퍼센트만 감소한 것
④ 이음매가 있을 것

> **해설**

와이어로프 사용금지 조건
1. 이음매가 있는 것
2. 와이어로프의 한 꼬임에서 끊어진 소선의 수가 10퍼센트 이상인 것
3. 지름의 감소가 공칭지름의 7퍼센트를 초과하는 것
4. 꼬인 것
5. 심하게 변형되거나 부식된 것
6. 열과 전기충격에 의해 손상된 것

45 산업안전보건법령에 따른 다음 설명에 해당하는 기계 설비는?

> 동력을 사용하여 가이드레일을 따라 상하로 움직이는 운반구를 매달아 사람이나 화물을 운반할 수 있는 설비 또는 이와 유사한 구조 및 성능을 가진 것으로 건설현장에서 사용하는 것

① 건설용 리프트
② 이삿짐운반용 리프트
③ 곤돌라
④ 크레인

> **해설**

양중기의 정의

건설용 리프트	동력을 사용하여 가이드레일(운반구를 지지하여 상승 및 하강 동작을 안내하는 레일)을 따라 상하로 움직이는 운반구를 매달아 사람이나 화물을 운반할 수 있는 설비 또는 이와 유사한 구조 및 성능을 가진 것으로 건설현장에서 사용하는 것
이삿짐운반용 리프트	연장 및 축소가 가능하고 끝단을 건축물 등에 지지하는 구조의 사다리형 붐에 따라 동력을 사용하여 움직이는 운반구를 매달아 화물을 운반하는 설비로서 화물자동차 등 차량 위에 탑재하여 이삿짐 운반 등에 사용하는 것
곤돌라	달기발판 또는 운반구, 승강장치, 그 밖의 장치 및 이들에 부속된 기계부품에 의하여 구성되고, 와이어로프 또는 달기강선에 의하여 달기발판 또는 운반구가 전용 승강장치에 의하여 오르내리는 설비를 말한다.
크레인	동력을 사용하여 중량물을 매달아 상하 및 좌우(수평 또는 선회)로 운반하는 것을 목적으로 하는 기계 또는 기계장치를 말하며, "호이스트"란 훅이나 그 밖의 달기구 등을 사용하여 화물을 권상 및 횡행 또는 권상동작만을 하여 양중하는 것을 말한다.

46 인간이 기계 등의 취급을 잘못 또는 실수를 하여도 그것이 바로 사고나 재해와 연결되지 않도록 하는 기능은?

① 피로(Fatigue)
② 풀 프루프
③ 페일 엑티브
④ 페일 세이프

해설
풀 프루프와 페일 세이프

풀 프루프 (Fool Proof)	작업자가 기계를 잘못 취급하여 불안전 행동이나 실수를 하여도 기계설비의 안전기능이 작용되어 재해를 방지할 수 있는 기능을 가진 구조
페일 세이프 (Fail Safe)	기계나 그 부품에 파손·고장·기능 불량이 발생하여도 항상 안전하게 작동할 수 있는 기능을 가진 구조

47 기계의 원동기·회전축·기어·풀리·플라이휠·벨트 및 체인 등 근로자에게 위험에 미칠 우려가 있는 부위에 설치해야 하는 위험방지 장치 중 가장 적절하지 않은 것은?

① 덮개 ② 건널다리
③ 클러치 ④ 슬리브

해설
원동기·회전축 등의 위험방지

원동기·회전축·기어·풀리·플라이휠·벨트 및 체인 등 근로자가 위험에 처할 우려가 있는 부위	덮개, 울, 슬리브, 건널다리 등
회전축·기어·풀리 및 플라이휠 등에 부속되는 키·핀 등의 기계요소	· 묻힘형 · 덮개
벨트의 이음 부분	돌출된 고정구 사용 금지

48 연삭숫돌의 지름이 100mm이고, 회전수가 1,000rpm이면 숫돌의 원주속도(m/s)는?

① 약 5.24 ② 약 6.51
③ 약 8.77 ④ 약 10.33

해설
원주속도(회전속도)

$$V = \pi DN(\text{mm/min}) = \frac{\pi DN}{1,000}(\text{m/min})$$

여기서, V : 원주속도(회전속도)(m/min)
D : 숫돌의 지름(mm)
N : 숫돌의 매분 회전수(rpm)

1. $V = \frac{\pi DN}{1,000}(\text{m/min}) = \frac{\pi \times 100 \times 1,000}{1,000} = 314.16(\text{m/min})$

2. 원주속도의 단위를 m/min에서 m/s로 주어졌으므로
$V = 314.16 \times \frac{1}{60(\bar{\pm})} = 5.24$

49 지게차의 안정도 기준으로 틀린 것은?

① 기준무부하상태에서 주행 시의 좌우안정도는 $(15 + 1.1V)\%$ 이내이고, V는 구내 최고속도(km/h)를 의미한다.
② 하역작업 시의 좌우안정도는 최대하중상태에서 포크를 가장 높이 올리고 마스트를 가장 뒤로 기울인 상태에서 6% 이내이다.
③ 기준부하상태에서 주행 시의 전후안정도는 20% 이상이다.
④ 하역작업 시의 전후안정도는 최대하중상태에서 포크를 가장 높이 올린 경우 4% 이내이며, 5톤 이상은 3.5% 이내이다.

해설
지게차의 안정도 기준
1. 하역작업 시의 전후안정도 4% 이내(5톤 이상 : 3.5% 이내)(최대하중상태에서 포크를 가장 높이 올린 경우)
2. 주행 시의 전후안정도 18% 이내(기준부하상태)
3. 하역작업 시의 좌우안정도 6% 이내(최대하중상태에서 포크를 가장 높이 올리고 마스트를 가장 뒤로 기울인 경우)
4. 주행 시의 좌우안정도 $(15+1.1V)\%$ 이내, V : 최고속도(km/h)(기준무부하상태)

50 선반에서 절삭가공 중 발생하는 연속적인 칩을 자동적으로 끊어 주는 역할을 하는 것은?

① 칩 브레이커
② 방진구
③ 보안경
④ 커버

해설
선반의 방호장치(안전장치)

칩 브레이커 (Chip Breaker)	절삭 중 칩을 자동적으로 끊어 주는 바이트에 설치된 안전장치
급정지 브레이크	가공작업 중 선반을 급정지시킬 수 있는 방호장치
실드 (Shield)	가공물의 칩이 비산되어 발생하는 위험을 방지하기 위해 사용하는 덮개(칩비산방지 투명판)
척 커버 (Chuck Cover)	척과 척으로 잡은 가공물의 돌출부에 작업자가 접촉하지 않도록 설치하는 덮개

51 산업안전보건법령상 롤러기의 무부하로 회전시킨 상태에서 앞면 롤러의 직경이 30cm, 표면원주속도가 20m/min이라면 급정지거리의 성능은?

① 앞면 롤러 원주의 1/3
② 앞면 롤러 원주의 1/4
③ 앞면 롤러 원주의 1/2.5
④ 앞면 롤러 원주의 1/2

해설
무부하 동작에서 급정지거리

앞면 롤러의 표면속도(m/min)	급정지거리
30 미만	앞면 롤러 원주의 1/3
30 이상	앞면 롤러 원주의 1/2.5

52 산업안전보건법령에 따라 아세틸렌발생기실에 설치해야 할 배기통은 얼마 이상의 단면적을 가져야 하는가?

① 바닥면적의 $\dfrac{1}{16}$ ② 바닥면적의 $\dfrac{1}{20}$
③ 바닥면적의 $\dfrac{1}{24}$ ④ 바닥면적의 $\dfrac{1}{30}$

해설
발생기실의 구조
1. 벽은 불연성 재료로 하고 철근 콘크리트 또는 그 밖에 이와 동등하거나 그 이상의 강도를 가진 구조로 할 것
2. 지붕과 천장에는 얇은 철판이나 가벼운 불연성 재료를 사용할 것
3. 바닥면적의 16분의 1 이상의 단면적을 가진 배기통을 옥상으로 돌출시키고 그 개구부를 창이나 출입구로부터 1.5미터 이상 떨어지도록 할 것
4. 출입구의 문은 불연성 재료로 하고 두께 1.5밀리미터 이상의 철판이나 그 밖에 그 이상의 강도를 가진 구조로 할 것
5. 벽과 발생기 사이에는 발생기의 조정 또는 카바이드 공급 등의 작업을 방해하지 않도록 간격을 확보할 것

53 산업용 로봇의 작동범위에서 그 로봇에 관하여 교시 등의 작업을 하는 경우 작업시간 전 점검사항에 해당하지 않는 것은?(단, 로봇의 동력원을 차단하고 행하는 것을 제외한다.)

① 회전부의 덮개 또는 울 부착 여부
② 제동장치 및 비상정지장치의 기능
③ 외부전선의 피복 또는 외장의 손상 유무
④ 매니퓰레이터(Manipulator) 작동의 이상 유무

해설
교시 등의 작업을 할 때 작업시작 전 점검사항
1. 외부 전선의 피복 또는 외장의 손상 유무
2. 매니퓰레이터(Manipulator) 작동의 이상 유무
3. 제동장치 및 비상정지장치의 기능

54 산업안전보건법령상 컨베이어의 안전장치로 가장 거리가 먼 것은?

① 호이스트   ② 덮개
③ 비상정지장치   ④ 이탈 및 역주행방지장치

해설
컨베이어의 안전장치
1. 이탈 및 역주행방지장치   3. 덮개 또는 울
2. 비상정지장치   4. 건널다리

55 크레인 작업 시 300kg의 질량을 10m/s²의 가속도로 감아올릴 때 로프에 걸리는 총 하중은 약 몇 N인가?(단, 중력가속도는 9.81m/s²로 한다.)

① 2,943   ② 3,000
③ 5,943   ④ 8,886

해설
와이어로프에 걸리는 하중 계산

와이어로프에 걸리는 총하중	총하중(W) = 정하중(W_1) + 동하중(W_2) 동하중(W_2) = $\dfrac{W_1}{g} \times a$ g : 중력가속도(9.8m/s²), a : 가속도(m/s²)
와이어로프에 작용하는 장력	장력[N] = 총하중[kg] × 중력가속도[m/s²]

1. 동하중
  동하중(W_2) = $\dfrac{W_1}{g} \times a = \dfrac{300}{9.81} \times 10 = 305.81(\text{kgf})$
2. 총하중
  총하중(W) = 정하중(W_1) + 동하중(W_2)
     = 300 + 305.81 = 605.81(kgf)
3. 장력
  장력(N) = 총하중(kg) × 중력가속도(m/s²)
     = 605.81(kgf) × 9.81
     = 5,942.996(N)

정답 51 ① 52 ① 53 ① 54 ① 55 ③

56 기계설비의 안전화를 크게 외관의 안전화, 기능의 안전화, 구조적 안전화로 구분할 때, 기능의 안전화에 해당되는 것은?

① 안전율의 확보
② 위험부위 덮개 설치
③ 기계 외관에 안전 색채 사용
④ 전압 강하 시 기계의 자동정지

해설
기능적 안전화
1. 기계나 기구를 사용할 때 기계의 기능이 저하하지 않고 안전하게 작업하는 것으로 능률적이고 재해방지를 위한 설계를 한다.
2. 적절한 조치가 필요한 이상상태(자동화된 기계설비가 재해 측면에서의 불리한 조건)
   ㉠ 전압강하, 정전 시 기계 오동작
   ㉡ 단락, 스위치 릴레이 고장 시 오동작
   ㉢ 사용압력 변동 시 오동작
   ㉣ 밸브계통의 고장에 의한 오동작

TIP
• 안전율의 확보 : 구조적 안전화
• 위험부위 덮개 설치, 기계 외관에 안전 색채 사용 : 외관의 안전화

57 다음 중 보일러의 폭발사고 예방을 위한 장치로 가장 거리가 먼 것은?

① 압력제한 스위치
② 압력방출장치
③ 고저수위 고정장치
④ 화염 검출기

해설
보일러 안전장치의 종류
• 압력방출장치
• 압력제한스위치
• 고저수위조절장치
• 화염검출기

58 다음 중 크레인의 방호장치로 가장 적절하지 않은 것은?

① 파이널 리밋 스위치
② 과부하방지장치
③ 비상정지장치
④ 권과방지장치

해설
양중기 방호장치의 종류

방호장치의 조정 대상	크레인, 이동식 크레인, 리프트, 곤돌라, 승강기
방호장치의 종류	• 과부하방지장치 • 권과방지장치 • 비상정지장치 및 제동장치 • 그 밖의 방호장치(승강기의 파이널 리밋 스위치, 속도조절기, 출입문 인터록 등)

59 기계설비의 방호는 위험장소에 대한 방호와 위험원에 대한 방호로 분류할 때, 다음 위험원에 대한 방호장치에 해당하는 것은?

① 격리형 방호장치
② 포집형 방호장치
③ 접근거부형 방호장치
④ 위치제한형 방호장치

해설
방호장치의 분류
1. 위험장소 : 격리형 방호장치, 위치제한형 방호장치, 접근반응형 방호장치, 접근 거부형 방호장치
2. 위험원 : 포집형 방호장치, 감지형 방호장치

60 연삭기 숫돌의 파괴 원인으로 볼 수 없는 것은?

① 숫돌의 회전속도가 너무 빠를 때
② 숫돌 자체에 균열이 있을 때
③ 숫돌의 정면을 사용할 때
④ 숫돌에 과대한 충격을 주게 되는 때

해설
연삭숫돌의 파괴 원인
1. 숫돌의 회전속도가 너무 빠를 때
2. 숫돌 자체에 균열이 있을 때
3. 숫돌에 과대한 충격을 가할 때
4. 숫돌의 측면을 사용하여 작업할 때
5. 숫돌의 불균형이나 베어링 마모에 의한 진동이 있을 때 (숫돌이 경우에 따라 파손될 수 있다.)
6. 숫돌 반경방향의 온도변화가 심할 때
7. 작업에 부적당한 숫돌을 사용할 때
8. 숫돌의 치수가 부적당할 때
9. 플랜지가 현저히 작을 때

정답 56 ④ 57 ③ 58 ① 59 ② 60 ③

4과목 전기 및 화학설비 안전관리

61 다음 중 전류밀도, 통전전류, 접촉면적과 피부저항의 관계를 설명한 것으로 옳은 것은?

① 전류밀도와 통전전류는 반비례한다.
② 같은 크기의 전류가 흘러도 접촉면적이 커지면 전류밀도도 커진다.
③ 통전전류와 접촉면적에 관계없이 피부저항은 항상 일정하다.
④ 전류밀도와 접촉면적은 반비례한다.

해설
피부와 전극 접촉면적에 의한 변화
같은 크기의 전류가 흘러도 접촉면적이 커지면 피부저항은 그만큼 적게 되며, 전류밀도 또한 줄어든다.

62 파이프 등에 유체가 흐를 때 발생하는 유동대전에 가장 큰 영향을 미치는 요인은?

① 유체의 이동거리
② 유체의 점도
③ 유체의 속도
④ 유체의 양

해설
유동대전
1. 액체류를 파이프 등으로 수송할 때 액체류가 파이프 등과 접촉하여 두 물질의 경계에 전기 2중층이 형성되어 정전기 발생
2. 액체류의 유동속도가 정전기 발생에 큰 영향을 준다.
3. 파이프 속에 저항이 높은 액체가 흐를 때 발생

63 감전에 의한 전격위험을 결정하는 주된 인자와 거리가 먼 것은?

① 통전저항
② 통전전류의 크기
③ 통전경로
④ 통전시간

해설
감전재해의 요인

1차적 감전요소	• 통전전류의 크기 : 크면 위험, 인체의 저항이 일정할 때 접촉전압에 비례 • 통전경로 : 인체의 주요한 부분을 흐를수록 위험 • 통전시간 : 장시간 흐르면 위험 • 전원의 종류 : 전원의 크기(전압)가 동일한 경우 교류가 직류보다 위험하다.
2차적 감전요소	• 인체의 조건(저항) : 땀에 젖어 있거나 물에 젖어 있는 경우 인체의 저항이 감소하므로 위험성이 높아진다. • 전압 : 전압의 크기가 클수록 위험하다. • 계절 : 계절에 따라 인체의 저항이 변화하므로 전격에 대한 위험도에 영향을 준다.

64 피뢰기에 요구되는 성능으로 틀린 것은?

① 충격 방전개시전압이 낮을 것
② 속류 차단을 확실하게 할 수 있을 것
③ 상용주파 방전개시전압은 선로의 전압보다 낮을 것
④ 제한전압이 낮을 것

해설
피뢰기의 구비성능
1. 충격 방전 개시 전압과 제한 전압이 낮을 것
2. 반복 동작이 가능할 것
3. 구조가 견고하며 특성이 변화하지 않을 것
4. 점검, 보수가 간단할 것
5. 뇌전류의 방전능력이 클 것
6. 속류의 차단이 확실하게 될 것

65 산업안전보건기준에 관한 규칙에 따른 전기기계·기구의 설치 시 고려할 사항으로 거리가 먼 것은?

① 전기기계·기구의 충분한 전기적 용량 및 기계적 강도
② 전기기계·기구의 안전효율을 높이기 위한 시간 가동률
③ 습기·분진 등 사용장소의 주위 환경
④ 전기적·기계적 방호수단의 적정성

해설
전기기계·기구 설치 시 고려사항
1. 전기 기계·기구의 충분한 전기적 용량 및 기계적 강도
2. 습기·분진 등 사용장소의 주위 환경
3. 전기적·기계적 방호수단의 적정성

정답 61 ④ 62 ③ 63 ① 64 ③ 65 ②

66 감전사고의 사망경로에 해당되지 않는 것은?

① 전류가 뇌의 호흡중추부로 흘러 발생한 호흡기능 마비
② 전류가 흉부에 흘러 발생한 흉부근육수축으로 인한 질식
③ 전류가 심장부로 흘러 심실세동에 의한 혈액순환기능 장애
④ 전류가 인체에 흐를 때 인체에 저항으로 발생한 주울열에 의한 화상

해설
전격(감전)현상의 메커니즘
1. 심장부에 전류가 흘러 심실세동이 발생하여 혈액순환기능이 상실되어 일어난 것
2. 뇌의 호흡중추신경에 전류가 흘러 호흡기능이 정지되어 일어난 것
3. 흉부에 전류가 흘러 흉부근육수축에 의한 질식으로 일어난 것

67 전기화재의 직접적인 발생요인과 가장 거리가 먼 것은?

① 피뢰기의 손상
② 누전, 열의 축적
③ 과전류 및 절연의 손상
④ 자락 및 접속불량으로 인한 과열

해설
전기화재의 원인
1. 단락
2. 누전
3. 과전류
4. 스파크
5. 접촉부과열
6. 절연열화에 의한 발열
7. 지락
8. 낙뢰
9. 정전기 스파크

68 사용전압이 154kV인 변압기 설비를 지상에 설치할 때 감전사고 방지대책으로 울타리의 높이와 울타리로부터 충전부분까지의 거리의 합계의 최솟값은?

① 3m
② 5m
③ 6m
④ 8m

해설
발전소 등의 울타리·담 등의 시설
1. 울타리·담 등의 높이는 2m 이상으로 하고 지표면과 울타리·담 등의 하단 사이의 간격은 0.15m 이하로 할 것
2. 울타리·담 등과 고압 및 특고압의 충전 부분이 접근하는 경우에는 울타리·담 등의 높이와 울타리·담 등으로부터 충전부분까지 거리의 합계는 다음 표에서 정한 값 이상으로 할 것

사용전압의 구분	울타리·담 등의 높이와 울타리·담 등으로부터 충전부분까지의 거리의 합계
35kV 이하	5m
35kV 초과 160kV 이하	6m
160kV 초과	6m에 160kV를 초과하는 10kV 또는 그 단수마다 12cm를 더한 값

69 다음 중 전선이 연소될 때의 단계별 순서로 가장 적절한 것은?

① 착화단계 → 순시용단 단계 → 발화단계 → 인화단계
② 인화단계 → 착화단계 → 발화단계 → 순시용단 단계
③ 순시용단 단계 → 착화단계 → 인화단계 → 발화단계
④ 발화단계 → 순시용단 단계 → 착화단계 → 인화단계

해설
배선의 용단단계에 따른 전선 전류밀도(전선의 연소 과정)

단계	인화단계	착화단계	발화단계		순시용단 단계
	허용전류의 3배정도	큰 전류, 점화원없이 착화연소	심선이 용단		심선용단 및 도선 폭발
			발화 후 용단	용단과 동시발화	
전류밀도 (A/mm²)	40~43	43~60	60~70	75~120	120 이상

70 어떤 도체에 20초 동안에 100C의 전하량이 이동하면 이때 흐르는 전류(A)는?

① 200
② 50
③ 10
④ 5

해설
전류
어떤 도체의 단면을 t[sec] 동안 Q[C]의 전하가 이동할 때 통과하는 전하의 양으로 나타낸다.

정답 66 ④ 67 ① 68 ③ 69 ② 70 ④

$$I = \frac{Q}{t}[C/\sec][A]$$

여기서, 1[A]는 1[sec] 동안에 1[C]의 전기량이 이동할 때의 전류의 크기를 말한다.

$I = \frac{Q}{t} = \frac{100}{20} = 5[A]$

71 다음 중 폭발한계에 영향을 주는 요소에 관한 설명으로 틀린 것은?

① 일반적으로 폭발범위는 온도상승에 의해서 넓게 된다.
② 폭발하한값은 일반적으로 압력상승에 따라 증가한다.
③ 폭발상한값은 산소농도가 증가하면 현저히 증가한다.
④ 폭발범위는 위쪽으로 전파하는 화염에서 측정할 경우 가장 넓은 값이 나온다.

해설
가연성가스의 폭발범위 영향 요소
1. 가스의 온도가 높을수록 폭발범위도 일반적으로 넓어진다.(폭발하한계는 감소, 폭발상한계는 증가)
2. 가스의 압력이 높아지면 폭발하한계는 영향이 없으나 폭발상한계는 증가한다.
3. 산소 중에서의 폭발범위는 공기 중에서 보다 넓어진다.
4. 압력이 상압인 1atm보다 낮아질 때 폭발범위는 큰 변화가 없다.
5. 일산화탄소는 압력이 높을수록 폭발범위가 좁아지고, 수소는 10atm까지는 좁아지지만 그 이상의 압력에서는 넓어진다.
6. 불활성 기체가 첨가될 경우 혼합가스의 농도가 희석되어 폭발범위가 좁아진다.
7. 화학양론농도 부근에서는 연소나 폭발이 가장 일어나기 쉽고 또한 격렬한 정도도 크다.

72 산업안전보건법령에서 정한 위험물질의 종류에서 "물반응성 물질 및 인화성 고체"에 해당하는 것은?

① 니트로화합물
② 과염소산
③ 아조화합물
④ 칼륨

해설
물반응성 물질 및 인화성 고체
1. 리튬
2. 칼륨·나트륨
3. 황
4. 황린
5. 황화인·적린
6. 셀룰로이드류
7. 알킬알루미늄·알킬리튬
8. 마그네슘 분말
9. 금속 분말(마그네슘 분말은 제외)
10. 알칼리금속(리튬·칼륨 및 나트륨은 제외)
11. 유기 금속화합물(알킬알루미늄 및 알킬리튬은 제외)
12. 금속의 수소화물
13. 금속의 인화물
14. 칼슘 탄화물, 알루미늄 탄화물
15. 그 밖에 1부터 14까지의 물질과 같은 정도의 발화성 또는 이 있는 물질
16. 1부터 15까지의 물질을 함유한 물질

> TIP ① 니트로소화합물, 아조화합물 : 폭발성 물질 및 유기과산화물
> ② 과염소산 : 산화성 액체 및 산화성 고체

73 산업안전보건기준에 관한 규칙에서 규정하는 급성 독성 물질의 기준으로 틀린 것은?

① 쥐에 대한 경구투입실험에 의하여 실험동물의 50%를 사망시킬 수 있는 물질의 양이 kg당 300mg-(체중) 이하인 화학물질
② 쥐에 대한 경피흡수실험에 의하여 실험동물의 50%를 사망시킬 수 있는 물질의 양이 kg당 1,000mg-(체중) 이하인 화학물질
③ 토끼에 대한 경피흡수실험에 의하여 실험동물의 50%를 사망시킬 수 있는 물질의 양이 kg당 1,000mg-(체중) 이하인 화학물질
④ 쥐에 대한 4시간 동안의 흡입실험에 의하여 실험동물의 50%를 사망시킬 수 있는 가스의 농도가 3,000ppm 이상인 화학물질

해설
급성 독성 물질
1. 쥐에 대한 경구투입실험에 의하여 실험동물의 50퍼센트를 사망시킬 수 있는 물질의 양, 즉 LD50(경구, 쥐)이 킬로

그램당 300밀리그램 – (체중) 이하인 화학물질
2. 쥐 또는 토끼에 대한 경피흡수실험에 의하여 실험동물의 50퍼센트를 사망시킬 수 있는 물질의 양, 즉 LD50(경피, 토끼 또는 쥐)이 킬로그램당 1,000밀리그램 – (체중) 이하인 화학물질
3. 쥐에 대한 4시간 동안의 흡입실험에 의하여 실험동물의 50퍼센트를 사망시킬 수 있는 물질의 농도, 즉 가스 LC50(쥐, 4시간 흡입)이 2,500ppm 이하인 화학물질, 증기 LC50(쥐, 4시간 흡입)이 10mg/L 이하인 화학물질, 분진 또는 미스트 1mg/L 이하인 화학물질

74 가정에서 요리를 할 때 사용하는 가스레인지에서 일어나는 가스의 연소형태에 해당되는 것은?

① 자기연소 ② 분해연소
③ 표면연소 ④ 확산연소

해설

확산연소
1. 가연성 가스가 공기 중의 지연성 가스(산소)와 접촉하여 접촉면에서 연소가 일어나는 현상(수소, 메탄, 프로판, 부탄 등)
2. 기체의 일반적인 연소형태이다.

75 메탄 20vol%, 에탄 25vol%, 프로판 55vol%의 조성을 가진 혼합가스의 폭발하한계 값(vol%)은 약 얼마인가?(단, 메탄, 에탄 및 프로판가스의 폭발하한 값은 각각 5vol%, 3vol%, 2vol% 이다.)

① 2.51 ② 3.12
③ 4.26 ④ 5.22

해설

르샤틀리에의 법칙(순수한 혼합가스일 경우)

$$\frac{100}{L} = \frac{V_1}{L_1} + \frac{V_2}{L_2} + \frac{V_2}{L_3} \cdots\cdots$$

$$L = \frac{100}{\frac{V_1}{L_1} + \frac{V_2}{L_2} + \cdots\cdots + \frac{V_n}{L_n}}$$

여기서, V_n : 전체 혼합가스 중 각 성분 가스의 체적(비율)[%]
L_n : 각 성분 단독의 폭발한계(상한 또는 하한)
L : 혼합가스의 폭발한계(상한 또는 하한)[vol%]

$$L = \frac{100}{\frac{20}{5} + \frac{25}{3} + \frac{55}{2}} = 2.51 [\text{vol}\%]$$

76 배관설비 중 유체의 역류를 방지하기 위하여 설치하는 밸브는?

① 글로브밸브 ② 체크밸브
③ 게이트밸브 ④ 시퀀스밸브

해설

밸브

글로브 밸브	유체의 흐름과 평행하게 밸브가 개폐(가정에서 사용하는 수도꼭지 같은 것으로 섬세한 유량을 조절할 수 있다.)
체크밸브	유체의 역류를 방지하는 밸브이며, 펌프의 토출구 등에 많이 사용된다.
게이트밸브	유체의 흐름과 직각으로 움직이는 게이트를 상하 운동에 의행 유량 조절(저수지 수문과 같은 것으로 섬세한 유량의 조절은 힘들다.)
시퀀스밸브	2개 이상의 분기회로를 가지는 회로 중에서 그 작동 순서를 회로의 압력에 의하여 제어하는 밸브

77 다음 중 화재의 종류가 옳게 연결된 것은?

① A급 화재 – 유류화재
② B급 화재 – 유류화재
③ C급 화재 – 일반화재
④ D급 화재 – 일반화재

해설

화재의 종류

분류	A급 화재	B급 화재	C급 화재	D급 화재
명칭	일반화재	유류화재	전기화재	금속화재
분류	보통 잔재의 작열에 의해 발생하는 연소에서 보통 유기 성질의 고체물질을 포함한 화재	액체 또는 액화할 수 있는 고체를 포함한 화재 및 가연성 가스 화재	통전 중인 전기 설비를 포함한 화재	금속을 포함한 화재
가연물	목재, 종이, 섬유 등	가솔린, 등유, 프로판 가스 등	전기기기, 변압기, 전기다리미 등	가연성 금속 (Mg분, Al분)
소화 방법	냉각소화	질식소화	질식, 냉각소화	질식소화
적응 소화제	• 물 소화기 • 강화액 소화기 • 산·알칼리 소화기	• 이산화탄소 소화기 • 할로겐화합물 소화기 • 분말 소화기 • 포말 소화기	• 이산화탄소 소화기 • 할로겐화합물 소화기 • 분말 소화기 • 무상강화액 소화기	• 건조사 • 팽창 질석 • 팽창 진주암
표시색	백색	황색	청색	무색

정답 74 ④ 75 ① 76 ② 77 ②

78 다음은 산업안전보건법령에 따른 위험물질의 종류 중 부식성 염기류에 관한 내용이다. ( ) 안에 알맞은 수치는?

> 농도가 ( )퍼센트 이상인 수산화나트륨, 수산화칼륨, 그 밖에 이와 같은 정도 이상의 부식성을 가지는 염기류

① 20
② 40
③ 60
④ 80

해설
부식성 물질

부식성 산류	• 농도가 20퍼센트 이상인 염산, 황산, 질산, 그 밖에 이와 같은 정도 이상의 부식성을 가지는 물질 • 농도가 60퍼센트 이상인 인산, 아세트산, 불산, 그 밖에 이와 같은 정도 이상의 부식성을 가지는 물질
부식성 염기류	농도가 40퍼센트 이상인 수산화나트륨, 수산화칼륨, 그 밖에 이와 같은 정도 이상의 부식성을 가지는 염기류

79 다음의 주의사항에 해당하는 물질은?

> 산화제와 접촉 및 혼합은 위험하고 화재 시 주수소화를 하면 위험성이 더 커지므로 건조한 모래 등으로 질식소화를 한다.

① 마그네슘
② 과산화수소
③ 과염소산나트륨
④ 황인

해설
마그네슘(제2류 위험물)
1. 고온에서 유황 및 할로겐, 산화제와 접촉하면 매우 격렬하게 발열한다.
2. 일단 연소하면 소화가 곤란하나 초기 소화 또는 대규모 화재 시는 석회분, 마른 모래 등으로 소화한다.
3. 물, CO_2, N_2, 포, 할로겐 화합물 소화약제는 소화 적응성이 없으므로 절대 사용을 엄금한다.

80 다음 중 화학반응에 의해 발생하는 열이 아닌 것은?

① 연소열
② 압축열
③ 반응열
④ 분해열

해설
반응열
1. 화학반응에 수반하여 방출 또는 흡수되는 에너지의 양을 말한다.
2. 종류로는 생성열, 연소열, 중화열, 융해열, 분해열, 희석열, 전리열이 있다.

5과목 건설공사 안전관리

81 철골조립 공사 중에 볼트작업을 하기 위해 주체인 철골에 매달아서 작업발판으로 이용하는 비계는?

① 달비계
② 말비계
③ 달대비계
④ 선반비계

해설
달대비계
철골 조립공사 중에 리벳이나 볼트 작업을 하기 위해 주체인 철골에 매달아서 작업하는 작업발판

82 추락재해 방지용 방망사의 신품에 대한 인장강도는 얼마인가?(단, 그물코의 크기가 10cm이며, 매듭 없는 방망일 경우)

① 280kg
② 220kg
③ 240kg
④ 260kg

해설
방망사의 신품에 대한 인장강도

그물코의 크기 (단위 : 센티미터)	방망의 종류(단위 : 킬로그램)	
	매듭 없는 방망	매듭방망
10	240(150)	200(135)
5		110(60)

※ 단, ( )는 폐기 시 인장강도

83 달비계에 사용하는 와이어로프는 지름의 감소가 공칭지름의 몇 %를 초과하는 경우에 사용할 수 없도록 규정되어 있는가?

① 5%
② 7%
③ 9%
④ 10%

해설
달비계의 와이어로프 사용금지 사항
1. 이음매가 있는 것
2. 와이어로프의 한 꼬임에서 끊어진 소선의 수가 10퍼센트 이상인 것

정답 78 ② 79 ① 80 ② 81 ③ 82 ③ 83 ②

3. 지름의 감소가 공칭지름의 7퍼센트를 초과하는 것
4. 꼬인 것
5. 심하게 변형되거나 부식된 것
6. 열과 전기충격에 의해 손상된 것

84 건설현장에서 사용하는 수공구 중 토공사 파쇄용으로 옳은 것은?

① 착암기
② 콘크리트 진동기
③ 연마기
④ 체인톱

해설
착암기
암석이나 콘크리트 등을 구멍을 뚫거나 파쇄하는 데 사용하는 공구를 말한다.

85 블레이드를 레버로 조정할 수 있으며, 좌우를 상하 20~25°까지 기울일 수 있는 불도저는?

① 틸트 도저
② 스트레이트 도저
③ 앵글 도저
④ 터나 도저

해설
배토판(Blade)의 형태 및 작동방법에 의한 분류

스트레이트 도저 (Straight Dozer)	트랙터의 종방향 중심축에 배토판을 직각으로 설치하여 직선적인 굴착 및 압토작업에 효율적
앵글 도저 (Angle Dozer)	배토판을 진행방향에 따라 20~30°의 좌우로 돌릴 수 있도록 만든 장치로, 측면굴착에 유리
틸트 도저 (Tilt Dozer)	배토판을 좌우로 상하 25~30°까지 아래로 기울어지게 하여 도랑파기, 경사면 굴착에 유리
힌지 도저 (Hinge Dozer)	배토판 중앙에 힌지를 붙여 안팎으로 V자형으로 꺾을 수 있으며, 흙을 깎아 옆으로 밀어내면서 전진하므로 제설, 제토작업 및 다량의 흙을 전방으로 밀고 가는 데 적합한 도저

86 사다리식 통로 등을 설치하는 경우 준수사항으로 옳지 않은 것은?

① 사다리의 상단은 걸쳐 놓은 지점으로부터 60센티미터 이상 올라가도록 할 것
② 발판의 간격은 일정하게 할 것
③ 사다리식 통로의 길이가 8미터 이상인 경우에는 7미터 이내마다 계단참을 설치할 것
④ 사다리식 통로의 기울기는 75도 이하로 할 것

해설
사다리식 통로
1. 견고한 구조로 할 것
2. 심한 손상·부식 등이 없는 재료를 사용할 것
3. 발판의 간격은 일정하게 할 것
4. 발판과 벽과의 사이는 15센티미터 이상의 간격을 유지할 것
5. 폭은 30센티미터 이상으로 할 것
6. 사다리가 넘어지거나 미끄러지는 것을 방지하기 위한 조치를 할 것
7. 사다리의 상단은 걸쳐놓은 지점으로부터 60센티미터 이상 올라가도록 할 것
8. 사다리식 통로의 길이가 10미터 이상인 경우에는 5미터 이내마다 계단참을 설치할 것
9. 사다리식 통로의 기울기는 75도 이하로 할 것. 다만, 고정식 사다리식 통로의 기울기는 90도 이하로 하고, 그 높이가 7미터 이상인 경우에는 다음 각 목의 구분에 따른 조치를 할 것
   ㉠ 등받이울이 있어도 근로자 이동에 지장이 없는 경우 : 바닥으로부터 높이가 2.5미터 되는 지점부터 등받이울을 설치할 것
   ㉡ 등받이울이 있으면 근로자가 이동이 곤란한 경우 : 개인용 추락 방지 시스템을 설치하고 근로자로 하여금 전신안전대를 사용하도록 할 것
10. 접이식 사다리 기둥은 사용 시 접혀지거나 펼쳐지지 않도록 철물 등을 사용하여 견고하게 조치할 것

87 차량계 하역운반기계에 화물을 적재할 때의 준수사항과 거리가 먼 것은?

① 하중이 한쪽으로 치우치지 않도록 적재할 것
② 구내운반차 또는 화물자동차의 경우 화물의 붕괴 또는 낙하에 의한 위험을 방지하기 위하여 화물에 로프를 거는 등 필요한 조치를 할 것
③ 운전자의 시야를 가리지 않도록 화물을 적재할 것
④ 제동장치 및 조정장치 기능의 이상 유무를 점검할 것

해설
화물적재 시의 조치
1. 하중이 한쪽으로 치우치지 않도록 적재할 것
2. 구내운반차 또는 화물자동차의 경우 화물의 붕괴 또는 낙하에 의한 위험을 방지하기 위하여 화물에 로프를 거는 등 필요한 조치를 할 것

3. 운전자의 시야를 가리지 않도록 화물을 적재할 것
4. 화물을 적재하는 경우에는 최대적재량을 초과하지 않을 것

88 기상상태의 악화로 비계에서의 작업을 중지시킨 후 그 비계에서 작업을 다시 시작하기 전에 점검해야 할 사항에 해당하지 않는 것은?

① 기둥의 침하 · 변형 · 변위 또는 흔들림 상태
② 손잡이의 탈락 여부
③ 격벽의 설치여부
④ 발판 재료의 손상 여부 및 부착 또는 걸림 상태

해설
비계의 점검 및 보수

점검 보수 시기	• 비, 눈, 그 밖의 기상상태의 악화로 작업을 중지시킨 후 그 비계에서 작업할 경우 • 비계를 조립 · 해체하거나 변경한 후에 그 비계에서 작업을 하는 경우
작업 시작 전 점검사항	• 발판 재료의 손상 여부 및 부착 또는 걸림 상태 • 해당 비계의 연결부 또는 접속부의 풀림 상태 • 연결 재료 및 연결 철물의 손상 또는 부식 상태 • 손잡이의 탈락 여부 • 기둥의 침하, 변형, 변위 또는 흔들림 상태 • 로프의 부착 상태 및 매단 장치의 흔들림 상태

89 이동식 비계를 조립하여 작업을 하는 경우의 준수사항으로 옳지 않은 것은?

① 이동식 비계의 바퀴에는 뜻밖의 갑작스러운 이동 또는 전도를 방지하기 위하여 브레이크 · 쐐기 등으로 바퀴를 고정시킨 다음 비계의 일부를 견고한 시설물에 고정하거나 아웃트리거를 설치하는 등 필요한 조치를 할 것
② 작업발판은 항상 수평을 유지하고 작업발판 위에서 안전난간을 딛고 작업을 하지 않도록 하며, 대신 받침대 또는 사다리를 사용하여 작업할 것
③ 비계의 최상부에서 작업을 하는 경우에는 안전난간을 설치할 것
④ 작업발판의 최대적재하중은 250kg을 초과하지 않도록 할 것

해설
이동식 비계 조립 시의 준수사항
1. 이동식 비계의 바퀴에는 뜻밖의 갑작스러운 이동 또는 전도를 방지하기 위하여 브레이크 · 쐐기 등으로 바퀴를 고정시킨 다음 비계의 일부를 견고한 시설물에 고정하거나 아웃트리거를 설치하는 등 필요한 조치를 할 것
2. 승강용 사다리는 견고하게 설치할 것
3. 비계의 최상부에서 작업을 하는 경우에는 안전난간을 설치할 것
4. 작업발판은 항상 수평을 유지하고 작업발판 위에서 안전난간을 딛고 작업을 하거나 받침대 또는 사다리를 사용하여 작업하지 않도록 할 것
5. 작업발판의 최대적재하중은 250킬로그램을 초과하지 않도록 할 것

90 연약지반을 굴착할 때, 흙막이벽 뒤쪽 흙의 중량이 바닥의 지지력보다 커지면, 굴착저면에서 흙이 부풀어 오르는 현상은?

① 슬라이딩(Sliding)
② 보일링(Boiling)
③ 파이핑(Piping)
④ 히빙(Heaving)

해설
지반의 이상현상

구분	정의
히빙(Heaving) 현상	연질점토 지반에서 굴착에 의한 흙막이 내·외면의 흙의 중량 차이로 인해 굴착저면이 부풀어 올라오는 현상
보일링(Boiling) 현상	사질토 지반에서 굴착저면과 흙막이 배면과의 수위 차이로 인해 굴착저면의 흙과 물이 함께 위로 솟구쳐 오르는 현상
파이핑(Piping) 현상	보일링 현상으로 인하여 지반 내에서 물의 통로가 생기면서 흙이 세굴되는 현상

91 콘크리트 구조물에 적용하는 해체작업 공법의 종류가 아닌 것은?

① 연삭 공법
② 발파 공법
③ 오픈컷 공법
④ 유압 공법

해설
Open Cut 공법

경사면(비탈면) Open Cut 공법	흙막이 지보공(버팀대)이 필요 없이 굴착면을 경사지게 파내는 공법
흙막이 Open Cut 공법	흙막이벽과 널말뚝에 의해 지지하면서 터파기를 하는 공법

정답 88 ③ 89 ② 90 ④ 91 ③

92 콘크리트 타설 작업을 하는 경우에 준수해야 할 사항으로 옳지 않은 것은?

① 콘크리트를 타설하는 경우에는 편심을 유발하여 한쪽 부분부터 밀실하게 타설되도록 유도할 것
② 당일의 작업을 시작하기 전에 해당 작업에 관한 거푸집동바리 등의 변형·변위 및 지반의 침하 유무 등을 점검하고 이상이 있으면 보수할 것
③ 작업 중에는 거푸집동바리 등의 변형·변위 및 침하 유무 등을 감시할 수 있는 감시자를 배치하여 이상이 있으면 작업을 중지하고 근로자를 대피시킬 것
④ 설계도서상의 콘크리트 양생기간을 준수하여 거푸집동바리 등을 해체할 것

해설
콘크리트 타설 작업 시 준수사항
1. 당일의 작업을 시작하기 전에 해당 작업에 관한 거푸집동바리 등의 변형·변위 및 지반의 침하 유무 등을 점검하고 이상이 있으면 보수할 것
2. 작업 중에는 거푸집동바리 등의 변형·변위 및 침하 유무 등을 감시할 수 있는 감시자를 배치하여 이상이 있으면 작업을 중지하고 근로자를 대피시킬 것
3. 콘크리트 타설작업 시 거푸집 붕괴의 위험이 발생할 우려가 있으면 충분한 보강조치를 할 것
4. 설계도서상의 콘크리트 양생기간을 준수하여 거푸집동바리 등을 해체할 것
5. 콘크리트를 타설하는 경우에는 편심이 발생하지 않도록 골고루 분산하여 타설할 것

93 공사용 가설도로에 대한 설명 중 옳지 않은 것은?

① 도로는 장비 및 차량이 안전하게 운행할 수 있도록 견고하게 설치한다.
② 도로는 배수에 상관없이 평탄하게 설치한다.
③ 도로와 작업장이 접하여 있을 경우에는 방책 등을 설치한다.
④ 차량의 속도제한 표지를 부착한다.

해설
공사용 가설도로 설치기준
1. 도로는 장비와 차량이 안전하게 운행할 수 있도록 견고하게 설치할 것
2. 도로와 작업장이 접하여 있을 경우에는 방책 등을 설치할 것
3. 도로는 배수를 위하여 경사지게 설치하거나 배수시설을 설치할 것
4. 차량의 속도제한 표지를 부착할 것

94 건설공사 중 작업으로 인하여 물체가 떨어지거나 날아올 위험이 있을 때 조치할 사항으로 옳지 않은 것은?

① 안전난간 설치
② 보호구의 착용
③ 출입금지구역의 설정
④ 낙하물방지망의 설치

해설
물체가 떨어지거나 날아올 위험이 있는 경우의 위험방지
1. 낙하물 방지망 설치
2. 수직보호망 설치
3. 방호선반 설치
4. 출입금지구역 설정
5. 보호구 착용

TIP 안전난간
추락의 위험이 있는 장소에 설치한다.

95 산업안전보건기준에 관한 규칙상 근로자가 상시 작업하는 장소의 작업면 조도기준으로 옳지 않은 것은?(단, 갱내 작업장과 감광재료를 취급하는 작업장의 경우는 제외)

① 초정밀작업 : 600럭스 이상
② 정밀작업 : 300럭스 이상
③ 보통작업 : 150럭스 이상
④ 초정밀, 정밀, 보통작업을 제외한 기타 작업 : 75럭스 이상

해설
근로자가 상시 작업하는 장소의 작업면 조도기준

작업의 종류	작업면 조도
초정밀작업	750럭스(lux) 이상
정밀작업	300럭스(lux) 이상
보통작업	150럭스(lux) 이상
그 밖의 작업	75럭스(lux) 이상

정답 92 ① 93 ② 94 ① 95 ①

96 산업안전보건법령상 양중기를 사용하여 작업하는 운전자 또는 작업자가 보기 쉬운 곳에 해당 양중기에 대해 표시하여야 할 내용으로 가장 거리가 먼 것은?(단, 승강기는 제외한다.)

① 정격 하중
② 운전 속도
③ 경고 표시
④ 작업자 위치

해설
정격하중 등의 표시
양중기(승강기는 제외) 및 달기구를 사용하여 작업하는 운전자 또는 작업자가 보기 쉬운 곳에 해당 기계의 정격하중, 운전속도, 경고표시 등을 부착하여야 한다. 다만, 달기구는 정격하중만 표시한다.

97 산업안전보건법령상 양중기에 해당되지 않는 것은?

① 크레인   ② 항발기
③ 곤돌라   ④ 리프트

해설
양중기의 종류
1. 크레인(호이스트 포함)
2. 이동식 크레인
3. 리프트(이삿짐운반용 리프트의 경우 적재하중 0.1톤 이상인 것)
4. 곤돌라
5. 승강기(최대하중이 0.25톤 이상인 것)

98 다음은 산업안전보건법령에 따른 승강설비의 설치에 관한 내용이다. ( )에 들어갈 내용으로 옳은 것은?

> 사업주는 높이 또는 깊이가 ( )를 초과하는 장소에서 작업하는 경우 해당 작업에 종사하는 근로자가 안전하게 승강하기 위한 건설용 리프트 등의 설비를 설치하여야 한다. 다만, 승강설비를 설치하는 것이 작업의 성질상 곤란한 경우에는 그렇지 않다.

① 2m   ② 3m
③ 4m   ④ 5m

해설
승강설비의 설치
높이 또는 깊이가 2미터를 초과하는 장소에서 작업하는 경우 해당 작업에 종사하는 근로자가 안전하게 승강하기 위한 건설용 리프트 등의 설비를 설치해야 한다. 다만, 승강설비를 설치하는 것이 작업의 성질상 곤란한 경우에는 그렇지 않다.

99 다음 셔블계 굴착장비 중 좁고 깊은 굴착에 가장 적합한 장비는?

① 드래그라인(Dragline)
② 파워셔블(Power Shovel)
③ 백호(Back Hoe)
④ 클램셸(Clam Shell)

해설
클램셸(Clam Shell)
1. 좁고 깊은 곳의 수직굴착, 수중굴착에 적당
2. 지하연속벽 공사, 깊은 우물통 파기에 사용
3. 구조물의 기초바닥, 잠함 등과 같은 협소하고 깊은 범위의 굴착에 적합

100 비탈면붕괴를 방지하기 위한 방법으로 옳지 않은 것은?

① 비탈면 상부의 토사제거
② 지하 배수공 시공
③ 비탈면 하부의 성토
④ 비탈면 내부 수압의 증가 유도

해설
붕괴예방대책
1. 적절한 경사면의 기울기를 계획하여야 한다.
2. 경사면의 기울기가 당초 계획과 차이가 발생되면 즉시 재검토하여 계획을 변경시켜야 한다.
3. 활동할 가능성이 있는 토석은 제거하여야 한다.
4. 경사면의 하단부에 압성토 등 보강공법으로 활동에 대한 저항대책을 강구하여야 한다.
5. 말뚝(강관, H형강, 철근 콘크리트)을 타입하여 지반을 강화시킨다.
6. 빗물, 지표수, 지하수의 사전제거 및 침투를 방지하여야 한다.

정답 96 ④ 97 ② 98 ① 99 ④ 100 ④

PART 07
09 2025년 3회 기출복원문제

1과목 산업재해 예방 및 안전보건교육

01 인지과정 착오의 요인이 아닌 것은?

① 정서 불안정
② 감각차단 현상
③ 작업자의 기능 미숙
④ 생리·심리적 능력의 한계

해설

착오의 요인

종류	내용
인지 과정 착오	• 심리 또는 생리적 요인 • 정보량 저장의 한계 : 한계정보량보다 더 많은 정보가 들어오는 경우 정보를 처리하지 못하는 현상 • 감각차단 현상 : 단조로운 업무가 장시간 지속될 때 작업자의 감각기능 및 판단능력이 둔화 또는 마비되는 현상(예) 고도비행, 단독비행, 계기비행, 직선 고속도로 운행 등) • 정서적 불안정(불안, 공포) • 정보수용 능력의 한계 : 인간의 감지범위 밖의 정보
판단 과정 착오	• 정보부족(옹고집, 지나친 자기중심적 인간) • 능력부족(지식부족, 경험부족) • 자기합리화(자기에게 유리하게 판단) • 환경조건불비(작업조건불량)
조치 과정 착오	• 기술능력 미숙 • 경험 부족 • 피로

02 산업안전보건법령상 다음 설명에 해당하는 명칭으로 옳은 것은?

• 사업주는 사업장의 안전 및 보건을 유지하기 위하여 다음 각 호의 사항이 포함된 것을 작성하여야 한다.
  1. 안전 및 보건에 관한 관리조직과 그 직무에 관한 사항
  2. 안전보건교육에 관한 사항
  3. 작업장의 안전 및 보건 관리에 관한 사항
  4. 사고 조사 및 대책 수립에 관한 사항
  5. 그 밖에 안전 및 보건에 관한 사항
• 사업주는 작성하거나 변경할 때에는 산업안전보건위원회의 심의·의결을 거쳐야 한다. 다만, 산업안전보건위원회가 설치되어 있지 아니한 사업장의 경우에는 근로자대표의 동의를 받아야 한다.

① 안전보건관리규정
② 유해위험방지계획서
③ 산업재해조사표
④ 공정안전보고서

해설

안전보건관리규정의 포함사항
1. 안전 및 보건에 관한 관리조직과 그 직무에 관한 사항
2. 안전보건교육에 관한 사항
3. 작업장의 안전 및 보건 관리에 관한 사항
4. 사고 조사 및 대책 수립에 관한 사항
5. 그 밖에 안전 및 보건에 관한 사항

03 산업안전보건법령상 안전·보건표지에 관한 설명으로 틀린 것은?

① 안전·보건표지 속의 그림 또는 부호의 크기는 안전·보건표지의 크기와 비례하여야 하며, 안전·보건표지 전체 규격의 30% 이상이 되어야 한다.
② 안전·보건표지 색채의 물감은 변질되지 아니하는 것에 색채 고정원료를 배합하여 사용하여야 한다.
③ 안전·보건표지는 그 표시내용을 근로자가 빠르고 쉽게 알아볼 수 있는 크기로 제작하여야 한다.
④ 안전·보건표지에는 야광물질을 사용하여서는 아니 된다.

해설

안전보건 표지의 제작
1. 종류별로 기본모형에 의하여 종류별 용도, 설치·부착장소, 형태 및 색채의 구분에 따라 제작하여야 한다.
2. 표시내용을 근로자가 빠르고 쉽게 알아볼 수 있는 크기로 제작하여야 한다.
3. 그림 또는 부호의 크기는 안전보건표지의 크기와 비례하여야 하며, 안전보건표지 전체 규격의 30퍼센트 이상이 되어야 한다.
4. 쉽게 파손되거나 변형되지 않는 재료로 제작해야 한다.
5. 야간에 필요한 안전보건표지는 야광물질을 사용하는 등 쉽게 알아볼 수 있도록 제작해야 한다.

정답 01 ③ 02 ① 03 ④

04 안전교육방법 중 사례연구법의 장점이 아닌 것은?

① 흥미가 있고, 학습동기를 유발할 수 있다.
② 현실적인 문제의 학습이 가능하다.
③ 관찰력과 분석력을 높일 수 있다.
④ 원칙과 규정의 체계적 습득이 용이하다.

해설

사례연구법(Case Method)
1. 정의
   먼저 사례를 제시하고 문제가 되는 사실들과 그의 상호관계에 대해서 검토하고 대책을 토의하는 방법
2. 장단점

장점	단점
• 흥미가 있고, 학습동기를 유발할 수 있다. • 현실적인 문제의 학습이 가능하다. • 관찰력과 분석력을 높일 수 있다. • 판단력과 응용력의 향상이 가능하다.	• 원칙과 규정의 체계적인 습득이 곤란하다. • 적절한 사례의 확보곤란 및 진행방법에 대한 연구가 필요하다. • 학습의 진보를 측정하기 어렵다.

05 연간 평균 근로자수가 1,440명인 B 기업체에서 근로자가 주당 40시간씩 50주를 근무하였으며, 그 외 조기출근 및 잔업시간의 합계가 100,000시간이었다. 이 기간 발생한 재해건수는 40건이며, 그중 사망재해는 1건(1명) 사망을 제외한 근로손실일수는 총 1,200일이다. 이때 B 기업체의 강도율을 구하시오.(단, 평균 출근율은 94%이다.)

① 3.22　　② 0.45
③ 2.10　　④ 3.10

해설

강도율

$$강도율 = \frac{근로손실일수}{연간총근로시간수} \times 1,000$$

$$강도율 = \frac{7,500 + 1,200}{(1,440 \times 40 \times 50) \times 0.94 + 100,000} \times 1,000$$
$$= 3.09 ≒ 3.10$$

06 하버드 학파의 5단계 교수법에 해당하지 않는 것은?

① 교시(Presentation)
② 연합(Association)
③ 추론(Reasoning)
④ 총괄(Generalization)

해설

하버드 학파의 5단계 교수법

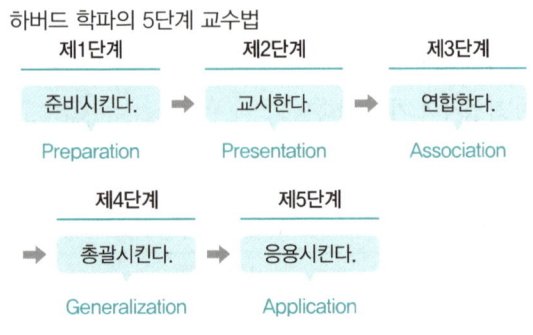

07 산업안전보건법령상 다음 그림에 해당하는 안전보건표지의 종류로 옳은 것은?

① 통행금지　　② 물체이동 금지
③ 낙하물 경고　④ 매달린 물체 경고

해설

안전보건표지

물체이동 금지	낙하물 경고	매달린 물체 경고

08 주요 구조 부분을 변경하는 경우 안전인증을 받아야 하는 기계·기구가 아닌 것은?

① 원심기
② 사출성형기
③ 압력용기
④ 고소작업대

정답 04 ④　05 ④　06 ③　07 ④　08 ①

> **해설**

안전인증대상기계 등을 설치 · 이전하거나 주요 구조 부분을 변경하는 경우

설치 · 이전하는 경우 안전인증을 받아야 하는 기계	• 크레인 • 리프트 • 곤돌라	
주요 구조 부분을 변경하는 경우 안전인증을 받아야 하는 기계 및 설비	• 프레스 • 크레인 • 압력용기 • 사출성형기 • 곤돌라	• 전단기 및 절곡기 • 리프트 • 롤러기 • 고소작업대

09 산업안전보건법령상 건설현장에서 사용하는 곤돌라의 안전검사의 주기로 옳은 것은?

① 최초로 설치한 날부터 6개월마다
② 최초로 설치한 날부터 1년마다
③ 최초로 설치한 날부터 2년마다
④ 최초로 설치한 날부터 3년마다

> **해설**

안전검사의 주기

크레인(이동식 크레인은 제외), 리프트(이삿짐운반용 리프트는 제외) 및 곤돌라	사업장에 설치가 끝난 날부터 3년 이내에 최초 안전검사를 실시하되, 그 이후부터 2년마다(건설현장에서 사용하는 것은 최초로 설치한 날부터 6개월마다)
이동식 크레인, 이삿짐운반용 리프트 및 고소작업대	「자동차관리법」에 따른 신규등록 이후 3년 이내에 최초 안전검사를 실시하되, 그 이후부터 2년마다
프레스, 전단기, 압력용기, 국소 배기장치, 원심기, 롤러기, 사출성형기, 컨베이어, 산업용 로봇, 혼합기, 파쇄기 또는 분쇄기	사업장에 설치가 끝난 날부터 3년 이내에 최초 안전검사를 실시하되, 그 이후부터 2년마다(공정안전보고서를 제출하여 확인을 받은 압력용기는 4년마다)

10 산업안전보건법령상 안전모의 시험성능기준 항목이 아닌 것은?

① 난연성
② 인장성
③ 내관통성
④ 충격흡수성

> **해설**

안전모의 시험성능 항목 및 기준

항목	시험성능기준
내관통성	• 안전인증 : AE, ABE종 안전모는 관통거리가 9.5mm 이하이고, AB종 안전모는 관통거리가 11.1mm 이하이어야 한다. • 자율안전확인 : 안전모는 관통거리가 11.1mm 이어야 한다.
충격흡수성	최고전달충격력이 4,450N을 초과해서는 안 되며, 모체와 착장체의 기능이 상실되지 않아야 한다.
내전압성	AE, ABE종 안전모는 교류 20kV에서 1분간 절연 파괴 없이 견뎌야 하고, 이때 누설되는 충전전류는 10mA 이하이어야 한다. (※ 자율안전확인에서는 제외)
내수성	AE, ABE종 안전모는 질량증가율이 1% 미만이어야 한다. (※ 자율안전확인에서는 제외)
난연성	모체가 불꽃을 내며 5초 이상 연소되지 않아야 한다.
턱끈풀림	150N 이상 250N 이하에서 턱끈이 풀려야 한다.

11 보호구 관련 규정에 따른 안전모의 착장체 구성 요소에 해당되지 않는 것은?

① 머리턱끈
② 머리받침끈
③ 머리고정대
④ 머리받침고리

> **해설**

안전모의 구조

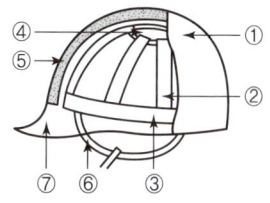

[안전모의 명칭]

번호	명칭	
①	모체	
②	착장체	머리받침끈
③		머리고정대
④		머리받침고리
⑤	충격흡수재(자율안전확인에서는 제외)	
⑥	턱끈	
⑦	챙(차양)	

정답 09 ① 10 ② 11 ①

12 산업안전보건법령상 안전보건표지의 색채, 색도기준 및 용도 중 다음 (   ) 안에 알맞은 것은?

색채	색도기준	용도	사용례
(㉠)	(㉡)	(㉢)	정지신호, 소화설비 및 그 장소, 유해행위의 금지

① ㉠ 빨간색, ㉡ 7.5R 4/14, ㉢ 금지
② ㉠ 노란색, ㉡ 5Y 8.5/12, ㉢ 경고
③ ㉠ 파란색, ㉡ 2.5PB 4/10, ㉢ 지시
④ ㉠ 녹색, ㉡ 2.5G 4/10, ㉢ 안내

해설
안전·보건표지의 색채, 색도기준 및 용도

색채	색도기준	용도	사용 예
빨간색	7.5R 4/14	금지	정지신호, 소화설비 및 그 장소, 유해행위의 금지
		경고	화학물질 취급장소에서의 유해·위험 경고
노란색	5Y 8.5/12	경고	화학물질 취급장소에서의 유해·위험경고 이외의 위험경고, 주의표지 또는 기계방호물
파란색	2.5PB 4/10	지시	특정 행위의 지시 및 사실의 고지
녹색	2.5G 4/10	안내	비상구 및 피난소, 사람 또는 차량의 통행표지
흰색	N9.5		파란색 또는 녹색에 대한 보조색
검은색	N0.5		문자 및 빨간색 또는 노란색에 대한 보조색

13 산업안전보건법령상 특별교육 대상 작업별 교육내용 중 밀폐공간에서의 작업 시 교육 내용이 아닌 것은?(단, 그 밖에 안전·보건관리에 필요한 사항은 제외)

① 사고 시의 응급처치 및 비상시 구출에 관한 사항
② 유해물질이 인체에 미치는 영향
③ 보호구 착용 및 보호 장비 사용에 관한 사항
④ 산소농도 측정 및 작업환경에 관한 사항

해설
특별안전 보건교육내용(밀폐공간에서의 작업)
1. 산소농도 측정 및 작업환경에 관한 사항
2. 사고 시의 응급처치 및 비상시 구출에 관한 사항
3. 보호구 착용 및 보호 장비 사용에 관한 사항
4. 작업내용·안전작업방법 및 절차에 관한 사항
5. 장비·설비 및 시설 등의 안전점검에 관한 사항
6. 그 밖에 안전·보건관리에 필요한 사항

14 OJT(On the Job Training)의 특징이 아닌 것은?

① 훈련에 필요한 업무의 계속성이 끊어지지 않는다.
② 교육효과가 업무에 신속히 반영된다.
③ 다수의 근로자들을 대상으로 동시에 조직적 훈련이 가능하다.
④ 개개인에게 적절한 지도훈련이 가능하다.

해설
O.J.T(On the Job Training)의 특징
1. 직장의 실정에 맞는 구체적이고 실제적인 지도 교육이 가능하다.
2. 개개인에게 적절한 지도 훈련이 가능하다(개인의 능력과 적성에 알맞은 맞춤교육이 가능하다).
3. 훈련 효과에 의해 상호 신뢰이해도가 높아진다(상사와의 의사소통 및 신뢰도 향상에 도움이 된다).
4. 교육의 효과가 업무에 신속하게 반영된다.
5. 교육의 이해도가 빠르고 동기부여가 쉽다.
6. 교육으로 인해 업무가 중단되는 업무손실이 적다.
7. 교육경비의 절감효과가 있다.

15 다음 중 하인리히 재해 발생 5단계 중 제3단계에 해당하는 것은?

① 불안전한 행동 또는 불안전한 상태
② 사회적 환경 및 유전적 요소
③ 관리의 부재
④ 사고

해설
하인리히(H. W. Heinrich)의 도미노이론(사고연쇄성)
1. 제1단계 : 사회적 환경 및 유전적 요인
2. 제2단계 : 개인적 결함
3. 제3단계 : 불안전한 행동 및 불안전한 상태
4. 제4단계 : 사고
5. 제5단계 : 재해
불안전한 행동이나 불안전한 상태, 즉 제3단계를 제거하면 사고나 재해를 예방할 수 있다.

16 다음 중 라인-스태프(Line-Staff) 조직의 단점으로 볼 수 없는 것은?

① 권한의 분쟁이나 조정으로 인해 시간과 노력이 소모될 수 있다.

② 명령계통과 조언·권고적 참여가 혼동되기 쉽다.
③ 스탭의 월권행위가 발생하는 경우가 있다.
④ 라인이 스태프에 의존 또는 활용하지 않는 경우가 있다.

해설
라인 – 스태프형(Line – Staff형, 직계 참모형 조직)

특징	• 안전보건 업무를 전담하는 스태프를 별도로 두고 또 생산라인에는 그 부서의 장으로 하여금 계획된 생산라인의 안전관리조직을 통하여 실시하도록 한 조직 형태 • 스태프는 안전에 관한 기획, 조사, 검토 및 연구를 수행 • 라인형과 스태프형의 장점을 취한 절충식 조직형태 • 라인의 관리감독자에게도 안전에 관한 책임과 권한이 부여됨 • 안전활동과 생산업무가 분리될 가능성이 낮기 때문에 균형을 유지할 수 있음 • 1,000명 이상의 대규모 사업장에 적합한 조직 형태
장점	• 조직원 전원을 자율적으로 안전활동에 참여시킬 수 있음 • 스태프에 의해 입안된 것을 경영자의 지침으로 명령 실시하도록 하므로 정확·신속함
단점	• 명령계통과 조언이나 권고적 참여가 혼동되기 쉬움 • 라인과 스태프 간에 협조가 안 될 경우 업무의 원활한 추진 불가(라인과 스태프 간의 월권 또는 상호 의견충돌이 생길 수 있음) • 라인이 스태프에 의존 또는 활용하지 않는 경우가 있음

17 산업안전보건법령상 관리감독자의 채용 시 안전보건교육의 교육시간으로 옳은 것은?

① 8시간 이상
② 2시간 이상
③ 16시간 이상
④ 4기간 이상

해설
관리감독자 안전보건교육

교육과정	교육시간
가. 정기교육	연간 16시간 이상
나. 채용 시 교육	8시간 이상
다. 작업내용 변경 시 교육	2시간 이상
라. 특별교육	16시간 이상(최초 작업에 종사하기 전 4시간 이상 실시하고, 12시간은 3개월 이내에서 분할하여 실시 가능)
	단기간 작업 또는 간헐적 작업인 경우에는 2시간 이상

18 다음 중 산업심리의 5대 요소에 해당하지 않는 것은?

① 적성   ② 감정
③ 기질   ④ 동기

해설
산업안전심리의 5대 요소

기질	인간의 성격, 능력 등 개인적인 특성(생활환경, 주위 환경에 따라 변화한다.)
동기	능동적인 감각에 의한 자극에서 일어나는 사고의 결과로 마음을 움직이는 원동력
습관	개인의 특성이 자신도 모르게 습관화된 현상으로 습관에 직접 영향을 주는 요인으로는 동기, 기질, 감정, 습성이 있다.
감정	대상이나 상태에 따라 발생하는 슬픔, 기쁨 등에 해당하는 마음의 현상
습성	오랜 습관으로 인하여 굳어버린 성질로 동기, 기질, 감정 등이 밀접한 연관 관계이다.

19 토의(회의)방식 중 참가자가 다수인 경우에 전원을 토의에 참가시키기 위하여 소집단으로 구분하고, 각각 자유토의를 행하여 의견을 종합하는 방식은?

① 포럼(Forum)
② 심포지엄(Symposium)
③ 버즈 세션(Buzz Session)
④ 패널 디스커션(Panel Discussion)

해설
토의법의 종류
1. 자유토의법
   참가자가 주어진 주제에 대하여 자유로운 발표와 토의를 통하여 서로의 의견을 교환하고 상호이해력을 높이며 의견을 절충해 나가는 방법
2. 패널 디스커션(Panel Discussion)
   전문가 4~5명이 피교육자 앞에서 자유로이 토의를 하고, 그 후에 피교육자 전원이 사회자의 사회에 따라 토의하는 방법
3. 심포지엄(Symposium)
   발제자 없이 몇 사람의 전문가에 의하여 과제에 관한 견해를 발표한 뒤에 참가자로 하여금 의견이나 질문을 하게 하여 토의하는 방법
4. 포럼(Forum)
   ㉠ 사회자의 진행으로 몇 사람이 주제에 대하여 발표한 후 피교육자가 질문을 하고 토론해 나가는 방법

정답 17 ① 18 ① 19 ③

ⓛ 새로운 자료나 주제를 내보이거나 발표한 후 피교육자로 하여금 문제나 의견을 제시하게 하고 다시 깊이 있게 토론해 나가는 방법

5. 버즈 세션(Buzz Session)
  6-6 회의라고도 하며, 참가자가 다수인 경우에 전원을 토의에 참가시키기 위한 방법으로 소집단을 구성하여 회의를 진행시키는 방법

20 다음 중 교육의 3요소에 해당되지 않는 것은?

① 교육의 주체 ② 교육의 기간
③ 교육의 매개체 ④ 교육의 객체

해설
교육의 3요소
1. 교육의 주체 : 강사
2. 교육의 객체 : 수강자(교육대상)
3. 교육의 매개체 : 교재(교육내용)

2과목 인간공학 및 위험성 평가·관리

21 동전던지기에서 앞면이 나올 확률이 0.2이고, 뒷면이 나올 확률이 0.8일 때, 앞면과 뒷면이 나올 사건의 정보량으로 옳은 것은?

① 앞면 : 약 3.32bit, 뒷면 : 약 2.52bit
② 앞면 : 약 2.32bit, 뒷면 : 약 1.32bit
③ 앞면 : 약 3.32bit, 뒷면 : 약 1.32bit
④ 앞면 : 약 2.32bit, 뒷면 : 약 0.32bit

해설
정보의 측정 단위
각 대안의 실현 확률(즉, n의 역수)로 표현할 수도 있다.(즉, P를 각 대안의 실현 확률이라 하면)

$$H = \log_2 \frac{1}{P} \quad P = \frac{1}{n}$$

① 앞면
$$H = \log_2 \frac{1}{P} = \log_2 \frac{1}{0.2} = 2.32[\text{bit}]$$

② 뒷면
$$H = \log_2 \frac{1}{P} = \log_2 \frac{1}{0.8} = 0.32[\text{bit}]$$

22 사업장 위험성평가에 관한 지침에서 사업주가 유해·위험요인을 파악하는 방법으로 옳지 않은 것은?(단, 그 밖에 사업장의 특성에 적합한 방법은 제외)

① 근로자들의 상시적 제안에 의한 방법
② 안전보건 체크리스트에 의한 방법
③ 작업표준에 의한 방법
④ 설문조사·인터뷰 등 청취조사에 의한 방법

해설
유해·위험요인 파악
사업주는 사업장 내의 위험성 평가 대상에 따른 유해·위험요인을 파악하여야 한다. 이때 업종, 규모 등 사업장 실정에 따라 다음 각 호의 방법 중 어느 하나 이상의 방법을 사용하되, 특별한 사정이 없으면 사업장 순회점검에 의한 방법을 포함하여야 한다.
1. 사업장 순회점검에 의한 방법
2. 근로자들의 상시적 제안에 의한 방법
3. 설문조사·인터뷰 등 청취조사에 의한 방법
4. 물질안전보건자료, 작업환경측정결과, 특수건강진단결과 등 안전보건 자료에 의한 방법
5. 안전보건 체크리스트에 의한 방법
6. 그 밖에 사업장의 특성에 적합한 방법

23 소리의 물리학적 특성 중 음의 높낮이와 가장 관련성이 높은 것은?

① 진폭
② 진동수
③ phon
④ sone

해설
음의 물리학적 특성
1. 진폭 : 음의 강도(세기) : 큰소리는 진폭이 크고, 작은 소리는 진폭이 작다.
2. 진동수 : 음의 고저(높낮이) : 높은 소리는 진동수가 크고, 낮은 소리는 진동수가 작다.
3. phon : 감각적인 음의 크기를 나타내는 양을 말하며, 1,000Hz 순음의 크기와 평균적으로 같은 크기로 느끼는 1,000Hz 순음의 세기레벨로 나타낸 것이다.
4. sone : 감각적인 음의 크기를 나타내는 양으로 음의 대소를 표현하는 단위를 말하며, 40dB의 1,000Hz 순음의 크기(=40Phon)를 1Sone이라 정의한다.

24 모든 시스템 안전 프로그램 중 최초 단계의 분석으로 시스템 내의 위험요소가 어떤 상태에 있는지를 정성적으로 평가하는 방법은?

① CA
② FHA
③ PHA
④ FMEA

해설

예비 위험 분석(PHA : Preliminary Hazards Analysis)
1. 공정 또는 설비 등에 관한 상세한 정보를 얻을 수 없는 상황에서 위험물질과 공정 요소에 초점을 맞추어 초기 위험을 확인하는 방법을 말한다.
2. 시스템안전 위험분석(SSHA)을 수행하기 위한 예비적인 최초의 작업으로 위험요소가 얼마나 위험한지를 정성적으로 평가하는 것이다.
3. PHA는 구상단계나 설계 및 발주의 극히 초기에 실시된다.

25 10시간 설비 가동 시 설비고장으로 1시간 정지하였다면 설비고장강도율은 얼마인가?

① 0.1%
② 9%
③ 10%
④ 11%

해설

고장 강도율
고장으로 인해 설비가 정지한 시간의 비율을 표시한 것으로 안전관리에서 사용되고 있는 강도율을 설비관리의 말로 응용한 것을 말한다.

$$\text{고장 강도율} = \frac{\text{고장정지시간}}{\text{부하시간}} \times 100$$
$$= \frac{\text{설비고장 정지시간}}{\text{설비가동시간}} \times 100$$

여기서, 부하시간(설비가동시간) = 전 동작시간 + 정지시간

$$\text{고장 강도율} = \frac{\text{설비고장정지시간}}{\text{설비가동시간}} \times 100 = \frac{1}{10} \times 100 = 10[\%]$$

26 인체에서 뼈의 주요 기능으로 볼 수 없는 것은?

① 대사작용
② 신체의 지지
③ 장기의 보호
④ 조혈작용

해설

골격의 주요 기능
1. 지지(Support) : 신체를 지지하고 형상을 유지하는 역할
2. 보호(Protection) : 주요한 부분(생명기관)을 보호하는 역할
3. 근부착(Muscle Attachment) : 골격근이 수축할 때 지렛대 역할을 하여 신체활동(인체운동)을 수행하는 역할
4. 조혈(Blood Cell Production) : 골수에서 혈구를 생산하는 조혈작용
5. 무기질 저장(Mineral Storage) : 칼슘, 인산의 중요한 저장고가 되며 나트륨과 마그네슘 이온의 작은 저장고 역할

27 인간공학에 관련된 설명으로 틀린 것은?

① 편리성, 쾌적성, 효율성을 높일 수 있다.
② 사고를 방지하고 안전성과 능률성을 높일 수 있다.
③ 인간의 특성과 한계점을 고려하여 제품을 설계한다.
④ 생산성을 높이기 위해 인간을 작업 특성에 맞추는 것이다.

해설

인간공학의 정의
1. 인간의 특성과 한계 능력을 공학적으로 분석, 평가하여 이를 복잡한 체계의 설계에 응용함으로 효율을 최대로 활용할 수 있도록 하는 학문분야이다.
2. 인간의 생리적, 심리적 요소를 연구하여 기계나 설비를 인간의 특성에 맞추어 설계하고자 하는 것이다.
3. 사람과 작업 간의 적합성에 관한 과학을 말한다.
4. 인간공학의 초점은 인간이 만들어 생활의 여러 가지 면에서 사용하는 물건, 기구 또는 환경을 설계하는 과정에서 인간을 고려하는 데 있다.

28 다음 중 선 자세 작업이 앉은 자세 작업보다 좋은 경우가 아닌 것은?

① 매우 크거나 무거운 중량물을 취급하는 경우
② 작업자들이 자주 이동하는 경우
③ 신체적 안정감이 필요한 경우
④ 작업 시 손으로 큰 힘을 써서 작업하는 경우

해설

서서 하는 작업을 해야 하는 경우
1. 작업 시 큰 힘이 요구되는 경우
2. 주요 작업도구 및 부품이 한계범위 밖에 위치할 경우
3. 작업대 구조로 앉아서 하는 작업 시 다리의 여유공간이 충분하지 않은 경우
4. 작업의 내용이 많아 작업 시 이동이 필요한 경우

TIP 정밀한 작업은 앉아서 작업하는 것이 좋으며 앉은 자세의 목적은 작업자로 하여금 작업에 필요한 안정된 자세를 갖게 하여 작업에 직업 필요하지 않는 다리, 발, 몸통 등과 같은 신체부위를 휴식시키고자 하는 것이다.

정답 24 ③ 25 ③ 26 ① 27 ④ 28 ③

29 급작스런 큰 소음으로 인하여 생기는 생리적 변화가 아닌 것은?

① 근육이완
② 혈압상승
③ 동공팽창
④ 심장박동수 증가

해설

강한 소음으로 인한 생리적인 변화
1. 말초 순환계의 혈관이 수축
2. 동공, 맥박 강도, EEG 등에 변화
3. 부신피질 기능저하
4. 혈압상승, 신진대사 증가, 발한촉진, 위액 및 위장관 운동을 억제

30 설계된 시스템이나 기기의 잠재적인 고장 모드(Mode)를 찾아내고, 시스템이나 기기의 가동 중에 고장이 발생하였을 경우 임무수행에 미치는 영향을 검토하고 평가하여, 영향이 큰 고장모드에 대하여 적절한 대책을 세우는 시스템 위험분석기법은?

① PHA
② FMEA
③ FTA
④ MORT

해설

고장형태와 영향분석(FMEA)
1. 시스템이나 서브시스템 위험분석을 위하여 일반적으로 사용되는 전형적인 정성적, 귀납적 분석기법으로 시스템에 영향을 미치는 모든 요소의 고장을 형태별로 분석하여 그 영향을 검토하는 분석기법
2. 시스템 내의 위험요소가 얼마나 위험한 상태에 있는가를 정성적으로 평가하는 기법
3. 고장 발생을 최소로 하고자 하는 경우에 유효하다.

31 신호등 및 경고등의 설계 시 권장되는 사항과 거리가 먼 것은?

① 경고등의 수는 일반적으로 많을수록 좋다.
② 경고등의 위치는 작업자의 정상 시선의 30° 안에 있어야 한다.
③ 일시적인 위급 상황을 경고할 때는 점멸등이 효과적이다.
④ 경고등의 밝기는 뒤의 배경보다 2배 이상 밝아야 한다.

해설

경고등의 설계 지침
1. 점멸속도 : 초당 3~10회, 지속시간 0.05초 이상
2. 바로 뒤의 배경보다 2배 이상의 밝기를 가진다.
3. 경고등의 수는 일반적으로 하나가 좋다.
4. 정상 시선의 30° 안에 있어야 한다.

32 인간 오류(Human Error)를 독립행동과 원인에 의한 오류로 분류할 때 원인에 의한 분류에 해당하는 것은?

① Extraneous Error
② Command Error
③ Omission Error
④ Sequence Error

해설

원인의 레벨(Level)적 분류

Primary Error (1차 에러)	작업자 자신으로부터 발생한 에러
Secondary Error (2차 에러)	작업형태나 작업조건 중에서 다른 문제가 발생하여 필요한 직무나 절차를 수행할 수 없는 에러
Command Error (지시 에러)	작업자가 움직이려 해도 필요한 물건, 정보, 에너지 등이 공급되지 않아서 작업자가 움직일 수 없는 상황에서 발생한 에러

TIP 인간실수의 분류(심리적인 분류)

생략에러 (Omission Error) 부작위 실수	필요한 직무 및 절차를 수행하지 않아 (생략) 발생하는 에러	예 가스밸브를 잠그는 것을 잊어 사고가 났다.
작위에러 (Commission Error)	필요한 작업 또는 절차의 불확실한 수행(잘못 수행)으로 인한 에러	예 전선이 바뀌었다, 틀린 부품을 사용하였다, 부품이 거꾸로 조립되었다 등
순서에러 (Sequential Error)	필요한 작업 또는 절차의 순서 착오로 인한 에러	예 자동차 출발 시 핸드브레이크를 해제하지 않고 출발하여 발생한 경우
시간에러 (Time Error)	필요한 직무 또는 절차의 수행지연으로 인한 에러	예 프레스 작업 중에 금형 내에 손이 오랫동안 남아 있어 발생한 재해
과잉행동에러 (Extraneous Error)	불필요한 작업 또는 절차를 수행함으로써 기인한 에러	예 자동차 운전 중 습관적으로 손을 창문으로 내밀어 발생한 재해

정답 29 ① 30 ② 31 ① 32 ②

33 인체측정과 작업공간 설계에 관한 설명으로 틀린 것은?

① 최대작업역 : 전완과 상완을 곧게 펴서 파악할 수 있는 영역
② 정상작업역 : 상완을 자연스럽게 수직으로 늘어뜨린 채, 손목을 움직여 파악할 수 있는 영역
③ 동적 측정 : 신체의 움직임에 따른 활동범위 등을 측정
④ 정적 측정 : 표준자세에서 움직이지 않는 자세에서 인체를 측정하는 것으로 골격 등 신체부위를 측정

해설
1. 최대작업역 : 아래팔(전완)과 위팔(상완)을 곧게 펴서 파악할 수 있는 구역
2. 정상작업역 : 위팔(상완)을 자연스럽게 수직으로 늘어뜨린 채, 아래팔(전완)만으로 편하게 뻗어 파악할 수 있는 구역
3. 기능적 인체 치수(동적 측정) : 인체 계측 중 운전 또는 워드 작업과 같이 인체의 각 부분이 서로 조화를 이루어 움직이는 자세에서의 인체치수를 측정하는 것으로 일반적으로 상지나 하지의 운동, 체위의 움직임에 따른 상태에서 측정하는 것
4. 구조적 인체 치수(정적 측정) : 표준 자세에서 움직이지 않는 피측정자를 인체 계측기 등으로 측정하는 것

34 Oxford 지수(Wet-dry Index, WD)를 구하는 공식으로 옳은 것은?

① WD = (0.3 × 글로브온도) + (0.7 × 자연습구온도)
② WD = (0.7 × 글로브온도) + (0.3 × 자연습구온도)
③ WD = (0.85 × 건구온도) + (0.15 × 습구온도)
④ WD = (0.85 × 습구온도) + (0.15 × 건구온도)

해설
Oxford 지수
습건(WD) 지수라고도 부르며, 습구 온도(W)와 건구 온도(D)의 가중 평균치로서 정의된다.

$$WD = 0.85W + 0.15D$$

35 제어장치의 레버를 4cm 움직였을 때, 표시장치의 지침이 4cm 움직였다면 이 기기의 통제표시비는 약 얼마인가?

① 2 ② 0.6
③ 1.5 ④ 1.7

해설
선형 조종장치가 선형 표시장치를 움직일 때 각각 직선변위의 비(제어표시비)

$$C/D\text{비}(C/R\text{비}) = \frac{\text{조종장치(제어기기)의 이동거리}}{\text{표시장치(표시기기)의 반응거리}}$$

$$C/D\text{비} = \frac{\text{조종장치의 이동거리}}{\text{표시장치의 반응거리}} = \frac{8}{4} = 2$$

36 결함수분석(FTA)에서 사용되는 논리게이트 중 다음 게이트의 명칭에 해당하는 것은?

① 위험지속기호 ② 배타적 OR게이트
③ 조합 AND 게이트 ④ 우선적 AND 게이트

해설
게이트
1. 위험지속기호 : 입력사상이 발생하여 어떤 일정한 시간이 지속될 때에 출력이 생긴다. 만약 지속되지 않으면 출력은 생기지 않는다.
2. 배타적 OR 게이트 : OR 게이트이지만 2개 또는 그 이상의 입력이 동시에 존재하는 경우에는 출력이 생기지 않는다.
3. 조합 AND 게이트 : 3개 이상의 입력사상 중 어느 것이나 2개가 일어나면 출력이 생긴다.
4. 우선적 AND 게이트 : 입력사상 중 어떤 사상이 다른 사상보다 먼저 일어난 때에 출력사상이 생긴다. 즉, 출력이 발생하기 위해서는 입력들이 정해진 순서로 발생해야 한다.

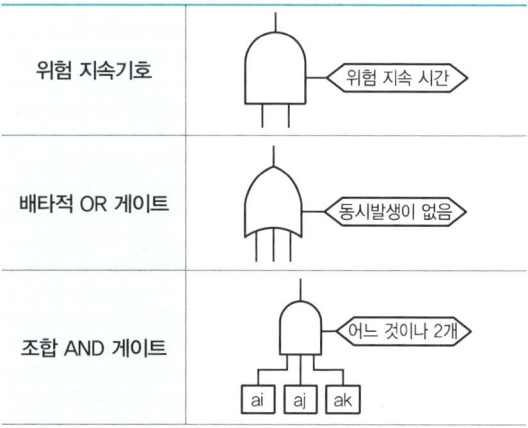

정답 33 ② 34 ④ 35 ① 36 ②

우선적 AND 게이트	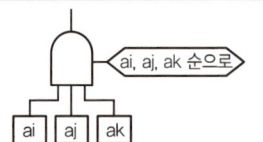 ai, aj, ak 순으로

37 다음 중 인체계측에 관한 설명으로 틀린 것은?

① 의자, 피복과 같이 신체모양과 치수와 관련성이 높은 설비의 설계에 중요하게 반영된다.
② 일반적으로 몸의 측정 치수는 구조적 치수(Structural Dimension)와 기능적 치수(Functional Dimension)로 나눌 수 있다.
③ 인체계측치의 활용 시에는 문화적 차이를 고려하여야 한다.
④ 인체계측치를 활용한 설계는 인간의 신체적 안락에는 영향을 미치지만 성능수행과는 관련이 없다.

해설
인체측정학의 개요
1. 일상생활에서 사용하는 도구나 설비를 설계할 때 인체 측정치를 이용하여 신체의 다양한 치수를 비롯하여 신체 부위의 부피, 질량, 무게 중심 등의 물리적 특성을 다루는 학문을 인체측정학이라 한다.
2. 의자, 책상, 작업공간, 피복 등과 같이 신체모양이나 치수에 관계있는 설비의 설계에 반영된다.
3. 인체측정치를 활용한 설계는 신체적인 안락뿐만 아니라 인간의 성능에까지도 영향을 미친다.

38 [그림] 결합수에서 최소 컷셋(A)과 신뢰도(B)를 올바르게 나타낸 것은?(단, 각각 사건의 고장확률은 0.2이다.)

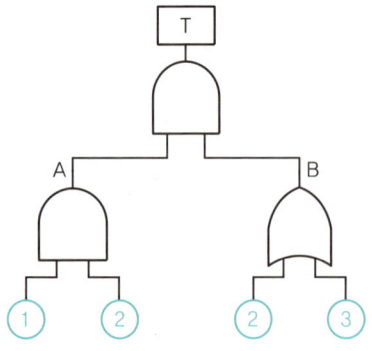

① A : (1,2), (2,3) B : 99.99%
② A : (1,2), B : 98.56%
③ A : (1,2,3), B : 99.45%
④ A : (1,3), B : 96.84%

해설
1. 미니멀 컷셋 구하기

　　　　ⓐ　　　ⓑ　　　ⓒ　　　　ⓓ　　　ⓔ
T → A, B → ①, ②, B → ①, ②, ② → ①, ②, ② → ①, ②
　　　　　　　　　　①, ②, ③　　①, ②, ③

2. 신뢰도 계산
   ㉠ $A = 0.2 \times 0.2 = 0.04$
   ㉡ $B = 1 - (1-0.2)(1-0.2) = 0.36$
   ㉢ $T = 0.04 \times 0.36 = 0.0144$
   ㉣ 신뢰도 $= 1 - 0.0144 = 0.9856 = 98.56\%$

TIP
1. ⓒ에서 1행의 컷셋은 (②)가 중복되어 있으므로 ⓓ에서 1행처럼 (①, ②)가 되고 ⓓ의 2행에서는 (①, ②)이 포함되어 있기 때문에 최소 컷셋은 ⓔ와 같다.
2. 본 문제는 고장확률을 구하는 문제가 아니라 신뢰도를 구하는 문제이다. FTA는 사고의 원인이 되는 장치의 이상이나 고장의 다양한 조합 및 작업자 실수 원인을 연역적으로 분석하는 방법이라는 개념을 알고 있어야 한다.

39 다음 내용에 해당하는 양립성의 종류는?

자동차를 운전하는 과정에서 우측으로 회전하기 위하여 핸들을 우측으로 돌린다.

① 개념의 양립성 ② 운동의 양립성
③ 공간의 양립성 ④ 감성의 양립성

해설
양립성의 종류

공간 양립성	• 표시장치와 이에 대응하는 조종장치 간의 위치 또는 배열이 인간의 기대와 모순되지 않아야 한다. • 가스버너에서 오른쪽 조리대는 오른쪽 조절장치로, 왼쪽 조리대는 왼쪽 조절장치로 조정하도록 배치한다.
운동 양립성	• 조작장치의 방향과 표시장치의 움직이는 방향이 사용자의 기대와 일치하는 것 • 자동차를 운전하는 과정에서 우측으로 회전하기 위하여 핸들을 우측으로 돌린다.
개념 양립성	• 사람들이 가지고 있는(이미 사람들이 학습을 통해 알고 있는) 개념적 연상에 관한 기대와 일치하는 것 • 냉온수기에서 빨간색은 온수, 파란색은 냉수가 나온다.
양식 양립성	음성과업에 대해서는 청각적 자극 제시와 이에 대한 음성 응답 등에 해당

정답 37 ④　38 ②　39 ②

40 다음 중 누적손상장애(CTDs)의 원인으로 거리가 먼 것은?

① 장시간 진동공구의 사용
② 과도한 힘의 사용
③ 높은 장소에서의 작업
④ 부적절한 자세에서의 작업

해설
근골격계 질환
1. 반복적인 동작, 부적절한 작업자세, 무리한 힘의 사용, 날카로운 면과의 신체접촉, 진동 및 온도 등의 요인에 의하여 발생하는 건강장해로서 목, 어깨, 허리, 팔·다리의 신경·근육 및 그 주변 신체조직 등에 나타나는 질환을 말한다.
2. 유사용어로는 누적 외상성 질환(CTDs), 반복성 긴장 상해 등이 있다.

3과목 기계·기구 및 설비 안전관리

41 프레스 등의 금형을 부착·해체 또는 조정 작업하는 작업을 할 때에 슬라이드가 갑자기 작동함으로써 근로자에게 발생할 우려가 있는 위험을 방지하기 위하여 설치하는 것은?

① 방호 울
② 안전블록
③ 권과방지장치
④ 게이트 가드

해설
금형조정작업의 위험 방지
프레스 등의 금형을 부착·해체 또는 조정하는 작업을 할 때에 해당 작업에 종사하는 근로자의 신체가 위험한계 내에 있는 경우 슬라이드가 갑자기 작동함으로써 근로자에게 발생할 우려가 있는 위험을 방지하기 위하여 안전블록을 사용하는 등 필요한 조치를 하여야 한다.

42 드릴링 머신을 이용한 작업 시 안전수칙에 관한 설명으로 옳지 않은 것은?

① 일감을 손으로 견고하게 쥐고 작업한다.
② 장갑을 끼고 작업을 하지 않는다.
③ 칩은 기계를 정지시킨 다음에 와이어브러시로 제거한다.
④ 드릴을 끼운 후에는 척 렌치를 반드시 탈거한다.

해설
드릴링 작업에 대한 안전수칙
1. 일감은 견고하게 고정시키며 관통된 것을 확인하기 위해 손으로 만져서는 안 된다.
2. 드릴을 끼운 후 척 렌치(Chuck Wrench)는 반드시 뺀다.
3. 작업모를 착용하고 옷소매가 긴 작업복은 입지 않는다.
4. 드릴작업에서는 보안경 및 안전덮개(Shield)를 설치한다.
5. 칩은 브러쉬(와이어 브러시)로 제거하고 장갑 착용은 금지한다.
6. 구멍 끝 작업에서는 절삭압력을 주어서는 안 된다.
7. 고정구를 사용하여 작업 중 공작물의 유동을 방지한다.
8. 가공 중에 구멍이 관통되면 기계를 멈추고 손으로 돌려서 드릴을 뺀다.
9. 일감의 설치, 테이블의 고정이나 조정은 기계를 정지시킨 후에 실시한다.
10. 큰 구멍을 뚫을 때는 반드시 작은 구멍을 먼저 뚫은 후 큰 구멍을 뚫는다.
11. 얇은 판에 구멍을 뚫을 때에는 나무판을 밑에 받치고 뚫는다.
12. 구멍이 거의 다 뚫리는 끝부분에서 일감이 드릴과 함께 맞물려 회전하기 쉬우므로 주의하여야 한다.

43 작업장에서 사용하는 로프의 최대사용하중이 100kgf이고, 절단하중이 300kgf일 때 이 로프의 안전율은?

① 0.33
② 3
③ 200
④ 300

해설
안전율(안전계수)

$$안전율 = \frac{절단하중}{최대사용하중} = \frac{300}{100} = 3$$

44 크레인 작업 시 조치사항 중 틀린 것은?

① 인양할 하물을 바닥에서 끌어당기거나 밀어내는 작업을 하지 아니할 것
② 유류드럼이나 가스통 등 운반 도중에 떨어져 폭발하거나 누출될 가능성이 있는 위험물 용기는 보관함에 담아 안전하게 매달아 운반할 것
③ 고정된 물체를 직접 분리·제거하는 작업을 할 것
④ 미리 근로자의 출입을 통제하여 인양 중인 하물이 작업자의 머리 위로 통과하지 않도록 할 것

정답 40 ③ 41 ② 42 ① 43 ② 44 ③

> **해설**

크레인 작업 시의 조치 및 준수사항
1. 인양할 하물을 바닥에서 끌어당기거나 밀어내는 작업을 하지 아니할 것
2. 유류드럼이나 가스통 등 운반 도중에 떨어져 폭발하거나 누출될 가능성이 있는 위험물 용기는 보관함에 담아 안전하게 매달아 운반할 것
3. 고정된 물체를 직접 분리·제거하는 작업을 하지 아니할 것
4. 미리 근로자의 출입을 통제하여 인양 중인 하물이 작업자의 머리 위로 통과하지 않도록 할 것
5. 인양할 하물이 보이지 아니하는 경우에는 어떠한 동작도 하지 아니할 것(신호하는 사람에 의하여 작업을 하는 경우는 제외)

45 숫돌의 지름이 D(mm), 회전수 N(rpm)이라 할 경우 숫돌의 원주속도 V(m/min)를 구하는 식으로 옳은 것은?

① $V = D \cdot N^2$
② $V = \dfrac{\pi \cdot D \cdot N}{1{,}000}$
③ $V = \dfrac{\pi \cdot D}{N}$
④ $V = \dfrac{N}{\pi \cdot D \cdot 1{,}000}$

> **해설**

원주속도(회전속도)

$$V = \pi DN [\text{mm/min}] = \dfrac{\pi DN}{1{,}000} [\text{m/min}]$$

여기서, V : 원주속도(회전속도)(m/min)
D : 숫돌의 지름(mm)
N : 숫돌의 매분 회전수(rpm)

46 프레스 가공품의 이송방법으로 2차 가공용 송급배출장치가 아닌 것은?

① 다이얼 피더(Dial Feeder)
② 롤 피더(Roll Feeder)
③ 푸셔 피더(Pusher Feeder)
④ 트랜스퍼 피더(Transfer Feeder)

> **해설**

이송장치
1. 1차 가공용 송급배출장치(롤 피더, 그리퍼 피드 등)
2. 2차 가공용 송급배출장치(슈트, 다이얼 피더, 푸셔 피더, 트랜스퍼 피더, 프레스용 로봇 등)

47 산업안전보건법령상 아세틸렌 용접장치에 대하여 취관마다 설치하여야 하는 방호장치는?(단, 주관 및 취관에 가장 가까운 분기관마다 이것을 부착한 경우에는 제외)

① 압력조정기
② 안전기
③ 울
④ 덮개

> **해설**

안전기의 설치기준
1. 아세틸렌 용접장치의 취관마다 안전기를 설치하여야 한다. 다만, 주관 및 취관에 가장 가까운 분기관마다 안전기를 부착한 경우에는 그러하지 아니하다.
2. 가스용기가 발생기와 분리되어 있는 아세틸렌 용접장치에 대하여 발생기와 가스용기 사이에 안전기를 설치하여야 한다.

48 밀링작업 시 안전수칙에 해당되지 않는 것은?

① 칩이나 부스러기는 반드시 브러시를 사용하여 제거한다.
② 가공 중에는 가공면을 손으로 점검하지 않는다.
③ 커터를 교체할 때에는 작업 도중에 한다.
④ 바이트는 가급적 짧게 고정시킨다.

> **해설**

밀링 작업에 대한 안전수칙
1. 제품을 따 내는 데에는 손끝을 대지 말아야 한다.
2. 운전 중 가공면에 손을 대지 말아야 하며 장갑 착용을 금지한다.
3. 칩을 제거할 때에는 커터의 운전을 중지하고 브러시(솔)를 사용하며 걸레를 사용하지 않는다.
4. 칩의 비산이 많으므로 보안경을 착용한다.
5. 커터 설치 시 및 측정은 반드시 기계를 정지시킨 후에 한다.
6. 일감(공작물)은 테이블 또는 바이스에 안전하게 고정한다.
7. 상하 이송장치의 핸들은 사용 후 반드시 빼 두어야 한다.
8. 가공 중에 밀링머신에 얼굴을 대지 않는다.
9. 절삭 속도는 재료에 따라 정한다.
10. 커터를 끼울 때는 아버를 깨끗이 닦는다.
11. 일감(공작물)을 고정하거나 풀어낼 때는 기계를 정지시킨다.
12. 테이블 위에 공구 등을 올려놓지 않는다.
13. 강력 절삭을 할 때는 일감을 바이스에 깊게 물린다.
14. 급속이송은 백래시 제거장치가 동작하지 않고 있음을 확인한 후 실시하고, 급속이송은 한 방향으로만 한다.

정답 45 ② 46 ② 47 ② 48 ③

49 재해원인 분석방법의 통계적 원인분석 중 다음에서 설명하는 것은?

사고의 유형, 기인물 등 분류항목을 큰 순서대로 도표화한다.

① 파레토도
② 특성 요인도
③ 크로스도
④ 관리도

해설

통계에 의한 원인분석
1. 파레토도
   사고의 유형, 기인물 등 분류항목을 큰 값에서 작은 값의 순서로 도표화하며, 문제나 목표의 이해에 편리하다.
2. 특성 요인도
   특성과 요인관계를 어골상으로 도표화하여 분석하는 기법(원인과 결과를 연계하여 상호 관계를 파악하기 위한 분석방법)
3. 클로즈(Close) 분석
   두 개 이상의 문제관계를 분석하는 데 사용하는 것으로, 데이터를 집계하고 표로 표시하여 요인별 결과내역을 교차한 클로즈 그림을 작성하여 분석하는 기법
4. 관리도
   재해발생 건수 등의 추이에 대해 한계선을 설정하여 목표관리를 수행하는 데 사용되는 방법으로 관리선은 관리상한선, 중심선, 관리하한선으로 구성된다.

50 다음 중 반대로 회전하는 두 개의 회전체가 맞닿는 사이에 발생하는 위험점은?

① 협착점
② 절단점
③ 물림점
④ 끼임점

해설

기계운동 형태에 따른 위험점 분류

협착점 (Squeeze Point)	왕복운동을 하는 운동부와 움직임이 없는 고정부 사이에서 형성되는 위험점 (고정점 + 운동점)	• 프레스 • 전단기 • 성형기 • 조형기 • 밴딩기 • 인쇄기
끼임점 (Shear Point)	회전운동하는 부분과 고정부 사이에 위험이 형성되는 위험점 (고정점 + 회전운동)	• 연삭숫돌과 작업대 • 반복동작되는 링크기구 • 교반기의 날개와 몸체 사이 • 회전풀리와 벨트
절단점 (Cutting Point)	회전하는 운동부 자체의 위험이나 운동하는 기계부분 자체의 위험에서 형성되는 위험점 (회전운동 + 기계)	• 밀링커터 • 둥근 톱의 톱날 • 목공용 띠톱 날
물림점 (Nip Point)	회전하는 두 개의 회전체에 형성되는 위험점(서로 반대 방향의 회전체) (중심점 + 반대방향의 회전운동)	• 기어와 기어의 물림 • 롤러와 롤러의 물림 • 롤러 분쇄기
접선 물림점 (Tangential Nip Point)	회전하는 부분의 접선방향으로 물려 들어갈 위험이 있는 위험점	• V벨트와 풀리 • 랙과 피니언 • 체인벨트 • 평벨트
회전 말림점 (Trapping Point)	회전하는 물체의 길이, 굵기, 속도 등의 불규칙 부위와 돌기 회전부위에 의해 장갑 또는 작업복 등이 말려들 위험이 있는 위험점	• 회전하는 축 • 커플링 • 회전하는 드릴

51 산업안전보건법령에 따른 보일러의 안전한 가동을 위하여 보일러 규격에 맞는 압력방출장치를 2개 이상 설치된 경우 옳은 것은?

① 최고사용압력 이상에서 1개가 작동되고, 다른 압력방출장치는 최고사용압력 2배 이하에서 작동되도록 부착하여야 한다.
② 최고사용압력 이하에서 1개가 작동되고, 다른 압력방출장치는 최고사용압력 1.05배 이하에서 작동되도록 부착하여야 한다.
③ 최고사용압력 이상에서 1개가 작동되고, 다른 압력방출장치는 최고사용압력 2배 이상에서 작동되도록 부착하여야 한다.
④ 최고사용압력 이상에서 1개가 작동되고, 다른 압력방출장치는 최고사용압력 1.05배 이하에서 작동되도록 부착하여야 한다.

해설

보일러의 압력방출장치
1. 보일러의 안전한 가동을 위하여 보일러 규격에 맞는 압력방출장치를 1개 또는 2개 이상 설치하고 최고사용압력(설계압력 또는 최고허용압력) 이하에서 작동되도록 하여야 한다.

정답 49 ① 50 ③ 51 ②

2. 압력방출장치가 2개 이상 설치된 경우에는 최고사용압력 이하에서 1개가 작동되고, 다른 압력방출장치는 최고사용압력 1.05배 이하에서 작동되도록 부착하여야 한다.
3. 압력방출장치는 매년 1회 이상 교정을 받은 압력계를 이용하여 설정압력에서 압력방출장치가 적정하게 작동하는지를 검사한 후 납으로 봉인하여 사용하여야 한다.(공정안전보고서 이행상태 평가결과가 우수한 사업장은 압력방출장치에 대하여 4년마다 1회 이상 설정압력에서 압력방출장치가 적정하게 작동하는지를 검사할 수 있다.)

52 보일러의 연도(굴뚝)에서 버려지는 여열을 이용하여 보일러에 공급되는 급수를 예열하는 부속장치는?

① 과열기 ② 절탄기
③ 공기예열기 ④ 연소장치

해설

보일러의 장치

과열기	본체에서 발생하는 포화온도 이상으로 재가열하여 과열증기로 만드는 장치
절탄기	연도(굴뚝)에서 버려지는 여열을 이용하여 보일러에 공급되는 급수를 예열하는 장치
공기예열기	연도(굴뚝)에서 버려지는 여열을 이용하여 보일러에 공급되는 온도를 올리기 위한 장치
연소장치	기본본체에 열을 공급하기 위해 연료를 연소시키기 위한 장치

53 다음 중 연삭숫돌의 파괴원인으로 거리가 가장 먼 것은?

① 숫돌 자체에 균열이 있을 때
② 플랜지의 직경은 숫돌직경의 1/3 이상이며 고정 측과 이동 측의 직경이 같을 때
③ 숫돌의 회전속도가 너무 빠를 때
④ 숫돌에 과대한 충격을 가할 때

해설

연삭숫돌의 파괴 원인
1. 숫돌의 회전속도가 너무 빠를 때
2. 숫돌 자체에 균열이 있을 때
3. 숫돌에 과대한 충격을 가할 때
4. 숫돌의 측면을 사용하여 작업할 때
5. 숫돌의 불균형이나 베어링 마모에 의한 진동이 있을 때 (숫돌이 경우에 따라 파손될 수 있다.)
6. 숫돌 반경방향의 온도변화가 심할 때
7. 작업에 부적당한 숫돌을 사용할 때

8. 숫돌의 치수가 부적당할 때
9. 플랜지가 현저히 작을 때

TIP 플랜지의 지름은 숫돌지름의 1/3 이상인 것을 사용하며 양쪽 모두 같은 크기로 한다.

$$\text{플랜지의 지름} = \text{숫돌지름} \times \frac{1}{3}$$

54 산업안전보건법령에 따라 양중기용 와이어로프의 사용금지 기준으로 옳은 것은?

① 지름의 감소가 공칭지름의 3%를 초과하는 것
② 지름의 감소가 공칭지름의 5%를 초과하는 것
③ 와이어로프의 한 꼬임에서 끊어진 소선의 수가 7% 이상인 것
④ 와이어로프의 한 꼬임에서 끊어진 소선의 수가 10% 이상인 것

해설

양중기 와이어로프 사용금지 조건
1. 이음매가 있는 것
2. 와이어로프의 한 꼬임에서 끊어진 소선의 수가 10퍼센트 이상 인 것
3. 지름의 감소가 공칭지름의 7퍼센트를 초과하는 것
4. 꼬인 것
5. 심하게 변형되거나 부식된 것
6. 열과 전기충격에 의해 손상된 것

55 다음 중 연삭기의 원주속도 V(m/s)를 구하는 식으로 옳은 것은?[단, D는 숫돌의 지름(m), n은 회전수(rpm)]

① $V = \dfrac{\pi D n}{16}$ ② $V = \dfrac{\pi D n}{32}$

③ $V = \dfrac{\pi D n}{60}$ ④ $V = \dfrac{\pi D n}{1,000}$

해설

원주속도(회전속도)

$$V = \pi D N [\text{mm/min}] = \frac{\pi D N}{1,000}[\text{m/min}]$$

여기서 V : 원주속도(회전속도)(m/min)
D : 숫돌의 지름(mm)
N : 숫돌의 매분 회전수(rpm)

정답 52 ② 53 ② 54 ④ 55 ③

1. 공식에서는 숫돌의 지름이 (mm)인데 문제에서 숫돌의 지름이 (m)로 주어졌으므로
$$V = \frac{\pi DN}{1,000}(\text{m/min}) = \frac{\pi \times D \times 1,000 \times N}{1,000}(\text{m/min})$$
$$= \pi DN(\text{m/min})$$
2. 공식에서는 원주속도의 단위가 (m/min)인데 문제에서 원주속의 단위가 (m/s)로 주어졌으므로
$$V = \pi DN \times \frac{1}{60(\text{초})} = \frac{\pi DN}{60}(\text{m/s})$$

56 프레스의 양수조작식 방호장치에서 누름버튼의 상호 간 내측거리는 몇 mm 이상이어야 하는가?

① 200 ② 300
③ 400 ④ 500

해설
양수조작식
누름버튼의 상호 간 내측거리는 300mm 이상이어야 한다.

57 다음 중 연삭기의 종류가 아닌 것은?

① 다두 연삭기
② 원통 연삭기
③ 센터리스 연삭기
④ 만능 연삭기

해설
연삭기의 종류
1. 탁상용 연삭기   6. 휴대용 연삭기
2. 원통연삭기   7. 스윙연삭기
3. 센터리스연삭기   8. 슬래브연삭기
4. 공구연삭기   9. 평면연삭기
5. 만능연삭기   10. 절단연삭기

58 산업안전보건법령상 연삭숫돌의 상부를 사용하는 것을 목적으로 하는 탁상용 연삭기 덮개의 노출각도는?

① 60° 이내   ② 65° 이내
③ 80° 이내   ④ 125° 이내

해설
연삭기 덮개의 각도
1. 일반연삭작업 등에 사용하는 것을 목적으로 하는 탁상용 연삭기 덮개의 노출각도는 125° 이내로 한다.
2. 연삭숫돌의 상부를 사용하는 것을 목적으로 하는 탁상용 연삭기 덮개의 노출각도는 60° 이내로 한다.
3. 1. 및 2. 이외의 탁상용 연삭기, 그 밖에 이와 유사한 연삭기 덮개의 노출각도는 80° 이내로 하되, 숫돌의 주축에서 수평면 위로 이루는 원주 각도는 65° 이상이 되지 않도록 한다.
4. 원통연삭기, 센터리스연삭기, 공구연삭기, 만능연삭기, 그 밖에 이와 비슷한 연삭기 덮개의 노출각도는 180° 이내로 한다.
5. 휴대용 연삭기, 스윙연삭기, 스라브연삭기, 그 밖에 이와 비슷한 연삭기 덮개의 노출각도는 180° 이내로 한다.
6. 평면연삭기, 절단연삭기, 그 밖에 이와 비슷한 연삭기 덮개의 노출각도는 150° 이내로 하되, 숫돌의 주축에서 수평면 밑으로 이루는 덮개의 각도는 15° 이상이 되도록 한다.

TIP 연삭숫돌의 상부를 사용하는 것을 목적으로 하는 탁상용 연삭기의 덮개 각도

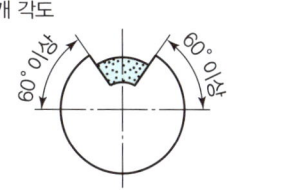

59 선반작업에서 가공물이 길이가 외경에 비하여 과도하게 길 때, 절삭저항에 의한 떨림을 방지하기 위한 장치는?

① 센터   ② 심봉
③ 방진구 ④ 돌리개

해설
방진구
1. 가공물의 길이가 외경에 비해 가늘고 긴 공작물을 가공할 경우 자중 및 절삭력으로 인하여 휘거나 처짐, 진동을 방지하기 위하여 사용하는 기구로 고정식과 이동식 방진구가 있다.
2. 가공물의 길이가 직경의 12배 이상일 때는 반드시 방진구를 사용하여야 한다.

60 사고 체인의 5요소에 해당하지 않는 것은?

① 함정(Trap)
② 충격(Impact)
③ 접촉(Contact)
④ 결함(Flaw)

해설
위험의 5요소(위험분류 체크 요인, 사고 체인의 요소)

1요소 : 함정 (Trap)	기계의 운동에 의해서 트랩점이 발생할 가능성이 있는가?
2요소 : 충격 (Impact)	운동하는 기계요소와 사람이 부딪쳐 사고가 날 가능성이 없는가?
3요소 : 접촉 (Contact)	날카롭거나, 차갑거나, 전류가 흐름으로써 접촉 시 상해가 일어날 요소들이 있는가?
4요소 : 얽힘, 말림 (Entanglement)	머리카락, 옷소매나 바지, 장갑, 넥타이, 작업복 등 기계설비에 말려들 염려는 없는가?
5요소 : 튀어나옴 (Ejection)	기계부품이나 피가공재가 기계로부터 튀어나올 염려가 없는가?

4과목 전기 및 화학설비 안전관리

61 다음 중 물질에 발생한 정전기의 제거방법으로 적절하지 않은 것은?

① 습기 여부
② 자외선의 공급
③ 금속부분의 접지
④ 정전기방지용 도장

해설
정전기재해의 방지대책
1. 접지(도체의 대전방지)
2. 유속의 제한
3. 보호구의 착용
4. 대전방지제 사용
5. 가습(상대습도를 60~70% 정도 유지)
6. 제전기 사용
7. 대전물체의 차폐
8. 정치시간의 확보
9. 도전성 재료 사용

62 페인트를 스프레이로 뿌려 도장작업을 하는 작업 중 발생할 수 있는 정전기 대전으로만 이루어진 것은?

① 유동대전, 충돌대전
② 유동대전, 마찰대전
③ 분출대전, 충돌대전
④ 분출대전, 유동대전

해설
정전기의 발생현상

분출대전	분체류, 액체류, 기체류가 단면적이 작은 개구부를 통해 분출할 때 분출물과 개구부의 마찰로 인하여 정전기가 발생
충돌대전	분체류에 의한 입자끼리 또는 입자와 고정된 고체의 충돌, 접촉, 분리 등에 의해 정전기 발생

63 다음 중 통전경로별 위험도가 가장 높은 경로는?

① 왼손-등
② 오른손-가슴
③ 왼손-가슴
④ 오른손-양발

해설
통전경로별 위험도
감전 시의 영향은 전류의 경로에 따라 그 위험성이 달라지며, 전류가 심장 또는 그 주위를 통하게 되면 심장에 영향을 주어 가장 위험하다.

통전경로	심장전류계수	통전경로	심장전류계수
왼손-가슴	1.5	왼손-등	0.7
오른손-가슴	1.3	한 손 또는 양손-앉아 있는 자리	0.7
왼손-한 발 또는 양발	1.0	왼손-오른손	0.4
양손-양발	1.0	오른손-등	0.3
오른손-한 발 또는 양발	0.8		

※ 숫자가 클수록 위험도가 높다.

64 인체가 전격을 당했을 경우 통전시간이 1초라면 심실세동을 일으키는 전류값(mA)은?(단, 심실세동 전류값은 Dalziel의 관계식을 이용한다.)

① 100
② 165
③ 180
④ 215

해설
심실세동전류(치사전류)

$$I = \frac{165}{\sqrt{T}} \text{(mA)}$$

여기서, I : 심실세동전류(mA)
T : 통전 시간(sec)
전류 I는 1,000명 중 5명 정도가 심실세동을 일으키는 값

$$I = \frac{165}{\sqrt{T}} = \frac{165}{\sqrt{1}} = 165 \text{[mA]}$$

정답 61 ② 62 ③ 63 ③ 64 ②

65 저압전선로 중 절연 부분의 전선과 대지 간 및 전선의 심선 상호간의 절연저항은 사용전압에 대한 누설전류가 최대 공급전류의 얼마를 넘지 않도록 규정하고 있는가?

① $\dfrac{1}{1,000}$ ② $\dfrac{1}{1,500}$
③ $\dfrac{1}{2,000}$ ④ $\dfrac{1}{2,500}$

해설

허용누설전류

$$누설전류 = 최대공급전류 \times \dfrac{1}{2,000}$$

66 작업장 내 시설하는 저압전선에는 감전 등의 위험으로 나전선을 사용하지 않고 있지만, 특별한 이유에 의하여 사용할 수 있도록 규정된 곳이 있는데 이에 해당되지 않은 것은?

① 버스덕트공사에 의하여 시설하는 경우
② 애자공사에 의하여 전개된 곳에 전기로용 전선을 시설하는 경우
③ 라이팅덕트공사에 의하여 시설하는 경우
④ 옥내전기설비를 금속관 공사에 의하여 시설하는 경우

해설

나전선의 사용 제한

옥내에 시설하는 저압전선에는 나전선을 사용하여서는 아니 된다. 다만, 다음 중 어느 하나에 해당하는 경우에는 그러하지 아니하다.
1. 규정에 준하는 애자공사에 의하여 전개된 곳에 다음의 전선을 시설하는 경우
   ㉠ 전기로용 전선
   ㉡ 전선의 피복 절연물이 부식하는 장소에 시설하는 전선
   ㉢ 취급자 이외의 자가 출입할 수 없도록 설비한 장소에 시설하는 전선
2. 규정에 준하는 버스덕트공사에 의하여 시설하는 경우
3. 규정에 준하는 라이팅덕트공사에 의하여 시설하는 경우
4. 규정에 준하는 접촉 전선을 시설하는 경우

67 근로자가 활선작업용 기구를 사용하여 작업할 경우 근로자의 신체 등과 충전전로 사이의 사용전압별 접근한계거리가 틀린 것은?

① 15kV 초과 37kV 이하 : 80cm
② 37kV 초과 88kV 이하 : 110cm
③ 121kV 초과 145kV 이하 : 150cm
④ 242kV 초과 362kV 이하 : 380cm

해설

충전전로에서의 전기작업

충전전로의 선간전압 (단위 : 킬로볼트)	충전전로에 대한 접근한계거리 (단위 : 센티미터)
0.3 이하	접촉금지
0.3 초과 0.75 이하	30
0.75 초과 2 이하	45
2 초과 15 이하	60
15 초과 37 이하	90
37 초과 88 이하	110
88 초과 121 이하	130
121 초과 145 이하	150
145 초과 169 이하	170
169 초과 242 이하	230
242 초과 362 이하	380
362 초과 550 이하	550
550 초과 800 이하	790

68 다음 설명에 해당하는 위험장소의 종류로 옳은 것은?

> 공기 중에서 가연성 분진운의 형태가 연속적, 또는 장기적 자주 폭발성 분위기가 존재하는 장소

① 0종 장소
② 1종 장소
③ 20종 장소
④ 21종 장소

정답 65 ③ 66 ④ 67 ① 68 ③

> 해설

분진폭발 위험장소

분류	적요	예
20종 장소	분진운 형태의 가연성 분진이 폭발 농도를 형성할 정도로 충분한 양이 정상 작동 중에 연속적으로 또는 자주 존재하거나, 제어할 수 없을 정도의 양 및 두께의 분진층이 형성될 수 있는 장소를 말한다.	호퍼 · 분진저장소 · 집진장치 · 필터 등의 내부
21종 장소	20종 장소 밖으로서(장소 외의 장소로서) 분진운 형태의 가연성 분진이 폭발농도를 형성할 정도의 충분한 양이 정상 작동 중에 존재할 수 있는 장소를 말한다.	집진장치 · 백필터 · 배기구 등의 주위, 이송벨트 샘플링 지역 등
22종 장소	21종 장소 밖으로서(장소 외의 장소로서) 가연성 분진운 형태가 드물게 발생 또는 단기간 존재할 우려가 있거나, 이상 작동 상태하에서 가연성 분진운이 형성될 수 있는 장소를 말한다.	21종 장소에서 예방조치가 취하여진 지역, 환기설비 등과 같은 안전장치 배출구 주위 등

69 정전기 발생에 영향을 주는 요인이 아닌 것은?

① 물체의 특성
② 물체의 표면상태
③ 접촉면적 및 압력
④ 응집속도

> 해설

정전기 발생의 영향 요인(정전기 발생요인)
1. 물체의 특성
2. 물체의 표면상태
3. 물체의 이력
4. 접촉면적 및 압력
5. 분리속도
6. 완화시간

70 산업안전보건법령에 따라 꽂음접속기를 설치 또는 사용하는 경우 준수하여야 할 사항으로 틀린 것은?

① 서로 다른 전압의 꽂음 접속기는 서로 접속되지 아니한 구조의 것을 사용할 것
② 습윤한 장소에 사용되는 꽂음접속기는 방수형 등 그 장소에 적합한 것을 사용할 것
③ 근로자가 해당 꽂음접속기를 접속시킬 경우에는 땀 등으로 젖은 손으로 취급하지 않도록 할 것
④ 꽂음접속기에 잠금장치가 있는 때에는 접속 후 개방하여 사용할 것

> 해설

꽂음접속기의 설치 · 사용 시 준수사항
1. 서로 다른 전압의 꽂음 접속기는 서로 접속되지 아니한 구조의 것을 사용할 것
2. 습윤한 장소에 사용되는 꽂음 접속기는 방수형 등 그 장소에 적합한 것을 사용할 것
3. 근로자가 해당 꽂음 접속기를 접속시킬 경우에는 땀 등으로 젖은 손으로 취급하지 않도록 할 것
4. 해당 꽂음 접속기에 잠금장치가 있는 경우에는 접속 후 잠그고 사용할 것

71 연소의 3요소에 해당되지 않는 것은?

① 가연물
② 점화원
③ 연쇄반응
④ 산소공급원

> 해설

연소의 3요소
1. 가연성 물질(가연물)
2. 산소공급원
3. 점화원

72 유해물질의 농도를 c, 노출시간을 t라 할 때 유해물질지수(k)와의 관계인 Haber의 법칙을 바르게 나타낸 것은?

① $k = c + t$
② $k = \dfrac{c}{k}$
③ $k = c \times t$
④ $k = c - t$

> 해설

Haber의 법칙
1. 농도가 증가할수록 유해도는 증가한다.
2. 공식

$$k = c \times t$$

여기서, k : 유해물질 지수
c : 유해물질의 농도
t : 노출시간

정답 69 ④ 70 ④ 71 ③ 72 ③

73 다음 중 물을 소화제로 사용하는 주된 이유로 가장 적합한 것은?

① 기화되기 쉬우므로
② 증발잠열이 크므로
③ 환원성이므로
④ 부촉매 효과가 있으므로

해설
물 소화약제의 장점
1. 쉽게 구할 수 있고 인체에 무해하다.
2. 비열과 증발잠열이 커서 냉각 효과가 우수하다.
3. 쉽게 운반할 수 있다.

74 다음 중 분해 폭발하는 가스의 폭발방지를 위하여 첨가하는 불활성 가스로 가장 적합한 것은?

① 산소
② 질소
③ 수소
④ 프로판

해설
불활성화
1. 가연성 혼합가스나 혼합분진에 불활성 가스를 주입하여 산소의 농도를 최소산소농도 이하로 낮게 유지하는 것
2. 불활성가스
   ㉠ 질소
   ㉡ 이산화탄소
   ㉢ 수증기 또는 연소배기 가스 등이 있으며 통상적으로 불활성 가스로 질소가 사용된다.

75 리튬(Li)에 관한 설명으로 틀린 것은?

① 물과 반응하여 수소를 발생한다.
② 연소 시 산소와는 반응하지 않는 특성이 있다.
③ 화재발생 시 소화방법으로는 마른 모래 등을 이용한다.
④ 염산과 반응하여 수소를 발생한다.

해설
리튬(Li)[제3류 위험물]
1. 공기 중에서 서서히 가열해도 발화하여 연소하며, 연소 시 탄산가스(CO_2) 속에서도 꺼지지 않고 연소한다.
2. 산, 알코올류와는 격렬히 반응하여 수소를 발생한다.
3. 물과는 격렬하게 반응하여 수소를 발생한다.
4. 주수를 엄금하고 잘 건조된 소금분말, 마른모래, 건조 분말 소화약제에 의해 질식소화를 한다.

76 부탄의 연소하한값이 1.6vol%일 경우, 연소에 필요한 최소산소농도는 약 몇 vol%인가?

① 9.4
② 10.4
③ 11.4
④ 12.4

해설
최소산소농도(MOC ; Minimum Oxygen Concentration)

$$\text{최소산소농도(MOC)} = \text{연소하한계} \times \text{산소의 화학양론적 계수}$$

1. $C_4H_{10} + 6.5O_2 \rightarrow 4CO_2 + 5H_2O$
2. 최소산소농도(MOC)
   = 연소하한계 × 산소의 화학양론적 계수
   = $1.6 \times 6.5 = 10.4(\%)$

77 공기 중에 3ppm의 디메틸아민(Demethylamine, TLV-TWA : 10ppm)과 20ppm의 시클로헥산올(Cyclohexanol, TLV-TWA : 50ppm)이 있고, 10ppm의 산화프로필렌(Propyleneoxide, TLV-TWA : 20ppm)이 존재한다면 혼합 TLV-TWA는 몇 ppm인가?

① 12.5
② 22.5
③ 27.5
④ 32.5

해설
노출지수(EI ; Exposure Index) : 공기 중 혼합물질

- 노출지수$(EI) = \dfrac{C_1}{TLV_1} + \dfrac{C_2}{TLV_2} + \cdots + \dfrac{C_n}{TLV_n}$

  여기서, C_n : 각 혼합물질의 공기 중 농도
  TLV_n : 각 혼합물질의 노출기준

- 보정된 허용농도(기준) = $\dfrac{\text{혼합물의 공기 중 농도}(C_1 + C_2 + \cdots + C_n)}{\text{노출지수}(EI)}$

① 노출지수(EI) = $\dfrac{C_1}{TLV_1} + \dfrac{C_2}{TLV_2} + \dfrac{C_3}{TLV_3}$

$= \dfrac{3}{10} + \dfrac{20}{50} + \dfrac{10}{20} = 1.2$

② 보정된 허용농도(기준)

$= \dfrac{\text{혼합물의 공기 중 농도}(C_1 + C_2 + \cdots + C_n)}{\text{노출지수}(EI)}$

$= \dfrac{3 + 20 + 10}{1.2} = 27.5[ppm]$

정답 73 ② 74 ② 75 ② 76 ② 77 ③

78 위험물을 건조하는 경우 내용적이 몇 m³ 이상인 건조설비일 때 위험물 건조설비 중 건조실을 설치하는 건축물의 구조를 독립된 단층으로 해야 하는가? (단, 건축물은 내화구조가 아니며, 건조실을 건축물의 최상층에 설치한 경우가 아니다.)

① 0.1
② 1
③ 10
④ 100

해설

위험물 건조설비를 설치하는 건축물의 구조
다음 각 호의 어느 하나에 해당하는 위험물 건조설비 중 건조실을 설치하는 건축물의 구조는 독립된 단층 건물로 하여야 한다. 다만, 해당 건조실을 건축물의 최상층에 설치하거나 건축물이 내화구조인 경우에는 그러하지 아니하다.
1. 위험물 또는 위험물이 발생하는 물질을 가열·건조하는 경우 내용적이 1세제곱미터 이상인 건조설비
2. 위험물이 아닌 물질을 가열·건조하는 경우로서 다음 각 목의 어느 하나의 용량에 해당하는 건조설비
   ㉠ 고체 또는 액체연료의 최대사용량이 시간당 10킬로그램 이상
   ㉡ 기체연료의 최대사용량이 시간당 1세제곱미터 이상
   ㉢ 전기사용 정격용량이 10킬로와트 이상

79 물과 접촉할 경우 화재나 폭발의 위험성이 더욱 증가하는 것은?

① 칼륨
② 트리니트로톨루엔
③ 황린
④ 니트로셀룰로오스

해설

금수성 물질(물과 접촉을 금지해야 하는 물질)
1. 정의
   물과 접촉하면 격렬한 발열반응하는 것으로 물질이 공기 중의 습기를 흡수해서 화학반응을 일으켜 발열하거나, 수분과 접촉해서 발열하여 그 온도가 가속도적으로 높아져 발화되는 물질
2. 종류
   ㉠ 칼륨   ㉥ 나트륨
   ㉡ 리튬   ㉦ 철분
   ㉢ 칼슘   ㉧ 알킬리튬
   ㉣ 마그네슘   ㉨ 금속분
   ㉤ 알킬알루미늄   ㉩ 탄화칼슘 등

80 최소착화에너지가 0.25mJ, 극간 정전용량이 10pF인 부탄가스 버너를 점화시키기 위해서 최소 얼마 이상의 전압을 인가하여야 하는가?

① 0.52×10^2V
② 0.74×10^3V
③ 7.07×10^3V
④ 5.03×10^5V

해설

최소발화에너지

$$E = \frac{1}{2}CV^2$$

여기서, E : 발화에너지[J]
　　　　C : 전기용량[F]
　　　　V : 방전전압[V]

1. $E = \frac{1}{2}CV^2 \rightarrow 2E = CV^2 \rightarrow V^2 = \frac{2E}{C} \rightarrow V = \sqrt{\frac{2E}{C}}$

2. $V = \sqrt{\frac{2E}{C}} = \sqrt{\frac{2 \times 0.25 \times 10^{-3}}{10 \times 10^{-12}}}$
   $= 7,071.06[V] \doteqdot 7.07 \times 10^3[V]$

TIP pF = 10^{-12}F, mJ = 10^{-3}J

5과목　건설공사 안전관리

81 산업안전보건기준에 관한 규칙에 따라 계단 및 계단참을 설치하는 경우 매 m²당 최소 얼마 이상의 하중에 견딜 수 있는 강도를 가진 구조로 설치하여야 하는가?

① 500kg
② 600kg
③ 700kg
④ 800kg

해설

계단 및 계단참의 강도
1. 매제곱미터당 500킬로그램 이상의 하중에 견딜 수 있는 강도를 가진 구조로 설치하여야 한다.
2. 안전율(재료의 파괴응력도와 허용응력도의 비율)은 4 이상으로 하여야 한다.
3. 계단 및 승강구 바닥을 구멍이 있는 재료로 만드는 경우 렌치나 그 밖의 공구 등이 낙하할 위험이 없는 구조로 하여야 한다.

정답　78 ②　79 ①　80 ③　81 ①

82 안전관리비의 사용항목에 해당하지 않는 것은?

① 안전시설비
② 개인보호구 구입비
③ 접대비
④ 사업장의 안전·보건진단비

해설
안전보건관리비 사용항목
1. 안전·보건관리자 임금 등
2. 안전시설비 등
3. 보호구 등
4. 안전보건진단비 등
5. 안전보건교육비 등
6. 근로자 건강장해예방비 등
7. 건설재해예방전문지도기관 기술지도비
8. 본사 전담조직 근로자 임금 등
9. 위험성평가 등에 따른 소요비용

83 산업안전보건관리비계상기준에 따른 대상액 5억원 미만인 경우 특수건설공사의 적용비율로 옳은 것은?

① 2.07% ② 3.11%
③ 3.15% ④ 3.64%

해설
공사 종류 및 규모별 산업안전보건관리비 계상기준표
(단위 : 원)

구분 공사 종류	대상액 5억 원 미만인 경우 적용비율(%)	대상액 5억 원 이상 50억 원 미만인 경우		대상액 50억 원 이상인 경우 적용비율(%)	보건관리자 선임대상 건설공사의 적용비율(%)
		적용비율 (%)	기초액		
건축공사	3.11%	2.28%	4,325,000원	2.37%	2.64%
토목공사	3.15%	2.53%	3,300,000원	2.60%	2.73%
중건설공사	3.64%	3.05%	2,975,000원	3.11%	3.39%
특수건설공사	2.07%	1.59%	2,450,000원	1.64%	1.78%

안전관리비 대상액 = 공사원가계산서 구성항목 중 직접재료비, 간접재료비와 직접노무비를 합한 금액(발주자가 재료를 제공할 경우에는 해당 재료비를 포함)

84 추락방지망의 방망 지지점은 최소 얼마 이상의 외력에 견딜 수 있는 강도를 보유하여야 하는가?

① 500kg ② 600kg
③ 700kg ④ 800kg

해설
지지점의 강도
방망 지지점은 600킬로그램의 외력에 견딜 수 있는 강도를 보유하여야 한다. (다만, 연속적인 구조물이 방망 지지점인 경우의 외력이 다음 식에서 계산한 값에 견딜 수 있는 것은 제외)

$$F = 200B$$

여기서, F : 외력(kg), B : 지지점간격(m)

85 다음 중 철골작업을 중지하여야 하는 풍속 기준은?

① 풍속이 초당 10미터 이상
② 풍속이 분당 10미터 이상
③ 풍속이 초당 1미터 이상
④ 풍속이 분당 1미터 이상

해설
작업의 제한(철골작업 중지)
1. 풍속이 초당 10미터 이상인 경우
2. 강우량이 시간당 1밀리미터 이상인 경우
3. 강설량이 시간당 1센티미터 이상인 경우

86 암질 변화구간 및 이상 암질 출현 시 판별 방법과 가장 거리가 먼 것은?

① R.Q.D ② R.M.R
③ 지표침하량 ④ 탄성파 속도

해설
암질판별 기준
1. R.Q.D(%)
2. 탄성파속도(m/sec)
3. R.M.R
4. 일축압축강도(kg/cm²)
5. 진동치 속도(cm/sec = Kine)

87 사질토지반에서 보일링(Boiling)현상에 의한 위험성이 예상될 경우의 대책으로 옳지 않은 것은?

① 흙막이 말뚝의 밑둥넣기를 깊게 한다.
② 굴착 저면보다 깊은 지반을 불투수로 개량한다.
③ 굴착 밑 투수층에 만든 피트(pit)를 제거한다.
④ 흙막이벽 주위에서 배수시설을 통해 수두차를 적게 한다.

정답 82 ③ 83 ① 84 ② 85 ① 86 ③ 87 ③

> **해설**
>
> 보일링(Boiling)현상
> 1. 정의 : 사질토 지반에서 굴착저면과 흙막이 배면과의 수위차로 인해 굴착저면의 흙과 물이 함께 위로 솟구쳐 오르는 현상
> 2. 안전대책
>   ㉠ 차수성이 높은 흙막이벽 설치
>   ㉡ 흙막이 근입깊이를 깊게
>   ㉢ 약액주입 등의 굴착면 고결
>   ㉣ 주변의 지하수위저하(웰포인트 공법 등)
>   ㉤ 압성토 공법

88 암반 굴착공사에서 굴착높이가 5m, 굴착기초면의 폭이 5m인 경우 양단면 굴착을 할 때 상부단면의 폭은?(단, 굴착기울기는 1 : 0.5로 한다.)

① 5m   ② 10m
③ 15m   ④ 20m

> **해설**
>
> 상부 단면의 폭

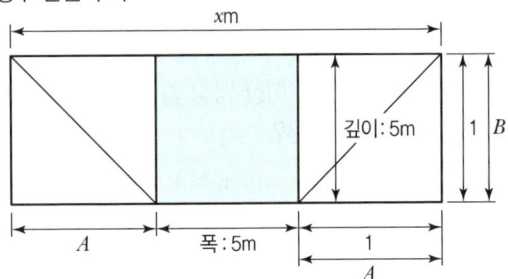

> $1 : 0.5 = 5(B) : A \rightarrow A = 2.5m$
> 상부 단면의 폭$(x) = A + $ 폭 $5m + A = 10m$

89 산업안전보건법령상 건설업 유해위험방지계획서를 작성하여 제출하여야 하는 곳은?

① 국무총리
② 국토교통부장관
③ 고용노동부장관
④ 시도지사

> **해설**
>
> 유해위험방지계획서의 작성·제출
> 사업주는 유해위험방지계획서를 작성하여 고용노동부장관에게 제출하고 심사를 받아야 한다.

90 달비계에 사용하는 작업용 섬유로프의 사용금지 기준이 아닌 것은?

① 꼬임이 끊어진 것
② 심하게 손상되거나 부식된 것
③ 2개 이상의 작업용 섬유로프 또는 섬유벨트를 연결한 것
④ 작업높이보다 길이가 긴 것

> **해설**
>
> 달비계 작업용 섬유로프 또는 안전대의 섬유로프 사용금지 조건
> 1. 꼬임이 끊어진 것
> 2. 심하게 손상되거나 부식된 것
> 3. 2개 이상의 작업용 섬유로프 또는 섬유벨트를 연결한 것
> 4. 작업높이보다 길이가 짧은 것

91 터널 등의 건설작업을 하는 경우에 낙반 등에 의하여 근로자가 위험해 질 우려가 있는 경우, 그 위험을 방지하기 위하여 취해야 할 조치와 거리가 먼 것은?

① 터널지보공 설치   ② 록볼트 설치
③ 부석의 제거   ④ 산소의 측정

> **해설**
>
> 낙반 등에 의한 위험방지 조치
> 1. 터널 지보공 및 록볼트의 설치
> 2. 부석의 제거

92 토사 붕괴의 내적 요인이 아닌 것은?

① 사면, 법면의 경사 증가
② 절토 사면의 토질구성 이상
③ 성토 사면의 토질구성 이상
④ 토석의 강도 저하

> **해설**
>
> 토석붕괴의 원인
>
> | | |
> |---|---|
> | 외적 원인 | • 사면, 법면의 경사 및 기울기의 증가
• 절토 및 성토 높이의 증가
• 공사에 의한 진동 및 반복 하중의 증가
• 지표수 및 지하수의 침투에 의한 토사 중량의 증가
• 지진, 차량, 구조물의 하중작용
• 토사 및 암석의 혼합층 두께 |
> | 내적 원인 | • 절토 사면의 토질·암질
• 성토 사면의 토질구성 및 분포
• 토석의 강도 저하 |

정답 88 ② 89 ③ 90 ④ 91 ④ 92 ①

93 추락방지용 방망 그물코의 모양 및 크기의 기준으로 옳은 것은?

① 원형 또는 사각으로서 그 크기는 5cm 이하이어야 한다.
② 원형 또는 사각으로서 그 크기는 10cm 이하이어야 한다.
③ 사각 또는 마름모로서 그 크기는 5cm 이하이어야 한다.
④ 사각 또는 마름모로서 그 크기는 10cm 이하이어야 한다.

해설
그물코 구조 및 치수
사각 또는 마름모로서 그 크기는 10cm 이하이어야 한다.

94 말비계를 조립하여 사용하는 경우의 준수사항으로 옳지 않은 것은?

① 말비계의 높이가 2m를 초과하는 경우에는 작업발판의 폭을 20cm 이상, 40cm 이하로 한다.
② 지주부재의 하단에는 미끄럼 방지장치를 설치한다.
③ 지주부재와 수평면의 기울기는 75° 이하로 한다.
④ 지주부재와 지주부재 사이를 고정시키는 보조부재를 설치한다.

해설
말비계 조립 시의 준수사항
1. 지주부재의 하단에는 미끄럼 방지장치를 하고, 근로자가 양측 끝부분에 올라서서 작업하지 않도록 할 것
2. 지주부재와 수평면의 기울기를 75도 이하로 하고, 지주부재와 지주부재 사이를 고정시키는 보조부재를 설치할 것
3. 말비계의 높이가 2미터를 초과하는 경우에는 작업발판의 폭을 40센티미터 이상으로 할 것

95 건설현장에서의 작업장 계단 및 계단참 설치기준으로 옳지 않은 것은?

① 계단 및 계단참을 설치하는 경우 안전율을 4 이상으로 할 것
② 높이가 3m를 초과하는 계단에 높이 3m이내마다 너비 1.5m 이상의 계단참을 설치할 것
③ 계단을 설치하는 경우 그 폭을 1m 이상으로 할 것
④ 높이 1m 이상인 계단의 개방된 측면에는 안전난간을 설치할 것

해설
가설계단의 설치기준

계단 및 계단참의 강도	• 매 제곱미터당 500킬로그램 이상의 하중에 견딜 수 있는 강도를 가진 구조로 설치하여야 한다. • 안전율(재료의 파괴응력도와 허용응력도의 비율)은 4 이상으로 하여야 한다. • 계단 및 승강구 바닥을 구멍이 있는 재료로 만드는 경우 렌치나 그 밖의 공구 등이 낙하할 위험이 없는 구조로 하여야 한다.
계단의 폭	• 계단을 설치하는 경우 그 폭을 1미터 이상으로 하여야 한다.(다만, 급유용·보수용·비상용 계단 및 나선형 계단이거나 높이 1미터 미만의 이동식 계단인 경우에는 제외) • 계단에 손잡이 외의 다른 물건 등을 설치하거나 쌓아 두어서는 아니 된다.
계단참의 설치	높이가 3미터를 초과하는 계단에 높이 3미터 이내마다 진행방향으로 길이 1.2미터 이상의 계단참을 설치해야 한다.
천장의 높이	계단을 설치하는 경우 바닥면으로부터 높이 2미터 이내의 공간에 장애물이 없도록 하여야 한다.(다만, 급유용·보수용·비상용 계단 및 나선형 계단인 경우에는 제외)
계단의 난간	높이 1미터 이상인 계단의 개방된 측면에 안전난간을 설치하여야 한다.

96 강풍 시 타워크레인의 설치·수리·점검 또는 해체 작업을 중지하여야 하는 순간풍속 기준으로 옳은 것은?

① 순간풍속이 초당 10m를 초과하는 경우
② 순간풍속이 초당 15m를 초과하는 경우
③ 순간풍속이 초당 20m를 초과하는 경우
④ 순간풍속이 초당 30m를 초과하는 경우

해설
타워크레인의 작업 제한(악천 후 및 강풍 시 작업 중지)

순간풍속이 초당 10미터를 초과	타워크레인의 설치·수리·점검 또는 해체작업 중지
순간풍속이 초당 15미터를 초과	타워크레인의 운전작업 중지

정답 93 ④ 94 ① 95 ② 96 ①

97 산업안전보건법령에 따른 크레인을 사용하여 작업을 하는 때 작업시작 전 점검사항에 해당되지 않는 것은?

① 권과방지장치·브레이크·클러치 및 운전장치의 기능
② 주행로의 상측 및 트롤리(Trolley)가 횡행하는 레일의 상태
③ 원동기 및 풀리(Pulley)기능의 이상 유무
④ 와이어로프가 통하고 있는 곳의 상태

해설
크레인을 사용하여 작업을 하는 때 작업시작 전 점검사항
1. 권과방지장치·브레이크·클러치 및 운전장치의 기능
2. 주행로의 상측 및 트롤리(Trolley)가 횡행하는 레일의 상태
3. 와이어로프가 통하고 있는 곳의 상태

98 핸드브레이커 취급 시 안전에 관한 유의사항으로 옳지 않은 것은?

① 기본적으로 현장 정리가 잘되어 있어야 한다.
② 작업 자세는 항상 하향 45° 방향으로 유지하여야 한다.
③ 작업 전 기계에 대한 점검을 철저히 한다.
④ 호스의 교차 및 꼬임 여부를 점검하여야 한다.

해설
핸드브레이커
1. 압축공기, 유압의 급속한 충격력에 의거 콘크리트 등을 해체할 때 사용하는 것
2. 작은 부재의 파쇄에 유리하고 소음, 진동 및 분진이 발생
3. 준수사항
  ㉠ 끌의 부러짐을 방지하기 위하여 작업자세는 하향 수직 방향으로 유지하도록 하여야 한다.
  ㉡ 기계는 항상 점검하고, 호스의 꼬임·교차 및 손상여부를 점검하여야 한다.

99 다음은 산업안전보건법령에 따른 작업장에서의 투하설비 등에 관한 사항이다. 빈칸에 들어갈 내용으로 옳은 것은?

사업주는 높이가 (　) 이상인 장소로부터 물체를 투하하는 경우 적당한 투하설비를 설치하거나 감시인을 배치하는 등 위험을 방지하기 위하여 필요한 조치를 하여야 한다.

① 2m　　② 3m
③ 5m　　④ 10m

해설
높이 3m 이상인 장소에서 물체를 투하하는 경우 조치사항
1. 투하설비설치
2. 감시인 배치

100 가설 구조물이 갖추어야 할 구비요건과 가장 거리가 먼 것은?

① 영구성　　② 경제성
③ 작업성　　④ 안전성

해설
가설 구조물의 구비조건
1. 안전성 : 안전에 대한 충분한 강도 및 구조를 가질 것
2. 경제성 : 가설 및 철거가 신속하고 용이할 것
3. 작업성 : 시공성, 넓은 작업발판과 공간을 확보

2026 산업안전산업기사 필기

초 판 발 행	2018년 02월 25일
개정8판1쇄	2026년 01월 20일
편 저	최현준
발 행 인	정용수
발 행 처	(주)예문아카이브
주 소	경기도 파주시 광인사길 79 4층(문발동)
T E L	031) 955-0550
F A X	031) 955-0660
등 록 번 호	제2016-000240호
정 가	40,000원

- 이 책의 어느 부분도 저작권자나 발행인의 승인 없이 무단 복제하여 이용할 수 없습니다.
- 파본 및 낙장은 구입하신 서점에서 교환하여 드립니다.

홈페이지 http://www.yeamoonedu.com

ISBN   979-11-6386-522-3　[14530]